KB039497

· 완벽한 자율학습서 ·

# 자율학습시 비상구 완자로 53

## 윤리와 사상

# Structure

## 01 | 핵심 내용 파악하기

이 단원에서 꼭 알아야 하는 핵심 개념을 확인하고, 친절하게 설명된 내용 정리로 윤리와 사상 교과 내용을 이해할 수 있습니다.

이 단원에서 학습해야 할 핵심 개념을 한눈에 파악할 수 있습니다

교과서에서 다루는 내용을 명확하게 정리하고, 어려운 개념이나 용어, 사례 등에는 친절한 설명을 덧붙였습니다.

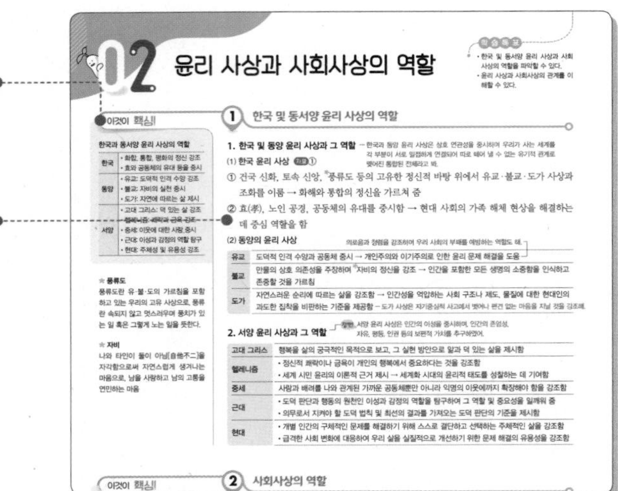

## 03 | 다양한 유형의 내신 문제 풀기

학교 시험에 자주 출제되는 유형의 문제들을 단계별로 풀어 보면서 실력을 향상시킬 수 있습니다. 또한 시험에서 비중이 높아진 서술형 문제도 자신 있게 대비할 수 있습니다.

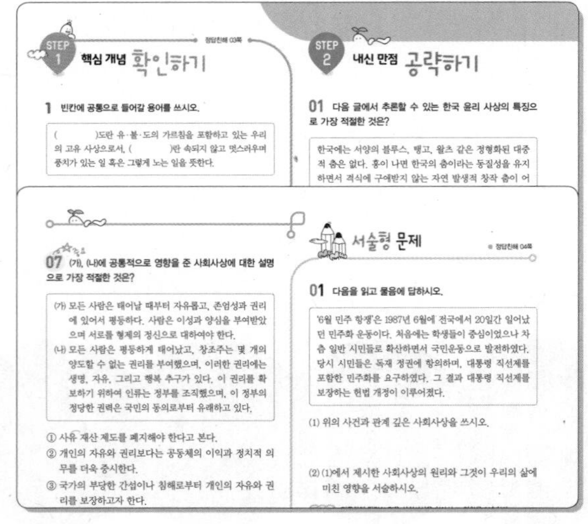

## 04 | 수능 문제로 1등급 정복하기

사고력과 변별력을 요구하는 수능 유형의 문제를 풀면서 실력을 향상시키고 난이도 있는 시험 문제에도 자신감을 얻을 수 있습니다.

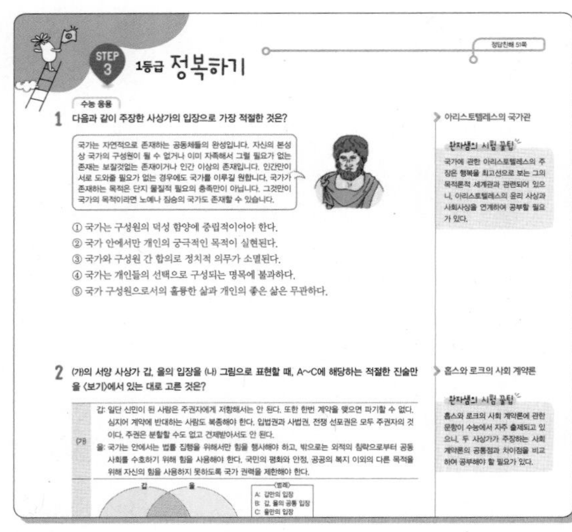

## 02 | 빈출 자료 파악하기

교과서에서 강조하는 빈출·핵심 자료는 포인트를 확실하게 짚어 주는 자료 설명으로 구성하였습니다.

한눈에 보이는 정리 비법, 간단한 문제로 확인하는 개념, 함께 알아 두어야 할 자료 등을 선생님이 강의하듯 꼼꼼하게 정리하였습니다.

학교 시험은 물론 수능에도 출제될 가능성이 높은 중요 자료를 질문과 답변 형식으로 철저하게 분석하였습니다.

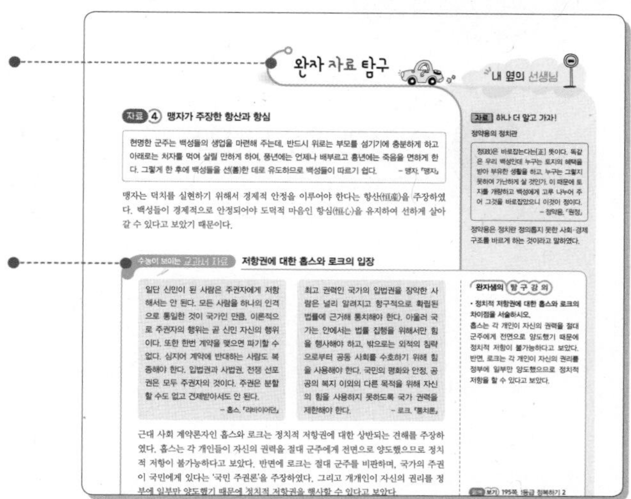

완자 자료 탐구

내 옆의 선생님

자료 4 맹자가 주장한 항산과 항심

현명한 군주는 백성들의 생업을 마련해 주는데, 반드시 위로는 부모를 섬기기에 충분하게 하고 아래로는 처자를 먹여 살릴 만하게 하여, 풍년에는 언제나 배부르고 흉년에는 죽음을 면하게 한다. 그렇게 한 후에 백성들을 선(善)한 데로 유도하므로 백성들이 따르기 쉽다. – 맹자, 『맹자』

맹자는 덕치를 실현하기 위해서 경제적 안정을 이루어야 한다는 항산(恒産)을 주장하였다. 백성들이 경제적으로 안정되어야 도덕적 마음인 항심(恒心)을 유지하여 선하게 살아갈 수 있다고 보았기 때문이다.

자료 하나 더 알고 가자!

정약용의 정치관

정(政)은 바로잡는다는[正] 뜻이다. 똑같은 우리 백성인데 누구는 토지의 혜택을 받아 부유한 생활을 하고, 누구는 그렇지 못하여 가난하게 살 것인가. 이 때문에 토지를 개량하고 백성에게 고루 나누어 주어 그것을 바로잡았으니 이것이 정이다. – 정약용, 『원정』

정약용은 정치란 정의롭지 못한 사회·경제 구조를 바르게 하는 것이라고 말하였다.

수능에 보이는 교과서 자료 저항권에 대한 홉스와 로크의 입장

일단 신민이 된 사람은 주권자에게 저항해서는 안 된다. 모든 사람을 하나의 인격으로 통일한 것이 국가인 만큼, 이론적으로 주권자의 행위는 곧 신민 자신의 행위이다. 또한 한번 계약을 맺으면 파기할 수 없다. 심지어 계약에 반대하는 사람도 복종해야 한다. 입법권과 사법권, 전쟁 선포권은 모두 주권자의 것이다. 주권은 분할할 수도 없고 견제받아서도 안 된다. – 홉스, 『리바이어던』

최고 권력인 국가의 입법권을 장악한 사람은 널리 알려지고 항구적으로 확립된 법률에 근거해 통치해야 한다. 아울러 국가는 안에서는 법률 집행을 위해서만 힘을 행사해야 하고, 밖으로는 외적의 침략으로부터 공동 사회를 수호하기 위해 힘을 사용해야 한다. 국민의 평화와 안정, 공공의 복지 이외의 다른 목적을 위해 자신의 힘을 사용하지 못하도록 국가 권력을 제한해야 한다. – 로크, 『통치론』

근대 사회 계약론자인 홉스와 로크는 정치적 저항권에 대한 상반되는 견해를 주장하였다. 홉스는 각 개인들이 자신의 권력을 절대 군주에게 전면으로 양도했으므로 정치적 저항이 불가능하다고 보았다. 반면에 로크는 절대 군주를 비판하며, 국가의 주권이 국민에게 있다는 '국민 주권론'을 주장하였다. 그리고 개개인이 자신의 권리를 정부에 일부만 양도했기 때문에 정치적 저항권을 행사할 수 있다고 보았다.

완자샘의 탐구강의

• 정치적 저항권에 대한 홉스와 로크의 차이점을 서술하시오.

홉스는 각 개인이 자신의 권력을 절대 군주에게 전면으로 양도했기 때문에 정치적 저항이 불가능하다고 보았다. 반면, 로크는 각 개인이 자신의 권리를 정부에 일부만 양도했으므로 정치적 저항을 할 수 있다고 보았다.

보기 195쪽 1등급 정복하기 2

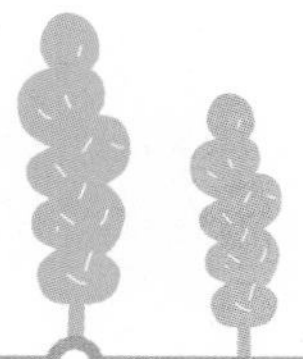

## 05 | 통합형 문제로 마무리하기

대단원의 핵심 내용을 한눈에 정리하고, 통합형 문제까지 풀어 보면서 대단원 학습을 최종 점검할 수 있습니다.

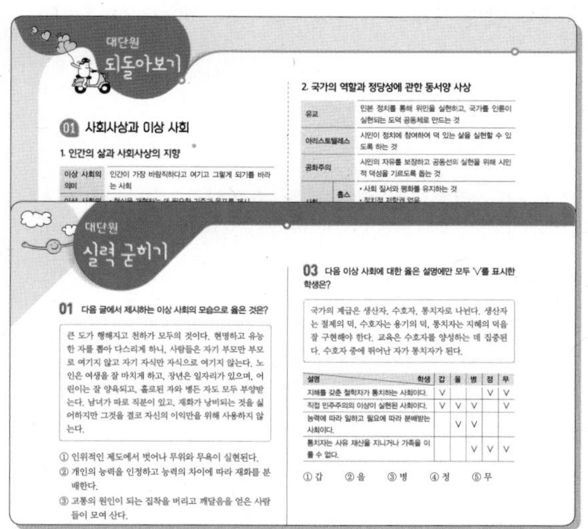

대단원 되돌아보기

01 사회사상과 이상 사회

1. 인간의 삶과 사회사상의 지향

| | |
|---|---|
| 이상 사회의 의미 | 인간이 가장 바람직하다고 여기고 그렇게 되기를 바라는 사회 |

2. 국가의 역할과 정당성에 관한 동서양 사상

| | | |
|---|---|---|
| 유교 | | 인본 정치를 통해 위민을 실현하고, 국가를 인륜이 실현되는 도덕 공동체로 만드는 것 |
| 아리스토텔레스 | | 시민이 정치에 참여하여 덕 있는 삶을 실현할 수 있도록 하는 것 |
| 공화주의 | | 시민의 자유를 보장하고 공동선의 실현을 위해 시민적 덕성을 기르도록 돕는 것 |
| | 홉스 | • 사회 질서와 평화를 유지하는 것 |

대단원 실력 굳히기

01 다음 글에서 제시하는 이상 사회의 모습으로 옳은 것은?

큰 도가 행해지고 천하가 모두의 것이다. 현명하고 유능한 자를 뽑아 다스리게 하니, 사람들은 자기 부모만 부모로 여기지 않고 자기 자식만 자식으로 여기지 않는다. 노인은 여생을 잘 마치게 하고, 장년은 일자리가 있으며, 어린이는 잘 양육되고, 홀로된 자와 병든 자도 모두 부양받는다. 남녀가 따로 직분이 있고, 재화가 낭비되는 것을 싫어하지만 그것을 결코 자신의 이익만을 위해 사용하지 않는다.

① 인위적인 제도에서 벗어나 무위와 무욕이 실현된다.
② 개인의 능력을 인정하고 능력의 차이에 따라 재화를 분배한다.
③ 고통의 원인이 되는 집착을 버리고 깨달음을 얻은 사람들이 모여 산다.

03 다음 이상 사회에 대한 옳은 설명에만 모두 '√'를 표시한 학생은?

국가의 계급은 생산자, 수호자, 통치자로 나뉜다. 생산자는 절제의 덕, 수호자는 용기의 덕, 통치자는 지혜의 덕을 잘 구현해야 한다. 교육은 수호자를 양성하는 데 집중된다. 수호자 중에 뛰어난 자가 통치자가 된다.

| 설명 \ 학생 | 갑 | 을 | 병 | 정 | 무 |
|---|---|---|---|---|---|
| 지혜를 갖춘 철학자가 통치하는 사회이다. | V | | | V | V |
| 직접 민주주의의 이상이 실현된 사회이다. | V | V | V | | V |
| 능력에 따라 일하고 필요에 따라 분배받는 사회이다. | | V | V | | |
| 통치자는 사유 재산을 지니거나 가족을 이룰 수 없다. | | | V | V | V |

① 갑　② 을　③ 병　④ 정　⑤ 무

## 06 | 주제별 논술형 문제

교과 내용에서 강조하는 논술 주제들을 별도 구성하고, 논술 포인트, 자료 분석 등을 통해 입체적인 논술 답안을 제공하였습니다.

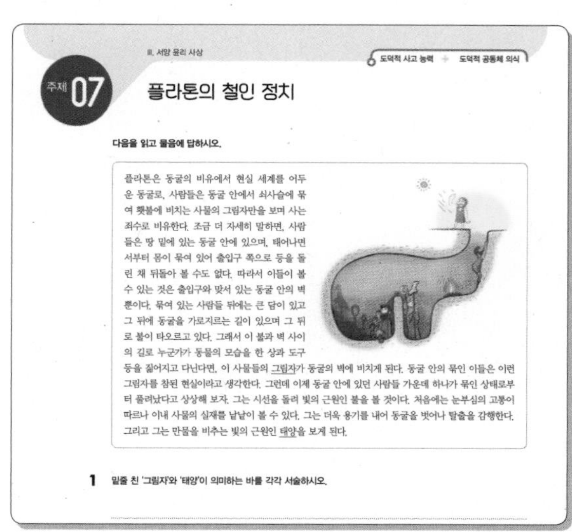

Ⅲ. 서양 윤리 사상

도덕적 사고 능력 + 도덕적 공동체 의식

주제 07 플라톤의 철인 정치

다음을 읽고 물음에 답하시오.

플라톤은 동굴의 비유에서 현실 세계를 어두운 동굴로, 사람들은 동굴 안에서 쇠사슬에 묶여 횃불에 비치는 사물의 그림자만을 보며 사는 죄수로 비유한다. 조금 더 자세히 말하면, 사람들은 땅 밑에 있는 동굴 안에 있으며, 태어나면서부터 몸이 묶여 있어 출입구 쪽으로 등을 돌린 채 뒤돌아 볼 수도 없다. 따라서 이들이 볼 수 있는 것은 출입구와 맞서 있는 동굴 안의 벽뿐이다. 묶여 있는 사람들 뒤에는 큰 담이 있고 그 뒤에 동굴을 가로지르는 길이 있으며 그 뒤로 불이 타오르고 있다. 그래서 이 불과 벽 사이의 길로 누군가가 동물의 모습을 한 상과 도구 등을 짊어지고 다닌다면, 이 사물들의 그림자가 동굴의 벽에 비치게 된다. 동굴 안의 묶인 이들은 이런 그림자를 참된 현실이라고 생각한다. 그런데 이제 동굴 안에 있던 사람들 가운데 하나가 묶인 상태로부터 풀려났다고 상상해 보자. 그는 시선을 돌려 빛의 근원인 불을 볼 것이다. 처음에는 눈부심의 고통이 따르나 이내 사물의 실재를 낱낱이 볼 수 있다. 그는 더욱 용기를 내어 동굴을 벗어나 탈출을 감행한다. 그리고 그는 만물을 비추는 빛의 근원인 태양을 보게 된다.

1 밑줄 친 '그림자'와 '태양'이 의미하는 바를 각각 서술하시오.

# Contents

## Ⅰ 인간과 윤리 사상



## Ⅱ 동양과 한국 윤리 사상

## Ⅲ 서양 윤리 사상



## Ⅳ 사회사상

# 완자와 내 교과서 비교하기

| | | 완자 | 비상교육 | 교학사 | 미래엔 | 씨마스 | 천재교과서 |
|---|---|---|---|---|---|---|---|
| Ⅰ 인간과 윤리 사상 | 01 윤리 사상과 사회사상의 필요성 | 10~15 | 10~15 | 10~17 | 10~17 | 14~23 | 10~15 |
| | 02 윤리 사상과 사회사상의 역할 | 16~21 | 16~23 | 18~25 | 18~25 | 24~31 | 16~21 |

| | | 완자 | 비상교육 | 교학사 | 미래엔 | 씨마스 | 천재교과서 |
|---|---|---|---|---|---|---|---|
| Ⅱ 동양과 한국 윤리 사상 | 01 사상의 연원 | 28~33 | 28~33 | 28~35 | 30~37 | 36~43 | 26~33 |
| | 02 인의 윤리 | 34~43 | 34~43 | 36~45 | 38~48 | 44~51 | 34~43 |
| | 03 도덕적 심성 | 44~53 | 44~51 | 46~55 | 49~58 | 52~59 | 44~51 |
| | 04 자비의 윤리 | 54~63 | 54~63 | 56~65 | 59~68 | 60~67 | 52~61 |
| | 05 분쟁과 화합 | 64~71 | 64~71 | 66~73 | 69~75 | 68~75 | 62~69 |
| | 06 무위자연의 윤리 | 72~81 | 72~81 | 74~83 | 76~84 | 76~83 | 70~79 |
| | 07 한국과 동양 윤리 사상의 의의 | 82~89 | 82~88 | 84~91 | 85~93 | 84~93 | 80~87 |

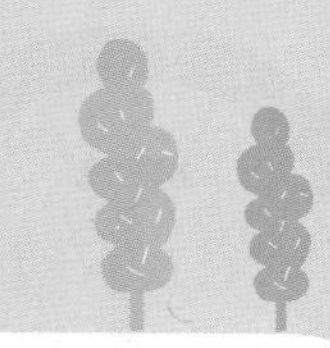

# 인간과 윤리 사상

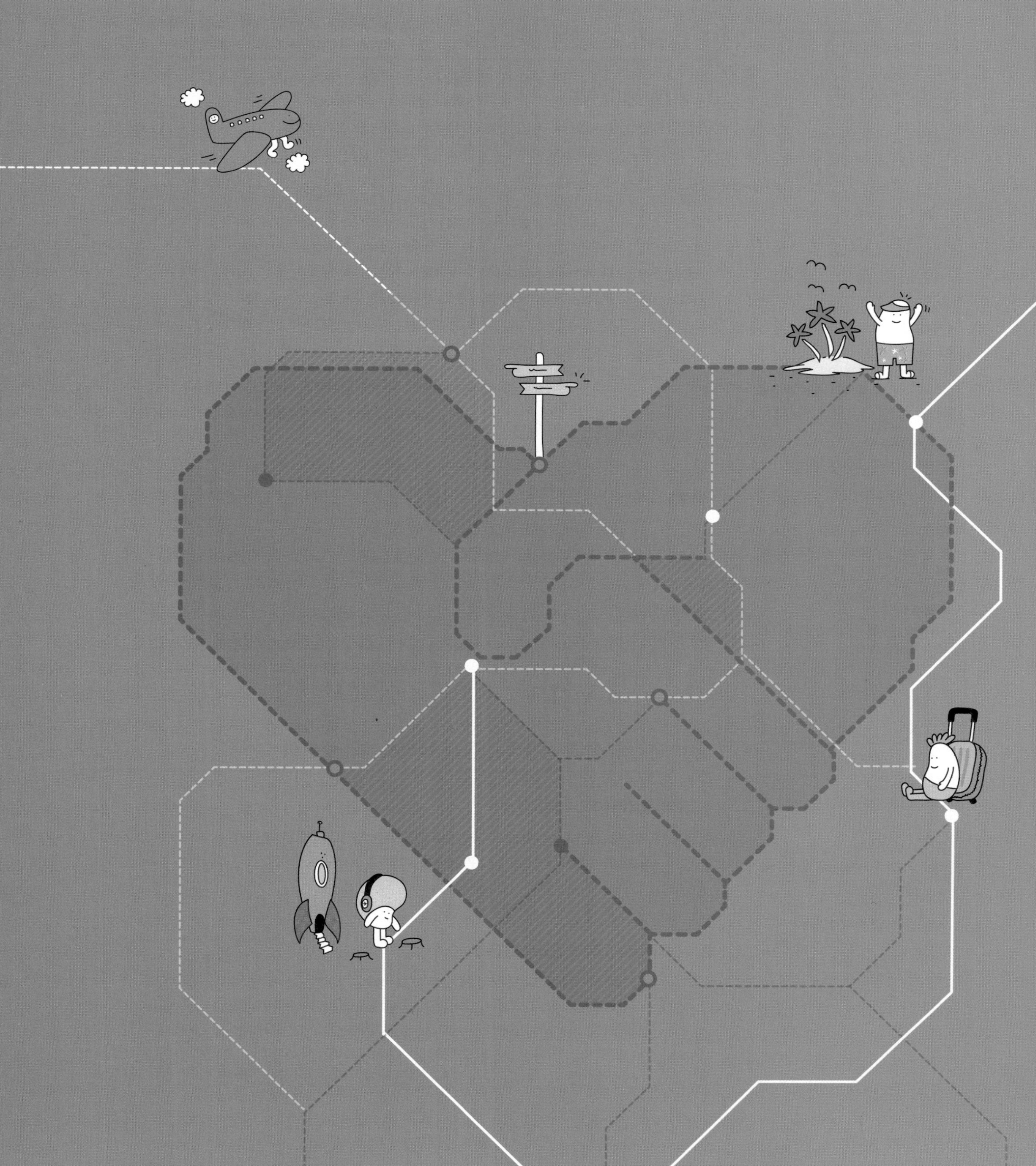

# 01 윤리 사상과 사회사상의 필요성

**학습목표**
- 인간에 대한 다양한 관점을 구분할 수 있다.
- 우리 삶에서 윤리 사상과 사회사상이 필요한 이유를 파악할 수 있다.

## 1 인간에 대한 다양한 관점

VS 다른 동물들은 자연물 그대로를 도구로 이용하지만, 인간은 더욱 복잡하고 정교한 도구를 만들어 사용해.

### 1. 인간의 다양한 특성

잠깐! 인간은 공동체의 이야기를 통해 자신의 정체성 및 삶의 의미와 목적을 만들어 가는 서사적 존재이기도 해.

| | |
|---|---|
| 이성적 존재 | 이성을 통해 자신과 세계에 대해 끊임없이 사유하고 해석함 |
| 사회적 존재 | 사회적 삶을 통해 인간만의 삶의 양식을 공유하고 발전시킴 |
| 정치적 존재 | 국가를 이루고 개인과 공동체의 문제에 대해 서로 협의하고 조정함 교과서 자료 |
| 도구적 존재 | 자신의 필요에 따라 다양한 유형·무형의 도구를 만들어 사용함 |
| *유희적 존재 | 생존이나 삶의 목적 달성을 위한 일 외에 삶의 재미와 즐거움을 추구함 |
| 문화적 존재 | 언어나 제도뿐 아니라 지식, 가치, 삶의 양식 등을 창조하고 계승함 |
| 예술적 존재 | 다양한 예술 활동을 통해 아름다움을 추구함 |
| 종교적 존재 | 유한한 세계를 넘어 초월적이고 무한한 것을 추구함 |
| 윤리적 존재 | • 보편적으로 타당한 선(善)을 파악하는 능력과 부끄러움을 아는 마음을 지님<br>• 스스로 도덕 법칙을 수립하고 실천하며 윤리적으로 반성할 수 있는 도덕적 자율성을 지님<br>• 자신만을 위한 삶에서 벗어나 다른 사람을 고려하고 배려할 수 있음<br>• 이성적 판단과 윤리적 규범 체계에 따라 도덕적 행동을 의식적으로 수행함 |

VS 인간의 도덕적 행동이 의식적으로 이루어지는 데 반해서, 동물의 유사 도덕적 행동은 본능에서 비롯된 것이야.

### 2. 인간 본성에 대한 관점 자료 ①

| | |
|---|---|
| 성선설(性善說) | • 인간이 천부적으로 선한 도덕심을 갖추고 있다는 입장<br>• 대표자: 맹자(인간이 *사단을 지녔다고 봄), 루소<br>• 선한 도덕심을 잘 유지하고 확충하기 위해 노력해야 함을 강조 |
| 성악설(性惡說) | • 인간의 본성이 본래 악하다는 입장<br>• 대표자: 순자(생리적 욕구를 근거로 인간에게 이기심이 내재해 있다고 봄), 홉스<br>• 교육과 제도를 통해 인간의 욕망을 적절히 제어하고 도덕적으로 교화해야 함을 강조 |
| 성무선악설(性無善惡說) | • 인간의 본성이 선이나 악으로 결정되어 있지 않다는 입장<br>• 대표자: 고자(타고난 것은 식욕과 성욕뿐이라고 봄), 로크<br>• 인간다움을 실현하기 위해서는 주변 환경과 교육 등의 후천적 요인이 중요하다고 봄 |

순자는 인간이 이기적 욕망을 가지고 태어나서 악한 충동이나 공격성을 지니고 있다고 주장하였어.

꼭! 사상가마다 인간의 본성에 대한 입장에는 차이가 있지만, 인간이 선한 삶을 살기 위해서 윤리적으로 노력해야 한다고 여긴다는 점은 공통적이야.

**이것이 핵심!**

인간 본성에 대한 관점

| | |
|---|---|
| 성선설 | • 인간의 본성이 본래 선하다는 입장<br>• 대표자: 맹자, 루소 |
| 성악설 | • 인간의 본성이 본래 악하다는 입장<br>• 대표자: 순자, 홉스 |
| 성무선악설 | • 인간의 본성은 선하지도 악하지도 않다는 입장<br>• 대표자: 고자, 로크 |

★ **유희**
재미와 즐거움 자체를 목적으로 삼는 놀이 행위로, 단순히 '논다'는 의미가 아니라 정신적·육체적 창조 활동을 뜻한다.

★ **사단(四端)**
인간이 선천적으로 지닌 네 가지 선한 마음

| | |
|---|---|
| 측은지심(惻隱之心) | 남을 불쌍하고 가엾게 여기는 마음 |
| 수오지심(羞惡之心) | 불의를 부끄러워하고 미워하는 마음 |
| 사양지심(辭讓之心) | 양보하고 공경하는 마음 |
| 시비지심(是非之心) | 옳고 그름을 분별하는 마음 |

## 2 인간의 삶에서 윤리 사상과 사회사상의 중요성

### 1. 윤리 사상의 의미와 중요성

| | |
|---|---|
| 의미 | 인간의 행위 규범이자 삶의 도리인 윤리에 관한 체계적이고 이론적인 생각 |
| 중요성 | • 도덕적 행동 지침 및 도덕적 판단 근거를 제공함<br>• 바람직한 삶의 목적과 방향을 설정하는 데 도움을 줌<br>• 자아를 발견하고 성찰하도록 도움으로써 자아 탐색의 근거를 제공함 |

### 2. 사회사상의 의미와 중요성 자료 ②

잠깐! 사회사상은 기존의 사회 체제를 정당화하는 역할을 하기도 해.

| | |
|---|---|
| 의미 | • 사회적 삶에서 나타나는 현상을 설명하고 해석하는 체계적인 생각<br>• 사회 체계나 제도의 바람직한 모습 및 그것의 구현에 관한 체계적인 생각 |
| 중요성 | • 바람직한 사회의 이상(理想)을 제시하고 이를 실현하는 방안을 모색하는 데 도움을 줌<br>• 다양한 사회 문제, 사회 제도, 정책 등을 비판하고 개선할 수 있는 기준 및 판단 근거를 제공함<br>• 사회적 존재로서 개인의 삶의 방식과 인간의 사회적 삶을 이해하기 위한 체계적인 틀을 제공함 |

**이것이 핵심!**

윤리 사상과 사회사상의 중요성

| | |
|---|---|
| 윤리 사상 | • 자아 탐색의 근거 제공<br>• 삶의 목적과 방향 설정을 도움<br>• 도덕적 행동 지침 및 판단 근거 제공 |
| 사회 사상 | • 바람직한 이상 사회 제시<br>• 사회 진단 및 평가 근거 제공<br>• 사회 구성원으로서 개인의 역할에 대한 이해 제공 |

# 완자 자료 탐구

내 옆의 선생님

수능이 보이는 교과서 자료 **정치적 존재로서의 인간**

> 국가는 단순한 생존을 위해 형성되지만 훌륭한 삶을 위해 존속하는 것이다. …… 인간이 벌을 포함한 다른 군집 생명체보다 고차적인 '정치적 동물'이라는 점은 자명한 사실이다. 자연은 어떤 이유 없이 뭔가를 만들어 내지 않는다는 것이 우리의 주장이다. …… 인간과 다른 동물들의 차이점은 인간만이 좋음과 나쁨, 옳고 그름 등을 인식할 수 있다는 것이다. 그리고 이런 인식의 공유에서 가정과 국가가 생성되는 것이다. – 아리스토텔레스, 『정치학』

아리스토텔레스는 인간을 정치적인 존재라고 보았다. 그에 따르면, 국가 공동체는 인간의 정치적 본성에 따라 자연적으로 만들어진 산물로서, 선과 악, 옳고 그름 등에 대한 인식의 공유에서 생성된 것이다. 나아가 그는 국가가 인간의 생존을 위해 형성된 것이지만, 인간의 훌륭한 삶을 위해서 존속하는 것이라고 주장하였다.

왜? 정치적 동물인 인간은 훌륭한 공동체의 구성원으로서 살아갈 때, 덕 있는 삶과 행복을 실현할 수 있기 때문이야.

**완자샘의 탐구강의**

• **아리스토텔레스가 국가와 관련하여 주장한 인간의 특성을 서술해 보자.**

아리스토텔레스는 인간이 타인과 함께 국가 공동체를 이루어 살아가는 정치적 존재라고 주장하였다. 그리고 국가란 인간의 행복과 덕 있는 삶을 실현하는 데 있어 필수적인 것이라고 보았다.

함께 보기 15쪽, 1등급 정복하기 1

## 자료 1 인간 본성에 대한 맹자와 고자의 논쟁

맹자와 고자는 중국의 춘추 전국 시대의 사상가야.

> 고자가 말하였다. "본성은 소용돌이치는 물과 같아서 동쪽으로 트면 동쪽으로 흐르고, 서쪽으로 트면 서쪽으로 흐른다. 사람의 본성에 선함과 선하지 않음의 구분이 없는 것은 물에 동쪽과 서쪽의 구분이 없는 것과 같다. 맹자가 말하였다. "물에 동서의 구분이 없지만 위아래의 구분도 없겠는가? 사람의 본성이 선한 것은 물이 아래로 흐르는 것과 같다. 사람은 선하지 않음이 없고, 물은 아래로 흐르지 않음이 없다." – 맹자, 『맹자』

고자는 물이 동쪽과 서쪽의 구분이 없이 흐르는 것과 같이, 인간의 본성도 선과 악으로 미리 정해져 있지 않다는 '성무선악설(性無善惡說)'을 주장하였다. 반면 맹자는 고자의 주장을 비판하며, 인간의 본성이 선한 것은 마치 물이 위에서 아래로 흐르는 것처럼 본래 정해져 있는 것이라는 '성선설(性善說)'을 주장하였다.

**자료 하나 더 알고 가자!**

**토마스 헉슬리의 진화 윤리론**

> 인간은 다른 동물들처럼 끊임없이 번식하고 생존 자원을 차지하기 위해 격렬한 경쟁을 벌인다. …… 생존 경쟁에서 살아남은 최적자가 반드시 가장 훌륭한 사람은 아니다. 윤리 과정의 목표는 주어진 환경에 가장 잘 적응하는 사람들이 아니라 윤리적으로 가장 훌륭한 사람들의 생존이다. – 헉슬리, 『진화와 윤리』

헉슬리는 진화론을 바탕으로 하여 인간의 윤리도 진화의 결과라고 주장하였다.

## 자료 2 사회사상을 공부하는 이유와 방법

> 소득 불평등, 소수 집단 우대 정책, 병역 등을 둘러싼 논쟁은 정치 철학의 문제이다. 이 문제들은 함께 살아가는 시민들을 상대로 우리의 도덕적·정치적 신념을 분명히 하고 정당화하라고 촉구한다. …… 고대와 근현대 사상가들은 시민의 삶에 생기를 불어넣는 개념들을 때로는 급진적이고 놀라운 방식으로 이해한다. …… 이들의 사상을 공부하는 목적은 누가 누구에게 영향을 미쳤는지 알려 주는 정치 사상사를 다루는 데 있는 것이 아니다. 자신의 견해를 정립하고 비판적으로 검토하도록 만들어, 자신이 무엇을 왜 그렇게 생각하는지 알도록 하는 데 있다. – 샌델, 『정의란 무엇인가』

샌델은 사회에 대한 우리 자신의 견해를 비판적으로 검토하고 성찰하는 데 사회사상을 배우는 목적이 있다고 본다. 이를 통해 우리 공동체를 더 나은 방향으로 이끌고, 우리가 한 사회의 시민으로서 더 윤리적인 삶을 살 수 있게 된다는 것이다.

**문제로 확인할까?**

**인간의 삶에서 사회사상이 중요한 이유로 적절하지 않은 것은?**

① 바람직한 사회 모습 제시
② 사회 문제를 비판하는 기준 제공
③ 사회 제도나 정책 판단의 근거 제공
④ 이상 사회의 실현 방안 모색에 도움
⑤ 사회와 무관한 개인의 삶을 이해하는 데 도움

⑤ 답

## STEP 1 핵심 개념 확인하기

정답친해 02쪽

**1** 다음 설명에 해당하는 인간의 특성을 〈보기〉에서 골라 기호를 쓰시오.

> 보기
> ㄱ. 이성적 존재　ㄴ. 도구적 존재　ㄷ. 문화적 존재

(1) 유형·무형의 도구를 만들어서 사용하는 존재 (　　)

(2) 언어, 제도, 지식, 가치, 삶의 양식 등을 창조하고 계승하는 존재 (　　)

(3) 이성을 통해 자신과 세계에 대해 끊임없이 사유하고 해석하는 존재 (　　)

**2** 인간의 특성과 그에 대한 설명을 옳게 연결하시오.

(1) 종교적 존재 •　　• ㉠ 스스로 도덕 법칙을 수립하고 실천하는 존재이다.

(2) 사회적 존재 •　　• ㉡ 사회적 삶을 통해 인간만의 삶을 양식을 공유하는 존재이다.

(3) 윤리적 존재 •　　• ㉢ 유한한 세계를 넘어 초월적이고 무한한 것을 추구하는 존재이다.

**3** 다음 설명이 맞으면 ○표, 틀리면 ×표를 하시오.

(1) 인간은 자연법칙에 기계적으로 따르는 존재이다. (　　)

(2) 성선설에 따르면, 인간은 자신의 본래적인 성품을 바꾸기 위해 노력해야 한다. (　　)

(3) 성악설에서는 교육과 제도를 통해 인간의 욕망을 적절히 제어하고 교화할 것을 강조한다. (　　)

**4** 빈칸에 알맞은 용어를 쓰시오.

> (　　　　)은 인간의 사회적 삶에서 나타나는 현상에 대한 해석과 사회 체제나 제도의 바람직한 모습 및 그것의 구현에 관한 체계적인 사유를 의미한다. 대표적인 예로 자유주의, 공화주의, 민주주의, 자본주의, 세계 시민주의 등이 있다.

## STEP 2 내신 만점 공략하기

**01** 인간의 다양한 특성에 대한 설명으로 옳은 것은?

① 인간은 재미를 추구한다는 점에서 이성적 존재이다.
② 인간은 초월적 존재를 믿으며 살아간다는 점에서 서사적 존재이다.
③ 인간은 국가를 이루어 정치적 활동을 한다는 점에서 유희적 존재이다.
④ 인간은 여러 사람들과 사회를 이루고 살아간다는 점에서 사회적 존재이다.
⑤ 인간은 예술 활동을 통해 아름다움을 추구한다는 점에서 종교적 존재이다.

**02** ㉠에 들어갈 내용으로 적절하지 않은 것은?

인간의 다양한 특성
문화적 존재
인간은 언어나 제도뿐 아니라 지식, 가치, 삶의 양식 등을 창조하고 계승하는 존재임
윤리적 존재
㉠


① 인간은 동물적 본능에 따라서만 행동하는 존재임
② 인간은 타인을 고려하고 배려하며 그들과 함께 살아가는 존재임
③ 인간은 보편적으로 타당한 선(善)을 파악하는 능력을 지닌 존재임
④ 인간은 스스로 도덕 법칙을 수립하고 실천할 수 있는 자율적 존재임
⑤ 인간은 윤리적 규범 체계에 따라 도덕적 행동을 의식적으로 수행하는 존재임

**03** 다음 글에서 추론할 수 있는 인간의 특성으로 적절한 것을 〈보기〉에서 고른 것은?

> 인간은 동물처럼 자연조건으로부터 보호받을 수 있는 털을 가지고 있지 않습니다. 또한 자연적 공격 기관을 가지고 있지도 않고, 도망가기에 적합한 신체도 없습니다. …… 인간은 이러한 부담을 극복하고 살아남기 위해 자연을 개조해야만 했습니다. 무기와 불이 없는 인간 사회, 음식을 비축하고 식품을 조리할 줄 모르는 인간 사회, 피난처와 협동의 체계가 없는 인간 사회는 없습니다.

**보기**

ㄱ. 필요에 따라 도구를 만들어 사용하는 존재이다.
ㄴ. 마음의 평정을 위해 은둔적 삶을 추구하는 존재이다.
ㄷ. 환경적 제약에 머무르지 않고 이를 극복하고자 하는 존재이다.
ㄹ. 유한한 세계를 넘어서는 초월적 존재를 믿으며 살아가는 존재이다.

① ㄱ, ㄴ ② ㄱ, ㄷ ③ ㄴ, ㄷ
④ ㄴ, ㄹ ⑤ ㄷ, ㄹ

**04** 다음 글에서 알 수 있는 인간의 협력이 다른 동물의 협력과 다른 이유로 가장 적절한 것은?

> 인간이 협력적인 종이 된 이유는 인간 특유의 생활 방식이 집단 내 협력을 통해 그 구성원들이 매우 큰 이익을 누릴 수 있게 해 주었기 때문이다. 그리고 인간은 다른 동물과 달리 인지적, 언어적 능력을 비롯한 여러 능력들이 발달했는데, 이러한 능력들은 이타적 협력의 확산에 유리한 사회적 작용의 구조를 형성하는 데 기여하였다.

① 인간의 협력은 동물적 본능에서 비롯되기 때문이다.
② 동물들에게서는 이타적인 행동이 전혀 나타나지 않기 때문이다.
③ 인간의 협력은 이성적·인지적 능력에 따라 의식적으로 이루어지기 때문이다.
④ 동물들은 무리를 지어서 행동하지 않으므로 협력에 용이하지 않기 때문이다.
⑤ 인간은 자신의 행위와 삶을 윤리적으로 반성할 수 있는 많은 존재들 중 하나이기 때문이다.

**05** 중요 고대 동양 사상가 갑, 을의 주장으로 가장 적절한 것은?

> 갑: 사람의 본성은 소용돌이치는 물과 같아서 동쪽으로 트면 동쪽으로 흐르고, 서쪽으로 트면 서쪽으로 흐른다. 사람의 본성에 선함과 선하지 않음의 구분이 없는 것은 물에 동쪽과 서쪽의 구분이 없는 것과 같다.
> 을: 물에 동서의 구분이 없지만 위아래의 구분도 없겠는가? 사람의 본성이 선한 것은 물이 아래로 흐르는 것과 같다. 사람은 선하지 않음이 없고, 물은 아래로 흐르지 않음이 없다.

① 갑: 인간은 이기적 욕망을 가지고 태어난다.
② 갑: 인간의 선악은 선천적인 요인에 의해 정해진다.
③ 을: 인간이 타고나는 것은 오직 식욕과 성욕뿐이다.
④ 을: 인간의 본성을 교화하기 위한 인위적 노력이 중요하다.
⑤ 을: 인간의 선한 본성을 유지하기 위한 윤리적인 노력이 필요하다.

**06** 다음은 학생의 필기 내용이다. ㉠~㉤ 중 옳지 않은 것은?

> **윤리 사상의 의미와 필요성**
>
> 1. 의미
> 가. 인간의 행위 규범이자 삶의 도리인 윤리에 관한 체계적인 생각 ······ ㉠
> 나. 인간의 사회적 삶에서 나타나는 현상을 설명하고 해석하여 바람직한 사회를 구현하고 운영하는 방법을 체계적으로 다룬 생각 ······ ㉡
>
> 2. 중요성
> 가. 도덕적 행동과 도덕적 판단의 근거를 제공함 ······ ㉢
> 나. 바람직한 삶의 목적과 방향을 설정하는 데 도움을 줌 ······ ㉣
> 다. 자아를 발견하고 성찰하도록 도움으로써 자아 탐색의 근거를 제공함 ······ ㉤

① ㉠ ② ㉡ ③ ㉢ ④ ㉣ ⑤ ㉤

**07** (가), (나)에 대한 옳은 설명을 〈보기〉에서 고른 것은?

(가) '어떻게 사는 것이 바람직하고 좋은 삶인가?'라는 물음에 대한 체계적인 대답
(나) 사회적 삶에서 나타나는 현상에 대한 해석과 사회 체제나 제도의 바람직한 모습 및 그것의 구현에 관한 체계적인 사유

보기
ㄱ. (가)는 자아 탐색의 근거를 제공한다.
ㄴ. (가)는 개인에 따라 달라지는 도덕적 행위의 원칙만을 알려 준다.
ㄷ. (나)는 사회를 이해하기 위한 일정한 기준과 체계적인 틀을 제공한다.
ㄹ. (가)는 공적 영역, (나)는 사적 영역의 문제를 해결하는 데 도움을 준다.

① ㄱ, ㄴ ② ㄱ, ㄷ ③ ㄴ, ㄷ
④ ㄴ, ㄹ ⑤ ㄷ, ㄹ

**08** 밑줄 친 '이것'에 대한 설명으로 적절하지 않은 것은?

이것은 사회에서 나타나는 복잡하고 다양한 현상을 설명하고 해석함으로써 우리가 지향해야 할 사회는 어떤 모습이며, 이러한 사회를 어떻게 구현하고 운영할 것인지 등의 생각을 체계화한 것이다.

① 우리가 추구하는 이상 사회의 모습을 제시한다.
② 현실의 사회 제도나 정책을 판단하는 근거를 제공한다.
③ 현실 사회의 모습을 정당화하거나 비판하는 기준을 제시한다.
④ 사회 구조나 사회 제도와 관련하여 가치 지향적인 정보는 배제한다.
⑤ 사회 구성원으로서 우리가 해야 할 역할과 의무가 무엇인지를 안내한다.

## 서술형 문제

● 정답친해 03쪽

**01** 밑줄 친 부분에서 알 수 있는 인간의 특성을 쓰고, 그 특징을 두 가지 서술하시오.

괴테의 희곡『파우스트』에서 악마 메피스토펠레스는 파우스트 박사를 타락시킬 수 있다며 신과 내기를 한다. 신은 이러한 내기를 제안하는 악마에게 다음과 같이 말한다. "인간은 노력하는 한 방황하는 법이다. …… 하지만 너는 언젠가 부끄러운 얼굴로 나타나 이렇게 고백하게 될 것이다. '착한 인간은 비록 어두운 충동 속에서도 무엇이 올바른 길인지 잘 알고 있더군요.'라고."

길잡이 인간이 선악과 옳고 그름을 구분할 수 있게 하는 특성에 대해 서술한다.

**02** 갑, 을 사상가의 인간 본성에 대한 입장의 공통점과 차이점을 서술하시오.

갑: 사람이 사단(四端)을 가지고 있는 것은 마치 사지(四肢)를 가지고 있는 것과 같다. 사단을 가지고 있는데도 자신은 선을 실천할 수 없다고 하는 사람은 스스로를 해치는 자이다.
을: 인간의 본성은 악하며, 선은 인위적인 노력에서 비롯된 것이다. 사람은 태어나면서부터 이익을 좋아한다. 이런 본성을 따르기 때문에 다툼이 일어나고 서로 사양하는 미덕이 사라지는 것이다. 그 때문에 반드시 스승의 교화와 예의로 인도한 뒤에 서로 사양하고 아름다운 형식을 갖추게 되어 세상이 다스려지는 것이다.

길잡이 인간 본성에 대한 맹자와 순자의 입장 차이를 바탕으로 윤리적 삶의 중요성을 서술한다.

정답친해 03쪽

# STEP 3 1등급 정복하기

**1** 다음 글에서 강조하는 인간의 특성으로 가장 적절한 것은?

> 국가는 단순한 생존을 위해 형성되지만 훌륭한 삶을 위해 존속하는 것이다. …… 인간이 벌을 포함한 다른 군집 생명체보다 고차적인 '정치적 동물'이라는 점은 자명한 사실이다. 자연은 어떤 이유 없이 뭔가를 만들어 내지 않는다는 것이 우리의 주장이다. 동물들 가운데 오직 인간만이 언어 능력을 갖추고 있다. 언어는 무엇이 유익하고 무엇이 유해한지, 그리고 무엇이 옳고 무엇이 그른지 밝히는 데 쓰인다. 인간과 다른 동물들의 차이점은 인간만이 좋음과 나쁨, 옳고 그름 등을 인식할 수 있다는 것이다. 그리고 이런 인식의 공유에서 가정과 국가가 생성되는 것이다.

① 생활에 활력을 주는 놀이와 즐거움을 추구하는 존재이다.
② 본능적인 욕구에 따라 자신의 행복을 추구하는 존재이다.
③ 초월적 존재인 신의 명령에 순응하는 삶을 추구하는 존재이다.
④ 삶에서 필요한 유형·무형의 도구를 만들어 사용하는 존재이다.
⑤ 국가를 이루고 개인과 공동체의 문제에 대해 서로 협의하는 존재이다.

**인간의 특성**

**완자쌤의 시험 꿀팁**

정치적 존재로서 인간의 특성을 설명하는 아리스토텔레스의 주장이다. 아리스토텔레스는 인간의 정치적 본성을 강조하며 인간이 공동체 안에서만 덕 있는 삶을 살 수 있다고 주장하였음을 알아 둘 필요가 있다.

평가원 응용

**2** 갑, 을의 입장에 대한 옳은 설명을 〈보기〉에서 고른 것은?

> 갑: 나무가 곧아 먹줄에 맞는다 해도 구부려야 바퀴가 되고, 쇠는 숫돌에 갈아야 날카로워진다. 그러니 본성을 변화시켜 인위를 일으켜야 인간은 비로소 선해진다. 사람들이 본성을 그대로 따르게 되면 틀림없이 혼란한 상태에 이르게 된다.
> 을: 사람은 누구나 남의 고통을 차마 외면하지 못하는 선한 마음을 가지고 있다. 만약 한 어린아이가 우물에 빠지려 하는 것을 본다면, 누구나 깜짝 놀라며 측은하게 여기게 된다. 이와 같이 남의 고통을 측은하게 여기고, 악을 부끄러워하며, 남에게 양보할 줄 알고, 옳고 그름을 분별하는 선한 마음은 사람이 팔다리를 가지고 있는 것과 같다.

보기

ㄱ. 갑은 인간의 본성이 본래 선한 것도 악한 것도 아니라고 본다.
ㄴ. 갑은 후천적인 배움을 통해 인간을 선하게 만들어야 한다고 주장한다.
ㄷ. 을은 인간의 선한 본성을 확충하여 도덕적인 삶을 살아야 한다고 본다.
ㄹ. 을은 인간이 본래적으로 타고난 것은 식욕과 성욕과 같은 본성뿐이라고 주장한다.

① ㄱ, ㄴ ② ㄱ, ㄷ ③ ㄴ, ㄷ
④ ㄴ, ㄹ ⑤ ㄷ, ㄹ

**인간 본성에 대한 관점**

**완자쌤의 시험 꿀팁**

인간의 본성을 묻는 문항은 해당 주장을 한 사상가(맹자, 순자 등)의 윤리적 입장을 해석하는 유형으로도 자주 출제된다. 인간 본성에 대한 대표적인 관점과 그러한 관점을 주장한 사상가의 입장을 함께 파악해 두어야 한다.

# 02 윤리 사상과 사회사상의 역할

**학습목표**
- 한국 및 동서양 윤리 사상과 사회사상의 역할을 파악할 수 있다.
- 윤리 사상과 사회사상의 관계를 이해할 수 있다.

**이것이 핵심!**

한국과 동서양 윤리 사상의 역할

| | |
|---|---|
| 한국 | • 화합, 통합, 평화의 정신 강조<br>• 효와 공동체의 유대 등을 중시 |
| 동양 | • 유교: 도덕적 인격 수양 강조<br>• 불교: 자비의 실천 중시<br>• 도가: 자연에 따르는 삶 제시 |
| 서양 | • 고대 그리스: 덕 있는 삶 강조<br>• 헬레니즘: 쾌락과 금욕 강조<br>• 중세: 이웃에 대한 사랑 중시<br>• 근대: 이성과 감정의 역할 탐구<br>• 현대: 주체성 및 유용성 강조 |

★ **풍류도**
풍류도란 유·불·도의 가르침을 포함하고 있는 우리의 고유 사상으로, 풍류란 속되지 않고 멋스러우며 풍치가 있는 일 혹은 그렇게 노는 일을 뜻한다.

★ **자비**
나와 타인이 둘이 아님[自他不二]을 자각함으로써 자연스럽게 생겨나는 마음으로, 남을 사랑하고 남의 고통을 연민하는 마음

## 1 한국 및 동서양 윤리 사상의 역할

### 1. 한국 및 동양 윤리 사상과 그 역할

– 한국과 동양 윤리 사상은 상호 연관성을 중시하며 우리가 사는 세계를 각 부분이 서로 밀접하게 연결되어 따로 떼어 낼 수 없는 유기적 관계로 맺어진 통합된 전체라고 봐.

**(1) 한국 윤리 사상** 자료 ①

① 건국 신화, 토속 신앙, *풍류도 등의 고유한 정신적 바탕 위에서 유교·불교·도가 사상과 조화를 이룸 → 화해와 통합의 정신을 가르쳐 줌

② 효(孝), 노인 공경, 공동체의 유대를 중시함 → 현대 사회의 가족 해체 현상을 해결하는 데 중심 역할을 함

**(2) 동양의 윤리 사상**

| | |
|---|---|
| 유교 | 도덕적 인격 수양과 공동체 중시 → 개인주의와 이기주의로 인한 윤리 문제 해결을 도움 (의로움과 청렴을 강조하며 우리 사회의 부패를 예방하는 역할도 해.) |
| 불교 | 만물의 상호 의존성을 주장하며 *자비의 정신을 강조 → 인간을 포함한 모든 생명의 소중함을 인식하고 존중할 것을 가르침 |
| 도가 | 자연스러운 순리에 따르는 삶을 강조함 → 인간성을 억압하는 사회 구조나 제도, 물질에 대한 현대인의 과도한 집착을 비판하는 기준을 제공함 – 도가 사상은 자기중심적 사고에서 벗어나 편견 없는 마음을 지닐 것을 강조해. |

### 2. 서양 윤리 사상과 그 역할

잠깐! 서양 윤리 사상은 인간의 이성을 중시하며, 인간의 존엄성, 자유, 평등, 인권 등의 보편적 가치를 추구하였어.

| | |
|---|---|
| 고대 그리스 | 행복을 삶의 궁극적인 목적으로 보고, 그 실현 방안으로 앎과 덕 있는 삶을 제시함 |
| 헬레니즘 | • 정신적 쾌락이나 금욕이 개인의 행복에서 중요하다는 것을 강조함<br>• 세계 시민 윤리의 이론적 근거 제시 → 세계화 시대의 윤리적 태도를 성찰하는 데 기여함 |
| 중세 | 사랑과 배려를 나와 관계된 가까운 공동체뿐만 아니라 익명의 이웃에까지 확장해야 함을 강조함 |
| 근대 | • 도덕 판단과 행동의 원천인 이성과 감정의 역할을 탐구하여 그 역할 및 중요성을 일깨워 줌<br>• 의무로서 지켜야 할 도덕 법칙 및 최선의 결과를 가져오는 도덕 판단의 기준을 제시함 |
| 현대 | • 개별 인간의 구체적인 문제를 해결하기 위해 스스로 결단하고 선택하는 주체적인 삶을 강조함<br>• 급격한 사회 변화에 대응하여 우리 삶을 실질적으로 개선하기 위한 문제 해결의 유용성을 강조함 |

**이것이 핵심!**

사회사상의 역할

| | |
|---|---|
| 자유주의 | 개인의 자유와 권리 보장 |
| 공화주의 | 공적인 삶과 공공성 중시 |
| 민주주의 | 국가 권력이 국민으로부터 나옴을 확인 |
| 자본주의 | 자유로운 경제 활동 보장 |
| 세계 시민주의 | 지구적 차원의 문제 해결 원칙을 제시 |

## 2 사회사상의 역할

### 1. 사회사상과 그 역할

잠깐! 백성을 국가의 근본으로 보는 민본주의나 사유 재산 제도의 폐지를 주장하는 사회주의와 같은 사회사상도 있어.

| | |
|---|---|
| 자유주의 | 국가의 부당한 간섭이나 침해로부터 개인의 자유와 권리를 보장하는 사상적 근거를 제공함 교과서 자료 |
| 공화주의 | 공적인 삶과 공공성을 중시하며 공익 실현을 위한 정치 참여의 중요성을 강조함 |
| 민주주의 | 국가의 권력이 국민으로부터 나온다는 사실을 확인하는 사상적 근거를 제공함 |
| 자본주의 | 사유 재산과 자유로운 시장 경제를 보장하는 사상적 근거를 제공함 |
| 세계 시민주의 | 인류를 국적, 민족, 인종과 관계없이 보편적 가치와 권리를 지닌 시민으로 간주함 (지구적 차원의 윤리 문제를 해결하는 원칙과 기준을 제시하였어.) |

### 2. 윤리 사상과 사회사상의 관계 자료 ②

| 구분 | 윤리 사상 | 사회사상 |
|---|---|---|
| 영역 | 인간의 본질과 바람직한 인간의 모습을 탐구함 | 바람직한 공동체의 모습을 탐구함 |
| 관계 | • 윤리 사상과 사회사상은 모두 궁극적으로 인간다움과 행복을 실현하고자 함<br>• 윤리 사상과 사회사상은 상호 보완적인 관계임 → 바람직한 인간으로 성장할 수 있도록 도덕적 품성을 기르고, 바람직한 사회를 구현하기 위해 정의로운 법과 제도를 정립하고 지켜 나가야 함 | |

왜? 사회 구조가 정의롭지 못하면 개인이 도덕적으로 살기 어렵고, 제도가 잘 마련되어 있어도 개인이 도덕적이지 않으면 사회 제도는 형식에 불과해지기 때문이야.

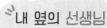

## 완자 자료 탐구

내 옆의 선생님

### 자료 1 한국 윤리 사상의 특징

> 한국에는 서양의 블루스, 탱고, 왈츠 같은 정형화된 대중적 춤은 없다. 흥이 나면 한국의 춤이라는 동질성을 유지하면서 격식에 구애받지 않는 자연 발생적 창작 춤이 어수선하게 펼쳐진다. 그러면서도 여럿이 어울린 춤판은 묘한 조화를 이룬다. 규격 속에 가두기보다는, 각자 따로 놀 수 있도록 개방해 놓되 전체와는 균형이 맞추어지는 형국을 이룬다. 한국인의 풍류 정신에는 집단적 동질성과 개성적 기질 간의 조화가 바탕에 깔려 있는 것이다. – 백석기 외, 『세계 속의 리얼 코리아』

한국의 윤리 사상은 화합과 조화를 그 특징으로 한다. 이러한 특징은 우리의 건국 신화, 토속 신앙, 풍류도 등의 고유한 정신을 바탕으로 외부에서 유입된 유교, 불교, 도가 사상 등이 큰 무리 없이 조화를 이루고 있다는 사실에서 잘 드러난다.

**문제로 확인할까?**

한국 윤리 사상의 특징으로 가장 적절한 것은?

① 개인주의 강조
② 정신적 쾌락 중시
③ 문제 해결의 유용성 강조
④ 이성과 감정의 역할 강조
⑤ 노인 공경 및 공동체 유대 중시

⑤ 답

### 수능이 보이는 교과서 자료 독립 선언서에 영향을 준 자유주의 사상

> 모든 사람은 평등하게 태어났고, 창조주는 몇 개의 양도할 수 없는 권리를 부여했으며, 이러한 권리에는 생명, 자유, 그리고 행복 추구가 있다. 이 권리를 확보하기 위해 인류는 정부를 조직했으며, 이 정부의 정당한 권력은 국민의 동의로부터 유래한다. – 「미국 독립 선언서」

'미국 독립 선언'은 영국의 식민지 상태에 있던 미국의 13개 주가 1776년에 독립을 선언한 사건이다. 이 선언에는 자유주의에서 강조하는 천부 인권과 함께 자유, 평등, 국민 주권 등의 민주적 가치가 잘 드러나 있다. 특히 자유주의는 근대 이전까지 당연시 되었던 신분제에 따른 차별을 철폐하고, 개인의 자유와 권리를 무엇보다 중시하는 분위기를 형성하는 데 기여하였다.

꼭! 천부 인권: 인간이 태어나면서 하늘로부터 부여받은 권리를 말해.

**완자샘의 탐구 강의**

- **우리 삶에서 자유주의 사상이 어떤 역할을 하는지 써 보자.**

자유주의는 개인의 자유, 권리, 평등을 무엇보다 중시하는 사상으로, 근대 이전에 존재하던 신분제를 철폐하고, 국가의 부당한 간섭이나 침해로부터 개인의 자유와 권리를 보호하기 위한 사상적 근거를 제공하였다.

함께 보기 21쪽, 1등급 정복하기 1

### 자료 2 윤리 사상과 사회사상의 관계

> 국가가 훌륭해지는 것은 행운의 소관이 아니라, 지혜와 윤리적 결단의 산물이다. 훌륭한 국가가 되려면 국정에 참여하는 시민들이 훌륭해야 한다. 그런데 우리의 시민들은 모두 국정에 참여한다. 따라서 우리는 어떻게 해야 사람이 훌륭해질 수 있는지 고찰해 보아야 한다. – 아리스토텔레스, 『정치학』

> 왕이 '어떻게 내 나라를 이롭게 할까?'라고 궁리하면 대부는 '어떻게 내 집안을 이롭게 할까?'를 궁리합니다. 선비와 서민들은 '어떻게 하면 내 한 몸을 이롭게 할까?'를 궁리합니다. 이처럼 위아래가 서로 자신의 이익만을 탐하면 나라는 위태로워집니다. – 맹자, 『맹자』

아리스토텔레스는 좋은 국가가 없으면 인간다운 삶이 불가능하고, 국가 역시 바람직한 인간이 없이는 제대로 운영되지 않는다고 보았다. 개인의 도덕성과 공동체의 도덕성이 밀접한 관계를 맺고 있음을 주장한 것이다. 유교 사상가인 맹자 역시 자신의 이익만을 탐하는 태도가 나라를 위태롭게 한다고 말하면서, 윤리 사상과 사회사상이 상호 의존적 관계임을 주장하였다.

**자료 하나 더 알고 가자!**

**도덕적 인간과 비도덕적 사회**

> 한 집단 안에서 개인들 간의 정의로운 관계 수립은 결코 쉬운 일이 아니지만 순수하게 도덕적이고 합리적인 설득과 조정이 이루어질 경우 가능하다. 하지만 사회 집단 간의 정의로운 관계 수립은 사실상 불가능하다. – 니부어, 『도덕적 인간과 비도덕적 사회』

니부어는 사회를 구성하는 개인은 도덕적이더라도 사회 집단은 비도덕일 수 있다고 보면서, 개인의 도덕성과 사회 집단의 도덕성을 구분해야 한다고 주장하였다.

STEP 1 핵심 개념 확인하기

정답친해 03쪽

**1** 빈칸에 공통으로 들어갈 용어를 쓰시오.

> (　　　　)도란 유·불·도의 가르침을 포함하고 있는 우리의 고유 사상으로서, (　　　　)란 속되지 않고 멋스러우며 풍치가 있는 일 혹은 그렇게 노는 일을 뜻한다.

**2** 다음 괄호 안의 내용 중 알맞은 말에 ○표를 하시오.

(1) 유교에서는 도덕적 인격 수양을 바탕으로 ( 의로움, 이성 )을 강조한다.

(2) 불교에서는 만물의 상호 의존성을 주장하며 ( 효, 자비 )의 정신을 강조한다.

(3) 도가에서는 인간성을 억압하는 사회 구조에서 벗어나서 ( 인위, 자연 )적인 순리에 따르는 삶을 강조한다.

**3** 서양 윤리 사상과 그 역할을 옳게 연결하시오.

| | |
|---|---|
| (1) 고대 그리스 윤리 사상 • | • ㉠ 스스로 결단하는 주체적인 삶을 강조 |
| (2) 헬레니즘 윤리 사상 • | • ㉡ 도덕적 행동에 있어 이성과 감정의 역할을 탐구 |
| (3) 중세 윤리 사상 • | • ㉢ 앎과 행복의 관계를 탐구하여 도덕적 삶에 기여 |
| (4) 근대 윤리 사상 • | • ㉣ 정신적 쾌락과 금욕이 행복한 삶에 있어 중요함을 강조 |
| (5) 현대 윤리 사상 • | • ㉤ 사랑의 가치를 익명의 이웃에게도 확장해야 함을 강조 |

**4** 다음 설명이 맞으면 ○표, 틀리면 ×표를 하시오.

(1) 자유주의는 공익 실현을 위한 정치 참여를 강조한다. (　　)

(2) 민주주의는 국가 권력의 정당성을 국민으로부터 찾는 사상이다. (　　)

(3) 공화주의는 공공성보다는 개인의 자유와 권리를 더 중시하는 사상이다. (　　)

(4) 자본주의는 사유 재산과 자유로운 시장 경제를 보장하는 사상적 근거이다. (　　)

(5) 세계 시민주의는 개인의 국적, 민족, 인종 등에 따라 인간의 권리에 차등을 두는 사상이다. (　　)

STEP 2 내신 만점 공략하기

**01** 다음 글에서 추론할 수 있는 한국 윤리 사상의 특징으로 가장 적절한 것은?

> 한국에는 서양의 블루스, 탱고, 왈츠 같은 정형화된 대중적 춤은 없다. 흥이 나면 한국의 춤이라는 동질성을 유지하면서 격식에 구애받지 않는 자연 발생적 창작 춤이 어수선하게 펼쳐진다. 그러면서도 여럿이 어울린 춤판은 묘한 조화를 이룬다. …… 한국인의 풍류 정신에는 집단적 동질성과 개성적 기질 간의 조화가 바탕에 깔려 있는 것이다.

① 공동체 의식을 부정하고 개인을 강조한다.
② 다른 문화에 대해 배타적인 태도를 취한다.
③ 다양한 문화 간의 조화와 통합을 중시한다.
④ 인간과 자연을 이분법적으로 분리하여 생각한다.
⑤ 효(孝)의 덕목을 바탕으로 웃어른에 대한 공경을 강조한다.

중요 **02** 갑, 을의 입장에 대한 설명으로 옳은 것은?

우리는 만물의 상호 의존적 관계를 인식하여 모든 존재에게 자비(慈悲)를 베풀어야 해.
갑

우리는 인위적인 것을 벗어나서 자연스러운 순리에 따르는 삶을 살아야 해.
을


① 갑은 유교의 입장에서 의로움과 청렴을 강조한다.
② 갑은 불교의 입장에서 모든 생명의 소중함을 존중해야 한다고 주장한다.
③ 을은 도가의 입장에서 자기중심적으로 세상을 바라보는 자세를 강조한다.
④ 을은 도가의 입장에서 도덕적 인격 수양을 바탕으로 인의(仁義)를 강조한다.
⑤ 갑, 을은 공통적으로 동양 윤리 사상의 입장에서 세계를 유기적 관계로 파악하는 관점을 배제한다.

**03** 그림의 수업 장면에서 교사의 질문에 옳게 대답한 학생만을 있는 대로 고른 것은?

① 갑, 을 ② 갑, 병 ③ 병, 정
④ 갑, 을, 정 ⑤ 갑, 정, 무

**04** ㉠~㉤에 대한 설명으로 적절하지 않은 것은?

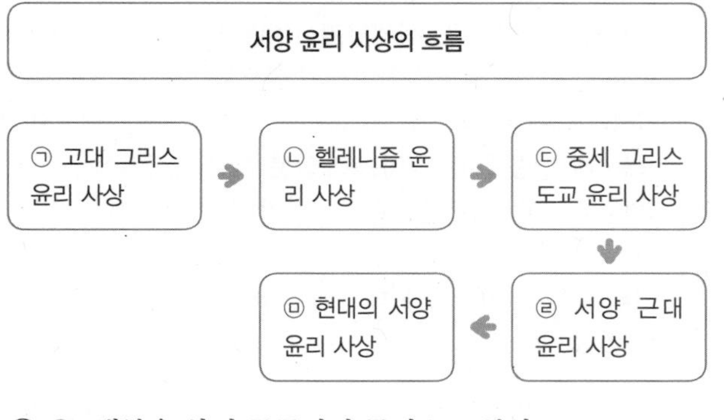


① ㉠: 행복을 삶의 궁극적인 목적으로 본다.
② ㉡: 세계 시민 윤리의 이론적 근거를 제공한다.
③ ㉢: 사랑과 배려를 익명의 이웃에게까지 실천해야 함을 주장한다.
④ ㉣: 최선의 결과를 가져오는 행위가 도덕적이라고 보는 사상적 흐름도 있다.
⑤ ㉤: 스스로 결단하는 주체적 삶보다 보편적 법칙에 따르는 수동적 삶을 강조한다.

**05** (가)의 입장에서 (나)의 사마리아인을 평가한 것으로 가장 적절한 것은?

> (가) 그리스도교 윤리 사상에서는 모든 인간이 신의 자녀로서 평등하므로, 모든 인간에 대한 조건 없는 사랑을 적극적으로 실천해야 한다고 주장한다.
> (나) 어떤 사람이 예루살렘에서 여리고로 가다가 강도를 만났다. 강도들이 그의 옷을 벗기고 때려 거의 죽어 가는 것을 버리고 갔다. 마침 한 제사장이 그 길을 지나갔지만 그를 피해서 갔다. 레위인도 그를 피해 지나갔다. 그런데 어떤 사마리아인이 그를 보고 불쌍히 여겨 가까이 가서 기름과 포도주를 상처에 붓고 싸매어 주고는 자기 나귀에 태워 여관으로 데리고 가서 돌보아 주었다.

① 육체적 쾌락이 아닌 정신적 쾌락을 추구하였다.
② 자신에 대한 성찰을 통해 참된 앎을 추구하였다.
③ 이웃에 대한 참된 사랑을 적극적으로 실천하였다.
④ 신의 존재를 부정하며 스스로 결단하고 선택하였다.
⑤ 사회 개선을 위한 문제 해결의 유용성을 강조하였다.

**06** 다음은 학생의 필기 내용이다. ㉠~㉣에 알맞은 용어를 순서대로 배열한 것은?

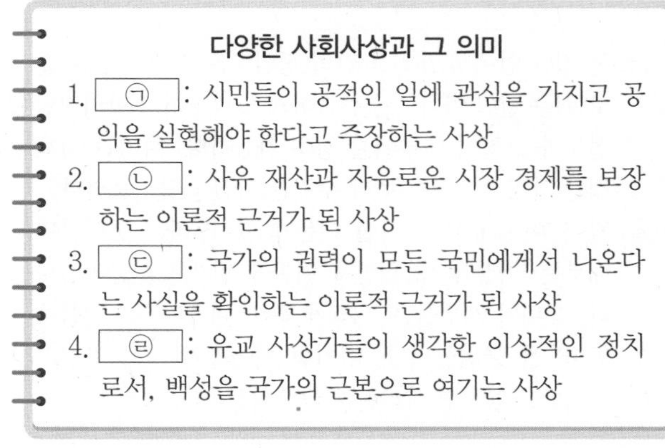


| | ㉠ | ㉡ | ㉢ | ㉣ |
|---|---|---|---|---|
| ① | 공화주의 | 자본주의 | 민주주의 | 민본주의 |
| ② | 공화주의 | 자본주의 | 민본주의 | 민주주의 |
| ③ | 민주주의 | 공화주의 | 민본주의 | 자본주의 |
| ④ | 민주주의 | 민본주의 | 자본주의 | 공화주의 |
| ⑤ | 민본주의 | 자본주의 | 민주주의 | 공화주의 |

**07** 중요 (가), (나)에 공통적으로 영향을 준 사회사상에 대한 설명으로 가장 적절한 것은?

> (가) 모든 사람은 태어날 때부터 자유롭고, 존엄성과 권리에 있어서 평등하다. 사람은 이성과 양심을 부여받았으며 서로를 형제의 정신으로 대하여야 한다.
> (나) 모든 사람은 평등하게 태어났고, 창조주는 몇 개의 양도할 수 없는 권리를 부여했으며, 이러한 권리에는 생명, 자유, 그리고 행복 추구가 있다. 이 권리를 확보하기 위하여 인류는 정부를 조직했으며, 이 정부의 정당한 권력은 국민의 동의로부터 유래하고 있다.

① 사유 재산 제도를 폐지해야 한다고 본다.
② 개인의 자유와 권리보다는 공동체의 이익과 정치적 의무를 더욱 중시한다.
③ 국가의 부당한 간섭이나 침해로부터 개인의 자유와 권리를 보장하고자 한다.
④ 개개인이 시장에서 자유롭게 경쟁할 수 있도록 자유 시장 경제를 보장하고자 한다.
⑤ 인류를 국적, 민족, 인종과 관계없이 보편적 가치와 권리를 지닌 세계 시민으로 간주한다.

**08** 갑은 긍정, 을은 부정의 대답을 할 질문으로 가장 적절한 것은?

> 갑: 한 집단 안에서 개인들 간의 정의로운 관계 수립은 결코 쉬운 일이 아니지만 순수하게 도덕적이고 합리적인 설득과 조정이 이루어질 경우 가능하다. 하지만 사회 집단 간의 정의로운 관계 수립은 사실상 불가능하다.
> 을: 왕이 '어떻게 내 나라를 이롭게 할까?'라고 궁리하면 대부는 '어떻게 내 집안을 이롭게 할까?'를 궁리합니다. 선비와 서민들은 '어떻게 하면 내 한 몸을 이롭게 할까?'를 궁리합니다. 이처럼 위아래가 서로 자신의 이익만을 탐하면 나라는 위태로워집니다.

① 개인은 항상 비윤리적일 수밖에 없는가?
② 개인이 윤리적이면 사회도 윤리적이게 되는가?
③ 윤리 사상과 사회사상은 상호 보완적인 관계인가?
④ 개인의 도덕성과 사회의 도덕성을 구분해야 하는가?
⑤ 개인은 바람직한 인간으로 성장하기 위해 도덕적인 품성을 길러야 하는가?

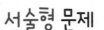

## 서술형 문제

● 정답친해 04쪽

**01** 다음을 읽고 물음에 답하시오.

> '6월 민주 항쟁'은 1987년 6월에 전국에서 20일간 일어났던 민주화 운동이다. 처음에는 학생들이 중심이었으나 차츰 일반 시민들로 확산하면서 국민운동으로 발전하였다. 당시 시민들은 독재 정권에 항의하며, 대통령 직선제를 포함한 민주화를 요구하였다. 그 결과 대통령 직선제를 보장하는 헌법 개정이 이루어졌다.

(1) 위의 사건과 관계 깊은 사회사상을 쓰시오.

(2) (1)에서 제시한 사회사상의 원리와 그것이 우리의 삶에 미친 영향을 서술하시오.

길잡이 민주화와 관련이 깊은 사회사상을 찾아서 그 역할을 서술한다.

**02** 다음 글을 읽고 물음에 답하시오.

> 글라우콘: 소크라테스 선생님! 저는 진심으로 정의가 찬양받기를 원합니다. 선생님께서 어떻게든 정의롭지 못함을 비난하고 정의를 찬양해 주십시오.
> 소크라테스: 이런 식으로 이 문제에 관한 탐구를 시작해 보는 게 어떻겠나? 정의는 개인뿐 아니라 국가에도 적용되지. 그렇다면 정의로운 국가가 정의로운 개인보다 더 크고 알아보기도 쉬울 거네. 그러니 큰 정의와 작은 정의의 닮은 점을 검토해 보면 개인의 정의도 검토할 수 있겠지?

(1) 윗글에서 소크라테스가 인식하는 윤리 사상과 사회사상의 관계를 그 이유와 함께 서술하시오.

(2) 우리의 삶에서 윤리 사상과 사회사상이 모두 필요한 이유를 서술하시오.

길잡이 윤리 사상과 사회사상이 서로 긴밀히 연결되어 있음을 이해하고 둘 사이의 관계를 서술한다.

정답친해 05쪽

# STEP 3 1등급 정복하기

**1** (가)의 관점에서 (나)의 A 국가를 비판한 내용으로 가장 적절한 것은?

> 사회사상의 역할

(가) 모든 사람은 평등하게 태어났고, 창조주는 몇 개의 양도할 수 없는 권리를 부여했으며, 이러한 권리에는 생명, 자유, 그리고 행복 추구가 있다. 이 권리를 확보하기 위하여 인류는 정부를 조직했으며, 이 정부의 정당한 권력은 국민의 동의로부터 유래하고 있다.

(나) A 국가는 모든 시민들이 독재 권력의 상징인 '빅 브라더'의 감시와 통제 속에서 살아가는 사회이다. 사람들은 도청 장치와 사상경찰에 의해 집안을 포함한 모든 곳에서 일거수일투족을 감시당한다. 시민들은 이로 인해 개인의 자유를 억압받고 그들의 권리를 행사하지 못하며 살아간다.

① 모든 인간을 국적, 민족, 인종에 관계없이 세계 시민으로 대해야 한다.
② 사람들이 자유롭게 이윤을 추구할 수 있도록 자유 시장 경제를 보장해야 한다.
③ 독재 정부는 시민을 국가의 근본으로 여기고 민심을 존중하는 도덕적 정치를 실현해야 한다.
④ 모든 인간은 국가의 부당한 권력으로부터 침해당할 수 없는 천부 인권을 지니고 있음을 인정해야 한다.
⑤ 인간성을 훼손하는 사유 재산 제도를 폐지하여 모든 사람이 존엄하고 평등한 삶을 살 수 있도록 해야 한다.

**완자샘의 시험 꿀팁**

자유주의 사상은 근대 이전까지 당연시되던 신분제에 따른 차별을 없애는 데 큰 영향을 미친 사회사상으로서, 무엇보다도 침해할 수 없는 개인의 자유와 권리를 중시함을 알아 둘 필요가 있다.

**완자 사전**

- **사상경찰**
국가 체계에 대하여 반대하거나 비판하는 사상운동을 단속하는 경찰

**2** 다음 글에서 추론할 수 있는 적절한 주장만을 〈보기〉에서 있는 대로 고른 것은?

> 윤리 사상과 사회사상의 관계

국가가 훌륭해지는 것은 행운의 소관이 아니라, 지혜와 윤리적 결단의 산물이다. 훌륭한 국가가 되려면 국정에 참여하는 시민들이 훌륭해야 한다. 그런데 우리의 시민들은 모두 국정에 참여한다. 따라서 우리는 어떻게 해야 사람이 훌륭해질 수 있는지 고찰해 보아야 한다.

**보기**

ㄱ. 개인의 도덕성과 공동체의 도덕성은 밀접한 관계가 있다.
ㄴ. 좋은 공동체가 되기 위해서는 공동체 구성원이 도덕적이어야 한다.
ㄷ. 도덕적인 삶에 대한 지향과 바람직한 사회에 대한 지향은 독자적인 영역이 없어 구분할 수 없다.
ㄹ. 부도덕하고 정의롭지 못한 국가 안에서도 인간다운 삶은 가능하지만, 바람직한 인간이 없으면 국가는 제대로 운영되지 않는다.

① ㄱ　② ㄱ, ㄴ　③ ㄷ, ㄹ
④ ㄱ, ㄴ, ㄷ　⑤ ㄴ, ㄷ, ㄹ

## 01 윤리 사상과 사회사상의 필요성

### 1. 인간에 대한 다양한 관점

#### (1) 인간의 다양한 특성

| | |
|---|---|
| 이성적 존재 | 이성을 통해 자신과 세계에 대해 끊임없이 사유함 |
| (❶ ) 존재 | 사회적 삶을 통해 인간만의 삶의 양식을 공유하고 발전시킴 |
| 정치적 존재 | 국가를 이루어 정치적 활동을 함 |
| 도구적 존재 | 필요에 따라 다양한 유·무형의 도구를 만들어 사용함 |
| (❷ ) 존재 | 생존을 위한 일 이외에 삶의 재미와 즐거움을 추구함 |
| 문화적 존재 | 언어와 제도, 지식, 삶의 양식을 창조하고 계승함 |
| 예술적 존재 | 다양한 예술 활동을 통해 아름다움을 추구함 |
| 종교적 존재 | 유한한 세계를 넘어 초월적이고 무한한 것을 추구함 |
| (❸ ) 존재 | 도덕적 자율성을 지니며 보편적 선을 지향함 |

#### (2) 인간 본성에 대한 관점

| 구분 | (❹ ) | 성악설 | (❺ ) |
|---|---|---|---|
| 입장 | 인간에게는 천부적으로 선한 도덕심이 있다고 봄 | 인간의 본성이 본래 악하다고 봄 | 인간의 본성은 선악으로 결정되어 있지 않다고 봄 |

### 2. 윤리 사상과 사회사상의 중요성

#### (1) 윤리 사상의 의미와 중요성

| | |
|---|---|
| 의미 | 인간의 행위 규범이자 어떻게 사는 것이 바람직하고 좋은 삶인가라는 물음에 관한 체계적인 생각 |
| 필요성 | • (❻ )의 근거 제공<br>• 삶의 목적 및 가치 체계 제공<br>• 도덕적 행동 지침 및 판단 근거 제공 |

#### (2) 사회사상의 의미와 중요성

| | |
|---|---|
| 의미 | 사회적 삶에서 나타나는 현상을 설명하고 해석하는 체계적인 사유 |
| 필요성 | • 바람직한 이상 사회 제시<br>• 현 사회를 비판하거나 개선하기 위한 기준 제시<br>• 사회적 존재로서 개인의 삶의 방식에 대한 이해의 틀을 제공 |

## 02 윤리 사상과 사회사상의 역할

### 1. 한국 및 동서양의 윤리 사상의 역할

#### (1) 한국 윤리 사상

① 건국 신화, 토속 신앙, 풍류도 등의 고유한 정신적 바탕 위에 유교·불교·도가 사상과 조화를 이룸

② 효(孝)와 노인 공경, 공동체의 유대를 중시함

#### (2) 동양 윤리 사상

| | |
|---|---|
| 유교 | 도덕적 인격 수양과 공동체의 중시, 의로움과 청렴 강조 |
| 불교 | 만물의 상호 의존적 관계 인식을 통한 (❼ )의 정신 강조 |
| 도가 | 자연스러운 순리에 따르는 삶 강조 |

#### (3) 서양 윤리 사상

| | |
|---|---|
| 고대 그리스 | (❽ )을 삶의 목적으로 보며 덕 있는 삶 강조 |
| 헬레니즘 | 정신적 쾌락과 금욕을 통한 개인의 행복 강조 |
| 중세 그리스도교 | 이웃에 대한 사랑과 배려 강조 |
| 근대 | • 도덕에 있어 이성과 감정의 역할을 탐구<br>• 의무로서의 도덕 법칙과 최선의 결과를 가져오는 도덕 판단의 기준 제시 |
| 현대 | • 스스로 선택하는 주체적인 삶 중시<br>• 문제 해결의 유용성 강조 |

### 2. 사회사상의 역할

#### (1) 사회사상

| | |
|---|---|
| 자유주의 | 부당한 간섭이나 침해로부터 개인의 자유와 권리 보장 |
| (❾ ) | 공적인 삶과 공공성의 중시, 공익 실현을 위한 정치 참여의 중요성 강조 |
| 민주주의 | 국가 권력이 국민으로부터 나온다는 사실을 강조 |
| 자본주의 | 사유 재산과 자유 시장 경제의 보장 강조 |
| 세계 시민주의 | 인류를 보편적 가치와 권리를 지닌 시민으로 간주 |

#### (2) 윤리 사상과 사회사상의 관계

| 윤리 사상 | 사회사상 |
|---|---|
| 바람직한 인간의 모습 탐구 | 바람직한 공동체의 모습 탐구 |

• 윤리 사상과 사회사상은 궁극적으로 인간다움과 행복을 실현하고자 한다는 점에서 공통적임

• 윤리 사상과 사회사상은 (❿ ) 관계임

●정답● ① 사회적 ② 유희적 ③ 윤리적 ④ 성선설 ⑤ 성무선악설 ⑥ 자아 실현 ⑦ 자비 ⑧ 행복 ⑨ 공화주의 ⑩ 상호 보완적(의존적)

대단원
# 실력 굳히기



**01** 다음은 학생의 필기 내용이다. ㉠~㉢에 알맞은 용어를 순서대로 배열한 것은?

> **인간의 다양한 특성**
> 1. [ ㉠ ]: 자신의 필요에 따라 다양한 형태의 도구를 만들어 사용함
> 2. [ ㉡ ]: 국가를 이루고 개인과 공동체의 문제에 대해 서로 협의하고 조정함
> 3. [ ㉢ ]: 유한한 세계를 넘어 초월적이고 무한한 것을 추구함

| | ㉠ | ㉡ | ㉢ |
|---|---|---|---|
| ① | 도구적 존재 | 이성적 존재 | 종교적 존재 |
| ② | 도구적 존재 | 정치적 존재 | 종교적 존재 |
| ③ | 문화적 존재 | 정치적 존재 | 이성적 존재 |
| ④ | 문화적 존재 | 사회적 존재 | 예술적 존재 |
| ⑤ | 예술적 존재 | 사회적 존재 | 예술적 존재 |

**02** 인간의 특성에 대한 갑, 을의 주장으로 옳은 것을 〈보기〉에서 고른 것은?

> 갑: 생각은 인간을 위대하게 만든다. 팔다리가 없는 인간을 떠올릴 수는 있지만 생각이 없는 인간을 떠올릴 수는 없다. 인간은 '생각하는 갈대'이다.
> 을: 인간이 자신의 삶에 기여하도록 개조한 자연의 총체가 문화이다. 무기와 불이 없는 인간 사회, 음식을 비축하고 식품을 조리할 줄 모르는 인간 사회, 피난처와 협동 체계가 없는 인간 사회는 없다.

**보기**

ㄱ. 갑: 인간은 삶의 재미를 추구하는 존재이다.
ㄴ. 갑: 인간은 이성의 사유 능력을 지닌 존재이다.
ㄷ. 을: 인간은 보편적인 선을 추구할 수 있는 존재이다.
ㄹ. 을: 인간은 삶의 양식을 창조하고 계승하는 존재이다.

① ㄱ, ㄴ　② ㄱ, ㄷ　③ ㄴ, ㄷ
④ ㄴ, ㄹ　⑤ ㄷ, ㄹ

**03** 다음 글에서 추론할 수 있는 인간의 특성으로 가장 적절한 것은?

> • 하루에 세 번 자신의 행동을 반성하라.
> • 반성하지 않는 삶은 살만한 가치가 없다.
> • 인간에게는 마땅한 도리가 있으니, 그 도리를 배우지 않는다면 짐승과 같다.

① 도구를 사용하여 육체적 한계를 극복하는 존재이다.
② 신앙을 통해 내세의 영원한 행복을 추구하는 존재이다.
③ 반성과 성찰을 통해 윤리적 가치를 추구하는 존재이다.
④ 삶의 편익을 위해 과학 문명의 이기를 활용하는 존재이다.
⑤ 인과 법칙에 따라 결정된 운명에 순응하며 살아가는 존재이다.

**04** 다음과 같이 주장한 사상가가 인간의 특성에 대해 긍정의 대답을 할 질문으로 가장 적절한 것은?

> 내가 그것을 자주 그리고 계속해서 숙고하면 할수록 점점 더 새롭고 점점 더 큰 경탄과 경외로 나의 마음을 가득 채우는 것이 두 가지 있다. 그것은 나의 위에 있는 별이 빛나는 하늘과 내 안에 있는 도덕 법칙이다.

① 인간은 보편타당한 선을 파악할 수 있는 능력을 갖추지 못했는가?
② 인간은 타고난 본능에 따라 자연적인 욕구만을 충족하는 존재인가?
③ 인간의 도덕적 행동은 동물의 유사 도덕적 행동과 완전히 동일한가?
④ 자연법칙에 따르는 삶이야말로 인간다운 존재가 추구해야 할 삶인가?
⑤ 인간은 스스로 도덕 법칙을 수립하고 실천하는 도덕적 자율성을 지녔는가?

**05** 갑~병의 입장에 대한 설명으로 옳지 않은 것은?

> 갑: 사람은 누구나 남의 고통을 차마 외면하지 못하는 선한 마음을 가지고 있습니다.
> 을: 인간의 본성은 본래 악하며, 선은 교육과 제도를 통한 인위적인 노력에서 비롯된 것입니다.
> 병: 인간의 본성은 흐르는 물에 동쪽과 서쪽의 구분이 없는 것처럼 선악으로 구분되지 않습니다.

① 갑은 인간이 도덕적 본성을 가지고 있다고 본다.
② 을은 인간이 본성에 따라 살면 다툼이 일어난다고 본다.
③ 병은 인간 본성의 선악이 후천적 요인에 의해 정해진다고 본다.
④ 병은 을과 달리 인간다움을 실현하는 방법으로 교육을 중시한다.
⑤ 갑, 을은 선악을 기준으로 삼아 인간의 본성에 대해 논하고 있다.

**06** ㉠에 들어갈 내용으로 적절하지 않은 것은?

윤리 사상이란 인간의 행위 규범이자 삶의 도리인 윤리에 대한 체계적이고 이론적인 생각이야.

윤리 사상이 우리 삶에서 중요한 이유는 [ ㉠ ] 때문이야.

① 자신의 삶과 행동을 반성하면서 살아갈 수 있게 하기
② 이상 사회의 모습과 이를 실현하기 위한 방안을 모색하는 데 도움을 주기
③ 자신이 누구인지 탐색하고 살펴봄으로써, 자아를 발견하고 성찰할 수 있게 하기
④ 도덕적 문제 상황에서 우리가 어떻게 행동해야 할지 도덕적 행동 지침을 알려 주기
⑤ 우리 삶의 목적과 방향을 설정하고자 할 때 고려해야 할 바람직한 가치를 알려 주기

**07** 학생 답안의 ㉠~㉤ 중 옳지 않은 것은?

> **서술형 평가**
> ◎ 문제: 윤리 사상과 사회사상의 역할을 서술하시오.
> ◎ 학생 답안
> ㉠ 윤리 사상은 바람직한 삶의 모습을 탐구하고, 사회사상은 바람직한 사회의 모습을 탐구한다. 윤리 사상은 ㉡ 도덕규범을 명확히 이해하고 올바른 도덕 판단을 내리는 데 도움을 주는 이론적 토대를 제공하고, ㉢ 다양한 사회 제도, 사회 정책 등을 비판적으로 평가할 수 있는 기준점을 제시한다. 한편 사회사상은 ㉣ 인간의 사회적 삶을 이해하는 데 일정하고 체계적인 틀을 제공하며, ㉤ 우리가 사회적 존재로서 공동체 안에서 어떠한 삶을 살아야 하는지 탐구하는 데 도움을 준다.

① ㉠ ② ㉡ ③ ㉢ ④ ㉣ ⑤ ㉤

**08** 다음 글에서 제시하는 유교 윤리 사상의 역할로 가장 적절한 것은?

> 홍콩 A 기업의 회장인 리○○의 좌우명이자 경영 철학은 '의롭지 못하게 모은 재물은 나에게 뜬구름과 같다.'이다. 이는 『논어』의 한 구절을 그대로 가져온 것이다. 이러한 그의 경영 철학은 그가 경영하는 기업이 사람들로부터 존경과 신뢰를 받도록 만들었고, 이는 결과적으로 기업 성장의 원동력이 되었다.

① 의로움과 청렴을 강조하며 사회의 부패를 예방하는 역할을 한다.
② 만물의 상호 의존성을 자각하여 만물의 생명을 소중히 여길 수 있게 한다.
③ 인간성을 억압하는 사회 구조나 제도 등을 비판하기 위한 기준을 제시한다.
④ 자기중심적 사고에서 벗어나 편견이 없는 마음으로 사태를 파악할 수 있게 한다.
⑤ 자비의 마음으로 사람들의 고뇌를 제거하고 행복을 베푸는 도덕적 삶을 가능하게 한다.

**09** 밑줄 친 '중요한 역할'에 대한 옳은 설명을 〈보기〉에서 고른 것은?

> 오늘날 우리는 환경 파괴, 자원 고갈, 관계의 단절 등 다양한 윤리적·사회적 문제를 겪고 있다. 한국과 동양의 윤리 사상은 이러한 문제를 해결하기 위한 사고방식을 우리에게 가르쳐 주어, 우리 삶에서 <u>중요한 역할</u>을 하고 있다.

**보기**

ㄱ. 인간과 자연의 상호 연관성과 조화를 강조한다.
ㄴ. 이성과 합리성에 근거하여 도덕적 삶을 정당화한다.
ㄷ. 관계의 단절로 소외감을 느끼는 현대인에게 공동체의 유대를 가르쳐 준다.
ㄹ. 인간의 존엄성, 자유, 평등, 인권 등의 보편적 가치를 정립하는 데 도움을 준다.

① ㄱ, ㄴ ② ㄱ, ㄷ ③ ㄴ, ㄷ
④ ㄴ, ㄹ ⑤ ㄷ, ㄹ

**10** 다음 대화에서 서양 윤리 사상의 역할을 <u>잘못</u> 이해한 사람은?

> 갑: 고대 그리스 윤리 사상은 행복과 앎의 관계를 강조하면서 현대인에게 이성적인 삶의 중요성을 가르쳐 주었어.
> 을: 헬레니즘 시대의 윤리 사상은 육체적 쾌락보다는 정신적 쾌락이 개인의 행복에서 중요하다는 사실을 우리에게 가르쳐 주었어.
> 병: 중세의 그리스도교는 이웃에 대한 사랑을 강조함으로써, 단지 종교에만 국한되지 않고 우리의 윤리적 삶에 큰 영향을 미쳤어.
> 정: 서양 근대의 모든 윤리 사상가들은 도덕적 삶에서 감정의 역할을 배제함으로써, 도덕과 합리적 판단의 연관성을 우리에게 가르쳐 주었어.
> 무: 현대의 서양 윤리 사상은 스스로 결단하는 주체적 삶과 삶을 개선하기 위한 문제 해결의 유용성을 강조하였어.

① 갑 ② 을 ③ 병 ④ 정 ⑤ 무

**11** 다음은 사회사상 ㉠을 검색했을 때 나오는 결과이다. ㉠에 대한 옳은 설명만을 〈보기〉에서 있는 대로 고른 것은?

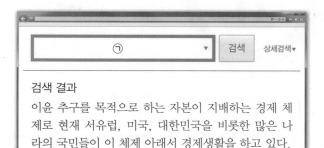

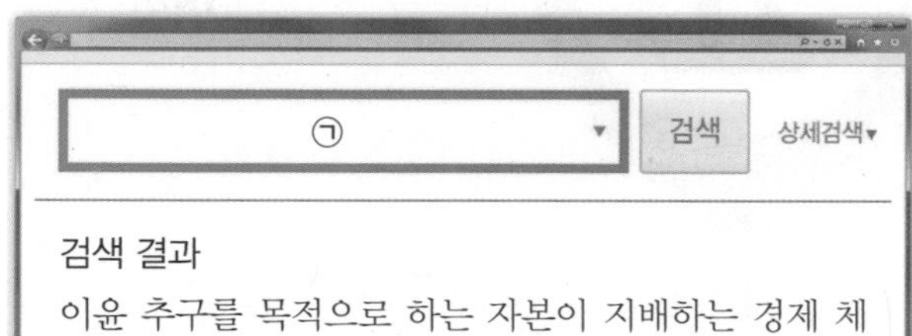

㉠
검색
상세검색▾
검색 결과
이윤 추구를 목적으로 하는 자본이 지배하는 경제 체제로 현재 서유럽, 미국, 대한민국을 비롯한 많은 나라의 국민들이 이 체제 아래서 경제생활을 하고 있다.


**보기**

ㄱ. 사유 재산과 자유로운 시장 경제를 중시한다.
ㄴ. 국가의 권력이 모든 국민에게서 나온다고 주장한다.
ㄷ. 개인의 노력에 따른 소득을 정당화하는 근거가 된다.
ㄹ. 공익 실현을 위해 시민들이 정치에 참여할 것을 강조한다.

① ㄱ, ㄴ ② ㄱ, ㄷ ③ ㄱ, ㄹ
④ ㄱ, ㄴ, ㄷ ⑤ ㄴ, ㄷ, ㄹ

**12** 개인과 사회의 관계에 대한 갑, 을의 공통적인 주장으로 가장 적절한 것은?

왕이 '어떻게 내 나라를 이롭게 할까?'라고 궁리하면 대부는 '어떻게 내 집안을 이롭게 할까?'를 궁리합니다. …… 위아래가 서로 자신의 이익만을 탐하면 나라는 위태로워집니다.
갑

국가의 수호자들은 전적으로 필요한 것이 아닌 한 어떤 사유 재산도 가져서는 안 됩니다. 이렇게 함으로써 이들은 자신도 구하며 나라도 구원할 것입니다.
을


① 개인을 희생함으로써 사회 정의를 실현할 수 있다.
② 바람직한 인간과 좋은 국가는 밀접한 관계가 있다.
③ 개인의 이익 추구는 사회 전체의 이익으로 이어진다.
④ 개인이 비도덕적이더라도 사회 집단은 도덕적일 수 있다.
⑤ 좋은 국가가 되기 위해서는 사회 지도자들만이 모범을 보이면 된다.

# 동양과 한국 윤리 사상

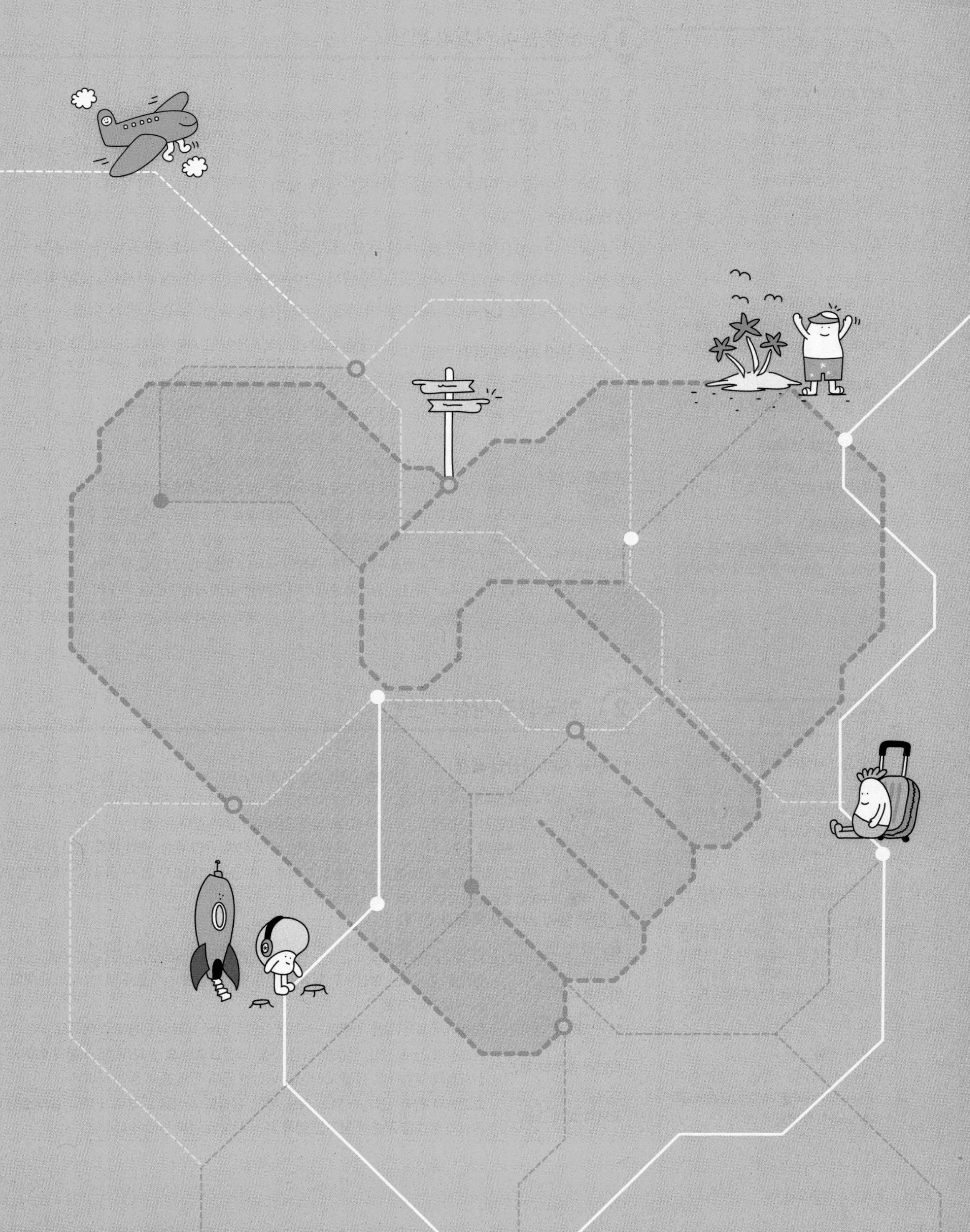

# 01 사상의 연원

**학습목표**
- 동양과 한국 윤리 사상의 연원을 파악할 수 있다.
- 동양과 한국 윤리 사상의 특징을 이해할 수 있다.

**이것이 핵심!**

**동양 윤리 사상의 연원**

| | |
|---|---|
| 대표 사상 | • 유교: 인의 윤리<br>• 불교: 자비의 윤리<br>• 도가: 무위자연의 삶 |
| 특징 | • 유기체적 세계관<br>• 공존과 공생의 사회관<br>• 개인의 인격 도야를 강조함 |

★ **인(仁)**
유교 최고의 덕목으로 인격체의 인간다움, 사람을 사랑하는 것, 사욕을 극복하여 예를 회복하는 것을 말한다.

★ **자비(慈悲)**
남을 깊이 사랑하고 가엾게 여기는 것

★ **무위자연(無爲自然)**
인위적으로 무엇을 하려 하지 않고, 스스로 그러한 대로 사는 것

★ **연기(緣起)**
모든 존재와 현상은 여러 가지 원인[因]과 조건[緣]의 결합으로 생겨난다는 뜻이다.

## 1 동양 윤리 사상의 연원

### 1. 동양의 연원적 윤리 사상

**(1) 등장 배경** 교과서 자료

왜? 농경은 집단적인 노동력이 중요하기에 자연스럽게 정착 생활을 하고 공동체를 중시하는 문화가 생겨났기 때문이야.

① 농경 중심의 사회: 가족 공동체를 중시함 → 가족 윤리를 토대로 사회와 국가 윤리를 정립함

② 자연의 절대적 영향: 자연의 원리를 통해 삶의 목적과 방향을 설정함

**(2) 대표 사상**

① 유교: *인(仁)을 바탕으로 개인의 도덕적 완성과 이상적 사회의 실현에 주목함

불교는 인생 자체를 고통으로 보았어.

② 불교: *자비를 토대로 현실의 고통에서 벗어나 진정한 행복에 이르는 길을 탐색함

③ 도가: 인위적인 규범과 제도를 거부하고 자연에 따르는 *무위자연의 삶을 추구함

### 2. 동양 윤리 사상의 특징 자료 ①

잠깐! 유교는 인간을 중간자적 존재로 생각하여 위로는 자연이 만물을 생성하는 마음과 아래로는 하늘이 부여한 이치를 실현해야 한다고 보았어.

| | | |
|---|---|---|
| 유기체적 세계관 | 유교 | 자연 세계의 원리를 인간 도덕규범의 원천으로 파악함 |
| | 불교 | *연기: 모든 존재가 상호 의존적 관계에 있다는 것을 강조함 |
| | 도가 | 자연과 인간을 분리할 수 없는 하나라고 봄 |
| 공존과 공생의 사회관 | 유교 | 모든 사람이 더불어 잘 사는 대동 사회를 지향함 |
| | 불교 | 모든 중생이 번뇌와 괴로움에서 벗어나는 불국 정토를 지향함 |
| | 도가 | 탐욕과 경쟁으로부터 벗어나 소박한 삶을 추구하는 소국과민을 추구함 |
| 개인의 인격 도야 강조 | 유교 | 자신을 수양하며 동시에 타인을 사랑하는 삶을 사는 군자를 추구함 |
| | 불교 | 사회적 차별을 넘어 모든 중생의 구제를 염원하는 보살을 추구함 |
| | 도가 | 우주와 자연의 질서에 순응하여 소박한 삶을 사는 진인을 추구함 |

꼭! 수기안인(修己安人)이라고 표현해.

영토가 작고 인구가 적은 나라라는 뜻이야.

**이것이 핵심!**

**한국 윤리 사상의 연원**

| | |
|---|---|
| 배경 | 고조선의 건국 신화, 무속 신앙 |
| 특징 | 인본주의, 현세 지향적, 화합과 조화의 정신, 도덕적 삶 강조 |
| 전개 | • 인본주의: 민본주의, 성리학, 동학<br>• 현세 지향적 가치관: 민간 신앙, 한국 유교 사상<br>• 조화 정신: 원효의 화쟁 사상, 의천과 지눌의 사상, 이황과 이이의 성리학, 정약용의 실학사상, 근대 신흥 종교 등 |

★ **건국 신화**
한 나라가 세워진 기원을 설명한 이야기로서, 그 나라를 세운 사람들의 고유한 사상이 투영되어 있다.

## 2 한국 윤리 사상의 연원

### 1. 한국 윤리 사상의 배경

공경할 경(敬), 하늘 천(天)을 사용하여 경천사상이라고 말해.

| | |
|---|---|
| 고조선의 *건국 신화 | • 하늘에 대한 숭배 사상과 자연과 하나가 되고자 하는 의식이 드러남 자료 ②<br>• 홍익인간: 고조선의 건국 이념으로 널리 인간을 이롭게 한다는 정신<br>• 인본주의, 현세 지향적 가치관, 조화 정신, 자연 친화, 생명 존중, 평화 애호 정신 등을 보임 |
| 무속 신앙 | 무당의 힘을 통해 하늘에 복을 기원하고 나쁜 기운을 물리치고자 함 → 공동체 의식을 형성함 |

예 고구려의 주몽 신화, 신라의 박혁거세 신화 등도 있어.

### 2. 한국 윤리 사상의 특징과 전개

| 특징 | 전개 |
|---|---|
| 인본주의 정신 | 인간을 중시하는 정신으로 평화와 인류애를 지향함 → 민본주의, 성리학, 동학의 인간 존중 사상에 표현됨 |
| 현세 지향적 가치관 | 현세에서 좋은 삶을 염원함 → 민간 신앙과 한국 유교의 전통으로 이어짐 |
| 화합과 조화의 정신 | 고조선의 건국 신화, 원효의 화쟁 사상, 의천과 지눌의 선교 통합, 이황과 이이의 성리학, 정약용의 실학사상, 유불도 사상을 융합한 근대 신흥 종교 등에 드러남 |
| 도덕적 삶의 강조 | 고조선의 건국 신화 속 평화 애호 정신, 유불도 사상을 토대로 도덕적 삶의 실현과 인격 완성의 방법을 꾸준히 탐구한 한국 윤리 사상의 전통 등에서 나타남 |

# 완자 자료 탐구

내 옆의 선생님

## 수능이 보이는 교과서 자료 동양에서 바라본 자연

> 동양에서는 자연 이외의 어떠한 힘도 인정하지 않으며, 자연에 대하여 지시적 기능을 하는 어떠한 존재도 상정하지 않습니다. 자연이란 본디부터 있는 것이며 어떠한 지시나 구속을 받지 않는 스스로 그러한 것으로 최고의 질서입니다. 질서라는 의미는 이를테면 시스템이라고 생각할 수 있습니다만 장(場)이라는 개념에 가깝다고 할 수 있습니다. 장은 비어 있는 공간이 아니라 …… 그 자체로서 하나의 체계이며 질서입니다. 장은 그것을 구성하는 모든 것이 조화·통일되어 있습니다. 모든 것이 조화·통일됨으로써 장이 되고 그래서 최고의 어떤 질서가 됩니다.
>
> – 신영복, 『강의』

농경 중심의 사회였던 동양에서는 자연 안에서 모든 존재가 조화와 통일을 이루며 살고 있다고 보았다. 이러한 인식은 동양의 사상적 특징인 유기체적 세계관과 공존과 공생의 사회관으로 이어졌다.

동양과 달리 서양은 이분법적, 정복 지향적 세계관을 토대로 자연을 이용하고 지배할 수 있다고 보았어.

**완자샘의 탐구강의**

**• 동양에서 바라보는 인간과 자연의 관계를 서술해 보자.**

농경 문화를 기본으로 하는 사회에서 인간은 자연과 친화적인 관계이다. 이때 인간의 삶 역시 자연의 질서에 순응하고 조화를 이룬다.

함께 보기 33쪽, 1등급 정복하기 1

## 자료 1 조화와 공존을 강조하는 동양 윤리 사상

- 하늘을 아버지라 하고 땅을 어머니라 한다. 나의 이 작은 몸은 그 사이에 어울려 있다. 천지 안에 가득 찬 기를 내 몸으로 여기고, 천지를 이끄는 원리를 나의 본성으로 여긴다. – 장재, 『서명』
- 천지와 나는 같은 뿌리를 지니고 있고, 만물은 나와 한 몸이다. – 승조, 『조론』
- 천지는 나와 나란히 생겨나고, 만물은 나와 하나이다. – 장자, 『장자』

신유학을 대표하는 사상가야.

대승 불교를 주장한 승려야.

장자는 만물과 하나가 된 경지를 '물아일체'라고 표현하였어.

동양 윤리 사상은 모든 존재가 서로 조화를 이루는 생명으로 연결되어 있으며, 따로 떨어져 있지 않다고 본다. 만물은 서로 의존하여 존재하므로 서로 조화를 이루며 공존하는 삶을 살아야 한다.

**자료 하나 더 알고 가자!**

**주역의 대대**

| 양 | 음 |
|---|---|
| 하늘 | 땅 |
| 남성 | 여성 |
| 강함 | 부드러움 |

대대란 다른 성질을 가진 것들이 대립하면서도, 동시에 서로 의존하는 관계를 말한다. 예를 들어 낮과 밤은 반대의 성질을 가졌지만, 서로가 합쳐져야만 하루가 된다. 이처럼 대대에는 동양 윤리 사상에서 추구하는 조화 정신이 담겨 있다.

## 자료 2 단군 신화의 사상적 특징

> 환인의 아들 환웅이 하늘 아래에 뜻을 두고 인간 세상을 다스리고자 하였다. 환인이 아들의 뜻을 알고 인간 세상을 내려다보니 널리 이롭게 할 만하였다. …… 환웅은 무리 삼천 명을 거느리고 태백산 신단수 아래에 내려왔다. 환웅은 풍백, 우사, 운사를 거느리고 곡식, 수명, 질병, 형벌, 선악 등을 주관하였다. …… 같은 굴에 살았던 곰과 호랑이는 늘 사람이 되기를 환웅에게 빌었다. 곰은 삼칠일 동안 몸을 삼가 여자의 몸이 되었으나, 호랑이는 그렇지 못하여 사람의 몸을 얻지 못하였다. 환웅이 임시로 변하여 웅녀와 결혼하고, 그 아들을 얻으니 이름을 단군왕검이라 하였다.
>
> – 일연, 『삼국유사』

단군 신화는 우리 사상의 원형으로서 우리 민족이 하늘에 기원을 두었음을 보여 준다. 나아가 하늘과 땅의 어우러짐, 갈등이나 지배가 아닌 조화를 이루는 모습 등을 표현하고, 이상적인 공동체의 실현을 목표로 한다. 또한 환웅이 곡식과 형벌, 선악 등으로 인간을 다스리고 교화했다는 점을 통해 사회 정의와 도덕의식 등이 담겨 있음을 알 수 있다.

**문제로 확인할까?**

단군 신화에 나타난 특징으로 적절하지 않은 것은?

① 경천사상
② 조화 사상
③ 인본주의 정신
④ 기계론적 자연관
⑤ 현세 지향적 가치관

㉮ 답

## STEP 1 핵심 개념 확인하기

정답친해 07쪽

**1** 다음 설명에 해당하는 동양 윤리 사상의 특징을 쓰시오.

- 유교: 자연 세계의 원리를 인간 도덕규범의 원천으로 파악함
- 불교: 모든 존재가 상호 의존 관계에 있다고 주장함
- 도가: 자연과 인간을 분리할 수 없는 하나로 생각함

**2** 다음 설명이 맞으면 ○표, 틀리면 ×표를 하시오.

(1) 동양의 자연관에 따르면 자연은 인간의 목적을 달성하기 위한 수단이다. ( )

(2) 유교의 인(仁)이란 인격체의 인간다움, 사람을 사랑하는 것 등을 뜻한다. ( )

(3) 동양 윤리 사상의 특징에는 유기체적 세계관, 공존과 공생의 사회관 등이 있다. ( )

**3** 다음 설명에 해당하는 동양 윤리 사상을 〈보기〉에서 골라 기호를 쓰시오.

보기

ㄱ. 유교 ㄴ. 불교 ㄷ. 도가

(1) 자연에 따르는 무위자연의 삶을 강조한다. ( )

(2) 삶의 고통에서 벗어나기 위한 수행을 주장한다. ( )

(3) 인(仁)을 바탕으로 인격 수양과 도덕 실천을 강조한다. ( )

**4** 다음 괄호 안의 내용 중 알맞은 말에 ○표를 하시오.

(1) 무속 신앙은 굿을 통해 ( 준법 정신, 공동체 의식 )을 형성하였다.

(2) 고조선의 건국 신화에는 ( 내세 지향적, 현세 지향적 ) 가치관이 드러난다.

(3) 한국 윤리 사상에서 드러나는 ( 인본주의, 신본주의 ) 정신은 평화와 인류애를 지향한다.

**5** 단군 신화의 특징만을 〈보기〉에서 있는 대로 골라 기호를 쓰시오.

보기

ㄱ. 경천사상 ㄴ. 조화 정신
ㄷ. 무위자연의 삶 ㄹ. 홍익인간의 정신

## STEP 2 내신 만점 공략하기

**01** 다음 글을 통해 추론할 수 있는 동양 사회의 모습으로 옳지 않은 것은?

중국을 비롯한 아시아 지역은 일찍부터 농업이 발달하였다. 농경 사회는 정착 생활과 공동 노동을 필요로 한다. 이 때문에 동양에서는 혈연관계를 중시하며 지역 사회의 협력을 중시하는 문화가 발달하였다.

① 가족을 중심으로 공동체를 형성하였다.
② 자연과 인간을 친화적인 관계로 보았다.
③ 자연의 운행과 변화 질서에 관심을 기울였다.
④ 자연의 원리를 바탕으로 삶의 목적을 설정하였다.
⑤ 이분법적 세계관을 바탕으로 사회 및 국가 윤리를 정립하였다.

중요

**02** 갑, 을의 입장에 대한 설명으로 가장 적절한 것은?

인간은 자비를 통해 현실의 고통을 벗어나는 길을 탐색해야 해.
인간은 우주와 자연의 질서에 순응하는 무위자연의 삶을 살아야 해.
갑
을


① 갑은 자신을 수양하며 타인을 사랑하는 군자를 추구한다.
② 갑은 인(仁)을 바탕으로 개인의 도덕적 완성과 이상 사회의 실현을 추구한다.
③ 을은 이상적인 삶을 위해 소규모 공동체 생활을 강조한다.
④ 을은 모든 존재가 상호 의존적 관계에 있다는 것을 강조한다.
⑤ 갑, 을은 도덕적 사회를 만들기 위한 인위적인 사회 제도의 필요성을 강조한다.

정답친해 07쪽

## 03 밑줄 친 '이것'에 해당하는 설명으로 옳지 않은 것은?

> 이것은 동양 윤리 사상의 근간 중 하나이며, 연기를 토대로 사회적 차별을 넘어 모든 중생의 구제를 염원한다.

① 인생 자체를 고통으로 보았다.
② 보살을 이상적 인간상으로 추구하였다.
③ 모든 존재가 상호 의존적 관계에 있음을 강조하였다.
④ 인간과 자연을 분리하여 인간의 우월성을 강조하였다.
⑤ 남을 깊이 사랑하고 가엾게 여기는 자비를 강조하였다.

## 04 다음 글에 나타난 사상의 특징으로 옳은 것은?

> 배우고 때때로 익히면 또한 기쁘지 아니한가? …… 남이 알아주지 않아도 화내지 않으면 또한 군자가 아니겠는가?

① 개인의 인격 도야를 강조한다.
② 절대자에 의존하여 이상적인 인간에 도달하고자 한다.
③ 자연을 적극적으로 개발하여 풍족한 삶을 살고자 한다.
④ 인위적 사회 질서에서 벗어나 자연에 따라 살고자 한다.
⑤ 사회적 규범의 준수보다 개인의 자유를 실현하고자 한다.

## 05 (가), (나)에서 주장하는 이상 사회를 옳게 연결한 것은?

> (가) 좋은 세상을 만들려면 먼저 자신을 수양해야 한다. 또한 자기를 수양해 나감과 동시에 타인을 사랑하는[修己安人] 삶을 중시해야 한다.
> (나) 인위에서 벗어나 자연에 순응하는 삶을 살아야 한다. 자연의 관점에서는 만물에 차이가 있을 뿐이지 우열을 따질 수 없다.

| | (가) | (나) |
|---|---|---|
| ① | 소국과민 | 불국 정토 |
| ② | 소국과민 | 대동 사회 |
| ③ | 대동 사회 | 소국과민 |
| ④ | 대동 사회 | 불국 정토 |
| ⑤ | 불국 정토 | 소국과민 |

## 06 (중요) 다음 문제를 해결하기 위해 동양 윤리 사상에서 제시할 수 있는 대안으로 적절하지 않은 것은?

> **한국 사회 갈등, 이대로 괜찮은가**
> 한국 사회는 광복 이후 약 70년이라는 짧은 기간 동안 급속한 발전을 이루었다. 그러나 그 과정에서 나타난 사회 문제와 갈등이 제대로 해결되지 못하고 쌓임으로써 여러 가지 사회 갈등이 더욱 심화되었다. 우리 사회에서 나타나는 대표적인 사회 갈등은 세대, 이념, 지역, 성별, 계층, 노사의 갈등과 무분별한 개발로 인한 환경 파괴 등이 있다.

① 인간과 사회의 도덕적 완성에 관심을 기울인다.
② 자연과 인간을 분리하여 인간의 행복을 추구한다.
③ 다양성을 인정하고 화합과 조화의 정신을 실천한다.
④ 내가 소중하듯이 남도 소중하다는 진리를 깨닫는다.
⑤ 자연과의 공존을 통해 만족할 줄 아는 삶을 살아간다.

## 07 다음 글의 관점에서 지지할 주장을 〈보기〉에서 고른 것은?

> 동양 고전인 『주역』에는 대대(對待)라는 말이 나온다. 대대란 다른 성질을 가진 것들이 대립하면서도, 동시에 서로 의존하는 관계를 뜻한다. 예를 들어 낮과 밤은 대립하면서도 서로를 필요로 하고, 둘이 합쳐져야만 하루가 된다.

**보기**

ㄱ. 세상은 하나의 유기체적 전체이다.
ㄴ. 인간이 자연보다 우월한 존재이다.
ㄷ. 자연은 인간을 위한 도구로 사용될 때 가치 있다.
ㄹ. 세상은 상호 의존적이고 상보적 관계로 이루어져 있다.

① ㄱ, ㄴ ② ㄱ, ㄷ ③ ㄱ, ㄹ
④ ㄴ, ㄷ ⑤ ㄷ, ㄹ

**08** 중요 갑이 을에게 제기할 비판으로 가장 적절한 것은?

> 갑: 천지와 나는 같은 뿌리를 지니고 있고, 만물은 나와 한 몸이다.
> 을: 인간은 자연의 사용자 및 해석자로서 자연의 질서를 관찰하고, 고찰한 것만큼 무엇인가를 할 수 있다.

① 자연과 인간을 분리해야 함을 모르고 있군.
② 인간이 자연보다 우월하다는 것을 모르고 있군.
③ 자연과 인간이 상호 의존적 관계임을 망각하고 있군.
④ 자연은 인간의 욕구 충족을 위한 도구임을 간과하고 있군.
⑤ 인간이 자연을 지배할 수 있는 힘을 가지고 있음을 간과하고 있군.

**09** 다음 글에서 추론할 수 있는 한국 윤리 사상의 특징으로 옳지 않은 것은?

> 옛날, 환인의 아들 환웅이 인간 세상을 다스리기를 원하였다. 환인이 아들의 뜻을 알고서 인간 세상을 내려다보니 삼위태백이 널리 인간 세상을 이롭게 하기에 적합한 곳으로 여겨지므로, 아들 환웅에게 천부인 세 개를 주며 인간 세상에 내려가서 다스리게 하였다.

① 개인주의 ② 경천사상
③ 생명 존중 ④ 자연 친화
⑤ 평화 애호

**10** 다음 글에 나타난 한국 윤리 사상의 특징으로 옳은 것은?

> 나라에 현묘(玄妙)한 도가 있으니 풍류(風流)라고 한다. …… 가정에서 부모에게 효도하고, 밖에 나가서 나라에 충성하며, 무위(無爲)로 처신하고 무언(無言)의 가르침을 행하며, 악한 행동을 하지 말고 선행을 하는 것을 강조하며 이를 통해 많은 사람을 교화하였다.

① 현세보다는 내세에서의 행복을 추구하였다.
② 다양한 사상의 갈등보다는 조화를 중시하였다.
③ 초월적 신(神)에 대한 절대적 신앙을 주장하였다.
④ 개인의 희생을 통한 사회의 도덕성을 강조하였다.
⑤ 유교를 중시하였으며, 불교와 도가의 유입을 반대하였다.

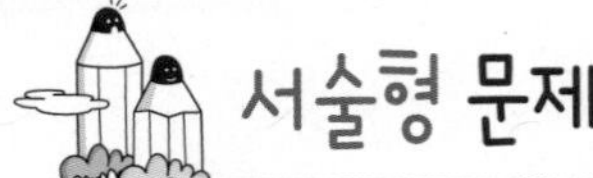

## 서술형 문제

● 정답친해 08쪽

**01** 다음을 읽고 물음에 답하시오.

> 갑: 도덕적이고 질서 있는 사회를 만들어야 한다.
> 을: 현실의 고통에서 벗어나 유한한 삶을 초월하여 영원한 자유를 얻어야 한다.
> 병: 자연의 순리에 따르는 자유와 평등의 세계를 실현해야 한다.

(1) 갑~병이 제시하는 이상적인 인간상을 각각 쓰시오.

(2) 갑~병이 제시하는 공통된 자연관을 서술하시오.

길잡이 유교, 불교, 도가의 특징을 바탕으로 이상적 인간상과 자연관을 서술한다.

**02** 다음을 읽고 물음에 답하시오.

> 하늘이 없이는 땅이 있을 수 없고, 땅이 없다면 하늘은 능력을 발휘할 수 없을 것이며, 하늘과 땅이 조화롭지 못하다면 인간은 존재할 수 없다. 이렇듯 하늘, 땅, 인간은 서로 밀접한 관계를 맺고 있으며, 이는 고대 한국인의 정신을 이해하는 세 기둥이라고 할 수 있다.

(1) 윗글에 나타난 한국 윤리 사상의 특징을 쓰시오.

(2) (1)에서 답한 특징이 현대 사회의 갈등 해결에 어떤 도움을 줄 수 있을지 서술하시오.

길잡이 한국 윤리 사상의 조화 정신을 토대로 서술한다.

정답친해 08쪽

## STEP 3 1등급 정복하기

**1** 다음 글에 나타난 동양의 자연관에 대한 옳은 설명을 〈보기〉에서 고른 것은?

> 동양에서는 자연 이외의 어떠한 힘도 인정하지 않으며, 자연에 대하여 지시적 기능을 하는 어떠한 존재도 상정하지 않습니다. 자연이란 본디부터 있는 것이며 어떠한 지시나 구속을 받지 않는 스스로 그러한 것으로 최고의 질서입니다. 질서라는 의미는 시스템보다는 장(場)이라는 개념에 가깝습니다. 장은 비어 있는 공간이 아니라 …… 그 자체로서 하나의 체계이며 질서입니다. 장은 그것을 구성하는 모든 것이 조화·통일되어 있습니다. 모든 것이 조화·통일됨으로써 장이 되고 그래서 최고의 어떤 질서가 됩니다.

**보기**

ㄱ. 모든 존재는 상호 의존적으로 살아가고 있다.
ㄴ. 우리가 사는 세상은 하나의 유기체적 전체이다.
ㄷ. 인간과 자연을 분리하여 생명의 위계를 설정한다.
ㄹ. 자연은 인간의 목적을 달성하기 위한 수단으로서 가치를 지닌다.

① ㄱ, ㄴ　② ㄱ, ㄷ　③ ㄴ, ㄷ
④ ㄴ, ㄹ　⑤ ㄷ, ㄹ

**동양의 자연관**

**완자샘의 시험 꿀팁**
동양의 자연관을 묻는 문제가 자주 출제되고 있으므로 동서양의 자연관을 비교하여 정리해 둔다.

교육청 응용

**2** (가), (나)에 대한 옳은 설명을 〈보기〉에서 고른 것은?

> (가) 나라는 작고 백성의 수는 적어야 한다. 백성은 생명을 소중히 여겨 멀리 떠나가는 일이 없고, 배나 수레가 있어도 타고 갈 일이 없으며 무기가 있어도 쓸 일이 없다.
> (나) 큰 도가 행해져 누구나 자신의 능력을 마음껏 발휘하면서도 자신만의 이익을 추구하지 않는다. 또한 병들고 소외된 자가 버려지지 않고, 노인과 어린이가 안심하고 살 수 있는 사회를 대동(大同)이라 한다.

**보기**

ㄱ. (가)는 인위에서 벗어나 소박한 삶을 추구한다.
ㄴ. (가)는 형벌로 백성을 다스려야 한다고 주장한다.
ㄷ. (나)는 인(仁)을 실현하는 도덕적 사회를 강조한다.
ㄹ. (나)는 번뇌와 괴로움에서 벗어나야 한다고 본다.

① ㄱ, ㄴ　② ㄱ, ㄷ　③ ㄴ, ㄷ
④ ㄴ, ㄹ　⑤ ㄷ, ㄹ

**동양의 사회관**

**완자 사전**
• **번뇌**
마음이 시달려서 괴로워하거나 그런 괴로움으로 노여움이나 욕망 따위를 말한다.

# 02 인의 윤리

학습목표
- 유교 사상의 특징을 공자, 맹자, 순자의 사상으로 파악할 수 있다.
- 성리학과 양명학의 특징으로 도덕 법칙의 탐구 방법을 이해할 수 있다.

## 1 도덕의 성립 근거

### 1. 공자의 사상

(1) **제자백가**: 춘추 전국 시대의 정치적 혼란의 해결을 위해 등장한 다양한 사상 자료 ①

예 유교, 불교, 도가, 묵가, 법가 등이 있어.

(2) **공자의 사회 인식**: 사회 혼란의 원인을 도덕적 타락으로 보고, 도덕적 마음의 회복과 사회 제도의 확립을 주장함

(3) **인(仁)과 예(禮)** – '인'과 '예'를 바탕으로 덕을 갖춘 도덕적 인간을 군자라고 해.

① 인(仁): 인간됨의 본질을 이루는 사랑의 정신, 사회적 존재로서 완성된 인격체의 인간다움

| | |
|---|---|
| 효제(孝悌) | • 인(仁)을 실천하기 위한 기본 덕목<br>• 효(孝): 부모를 잘 섬기는 것<br>• 제(悌): 형제간에 우애롭게 지내는 것<br>(공자는 가족 사이의 사랑을 다른 가족과 사회, 국가로 확대하면 조화로운 세상이 가능하다고 보았어. 즉 국가를 가족이 확대된 개념으로 인식한 것이야.) |
| 충서(忠恕) | • 인(仁)을 실천하는 구체적 방법<br>• 충(忠): 속임이나 허식이 없이 자신의 마음을 성실히 하는 것<br>• 서(恕): 자신을 미루어 다른 사람의 마음을 헤아리는 것 |

② 예(禮): 외면적 규범, 개인의 사욕을 극복하고 진정한 예를 회복할 것을 강조함 자료 ②

극기복례(克己復禮)라고 해.

(4) **공자의 정치사상**

① 정명(正名): 자신의 신분과 직책에 맞는 권한과 의무를 수행해야 함[君君臣臣父父子子]

임금은 임금답고, 신하는 신하답고, 부모는 부모답고, 자식은 자식다워야 한다는 내용이야.

② 덕치(德治): 도덕과 예의로서 백성을 교화하는 정치

③ 수기이안인(修己以安人): 통치자가 먼저 군자다운 인격을 닦은 후 백성을 다스려야 함

④ 대동 사회(大同社會): 공정한 분배로 모든 사람이 더불어 잘 사는 사회를 추구함

왜? 공자는 법률과 형벌로 다스리는 정치는 사람들이 형벌을 피하려고만 할 뿐이나, 예나 덕으로 사람을 이끌면 스스로 올바른 행위를 할 수 있다고 보았어.

### 2. 맹자의 사상

(1) **맹자의 사회 인식**: 사회 혼란의 원인을 사적 이익의 추구로 보고, 인(仁)과 의(義)를 통한 극복을 강조함

옳고 그름을 분명하게 구분할 수 있는 도덕적 정당성을 의미해.

(2) **성선설(性善說)** – 인간의 본성이 선하다고 본 사상이야.

① 불인인지심(不忍人之心): 남에게 차마 어찌하지 못하는 선한 마음

② *사단(四端): 선천적인 도덕적 마음으로 성선설의 근거이자 사덕의 실마리

인, 의, 예, 지를 말해.

③ 생각하지 않아도 아는 능력[良知]과 배우지 않아도 할 수 있는 능력[良能]을 바탕으로 선천적인 도덕적 마음을 보존하고 확충하려는 수양이 필요함

꼭! 맹자는 사단을 단순히 성선설의 근거로 제시한 것이 아니라 사단을 자각하고 확충하여 인의예지의 사덕을 완성하고자 노력해야 한다고 보았어.

(3) **맹자의 수양 방법**

① 잃어버린 마음을 되찾는 구방심(求放心)과 욕심을 적게 가져야 한다는 과욕(寡慾)을 강조함

② *집의를 통해 *호연지기를 갖추어 대장부(大丈夫)에 이를 수 있음

(4) **맹자의 정치사상**

① 왕도 정치(王道政治): 도덕적 마음에 바탕을 두고 인(仁)에 기초한 정치

② 역성혁명(易姓革命): 백성을 저버린 군주는 교체해야 한다는 사상으로 *패도를 비판함 자료 ③

③ 경제적 안정[恒産]은 도덕적 마음[恒心]을 유지하는 토대가 되므로 군주는 백성의 경제적 안정을 보장해야 함

왕조를 바꾸는 혁명이라는 뜻으로 민본주의적 혁명론이라고 하기도 해.

---

**이것이 핵심!**

대표적인 유교 사상가

| | |
|---|---|
| 공자 | • 인(내면적 도덕성)과 예(외적 규범) 중시<br>• 정명, 덕치<br>• 대동 사회의 실현 |
| 맹자 | • 인과 의 강조<br>• 성선설<br>• 집의를 통한 호연지기의 함양<br>• 왕도 정치, 역성혁명 |
| 순자 | • 성악설<br>• 예치의 실현 |

★ 사단의 구체적 내용

| | |
|---|---|
| 측은지심(惻隱之心) | 남을 불쌍히 여기는 마음 |
| 수오지심(羞惡之心) | 자신의 잘못을 부끄러워하고 다른 사람의 옳지 못함을 미워하는 마음 |
| 사양지심(辭讓之心) | 겸손하고 양보하는 마음 |
| 시비지심(是非之心) | 옳고 그른 것을 가릴 줄 아는 마음 |

★ **집의(集義)**
의로운 일을 꾸준히 실천하는 것

★ **호연지기(浩然之氣)**
지극히 크고 굳세며 올곧은 도덕적 기개로 어떤 권위와 폭력으로도 꺾을 수 없는 씩씩한 기상

★ **패도(佩刀)**
인의(仁義)를 가볍게 여기고 무력이나 권모술수로써 백성을 다스리는 것

# 완자 자료 탐구

## 자료 1 묵가와 법가의 사상

> 남의 나라 보기를 자기 나라 보듯 하고, 남의 집안 보기를 자기 집안 보듯 하며, 남의 몸 보기를 자기 몸 보듯 하는 것이다. 그래서 제후들이 서로 사랑하게 되면 들판에서 전쟁하는 일이 없게 되고, 집안의 우두머리들이 서로 사랑하게 되면 서로 남의 집의 것을 빼앗으려는 일이 없게 되며, 사람과 사람이 서로 사랑하면 곧 서로 해치지 않게 된다. – 묵자

(공자와 달리 '인'과 '예'에 따른 허례허식이 국가에 도움이 되지 않는다고 보았어.)

> 법에 따라 형벌을 집행하는데 군주가 이 때문에 눈물을 흘리는 것은 인자함을 드러내는 것이지 다스리는 것은 아니다. 눈물을 흘리며 형(刑)을 집행하지 못하는 것은 인(仁)이고, 형을 집행하지 않을 수 없는 것은 법(法)이다. 선왕이 법을 우선하고 눈물에 따르지 않는 것은 인(仁)만으로는 백성을 다스릴 수 없기 때문이다. – 한비자

묵가를 대표하는 사상가인 묵자는 모든 사람을 차별 없이 사랑하는 겸애(兼愛)를 제시하였다. 한편 법가는 한비자가 주장한 사상을 토대로 성립되었다. 한비자는 인간을 이기적인 존재로 보아 나라를 다스릴 때 법(法)이 필요함을 주장하며 군주가 신상필벌(信賞必罰)의 원칙에 따라 나라를 통치할 것을 강조하였다.

(신상필벌: 공이 있는 자에게는 반드시 상을 주고, 죄가 있는 사람에게는 반드시 벌을 준다는 뜻으로, 공정하고 엄중하게 상과 벌을 주는 일을 말해.)

## 자료 2 극기복례(克己復禮)

> 안연이 인에 대하여 묻자 공자가 대답하였다. "자신을 극복하여 예로 돌아가는 것이 인이다. 하루라도 자신을 극복하면 천하가 인으로 돌아갈 것이다. 인을 행함은 자신에게 달려 있지 다른 사람에게 달린 것이겠는가?" 안연이 구체적인 방법을 묻자 공자가 대답하였다. "예가 아니면 보지도 말고, 듣지도 말고, 말하지도 말고, 행하지도 말아야 한다." – 공자, 『논어』

공자에 의하면 인(仁)을 실현하기 위해서는 주체적으로 자신을 수양하며 사욕을 이기고 예를 회복하는 극기복례(克己復禮)가 필요하다. 이때 인이 내면적 도덕성이라면, 예는 외면적 사회 규범이다. 그러므로 예는 인을 실현하기 위한 필수 조건이라고 할 수 있다.

## 자료 3 맹자의 역성혁명

> • 백성이 가장 귀하고 사직(社稷)이 다음이며 군주는 가볍다. 평범한 백성의 마음을 얻어야 천자(天子)가 된다. 천자에게 신임을 얻으면 제후가 되고 제후에게 신임을 얻으면 대부가 된다. 제후가 사직을 위태롭게 하면 그를 바꾼다.
> • 제선왕이 물었다. "탕(湯)이 걸(桀)을 내쫓고, 무(武)는 주(紂)를 정벌하였다고 하는데, 그런 일이 있습니까?" 맹자께서 대답하셨다. "옛 책에 적혀 있습니다." "신하가 군주를 죽여도 되는 것입니까?" "인(仁)을 해치는 자를 적(賊)이라 하고 의(義)를 해치는 자를 잔(殘)이라고 하며 잔적(殘賊)한 자를 일개 사내라 하니, 일개 사내에 불과한 주(紂)를 베었다는 말은 들었어도 신하가 군주를 죽였다는 말은 듣지 못하였습니다." – 맹자, 『맹자』

맹자는 민본주의를 토대로 역성혁명론을 제시하였다. 그는 가장 귀한 것이 백성이기에 백성의 마음을 잃는 것은 천하를 잃는 것과 마찬가지라고 보았다. 맹자는 이러한 관점을 바탕으로 인의를 해쳐 군주답지 못한 군주는 내쫓고 새로운 군주로 바꾸어야 한다고 주장하였다.

(민본주의: 백성을 나라의 근본으로 생각하고 백성의 입장에서 하는 정치를 말해.)

---

### 자료 하나 더 알고 가자!

**사랑에 대한 공자와 묵자의 입장**

> 하늘은 사람들이 서로 사랑하며 이롭게 하기를 바라지, 서로 미워하며 서로 해칠 것을 바라지 않는다. – 묵자

묵자의 겸애는 차별 없는 사랑을 말한다. 이는 공자가 말하는 사랑과는 다르다. 공자의 사랑은 존귀하고, 비천하고, 친하고, 먼 사이를 뜻하는 존비친소(尊卑親疎)의 구별을 전제로 한다. 공자는 임금과 신하를 사랑함이 다를 수밖에 없고 친한 사람과 먼 사람에 대한 사랑 역시 분별적일 수밖에 없다고 보았기 때문이다.

### 자료 하나 더 알고 가자!

**공자의 이상적 인간상**

> 군자의 도는 세 가지이다. …… 어진 사람은 근심하지 않고, 지혜로운 사람은 미혹되지 않고, 용기 있는 사람은 두려워하지 않는다. – 공자, 『논어』

공자는 이상적 인간상으로 군자(君子)를 제시하였다. 군자는 자신의 이로움에만 관심을 가지는 소인(小人)과 달리 사회적 차원의 이익과 의로움을 중시하는 사람이다.

### 문제로 확인할까?

**맹자의 정치사상으로 옳지 않은 것은?**

① 민본주의
② 민주주의
③ 역성혁명
④ 왕도 정치
⑤ 항산의 보장

② 답

# 02 인의 윤리

★ **순자의 예(禮)**
차등적인 분배를 공정하게 시행하기 위한 기준으로, 순자는 '예'가 옛 성인(聖人)의 가르침에 따라 제정된 것이라고 보았다.

### 3. 순자의 사상 — 공자의 사상을 계승하여 인간의 도덕적 완성과 사회의 안정을 추구하였어.

**(1) 천인분이(天人分二)**: 자연과 인간의 일을 구분하여 인간의 능동성을 강조함
└ 도덕의 근원을 하늘과 결부하여 파악했던 공자, 맹자와는 다른 입장이야.

**(2) 성악설(性惡說)** 자료 ④

① 인간은 본래 이익을 좋아하고 다른 사람을 질투하며 미워하는 존재라고 봄

② *예(禮): 인간의 악한 본성을 교화하고 규제하는 외면적인 도덕규범

③ 화성기위(化性起僞): 예를 통해 인간의 악한 본성을 변화시켜 선하게 만드는 것
└ 왜? 순자는 인간에게 인의를 알 수 있는 도덕적 인식 능력과 그를 실천할 능력이 있으므로 교화가 가능하다고 보았어.

**(3) 순자의 정치사상**

① 예치(禮治): 예를 통한 사회와 국가의 통치를 강조함

② 덕의 유무로 지위를 정하고, 능력에 따라 관직을 맡기며, 재화를 공평하게 분배해야 함

**이것이 핵심!**

**성리학과 양명학의 이론 체계**

| | |
|---|---|
| 성리학 | • 성즉리<br>• 존천리거인욕, 존양성찰, 격물치지<br>• 선지후행, 지행병진 |
| 양명학 | • 심즉리<br>• 치양지, 격물치지<br>• 지행합일 |

## 2 도덕 법칙의 탐구 방법

### 1. 성리학
└ 진·한 시대의 분서갱유를 통해 유학이 위축되고 경전을 강조하는 경학과 경전의 해석을 강조하는 훈고학이 등장하였어. 이후 춘추 전국 시대의 유학을 재해석한 것이 성리학이고, 주희가 집대성하였어.

**(1) 성즉리(性卽理)**: 인간의 본성이 곧 이치라는 의미로 도덕적 행위의 근거를 우주 자연의 이치와 연결지어 규정함

**(2) 성리학의 이론 체계** — 인간이 따라야 할 도덕 법칙이야.
꼭! 본연지성은 누구나 같지만, 기질지성은 기질의 맑고 탁함에 따라 사람마다 다르게 나타나.

| | |
|---|---|
| 이기론 | • 우주 만물의 근원을 이(理)와 기(氣)의 결합으로 설명한 이론<br>• 이(理)는 사물의 본질인 무형의 원리이며, 기(氣)는 사물을 이루는 유형의 재료<br>• 이기불상리(理氣不相離): 만물은 '이'와 '기'로 구성되어 있으므로 서로 분리될 수 없음<br>• 이기불상잡(理氣不相雜): 사물의 원리인 '이'와 재료인 '기'는 역할이 다르므로 뒤섞일 수 없음 |
| 심성론 | • 본연지성(本然之性): 우주 자연으로부터 부여받은 순선한 본성<br>• 기질지성(氣質之性): 인간의 타고난 기질의 영향을 받는 현실적 본성으로 선악이 혼재함 → 도덕적 행위를 위해 감정과 욕구를 바로잡아야 함<br>• 심통성정(心統性情): 마음이 성과 정을 주재하고 포괄함 → 성은 마음의 본체로서 사덕이며, 정은 마음의 작용으로서 사단(四端)과 *칠정(七情)이 있음 |
| 수양론 | • 존천리거인욕(存天理去人慾): 자연에게 부여받은 도덕 본성을 보존하고, 인욕을 제거하는 것<br>• 격물치지(格物致知): 도덕 법칙이 내재된 사물의 이치를 탐구하여 *앎을 이루어 나감<br>• 존양성찰(存養省察): 양심을 보존하여 본성을 함양하고 나쁜 마음이 스며들지 않도록 잘 살핌<br>• 거경(居敬): 천리로서의 본성을 지키기 위해 항상 마음을 경건하게 하는 것<br>• 궁리(窮理): 인간의 본성과 사물의 원리를 올바르게 인식하기 위한 이치를 탐구하는 것 |
| 경세론 | 수기이안인의 전통을 계승하여 덕치(德治)와 예치(禮治)를 통한 민본과 위민(爲民)을 강조함 |

└ 심성론: 이기론을 통해 인간의 마음과 본성을 심층적으로 분석한 이론이야.
└ 경세론: 세상을 다스리는 이론이라는 뜻이야.

★ **칠정(七情)**
기쁨[喜], 노여움[怒], 슬픔[哀], 두려움[懼], 사랑[愛], 미워함[惡], 바람[欲]의 일곱 가지 감정

★ **성리학에서 보는 지와 행의 관계**

| | |
|---|---|
| 지행병진(知行竝進) | 지(知)와 행(行)이 서로 영향을 주어 함께 발전해야 함 |
| 선지후행(先知後行) | 올바른 지식을 먼저 갖추어야 참된 실천을 할 수 있음 |

### 2. 양명학 — 육구연의 심학(心學)을 계승하여 왕수인이 체계화한 학문이야.

**(1) 심즉리(心卽理)**: 인간의 마음이 곧 이치라는 의미로 도덕 법칙은 선천적으로 마음에 내재함

**(2) 치양지(致良知)**
꼭! 양지는 인간이라면 누구나 선천적으로 타고나는 것으로 시비와 선악을 가려내고 이에 따라 행하는 능력이야.

① 마음의 양지를 자각하고 그대로 따르는 것

② 존천리거인욕: 양지의 실현을 방해하는 마음의 사욕을 극복하여 순선한 마음을 유지해야 함
└ 주희와 마찬가지로 왕수인도 존천리거인욕을 강조하였어.

**(3) 격물치지(格物致知)** 교과서 자료

① 격물(格物): 사욕을 제거하여 마음의 바르지 못함을 없앰으로써 마음을 바로잡아야 함

② 치지(致知): '치양지', 즉 마음의 양지를 실현하는 것

**(4) 지행합일(知行合一)**: 앎으로서의 지와 실천으로서의 행은 본래 별개가 아니라는 것 자료 ⑤
└ 꼭! 왕수인은 알면서도 행하지 않는 것은 사사로운 욕심 때문에 앎과 행함이 분리된 것으로 아직 알지 못하는 것과 같다고 보았어.

# 완자 자료 탐구

내 옆의 선생님

## 자료 4 인간의 본성을 바라보는 다양한 관점

맹자, 순자, 고자는 공통적으로 교육과 수양의 중요성을 강조하였어.

- 사람이 사단(四端)을 가지고 있는 것은 마치 사지(四肢)를 가지고 있는 것과 같다. 사단을 가지고 있는데도 자신은 선을 실천할 수 없다고 하는 사람은 스스로를 해치는 자이다. – 맹자, 『맹자』
- 인간의 본성은 악(惡)한 것이고, 선은 인위[僞]에 따른 것이다. 인간은 나면서부터 이익을 좋아하기 마련이므로, 그대로 내버려 두면 서로 싸우고 빼앗기 때문에 양보란 있을 수 없다. – 순자, 『순자』
- 사람의 본성은 여울물과 같아 동쪽을 트면 동쪽으로 흐르고 서쪽을 트면 서쪽으로 흐른다. 사람의 본성을 선이나 악으로 구분할 수 없음은 여울물에 동서의 구분이 없는 것과 같다. – 고자

맹자는 선한 본성을 확충하기 위한 노력을 강조하였고, 순자는 교육과 제도적 규범으로 악한 본성을 교화해야 한다고 보았다. 한편 고자는 인간의 본성이 선악으로 정해진 것이 아니라는 성무선악설을 통해, 선악은 후천적 환경과 자신의 선택에 따른 결과라고 보았다.

**정리** 비법을 알려줄게!

인간 본성에 대한 입장

| 맹자 |
|---|
| • 성선설<br>• 불인인지심, 사단과 사덕, 선천적으로 부여된 양지와 양능 |
| VS |
| **순자** |
| • 성악설<br>• 화성기위 |
| VS |
| **고자** |
| • 성무선악설<br>• 인간은 식욕, 성욕 등 기본적 욕구만 가지고 태어나며, 선악은 후천적 요인의 문제 |

## 자료 5 성리학과 양명학에서 본 지(知)와 행(行)의 관계

지와 행은 항상 서로 의존한다. 마치 눈이 있어도 발이 없으면 다닐 수 없고, 발이 있어도 눈이 없으면 볼 수 없는 것과 같다. 선후를 논하면 지가 우선이고, 경중을 논하면 행이 더 중요하다. – 주희, 『주자어류』

마음으로 자연히 알 수 있다. 아버지를 보면 자연히 효도를 알게 되고, 형을 보면 자연히 공경을 알게 되며, …… 이것이 바로 양지이므로 쓸데없이 밖에서 구할 필요가 없다. – 왕수인, 『전습록』

주희는 선지후행과 지행병진을, 왕수인은 지행합일을 강조하였다. 성리학은 먼저 올바른 지식을 갖추는 것을 중시한 반면, 양명학은 도덕적 이치를 굳이 학문적으로 깊이 탐구하지 않아도 된다고 보았다.

**정리** 비법을 알려줄게!

성리학과 양명학

| 구분 | 성리학 | 양명학 |
|---|---|---|
| 기본 이론 | 성즉리 | 심즉리 |
| 수양 방법 | 존천리거인욕, 격물치지 | |
| | 존양성찰, 거경궁리 | 치양지 |
| 앎과 실천 | 선지후행, 지행병진 | 지행합일 |

## 수능이 보이는 교과서 자료 성리학과 양명학의 격물치지(格物致知)

치지는 격물에 있다는 말은, 앎을 지극히 하려면 사물에 나아가 그 이치를 끝까지 탐구해야 한다는 뜻입니다. 배우는 사람들은 이미 알고 있는 것을 실마리로 하여, 사물을 더욱 궁구함으로써 궁극적인 이(理)에 이르러야 합니다. – 주희, 『대학장구』

선생님이 말하는 격물치지는 사물에 나아가 정해진 '이'를 구하는 것인데, 이는 심(心)과 이(理)를 둘로 쪼개는 것입니다. 제가 말하는 '치지격물'은 내 마음의 양지를 사사물물에 실현하는[致] 것을 뜻합니다. – 왕수인, 『전습록』

주희는 성즉리를 주장하며, 만물에 선천적으로 이치가 내재되어 있다고 보아 격물치지를 '사물에 나아가 그 이치를 탐구하여 나의 앎을 극진히 하는 것'으로 이해하였다. 이와 달리 왕수인은 심즉리를 주장하며, 마음이 곧 이치이며 마음 밖에는 이치가 없다고 보아 격물치지를 '내 마음의 양지를 개별 사물에서 실현하는 것'으로 풀이하였다.

**완자샘의 탐구 강의**

**• 성리학과 양명학의 사상적 공통점과 차이점을 서술해 보자.**

성리학과 양명학은 공통적으로 맹자의 성선설을 계승하여 인간의 본성을 선하다고 보며, 궁극적으로 도덕적 인간과 사회를 지향한다. 하지만 성리학은 학문적 탐구를 통한 실천을 중시하여 선지후행의 자세를 강조한 반면 양명학은 마음속의 양지를 구체적으로 실현하는 지행합일의 자세를 강조한다.

함께 보기 43쪽, 1등급 정복하기 3

STEP 1 핵심 개념 확인하기

정답친해 09쪽

**1** 다음 설명에 해당하는 용어를 쓰시오.

> 인간됨의 본질을 이루는 사랑의 정신을 말하며, 사회적 존재로서 완성된 인격체의 인간다움을 뜻한다.

**2** 다음 설명이 맞으면 ○표, 틀리면 ×표를 하시오.

(1) 묵자의 겸애는 차별 없는 사랑을 말한다. ( )

(2) 고자는 맹자의 성선설을 계승하여 성악설을 비판하였다. ( )

(3) 한비자는 신상필벌의 원칙에 따라 백성을 가르칠 것을 강조하였다. ( )

**3** 다음을 주장하는 사상가를 〈보기〉에서 골라 기호를 쓰시오.

> 보기
> ㄱ. 공자　　ㄴ. 맹자　　ㄷ. 순자

(1) 백성을 저버린 군주는 교체해야 한다. ( )

(2) 통치자가 먼저 군자다운 인격을 닦고 백성을 다스려야 한다. ( )

(3) 덕의 유무로 지위를 정하고 재화를 공평하게 분배해야 한다. ( )

**4** 다음 괄호 안의 내용 중 알맞은 말에 ○표를 하시오.

(1) 양명학은 ( 마음, 본성 )이 이치라고 본다.

(2) ( 성리학, 양명학 )은 치양지를 중요하게 생각한다.

(3) 성리학은 앎과 행의 관계를 ( 선지후행, 지행합일 )이라고 본다.

(4) 성리학과 양명학은 의미는 다르지만 ( 격물치지, 화성기위 )를 공통적으로 추구한다.

**5** 다음 용어와 그에 대한 설명을 옳게 연결하시오.

(1) 성리학의 격물치지 •　　• ㉠ 본래부터 가진 양지를 자각하고 실천해 나가야 한다.

(2) 양명학의 격물치지 •　　• ㉡ 사물의 이치를 알고, 올바른 행동을 할 수 있도록 수양해야 한다.

STEP 2 내신 만점 공략하기

**01** 다음과 같이 주장한 사상가의 입장에 대한 설명으로 옳지 않은 것은?

> • 군자의 도는 세 가지인데, 나는 가능한 것이 하나도 없다. 어진 사람은 근심하지 않고, 지혜로운 사람은 미혹되지 않고, 용기 있는 사람은 두려워하지 않는 법이다.
> • 군자는 자신을 수양하고[修己] 다른 사람을 편안하게 해준다[安人].

① 외면적 도덕규범인 인(仁)을 강조한다.
② 모든 사람이 더불어 잘 사는 사회를 지향한다.
③ 가족 사이의 친밀함을 사회로 확대해야 한다고 본다.
④ 사회 혼란을 극복하기 위해 도덕성의 회복을 주장한다.
⑤ 개인의 사욕을 극복하고 진정한 예를 회복해야 한다고 본다.

중요

**02** 다음 사상가의 관점에만 모두 '∨'를 표시한 학생은?

> • 법령으로 이끌고 형벌로 규제하면 형벌만 면하려 하고 부끄러운 줄 모른다. 도덕으로 지도하고 예로 규제하면 부끄러운 줄 알게 될 뿐만 아니라 바르게 된다.
> • 예가 아니면 보지 말고, 예가 아니면 듣지 말며, 예가 아니면 말하지 말고, 예가 아니면 움직이지 말아야 한다.

| 관점 \ 학생 | 갑 | 을 | 병 | 정 | 무 |
|---|---|---|---|---|---|
| 예를 통해 인간의 악한 본성을 인위적으로 교화해야 한다. | ∨ | ∨ | | ∨ | |
| 인간은 이기적인 존재이기에 법(法)을 통해 다스려야 한다. | ∨ | ∨ | ∨ | | |
| 통치자가 먼저 군자다운 인격을 닦은 후 백성을 다스려야 한다. | | | ∨ | | ∨ |
| 공정한 분배로 모든 사람이 더불어 잘 사는 사회를 실현해야 한다. | | ∨ | ∨ | ∨ | ∨ |

① 갑　② 을　③ 병　④ 정　⑤ 무

**03** 다음과 같이 주장한 사상가의 입장으로 옳은 것은?

> 백성이 귀하고 사직(社稷)이 다음이며 군주는 가볍다. 평범한 백성의 마음을 얻어야 천자(天子)가 된다. 천자에게 신임을 얻으면 제후가 되고 제후에게 신임을 얻으면 대부가 된다. 제후가 사직을 위태롭게 하면 그를 바꾼다.

① 상과 벌로 공정하고 엄중하게 백성을 다스린다.
② 도덕적 마음을 유지하기 위해 경제적 안정을 보장한다.
③ 덕의 유무로 지위를 정하고 능력에 따라 관직을 맡긴다.
④ 겸애를 근거로 다른 나라도 자신의 나라처럼 사랑한다.
⑤ 무력이나 권모술수를 통해 백성을 강하게 다스려야 한다.

**04** 다음 글의 관점에서 주장할 통치자의 자세로 적절하지 않은 것은?

> 우산(牛山)의 나무가 예전에는 아름다웠다. 하지만 큰 나라의 근교에 있기 때문에 사람들이 도끼로 베어 내니 어찌 아름다울 수 있겠는가? …… 더군다나 소와 양을 방목하니 저렇게 반들반들하게 된 것이다. 사람들이 산에 초목이 없는 것을 보고 여기에는 예전부터 좋은 나무가 없었다고 생각한다. 이것이 어찌 산의 본성이겠는가? 또한 사람에게 어찌 인의(仁義)의 마음이 없겠는가? 양심을 잃어버리는 것이 역시 매일매일 도끼로 나무를 베어 내는 것과 같다.

① 인(仁)에 기초한 왕도 정치로 백성을 다스려야 한다.
② 성인의 가르침을 배워 본성을 선하게 교화해야 한다.
③ 백성들의 인간다운 삶을 위해 생업을 마련해 주어야 한다.
④ 백성들의 고통을 차마 어찌하지 못하는 마음으로 다스려야 한다.
⑤ 백성의 마음을 잃는 것은 천하를 잃는 것과 마찬가지라고 생각해야 한다.

**05** 갑, 을의 입장에서 주장할 내용으로 적절하지 않은 것은?

> 갑: 눈물을 흘리며 형(刑)을 집행하지 못하는 것은 인(仁)이고, 형을 집행하지 않을 수 없는 것은 법(法)이다. 선왕이 법을 우선하고 눈물을 따르지 않는 것은 인(仁)만으로는 백성을 다스릴 수 없기 때문이다.
> 을: 인(仁)을 해치는 자를 적(賊)이라 하고, 의(義)를 해치는 자를 잔(殘)이라 하였으니, 도적을 처형하였다는 말은 들었어도 임금을 시해하였다는 말은 들은 적이 없다.

① 갑: 신상필벌에 따라 통치해야 한다.
② 갑: 이기적인 인간을 다스리는 강력한 법을 제정해야 한다.
③ 을: 군주가 군주답지 못하다면 왕조를 바꿀 수 있다.
④ 을: 남에게 차마 어찌하는 못하는 마음을 토대로 정치를 해야 한다.
⑤ 갑, 을: 외적인 규범을 통하여 인간의 선한 본성을 회복해야 한다.

중요
**06** 갑, 을의 입장에 대한 설명으로 옳은 것은?

사람은 태어날 때부터 자신의 욕망과 이익을 추구하고자 합니다.
갑

인간은 누구나 '남에게 차마 어찌하지 못하는 마음'을 지니고 있습니다.
을


① 갑은 인간의 본성이 선하다고 본다.
② 갑은 예를 백성들이 합의하여 만들어진 법이라고 본다.
③ 을은 자연과 인간의 일을 구분하여 인간의 능동성을 강조한다.
④ 을은 양지와 양능을 바탕으로 선천적인 도덕적 마음을 보존하고 확충해야 한다고 본다.
⑤ 갑, 을은 교육과 수양을 통하여 악한 본성을 교화해야 함을 강조한다.

**07** 갑, 을의 입장에 대한 설명으로 옳은 것은?

갑: 사람이 사단(四端)을 가지고 있는 것은 마치 사지(四肢)를 가지고 있는 것과 같다. 사단을 가지고 있는데도 선을 실천할 수 없다는 자는 스스로를 해치는 자이다.
을: 사람은 이익을 좋아하는 욕망을 타고난다. 하지만 이익이 의로움을 이기면 난세가 되므로 성인이 예의를 제정해서 직분을 나누었다.

① 갑은 항산을 보존하기 위하여 항심을 유지해야 한다고 본다.
② 갑은 서로 차별 없이 사랑하고 이로움을 나누어야 한다고 주장한다.
③ 을은 타고난 도덕성을 유지하기 위해 예를 제정해야 한다고 본다.
④ 을은 법치의 실현을 위해 법령과 형벌을 강화해야 한다고 주장한다.
⑤ 갑, 을은 교육을 통해서 누구나 이상적인 인간이 될 수 있다고 본다.

**08** 다음과 같이 주장한 사상가의 입장으로 옳은 것은?

기(氣)가 있으면 반드시 그 이(理)가 있다. 맑은 '기'를 타고난 사람은 성현인데, 이는 마치 보석이 맑고 깨끗한 물속에 있는 것과 같다. 반면에 탁한 '기'를 타고난 사람은 우매한 사람인데, 이는 마치 보석이 탁한 물속에 있는 것과 같다.

① 현실에 존재하는 사물은 '이'의 상태이다.
② 모든 사물은 '이'와 '기'의 결합으로 이루어져 있다.
③ 하늘의 본성과 인간을 독립적 존재로 인식해야 한다.
④ 도덕 판단과 실천의 근거는 마음속에 내재한 도덕이다.
⑤ 사물의 원리인 '이'와 재료인 '기'는 역할이 다르지만 뒤섞일 수 있다.

**09** 학생 답안의 ㉠~㉤ 중 옳지 않은 것은?

서술형 평가

◎ 문제: 송(宋)대의 성리학에 대해 서술하시오.
◎ 학생 답안
㉠ 성리학은 인간의 본성이 곧 이치라는 주장으로 주희가 집대성하였다. 성리학은 크게 이기론, 심성론, 수양론, 경세론으로 나누어 설명할 수 있다. ㉡ 이기론은 만물의 생성 원리를 '이'와 '기'로 설명하는 이론이며, ㉢ 심성론은 이기론을 통해 인간의 마음과 본성을 심층적으로 분석한 이론이다. ㉣ 수양론에는 덕치와 예치를 통해 민본과 위민을 강조한다는 내용이 포함되어 있으며, ㉤ 경세론은 세상을 다스리는 이론으로 수기이안인의 전통을 계승하였다.

① ㉠ ② ㉡ ③ ㉢ ④ ㉣ ⑤ ㉤

**10** 다음과 같이 주장한 사상가의 입장을 〈보기〉에서 고른 것은?

마음으로 자연히 알 수 있다. 아버지를 보면 자연히 효도를 알게 되고, 형을 보면 자연히 공경을 알게 되며, 어린아이가 우물에 들어가는 것을 보면 자연히 측은함을 알게 된다. 이것이 바로 도덕 판단의 기준이므로 쓸데없이 밖에서 구할 필요가 없다.

보기
ㄱ. 도덕 법칙은 선천적으로 마음에 내재한다.
ㄴ. 앎과 실천의 선후를 가려 지적인 탐구를 우선해야 한다.
ㄷ. 마음의 사욕을 극복하여 순선한 마음을 유지해야 한다.
ㄹ. 도덕 법칙이 내재된 사물의 이치를 탐구하여 앎을 이루어야 한다.

① ㄱ, ㄴ ② ㄱ, ㄷ ③ ㄴ, ㄷ
④ ㄴ, ㄹ ⑤ ㄷ, ㄹ

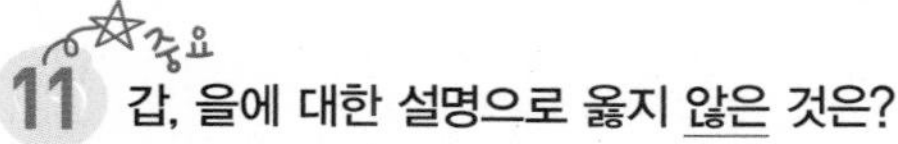

**11** 갑, 을에 대한 설명으로 옳지 않은 것은?

> 갑: 인간이 배와 차를 만들기 이전에도 이미 배와 차의 이(理)가 존재했다. 우리는 배와 차를 발명했다고 말하지만, 실은 배와 차의 '이'를 발견한 것에 불과하며, 이에 따라서 이런 사물들을 만든 것일 뿐이다.
> 을: 부모를 섬기는 경우 부모에게서 효도의 이치를 구할 수 없고, 임금을 섬기는 경우 임금에게서 충성의 이치를 구할 수 없다. 모두가 다만 이 마음에 있을 뿐이니, 마음이 곧 이(理)이다.

① 갑은 만물에 선천적으로 이치가 내재되어 있다고 본다.
② 갑은 도덕적 행위의 근거를 우주 자연의 이치와 연결지어 규정한다.
③ 을은 마음의 양지를 자각하고 그대로 따르는 것을 중시한다.
④ 을은 사물을 탐구하고 참된 앎을 실천하여 기질을 바로잡아야 한다고 주장한다.
⑤ 갑, 을은 존천리거인욕, 격물치지의 수양 방법을 주장한다.

**12** 갑~병의 입장만을 <보기>에서 있는 대로 고른 것은?

> 갑: 성현이 베푼 가르침은 인욕(人欲)을 제거하고 천리(天理)를 보존하는 방법 아닌 것이 없다. 인욕이 없고 순수한 천리인 마음은 정성스럽게 효도하는 마음이다.
> 을: 지와 행이 의존함은 눈이 있어도 발이 없으면 다닐 수 없고, 발이 있어도 눈이 없으면 볼 수 없는 것과 같다. 선후는 지가 우선이고, 경중은 행이 중요하다.
> 병: 사람이 배우지 않고도 할 수 있음은 양능(良能)이고, 생각하지 않고도 알 수 있음은 양지(良知)이다. 부모를 사랑함은 인(仁)이요, 어른을 공경함은 의(義)이다.

**보기**

ㄱ. 갑: 인간의 마음 없이는 어떠한 이치도 없다.
ㄴ. 을: 덕성을 실천하려면 이론적 지식의 습득이 중요하다.
ㄷ. 병: 인간의 본성은 선이나 악으로 규정할 수 없다.
ㄹ. 갑, 을, 병: 누구나 선한 본성을 지니고 있다.

① ㄱ, ㄴ ② ㄱ, ㄷ ③ ㄴ, ㄷ
④ ㄱ, ㄴ, ㄹ ⑤ ㄴ, ㄷ, ㄹ

## 서술형 문제

● 정답친해 10쪽

**01** 다음 사상가의 관점에서 바람직한 정치와 경제적 이익의 관계를 서술하시오.

> 풍년에는 젊은이들이 믿는 바가 있어 선행을 하고 흉년에는 포악함이 많다. 하늘이 내린 바탕이 달라서 그런 것이 아니다. 마음을 놓아 버리게 되어 그렇게 되는 것이다.

**길잡이** 맹자의 항산과 항심의 관계를 중심으로 서술한다.

**02** 다음 사상가의 관점에서 인간이 도덕을 실천하는 이유를 서술하시오.

> 사람들이 모두 본성을 따르게 되면 틀림없이 혼란한 상태에 이르게 된다. 이에 반드시 스승과 법도에 따른 교화가 있어야 하며 예의와 도리를 가르쳐야 한다.

**길잡이** 순자가 바라본 인간 본성과 도덕과의 관계를 이해하여 서술한다.

**03** 다음을 읽고 물음에 답하시오.

> 갑: 하나의 사물이 있으면 하나의 이(理)가 있다. 이를 궁구하여 밝히는 것이 격물(格物)이다. 또한 사물 속의 당연한 이치와 그렇게 되는 까닭을 아는 것이 격물이다.
> 을: 마음 밖에 사물이 없고, 마음 밖에 일도 없으며, 마음 밖에 이가 없고, 마음 밖에 선도 없다. '격(格)'은 바로잡음이고, '물(物)'은 내 마음이 닿는 일이다.

(1) 갑, 을이 공통으로 설명하는 용어를 쓰시오.

(2) 갑, 을의 관점에서 앎과 실천의 관계를 각각 서술하시오.

**길잡이** 성리학과 양명학의 공통점과 차이점을 이해하고 지와 행의 관계를 서술한다.

# STEP 3 1등급 정복하기

평가원 응용

**1** 갑, 을의 입장만을 〈보기〉에서 있는 대로 고른 것은?

> 갑: 정치는 이름을 바로 잡는 것[正名]에서 시작된다. 이름이 바로 잡히지 않으면 예악(禮樂)이 세워지지 않고, 예악이 세워지지 않으면 형벌의 집행이 공정하게 되지 않는다.
> 을: 선비가 머물러야 할 곳은 어디인가? 바로 인(仁)이다. 선비가 걸어야 할 길은 어디에 있는가? 바로 의(義)이다. 인에 머물며 의를 따르면 대인(大人)의 일이 이루어진다.

**보기**

ㄱ. 갑: 군자는 자신의 이익보다 분배의 공정함을 우선해야 한다.
ㄴ. 갑: 도덕과 예의로서 본성을 변화시키는 덕치를 실현해야 한다.
ㄷ. 을: 백성의 도덕적 마음을 유지하기 위해 경제적 안정을 중시해야 한다.
ㄹ. 갑, 을: 교육과 수양을 통해 도덕성이 실현된 공동체를 지향해야 한다.

① ㄱ, ㄴ ② ㄴ, ㄷ ③ ㄷ, ㄹ
④ ㄱ, ㄷ, ㄹ ⑤ ㄴ, ㄷ, ㄹ

**공자와 맹자의 정치사상**

**완자샘의 시험 꿀팁**

정치사상에 관한 공자와 맹자의 입장을 비교하는 문항이 출제되고 있으므로 이들이 주장한 정치 사상을 비교하여 파악해야 한다.

**2** (가)의 갑, 을의 주장을 (나) 그림으로 표현할 때, A~C에 해당하는 내용으로 옳은 것은?

(가)

갑: 사람의 본성을 인의(仁義)라고 하는 것은 고리버들로 그릇을 만드는 것과 같다. 본성은 소용돌이 치는 물과 같아서 동으로 트면 동으로 흐르고 서로 트면 서로 흐른다. 사람의 본성에 선과 악이 구분되지 않는 것은 마치 물에 동서의 구분이 없는 것과 같다.
을: 만일 고리버들을 깎아서 그릇을 만든다고 한다면, 사람의 본성을 해쳐서 인의를 행하도록 한다는 말인가? 물에는 동서의 구분이 없지만 상하의 구분이 없겠는가?……사람의 본성이 선한 것은 물이 위에서 아래로 흐르는 것과 같다.

(나)

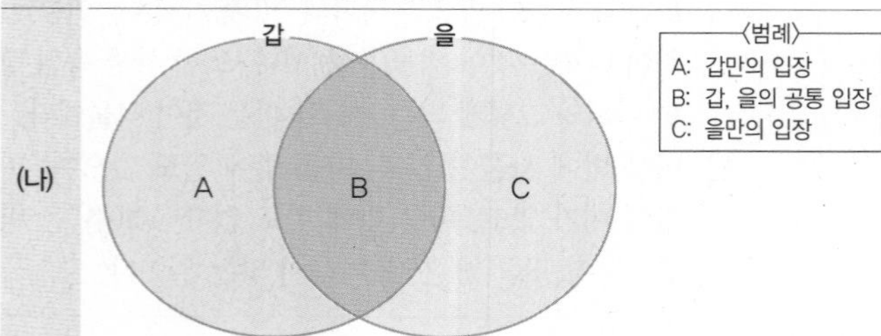


① A: 선한 본성을 확충하기 위한 노력이 중요하다.
② A: 인간의 기본적 욕구인 식욕과 성욕은 후천적으로 발생한다.
③ B: 인간은 선천적으로 도덕성을 지니고 있다.
④ C: 타고난 본성을 유지하기 위해 노력해야 한다.
⑤ C: 옳고 그름을 가려내는 마음이 후천적으로 형성된다.

**고자와 맹자의 본성론**

**완자샘의 시험 꿀팁**

인간의 본성을 바라보는 여러 사상가들의 입장을 비교하는 문제가 자주 출제된다. 따라서 인간의 본성에 대한 여러 사상가들의 입장을 파악해 둔다.

## 3 갑, 을에 대한 옳은 설명을 〈보기〉에서 고른 것은?

> 성리학과 양명학의 격물치지

갑: 치지는 격물에 있다는 말은, 나의 앎을 지극히 하려면 사물에 나아가 그 이치를 끝까지 탐구해야 한다는 뜻입니다. 배우는 사람들은 이미 알고 있는 것을 실마리로 하여, 사물을 더욱 궁구함으로써 궁극적인 이(理)에 이르러야 합니다.
을: 선생님이 말하는 격물치지는 사물에 나아가 정해진 '이'를 구하는 것인데, 이는 심(心)과 '이'를 둘로 쪼개는 것입니다. 제가 말하는 '치지격물'은 내 마음의 양지를 사사물물에 실현하는[致] 것을 뜻합니다.

**보기**

ㄱ. 갑은 만물의 이치를 먼저 터득한 후 이에 따라 실천해야 함을 강조한다.
ㄴ. 을은 인격 수양을 위해 지적 탐구가 선행되어야 함을 강조한다.
ㄷ. 을은 앎으로서의 지와 실천으로서의 행은 본래 별개가 아니라고 주장한다.
ㄹ. 갑, 을은 천리(天理)와 인욕(人欲)을 제거해야 함을 강조한다.

① ㄱ, ㄴ ② ㄱ, ㄷ ③ ㄴ, ㄷ
④ ㄴ, ㄹ ⑤ ㄷ, ㄹ

**완자샘의 시험 꿀팁**

성리학과 양명학에서 해석하는 격물치지의 의미를 묻는 문항이 자주 출제되므로 성리학과 양명학에서 주장하는 격물치지의 의미를 꼼꼼히 알아 둔다.

교육청 응용

## 4 갑, 을에 대한 옳은 설명만을 〈보기〉에서 있는 대로 고른 것은?

> 성리학과 양명학의 사상적 특징

갑: 성(性)은 곧 이(理)이다. 마음[心]에서는 성이라고 부르고, 일[事]에서는 이(理)라고 부른다. 성이란 사람이 하늘로부터 부여받은 이(理)에서 온전하게 선하지 않음이 없다.
을: 심(心)은 곧 이(理)이다. 천하에 마음 밖의 일이 없고, 마음 밖의 이치가 없다. 마음이 사사로운 욕심에 가려지지 않은 것이 곧 천리(天理)이니, 마음 밖에서 조금이라도 보탤 필요가 없다.

**보기**

ㄱ. 갑은 우주 만물의 근원을 '이'와 '기'의 결합으로 본다.
ㄴ. 갑은 인간의 본성과 사물의 원리를 올바르게 인식하기 위한 이치를 탐구해야 한다고 본다.
ㄷ. 을은 마음의 양지를 자각하고 그대로 따라야 한다고 본다.
ㄹ. 을은 도덕적 앎과 도덕적 실천 사이에는 선후(先後)가 있다고 본다.

① ㄱ, ㄴ ② ㄱ, ㄹ ③ ㄴ, ㄷ
④ ㄱ, ㄴ, ㄷ ⑤ ㄴ, ㄷ, ㄹ

# 03 도덕적 심성

**학습목표**
- 이황과 이익의 사상을 비교하여 조선 성리학의 특징을 이해할 수 있다.
- 정약용의 사상을 통해 조선 성리학의 한계와 실학 사상의 의의를 파악할 수 있다.

**이것이 핵심!**

**이황과 이이의 사상**

| | |
|---|---|
| 이황 | • '이'와 '기' 모두 발할 수 있음<br>• '이'는 귀하고 '기'는 천함<br>• 사단과 칠정의 엄격한 구분<br>• 경(經)의 실천 |
| 이이 | • 사단과 칠정 모두 '기'가 발하고 '이'가 탄 것<br>• '이'는 통하고 '기'는 국한됨<br>• 칠포사: 이기불상리 강조<br>• 경과 성의 강조<br>• 무실과 경장 주장 |

**★ 사단 칠정론**
도덕 감정인 사단과 일반 감정인 칠정의 관계를 규명하기 위한 논의로 사단은 그 자체로 선하지만 칠정은 선할 수도 악할 수도 있다고 본다.

**★ 경(敬)의 주된 실천 방법**

| | |
|---|---|
| 주일무적 | 의식을 집중시켜 잡념이 들지 않게 하는 것 |
| 정제엄숙 | 몸가짐을 단정히 하여 엄숙한 태도를 유지하는 것 |
| 상성성 | 항상 또렷하게 깨어 있는 마음을 가지는 것 |

**★ 성(誠)**
진실함, 성실함을 뜻하며 하늘의 진실한 이(理)이자 마음의 본체

**★ 경장(更張)**
거문고의 소리가 제대로 나지 않을 때 낡은 줄을 풀고 새 줄로 바꿈으로써 소리를 제대로 나게 한다는 데서 유래한 말로, 기존의 제도나 관습을 개혁한다는 의미이다.

## 1 도덕 감정

### 1. 유교 윤리의 수용과 전개

| | |
|---|---|
| 삼국 시대 | 주체적으로 유교를 수용하여 도덕규범과 정치 이념, 법률 및 제도, 교육 등으로 활용함 |
| 고려 시대 | 성리학을 수용하여 자연과 인간을 탐구하고 정치적·사회적 개혁을 진행함 |
| 조선 시대 | • 성리학을 바탕으로 개인의 도덕적 완성과 도덕적 이상 사회를 구현하고자 함<br>• 대표 사상가: 이황, 이이 |

(조선 시대) 중국의 성리학을 깊이 탐구하여 인간의 내면 즉 심성론에 대한 연구가 활발히 전개되었어. 그렇기 때문에 이 시기에는 중국 유학과 구분되는 학문적 성취를 이루었다고 볼 수 있어.

### 2. 이황의 사상

(1) **이기호발(理氣互發)**: '이'와 '기' 모두 각각 발할 수 있음 자료 ①

① 사단은 '이'가 발하고 '기'가 그것을 따르는 것이고, 칠정은 '기'가 발하고 '이'가 그것을 타는 것

② '이'와 '기'는 모두 운동성이 있음 → '이'의 능동성을 강조함

(2) **이귀기천(理貴氣賤)**: '이'는 귀하고 '기'는 천함

① '이'는 순선무악하며, '기'는 선과 악이 혼재함 → '이'를 '기'보다 우위에 두는 입장임

② 이기불상리(理氣不相離)보다 이기불상잡(理氣不相雜)을 강조함

꼭! '기'에 대한 '이'의 주재성을 강조한 측면으로 볼 수 있어.

(3) **★사단 칠정론**

① 사단(四端): 이(理)가 발하여 드러난 도덕적 감정으로서 순선무악(純善無惡)함

② 칠정(七情): 기(氣)가 발하여 드러난 일반적인 감정으로서 선악의 가능성이 있음

③ 사단과 칠정의 엄격한 구분 → 도덕적 기준과 인간의 욕망을 착각하는 것을 방지하고자 함

(4) **수양론**

① ★경(敬)을 통해 인간의 욕망을 막고 우주 자연의 원리와 하나됨을 추구함

(경: 일종의 도덕적 긴장 상태를 말해.)

② 거경(居敬)과 궁리(窮理)의 병행을 주장함

### 3. 이이의 사상

(1) **기발이승일도설(氣發理乘一途說)**: 사단과 칠정 모두 '기'가 발하고 '이'가 탄 것 자료 ②

왜? 운동하고 변화하는 것은 '기'이며, '이'는 스스로 움직일 수 없다고 보았기 때문이야.

① '이'라는 원리에 근거하여 '기'의 발동만을 인정함

② 이기지묘(理氣之妙): '이'와 '기'는 하나이면서 둘이고 둘이면서 하나인 묘합의 관계

('이'와 '기'의 상호 보완성을 강조하였어.)

(2) **이통기국(理通氣局)**: "형체가 없어서 보편적으로 실재하는 이(理)는 통하는 것이고, 형체가 있는 기(氣)는 국한되는 것이다." → '이'는 보편적인 것, '기'는 특수한 것으로 파악함

왜? 이이는 '기'가 아니면 발동할 수 없고, '이'가 아니면 발동할 까닭이 없다고 하였어. '기'는 움직이는 기능을, '이'는 원인 또는 원리로써만 존재한다고 주장했음을 알 수 있어.

(3) **사단 칠정론**

① 사단과 칠정은 분리될 수 없음 → 이기불상리에 주목함

② 칠포사(七包四): 칠정이 사단을 포함하며, 사단은 칠정 가운데 선한 부분이라고 주장함

(4) **수양론** 자료 ③

① 경(敬)을 통해 ★성(誠)에 이를 것을 강조함

꼭! 이이는 '성'이 아니면 천리의 본래 모습을 보존할 수 없고 '경'이 아니면 한 몸을 주재하는 마음을 단속할 수 없다고 보았어.

② 교기질(矯氣質): 기질을 바로잡음으로써 도덕 본성으로서의 '이'를 실현해야 함

③ 극기(克己): 사사로운 욕망을 극복하는 것

(5) **사회 ★경장론**: 민본과 위민의 이상을 현실에 실현하기 위한 무실(務實)과 시대 변화에 따른 개혁론인 경장을 주장함 → 도덕과 더불어 실리를 추구하여 실학 형성에 기여함

## 자료 1 '이'와 '기'에 관한 이황의 입장

> 천하에 이(理) 없는 기(氣) 없고 기(氣) 없는 이(理)는 없습니다. 사단은 '이'가 발하여 '기'가 따르고, 칠정은 '기'가 발하여 '이'가 타는 것입니다. '기'가 따르지 않는 '이'는 나올 수가 없고, '이'가 타지 않는 '기'는 곧 이욕(利慾)에 빠져서 금수(禽獸)가 되는 것이니, 이것은 바뀔 수 없는 확고한 이치입니다.
>
> └ 날짐승과 길짐승이라는 뜻으로 모든 짐승을 이르는 말이야.
>
> – 이황, 『퇴계집』

이황은 사단은 '이'에서, 칠정은 '기'에서 발한다고 보고 사단과 칠정이 발하는 원천이 분명히 다름을 구분하였다. 이황은 사단은 '이'가 발한 것임을 명확히 하였으며, 칠정은 '이'가 주재 능력을 발휘하느냐에 따라 선할 수도, 악할 수도 있다고 주장하여 '이'의 역할을 강조하였다. 또한 이황은 이기불상리보다 '이'와 '기'가 뒤섞일 수 없다는 이기불상잡을 강조하여 '기'에 대한 '이'의 주재성을 주장하였다.

## 자료 2 이이의 이기론

> 물이 담겨 있는 그릇에서 물이 그릇을 떠날 수 없는 것과 마찬가지로 '이'와 '기'는 개개 사물에서 오묘하게 어우러져 있다[理氣之妙]. 그리고 그릇이 움직일 때 물이 움직이는 것은 '기'가 발할 때 '이'가 거기에 타는 것과 같다.
>
> – 이이, 『율곡집』

제시된 글에서 물은 '이'이며, 그릇은 '기'이다. 이이는 그릇이 움직이면 물이 움직이는 상황을 통해 '기'가 발할 때 '이'가 타는 것만이 옳다고 주장하며, 이황의 이기호발설을 비판하였다.

## 자료 3 이황과 이이의 수양론

> 마음의 이치는 매우 방대하여 본떠서 잡을 수 없으며, 매우 넓어서 끝을 볼 수 없으니, 만약 경(敬)을 첫째로 삼지 않으면, 어찌 능히 그 성(性)을 보존하고 본체를 세우겠는가. 이 마음의 발하는 것이 미묘하여 가는 털끝을 살피기보다 어렵고, 위태하여 구덩이를 밟기보다 어려울 것이니, 진실로 경을 첫째로 삼지 않으면 또 어찌 그 기미를 바르게 하고, 그 쓰임에 통달할 수 있겠는가.
>
> – 이황, 『퇴계집』

> 기질은 그릇과 같고 본성은 물과 같습니다. 깨끗한 그릇에 물이 담긴 것은 성인이고, 그릇에 모래와 진흙이 섞인 것은 중간쯤 되는 보통 사람이며, …… 것은 맨 밑의 사람입니다. 짐승들은 막혀 있기는 하지만 물이 없지는 않습니다. 비유하자면 물이 섞인 진흙덩이와 같아서 끝내 맑게 할 수 없으니, 물기가 이미 말라 버려서 맑게 할 방법도 없고 물이 있는 것이 보이지도 않기 때문입니다. 그렇다고 물이 없다고는 말할 수 없습니다.
>
> – 이이, 『율곡전서』

이황은 사람의 행동을 주재하는 마음을 자각 상태로 유지하여 도덕 본성을 유지하는 경(敬)을 강조하였다. 반면 이이는 기질지성을 교정하는 교기질을 수양의 방법으로 제시하였는데, 교기질의 핵심은 극기(克己)이다. 극기는 사사로운 욕망을 극복하는 것이며, 이를 통해 '기'가 맑고 깨끗해져 '이'의 본래 모습인 선한 도덕 본성이 드러난다.

### 자료 하나 더 알고 가자!

**이황의 본연지성과 기질지성**

> 사단은 '이'가 발하고 '기'가 이를 따름으로써 드러나는 감정이다. 즉, 사단은 본연지성이 발하여 드러난 도덕 감정인 것이다. 이와 반대로 '기'가 발하고 '이'가 '기'를 타면서 칠정이라는 감정이 드러난다. 이는 곧 기질지성이 발하여 드러난 감정인 것이다.
>
> – 이황, 『퇴계집』

이황은 '이'가 발한 감정인 사단은 본연지성이 발한 것이고, '기'가 발한 감정인 칠정은 기질지성이 발한 것이라고 보았다.

### 문제로 확인할까?

**이이의 사상으로 가장 적절한 것은?**

① '이'의 능동성을 강조하였다.
② 실학의 형성에 강하게 반대하였다.
③ '이'는 귀하고 '기'는 천하다고 보았다.
④ '이'는 통하고 '기'는 국한된다고 보았다.
⑤ 인간의 기질은 변할 수 없는 것이라고 여겼다.

답 ④

### 정리 비법을 알려줄게!

**이황과 이이의 수양론**

| | |
|---|---|
| 이황 | • 경 공부(주일무적, 정제엄숙, 상성성)<br>• 거경과 궁리의 병행 |
| 이이 | • 경, 성 공부<br>• 교기질, 극기 |

# 03 도덕적 심성

## 이것이 핵심!

정약용의 사상

| | |
|---|---|
| 욕구의 긍정 | 욕구는 도덕적 삶을 위한 추동력 |
| 인간관 | • 자율적 존재<br>• 자주지권 |
| 성기호설 | • 인간의 본성은 마음의 기호<br>• 종류: 영지의 기호, 형구의 기호 |
| 덕의 후천설 | 구체적 실천을 통해 후천적으로 형성됨 |
| 수양론 | • 자기 수양: 신독, 사천<br>• 관계 윤리: 서, 구인 |

* **고증(考證)**
예전에 있던 사물들의 시대, 가치, 내용 따위를 옛 문헌이나 물건에 기초하여 증거를 세워 이론적으로 밝힘

* **자주지권(自主之權)**
정약용이 천주교의 영향을 받아 사용한 용어로, 그리스도교에서 창조된 인간에게 주어진 '자유 의지'에서 나온 말이다.

* **사단에 대한 성리학과 정약용의 입장**

| | |
|---|---|
| 성리학 | • 사단의 단(端)을 단서로 봄(단서설)<br>• 사단은 사덕의 단서임 |
| 정약용 | • 사단의 단(端)을 시작, 시초로 봄(단시설)<br>• 사단을 출발점으로 실생활에서의 도덕적 실천을 통해 사덕을 형성함 |

## 2 도덕 본성

### 1. 실학의 등장

**(1) 시대 상황**

① 임진왜란과 병자호란 이후 사회적 혼란 속에서 성리학이 명분만을 중시하는 폐단을 낳음

② 청나라의 *고증 학풍과 발달한 문물 수용 → 현실을 중시하는 정치적·학문적 분위기 발생

**(2) 성리학과 실학의 차이점**

| | |
|---|---|
| 성리학 | 대체로 개인의 도덕적 수양에 집중함 |
| 실학 | • 현실적인 사회의 문제 해결을 중요시함 → 민생의 구제와 국부의 증대를 목표로 사회 개혁론을 주장함<br>• 지배 계급의 윤리적 건전성을 회복하는 것에 관심을 가짐 |

### 2. 정약용의 사상

정약용은 도덕 본성이 인간을 이해하는 것에 현실적으로 도움이 되지 않는다고 보아 성리학을 비판하였어. 그는 이법적 실체로서의 '이'를 비판적으로 검토하고 수정해야 한다고 보았어.

**(1) 욕구의 긍정** 자료④

① 욕구는 생존과 더불어 도덕적인 삶을 위해 필요한 삶의 추동력

② 욕구를 평등하게 발현하는 인간의 자율성을 강조함

VS 기존의 성리학은 욕구를 불순하게 여겼지만 정약용은 삶에서 꼭 필요한 것으로 보았어.

**(2) 인간관**

① 자율적 존재 → "인간은 현실적이고 혈기적인 존재"

② *자주지권: 인간은 선하고자 하면 선할 수 있고, 악하고자 하면 악할 수 있는 자유 의지를 지님 자료⑤

③ 도덕적 실천에 힘쓰며 자신의 선택과 행위에 책임을 져야 하는 존재

**(3) 성기호설(性嗜好說)**

① 인간의 본성은 일종의 경향성이며, 마음의 기호라고 보는 입장

② 종류

| | |
|---|---|
| 영지(靈知)의 기호 | • 인간만이 지니는 도덕적 기호로 선을 좋아하고 악을 미워하는 경향<br>• 인간이 존귀한 이유가 됨 |
| 형구(形軀)의 기호 | • 인간과 동물이 지닌 생리적 기호로 육체적이고 감각적인 것을 좋아하는 경향<br>• 육체적 욕구 차원에서 생기는 기호 |

**(4) 덕(德)의 후천설** 교과서 자료

① 사덕이 인간에게 본성적으로 주어진다는 기존의 성리학적 설명을 거부함

② 타고난 *사단을 일상생활에서 확충함으로써 후천적으로 사덕이 형성됨

꼭! 사덕은 인간의 선택과 실천을 통해 이루어가는 것이라고 주장하였어.

**(5) 수양론**

| | |
|---|---|
| 자기 수양의 자세 | • 신독(愼獨): 매 순간 양심의 소리에 귀를 기울여야 함<br>• 사천(事天): 하늘의 뜻에 부합하려는 자세를 지녀야 함 |
| 관계 윤리에서의 자세 | • 서(恕): 자신의 마음을 미루어 상대를 이해하고 배려하는 것<br>• 구인(求仁): 도리를 실천하려는 자세 |

### 3. 한국 유교 윤리 사상의 현대적 의의

꼭! 불균형한 현대 사회에서 개인과 공동체의 균형적이고 도덕적인 삶을 강조하는 한국 유교 윤리는 중요한 의미를 지닐 수 있어.

(1) **개인의 도덕성 강조:** 인간 존재 본연의 도덕적 가능성을 논하고 실천방법을 탐구하려 함

(2) **도덕적 공동체 문화의 강조:** 도덕 주체의 자각을 강조하여 개인과 사회의 도덕적 역량을 키울 수 있는 지침을 제공함 예 선비 정신, 예의와 염치, 효도와 공경 등

## 자료 4 정약용의 인간관

> 우리의 영체(靈體) 안에는 본래 원하고 욕구하는 '단(端)'이 있다. 만일 이 욕구의 마음이 없다면 천하의 만사(萬事)를 실행할 수 없을 것이다. 이익에 밝은 사람이어야 욕구하는 마음이 이익이나 재물을 따라가며, 의리에 밝은 사람이어야 욕구하는 마음의 도의(道義)를 따라간다. 욕구가 극단의 경지에 가면 두 가지 모두 몸이 죽어도 후회가 없다. 이른바 "탐욕이 있는 사람은 재물을 위해 몸을 바치고 열사는 명예를 위해 몸을 바친다."라는 것이다. – 정약용, 『심경밀험』

정약용은 맹자가 주장한 단(端)을 욕구[欲]의 단서라고 해석하였다. 도덕적인 행위는 욕구가 있어야 가능하다고 본 것이다. 이를 통해 욕망의 절제를 강조한 성리학에서 벗어나 인간의 자율성과 능동성을 중시하고, 욕망을 긍정적으로 해석하면서 인간의 주체적 실천을 통한 사회개혁을 추구하였다.

**정리 비법을 알려줄게!**

**정약용이 구분한 네 가지 존재**

<table>
<tr><td colspan="4">기, 생명, 지각 능력, 도덕적 기호</td><td rowspan="4">인간</td></tr>
<tr><td colspan="3">기, 생명, 지각 능력</td><td rowspan="3">동물</td></tr>
<tr><td colspan="2">기, 생명</td><td rowspan="2">식물</td></tr>
<tr><td>기</td><td>무생물</td></tr>
</table>

## 자료 5 정약용의 자주지권

> 하늘이 사람에게 자주지권(自主之權)을 부여하여 선을 행하고자 하면 선을 행하고 악을 행하고자 하면 악을 행하게 하였으니, 유동적이고 정해져 있지 않다. 그 권한이 자기에게 있기 때문에 짐승들의 마음이 이미 결정되어 있는 것과는 다르다. 그러므로 선을 행하면 실제로 자신의 공이 되고, 악을 행하면 실제로 자신의 죄가 된다. – 정약용, 『심경밀험』

인간은 하늘이 부여한 자주지권을 바탕으로 스스로 선과 악 중 선택할 수 있다. 정약용은 이를 통해 스스로 선택한 도덕 행위에 대한 책임이 인간 자신에게 있다고 보았다. 이러한 자율적이고 주체적인 인간관에서 정약용의 윤리 사상이 지니는 근대 지향적인 성격을 찾을 수 있다.

**문제로 확인할까?**

**정약용의 관점으로 가장 적절한 것은?**

① 인간의 마음이 곧 이치이다.
② 인간의 본성이 곧 이치이다.
③ 학문적 가치와 실용성은 반비례한다.
④ 사덕은 실천을 통해 형성되는 덕목이다.
⑤ 욕구를 제거하고 도덕 본성을 보존해야 한다.

답 ④

## 수능이 보이는 교과서 자료 정약용의 사덕(四德)

> 어린아이가 우물로 기어 들어가는 것을 보고 측은해하면서도 가서 구하지 않는다면, 그 마음만으로 인(仁)이라 할 수 없을 것이다. 누군가 욕을 하거나 발로 차면서 밥을 줄 때 이를 수치스러워하면서도 버리고 가지 않는다면, 그 마음만으로 의(義)라 할 수 없을 것이다. 귀한 손님이 대문 앞에 왔을 때 공경하면서도 마중을 나가지 않는다면, 그 마음만으로 예(禮)라 할 수 없을 것이다. …… 이를 통해 측은, 수오, 사양, 시비의 마음은 인간 본성에 고유한 것이지만, 인, 의, 예, 지는 측은, 수오, 사양, 시비의 확충이라는 것을 알 수 있다. 확충에 이르지 못하면 인, 의, 예, 지라는 이름은 끝내 성립할 수 없다. – 정약용, 『맹자요의』

정약용은 인간이 도덕적 기호인 영지의 기호를 가지고 있어 선을 좋아하고 악을 미워한다고 보았다. 나아가 정약용은 인간이 사단을 가지고 있더라도 이를 실천해야 인의예지라는 덕목을 후천적으로 갖출 수 있다고 주장하였는데, 이러한 그의 주장은 실천을 더욱 강조하는 실학이라는 새로운 도덕 이론을 세우는데 큰 영향을 주었다.

**완자샘의 탐구 강의**

**• 정약용의 관점에서 사단과 사덕의 관계를 서술해 보자.**

정약용은 사단은 선한 행동을 위한 출발점일 뿐이며, 일상생활에서 사단을 실천함으로써 후천적으로 사덕이 형성된다고 보았다.

함께 보기 53쪽, 1등급 정복하기 4

## STEP 1 핵심 개념 확인하기

정답친해 12쪽

**1** 이황이 제시한 수양의 방법만을 〈보기〉에서 있는 대로 골라 기호를 쓰시오.

보기
ㄱ. 상성성　　ㄴ. 정제엄숙
ㄷ. 주일무적　　ㄹ. 직지인심

**2** 다음 설명에 해당하는 용어를 쓰시오.

'이'는 시간과 공간의 제약을 받지 않아 보편성을 유지하지만, '기'는 시간과 공간의 제약을 받기 때문에 조건에 따른 특수성을 가짐을 뜻한다.

**3** 다음 설명이 맞으면 ○표, 틀리면 ×표를 하시오.

(1) 이황은 '이'라는 원리에 근거한 '기'의 발동만을 인정하였다. ( )

(2) 이이는 '이귀기천'이라는 주장을 통해 사단은 본연지성이 발한 것이라고 보았다. ( )

(3) 정약용은 하늘이 인간에게 자주지권을 부여하여 선을 행하고자 하면 선을, 악을 행하고자 하면 악을 하게 하였다고 보았다. ( )

**4** 다음 설명에 해당하는 용어를 〈보기〉에서 골라 기호를 쓰시오.

보기
ㄱ. 이기호발설　　ㄴ. 기발이승일도설

(1) '이'는 운동성이 없고 '기'는 운동성이 있으므로 '기'가 발하고 그것에 '이'가 타는 것 한 가지뿐이다. ( )

(2) 만물의 질료나 기운인 기(氣)뿐만 아니라 만물의 원리 혹은 법칙으로서 이(理) 또한 운동성이 있다. ( )

**5** ㉠, ㉡에 알맞은 용어를 각각 쓰시오.

정약용에 따르면, 인간의 본성은 기호이다. 또한 기호를 생존을 위한 육체적 욕망인 (㉠　　)와 선을 좋아하고 악을 미워하고자 하는 욕구인 (㉡　　)로 분류하였다.

## STEP 2 내신 만점 공략하기

**01** 다음과 같이 주장한 사상가의 관점으로 옳은 것은?

천하에 '이' 없는 '기' 없고 '기' 없는 '이'는 없습니다. 사단은 '이'가 발하여 '기'가 따르고, 칠정은 '기'가 발하여 '이'가 타는 것입니다. '기'가 따르지 않는 '이'는 나올 수가 없고, '이'가 타지 않는 '기'는 곧 이욕에 빠져서 금수가 되는 것이니, 이는 바뀔 수 없는 확고한 이치입니다.

① 사단과 칠정의 근원은 엄격히 구분된다.
② '이'는 만물에 통하고 '기'는 형체에 국한된다.
③ '이'는 운동성이 없고 '기'만이 운동성을 갖는다.
④ 사단과 칠정은 모두 기질지성이 발한 감정이다.
⑤ 사단은 선천적인 것이지만, 사덕은 후천적으로 형성된다.

**02** 다음 사상가가 강조하는 수양의 태도에만 모두 'V'를 표시한 학생은?

말할 때도 경(敬)해야 하고 움직일 때도 '경'해야 할 것이며, 앉아 있을 때도 '경'해야 하니 잠깐이라도 '경'을 버릴 수 없다. 사람은 생각이 없을 수 없으니, 실없는 생각을 버려야 한다. 그러기 위해서는 '경'만한 것이 없으니 '경'하면 마음은 한결같아지고 마음이 한결같으면 생각은 스스로 고요해진다.

| 주장 ＼ 학생 | 갑 | 을 | 병 | 정 | 무 |
|---|---|---|---|---|---|
| 항상 또렷하게 깨어 있는 마음을 가진다. | V | V | | V | |
| 의식을 집중시켜 잡념이 들지 않게 한다. | V | V | V | | |
| 몸가짐을 단정히 하여 엄숙한 태도를 유지한다. | | V | V | | V |
| 타고난 마음의 본체인 양지를 실현하고자 노력한다. | | | V | V | V |

① 갑　② 을　③ 병　④ 정　⑤ 무

**03** 중요 다음은 이이의 이기론과 사단칠정론에 대한 필기 내용이다. ㉠~㉤ 중 옳지 않은 것은?

이이의 이기론과 사단 칠정론

(1) 기발이승일도설
- 사단과 칠정 모두 '기'가 발하고 '이'가 탄 것임 ······ ㉠
- 이기지묘: '이'와 '기'는 하나이면서 둘이고 둘이면서 하나인 묘합의 관계임 ······ ㉡

(2) 이귀기천: '이'는 귀하고 '기'는 천함 ······ ㉢

(3) 사단 칠정론
- 사단과 칠정은 분리될 수 없다고 주장하며, 이기불상리를 강조함 ······ ㉣
- 칠포사: 칠정이 사단을 포함하며, 사단은 칠정 가운데 선한 부분임 ······ ㉤

① ㉠ ② ㉡ ③ ㉢ ④ ㉣ ⑤ ㉤

**04** 다음과 같이 주장한 사상가의 입장으로 옳지 않은 것은?

물이 담겨 있는 그릇에서 물이 그릇을 떠날 수 없는 것과 마찬가지로 '이'와 '기'는 개개 사물에서 오묘하게 어우러져 있다. 그리고 그릇이 움직일 때 물이 움직이는 것은 '기'가 발할 때 '이'가 거기에 타는 것과 같다.

① '이'라는 원리에 근거하여 '기'의 발동만을 인정한다.
② 이기지묘를 통해 '이'와 '기'의 상호 보완성을 강조한다.
③ 보편적인 '이'는 통하고 특수한 '기'는 국한된다고 본다.
④ 학문은 현실을 변화시키는 실용성을 핵심 가치로 삼는다.
⑤ 민본과 위민의 이상을 실현하기 위해 무실과 경장을 주장한다.

**05** 선생님의 질문에 대한 학생의 답변으로 적절하지 않은 것은?

이 사상가가 제시하는 수양론에 대해 이야기해 볼까요?

기질이 치우치고 막혀 있는 사물은 더욱 변화시킬 방법이 없습니다. 오직 사람은 맑고 흐리며, 순수하고 뒤섞인 기질적 차이가 있다고 하더라도 마음이 텅 비고 밝기 때문에 변화시킬 수 있습니다.

① 경(敬)의 실천을 통해 성(誠)에 이르러야 합니다.
② 기질을 바로잡는 교기질(矯氣質)을 실천해야 합니다.
③ 사사로운 욕망을 극복하는 극기(克己)의 자세가 필요합니다.
④ '기'를 맑고 깨끗하게 만들어 선한 도덕 본성이 드러나게 해야 합니다.
⑤ 성인의 가르침에 따라 예를 배워 인간의 악한 본성을 교화해야 합니다.

**06** 중요 갑, 을에 대한 설명으로 옳은 것은?

갑: 사단은 순수하게 선하지만 칠정은 선과 악이 섞인 것으로 이 두 가지 감정을 엄격하게 구별해야 합니다.
을: 사단과 칠정은 별개의 것이 아니라 칠정 중에서 특히 선한 것만을 말한 것이므로 칠정은 사단을 포함하고 있습니다.

① 갑은 '기'가 '이'보다 우월하다고 주장하였다.
② 갑은 덕이 인간 본성에 내재하는 것이 아니라 자유 의지를 통해 형성되는 것으로 보았다.
③ 을은 이기호발설을 통해 '이'의 능동성을 강조하였다.
④ 을은 예외적으로 사람의 마음에서는 '이'가 발동하여 '기'가 따른다고 보았다.
⑤ 갑, 을은 '이'와 '기'가 뒤섞일 수도 없고 떨어질 수도 없다고 보았다.

중요
**07** 다음과 같이 주장한 사상가의 입장으로 옳은 것은?

> 옛 성현은 "인의예지가 마음에 뿌리를 두고 있다."라고 했는데, 이는 가지와 잎, 꽃과 열매가 땅에 뿌리를 두고 있다는 말이다. 어린아이가 우물에 들어가려 할 때 측은지심이 생겨도 가서 구해주지 않는다면 인(仁)이라 말할 수 없으니, 인의예지는 사람의 마음속에 복숭아씨나 살구씨처럼 박혀 있는 것이 아니다.

① 인간의 본성은 만물의 근본 원리인 '이'이다.
② 인간은 동물과 같이 육체적 욕구만을 갖고 태어난다.
③ 천리를 보존하기 위해서 타고난 욕구를 절제해야 한다.
④ 인간의 마음은 하늘이 부여한 선한 마음으로 결정되어 있다.
⑤ 인간은 도덕적 실천에 힘쓰며 자신의 행동에 책임을 져야 한다.

**08** 다음과 같이 주장한 사상가의 관점에서 〈사례〉 속 이 씨의 행동에 내릴 평가로 가장 적절한 것은?

> 하늘이 사람에게 자주지권(自主之權)을 부여하여 선을 행하고자 하면 선을 행하고 악을 행하고자 하면 악을 행하게 하였으니, 유동적이고 정해져 있지 않다.
>
> 〈사례〉
>
> 경기도 ○○시 동사무소에는 익명의 이 씨가 불우한 이웃을 위해 써달라며 4년째 쌀을 보내오고 있다. 이 씨는 본인의 신원을 밝히지 않고 매 년 20포에서 25포를 기부했다고 한다. 이 씨의 정성이 담긴 쌀은 저소득층과 독거노인을 위해 쓰이고 있다.

① 타고난 도덕성을 발휘한 것이다.
② 이해타산을 계산하여 실리를 따른 행동이다.
③ 허심(虛心)으로 자연의 순리를 따른 행동이다.
④ 악한 본성을 이겨내고 인(仁)을 실천한 것이다.
⑤ 선을 좋아하는 마음의 경향성을 따른 행동이다.

**09** 다음 사상가의 관점에만 모두 'V'를 표시한 학생은?

> 성(性)은 옳음을 좋아하는 성향이다. 하늘이 나에게 성을 부여할 때 자주의 권한을 주어, 선을 행하게 하고, 악을 행하게 하였다. 선과 악 사이에서 왔다 갔다 하며 고정되지 않는 것은 마음의 권한이니, 금수(禽獸)의 고정된 마음과 다르다.

| 관점 \ 학생 | 갑 | 을 | 병 | 정 | 무 |
|---|---|---|---|---|---|
| 선을 실천하려면 욕구를 제거해야 한다. | V | V | | V | |
| 덕은 일상적 실천을 통해 형성되는 것이다. | V | | V | V | |
| 인간과 동물은 선천적으로 동일한 능력을 가지고 있다. | | V | | | V |
| 선을 좋아하고 악을 미워하는 성향은 인간의 본성이다. | | | V | V | V |

① 갑 ② 을 ③ 병 ④ 정 ⑤ 무

중요
**10** 갑~병에 대한 설명으로 옳은 것은?

> 갑: 성(性)을 이(理)와 기(氣)로 나누어 말할 수 있다면, 정(情)에 해당하는 사단과 칠정 또한 '이'와 '기'에서 유래한 것으로 나누어 말할 수 있다.
> 을: '정'에 대해 '사단이다, 칠정이다.'라고 말하는 것은 오직 '이'만을 말할 때와 '기'를 겸하여 말할 때가 같지 않기 때문이다. 사단은 칠정을 겸할 수 없으나 칠정은 사단을 겸할 수 있다.
> 병: 사단은 인의예지의 근본이므로 여기서부터 공부를 시작하여 확충해야 한다. 사단은 심(心)이라고 할 수 있지만 성(性), 이(理), 덕(德)이라고는 할 수 없다.

① 갑은 사단을 선악이 함께 존재한다고 본다.
② 을은 '이'가 발하면 '기'가 그것을 따른다고 본다.
③ 병은 지속적인 수양을 통해 사단이 형성된다고 본다.
④ 갑, 을은 사덕(四德)을 인간의 도덕적 본성이라고 본다.
⑤ 을, 병은 사단을 사덕이 마음에 내재함을 알게 해 주는 단서라고 본다.

**11** 갑, 을의 공통된 주장으로 옳은 것은?

> 갑: 성(性)이란 사람이 하늘로부터 부여받은 이(理)여서 온전하게 선하다. 보통 사람들은 사욕에 빠져 그것을 잃지만 성인(聖人)은 사욕의 폐단이 없어서 그 본성을 실현해 낼 수 있다.
> 을: 성(性)의 자의(字意)는 오직 호오(好惡)를 주로 하여 말하는 것인데 어찌 심(心)을 성이라고 할 수 있겠는가? 사슴의 성은 산림을 좋아하고 꿩의 성은 길들여 기르는 것을 싫어한다. 이것을 일러 성이라고 한다.

① 인간의 마음이 곧 이치[理]이다.
② 천리를 보존하고 인욕을 제거해야 한다.
③ 사덕은 태어날 때부터 부여된 인간의 본성이다.
④ 지속적인 수양을 통해 누구나 성인이 될 수 있다.
⑤ 사단은 인의예지를 알 수 있도록 도와주는 단서이다.

**12** 갑, 을의 입장으로 옳은 설명을 〈보기〉에서 고른 것은?

> 갑: 사단은 '이'만을 말하고 칠정은 '이'와 '기'를 겸하여 말하는 것이다. 사단과 칠정은 모두 '기'가 발하여 '이'가 그것을 탄 것일 뿐이다.
> 을: 사단은 인성(人性)이 본래 가지고 있는 것이며, 사단을 확충하지 못하면 사덕은 이루어질 수 없다. 측은(惻隱)은 인(仁)의 시작일 뿐이다.

**보기**

ㄱ. 갑: 도덕의 기준은 오로지 마음에 있을 뿐이다.
ㄴ. 갑: '이'와 '기'가 결합해야만 현실에서 드러날 수 있다.
ㄷ. 을: 사단의 실천과 덕의 형성은 인과 관계를 이룬다.
ㄹ. 을: 도덕적 행위를 실천함으로써 자주지권이 형성된다.

① ㄱ, ㄴ　② ㄱ, ㄷ　③ ㄴ, ㄷ
④ ㄴ, ㄹ　⑤ ㄷ, ㄹ

## 서술형 문제

● 정답친해 13쪽

**01** 다음과 같이 주장한 사상가의 관점에서 사단과 칠정의 관계를 서술하시오.

> 사단과 칠정이 비록 같은 정(情)이기는 하지만 연원이 다르기 때문에 옛날부터 이름을 달리하였던 것입니다. 만약 연원이 다르지 않았다면 무엇 때문에 다르게 말했겠습니까?

길잡이 이황의 입장에서 사단과 칠정의 근원을 생각하며 서술한다.

**02** 다음과 같이 주장한 사상가의 관점에서 '이'와 '기'의 특징과 관계를 서술하시오.

> 물은 모나거나 둥근 그릇에 담으면 모양이 달라지고, 공기는 크고 작은 병에 따라 양이 달라진다. 즉 그릇과 병은 모양과 크기가 각기 다르지만 그 속에 담긴 물과 공기는 근본적으로 같은 것이다. 또한 그릇이 움직이면 물이 움직이지만 물이 스스로 움직이지 않는 것과 같이 물과 그릇은 밀접하게 연결되어 있다. '이'와 '기'의 관계도 그러하다.

길잡이 이이가 '이'와 '기'를 물과 그릇에 비유한 점에 대해 생각한 후 서술한다.

**03** 다음과 같이 주장한 사상가의 입장에서 도덕 행위의 책임에 대해 서술하시오.

> 하늘이 사람에게 자주지권을 부여하여 선을 행하고자 하면 선을 행하고 악을 행하고자 하면 악을 행하게 하였으니, 유동적이고 정해져 있지 않다. 그 권한이 자기에게 있기 때문에 짐승들의 마음이 이미 결정되어 있는 것과는 다르다. 그러므로 선을 행하면 실제로 자신의 공이 되고, 악을 행하면 실제로 자신의 죄가 된다.

길잡이 정약용의 입장에서 자주지권, 자율적 존재에 대해 서술한다.

# STEP 3 1등급 정복하기

평가원 응용

**1** 갑, 을 중 적어도 한 사람이 긍정의 대답을 할 질문을 〈보기〉에서 고른 것은?

> 갑: 성(性)은 마음의 본체이고, 정(情)은 마음의 작용이다. 이(理)와 기(氣)는 서로 분리되지 않는다. 마음이 움직이면 '정'이 되는데, 발하는 것은 '기'이고 발하는 까닭은 '이'이다. '기'가 아니면 발(發)할 수 없고 '이'가 아니면 발할 까닭이 없으니 어찌 '이발'이 있겠는가? '기발'이 있을 따름이다.
> 을: '성'에 대해 '이'와 '기'로 나누어 말할 수 있듯이 '정'에 대해서도 '이'와 '기'로 나누어 말할 수 있다. 즉 칠정을 사단과 대립시켜 구분되는 것으로 본다면, 칠정과 '기'의 관계는 사단과 '이'의 관계와 같다. 사단은 '이'가 발하여 '기'가 따르는 것이고, 칠정은 '기'가 발하여 '이'가 타는 것이다.

보기
ㄱ. 사단과 칠정의 근원은 동일한가?
ㄴ. 사단의 선과 칠정의 선은 동일한 것인가?
ㄷ. 타고난 사단을 실천함으로써 사덕이 형성되는가?
ㄹ. '이'와 '기'는 모두 형체와 운동성이 없다는 점에서 동일한 것인가?

① ㄱ, ㄴ ② ㄱ, ㄷ ③ ㄴ, ㄷ
④ ㄴ, ㄹ ⑤ ㄷ, ㄹ

> 이황과 이이의 사상 비교

**완자샘의 시험 꿀팁**
이황과 이이의 입장을 비교하는 문제가 자주 출제된다. 따라서 이기론, 사단 칠정론 등에서 나타나는 이황과 이이 사상의 차이점을 비교하여 정리해 둔다.

교육청 응용

**2** 갑, 을의 입장에서 주장할 내용을 〈보기〉에서 고른 것은?

> 갑: 주희가 '이(理)에서 발한다, 기(氣)에서 발한다.'라고 말한 것은 사단과 칠정을 '이'를 위주로 말하거나 '기'를 위주로 말할 수 있다는 것을 뜻한다. 사단은 '이'가 발하고 '기'가 '이'를 따른 것이고, 칠정은 '기'가 발하고 '이'가 '기'를 탄 것이다.
> 을: 주희가 '이에서 발한다, 기에서 발한다.'라고 한 말의 본뜻은 사단은 오로지 '이'만을 말하고 칠정은 '기'를 겸(兼)한다는 것이다. 결코 사단은 '이'가 먼저 발하고 칠정은 '기'가 먼저 발하는 것이 아니다.

보기
ㄱ. 갑: '이'와 '기'가 모두 운동성을 가지고 있다.
ㄴ. 갑: 사단과 칠정의 연원을 명확히 구분할 수 없다.
ㄷ. 을: 사단은 칠정의 선한 측면만을 가리킨다.
ㄹ. 을: '이'가 발하여 '기'가 탈 때 인욕이 제거된다.

① ㄱ, ㄴ ② ㄱ, ㄷ ③ ㄴ, ㄷ
④ ㄴ, ㄹ ⑤ ㄷ, ㄹ

> 이황과 이이의 사단 칠정론

**완자 사전**
• 인욕(人慾)
사람의 욕심

교육청 응용

**3** (가)의 갑은 중국 사상가, 을은 한국 사상가이다. 갑, 을의 입장을 (나) 그림으로 탐구할 때, A~C에 들어갈 질문으로 옳은 것은?

> 순자와 정약용의 사상

| | |
|---|---|
| (가) | 갑: 배가 고프면 먹을 것을 찾고자 하는 것은 날 때부터 그런 것이니 우왕과 걸왕이 다르지 않다. 성(性)은 주어진 것이어서 배우거나 일삼을 수 없으나, 예의(禮義)는 성인이 만든 것이어서 배워서 할 수 있고 일삼아서 이룰 수가 있다.<br>을: 배가 고프면 먹을 것을 찾고자 하는 것은 사람과 짐승이 다를 것이 없다. 기질(氣質)의 성은 사람과 짐승이 모두 지닌 것이고, 도의(道義)의 성은 사람에게만 있다. 하늘은 사람에게 덕을 좋아하고 선을 선택할 수 있는 능력을 주었다. |
| (나) | 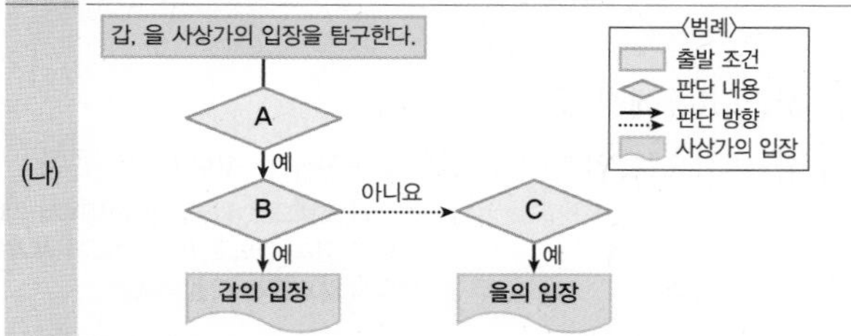 |



① A: 사람의 본성은 우주 만물의 보편 법칙인 이(理)인가?
② A: 사람은 본래 이익을 좋아하고 남을 미워하는 존재인가?
③ B: 사람의 성과 동물의 성은 서로 다른가?
④ B: 사람에게는 선과 악을 분별할 수 있는 능력이 있는가?
⑤ C: 사람이 지닌 고유한 성은 선을 좋아하게 되어 있는가?

**4** 갑, 을의 입장에서 주장할 내용만을 〈보기〉에서 있는 대로 고른 것은?

> 이이와 정약용의 사상

갑: 어린아이가 우물에 빠지려고 할 때 측은히 여기면서도 구하지 않는다면 그 마음의 근원을 인(仁)이라 할 수 없다. 한 그릇의 밥을 발로 차면서 줄 때 수치심을 가지면서도 버리지 않는다면 의(義)라 할 수 없다.
을: 어린아이가 우물에 빠지는 것을 본 뒤에야 측은한 마음이 나오게 된다. 이것을 보고서 측은해 하는 것은 기(氣)이니 이것이 이른바 '기'가 발한다[發]는 것이요, 측은한 마음의 근본은 인(仁)이니 이것이 이른바 이(理)가 탄다[乘]는 것이다.

**보기**

ㄱ. 갑: 사덕은 일상에서 선한 일을 행함으로써 형성된다.
ㄴ. 갑: 욕구는 인간을 행동하고 살아가게 하는 원동력이다.
ㄷ. 을: 사단의 '단'은 실마리가 아닌 시작을 뜻한다.
ㄹ. 을: 사단과 칠정은 부분과 전체의 관계에 있는 감정이다.

① ㄱ, ㄴ　② ㄴ, ㄷ　③ ㄷ, ㄹ
④ ㄱ, ㄴ, ㄹ　⑤ ㄴ, ㄷ, ㄹ

**완자샘의 시험 꿀팁**

성리학과 정약용의 사상을 비교하는 문제가 자주 출제된다. 이때 주로 덕의 후천성, 욕구의 정당성, 자주지권 등 정약용임을 알 수 있는 특징적인 사상들은 특히 잘 알아 두어야 한다.

# 04 자비의 윤리

**학습목표**
- 초기 불교를 이해하고, 중관 사상과 유식 사상의 관계를 파악할 수 있다.
- 깨달음에 대한 교종과 선종의 입장을 비교할 수 있다.

**이것이 핵심!**

**불교의 연원과 전개**

| | |
|---|---|
| 이론 체계 | 고통의 원인을 찾고 고통에서 벗어나고자 함 |
| 기본 이론 | • 연기설: 모든 것을 원인과 조건의 상호 작용으로 봄<br>• 사성제: 고성제, 집성제, 멸성제, 도성제<br>• 삼법인: 제행무상, 제법무아, 일체개고, 열반적정 |
| 전개 | • 부파 불교: 개인의 해탈 중시, 아라한 추구<br>• 대승 불교: 대중적 측면 강조, 공 사상, 보살 추구 |

**★ 애욕(愛慾)**
애정과 욕심을 아울러 이르는 말로 인간의 괴로움이 끊임없이 무언가를 갈망하는 것

**★ 삼독(三毒)**
중생을 해롭게 하는 것이 독약과 같다는 의미로 탐욕[貪], 분노[嗔], 어리석음[癡]이다.

**★ 열반**
일체의 번뇌가 소멸한 상태, 즉 번뇌의 속박에서 해탈한 경지

**★ 오온(五蘊)**
인간을 구성하는 다섯 가지 요소로 물질적 육체인 색(色), 의식이나 감정인 수(受), 마음속의 표상인 상(想), 현재의 작용인 행(行), 주체적 인식과 판단인 식(識)이다.

**★ 보살이 실천해야 하는 육바라밀**
보살이 열반에 이르기 위해 실천해야 할 여섯 가지 수행의 덕목

| | |
|---|---|
| 보시 | 널리 베푸는 것 |
| 지계 | 계율을 준수하는 것 |
| 인욕 | 모욕과 박해 등을 참아내는 것 |
| 정진 | 깨달음의 길을 향해 꾸준히 나아가는 것 |
| 선정 | 흔들림 없이 평상심을 유지하는 것 |
| 반야 | 참된 지혜를 얻는 것 |

## 1 깨달음

### 1. 불교의 시작

**(1) 불교 사상 성립의 배경**

① 기원전 6세기경 전통 브라만교가 권위를 상실함 → 육사외도와 같은 새로운 사상이 등장함
(육사외도: 석가모니가 생존해 있을 당시 인도의 여섯 사상가를 말해. 이들은 숙명론, 유물론, 회의론, 도덕 부정론, 생명 불멸론, 극단적 엄숙주의를 주장하였어.)

② 교조인 부처[佛], 그가 깨닫고 설법한 진리[法], 출가한 사람을 중심으로 한 수행 공동체[僧]를 토대로 하나의 종교 체제를 갖춤

**(2) 불교의 이론 체계**

① 인간의 삶에서 고통의 원인을 찾고 고통에서 벗어나고자 함

② 이치를 깨닫지 못하는 어리석음[無明]으로 인하여 윤회의 고통에서 벗어나지 못함
(윤회: 전생의 소행으로 말미암아 현세에서 받는 응보인 업과 번뇌로 인해 생사의 세계를 그치지 않고 도는 것을 뜻해.)

### 2. 초기 불교의 가르침

**(1) 연기설(緣起說)** 자료 ①

① 모든 존재와 현상은 원인[因]과 조건[緣]의 상호 작용에 의해 생멸함

② 모든 사물과 현상은 독립적으로 존재할 수 없음

**(2) 사성제(四聖諦)** — 네 가지 성스러운 진리라는 뜻으로 괴로움의 원인과 그것을 멸하는 길을 밝힌 것이야.

| | |
|---|---|
| 고성제(苦聖諦) | 인간의 삶 자체가 고통이라는 현실 판단 예 생로병사(生老病死) |
| 집성제(集聖諦) | 고통의 원인 → 무명(無明)과 *애욕, *삼독 |
| 멸성제(滅聖諦) | 집착에서 벗어나 고통이 사라진 상태 → 해탈, *열반 |
| 도성제(道聖諦) | 열반에 이르기 위한 중도의 수행: 팔정도(八正道), 삼학(三學) 자료 ② 자료 ③ |

**(3) 삼법인(三法印)** — 세 가지의 진실한 가르침인 제행무상, 제법무아, 일체개고를 뜻하며, 이러한 삼법인에 열반적정을 더하여 사법인이라고 부르기도 해.

| | |
|---|---|
| 제행무상(諸行無常) | 모든 것은 인연에 의해 생성된 일시적인 것으로 끊임없이 변화한다는 의미 |
| 제법무아(諸法無我) | • 모든 것은 영원하지 않고, 고정불변의 실체가 없다는 의미<br>• 인간도 *오온이라는 구성 요소가 연기에 따라 결합하여 임시로 머무는 존재임 |
| 일체개고(一切皆苦) | 일체의 모든 현상은 본질적으로 고통이라는 의미 |
| 열반적정(涅槃寂靜) | 열반에 이르면 모든 고통과 번뇌에서 벗어나 고요하고 청정한 마음이 된다는 의미 |

(자아[我] 역시 불변하는 존재가 아니라고 보았으며, 이를 통해 자아에 대한 집착에서 벗어날 수 있어.)

### 3. 부파 불교와 대승 불교

**(1) 부파 불교(部派佛敎)** — 석가모니 사후 계율과 교리에 대한 해석을 둘러싸고 교파가 분열하는 시기에 형성된 불교를 부파 불교라고 불러. 대승 불교에서는 개인을 중시한 부파 불교를 소승 불교라고 부르기도 했어.

① 개인의 해탈을 중시함 → 개인의 내면에 몰입하여 사회와 분리된 엄격한 종교성을 추구함

② 아라한: 부파 불교의 이상적 인간으로 가장 높은 경지에 오른 수행자를 말함

③ 출가 수행자가 아니고서는 성취하기 어려운 교리를 강조하여 비판을 받음

**(2) 대승 불교(大乘佛敎)**

① 중생과 함께하는 대중적인 측면을 강조함 → 자신뿐만 아니라 타인의 깨달음도 중시함

② *보살(菩薩): 대승 불교의 이상적 인간으로 위로는 깨달음을 얻고자 노력하고, 아래로는 중생을 구제하는 것을 추구함

③ 공(空) 사상: 모든 현상과 존재가 고정불변의 독자적 실체를 지니지 않는다고 보는 사상
(꼭! 허무주의와는 달리 무아(無我)를 통해 자아에 대한 집착에서 벗어날 수 있어.)

# 완자 자료 탐구

내 옆의 선생님

## 자료 1 연기설

- 이것이 있기 때문에 저것이 있고, 이것이 생기기 때문에 저것이 생긴다. 이것이 없기 때문에 저것이 없고, 이것이 사라지기 때문에 저것이 사라진다.
- 비유하면 세 개의 갈대를 아무것도 없는 땅 위에 세우려고 할 때 서로 의지해야 설 수 있는 것과 같다. 만일 그 가운데 한 개를 제거해 버리면 두 개의 갈대는 서지 못하고, 그 가운데 두 개의 갈대를 제거해 버리면 나머지 한 개도 역시 서지 못한다. 그 세 개의 갈대는 서로 의지해야 설 수 있는 것이다.

– 『잡아함경』

연기설은 불교의 가장 중요한 원리이다. 연기설에 의하면 어떤 존재도 우연히 생겨나거나 홀로 존재하는 것은 없으며, 반드시 여러 원인에 의해 관계 속에서 생겨나고 또 소멸한다. 즉, 모든 존재는 서로에게 원인이 되고 조건이 되며 영향을 받는 상호 의존적 관계에 있다.

**정리 비법을 알려줄게!**

**연기설과 사성제의 인과 관계**

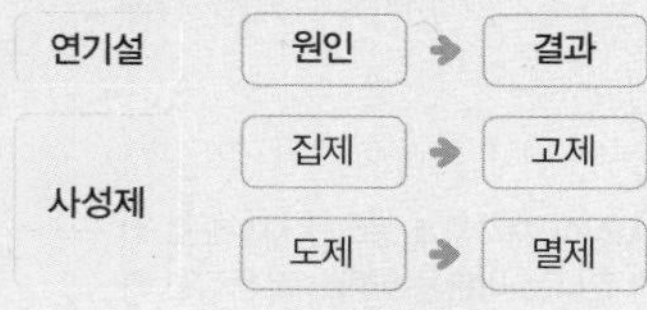


## 자료 2 중도(中道)

비구들이여, 출가자가 가까이 하지 않아야 할 두 가지 극단이 있다. 두 가지 극단은 무엇인가? 그것은 저열하고 촌스럽고 범속하고 성스럽지 못하고 이익을 주지 못하는 감각적 욕망들에 대한 쾌락의 탐닉에 몰두하는 것과 괴롭고 성스럽지 못하고 이익을 주지 못하는 자기 학대에 몰두하는 것이다. 비구들이여, 이러한 두 가지 극단을 의지하지 않고 부처는 중도를 완전하게 깨달았나니, 이 중도는 안목을 만들고 지혜를 만들며, 고요함과 최상의 지혜와 바른 깨달음과 열반으로 인도한다.

– 『상응부경』

석가모니는 자신과 함께 고행한 다섯 제자에게 자신이 깨달은 진리를 설파하였다. 석가모니는 수행을 하며 쾌락과 고통이라는 양극단을 벗어나 중도를 따를 때 심신의 조화와 깨달음을 얻을 수 있음을 강조하였다.

**문제로 확인할까?**

**불교의 기본 가르침에 대한 설명으로 옳지 않은 것은?**

① 인간의 삶은 괴로움이다.
② 우주 만물은 모두 연결되어 있다.
③ 고통에서 벗어나 열반에 이르고자 한다.
④ 현재는 필연적으로 미래에 영향을 준다.
⑤ 고통에서 벗어나 쾌락을 추구하기 위해 노력한다.

⑤ 답

## 자료 3 불교의 수행 방법: '삼학'과 '팔정도'

삼학(三學)은 불교 수행의 방법으로 계학(戒學), 정학(定學), 혜학(慧學) 세 가지이다. 계학은 몸과 말 그리고 생각으로 저지르는 나쁜 짓을 방지하고 덕행을 실천하라는 것이다. 이러한 계학에는 팔정도 중 올바른 말을 사용하고[正語], 올바른 행동을 하며[正業], 올바른 생활을 하라[正命]는 것이 해당한다. 다음으로 정학은 평안한 경지에 이르기 위해 참선을 통해 마음의 흔들림을 바로잡는 것을 의미한다. 이것에는 팔정도의 올바른 마음가짐[正念], 올바른 정신 집중[正定], 올바르게 나아가라[正精進]는 것이 해당한다. 마지막으로 혜학은 사물의 본성을 통찰하는 지혜를 의미한다. 이러한 혜학에는 팔정도의 번뇌가 없는 평온한 마음으로 사물을 있는 그대로 보고[正見], 바르게 생각하여 진리를 깨달으라[正思]는 것이 해당한다.

삼학은 불교 수행 공부의 세 가지 유형이고, 팔정도는 괴로움에서 벗어나기 위한 여덟 가지 수행 방법이다. 석가모니는 자신의 깨달음을 바탕으로 중생이 고통에서 벗어나 해탈의 길에 들어설 수 있도록 가르침을 베풀었다. 또한 그는 중생의 괴로움을 자신의 것으로 여기는 등 모든 사람에게 자비의 윤리를 실천하였다.

**정리 비법을 알려줄게!**

**삼학과 팔정도의 관계**

| 삼학(三學) | 팔정도(八正道) |
|---|---|
| 계학(戒學) | 정어(正語) |
| | 정업(正業) |
| | 정명(正命) |
| 정학(定學) | 정념(正念) |
| | 정정(正定) |
| | 정정진(正精進) |
| 혜학(慧學) | 정견(正見) |
| | 정사(正思) |

④ 대승 불교의 교리 확립 ─ 공 사상을 중심으로 중관 사상과 유식 사상으로 나뉘어 체계를 갖추었어.

| | |
|---|---|
| 중관(中觀) 사상 | • 모든 존재는 실체가 없는 공(空) → 모든 것은 연기에 의해 존재하므로 사물의 독자적인 실체나 속성인 자성(自性)은 존재하지 않음 자료 ④<br>• 모든 것이 있음과 없음의 양극단이 아닌 중도의 자리에 머문다고 주장함<br>• 중도에 따라 양극단에 빠지지 않고 올바른 길을 찾아 실천할 때 깨달음을 얻을 수 있음 |
| 유식(唯識) 사상 | • 구체적인 사물의 실체[自性]를 부정하면서도 감각하고 지각하며 사고하는 마음의 작용은 존재한다고 주장함 → 사물은 오직[唯] 마음[識]의 작용으로만 존재함<br>• 일체유심조(一切唯心造): 현상을 구성하는 모든 것은 우리의 마음이 만들어 낸 것<br>• 마음에 대한 깊은 논의와 마음을 닦는 수행에 관심을 가짐 |

대표자는 용수야.

공 사상이 지나치게 공허한 사상으로 치우쳐 간다는 비판을 바탕으로 등장한 사상으로 대표자는 세친이야.

대표적인 수행법으로 요가가 있어.

왜? 모든 것은 인연이 모여 생겼다가 흩어질 때까지 임시로 있으므로 있는 것도 아니고 없는 것도 아니기 때문이야.

## 2 깨달음의 길

### 1. 교종과 선종 자료 ⑤

(1) 교종 ─ 인도의 대승 불교가 중국으로 넘어가 전개되면서 교종과 선종을 포함한 다양한 종파가 형성되었어.

① 교(敎)의 강조: 경전의 교리를 통해 진리를 깨닫고 실천하는 것을 중시함

② 대표적 종파

부처와 부처가 될 보살이 거주한다는 국토를 말해.

| 종파 | 대표 경전 | 내용 |
|---|---|---|
| 천태종 | 법화경 | 이론에 해당하는 교(敎)와 실천에 해당하는 관(觀)이 모두 어우러져야 한다고 봄 |
| 화엄종 | 화엄경 | 모든 존재는 서로 원인이 되어 하나로 융합하고 있다고 봄 |
| 정토종 | 아미타경 | 염불하기만 하면 누구나 극락정토에서 다시 태어날 수 있다고 봄 |

③ 지나치게 이론적이고 엄격한 성격으로 말미암아 대중에게 널리 퍼지지 못함

(2) 선종 교과서 자료 ─ 교종이 경전과 이론에 주력하면서 깨달음의 목적을 소홀히 하자 이를 극복하고자 등장하였으며, 달마에 의해 중국에 전해지고 혜능에 의해 발전하였어.

① 부처의 마음에 주목하고 그에 기초하여 성립됨

② 불성에 대한 직관을 중시하였으며 마음을 한곳에 모아 고요한 경지에 들어가는 *선(禪)을 강조함 → 수행 방법으로 *좌선과 화두를 강조함

꼭! 선종은 일상의 마음이 곧 부처의 마음이라고 보았어.

③ 중생 스스로가 자신의 본성이 곧 부처임을 자각하는 돈오(頓悟)를 강조함

④ 선종의 진리

| | |
|---|---|
| 이심전심(以心傳心) | 진리[法]는 마음에서 마음으로 전하는 것 |
| 불립문자(不立文字) | 말이나 문자에 집착하지 않는 것 ─ 언어 자체를 부정한 것은 아니야. |
| 교외별전(敎外別傳) | 경전과는 별도로 전하여 가르치는 것 |
| 직지인심(直指人心) | 자신의 마음을 직접 바라보는 것 |
| 견성성불(見性成佛) | 자신의 마음속의 불성을 깨달으면 누구나 부처가 될 수 있다는 것 |

### 2. 불교의 영향

(1) **연기적 세계관**: 모든 존재가 하나로 연결되어 있다는 자타불이(自他不二)의 관점을 가짐 → 모든 존재에 대해 슬픔과 연민을 가지는 자비(慈悲)를 중시함

(2) **평등적 세계관**: 모든 인간은 불성이 있어 부처가 될 수 있는 존재 → 모든 존재를 구별하거나 차별하지 않음

자비의 실천은 다른 사람뿐만 아니라 동식물을 포함한 모든 생명체로 무한히 확장될 수 있어.

(3) **주체적 인간관**: 외부나 절대적 존재의 도움 없이 스스로 수행하여 깨달음을 얻을 수 있음

**이것이 핵심!**

교종과 선종

| | |
|---|---|
| 교종 | • 경전의 교리를 중시함<br>• 지나치게 이론적 → 대중과 멀어짐<br>• 대표 종파: 천태종, 화엄종, 정토종 |
| 선종 | • 선과 돈오 강조<br>• 핵심 진리: 이심전심, 불립문자, 교외별전, 직지인심, 견성성불 |

★ **선(禪)**
마음을 가다듬고 정신을 통일하여 깨달음의 경지에 도달하는 수행을 말한다.

★ **좌선과 화두**
좌선은 가부좌를 하고 정신을 집중하여 깨우침을 얻는 수행법으로 참선이라고도 한다. 화두는 스승이 제자에게 던진 질문을 뜻하며, 선종은 스승이 질문하고 제자가 답하는 과정에서 깨달음을 얻을 수 있다고 본다. 선종에서 강조한 좌선과 화두 모두 경전의 교리나 가르침이 아니라 실천적인 수행과 관련이 있다.

# 완자 자료 탐구

내 옆의 선생님

## 자료 4 용수의 공 사상

일어나는 것도 아니고 사라지는 것도 아니며[不生赤不滅]
상주하는 것도 아니고 단절되는 것도 아니며[不常赤不斷]
동일한 것도 아니고 단절되는 것도 아니며[不一赤不異]
오는 것도 아니며 가는 것도 아니다[不來赤不出].
– 용수, 『중론』

용수는 공의 논리를 체계화하여 중관 사상을 창시하였다. 용수는 모든 것은 인연에 의존하여 발생하므로 독자적인 속성을 지닐 수 없고 실체로서 있는 것이 아님을 강조하였다.

**정리** 비법을 알려줄게!

중관 사상과 유식 사상

| 중관 사상 | 유식 사상 |
|---|---|
| 모든 것은 고정불변의 실체로 존재하는 것이 아니고, 인연에 따라 임시로 존재함 | 모든 것은 마음이 만든 허상이지만, 진리를 깨닫는 마음은 존재함 |
| 연기설, 공 사상 | |

## 자료 5 교종과 선종의 가르침

경전에서 말하는 진리 외에 다시 무슨 진리가 있는가? 경전에서 훌륭한 보살이 보여 준 점진적인 수행 외에 다시 무슨 가르침이 있는가? 만약 당신이 주장하는 대로 경전 속 가르침이 무의미하다면 누가 보살의 길을 따라 수행하여 부처가 되려 하겠으며, 보살의 점진적 수행을 통해 무엇을 얻을 수 있단 말인가?
– 지원

훌륭한 스승의 가르침 속 핵심은 자기 마음의 참된 본성을 정확히 보여 주는 것이다. 따라서 경전의 가르침 외에도 참된 본성의 깨달음에 대한 훌륭한 스승의 가르침이 별도로 전해 내려오는 것이다. 아무리 많은 경전을 오래 읽는다고 하더라도 그것은 참된 본성의 깨달음에 대한 가르침을 이해하고 깨닫는데 아무런 도움이 되지 못한다.
– 도의

왼쪽은 교종 승려인 지원의 글, 오른쪽은 선종 승려인 도의의 글이다. 교종은 주로 경전의 교리를 통해 깨달음을 얻고자 하였으며, 선종은 주로 마음의 불성을 직관하여 깨달음을 얻고자 하였다. 이처럼 교종과 선종에서 제시한 깨달음에 도달하는 방법은 달랐지만, 공통적으로 깨달음을 통해 자비의 윤리를 실천하고자 하였다.

**자료** 하나 더 알고 가자!

북종 사상가 신수

몸은 깨달음의 나무이고, 마음은 밝게 비추는 거울이다. 때때로 부지런히 털고 닦아서 티끌이 끼지 않도록 해야 한다.

선종은 신수의 북종과 혜능의 남종으로 나뉘었다. 선종은 공통적으로 불성을 깨우쳐 부처가 되는 것을 주장하였는데, 혜능은 자신의 본성을 한꺼번에 깨우치는 돈오를, 신수는 점진적인 수행인 점수를 통해 점차 깨달아 나가는 점오를 강조하였다.

## 수능이 보이는 교과서 자료 선종의 수양 태도

어느 날 여승 무진장이 혜능에게 경전을 여러 해 보았으나 아직도 모르겠다며 가르침을 청하였다. 그러자 혜능은 "나는 글을 모른다. 그대가 경문을 소리 내어 읽으면 내가 혹시 그 가운데의 진리를 알 수도 있다."라고 말하였다. 무진장이 다시 글도 모르면서 어찌 그 가운데의 진리를 알 수 있느냐고 묻자, 혜능이 답하였다. "진리는 문자와 무관한 것이다. 진리는 마치 하늘에 떠 있는 달과 같다. 문자는 달을 가리키는 손가락일 뿐이다. 손가락이 달을 가리킬 뿐이지 달 자체는 아니다. 달을 보기 위해 반드시 손가락을 거칠 필요는 없지 않겠는가?"
– 이명수, 『불교우화』

혜능은 자신의 본성을 제대로 본다면, 지식 공부나 점진적인 수행을 거치지 않고도 자신의 곧 부처임을 단박에 깨치고 마음을 단박에 닦을 수 있다는 돈오돈수(頓悟頓修)를 주장하였다. 이러한 혜능의 사상은 어려운 경전 공부를 깨달음의 길로 제시한 교종과 달리 불성을 깨달으면 누구나 부처가 된다고 강조하여 대중에게 널리 퍼졌다.

**완자샘의 탐구 강의**

• **선종의 수양 태도를 서술하시오.**
선종은 말이나 문자에 집착하지 않고, 그러한 경전과는 별도로 가르침을 전수하는 방법으로 마음을 주고받는 것을 강조하였다. 그리고 자신의 마음을 직접 바라보는 참선을 통해 자신의 본성이 이미 완성된 부처임을 깨달으면 부처가 될 수 있다고 주장하였다.

함께 보기 63쪽, 1등급 정복하기 4

정답친해 15쪽

## STEP 1 핵심 개념 확인하기

**1** 다음 설명에 해당하는 용어를 쓰시오.

- 우주 만물의 존재와 현상에 관하여 설명한 불교의 가장 근본적인 사상
- 모든 것은 원인과 조건의 상호 작용에 의해 발생한다는 뜻

**2** 삼법인과 그에 대한 설명을 옳게 연결하시오.

(1) 제행무상 • • ㉠ 삶의 모든 현상은 고통이다.
(2) 제법무아 • • ㉡ 세상의 모든 것은 늘 끊임없이 변화한다.
(3) 일체개고 • • ㉢ 모든 것은 영원하지 않고, 고정불변의 실체는 없다.

**3** 다음 괄호 안의 내용 중 알맞은 말에 ○표를 하시오.

(1) 부파 불교는 개인을 중시하여 ( 대승 불교, 소승 불교 )라고 불리기도 하였다.

(2) 대승 불교의 이상적 인간상은 위로는 깨달음을 얻고자 노력하고 아래로는 중생을 구제하는 ( 보살, 아라한 )이다.

(3) 대승 불교는 모든 현상과 존재가 고정불변의 독자적 실체를 지니지 않는다고 보는 ( 공 사상, 인 사상 )을 주장하였다.

**4** 유식 사상에서 주장하는 (　　　　)란 현상을 구성하는 모든 것은 우리의 마음이 만들어 낸 것이라는 뜻이다.

**5** 선종의 가르침에 해당하는 내용만을 〈보기〉에서 골라 있는 대로 기호를 쓰시오.

보기
ㄱ. 교외별전　　ㄴ. 견성성불
ㄷ. 불립문자　　ㄹ. 이심전심

## STEP 2 내신 만점 공략하기

**01** 다음 글의 관점에서 주장할 내용으로 옳지 않은 것은?

수행자가 해야 할 세 가지 공부가 있다. 나쁜 짓을 하지 않기 위해 계율을 지키는 공부[戒學], 청정한 선정(禪定)에 머무르는 공부[定學], 네 가지 거룩한 진리[四聖諦]를 참되게 아는 공부[慧學]가 그것이다.

① 모든 현상은 독립적으로 존재할 수 없다.
② 양극단을 벗어나 무명(無明)에 이르러야 한다.
③ 만물이 무상(無常)함을 깨닫고 애욕을 버려야 한다.
④ 열반에 이르면 모든 고통과 번뇌에서 벗어날 수 있다.
⑤ 중생은 어리석음으로 인하여 윤회의 고통에서 벗어나지 못한다.

중요
**02** 그림은 사성제를 도식화한 것이다. A, B에 대한 설명으로 가장 적절한 것은?

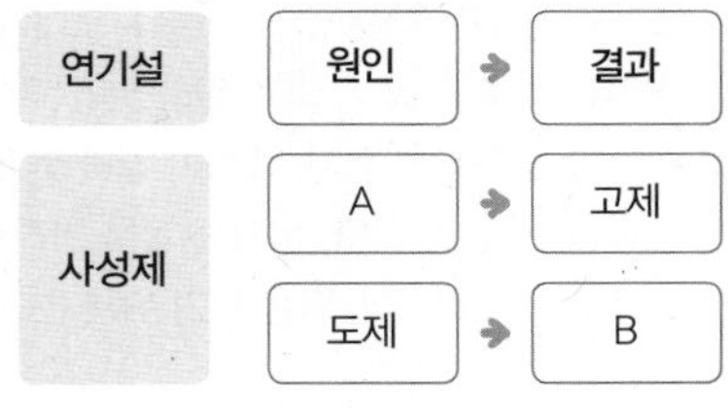


① A: 집착과 무지 또는 애욕이 가장 대표적이다.
② A: 대표적인 예로 생로병사(生老病死)를 들 수 있다.
③ B: 삶 자체가 고통으로 차 있다고 본다.
④ B: 괴로움을 소멸하기 위한 수행의 방법이다.
⑤ B: 번뇌와 고뇌 속에서 자신의 삶을 개척하는 것이다.

## 03 중요 다음 글의 관점에서 주장할 옳은 내용만을 〈보기〉에서 있는 대로 고른 것은?

사람은 본래 깨끗하지만, 그 인연에 따라 죄와 복을 일으킨다. 어진 이를 가까이하면 도덕과 의리가 높아지고, 어리석은 이를 벗하면 재앙과 죄가 이르는 것이다. 저 종이와 새끼줄로 비유하자면 종이는 향을 가까이 해서 향내가 나고, 새끼줄은 생선을 꿰어 비린내가 나는 것이다.

보기

ㄱ. 만물은 상호 의존적인 관계로 이루어져 있다.
ㄴ. 현재의 사건은 우연적으로 미래에 영향을 준다.
ㄷ. 인간의 삶은 이미 숙명적으로 완전히 결정되어 있다.
ㄹ. 우주의 삼라만상은 서로 원인과 결과의 관계를 맺고 있다.

① ㄱ, ㄷ ② ㄱ, ㄹ ③ ㄴ, ㄷ
④ ㄱ, ㄴ, ㄹ ⑤ ㄴ, ㄷ, ㄹ

## 04 다음 글의 관점에서 주장할 옳은 내용을 〈보기〉에서 고른 것은?

출가자가 가까이하지 않아야 할 두 가지 극단이 있다. 그것은 저열하고 촌스럽고 범속하고 성스럽지 못하고 이익을 주지 못하는 감각적 욕망들에 대한 쾌락의 탐닉에 몰두하는 것과 괴롭고 성스럽지 못하고 이익을 주지 못하는 자기 학대에 몰두하는 것이다.

보기

ㄱ. 깨달음을 얻기 위해 극단에 빠지지 않아야 한다.
ㄴ. 모든 존재는 고정불변의 실체가 없는 공(空)이다.
ㄷ. 모든 존재는 개별적이며 독자적인 성질을 지닌다.
ㄹ. 깨달음을 얻어 쾌락의 경지에 도달하려 노력해야 한다.

① ㄱ, ㄴ ② ㄱ, ㄷ ③ ㄴ, ㄷ
④ ㄴ, ㄹ ⑤ ㄷ, ㄹ

## 05 ㉠에 대한 옳은 설명을 〈보기〉에서 고른 것은?

[ ㉠ ]은/는 부파 불교가 출가 수행자가 아니고서는 성취하기 어려운 교리를 강조한다는 점을 비판하면서 등장하였다.

보기

ㄱ. 중생과 함께하는 대중적인 측면을 강조한다.
ㄴ. 개인의 내면에 몰입한 엄격한 종교성을 추구한다.
ㄷ. 이상적 인간이 되기 위해 육바라밀의 실천을 강조한다.
ㄹ. 가장 높은 경지에 오른 수행자를 뜻하는 아라한을 추구한다.

① ㄱ, ㄴ ② ㄱ, ㄷ ③ ㄴ, ㄷ
④ ㄴ, ㄹ ⑤ ㄷ, ㄹ

## 06 그림의 수업 장면에서 교사의 질문에 대해 옳게 대답한 학생만을 있는 대로 고른 것은?

① 갑, 을 ② 을, 병 ③ 병, 무
④ 갑, 병, 정 ⑤ 을, 정, 무

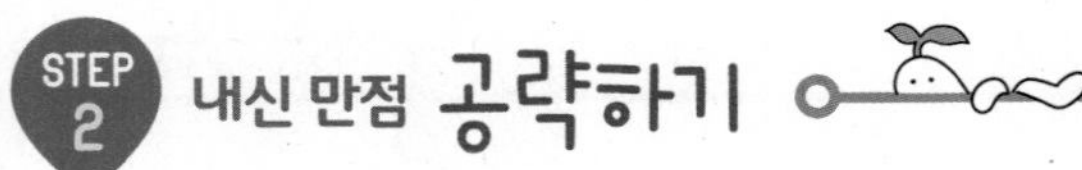

**07** 다음 사상에 대한 설명으로 옳지 않은 것은?

> 모든 것은 마음이 만들고 오직 식일 뿐이다. 마음에 의해 펼쳐진 이 세상은 인연에 의해 드러난 것인데, 사람들은 '보는 나'와 '보이는 세상'이 마음 밖에 실제로 있다고 집착한다. 이렇게 집착된 세상은 결코 있지 않다. 그러나 인연에 의해 마음으로부터 언제나 펼쳐진다. 즉 이 세상이 단지 우리 마음의 현현일 뿐 결코 우리가 본 대로 있지 않음을 밝혀낸다.

① 마음을 비우는 수행 방법으로 요가를 강조한다.
② 마음속 현상에 대응하는 불변의 본질을 추구한다.
③ 마음을 떠나서는 어떠한 실재도 없음을 강조한다.
④ 현상을 구성하는 모든 것은 마음이 만들어 낸 것이라고 본다.
⑤ 자기중심적으로 세상을 바라보는 마음에서 괴로움이 생긴다고 본다.

**08** 갑, 을 모두가 질문에 대하여 바르게 대답한 것으로 옳은 것은?

> 갑: 현상 세계는 마음이 만들어 낸 허상에 불과하지만 그것을 만들어 낸 마음은 존재합니다. 그러므로 우리는 수행을 통해 자아에 대한 집착에서 벗어나 청정한 마음을 얻어야 합니다.
> 을: 모든 것은 독자적인 실체가 아니고, 임시로 붙여진 이름에 불과합니다. 그러므로 우리는 사물이 실체로서 존재한다는 무지로부터 벗어나 집착에서 생겨나는 온갖 고통과 번뇌를 없애야 합니다.

| | 질문 | 대답 | |
|---|---|---|---|
| | | 갑 | 을 |
| ① | 마음속의 양지를 실천해야 하는가? | 예 | 아니요 |
| ② | 사회와 분리된 엄격한 종교성이 중요한가? | 예 | 아니요 |
| ③ | 모든 것은 연기(緣起)에 의해 존재하는가? | 아니요 | 예 |
| ④ | 모든 사물은 오직 마음의 작용으로만 존재하는가? | 예 | 아니요 |
| ⑤ | 마음에 대한 깊은 논의와 마음을 닦는 수행이 중요한가? | 아니요 | 예 |

**09** (가), (나)에 대한 옳은 설명만을 〈보기〉에서 있는 대로 고른 것은?

> (가) 법화경을 주요 경전으로 삼았으며 깨달음을 얻기 위해 이론과 실천이 어우러져야 한다.
> (나) 화엄경에 의거하여 우주 만물은 끝없는 시간과 공간 속에서 서로의 원인이 되며, 대립을 초월하여 하나로 융합한다.

보기
ㄱ. (가)는 천태종, (나)는 화엄종에 대한 설명이다.
ㄴ. (가)는 진리는 마음에서 마음으로 전하는 것이라고 본다.
ㄷ. (나)는 염불하기만 하면 극락정토에서 다시 태어날 수 있다고 주장한다.
ㄹ. (가), (나)는 경전을 중심으로 이론적인 이해를 중시하고 지혜를 강조한다.

① ㄱ, ㄴ ② ㄱ, ㄹ ③ ㄷ, ㄹ
④ ㄱ, ㄴ, ㄷ ⑤ ㄴ, ㄷ, ㄹ

중요
**10** 갑, 을의 입장에 대한 옳은 설명을 〈보기〉에서 고른 것은?

> 갑: 경전에서 말하는 진리 외에 다시 무슨 진리가 있는가? 경전에서 훌륭한 보살이 보여 준 수행 외에 다시 무슨 가르침이 있는가? 만약 당신이 주장하는 대로 경전 속 가르침이 무의미하다면 누가 보살의 길을 따라 수행하며 부처가 되려 하겠는가?
> 을: 훌륭한 스승의 가르침 속 핵심은 자기 마음의 참된 본성을 정확히 지적하여 보여 주는 것이다. 따라서 경전의 가르침 외에도 참된 본성의 깨달음에 훌륭한 스승의 가르침이 별도로 전해 내려오는 것이다.

보기
ㄱ. 갑은 불성을 직관하는 수행을 중시한다.
ㄴ. 갑은 경전의 교리를 통해 진리를 깨닫고 실천한다.
ㄷ. 을은 화두를 통해 마음의 실상을 깨닫는 것을 중시한다.
ㄹ. 을은 계율에 대한 이해와 해석으로 불교 이론을 정립한다.

① ㄱ, ㄴ ② ㄱ, ㄷ ③ ㄴ, ㄷ
④ ㄴ, ㄹ ⑤ ㄷ, ㄹ

**11** 다음 사상의 관점에 대한 옳은 설명만을 〈보기〉에서 있는 대로 고른 것은?

> 부처는 자신의 본성 속에서 이루어지니 자신 밖에서 부처를 찾지 말라. 자신의 본성이 미혹되면 중생이고, 자신의 본성을 깨달으면 부처이다. 자신의 본성을 깨닫는 것은 단박에 깨치고[頓悟] 단박에 닦는 것이다[頓修].

보기

ㄱ. 일상의 마음이 곧 부처의 마음이라고 본다.
ㄴ. 불성을 깨달으면 누구나 부처가 될 수 있다고 본다.
ㄷ. 참선을 통해 사물의 본성을 직관할 수 있다고 본다.
ㄹ. 경전의 가르침에 따라 마음을 닦는 실천을 강조한다.

① ㄱ, ㄴ ② ㄴ, ㄹ ③ ㄷ, ㄹ
④ ㄱ, ㄴ, ㄷ ⑤ ㄱ, ㄷ, ㄹ

중요

**12** 다음 글에 드러나는 사상이 우리 삶에 줄 수 있는 시사점으로 적절하지 않은 것은?

> 이것이 있기 때문에 저것이 있고, 이것이 생기기 때문에 저것이 생긴다. 이것이 없기 때문에 저것이 없고, 이것이 사라지기 때문에 저것이 사라진다. 비유하자면 세 개의 갈대를 아무것도 없는 땅 위에 세우려고 할 때 서로 의지해야 설 수 있는 것과 같다. 만일 그 가운데 한 개를 제거해 버리면 두 개의 갈대는 서지 못하고, 그 가운데 두 개의 갈대를 제거해 버리면 나머지 한 개도 역시 서지 못한다.

① 고통에 빠진 모든 존재에 대해 슬픔과 연민을 가져야 한다.
② 만물을 개별적으로 분석하고 객관적으로 파악하여야 한다.
③ 모든 존재를 구별하거나 차별하지 않는 사랑을 실천해야 한다.
④ 인간과 자연, 인간과 사회를 상호 의존적인 관계로 파악하여야 한다.
⑤ 모든 존재가 서로 연결되어 있다는 관점에서 세계를 바라보아야 한다.

## 서술형 문제

● 정답친해 16쪽

**01** 다음 글을 읽고 연기와 자비의 관계에 대해 서술하시오.

> • 이것이 있기 때문에 저것이 있고, 이것이 생기기 때문에 저것이 생긴다. 이것이 없기 때문에 저것이 없고, 이것이 사라지기 때문에 저것이 사라진다.
> • 모든 것은 원인에서 생기고 …… 모든 것은 원인에 의해 소멸한다. 이것이 부처님의 가르침이다.

길잡이 불교의 연기설에 대하여 이해하고 그 특징을 자비와 연결지어 서술한다.

**02** 다음 글을 읽고 물음에 답하시오.

> (가) 일어나는 것도 아니고 사라지는 것도 아니며, 상주하는 것도 아니고 단절되는 것도 아니며, 동일한 것도 아니고 다른 것도 아니며, 오는 것도 아니며 가는 것도 아니다.
> (나) 이것들은 다만 식일 뿐이다. 존재하지도 않는 대상이 나타난 것이기 때문이다. 예를 들면, 눈병이 걸린 사람에게 존재하지도 않는 머리카락이나 달 등이 보이는 것과 같다.

(1) (가), (나)에 해당하는 사상을 각각 쓰시오.

(2) (가)와 (나) 사상의 공통점과 차이점을 서술하시오.

길잡이 (가)와 (나)에 나타난 입장의 특징을 떠올리며 서술한다.

STEP 3 1등급 정복하기

교육청 응용

**1** 다음과 같이 주장한 사상가의 입장에 대한 옳은 설명을 〈보기〉에서 고른 것은?

> 수행자가 해야 할 세 가지 공부가 있다. 나쁜 짓을 하지 않기 위해 계율을 지키는 공부[戒學], 청정한 선정(禪定)에 머무르는 공부[定學], 네 가지 거룩한 진리[四聖諦]를 참되게 아는 공부[慧學]가 그것이다.

보기

ㄱ. 존재하는 모든 것들을 불변하는 실체로 보아야 한다고 본다.
ㄴ. 만물이 무상(無常)함을 깨닫고 애욕(愛欲)을 버려야 한다고 본다.
ㄷ. 양극단에서 벗어나 만물의 무명(無明)에서 벗어나야 한다고 본다.
ㄹ. 지속적으로 인격을 수양하여 불성(佛性)을 변화시켜야 한다고 본다.

① ㄱ, ㄴ ② ㄱ, ㄷ ③ ㄴ, ㄷ
④ ㄴ, ㄹ ⑤ ㄷ, ㄹ

> 석가모니의 가르침

완자샘의 시험 꿀팁

석가모니의 사상을 묻는 문제는 동양 윤리 단원에서 자주 출제된다. 독자적으로 출제되기도 하고 다른 사상과 비교하여 출제되기도 하므로, 그 사상적 특징을 잘 알아 두어야 한다.

평가원 응용

**2** (가) 사상의 입장에서 볼 때, (나)의 퍼즐 속 세로 낱말 (A)에 대한 설명으로 옳은 것은?

(가) 일어나는 것도 아니고 사라지는 것도 아니며, 상주하는 것도 아니고 단절되는 것도 아니며, 동일한 것도 아니고 다른 것도 아니며, 오는 것도 아니며 가는 것도 아니다.

(나)

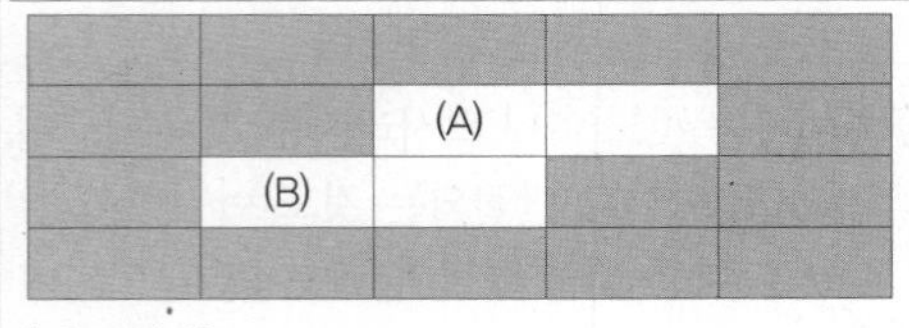


[가로 열쇠]
(A) 인위적이거나 강제적 작위가 없음을 나타내는 말
예) 노자의 '○○자연' 사상
(B) 외부 사물과 나 자신을 가리키는 말
예) 장자의 '□□일체' 사상
[세로 열쇠]
(A): …… 개념

① 독립적인 실체인 '나'는 존재하지 않는다는 뜻이다.
② 전생의 소행으로 말미암아 현세에 받는 응보를 뜻한다.
③ 번뇌와 업에 의해 생사의 세계를 계속 도는 것을 말한다.
④ 석가모니가 깨달은 네 가지 성스러운 진리를 이르는 말이다.
⑤ 애정과 욕심을 아울러 이르는 말로 이로 인해 고통이 생겨난다.

> 불교 사상의 특징

완자 사전

• 작위
사실은 그렇지 않은데도 그렇게 보이기 위하여 의식적으로 하는 행위

**3** 갑, 을의 입장에 대한 설명으로 옳지 않은 것은?

> 갑: 모든 것은 독자적인 실체가 아니고, 임시로 붙여진 이름에 불과합니다. 그러므로 우리는 사물이 실체로서 존재한다는 무지로부터 벗어나 집착에서 생겨나는 온갖 고통과 번뇌를 없애야 합니다.
> 을: 현상 세계는 마음이 만들어 낸 허상에 불과하지만, 그것을 만들어 낸 마음은 존재합니다. 그러므로 우리는 수행을 통해 자아에 대한 집착에서 벗어나 청정한 마음을 얻어야 합니다.

① 갑은 참된 진리를 얻기 위해 극단에 치우치는 것을 경계한다.
② 을은 모든 현상이 마음을 떠나서는 존재할 수 없다고 본다.
③ 을은 모든 괴로움이 자기중심적 관점에서 발생한다고 본다.
④ 갑에 비해 을은 현상 세계를 만들어 낸 마음을 중시한다.
⑤ 갑, 을은 모든 극단이 사라진 영원불변의 본성이 있다고 본다.

> 중관 사상과 유식 사상

**완자샘의 시험 꿀팁**

중관 사상과 유식 사상은 대승 불교의 갈래라는 공통점을 가지고 있지만, 각자가 다른 특징을 가지고 있다. 중관 사상과 유식 사상을 비교하여 꼼꼼하게 이해해 둔다.

**4** 다음 글의 관점에 대한 설명으로 가장 적절하지 않은 것은?

> 어느 날 여승 무진장이 혜능에게 경전을 여러 해 보았으나 아직 이해를 못하겠으니 가르침을 달라고 청하였다. 그러자 혜능은 "나는 글을 모른다. 그대가 경문을 소리 내어 읽으면 내가 혹시 그 가운데의 진리를 알 수도 있을 것이다."라고 말하였다. 무진장이 다시 글도 모르면서 어찌 그 가운데의 진리를 알 수 있느냐고 묻자, 혜능이 답하기를 "진리란 문자와 무관한 것이다. 마치 하늘에 떠 있는 달과 같다. 반면에 문자란 달을 가리키는 그대와 내 손가락이나 다름없다. 손가락은 달의 위치를 가리킬 수 있어도 달 자체는 아니다. 달을 보기 위해 반드시 손가락을 거칠 필요는 없지 않느냐?"라고 말하였다.

① 참된 진리는 마음에서 마음으로 전해진다고 본다.
② 따로 언어와 문자를 세워 말하지 않아도 된다고 본다.
③ 자신의 마음을 직접 볼 수 있는 수양이 필요하다고 본다.
④ 경전의 교리를 통해 진리를 깨닫는 것이 중요하다고 본다.
⑤ 자신의 마음속의 불성을 깨달아 부처가 될 수 있다고 본다.

> 선종의 수양 방법

# 05 분쟁과 화합

학습 목표
- 한국 불교의 주요 사상을 화쟁과 선교 통합을 통해 이해할 수 있다.
- 한국 불교의 윤리적 특징과 현대적 의의를 파악할 수 있다.

## 1 한국 불교의 전통

### 1. 불교의 수용

삼국 시대의 불교는 왕실 중심의 불교로 통일된 사상과 국가의 통치 이념에 부합하는 방향으로 발전하였어.

(1) **수용 배경**: 삼국 시대에 왕권을 강화하고 체제를 정비하여 민심을 안정시키기 위해 국가적 차원에서 불교를 수용함

(2) **전개 과정**

| | |
|---|---|
| 통일 신라 | • 교종이 성행하며 경전 연구와 여러 이론의 정립이 본격화됨<br>• 원효의 사상을 통해 불교의 대중화가 이루어짐<br>• 통일 신라 말기 선종이 수용되었으며, 지방 호족들의 전폭적인 지지를 받은 선종이 교종과 더불어 양대 세력이 됨 |
| 고려 | 선종과 교종의 갈등으로 이를 해결하기 위한 의천과 지눌의 선교 통합 노력이 이루어짐 |

신라 시대의 대표적인 교종 불교 사상가야.

### 2. 원효의 사상

(1) *일심(一心) 사상 자료 ①

원효는 일심 사상에 의하면 모든 중생들도 부처와 같은 마음을 지니고 있으므로 모든 생명체에게 이로움을 주어야 한다고 보았어.

① 의미: 더럽다거나 깨끗하다는 상대적인 구분을 벗어난 절대적인 '어떤 것'으로서의 마음

② 중생의 마음에 청정한 본래의 마음인 진여(眞如)와 선악이 뒤섞여 있는 현실의 마음인 생멸(生滅)의 두 측면이 있지만 서로 별개의 것이 아니라는 주장

③ 모든 존재, 종파, 이론은 다르면서도 같고 같으면서도 다르므로 서로 다툴 필요가 없음

왜? 서로 다른 이론은 하나인 마음의 진리를 다른 시각에서 본 것이기 때문이야.

(2) *화쟁(和諍) 사상 자료 ②

① 의미: 다툼과 대립에서 벗어나 서로 다른 주장과 견해를 조화롭게 화해·화합하도록 이끄는 것

② 원융 회통(圓融會通): 모든 종파와 사상을 분리하여 고집하지 말고, 보다 높은 차원에서 하나로 종합해야 함

③ 화쟁은 궁극적으로 일심으로 돌아가기 위함이며, 일심으로 돌아가는 것은 화쟁의 완성임

(3) *무애행(無碍行)

① 보살의 정신에 따라 출가 수행자의 계율에 구속되지 않고, 형식과 방법에서 벗어남

② 보통 사람도 성불할 수 있다는 내용으로 불교의 대중화에 기여함

(4) 의의

① 조화를 중시하는 한국 불교의 독창적인 전통을 수립함

② 불교의 대중화: 왕실 중심의 불교를 무애행을 통해 대중에게 널리 알림

### 3. 의천의 사상

| | |
|---|---|
| 배경 | • 고려 초, 선종과 교종의 대립이 극심해지면서 국가적인 문제로까지 부각됨<br>• 원효의 사상을 계승하여 교종과 선종의 대립을 해결하고 조화를 이루고자 함 |
| 선교 통합 | 교종인 천태종을 중심으로 선종을 통합하고자 함 |
| 수행 방법 자료 ③ | • 교관겸수(敎觀兼修): 경전의 가르침인 교(敎)와 마음을 바라보는 관(觀)을 함께 닦아야 함<br>• 내외겸전(內外兼全): 선종에서 강조하는 마음 수양[內]과, 교종에서 강조하는 교리 공부[外]를 함께 행해야 함 |
| 의의 | 선종과 교종의 갈등을 화해시키는 것을 중시함 |

이것이 핵심!

의천과 지눌의 사상 비교

| 구분 | 의천 | 지눌 |
|---|---|---|
| 선교 통합 방식 | 교종을 중심으로 선종과의 조화 추구 | 선종을 중심으로 교종과의 조화 추구 |
| 수행 방법 | • 교관겸수<br>• 내외겸전 | • 돈오점수<br>• 정혜쌍수 |
| 의의 | 교종과 선종의 갈등을 화해시키려고 노력함 | |

★ 일심(一心)
본래 일심은 언어로 규정할 수 없지만, 억지로 이름만 붙여 '일심'이라고 표현한 것이다.

★ 화쟁(和諍)
- 화(和): 조화, 화해, 화합
- 쟁(諍): 주장과 견해 사이의 다툼, 대립

★ 무애행(無碍行)
실천과 수행에 일정한 형식이나 방법이 없음을 강조한 것으로, 걸림이 없는 실천의 방법을 뜻한다. 원효는 표주박에 무애(無碍)를 새기고 전국을 돌아다니며, 사람들에게 '나무아미타불'만 염불하면 극락에 갈 수 있다고 가르쳤다.

# 완자 자료 탐구

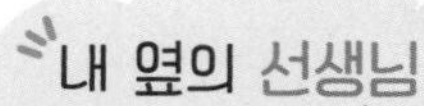

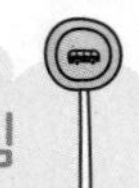

## 자료 1 원효의 일심이문(一心二門)

> 어젯밤 잠자리는 흙구덩이라 생각하여 또한 편안하였는데[眞如門].
> 오늘 밤 잠자리는 무덤 속에 의탁하니 매우 뒤숭숭하구나[生滅門].
> 알겠도다! 마음이 생겨나므로 갖가지 현상이 생겨나고,
> 마음이 사라지므로 흙구덩이와 무덤이 둘이 아님을.
> 또 삼계는 오직 마음뿐이요 만법은 오직 인식일 뿐이니,
> 마음 밖에 현상이 없는데 어디서 따로 구하겠는가[一心]?
> 나는 당나라에 가지 않겠다! – 원효, 『열반경종요』

원효는 당나라 유학길에서 흙구덩이가 무덤임을 아느냐 모르느냐의 차이에 따라 자신의 마음이 다름을 깨달았다. 이를 통해 원효는 하나의 마음을 해맑고 깨끗한 모습인 진여문과 때 묻고 물든 모습인 생멸문이라는 두 가지 측면으로 정리하였다.

## 자료 2 원효의 일심(一心)과 화쟁(和諍)

> • 일심(一心)이란 무엇인가? 더러움과 깨끗함은 그 본래 성품이 둘이 아니고, 참과 거짓 또한 서로 다르지 않다. 그러므로 하나[一]라고 한다. 이 둘이 없는 곳에서 불법은 진실하며 허공과는 다르므로, 스스로 신령스럽게 아는 성품이 있으니 이를 마음[心]이라고 한다. – 원효, 『대승기신론소』
> • 쓸데없는 이론들이 구름 일어나듯 하여 혹은 말하기를 나는 옳고 남은 그르다 하며, 혹은 나는 그러하나 남들은 그렇지 않다고 주장하여 드디어 하천과 강을 이룬다. …… 비유컨대 청과 남이 같은 바탕이고, 얼음과 물이 같은 원천이고, 거울이 만 가지 형태를 다 용납함과 같다. – 원효, 『십문화쟁론』

원효는 일심이 일체의 대립을 초월하는 것이며, 일심을 바탕으로 수많은 이론이 생기지만 다시 일심으로 종합되는 것임을 주장하였다. 따라서 이러한 관점을 지닌다면 어느 한 측면에만 얽매여 다른 측면의 가르침을 부정하거나 배척하는 종파 사이의 다툼을 자연스럽게 해결할 수 있다고 보았다. 이는 일심이 화쟁의 근거임을 의미한다.

## 자료 3 의천의 올바른 수행 방법

> 명상 속에서 진리를 통찰하는 수행을 배우지 않고 경전만을 공부한다면, 비록 윤회와 해탈의 원인과 결과에 대한 가르침을 듣더라도 진리를 통찰하는 명상법은 잘 알지 못할 것이다. 또한 경전은 공부하지 않고 오직 진리를 통찰하는 명상법만을 배운다면, 설령 진리를 통찰하는 명상법을 알게 되더라도 윤회와 해탈의 원인과 결과에 대한 가르침을 제대로 이해할 수 없을 것이다. – 의천, 『대각국사문집』

의천은 선종이 중시하는 직관을 무시하고 교종이 중시하는 경전만 공부하거나, 그와 반대로 직관만을 중시하여 경전 공부를 도외시하는 것 모두가 수행 방법으로 적합하지 않다고 보았다. 그는 올바른 수행 방법으로 경전 공부와 직관 수행을 함께할 것을 주장하였다.

### 정리 비법을 알려줄게!

일심이문(一心二門)

| 진여문(眞如門) | 생멸문(生滅門) |
|---|---|
| • 변하지 않는 본래적 특징<br>• 중생이 본래 갖추고 있는 분별과 대립이 소멸된 청정한 성품의 방면 | • 연기에 의해 변화하는 특징<br>• 중생이 본래 갖추고 있는 청정한 성품이 분별과 대립을 일으키는 방면 |

### 자료 하나 더 알고 가자!

화쟁 사상에 담긴 원융 회통

> 여러 경전의 부분적 이해를 통합하여 온갖 흐름을 한 맛[一味]으로 돌아가게 하고, 부처의 뜻의 지극히 바른 뜻을 열어 여러 학파의 다양한 주장을 화회(和會)시킨다. – 원효, 『열반경종요』

화쟁은 서로 다른 주장과 견해들이 조화를 이루게 하여, 화해하고 화합하도록 하는 것이다. 이러한 화쟁 사상에는 원융 회통 정신이 담겨 있다. 원융이란 원만하여 막힘이 없음을 말하고 회통은 온갖 대립과 갈등을 해소하여 더 높은 차원에서 하나로 통합하는 것을 말한다.

### 문제로 확인할까?

의천의 사상에 대한 설명으로 옳지 않은 것은?

① 고려의 교종인 천태종을 창시하였다.
② 무애행을 통해 불교의 대중화에 기여하였다.
③ 교종을 중심으로 선종을 통합해야 한다고 보았다.
④ 교관겸수와 내외겸전을 수행 방법으로 주장하였다.
⑤ 원효의 사상을 계승하여 교종과 선종의 대립을 해결하고자 하였다.

② 답

# 05 분쟁과 화합

★ **돈오점수(頓悟漸修)**
- 돈오: 내 마음이 곧 부처라는 사실을 한순간에 철저하게 자각하는 것
- 점수: 돈오의 바탕 위에서 마음속에 쌓인 인식과 습관을 제거하는 것

### 4. 지눌의 사상

고려의 선종인 조계종을 창시하였어.

Q&A? 선(禪)은 부처의 마음이며, 교(敎)는 부처의 말씀이라고 보았기 때문이야.

| | |
|---|---|
| 선교 통합 | • 선종인 조계종을 중심으로 교종을 통합하고자 함<br>• 선교일원(禪敎一元): 선종과 교종은 본래 하나임 |
| 수행 방법 교과서 자료 | • *돈오점수(頓悟漸修): 먼저 단박에 깨친[頓悟] 후에 점진적인 닦음[漸修]의 과정을 따름 → 단박에 깨친 후에도 몸에 밴 나쁜 습관이나 기운[習氣]을 점진적으로 소멸시켜야 함 자료 ④<br>• 정혜쌍수(定慧雙修): 마음을 고요한 경지에 이르도록 하는 선정[定]과, 사물의 실상을 파악하는 지혜[慧]를 함께 닦는 수행법으로 '정'은 마음의 본체를, '혜'는 마음의 인식 작용을 가리킴<br>• 교외별전(敎外別傳): 부처의 가르침을 말이나 글에 의지하지 않고 바로 마음에서 마음으로 전하여 진리를 깨닫게 하는 법<br>• 간화선(看話禪): 화두(話頭)를 들고 수행하는 참선 방법 |
| 의의 | • 선정을 중시하는 선종을 바탕으로 지혜를 중시하는 교종을 포용하려 함<br>• 원효의 사상을 계승하여, 종파와 교리를 화합하려는 성격을 보임<br>• 정혜결사 운동을 통해 이익과 명예를 추구하기보다 정과 혜를 함께 닦자고 주장함 |

VS 혜능은 단박에 깨치고 단박에 닦는 돈오돈수를 주장하였어.

이것이 핵심!

**한국 불교의 윤리적 특징**

| | |
|---|---|
| 조화 사상 | 다른 사상과 비교적 갈등 없이 서로 조화를 이루며 함께 공존함 |
| 보살행 | 자신의 깨달음과 함께 다른 사람을 구제하는 마음을 강조함 |
| 호국 불교 | 나라의 위기를 불교의 힘으로 극복하려 함 |

★ **산신각, 칠성각**
한국 불교가 토착화되는 과정에서 민간 신앙과 도교 등의 신앙 대상을 함께 모신 건물

★ **보시**
자비심으로 다른 사람에게 부처의 가르침과 사랑을 베푸는 것

## 2 한국 불교의 윤리적 특징

### 1. 한국 불교의 특징

| 특징 | 내용 | |
|---|---|---|
| 조화 사상 | 의미 | 다른 사상과 비교적 갈등 없이 서로 조화를 이루며 함께 공존함 |
| | 구체적 사례 | • 원효의 화쟁 사상: 수많은 교종 이론의 주장을 인정하고, 다툼을 더 높은 차원에서 통합하고자 함<br>• 의천: 교종인 천태종을 중심으로 선종을 통합하고자 함<br>• 지눌: 돈오점수와 정혜쌍수를 통해 선종을 중심으로 교종을 수용하고 통합하고자 함<br>• *산신각, 칠성각: 불교, 민간 신앙, 도교의 신앙 대상을 함께 조화시킴 |
| 보살행 | 의미 | 자신의 깨달음과 함께 다른 사람을 구제하는 마음을 강조함 |
| | 구체적 사례 | • 원효: 더 많은 사람이 깨달음을 얻게 하고자 무애행을 통해 자비의 윤리 실천<br>• 지눌: 선교 일치 정신에 입각한 수행 공동체인 정혜결사를 만들어 소박하고 절제된 수행을 추구하여 대중의 호응을 이끌어 냄 |
| 호국 불교 | 의미 | 나라의 위기를 불교의 힘으로 극복하려 함 |
| | 구체적 사례 | • 신라의 원광법사가 화랑도에게 전해준 세속오계(世俗五戒)<br>• 고려 시대의 대장경 간행과 조선 승려들의 의병 투쟁<br>• 불국토 사상: 이 땅이 부처의 나라임을 믿고 부처가 있는 이상향으로 강조하는 사상 |

구체적으로는 사군이충, 사친이효, 교우이신, 임전무퇴, 살생유택이 있어.

### 2. 한국 불교의 현대적 의의

꼭! 한국 불교의 조화 전통은 현대 사회 속 양극화, 인간 소외, 자연 파괴 등 다양한 갈등 해결의 실마리를 제공해 줄 수 있어.

**(1) 조화의 정신** 자료 ⑤

① 화합의 윤리: 현대 사회의 다양한 주장과 의견을 화해시키는 상생의 원리가 됨

② *보시: 사회 양극화와 불평등 문제 해결의 실마리를 제공함

③ 세대, 이념, 노사 갈등 및 각종 차별과 부조리 등의 문제를 해결하는 데 도움을 줌

**(2) 이타적 실천 정신**

① 보살행을 통해 우리의 이웃에 대한 자비 정신을 함양할 수 있음

② 우리 사회의 이기주의나 환경 문제를 해결하는 데 도움을 줄 수 있음

# 완자 자료 탐구

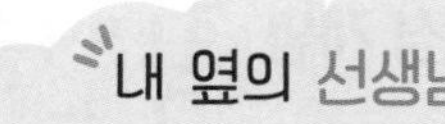

## 자료 4 지눌의 『수심결』에 드러난 '돈오점수'

마음 밖에서 부처를 찾아 이리저리 헤매다가 스승의 가르침을 받고 바른 길에 들어 한 생각에 문득 마음의 빛을 돌이켜 자기 본성을 본다. …… 이것을 '돈오'라 한다. 본성이 부처와 다름이 없음을 깨닫기는 했지만, 끝없이 익혀 온 버릇을 갑자기 없애기가 어렵다. 그러므로 깨달음에 의지해 닦고 차츰 익혀서 공이 이루어지고 성인의 모태 기르기를 오래하면 성(聖)을 이루게 되니, 이를 '점수'라 한다. 마치 어린애가 갓 태어났을 때 모든 감관이 갖추어져 있음은 어른과 조금도 다름이 없지만, 그 힘이 아직 충실하지 못하기 때문에 어느 정도 시간이 흐른 뒤에야 비로소 사람 구실을 하는 것과 같다. – 지눌, 『목우자수심결』

지눌은 깨침 이전의 수행은 진정한 수행이 아니라고 하였다. 따라서 돈오점수에는 깨침이 먼저이고, 그 후에 수행한다는 선오후수(先悟後修)의 사상이 담겨 있다.

**문제로 확인할까?**

지눌의 수행 방법으로 옳은 것은?

① 교종을 축으로 선종을 통합해야 한다.
② 소승의 경전만을 넓게 공부해야 한다.
③ 돈오 후에도 점수의 과정이 필요하다.
④ 선종과 교종이 다름을 인정해야 한다.
⑤ 화쟁에서 벗어나 일심을 실천해야 한다.

답 ③

## 수능이 보이는 교과서 자료 의천과 지눌의 올바른 수행의 방법

• 교(敎)를 배우는 사람은 대개 안을 버리고 밖에서 구하는 경향이 강하고, 반면에 선(禪)을 익히는 사람은 밖의 대상을 잊고 안으로만 파고들기를 좋아한다. 그러나 이 둘은 모두 어느 한쪽으로 치우친 집착으로 두 극단에 막혀 있다. – 의천, 『대각국사문집』

• 어린아이의 눈, 귀, 코, 혀, 몸 등이 어른과 다름없음을 알 때 돈오(頓悟)요, 이것이 점점 공훈(功勳)을 들여 성장하는 것이 점수(漸修)이다. 연못의 얼음이 전부 물인 줄 알지만, 그것이 해를 받아 녹는 것처럼, 범부가 곧 부처임을 깨달았으나 법력으로 부처의 길을 닦는 것과 같은 것이다. – 지눌, 『목우자수심결』

고려 시대, 교종과 선종의 갈등이 심해지자 의천은 교종을 중심으로, 지눌은 선종을 중심으로 갈등을 해결하고자 하였다. 의천은 경전 읽기인 교(敎)와 참선인 선(禪)을 함께 수행하여 진리를 깨우쳐야 한다는 교관겸수를 강조하였다. 반면 지눌은 돈오점수를 주장하였는데, 이는 단번에 진리를 깨친 뒤 번뇌를 차차 소멸시키는 수행법이다.

**완자샘의 탐구 강의**

• **수행 방법에 대한 의천과 지눌의 공통점을 서술해 보자.**

교종과 선종의 조화를 추구하여, 경전의 가르침과 마음을 갈고 닦는 수행을 함께 중시한다.

함께 보기 71쪽, 1등급 정복하기 2

## 자료 5 원효의 조화의 정신

불도(佛道)는 넓고 탕탕하여 걸림이 없고 범주가 없다. 영원히 의지하는 바가 없기에 타당하지 않음이 없다. 이 때문에 일체의 다른 교의가 모두 다 불교의 뜻이요, 백가의 설이 옳지 않음이 없으며, 팔만의 법문이 모두 이치에 들어간다. 그런데 자기가 조금 들은 바 좁은 견해만을 내세워, 그 견해에 동조하면 좋다고 하고 그 견해에 반대하면 잘못이라고 하는 사람이 있다. 마치 갈대 구멍으로 하늘을 보는 사람이 갈대 구멍으로 하늘을 보지 않은 사람은 모두 하늘을 보지 못하는 자라고 하는 것과도 같다. – 원효, 『보살계본지범요기』

원효는 당시 신라 사회에 들어와 있던 여러 불교 종파 사이의 다툼을 화해시키려는 목적에서 화해와 통합을 강조하였다. 원효는 원융 회통의 논리로 여러 종파의 이론을 연구하고 통합하여 각각의 가치를 인정하며 중국 불교와 다른 독자적인 한국 불교 이론을 정립하였다.

**정리 비법을 알려줄게!**

한국 불교에 드러난 조화 정신

| 사상가 | 내용 | 공통점 |
|---|---|---|
| 원효 | 수많은 교종 이론의 주장을 더 높은 차원에서 통합하고자 함 | 서로 다른 종파, 사상과 조화를 이루며 공존함 |
| 의천 | 교종을 중심으로 선종을 통합하고자 함 | |
| 지눌 | 선종을 중심으로 교종을 통합하고자 함 | |

# STEP 1 핵심 개념 확인하기

정답친해 17쪽

**1** 다음 설명에 해당하는 용어를 쓰시오.

• 원효가 강조한 개념으로, 다양한 불교 이론 사이의 논쟁을 그치게 하여 화해시킨다는 뜻이다.
• 서로 다른 주장과 견해들이 조화를 이루게 하여, 다툼과 대립에서 벗어나 화해하고 화합하도록 이끄는 것이다.

**2** 다음 설명이 맞으면 ○표, 틀리면 ×표를 하시오.

(1) 지눌은 돈오를 통해 바로 부처가 될 수 있다고 보았다. ( )

(2) 의천은 교종의 입장에서 선종을 조화시켜야 한다고 주장하였다. ( )

(3) 한국 불교에서는 자신의 깨달음과 함께 다른 사람을 구제하는 보살행을 강조한다. ( )

**3** 다음 설명에 해당하는 불교의 사상을 〈보기〉에서 골라 기호를 쓰시오.

보기

ㄱ. 교관겸수　　ㄴ. 돈오점수　　ㄷ. 원융 회통

(1) 단번에 진리를 깨친 뒤 번뇌를 차차 소멸시켜야 한다. ( )

(2) 경전 읽기와 참선을 함께 수행하여 진리를 깨우쳐야 한다. ( )

(3) 모든 종파와 사상을 분리하여 고집하지 말고, 보다 높은 차원에서 하나로 종합해야 한다. ( )

**4** 사상가와 그에 대한 주장을 옳게 연결하시오.

(1) 원효 •　　• ㉠ 화쟁
(2) 의천 •　　• ㉡ 정혜쌍수
(3) 지눌 •　　• ㉢ 내외겸전

**5** 한국 불교의 특징을 〈보기〉에서 있는 대로 골라 기호를 쓰시오.

보기

ㄱ. 보살행　　ㄴ. 조화 정신
ㄷ. 호국 불교　　ㄹ. 선비 정신과 의로움

# STEP 2 내신 만점 공략하기

**01** 학생 답안의 ㉠~㉤ 중 옳지 않은 것은?

서술형 평가

◎ 문제: 원효 사상의 특징을 서술하시오.
◎ 학생 답안
원효는 ㉠ 상대적인 구분을 벗어난 절대적인 '어떤 것'으로서의 일심을 주장하였다. 일심 사상에 의하면 ㉡ 수많은 존재와 종파, 이론은 다르면서도 같고 같으면서도 다르므로 서로 다툴 필요가 없다. 따라서 ㉢ 화쟁을 통해 모든 종파를 높은 차원에서 하나로 통합할 것을 강조하였다. ㉣ 일심에서는 참과 거짓, 깨끗함과 더러움의 근원은 같다. 그러므로 ㉤ 세속에서 벗어나 절대자와의 합일을 추구해야 한다.

① ㉠　② ㉡　③ ㉢　④ ㉣　⑤ ㉤

**02** 다음과 같이 주장한 사상가가 강조하는 삶의 태도로 가장 적절한 것은?

불도는 넓고 탕탕하여 걸림이 없고 범주가 없다. 영원히 의지하는 바가 없기에 타당하지 않음이 없다. 이 때문에 일체의 다른 교의가 모두 다 불교의 뜻이요, 백가의 설이 옳지 않음이 없으며, 팔만의 법문이 모두 이치에 들어간다.

① 고정불변의 자아를 확립해야 한다.
② 여러 종파 간의 논쟁은 조화될 수 있다.
③ 참된 진리를 찾기 위해 세속에서 벗어나야 한다.
④ 개인의 사욕을 극복하고 진정한 예를 회복해야 한다.
⑤ 겸허, 부쟁의 덕을 지닌 물과 같은 자세를 지녀야 한다.

**03** 다음과 같이 주장한 사상가에 대한 옳은 설명을 〈보기〉에서 고른 것은?

> 명상 속에서 진리를 통찰하는 수행을 배우지 않고 경전만을 공부한다면, 비록 윤회와 해탈의 원인과 결과에 대한 가르침을 듣더라도 진리를 통찰하는 명상법은 잘 알지 못할 것이다. 또한 경전은 공부하지 않고 오직 진리를 통찰하는 명상법만을 배운다면, 설령 진리를 통찰하는 명상법을 알게 되더라도 윤회와 해탈의 원인과 결과에 대한 가르침을 제대로 이해할 수 없을 것이다.

보기
ㄱ. 경전 공부와 참선 수행을 함께 강조하였다.
ㄴ. 교종과 선종의 대립을 해결하고 조화를 이루고자 하였다.
ㄷ. 자기중심적 의식에 따라 차별과 경계를 지어 지혜를 쌓아야 한다고 보았다.
ㄹ. 천태종은 지관 수행을 중시하기 때문에 선종과 통할 수 있는 부분이 없다고 보았다.

① ㄱ, ㄴ ② ㄱ, ㄹ ③ ㄴ, ㄷ
④ ㄴ, ㄹ ⑤ ㄷ, ㄹ

**04** 다음과 같이 주장한 사상가에 대한 설명으로 옳은 것은?

> 스승의 가르침을 받고 바른 길에 들어 문득 마음의 빛을 돌이켜 자기 본성을 보는 것을 '돈오'라 한다. 비록 본성이 부처님과 다르지 않음을 깨치긴 하였으나, 먼 옛날부터 내려온 습기를 갑자기 없애기 어려우므로 깨침에 의지하여 닦아 익힌다. 점점 익혀서 공(空)이 성취되어 오래오래 성인의 모태를 기르다 보면 성인이 되는 것이니, 이를 '점수'라 한다.

① 교종을 중심으로 선종을 통합하였다.
② 원융 회통 사상과 화쟁 사상을 제시하였다.
③ 선정과 지혜를 병행하는 수행 방법을 제안하였다.
④ 선종과 교종에서 말하는 궁극의 진리가 다르다고 보았다.
⑤ 실천보다는 이론을 강조하는 학문 중심의 수양을 강조하였다.

중요
**05** 다음과 같이 주장한 사상가의 관점에만 모두 'V'를 표시한 학생은?

> 얼어붙은 연못이 온전히 물이라는 사실을 알더라도, 햇볕의 따뜻한 기운을 빌려야 실제로 녹여서 물로 만들 수 있다. 이와 같이 돈오(頓悟)와 점수(漸修)도 마치 수레의 두 바퀴와 같아서 하나만 있어서는 안 된다.

| 관점 \ 학생 | 갑 | 을 | 병 | 정 | 무 |
|---|---|---|---|---|---|
| 화두를 들고 참선하는 간화선으로 수행해야 한다. | V | V | V | | |
| 무애행을 통해 대중에게 불교를 널리 알려야 한다. | | | V | V | V |
| 불성을 자각한 후에도 점진적으로 수행해 나가야 한다. | V | | V | | V |
| 점수 후 내가 곧 부처라는 사실을 한꺼번에 문득 깨달아야 한다. | | V | | V | V |

① 갑 ② 을 ③ 병 ④ 정 ⑤ 무

중요
**06** 갑, 을 사상가 중 적어도 한 사람이 긍정의 대답을 할 질문으로 옳은 것은?

> 갑: 관(觀)도 배우지 않으면 안 되고, 경(經)도 전수하지 않으면 안 된다. 내가 교관에 지극히 마음을 다하는 것은 이 말씀을 가슴속에 간직하고 있기 때문이니, 화엄을 전수하더라도 관문은 반드시 배워야 한다.
> 을: 부처가 입으로 설하면 교이며 훌륭한 스승이 마음으로 전하면 선이다. 부처와 훌륭한 스승의 마음과 입은 결코 서로 어긋나지 않는다. 어찌 그 근원을 궁구하지 않고 각기 자기가 익숙한 데에만 안주하여 쓸데없이 쟁론을 일으켜 헛되이 시간을 낭비하는가.

① 중국의 선종 수행 방법을 그대로 계승해야 하는가?
② 고정된 실체를 파악하여 양극단에서 벗어나야 하는가?
③ 무위를 실현하여 각종 차별과 편견을 타파해야 하는가?
④ 우리가 본래 완성된 부처라는 것을 단박에 깨칠 수 있는가?
⑤ 경전의 교리로부터 벗어나야 진정한 깨달음을 얻을 수 있는가?

## 07 (가)의 갑, 을의 입장을 (나) 그림으로 탐구할 때, A, B에 들어갈 질문으로 옳은 것은?

(가)
갑: 교(敎)를 배우는 사람은 대개 안을 버리고 밖에서 구하는 경향이 강하고, 반면에 선(禪)을 익히는 사람은 밖의 대상을 잊고 안으로만 파고들기를 좋아한다. 그러나 이 둘은 모두 어느 한쪽으로 치우친 집착으로 두 극단에 막혀 있다.
을: 점수문에 속하는 열등한 수행이더라도 마음을 다스리는 데에는 필요하다. 망상이 들끓으면 우선 정(定)으로 그 마음을 다스려 본래의 고요함으로 되돌리고, 혜(慧)로 멍한 상태를 다스리면 결국 대자유인이 될 것이다.

(나)
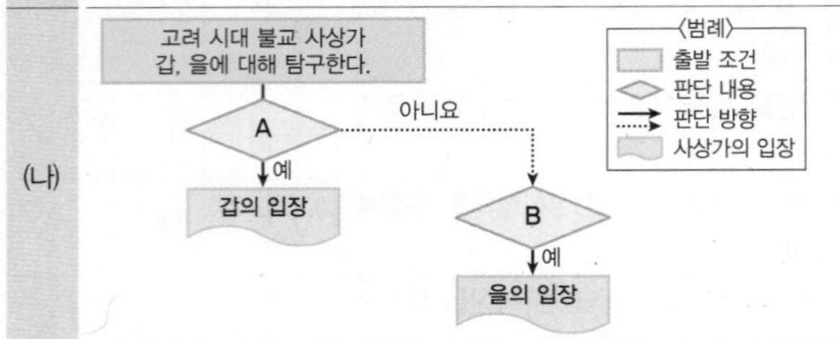


① A: 선종과 교종은 화해할 수 없는가?
② A: 만물이 고정불변함을 인식해야 하는가?
③ B: 교관겸수를 통해 돈오에 도달해야 하는가?
④ B: 돈오 이후에도 지속적으로 수행해야 하는가?
⑤ B: 잘못된 습관은 무명을 통해 제거될 수 있는가?

## 08 다음 글을 통해 알 수 있는 한국 불교의 특징으로 가장 적절한 것은?

쓸데없는 이론들이 구름 일어나듯 하여 혹은 말하기를 나는 옳고 남은 그르다 하며, 혹은 나는 그러하나 남들은 그렇지 않다고 주장하여 드디어 하천과 강을 이룬다. …… 비유컨대 청(靑)과 남(藍)이 같은 바탕이고, 얼음과 물이 같은 원천이고, 거울이 만 가지 형태를 다 용납함과 같다.

① 다툼에서 벗어나 조화의 정신을 강조한다.
② 국난을 극복하는 호국 불교의 성격을 가진다.
③ 대중과 고통을 함께하는 자비 정신을 강조한다.
④ 사회 부조리에 대한 사회 개혁 정신을 발휘한다.
⑤ 소박하고 절제된 수행으로 대중의 호응을 이끌어 낸다.

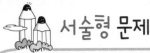

# 서술형 문제

● 정답친해 18쪽

## 01 다음 사상가의 입장에서 〈사례〉의 현상에 대해 비판하시오.

어젯밤에는 동굴인 줄 알고 편안하였는데, 오늘은 귀신 때문에 나무도 무섭네. 그러고 보니 동굴과 무덤을 나누는 내 마음 때문에 편안함, 두려움 등 온갖 것이 생겨났다는 것을 알겠네. 나누는 이 마음만 없어지면 동굴과 무덤은 사실 둘이 아닌데 말일세. 그 어떤 것도 마음과 무관하지 않은데 구태여 마음 밖에 진리를 구할 필요가 있을까?

〈사례〉

버스 안에서 친구와 이야기를 나누던 외국인 A씨는 술에 취한 행인에게 피부가 까맣다는 말과 함께 엄청난 폭언을 들었다.

길잡이 원효의 화쟁 사상에서 찾을 수 있는 조화 전통을 바탕으로, 인종 차별 사례에 대해 비판적으로 서술한다.

## 02 (가), (나)에서 제시하는 선교 통합의 방법을 각각의 수양론을 바탕으로 서술하시오.

(가) 요즘 도를 배우는 사람들이 입으로 곧잘 진리를 말하면서 마음은 게을러 빠져 도리어 분수 밖의 잘못을 범하고 있으니, 다 그대가 의심하는 것과 같은 데에 떨어진 것이다. 대체로 도에 들어가는 데에는 그 문이 많으나 요약하면 '돈오'와 '점수'라는 두 문에 지나지 않는다. '돈오'와 '점수'의 두 문은 모두 성인이 의지할 길이다.

(나) 명상 속에서 진리를 통찰하는 수행을 배우지 않고 경전만을 공부한다면, 비록 윤회와 해탈의 원인과 결과에 대한 가르침을 듣더라도 진리를 통찰하는 명상법은 잘 알지 못할 것이다. 또한 경전은 공부하지 않고 오직 진리를 통찰하는 명상법만을 배운다면, 설령 진리를 통찰하는 명상법을 알게 되더라도 윤회와 해탈의 원인과 결과에 대한 가르침을 제대로 이해할 수 없을 것이다.

길잡이 의천과 지눌이 선종과 교종 중 어떤 것에 중점을 두었는지를 바탕으로 서술한다.

# STEP 3 1등급 정복하기

정답친해 19쪽

수능 응용

**1** ㉠~㉢에 대한 옳은 설명만을 〈보기〉에서 있는 대로 고른 것은?

> 원효의 일심이문

㉠ 일심(一心)의 법(法)을 세운다는 것은 법에 대한 의심을 없애는 것이다. 대승(大乘)의 법에는 오직 일심만이 있으며, 일심 외에는 다른 법이 없다. 일심의 법을 세워 ㉡ 진여(眞如)와 ㉢ 생멸(生滅)의 두 가지 문[二門]에 들어가야 한다.

보기

ㄱ. ㉠은 종파 사이의 다툼을 화해시키고자 하는 화쟁의 근거이다.
ㄴ. ㉡은 중생이 본래 갖추고 있는 분별과 대립이 소멸된 청정한 성품의 방면이다.
ㄷ. ㉢은 중생이 본래 갖추고 있는 청정한 성품 속에 선이 확대되어 드러난 마음이다.
ㄹ. ㉠에는 ㉡과 ㉢의 두 측면이 있어 근원에서 서로 별개의 것으로 구분해야 한다.

① ㄱ, ㄴ ② ㄱ, ㄹ ③ ㄴ, ㄷ
④ ㄱ, ㄷ, ㄹ ⑤ ㄱ, ㄴ, ㄷ, ㄹ

**2** (가)의 갑, 을의 입장을 (나) 그림으로 표현할 때, A~C에 해당하는 내용으로 옳은 것은?

> 의천과 지눌의 비교

**완자샘의 시험 꿀팁**
의천과 지눌을 비교하는 문제는 출제 빈도가 매우 높다. 그러므로 의천과 지눌이 선교 통합을 추구했다는 사상적 공통점과 더불어 각 사상가의 수행 방법을 중심으로 차이점을 알아 두어야 한다.

(가)
갑: 어린아이의 눈, 귀, 코, 혀, 몸 등이 어른과 다름없음을 알 때 돈오(頓悟)요, 이것이 점점 공훈(功勳)을 들여 성장하는 것이 점수(漸修)이다. 연못의 얼음이 전부 물인 줄 알지만, 그것이 해를 받아 녹는 것처럼, 범부가 곧 부처임을 깨달았으나 법력으로 부처의 길을 닦는 것과 같은 것이다.
을: 세상에는 완전한 재능을 갖춘 이가 드물고 교(敎)와 선(禪)의 아름다움을 모두 갖추기 어렵기 때문에 교를 배우는 자는 대다수 내적인 것을 버리고 외적인 것을 구하며, 선을 익히는 자는 외적 경계를 잊고 내적인 것을 밝히기를 좋아한다. 그렇지만 이는 한쪽에 치우친 태도로, 양자의 대립은 마치 토끼 뿔이 긴가 짧은가, 신기루로 나타난 꽃의 빛깔이 진한가 옅은가를 놓고 싸우는 것과 같다.

(나)
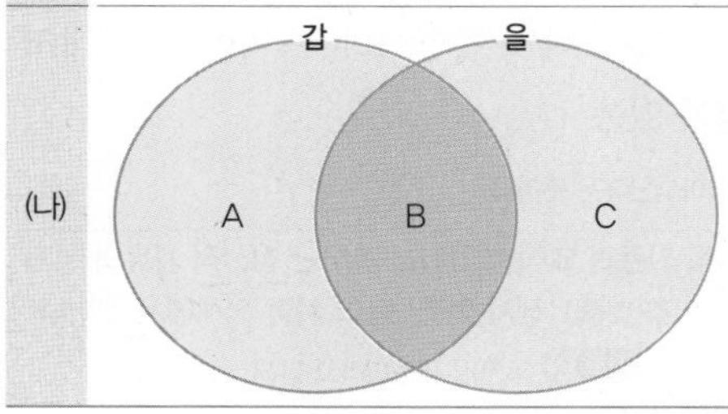


〈범례〉
A: 갑만의 입장
B: 갑, 을의 공통 입장
C: 을만의 입장

① A: 원융 회통과 화쟁 사상을 주장하였다.
② B: 돈오점수와 정혜쌍수로 수행할 것을 강조하였다.
③ C: 교종과 선종의 조화를 추구하였다.
④ C: 교관겸수와 내외겸전을 강조하였다.
⑤ C: 고정불변의 자아를 확립하여 주체성을 실현할 것을 주장하였다.

# 06 무위자연의 윤리

**학습목표**
- 도가적 세계관의 특징과 현대적 의의를 이해할 수 있다.
- 도교의 사상적 특징 및 한국 고유 사상의 융합 과정을 파악할 수 있다.

**이것이 핵심!**

**노자와 장자의 공통점과 차이점**

| 구분 | 노자 | 장자 |
|---|---|---|
| 이상적 삶의 모습 | • 무위자연<br>• 상선약수 | • 소요유<br>• 제물<br>• 만물제동 |
| 공통점 (의의) | • 상대주의적 세계관<br>• 평등주의 | |

**★ 허정(虛靜)**
마음에 내재한 일체의 인위적인 것을 비워 낸 본래의 마음 상태

**★ 유·불·도의 도(道)**

| | |
|---|---|
| 유교 | 인간이 따라야 할 당위 법칙 → 도덕적인 측면과 관련이 있음 |
| 불교 | 깨달음이나 깨달음을 위한 수행 방법 |
| 도가 | 우주 만물의 근원 → 절대적, 형이상학적이기에 언어로 표현할 수 없음 |

**★ 상선약수(上善若水)의 덕**
노자는 물이 항상 아래로 흐르며 만물을 이롭게 하고 싸우지 않는 겸허와 부쟁의 덕을 지녔다고 보았다.

**★ 유교와 도가의 성인(聖人)**
유교와 도가의 이상적 인간상 중 하나인 '성인'은 단어는 같지만, 그 의미가 다르다. 유교의 성인은 인의예지를 따르는 인간이고 도가의 성인은 무위자연을 따르는 이상적 인간이다.

## 1 도가 사상의 전개

### 1. 노자의 사상

#### (1) 사회 혼란의 원인과 해결 방안

노자는 유가의 규범들을 인위적이라고 표현하였는데, 이는 "대도(大道)가 무너지자 인의가 생겨났고, 크나큰 인위가 있기 때문에 지혜가 나타나고, 육친이 화목하지 못하자 효와 자애가 생겨났다."라는 구절에서 잘 드러나.

| | |
|---|---|
| 원인 | 그릇된 가치관이나 인위적인 사회 제도 → 미추(美醜), 선악(善惡)의 분별 |
| 해결 방안 | 도(道)를 따르는 삶의 자세 → 무위자연(無爲自然), 무위의 정치, *허정 |

#### (2) *도(道)의 의미와 특징 교과서 자료

잠깐! '도'는 하려고 하지 않으면서도 하지 않는 것이 없는 무위무형한 만물의 근원이며, 시공간을 초월하여 차별이 없는 존재야.

① 의미: 천지 만물을 낳는 근원이자 자연을 생성, 운행하는 원리

② 특징
- 도의 관점에서 만물은 상대적인 가치만을 지님
- 인간의 경험과 상식으로는 파악할 수 없음
- 인간의 감각을 초월하여 존재하기 때문에 언어로 규정할 수 없음
- 인간은 도의 원리에 따라 어린아이처럼 순수하고 소박한 자연의 덕을 가지고 태어남

꼭! 덕(德)은 도(道)가 현실 속에서 구체적으로 드러난 것을 말해.

#### (3) 주요 사상

| | |
|---|---|
| 이상적 경지 | • 무위자연: 인위를 행하지 않고 자연에 따르는 것<br>• *상선약수: 자연에 따르는 삶의 모습으로 최고의 선은 물과 같다는 뜻<br>• *성인(聖人): 물과 같은 삶을 살며 스스로를 드러내지 않는 노자의 이상적 인간상 |
| 이상 사회의 모습 | 소국과민(小國寡民): 작은 나라와 적은 백성이라는 뜻으로 백성들이 문명의 발달을 추구하지 않으며 소박하고 자족적인 삶을 살아가는 사회 |
| 이상적 정치의 원리 | • 무위의 정치[無爲之治]: 다스림이 없는 다스림이라는 뜻으로 통치자의 인위적인 간섭과 조작이 없으면 백성들은 스스로 자신의 소박한 본성대로 살아갈 것임을 주장함 자료 ①<br>• 백성들의 무지(無知)와 무욕(無慾)을 실현할 것을 강조함 |

노자는 나라가 크고 사람이 많을수록 인위적인 제도와 규범이 생겨난다고 보았어.

### 2. 장자의 사상

#### (1) 도(道)의 특징

잠깐! 장자는 "도(道)는 땅강아지나 개미 같은 것에도 있고, 똥과 오줌에도 있다."라고 말하기도 하였어.

① 세상 만물에 깃들어 있음

② 도의 관점에서 사물을 바라보면 만물이 모두 평등함

③ 장자는 노자와 마찬가지로 모든 존재와 현상을 도에서 찾았으나, 노자에 비해 내적 깨달음과 정신적 자유를 강조하였다는 차이점이 있음

#### (2) 이상적인 삶과 이상적 인간상

| | |
|---|---|
| 이상적 경지 | • 소요유(逍遙遊): '도'를 깨달아 인위적 기준과 외적 제약에서 벗어난 정신적 자유의 경지 (자유롭게 거닐며 돌아다닌다는 뜻이야.)<br>• 제물(濟物): 시비(是非), 귀천(貴賤), 미추(美醜), 생사(生死) 등의 차별 의식에서 벗어나 '도'의 관점에서 만물을 평등하게 인식하는 것 자료 ② ('만물제동'이라고 말해.)<br>• 물아일체(物我一體): 자연 만물과 하나가 되는 경지<br>• 인간의 분별적 사고가 상대적임을 알고, 각자의 본성을 인정하여 자연스러운 본성에 따라 살아가야 함 |
| 수양 방법 | • 좌망(坐忘): 조용히 앉아서 현재의 세계를 잊고 무아(無我)의 경지에 들어가는 것<br>• 심재(心齋): 잡념을 없애고 마음을 비워 깨끗이 하는 것 |
| 이상적 인간상 | • 수양을 통해 절대적 자유의 경지에 오른 인간<br>• 지인(至人), 진인(眞人), 천인(天人), 성인(聖人), 신인(神人) 등 – 같은 인간상에 대한 다른 표현이야. |

# 완자 자료 탐구

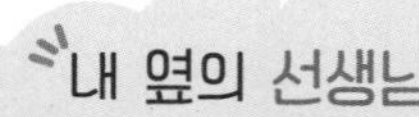

## 수능이 보이는 교과서 자료 노자의 도(道)와 덕(德)

- 도는 하나를 낳고, 하나는 둘을 낳고, 둘은 셋을 낳고, 셋은 만물을 낳는다.
- 사람은 땅을 본받고, 땅은 하늘을 본받고, 하늘은 도를 본받고, 도는 자연(自然)을 본받는다.
- 도는 만물을 낳고, 덕은 만물을 기른다.
- 도를 도라고 말하면, 그 도는 영원한 도가 아니다.
- 뛰어난 덕(德)은 덕을 마음에 두지 않으니 이 때문에 덕이 있고, 하찮은 덕은 덕을 잃지 않으려고 하니 이 때문에 덕이 없다. 뛰어난 덕은 무위(無爲)하며 또 그것으로 무엇을 하려 하지 않는다. …… 도를 잃은 후에 덕이 나오고, 덕을 잃은 후에 인(仁)이 나오고, 인을 잃은 후에 의(義)가 나오고, 의를 잃은 후에 예(禮)가 나온다. 무릇 예는 진실함과 믿음이 옅은 것이니 어지러움의 싹이다. – 노자, 『도덕경』

노자는 '도'를 말로 표현하는 순간 그 '도'는 이미 진정한 의미의 '도'가 아니라고 강조하였다. 우주의 궁극적인 근원과 원인이 되는 '도'는 인간의 감각을 초월하여 존재하기에 언어로 표현할 수 없기 때문이다. 노자는 이러한 '도'가 현실 속에서 구체적으로 드러난 것이 '덕'이므로 '덕'은 '도'를 본받아 따른다고 보았다.

**완자샘의 탐구강의**

**• 노자의 관점에서 사회적 혼란의 원인과 해결 방안을 서술하시오.**

노자는 사회적 혼란이 인간의 그릇된 인식과 가치관, 인위적 사회 제도에서 비롯되었다고 보아, 자연의 원리인 도(道)에 따를 때 문제를 해결할 수 있다고 주장하였다.

함께 보기 80쪽, 1등급 정복하기 1

## 자료 1 노자의 무위지치(無爲之治)

성인(聖人)의 정치는 백성들의 마음을 비우게 해 주고, 그 배를 채워 주며, 그 뜻을 약하게 해 주고, 그 뼈를 튼튼하게 해 주는 것이다. 항상 백성들로 하여금 앎이 없고[無知] 욕심이 없게 하여[無欲], 저 아는 자로 하여금 감히 손댈 수 없게 하는 것이다. 이와 같은 무위(無爲)를 행하기만 하면, 다스려지지 않는 경우가 없게 된다. – 노자, 『도덕경』

노자는 성인(聖人)의 정치가 궁극적으로 백성들의 무지와 무욕을 지향하는 정치라고 하였다. 이때 무지는 인위적인 규범이나 가치를 초월한 상태이며, 무욕 역시 세속의 가치를 추구하려는 욕심을 버린 상태이다.

**자료 하나 더 알고 가자!**

**노자의 소국과민**

나라는 작고 백성은 적다. 열 가지 백 가지 기계가 있으나 쓰이지 않도록 한다. …… 또한, 이웃 나라가 서로 바라보이고 닭이 울고 개가 짖는 소리가 서로 들려도 백성들이 늙어 죽을 때까지 서로 왕래할 일이 없다. – 노자, 『도덕경』

노자의 소국과민은 자연에 순응하고 소박한 삶을 살아가는 촌락 공동체이다.

## 자료 2 『장자』에 담긴 만물 평등의 세계관

사물이 본래 하나임을 알지 못하고 한쪽에만 집착하는 것을 조삼(朝三)이라고 한다. 원숭이를 기르는 사람이 원숭이에게 도토리를 주면서 '아침에 세 개, 저녁에 네 개'를 주겠다고 하였다. 원숭이들이 모두 성을 냈다. 그러자 그 사람은 '아침에 네 개, 저녁에 세 개'를 주겠다고 하였다. 원숭이들이 모두 기뻐하였다. 명목이나 실질에 아무런 차이가 없는데도 원숭이들은 화를 내다가 기뻐하였다. 이런 잘못을 저지르지 않으려면 있는 그대로를 따라야 한다. 이 때문에 성인은 옳고 그름을 조화롭게 하여 '하늘의 균등한 이치'에 머문다고 하였다. – 장자, 『장자』

장자는 만물이 평등하다는 이치를 모르고 눈 앞의 현상에만 매달려 자신의 생각만이 옳다고 주장하는 인간의 어리석음을 원숭이에 비유해 말하였다. 장자의 제물의 관점에서는 모든 것이 '도'의 작용이거나 '도' 그 자체이므로 '도'의 경지에서 보면 세상 만물은 모두 평등하다.

**자료 하나 더 알고 가자!**

**장자의 평등사상**

모장이나 여희는 남자들이 모두 아름답다고 하지만, 물고기는 보자마자 물속 깊이 들어가 숨고, 새는 보자마자 높이 날아가 버리고, 사슴은 보자마자 급히 도망가 버린다. 이 넷 중에서 어느 쪽이 아름다움을 바르게 안다고 하겠는가? – 장자, 『장자』

장자는 시비, 귀천, 미추, 생사 등의 분별이 인간의 자기중심적 편견에서 비롯된 분별은 상대적인 것이라고 보았다.

# 06 무위자연의 윤리

이것이 **핵심!**

도교의 전개 과정

| | |
|---|---|
| 황로학파 | 황제와 노자를 숭상하는 학파로 무위의 정치를 강조함 |
| 태평도 | 인간의 질병과 고통을 악행의 결과로 봄 |
| 오두미교 | 노자를 교조로 하여 도덕적 선행과 삼관수서를 강조함 |
| 현학 | 청담을 즐기며 정신적 자유를 추구함 |

## 2 도가 사상의 영향

### 1. 도교의 성립과 전개

#### (1) 도교와 도가 사상

VS 유교가 주로 지배층의 도덕과 정치사상으로 자리매김했던 것과 달리, 도교는 민중들의 삶과 밀접한 관련을 맺으며 발전하였어.

| 구분 | 도가 | 도교 |
|---|---|---|
| 공통점 | 도(道)와 자연의 질서에 따르는 삶을 추구함 | |
| 차이점 | • 철학적: 세속적 가치를 초월한 삶의 자세를 강조함<br>• 세속을 초월한 정신적 자유를 추구함 | • 종교적: 교단과 교리 체계를 갖추고 길(吉)과 복(福)을 추구함<br>• 불로장생과 신선(神仙)을 추구함 |

#### (2) 도교의 전개 과정

태평도나 오두미교는 도가 사상을 계승하여 종교로 발전시켰으며, 현학의 청담 사상은 도가 사상을 철학적으로 계승하였어.

| 사상 | 내용 |
|---|---|
| 황로학파 | • 전설상의 제왕인 황제와 노자를 숭상하며 도가를 토대로 유가, 묵가, 법가 및 신선술을 융합함<br>• 무위로 백성을 다스리는 제왕의 통치술을 제시함 |
| 태평도 | • 황로학파와 민간 신앙이 결합하여 성립함<br>• 인간의 질병과 고통을 악행의 결과로 보아, 죄를 고백하고 참회하게 함<br>• 천하태평의 이상 사회를 현실에 실현시키려는 현실 참여적 성격을 보임 |
| *오두미교 | • 노자를 신격화하여 *교조로 받들고 도덕경을 경전으로 삼음<br>• 도덕적 선행을 권장하며, 과거의 죄를 고백하고 용서받는 *삼관수서를 강조함 |
| 현학 | • 도가 사상을 철학적으로 계승함 예 죽림칠현<br>• 현실과 거리가 있는 청담(淸談)을 즐겨 신선과 같은 인상을 주었으며, 무정부주의적 입장을 제시함 |

청담: 속세와 관련 없는 맑고 고상한 이야기로 예술적, 형이상학적 담론을 말해.

### 2. 도가·도교 사상과 한국 고유 사상의 융합

#### (1) 시대별 흐름

| | | |
|---|---|---|
| 삼국 시대 | 고구려 | 도교가 공식적으로 수용됨 (중국에서 도교 승려인 도사를 파견하여 『도덕경』을 전파했어.) |
| | 백제 | 백제 금동 대향로, 산수문전: 도교의 신선 사상이 성행했음을 알 수 있음 |
| | 신라 | 최치원의 *「난랑비서문」의 풍류 사상: 삼교가 전래되기 이전부터 존재한 우리의 고유 사상으로 삼교의 가르침을 포함하고 있음 자료 3 (삼교: 유교, 불교, 도교를 포함하여 삼교(三敎)라고 불러.) |
| 고려 시대 | 팔관회, 도관 건립, 재초: 국가 차원에서 도가 사상을 중심으로 유, 불, 도를 조화시키려는 노력이 나타남 (잠깐! 팔관회는 불교의 행사인 팔관회에 도교를 융합하여 민심을 위안하는 다양한 제사야. 도관은 도교의 사원을 말하고 재초는 여러 신에게 복을 기원하는 국가적 차원의 제례를 말해.) | |
| 조선 시대 | • 유학이 통치 이념으로 중시되며 도교가 쇠퇴함 → *기복 신앙으로서의 명맥만 유지함<br>• *양생술을 수용하여 『동의보감』, 『의방유취』 등 의학 서적이 저술되는 데 영향을 줌 자료 4<br>• 권선징악을 지향하는 권선서가 널리 퍼짐 자료 5<br>• 조선 말기, 극심한 사회 혼란 속에서 도교 사상은 기존의 사회 질서를 해체하고 사회를 새롭게 변화시키고자 하는 민중 종교의 사상적 밑바탕이 됨 – 예 동학, 증산교, 원불교와 같은 신흥 종교 등에 영향을 주었어. | |

#### (2) 민간 신앙과의 융합: 현세의 복을 기원하는 *삼신 숭배, 풍수지리 사상에 영향을 줌

### 3. 도가·도교적 윤리관의 한계와 현대적 의의

| | |
|---|---|
| 한계 | 국가의 통치 이념이나 학문으로서의 독자적 영역을 확보하지 못함 |
| 현대적 의의 | • 차별 의식의 탈피 강조: 노자의 무위자연에 따른 삶의 자세, 장자의 만물제동 사상을 주장하며 만물을 평등하게 바라보는 태도를 길러 줌<br>• 도덕적 삶의 중요성 강조: 세속적 가치의 상대성과 권선징악의 윤리 등을 통해 도덕적 가치를 추구하는 것과 소박한 삶의 중요성, 정신적 자유를 알려 줌<br>• 환경 문제를 해결하는 자연관으로 인간과 자연의 구분에서 벗어나 자연에 따르는 삶을 강조함 |

---

**★ 오두미교(五斗米敎)**
오두미교라는 명칭은 교단에 가입하려는 사람들에게 쌀 다섯 말을 받은 것에서 유래하였다.

**★ 교조(敎祖)**
어떤 종교나 종파를 처음 세운 사람

**★ 삼관수서**
하늘과 땅, 물을 관장하는 신에게 사죄해 병을 치유해 달라고 기원하는 의식

**★ 「난랑비서문」**
난랑비는 '난랑'이라는 신라의 화랑을 기리는 비석으로 이를 위한 비문의 일부가 「난랑비서문」이다.

**★ 기복 신앙(祈福信仰)**
복을 기원하기 위한 민간 신앙

**★ 양생(養生)**
건강을 증진하고 수명을 연장하는 것으로 도교에서는 궁극적으로 불로장생을 추구하였다.

**★ 삼신(三神)**
삼신은 성황신, 칠성신, 조왕신을 말한다. 성황신은 마을 입구의 신당에서 숭배되는 마을신이고, 칠성신은 아들을 낳게 해달라고 빌거나 아이의 무병장수를 위해 제사를 올렸던 신이다. 그리고 조왕신은 부엌에 있는 신으로 가족의 건강과 안녕을 기원하는 신이다.

# 완자 자료 탐구

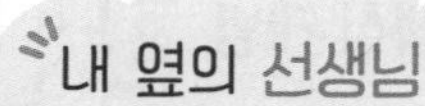

## 자료 3 「난랑비서문」에 드러난 도교 사상과 한국 고유 사상의 융합

> 우리나라에 현묘한 도(道)가 있음에 이를 풍류(風流)라고 한다. 그 가르침의 근원에 대해서는 『선사』에 자세하게 기록되어 있는데, 삼교(三敎)를 포함하고 백성들을 접하여 교화한다. 집에서는 효를 행하고 나가서는 나라에 충성하는 것은 공자의 가르침과 같고, 무위(無爲)로 일을 처리하고 말 없는 가르침을 행하는 것은 노자의 뜻과 같으며, 악을 짓지 말고 모든 선을 받들어 행하는 것은 석가모니의 가르침과 같다.
> – 최치원, 「난랑비서문」

신라의 사상가 최치원은 「난랑비서문」에서 우리 고유의 사상인 풍류 사상에 도교적인 요소가 포함되어 있음을 밝힌다. 풍류 사상은 자연 이치와의 조화를 강조하면서 자연에서 심신을 수련할 것을 권장하고, 유교, 불교, 도교의 조화를 추구한다. 풍류 사상에는 특히 무위로서의 도를 주장한 노자의 주장이 잘 드러나 있다.

## 자료 4 양생(養生)을 위한 몸과 마음의 중요성

> 대체로 보면 사람이 살아가는 것은 마음 때문이며 삶이 의지하고 있는 것은 몸이다. 마음을 지나치게 사용하면 고갈되고 몸을 지나치게 혹사하면 망가지게 된다. 그 결과 몸과 마음이 갈라서면 삶이 마감된다. 죽으면 다시 살아날 수 없고 갈라서면 다시 돌아오게 할 수 없다. 그래서 성인은 생명을 중시한다. 이렇게 본다면 마음은 삶의 근본이고 몸은 삶의 도구이다. 우선적으로 이 몸과 마음을 안정시키지 못하면서 "나는 세상을 통치할 수 있다."라고 말한다면 도대체 무슨 방법으로 그럴 수 있겠는가!
> – 사마천, 『사기』

도교에서는 생명을 중시하여 소극적으로는 생명을 유지하는 불사(不死)를, 적극적으로는 자유롭게 생명력을 펼치는 신선(神仙)을 추구한다. 이처럼 생명을 보존하고 발휘하는 양생을 위해서는 인간의 정신과 육체를 수련하는 내단(內丹)을 통해 성명쌍수(性命雙修)를 추구해야 한다. 성은 마음, 명은 육체를 말하는데 이를 통해 도교가 마음과 육체가 서로 밀접하게 영향을 주고받는다고 보고 있음을 알 수 있다.

마음과 육체를 동시에 수련해야 한다는 뜻이야.

## 자료 5 『공과격』에 나타난 도교 사상

> 『역경(易經)』에서 말하기를, 선을 쌓은 집안은 반드시 기쁜 일이 있으며, 악을 쌓은 집안은 자손에게까지 재앙이 미친다고 한다. 『도과(道科)』에서 말하기를 선을 쌓으면 좋은 징조가 보이고, 악을 쌓으면 재앙을 초래한다고 한다. 그래서 유교와 도교의 가르침은 다른 점이 하나도 없다. 옛날 성인군자와 도가 높은 사람은 모두 계율을 만들어 안으로 마음을 가다듬고 수양했을 뿐만 아니라, 밖으로는 다른 사람들을 훈계하고 타일러 공덕을 쌓았다. 나는 꿈속에서 태미선군을 찾아뵙고 『공과격』을 받아 신심이 돈독한 자에게 전하라는 명을 받았다.
> – 『태미선군 공과격』

『공과격(功過格)』은 착한 행동을 권하기 위해 도교에서 만든 것이며, 선(善)을 공(功)으로, 악(惡)을 과(過)로 구별하여, 행동에 대한 점수를 매길 수 있도록 그 기준을 적은 책이다. 이는 실천 가능한 규율을 통해 매일 스스로의 행동을 채점하게 한 것으로 공덕과 과오를 돌아보게 하는 의의를 가진다.

### 정리 비법을 알려줄게!

난랑비서문의 유불도 사상

| | |
|---|---|
| 유교 | 공자의 가르침: 효도와 충성 |
| 불교 | 석가모니의 가르침: 선을 행하고 악을 짓지 말 것 |
| 도교 | 노자의 가르침: 무위, 말 없는 가르침 |

### 문제 로 확인할까?

**도교에서 주장하는 '양생'의 조건으로 가장 적절한 것은?**

① 육체의 건강만이 중요한 조건이다.
② 신선이 되기 위해 의학을 멀리한다.
③ 생명을 실현하려는 욕망을 절제한다.
④ 정신과 육체를 수련하는 내단을 통해 성명쌍수를 이룬다.
⑤ 생명은 하늘에 달렸으므로 외적인 조건을 따지지 않는다.

④ 답

### 자료 하나 더 알고 가자!

『공과격』의 구체적 내용

| | |
|---|---|
| 공(功) | • 목숨을 구하는 것: 100공<br>• 중병을 치료하는 것: 10공<br>• 가축의 생명을 구하는 것: 5공 |
| 과(過) | • 목숨을 빼앗는 것: 100과<br>• 부모와 형제에게 반항하는 것: 30과<br>• 타인의 명예를 손상하는 유언비어를 퍼트리는 것: 5과 |

『공과격』은 좋은 행위와 나쁜 행위에 점수를 매겨 매일 스스로의 행동을 채점해야 함을 주장하였으며, 위의 내용 외에도 많은 기준이 있었다.

STEP 1 핵심 개념 확인하기

정답친해 19쪽

**1** ㉠에 공통으로 알맞은 용어를 쓰시오.

- ㉠ 는 인위(人爲)를 가하지 않는 것이고, 자연은 스스로 그러하다는 의미이다.
- 노자는 ㉠ 자연의 경지에 이르기 위하여 허정(虛靜)에 힘쓸 것을 강조하였다. 허정은 마음에 내재한 일체의 인위적인 것을 비워 낸 본래의 마음 상태를 말한다.

**2** 다음 설명이 맞으면 ○표, 틀리면 ×표를 하시오.

(1) 노자는 덕치와 소국과민을 이상적 정치사상으로 보았다. ( )

(2) 장자는 도(道)의 관점에서 만물을 평등하게 인식할 것을 강조하였다. ( )

(3) 도교는 도가와 달리 교단과 교리 체계를 갖추고 길(吉)과 복(福)을 추구하는 종교이다. ( )

**3** 다음 설명에 해당하는 용어를 〈보기〉에서 골라 기호를 쓰시오.

보기
ㄱ. 소요유 ㄴ. 제물 ㄷ. 좌망

(1) 조용히 앉아서 현재의 세계를 잊고 무아(無我)의 경지에 들어가는 것 ( )

(2) 세속의 차별 의식에서 벗어나 '도'의 관점에서 만물을 평등하게 인식하는 것 ( )

(3) 이리저리 자유롭게 거닌다는 뜻으로 도를 깨달아 인위적인 기준이나 외적인 제약에 얽매이지 않는 정신적 자유의 경지 ( )

**4** 도교의 개념과 그에 대한 설명을 옳게 연결하시오.

(1) 청담 • • ㉠ 삼교의 가르침이 담긴 우리의 전통 사상

(2) 풍류 • • ㉡ 마음에 내재한 일체의 인위적인 것을 비워낸 본래의 마음 상태

(3) 허정 • • ㉢ 형이상학적이고 예술적인 논의를 중시하며 정신적 자유를 추구하는 사상

STEP 2 내신 만점 공략하기

**01** 다음과 같이 주장한 사상가의 관점에서 '도'를 설명하는 말로 가장 적절한 것은?

- '도'를 '도'라고 말하면, 그 '도'는 영원한 '도'가 아니다.
- 큰 '도'가 사라지자 인(仁)과 의(義)가 생겨났고, '도'에 따르지 않는 인위적인 지혜가 나타나자 커다란 거짓이 생겨났다.

① 과학 법칙과 공식으로 표현하는 우주의 근원이다.
② 인간의 삶을 주재하는 전지전능한 인격적 존재이다.
③ 도덕규범으로서 인간이 따라야 할 행위의 기준이다.
④ 천지 만물을 낳는 근원이자 자연을 생성, 운행하는 원리이다.
⑤ 삶을 초월하지 않은 것으로 감각적 경험을 통해서 알 수 있다.

**02** 다음과 같이 주장한 사상가의 입장으로 옳은 것은?

- 사람은 땅을 본받고, 땅은 하늘을 본받는다. 하늘은 도를 본받고, 도는 자연을 본받는다.
- 배와 수레가 있더라도 탈 일이 없고, 갑옷과 무기가 있더라도 쓸 일이 없다. 이웃 나라가 서로 보이고 닭 울고 개 짖는 소리가 들려도, 서로 오가지 않는다.

① 백성은 소박하고 자족적인 삶을 살아야 한다.
② 백성은 나쁜 짓을 하지 않도록 계율을 지켜야 한다.
③ 통치자는 무력으로 나라를 강대하게 만들기 위해 노력해야 한다.
④ 통치자는 백성들의 편안한 삶을 위해 문명의 발달을 적극 추구해야 한다.
⑤ 통치자는 백성들의 도덕적 마음을 유지하기 위해 항산을 보장해 주어야 한다.

**03** 다음과 같이 주장한 사상가가 긍정의 대답을 할 질문을 〈보기〉에서 고른 것은?

> 성인(聖人)의 정치는 백성들의 마음을 비우게 해 주고, 그 배를 채워 주며, 그 뜻을 약하게 해 주고, 그 뼈를 튼튼하게 해 주는 것이다. 항상 백성들로 하여금 앎이 없고, 욕심이 없게 하여, 저 아는 자로 하여금 감히 손댈 수 없게 하는 것이다.

보기

ㄱ. 다스림이 없는 다스림을 실현해야 하는가?
ㄴ. 인, 의, 예, 지를 추구하는 삶을 살아야 하는가?
ㄷ. 무위를 행하면 백성들이 평화롭게 살 수 있는가?
ㄹ. 덕과 지혜로 백성들을 다스려 욕심이 없게 해야 하는가?

① ㄱ, ㄴ ② ㄱ, ㄷ ③ ㄴ, ㄷ
④ ㄴ, ㄹ ⑤ ㄷ, ㄹ

중요
**04** 다음 사상가의 관점에서 〈문제 상황〉 속 A에게 제시할 수 있는 조언으로 가장 적절한 것은?

> 사람들은 아름다운 것이 아름다운 줄로만 알지만 이는 추악한 것이고, 누구나 착한 것이 착한 줄로만 알지만 이는 착한 것이 아니다. 따라서 있음과 없음은 서로 낳아 주고, 쉬움과 어려움은 서로를 이루어 주며, 길고 짧음은 상대를 드러내 주고, 높고 낮음은 서로를 다하게 하여, 음악과 소리는 서로 화답하고, 앞과 뒤는 서로를 뒤따른다.
>
> 〈문제 상황〉
>
> 반장인 A는 친구들에게 항상 권위적이다. 이번 합창 대회의 곡을 정할 때도 마찬가지였다. A는 친구들의 의견은 듣지 않고 혼자 곡을 정했다. 그런데 반 친구들이 점점 A의 말을 듣지 않기 시작했다. A는 고민에 빠졌다.

① 인, 의, 예, 지의 사덕을 함양하여 예의를 갖추어야 해.
② 수행을 통해 인간의 악한 본성을 선하게 변화시켜야 해.
③ 사욕을 극복하고 예를 회복하는 극기복례를 실천해야 해.
④ 상선약수의 가르침을 떠올려 낮은 곳에 처하는 겸허의 덕을 지녀야 해.
⑤ 도덕규범으로서 인간이 따라야 할 행위의 기준을 제시할 수 있어야 해.

중요
**05** 다음 사상가가 강조하는 삶의 태도로 가장 적절한 것은?

> '도'로써 사물을 보면 사물들 사이의 귀천이 없으나, 사물의 관점에서 사물을 보면 자기를 귀하다고 하고 상대편을 천하다고 한다. 만물은 한결같이 평등한 것이니, 어느 것이 못하고 어느 것이 더 나은가?

① 외물의 속박에서 벗어나 정신적 자유를 누린다.
② 이성적 분별을 통해 주관적 편견이나 선입견을 버린다.
③ 경험적 인식을 통해 불변적 자아의 영원성을 깨닫는다.
④ 모든 감각이나 사유 능력을 발휘하여 사물의 변화에 임한다.
⑤ 신인이나 군자가 되기 위해서 덕성의 함양을 추구해야 한다.

**06** 다음 글에 나타난 이상적 인간상과 관련하여 ㉠에 들어갈 내용으로 가장 적절한 것은?

> 어떤 것에도 집착하지 않고, 진정한 자유를 누리는 사람은 세상의 잡다한 일은 물론이고, 자기 자신과 세계, 나와 남의 구분도 넘어선 경지에 있으므로 절대 자유를 누릴 수 있다. 또한, 이들은 도(道)와 하나가 된 상태이므로 자신의 공을 내세우지 않으며, 편견이나 의도된 마음이 없다.

> 제자: 스승님, 저는 이제 인(仁), 의(義), 예(禮) 등을 모두 잊게 되었습니다.
> 스승: 훌륭한 일이다. 그러나 아직 수양을 더 해야겠구나.
> 제자: 어떤 수양을 해야 할지 구체적으로 말씀해 주십시오.
> 스승: 수양을 위해서는, [ ㉠ ]

① 경전 읽기를 열심히 해야 한다.
② 현실 세계를 잊고 무아(無我)에서 나와야 한다.
③ 일체의 감각을 잊고, 마음을 텅 비워야 한다.
④ 조용히 앉아 우리를 구속하는 것을 생각해야 한다.
⑤ 자신의 판단만이 옳다는 사실을 잊지 말아야 한다.

**07** 다음과 같이 주장한 사상가의 입장을 〈보기〉에서 고른 것은?

> 사물이 본래 하나임을 알지 못하고 한쪽에만 집착하는 것을 조삼이라고 한다. 원숭이를 기르는 사람이 원숭이에게 도토리를 주면서 '아침에 세 개, 저녁에 네 개'를 주겠다고 하였다. 원숭이들이 모두 성을 냈다. 그러자 그 사람은 '아침에 네 개, 저녁에 세 개'를 주겠다고 하였다. 원숭이들이 모두 기뻐하였다. 명목이나 실질에 아무런 차이가 없는데도 원숭이들은 화를 내다가 기뻐하였다. 이런 잘못을 저지르지 않으려면 있는 그대로를 따라야 한다.

보기
ㄱ. 만물의 가치 상대성을 인정해야 한다.
ㄴ. 지식으로 쌓은 주관적 편견을 확고히 해야 한다.
ㄷ. 끊임없이 자신의 분별적 지혜를 갈고 닦아야 한다.
ㄹ. 자기중심적 편견에서 비롯된 분별은 상대적임을 알아야 한다.

① ㄱ, ㄴ ② ㄱ, ㄹ ③ ㄴ, ㄷ
④ ㄴ, ㄹ ⑤ ㄷ, ㄹ

중요
**08** 다음 사상가의 관점에만 모두 'V'를 표시한 학생은?

> 바다에 사는 새가 노나라로 날아왔다. 노나라 임금이 이 새를 귀하게 여겨 종묘에 살게 하였고, 아름다운 음악을 연주하여 즐겁게 해 주고 훌륭한 음식을 제공하였다. 하지만 새는 흐릿한 눈빛으로 슬퍼하였다. 고기 한 점도 먹지 않고 술 한잔도 마시지 않더니 사흘 만에 죽어 버렸다. 이것은 인간이 새의 방식으로 새를 봉양하지 않고 인간의 방식으로 봉양하였기 때문이다.

| 관점 \ 학생 | 갑 | 을 | 병 | 정 | 무 |
|---|---|---|---|---|---|
| 도의 관점에서 보면 만물은 평등하다. | V | | V | V | V |
| 객관적인 기준을 마련하여 만물의 우열을 분별해야 한다. | | | V | | V |
| 상대주의적 세계관에서 벗어나 자신의 감각을 믿어야 한다. | V | V | V | | |
| 절대적인 시비의 기준은 존재하지 않으므로 어디에도 구애받지 않아야 한다. | | V | | V | V |

① 갑 ② 을 ③ 병 ④ 정 ⑤ 무

**09** ㉠에 들어갈 내용으로 가장 적절한 것은?

> 갑: 나와 자네가 논쟁을 한다고 하세. 자네가 나를 이기고 내가 자네를 이기지 못했다면, 자네는 정말 옳고 나는 정말 그른 것인가? 내가 자네를 이기고 자네가 나를 이기지 못했다면, 나는 정말 옳고 자네는 정말 그른 것인가? 한쪽이 옳으면 다른 한쪽은 반드시 그른 것인가? 두 쪽이 다 옳거나 두 쪽이 다 그른 경우는 없을까? 자네도 나도 알 수가 없으니 딴 사람들은 더욱 깜깜할 뿐이지.
> 을: 그럼 사물을 바르게 인식하려면 어떻게 해야 합니까?
> 갑: [ ㉠ ]

① 차별적 지혜를 버려야 하네.
② 자기 중심적 관점으로 보아야 하네.
③ 모든 감각이나 사유 능력을 발휘해야 하네.
④ 시비선악(是非善惡)을 명확히 구분해야 하네.
⑤ 편견과 선입견을 가지고 상대적 가치를 인식해야 하네.

**10** 다음 글을 통해 추론할 수 있는 내용으로 적절한 것을 〈보기〉에서 고른 것은?

> 우리나라에는 현묘한 도가 있으니 그것을 풍류(風流)라고 한다. 그 가르침의 근원은 『선사』에 상세히 실려 있으니 그 내용은 삼교의 가르침을 포함하고 있어 뭇 사람을 교화한다. 예를 들어, 집에 들어와서는 효도하고, 나라에 나아가서는 충성하는 것은 공자의 취지이고, 무위로써 일을 처리하고 말 없는 가르침을 행하는 것은 노자의 근본 주장이며, 모든 악을 저지르지 않고 모든 선을 받들어 행하는 것은 석가의 교화이다.

보기
ㄱ. 한국 고유 사상은 외래 사상에 대해 배타적이다.
ㄴ. 도가·도교 사상은 한국 고유 사상과 자연스럽게 융합하였다.
ㄷ. 풍류 사상에는 삼교가 전래되기 이전부터 삼교의 가르침이 포함되어 있었다.
ㄹ. 도가·도교 사상은 세속적 주제와 거리를 두고 형이상학적인 논의를 중시하였다.

① ㄱ, ㄴ ② ㄱ, ㄷ ③ ㄴ, ㄷ
④ ㄴ, ㄹ ⑤ ㄷ, ㄹ

**11** 중요 학생 답안 ㉠에 들어갈 내용으로 가장 적절한 것은?

> **서술형 평가**
> ◎ 문제: 조선 시대의 도가·도교에 대해 서술하시오.
> ◎ 학생 답안
> 조선 시대에는 유학이 통치 이념으로 중시되며 도교가 쇠퇴하였다. 하지만, 도교의 양생 수련은 조선의 의학 발전에 크게 기여하였으며, 의학 서적이 저술되는 데 영향을 주었다. 조선 후기에는 민간에서 권선징악을 지향하는 권선서가 크게 유행하였다. 조선 말기에는 사회 혼란이 극심해지며 도교 사상은 [ ㉠ ]

① 지배 계급을 비판하고 구체적 대안을 제시하였다.
② 강력한 법을 통해 백성들을 보호하고자 노력하였다.
③ 사회를 새롭게 변화시키고자 하는 민중 종교에 수용되었다.
④ 국가의 통치 이념으로 학문으로서의 독자적 영역을 확보하였다.
⑤ 성리학의 이론적 탐구를 비판하고 실생활에 도움이 되는 학문을 추구하였다.

**12** 다음은 학생이 수업 시간에 필기한 내용이다. ㉠~㉤ 중 옳지 않은 것은?

> 1. 도교의 성립과 전개
> (1) 도가와 도교의 차이점
> • 도가: 무위자연과 만물제동의 철학적 세계관을 토대로 철학적으로 발전함 ········ ㉠
> • 도교: 현세에서 복을 추구하고, 불로장생을 목표로 하는 신비주의적 종교로 발전함 ········ ㉡
> (2) 황로학
> • 노자의 사상에 기초를 두고 제자백가의 여러 사상과 신선술이 융합하여 형성함 ········ ㉢
> • 무위의 통치 방법을 강조함 ········ ㉣
> • 과거의 죄를 고백하고 용서를 빌도록 하는 삼관수서를 행함 ········ ㉤

① ㉠ ② ㉡ ③ ㉢ ④ ㉣ ⑤ ㉤

## 서술형 문제

● 정답친해 21쪽

**01** 다음 글의 관점에서 주장할 사회 혼란의 원인을 서술하시오.

> 대도(大道)가 사라지면 인(仁)과 의(義)와 같은 것이 나서고, 지략이니 지모니 하는 것이 설치면 엄청난 위선이 만연한다. 가족 관계가 조화롭지 못하면 효나 자애(慈愛)와 같은 것이 나서고, 나라가 어지러워지면 충신이 생겨난다.

길잡이 노자가 주장하는 인위와 무위를 통해 사회 문제의 원인을 서술한다.

**02** 다음 글을 읽고, 장자의 관점에서 쓸모 있음과 없음이 어떤 차이가 있는지 서술하시오.

> 나그네가 길을 가다가 나무꾼을 만났다. 그런데 나무꾼은 나그네 옆에 있는 가지와 잎이 무성한 나무는 베지 않았다. 나그네가 그 까닭을 묻자 나무꾼은 "아무짝에도 쓸모없기 때문이라네."라고 말하였다. 나그네는 산에서 내려와 옛 벗의 집에 머물게 되었다. 그 벗은 반가워하며 잘 우는 거위는 살려 주고, 울지 못하는 쓸모없는 거위를 잡아 요리를 해 주었다. 나그네는 혼자 중얼거렸다. "어제 산속의 나무는 쓸모없어서 오래 살 수 있었고, 지금 이 주인집의 거위는 쓸모없어서 죽게 되는구나!"

길잡이 장자의 '도'의 관점에서 만물이 상대적임을 중심으로 서술한다.

STEP 3 1등급 정복하기

평가원 응용

**1** ㉠, ㉡에 대한 옳은 설명만을 〈보기〉에서 있는 대로 고른 것은?

- [ ㉠ ]은/는 하나를 낳고, 하나는 둘을 낳고, 둘은 셋을 낳고, 셋은 만물을 낳는다.
- [ ㉠ ]은/는 만물을 낳고, [ ㉡ ]은/는 만물을 기른다.
- [ ㉠ ]을/를 잃은 후에 [ ㉡ ]이/가 나오고, [ ㉡ ]을/를 잃은 후에 인이 나오고, 인을 잃은 후에 의가 나오고, 의를 잃은 후에 예가 나온다. 무릇 예는 진실함과 믿음이 옅은 것이니 어지러움의 싹이다.

보기

ㄱ. ㉠의 관점에서 볼 때, 천지 만물은 상대적인 가치만을 지닐 뿐이다.
ㄴ. ㉠은 천지 만물의 근원이자 변화 법칙으로서 인간의 경험으로 파악할 수 있다.
ㄷ. 미추와 선악을 분별하여 이상적인 가치를 추구할 때, 진정한 ㉠, ㉡을 이룰 수 있다.
ㄹ. ㉠은 ㉡이 현실 속에서 구체적으로 드러난 것으로 무위자연의 모습에서 찾아볼 수 있다.

① ㄱ ② ㄴ ③ ㄴ, ㄷ ④ ㄴ, ㄹ ⑤ ㄷ, ㄹ

> 노자의 도와 덕

완자샘의 시험 꿀팁

노자 사상의 핵심 개념인 '도'와 '덕'을 구체적으로 이해하여 노자의 무위자연 사상을 파악할 수 있어야 한다.

**2** (가), (나)에 대한 설명으로 가장 적절한 것은?

(가) '도'로써 사물을 보면 사물들 사이의 귀천은 없으나, 사물의 관점에서 사물을 보면 자기를 귀하다고 하고 상대편을 천하다고 한다. 만물은 한결같이 평등한 것이니, 어느 것이 못하고 어느 것이 더 나은가?

(나) 사람들은 아름다운 것이 아름다운 줄로만 알지만 이는 추악한 것이고, 누구나 착한 것이 착한 줄로만 알지만 이는 착한 것이 아니다. 따라서 있음과 없음은 서로 낳아 주고 쉬움과 어려움은 서로를 이루어 주며, 길고 짧음은 상대를 드러내 주고, 높고 낮음은 서로를 다하게 하며, 음악과 소리는 서로 화답하고, 앞과 뒤는 서로를 뒤따른다.

① (가)는 인간의 자기 중심적 편견에서 비롯된 분별은 절대적인 것이라고 본다.
② (가)는 욕구를 도덕적 삶의 추동력으로 보아 평등하게 욕구를 발현할 것을 강조한다.
③ (나)는 소요를 통해 자연의 도에 따라 살아야 정신적 자유의 경지를 실현할 수 있다고 본다.
④ (나)는 상선약수를 통해 물이 항상 아래로 흐르며 만물을 이롭게 하고 싸우지 않는 덕을 지녔다고 본다.
⑤ (가), (나)는 도덕규범과 사회 제도를 통해 백성들이 소박하고 자족적인 삶을 살아갈 것을 추구하는 무위의 정치를 강조한다.

> 노자와 장자 사상의 특징

완자 사전

- **추동력**
어떤 일을 추진하기 위하여 고무하고 격려하는 힘

교육청 응용

**3** 다음 사상가의 관점에서 〈문제 상황〉의 A에게 할 수 있는 조언으로 가장 적절한 것은?

> 장자 사상의 사례 적용

모장과 여희는 사람들이 미인이라고 하지만 그들을 보면 물고기는 깊이 숨고, 새들은 높이 날아가 버리고, 순록과 사슴은 급히 도망가 버리니 이 넷 중에 누가 천하의 참다운 아름다움을 아는가? 보건대 어짊과 의로움의 기준이나 옳고 그른 방향이 어지러이 뒤섞여 있다. 내 어찌 그 분별을 알 수 있겠는가?

〈문제 상황〉

A는 생활 수준이 높고 선진국이 많은 유럽이나 북미 출신의 외국인은 호의적으로 대하는 반면, 생활 수준이 낮은 국가가 많은 동남아시아나 아프리카 출신의 외국인에게는 퉁명스럽게 대한다.

① 인위적 기준이나 외적 제약의 기준을 설정해야 한다.
② 자비의 관점에서 모든 사물을 평등하게 대우해야 한다.
③ 존양성찰하여 본인을 되돌아 본 후, 외국인을 차별하지 않아야 한다.
④ 인, 의, 예, 지의 사덕을 함양하여 외국인들의 인격을 그 자체로 대우해야 한다.
⑤ 세속적인 차별 의식에서 벗어나 도의 관점에서 모든 것을 평등하게 보아야 한다.

**완자샘의 시험 꿀팁**

장자의 사상을 다양한 사례에 활용한 문제가 자주 출제된다. 장자의 이야기에서 말하고자 하는 바를 정확히 파악하고 장자의 사상을 사례와 관련지어 이해해야 한다.

**4** 다음 글을 통해 알 수 있는 도교 사상과 한국 고유 사상의 융합에 대한 옳은 설명만을 〈보기〉에서 있는 대로 고른 것은?

> 도교 사상과 한국 고유 사상의 융합

- 우리나라에는 현묘한 도가 있으니 그것을 풍류(風流)라고 한다. 그 가르침의 근원은 선사(仙史)에 상세히 실려 있으니 그 내용은 유, 불, 도의 삼교의 가르침을 포함하고 있어 뭇 사람을 교화한다.
- 『역경』에서 말하기를, 선을 쌓은 집안은 반드시 기쁜 일이 있으며, 악을 쌓은 집안은 자손에게까지 재앙이 미친다고 한다. 『도과』에서 말하기를 선을 쌓으면 좋은 징조가 보이고, 악을 쌓으면 재앙을 초래한다고 한다. 그래서 유교와 도교의 가르침은 다른 점이 하나도 없다.

보기

ㄱ. 자연 이치와의 조화를 강조하며 유, 불, 도의 조화를 추구하였다.
ㄴ. 원융 회통을 통해 다원화 사회에 필요한 포용과 상생의 자세를 일깨웠다.
ㄷ. 지배 계급을 비판하고 국가의 통치 이념으로 독자적인 영역을 확보할 수 있었다.
ㄹ. 착하게 살면 복을 받는다는 윤리 의식을 형성하여 도덕적 삶의 중요성을 인식시켰다.

① ㄱ, ㄷ　② ㄱ, ㄹ　③ ㄴ, ㄷ
④ ㄴ, ㄹ　⑤ ㄱ, ㄷ, ㄹ

# 07 한국과 동양 윤리 사상의 의의

**학습 목표**
- 근대 한국 전통 윤리 사상의 의의와 한계를 이해할 수 있다.
- 동양의 이상적 인간상이 현대 사회에서 가지는 의의를 파악할 수 있다.

## 1 한국 전통 윤리 사상의 근대적 지향성

### 1. 실학사상과 강화학파

(1) 실학 자료① — 꼭! 실학은 백성의 삶과 직결되는 사회 제도를 개혁할 것을 주장하고, 백성이 살기 좋은 나라를 건설하기 위해 노력했다는 점에 의의가 있어.

|  | | |
|---|---|---|
| 등장 배경 | 임진왜란과 병자호란 후 사회적·경제적 혼란이 심화됨 → 성리학의 공리공론을 비판하며, 도덕의 실천을 강조하고 사회의 문제를 해결하고자 등장함 | |
| 특징 | • 청나라의 고증학과 서양의 과학 및 종교 사상을 비판적으로 수용함<br>• 자연을 물리적이고 객관적인 대상으로 파악함<br>• 도덕규범과 실천의 문제에 관심을 가지고 인간의 욕구를 긍정함<br>• *경세치용, 이용후생, 실사구시의 방향을 제시함 → 민본주의적, 근대 지향적 성격을 보임 | |
| 학문적 경향 | 성호학파 | 학문의 목적을 실익의 증진에 두고 농업 분야의 개혁을 강조함 |
| | 북학파 | 홍대용, 박지원, 박제가를 중심으로 민생의 안정과 부국강병을 이루어야 한다고 주장함 |

(홍대용 → 개인의 재능에 따라 누구든지 직업을 가져야 한다는 직업관을 주장하였어.)

(2) 강화학파

|  | |
|---|---|
| 등장 배경 | 정제두가 왕수인의 주장을 받아들여 독자적인 학문 체계를 이룸 |
| 특징 | • 양명학을 비판적으로 수용하며, 도교와 불교까지 수용하는 개방적 학문 태도를 보임<br>• 주체로서의 참된 '나'가 도덕 문제의 판단 기준 → 참다운 마음의 이치를 알고 생활 속에서 이를 실천할 것을 강조함 (참다운 마음의 이치 → 개인의 내면에 있는 양지(良知)를 말해.)<br>• 국학 진흥에 힘썼던 정인보 등 민족주의 학자들의 사상에 영향을 줌 |

### 2. 근대 격변기의 윤리 사상

Q&A? 19세기에 접어들며 서구 세력의 침투와 서양 문물의 유입으로 다양한 사상들이 등장하였어.

(1) 위정척사 교과서 자료 — 대표적 학자로는 이항로와 기정진, 최익현이 있어.

① 성리학에 바탕을 둔 유교적 질서를 지키고 서양의 종교와 문물을 배척해야 한다는 주장
② 내적으로는 군주와 집권 관료층의 수양을, 외적으로는 *척양과 척왜를 주장함
③ 주체성을 지키려는 의식과 선비 정신을 강조함 → 의병 운동으로 이어짐

(2) 개화사상

| 급진적 개화론 | 온건적 개화론(동도서기론) |
|---|---|
| 전제 군주제와 신분 질서로 대표되는 조선의 유교적 질서를 폐지하고 서양의 근대화된 문물을 수용하자는 입장 | 유교적 질서[東道]를 지키는 가운데 서양의 과학 기술[西器]을 수용하자는 입장 |
| 서양의 근대화된 문물을 수용하여 부국강병과 사회 개혁을 시도하려 함 → 애국 계몽 운동으로 이어짐 | |

(3) *신흥 종교 — 꼭! 신흥 종교는 우리의 고유 사상을 바탕으로 유, 불, 도 사상을 비판적으로 계승하였고, 백성의 요구를 담아 당시의 혼란을 극복하기 위한 방안을 제시하였어.

|  | |
|---|---|
| 동학 | • '나라를 돕고 백성을 편안하게 한다.'라는 보국안민(輔國安民)을 목표로 최제우가 창시함<br>• 경천사상을 토대로 유, 불, 도 사상을 융합 → 천인합일의 관점에서 인간 존중과 평등의 정신 제시 자료②<br>• 시천주(侍天主): '내 안의 한울님을 모셔라.'<br>• 오심즉여심(吾心卽汝心): '내 마음이 곧 네 마음이다.'<br>• 사인여천(事人如天): '사람을 하늘과 같이 섬겨라.'<br>• 인내천(人乃天): '사람이 곧 하늘이다.' |
| 증산교 | • 강일순이 무속 신앙과 유, 불, 도 사상을 재해석해서 만든 민족 종교<br>• 원한을 푸는 해원(解冤), 다른 이와 더불어 사는 상생(相生), 은혜에 보답하는 보은(報恩) 강조 |
| 원불교 | • 박중빈이 한국형 생활 종교를 주장하며 창시한 것으로 일상생활에서의 수행을 강조함<br>• 일원상(一圓相): 우주 만물의 근원이자 모든 중생의 청정한 마음을 상징하는 신앙의 대상<br>• 영육쌍전(靈肉雙全): 정신과 물질의 균형 있는 발전을 지향함 |

(동학 → 천주교를 일컫는 서학과 대비되는 말이야.)
(원한 → 증산교는 신분과 남녀 등에 대한 수모와 박해 때문에 원한이 생긴다고 보았어.)

---

**이것이 핵심!**

근대 윤리 사상의 특징

| 사상 | 특징 |
|---|---|
| 실학 | 도덕규범과 실천의 문제에 관심을 가짐 |
| 강화학파 | 양명학을 중심으로 독자적인 학문 체계를 이룸 |
| 위정척사 | 유교적 질서를 지키고 서양의 문물을 배척함 |
| 개화사상 | 서양의 문물을 수용하여 부국강병을 이루고자 함 |
| 동학 | 보국안민을 목표로 함 |
| 증산교 | 해원, 상생, 보은을 강조함 |
| 원불교 | 일상생활의 수행을 강조함 |

**★ 실학의 학문적 특징**

| 구분 | 내용 |
|---|---|
| 경세치용 | 학문은 세상을 다스리는 데에 실질적인 이익을 줄 수 있는 것이어야 함 |
| 이용후생 | 편리한 기구를 쓰고, 먹고 입을 것을 넉넉하게 하여 국민의 생활을 나아지게 해야 함 |
| 실사구시 | 공리공론을 떠나 사실에 근거하여 진리를 탐구해야 함 |

**★ 척양과 척왜**
서양과 일본의 문물이나 세력 따위를 거부하여 물리침

**★ 신흥 종교의 후천 개벽 사상**
근대 격변기 신흥 종교들은 공통적으로 후천 개벽 사상을 주장한다. 후천 개벽 사상은 낡고 어두운 선천(先天)의 세계가 끝나고 평등과 정의 등이 구현된 살기 좋은 세상인 후천(後天)의 세계가 현세에 도래한다는 사상이다.

| 종교 | 이상 사회 |
|---|---|
| 동학 | 신분 차별이 사라진 자유롭고 평등한 사회 |
| 증산교 | 궁핍과 차별이 사라진 사회 |
| 원불교 | 일체의 차별이 극복된 평화로운 사회 |

# 완자 자료 탐구

내 옆의 선생님

## 자료 1 실학자 홍대용의 직업관

> 사농공상에 관계없이 놀고먹는 자에 대해서는 관(官)에서 벌칙을 마련하여 세상에 용납할 수 없도록 하여야 한다. 재능과 학식이 있다면 비록 농부나 상인의 자식이 관직에 들어가 앉더라도 분수에 넘칠 것이 없고, 재능과 학식이 없다면 비록 관리의 자식이 하인으로 돌아간다 할지라도 한탄할 것이 없다.
>
> – 홍대용, 『담헌서』

홍대용은 경제를 회복하고 백성들의 삶을 윤택하게 하려면 노동을 비천하게 생각하는 의식이 바뀌어야 하고, 재능에 따라 누구든 직업을 가져야 한다고 주장하였다. 이러한 주장에는 직업적 서열을 중시하던 당시 현실에 대한 비판 정신과 개혁 의지가 담겨 있다.

**자료 하나 더 알고 가자!**

**박지원의 실학**

> 사대부들이 평생 읽는다는 글인 『주례』에는 거인, 윤인, 여인 등 수레와 관련한 사람을 뜻하는 용어를 말하고 있지만 그저 입으로만 외울 뿐이요, 정작 수레를 만드는 법이 어떠한지 수레를 부리는 기술이 어떠한지 하는 연구는 없다. 이는 소위 건성으로 읽는 풍월일 뿐이니, 학문에 무슨 도움이 될 것인가.
>
> – 박지원, 『열하일기』

실학은 민생 안정과 사회 개혁이라는 현실 문제의 해결을 가장 중요하게 여겼다.

## 수능이 보이는 교과서 자료 위정척사와 동도서기의 비교

> • 서로 화친할 수 없음은 내 나라 사람의 주장이고, 서양과 화친함은 적국 사람의 주장입니다. 전자를 따르면 옛 문물과 제도를 보전할 수 있지만 후자를 따르면 금수(禽獸)의 나라가 될 것입니다.
>
> – 이항로, 『화서문집』
>
> • 동서고금을 막론하고 바꿀 수 없는 것은 도(道)이고 수시로 바뀌어 고정적일 수 없는 것은 기(器)이다. 대개 동양인들은 형이상[道]에 밝은 반면, 서양인들은 형이하[器]에 밝다. 동양의 도로써 서양의 기(器)를 행한다면 지구의 오대주는 평정할 것도 없다. – 신기선, 『농정신편』

이항로는 위정척사를, 신기선은 동도서기론을 주장하였다. 이항로는 서양이 부모와 자식, 임금과 신하 간의 윤리나 우주의 근본 원리에 대해 무지하며, 단지 물질적 풍요만을 중시한다고 비판하면서 척사의 정당성을 주장하였다. 반면, 신기선은 동양이 비교 우위에 있는 윤리와 도덕[東道]은 그대로 보존하면서, 서양이 비교 우위에 있는 과학과 기술[西器]만을 수용하자고 주장하였다.

**완자샘의 탐구 강의**

**• 위정척사와 동도서기의 공통점과 차이점을 서술하시오.**

위정척사와 동도서기 모두 제국주의 열강의 침략에 대응하여 해결책을 모색했다는 공통점이 있다. 하지만 위정척사는 서양 문화 및 열강의 침략을 배척한 반면, 동도서기는 과학과 기술 분야에서 서양의 문물을 수용할 것을 주장하였다는 차이점이 있다.

함께 보기 89쪽, 1등급 정복하기 1

## 자료 2 동학의 여섯 가지 교리 '내수도문'

> 첫째, 집안의 모든 사람을 한울님같이 공경하라. 며느리를 사랑하라. 노예를 자식같이 사랑하라. 소와 말, 가축을 학대하지 마라. 만일 그렇지 못하면 한울님이 노하실 것이다. …… 넷째, 모든 사람은 한울님으로 인정하라. 손님이 오거든 한울님이 오셨다 하라. 어린이를 때리지 마라. 이는 한울님을 치는 것이다. …… 여섯째, 다른 사람에게 함부로 시비하지 마라. 이는 한울님을 시비하는 것이다. 무엇이든 탐내지 마라. 다만 근면해야 할 것이다.

내수도문은 여성 신도의 생활 규범을 기도문 형식으로 적은 글이다. 자료는 여섯 가지 중 세 가지를 발췌한 것으로 평등주의적 윤리 사상이 잘 드러나 있다. 동학은 모든 사람이 자기 안에 한울님을 모시고 있기 때문에 평등하다고 보며, 남녀노소와 신분에 의한 차별 제도를 부정하였다.

**문제로 확인할까?**

**동학의 특징으로 옳지 않은 것은?**

① 서학을 반대하였다.
② 보국안민을 목표로 하였다.
③ 인내천, 시천주를 강조하였다.
④ 일원상을 신앙의 대상으로 여겼다.
⑤ 신분에 의한 차별 제도를 부정하였다.

㉮ ④

# 07 한국과 동양 윤리 사상의 의의

이것이 핵심!

동양의 이상적 인간상과 시민

| 동양의 이상적 인간상의 특징 | 바람직한 시민의 모습 |
|---|---|
| 자기 수양 중시 | 꾸준한 자기 수양과 성찰 |
| 생명 존중 | 인권, 생명의 가치 추구 |
| 도덕적 가치 중시 | 물질 만능주의와 이기주의의 극복 |
| 조화 정신 | 사회 갈등 극복 |

★ **동양의 이상적 인간상의 차이점**

군자, 보살, 진인은 자신 이외의 다른 것에 대해 어떤 자세를 취하는지에 따라 차이가 나타난다.

| | |
|---|---|
| 군자 | • 인간과 가정, 국가의 가치를 중시함<br>• 자신을 수양하고 가정을 가지런히 한 뒤 국가를 바르게 다스리고자 함 |
| 보살 | 가정과 국가의 한계를 넘어서 모든 생명의 삶을 중시함 |
| 진인 | 다른 인간과 생명체에 대한 간섭을 최대한 줄여 만물이 각자 자신의 본성에 따라 살아갈 것을 추구함 |

★ **외물(外物)**

돈이나 명예, 권력 등을 말한다.

★ **화이부동**

다른 사람과 생각을 같이하지는 않지만 이들과 화목할 수 있는 군자의 모습을 나타낸 덕목

## 2 동양의 이상적 인간상과 시민

### 1. 현대 사회의 윤리적 상황

(1) **다양한 윤리적 문제**: 황금 만능주의의 팽배, 지나친 이기주의, 다양한 계층 간 사회 갈등, 인간의 존엄성 훼손 및 생명 경시 풍조 등

(2) **시민의 덕성 함양의 중요성**: 시민 모두가 인격 완성과 도덕적 사회의 구현을 위해 노력해야 하며, 동양의 이상적 인간상에서 그 규범과 가치를 찾을 수 있음

### 2. 동양의 이상적 인간상의 특징과 공통점

(1) ★특징

| | |
|---|---|
| 유교의 군자 자료 ③ | • 의로움을 추구하고 공공의 이익을 지향하는 인간 → "군자는 의리에 밝고, 소인은 이익에 밝다."<br>• 인의예지의 덕을 갖추고 사회 속에서 도덕적 책임을 자각함<br>• 위기지학(爲己之學): 자신의 윤리적 성숙을 추구하는 것으로 남에게 보이기 위한 위인지학(爲人之學)과 대비됨 |
| 불교의 보살 자료 ④ | • 위로는 깨달음의 지혜를 구하고 아래로는 중생을 교화하고 구제하는 인간<br>• 자비의 실천을 강조하며, 자신뿐만 아니라 타인의 깨달음까지 중시함<br>• 팔정도와 중도, 육바라밀을 실천해야 함 |
| 도가의 진인 자료 ⑤ | • '도'를 체득하여 만물 평등의 세계를 지향하는 인간 → 만물이 나름의 가치를 가지고 있음을 깨달음<br>• ★외물의 속박에서 벗어나 자연의 도를 따르는 무위의 삶, 물아일체(物我一體)의 삶을 추구함<br>• 진인 외에 성인, 지인, 신인의 모습도 제시함<br>• 마음을 비우고 고요하게 하는 허정을 통해 인위적 욕심이나 차별적 지식을 버림 |

(2) **공통점**

① 높은 이상을 추구하며, 자아 완성을 위해 수양에 힘씀

② 물질적·쾌락적 가치보다 정신적·도덕적 가치를 중시함

### 3. 동양의 이상적 인간상의 현대적 의미

꼭! 유교의 군자를 통해 청렴과 절의를, 불교의 보살을 통해 공감과 배려를, 도가의 진인을 통해 평등의 관점을 배울 수 있어.

(1) **자기 수양의 필요성**

① 부단한 자기 수양과 성찰을 통해 바람직한 삶을 지향하도록 노력해야 함

② 초월적 존재의 도움 없이 스스로의 노력을 통해 이상적 인간상에 이를 수 있음을 강조함

VS 서양에서는 초월적 존재인 신(神)을 통해 행복을 얻으려 하기도 해.

(2) **생명 존중 정신**

① 군자의 불인인지심, 보살의 자비, 지인과 진인의 만물제동 등에서 드러남

② 인권과 생명의 가치를 실현하는 사회를 만드는 데 필요한 정신을 찾을 수 있음

(3) **도덕적 가치의 중요성**

① 도덕적 삶을 살아가는 군자, 자비를 실천하는 보살, 외물의 속박에서 벗어난 지인과 진인을 통해 정신적·윤리적 가치의 중요성을 강조함

② 물질 만능주의와 이기주의 등을 극복하는 단서가 될 수 있음

(4) **조화 정신**

① ★화이부동을 실천하는 군자, 중도의 깨달음을 추구하는 보살, 자연과의 조화를 이루는 것을 강조한 지인과 진인을 통해 알 수 있음

② 현대 사회의 다양한 갈등을 극복하고 구성원 간 조화로운 삶을 실현하는 사회를 만드는 데 필요한 가치를 찾을 수 있음

## 완자 자료 탐구

내 옆의 선생님

### 자료 3 군자의 도

- 군자의 도는 세 가지이다. 어진 사람은 근심하지 않고, 지혜로운 사람은 미혹되지 않고, 용기 있는 사람은 두려워하지 않는다.
- 자로가 군자에 관해서 여쭈어 보았다. 선생께서, "경건한 마음[敬]으로 자기 수양을 해야 하느니라."라고 말씀하셨다. "그러할 따름입니까?"라고 묻자, "자기 수양을 해서 그 힘으로 남을 편안하게 하여 주느니라." 다시 "그러할 따름입니까?"라고 묻자, "자기 수양을 해서 그 힘으로 백성을 편안하게 해 주어야 한다."라고 말씀하셨다. – 공자, 『논어』

유교에서는 인과 예를 바탕으로 덕을 갖춘 도덕적 인간을 군자(君子)라 일컬었다. 군자는 개인의 도덕적 완성을 바탕으로 타인과 국가를 편안하게 하기 위해 노력해야 하며, 도덕적이고 이타적인 삶을 살아야 한다.

### 자료 4 자비를 실천하는 삶

- 이후로 백천만억겁 동안에 죄의 업보로 고통받는 일체 중생을 제도하여 지옥, 축생, 아귀 등에서 벗어나게 하고, 일체 중생이 모두 성불(成佛)한 뒤에야 제가 바야흐로 깨달음을 이루겠습니다.
- 보살은 깨달음을 통해 자비의 마음으로 타인을 구제하기 위해 노력한다. – 『지장경』

보살은 전생부터 현생에 이르기까지 자신이 지어 온 죄의 업보 때문에 고통받는 일체 중생을 구제하기 위해 자비를 실천하는 보살이다. 여기서 업보란 모든 운명은 자신이 전생부터 쌓은 업에 의해 결정된다는 불교의 사상이며, 보살이란 스스로 깨달음을 얻기 위해 노력할 뿐만 아니라 중생의 구제를 실천하는 사람이기도 하다. 즉, 위로는 깨달음을 구하고 아래로는 중생을 교화하는 것이 바로 보살의 길이다.

### 자료 5 장자가 제시한 이상적 인간

- 진인은 세속의 차별 의식에서 벗어나 도(道)의 관점에서 모든 사물을 평등하게 인식한다.
- 지인은 신령스럽다. 큰 늪지가 타올라도 뜨거운 줄을 모르고, 황하와 한수가 얼어붙어도 추운 줄을 모르고, 사나운 벼락이 산을 쪼개고 바람이 불어 바다를 뒤흔들어도 추운 줄을 모르고, 사나운 벼락이 산을 쪼개고 바람이 불어 바다를 뒤흔들어도 놀라지 않는다. 이런 사람은 구름을 타고 해와 달에 올라 사해(四海) 밖에 노닌다. 그에게는 삶과 죽음마저 상관이 없는데, 하물며 이로움이니 해로움이니 하는 것이 무엇이겠느냐? – 장자, 『장자』

도가에서는 이상적 인간상을 여러 가지 이름으로 제시하였다. 장자에 따르면, "지인(至人)은 자신에 집착하지 않고, 신인(神人)은 공적에 얽매이지 않으며, 성인(聖人)은 명예를 탐내지 않는다." 장자가 제시하는 이상적 인간상은 일체의 대립과 구별에서 벗어나 자연 만물과 하나가 되는 경지[物我一體]에 도달한 사람이다. 이러한 경지에 도달한 사람은 도의 관점에서 만물을 평등하게 바라보며, 자기 자신마저도 잊고 살아간다.

**자료 하나 더 알고 가자!**

**맹자의 대장부(大丈夫)**

천하의 넓은 집[仁]에 거하고, 천하의 바른 자리[禮]에 서며, 천하의 큰길[義]을 간다. 뜻을 얻으면 백성과 함께 그 길을 가고 뜻을 얻지 못하면 혼자서 그 길을 간다. 부귀를 누려도 마음이 방탕하지 않으며, 빈천에 처해도 평소의 지조를 바꾸지 않으며, 권력과 무력에도 굴복하지 않는 사람을 대장부라고 한다. – 맹자, 『맹자』

맹자는 집의를 통해 호연지기를 기른 사람을 대장부 또는 대인이라 불렀다.

**정리 비법을 알려줄게!**

**동양의 이상적 인간상**

| | |
|---|---|
| 군자 | 의로움을 추구하고 공공의 이익을 지향함 |
| 보살 | 자신의 깨달음과 중생의 구제를 함께 추구함 |
| 진인 | 만물의 가치를 깨닫고 어디에도 얽매이지 않는 정신의 자유를 추구함 |

**문제로 확인할까?**

장자가 제시한 이상적 인간상으로 옳은 것은?

① 절대적인 시비 기준을 따진다.
② 업보의 극복을 통해 자비를 실천한다.
③ 마음속에 인위·조작적인 지혜를 쌓는다.
④ 일체의 대립에서 벗어나 자연 만물과 하나가 된다.
⑤ 위로는 깨달음을 구하고 아래로는 중생을 교화한다.

④ 답

STEP 1 핵심 개념 확인하기

정답친해 22쪽

STEP 2 내신 만점 공략하기

**1** 다음 설명에 해당하는 사상을 쓰시오.

- 청나라를 통해 들어온 서양의 사상과 학문을 비판적으로 받아들였고, 성리학의 한계를 비판하며 사회 문제를 해결하고자 하였다.
- 경세치용, 이용후생, 실사구시의 특징을 가진다.

**2** 다음 설명이 맞으면 ○표, 틀리면 ×표를 하시오.

(1) 동학은 외세의 침략에 반대하고 신분 질서를 유지하고자 하였다. ( )

(2) 정제두는 왕수인의 양명학을 받아들여 독자적인 사상을 수립하였다. ( )

(3) 위정척사 사상은 민족의 생존을 위해 서양 문물의 수용을 주장하였다. ( )

(4) 원불교는 세상이 잘못되는 까닭은 신분과 남녀 차별의 원한이 쌓였기 때문이라고 보고, 원한을 풀 것을 강조하였다. ( )

**3** 동학의 특징만을 <보기>에서 있는 대로 골라 기호를 쓰시오.

보기

ㄱ. 시천주 ㄴ. 인내천
ㄷ. 동도서기 ㄹ. 실사구시

**4** 다음 사상과 그 사상이 제시한 이상적 인간상을 옳게 연결하시오.

(1) 유교 • • ㉠ 자연의 도를 따르는 무위의 삶을 추구하는 인간

(2) 불교 • • ㉡ 의로움을 추구하고 공공의 이익을 지향하는 인간

(3) 도가 • • ㉢ 위로는 깨달음을 구하고 아래로는 중생을 교화하는 인간

**01** 다음 글의 관점에서 주장할 내용으로 가장 적절한 것은?

서양 오랑캐가 반드시 그 술책을 전파하기 위하여 어리석은 백성을 현혹하여 널리 조약을 맺어서, 그들이 하고 싶은 것을 멋대로 할 것이다. 지금 천하는 서양에 중독된 지가 오래여서 의복, 음식, 성악, 기물이 모두 섞여 있는 데도 그것을 깨닫지 못하니, 몇 해 못 되어 어육(魚肉)의 참화를 당하게 될 것이다.

① 모든 사람에게는 한울님이 있음을 깨달아야 한다.
② 사실에 근거하여 진리를 탐구하는 일에 힘써야 한다.
③ 민생 안정과 사회 개혁을 가장 중요하게 여겨야 한다.
④ 유교적 질서를 지키고 서양의 종교와 문물을 배척해야 한다.
⑤ 해원, 보은, 상생을 통해 궁핍과 차별이 사라진 사회를 추구해야 한다.

**02** 다음 사상의 관점에만 모두 'V'를 표시한 학생은?

신이 보건대 요즘에 유생들이 상소문을 올리는 것이 유행하고 있습니다. 그 상소의 내용은 '정학을 옹호하고 사교를 배척해야 한다.'라는 내용으로, 이웃 나라와 사귀고 수교하는 것을 문제로 삼고 있습니다. 우리는 예의 바른 풍습을 지켜 오고 있으니, 기계(器械)에 관한 기술과 농업 및 수예(樹藝)에 대한 책과 같은 것이 만약 이익이 될 수 있다면 선택하여 행할 것이지 굳이 외국의 것이라고 해서 좋은 것까지 배척할 필요는 없습니다.

| 관점 \ 학생 | 갑 | 을 | 병 | 정 | 무 |
|---|---|---|---|---|---|
| 윤리와 도덕은 동양의 것을 보존해야 한다. | V | V | V | | |
| 척양, 척왜하여 우리의 주체성을 지켜야 한다. | | V | | V | V |
| 동양의 정신을 유지하며 서양의 좋은 것을 수용해야 한다. | V | | V | V | V |
| 신분 차별이 사라진 자유롭고 평등한 사회를 추구해야 한다. | | | V | | V |

① 갑 ② 을 ③ 병 ④ 정 ⑤ 무

정답친해 22쪽

**03** 다음과 같이 주장한 사상가가 긍정의 대답을 할 질문을 〈보기〉에서 고른 것은?

- 첫째, 집안의 모든 사람을 한울님같이 공경하라. 며느리를 사랑하라. 노예를 자식같이 사랑하라. 가축을 학대하지 마라. 만일 그렇지 못하면 한울님이 노하실 것이다.
- 넷째, 모든 사람은 한울님으로 인정하라. 손님이 오거든 한울님이 오셨다 하라. 어린이를 때리지 마라. 이는 한울님을 치는 것이다.

보기

ㄱ. 사람을 하늘과 같이 섬겨 인간을 존중해야 하는가?
ㄴ. 현세의 원한을 풀어 작은 은혜에도 보답해야 하는가?
ㄷ. 신분의 구분을 통해 유교적 질서를 유지해야 하는가?
ㄹ. 평등과 정의가 구현된 후천의 세계가 현세에 도래해야 하는가?

① ㄱ, ㄴ ② ㄱ, ㄹ ③ ㄴ, ㄷ
④ ㄴ, ㄹ ⑤ ㄷ, ㄹ

중요
**04** 을이 갑에 대해 할 수 있는 비판으로 가장 적절한 것은?

갑: 서양인과 싸워야 한다는 것은 우리의 주장이고, 서양인과 화친해야 한다는 것은 적국의 주장입니다. 전자는 나라의 문화와 전통을 보전할 수 있지만, 후자는 금수의 지경으로 빠지고 말 것입니다.
을: 서양에서 유행하고 있는 천주교가 우리나라에 유포되는 것을 금지해야 합니다. 우리가 부족한 것은 기술뿐이기 때문에 그 기술만 받아들이면 됩니다.

① 선비 정신을 통해 주체성을 확고히 해야 함을 간과한다.
② 내적으로는 군주와 집권 관료층의 수양을 강조해야 함을 간과한다.
③ 신분 질서를 유지해야 모든 사람의 권리를 지킬 수 있음을 무시한다.
④ 서양의 과학 기술을 수용한다면 백성들의 삶에 도움이 된다는 점을 간과한다.
⑤ 유교적 질서를 근본적으로 변혁해야 백성들의 삶이 윤택해질 수 있음을 무시한다.

중요
**05** (가), (나)의 학문에 대한 공통된 주장을 〈보기〉에서 고른 것은?

(가) 인간과 사물을 좀 더 올바르게 알기 위해서는 인간만이 착하고 옳다는 생각, 윤리와 도덕을 기준으로 사물을 바라보는 시각을 버리고, 사물을 사물 그 자체로 보고 정확하게 판단해야 한다는 것이 홍대용의 생각이었다.
(나) 박지원도 삼강오륜이 나쁘다고만 한 것은 아니고, 도덕이 필요 없다고 한 것은 더더욱 아니다. 다만 도덕을 바르게 실천하기 위해서는 먼저 먹고사는 문제가 해결되어야 한다고 보았다.

보기

ㄱ. 세상을 다스리는 데에 실질적인 이익을 주어야 한다.
ㄴ. 주희의 성리학을 굳게 지켜 천하의 이치를 알아야 한다.
ㄷ. 공리공론을 떠나 사실에 근거하여 진리를 탐구해야 한다.
ㄹ. 사물을 연구하여 사물에 정해져 있는 이(理)를 얻어야 한다.

① ㄱ, ㄴ ② ㄱ, ㄷ ③ ㄴ, ㄷ
④ ㄴ, ㄹ ⑤ ㄷ, ㄹ

**06** 갑, 을 사상가 중 적어도 한 사람이 긍정의 대답을 할 질문으로 가장 적절한 것은?

갑: 궁핍과 차등이 없는 이상 사회를 만들기 위해서는 사람들 사이의 원한을 풀고, 작은 은혜에도 보답해야 한다.
을: 'O'로 표기하는 일원상은 우주 만물의 근원이자 모든 중생의 청정한 마음을 상징하는 것이다.

① 영혼과 육체를 함께 닦아야 하는가?
② 사람을 하늘과 같이 섬겨야 하는가?
③ 양지를 알고 생활 속에서 이를 실천해야 하는가?
④ 내 마음이 곧 네 마음이라는 오심즉여심을 실천해야 하는가?
⑤ 나라를 돕고 백성을 편안하게 하는 보국안민을 실천해야 하는가?

**07** 다음 글에 드러나는 이상적 인간에 대한 옳은 설명만을 〈보기〉에서 있는 대로 고른 것은?

천하의 넓은 집[仁]에 거하고, 천하의 바른 자리[禮]에 서며, 천하의 큰 길[義]을 간다. 뜻을 얻으면 백성과 함께 그 길을 가고 뜻을 얻지 못하면 혼자서 그 길을 간다. 부귀를 누려도 마음이 방탕하지 않으며, 빈천에 처해도 평소의 지조를 바꾸지 않으며, 권력과 무력에도 굴복하지 않는 사람을 대장부라고 한다.

보기
ㄱ. 집의를 통해 호연지기를 기른다.
ㄴ. 자연의 도를 따르는 무위의 삶을 추구한다.
ㄷ. 자신을 큰 수레로 자처하여 자비를 실천한다.
ㄹ. 일체의 대립에서 벗어나 자연 만물과 하나가 된다.

① ㄱ ② ㄴ ③ ㄴ, ㄷ
④ ㄴ, ㄹ ⑤ ㄷ, ㄹ

중요
**08** 학생 답안의 ㉠~㉤ 중 옳지 않은 것은?

서술형 평가
◎ 문제: 도가의 이상적 인간상의 현대적 의의를 서술하시오.
◎ 학생 답안
㉠ 도가의 진인은 만물이 나름의 가치를 가지고 있음을 깨달은 인간이다. 또 ㉡ 어디에도 얽매이지 않고 진정한 자유를 누리는 인간이기도 하다. 우리는 ㉢ 이러한 모습을 통해 차별에서 벗어나 다양성을 존중하는 평등의 관점을 배울 수 있다. 또한 ㉣ 의로움을 추구하고 청렴과 절의를 지키는 현대 시민의 덕목을 되새길 수 있다. 마지막으로, ㉤ 진인은 각종 분별에서 벗어난 정신적 자유를 추구할 때 삶의 의미를 찾을 수 있음을 일깨워 준다.

① ㉠ ② ㉡ ③ ㉢ ④ ㉣ ⑤ ㉤

## 서술형 문제

● 정답친해 23쪽

**01** 다음 글을 읽고 물음에 답하시오.

갑: 이후로 백천만억겁 동안에 죄의 업보로 고통받는 일체 중생을 제도하여 지옥, 축생, 아귀 등에서 벗어나게 하고, 일체 중생이 모두 성불한 뒤에야 제가 바야흐로 깨달음을 이루겠습니다.
을: 지인은 자신에 집착하지 않고, 신인은 공적에 얽매이지 않으며, 성인은 명예를 탐내지 않습니다.

(1) 갑, 을의 수양 방법을 비교하시오.

(2) 갑, 을이 공통적으로 가지는 현대적 의의를 서술하시오.

길잡이 불교와 도가의 수양법을 비교하고, 도덕적 이상 추구에 있어서의 공통점을 서술한다.

**02** 도가의 이상적 인간상의 관점에서 다음 글을 비판하시오.

정부의 보고서에 따르면, 북한 이탈 주민의 42.5%, 이주민의 39.0%는 외모나 출신 지역 때문에 차별받은 적이 있다고 응답하였다. 차별 당한 영역으로는 양측 모두 채용과 승진, 임금 등 고용 분야가 가장 많았다.

길잡이 차별에 대한 진인의 관점을 서술한다.

**03** ㉠에 알맞은 내용을 서술하시오.

갑: 급진적 개화론은 전제 군주제와 신분 질서로 대표되는 주장이에요.
을: 온건적 개화론에는 동도서기론이 대표적이에요.
교사: 여러분이 말했듯이, 개화사상은 급진적 입장과 온건적 입장으로 나눌 수 있습니다. 두 입장의 차이점은 [ ㉠ ]

길잡이 유교적 질서의 변혁에 대한 급진적 개화론과 온건적 개화론의 차이점을 비교하여 서술한다.

STEP 3 1등급 정복하기

정답친해 23쪽

평가원 응용

**1** (가)의 갑~병의 입장을 (나) 그림으로 표현할 때, A~D에 해당하는 진술로 옳은 것은?

(가)
갑: 서로 화친할 수 없다는 것은 내 나라 사람의 주장이고, 서양과 화친하자는 것은 적국 사람의 주장입니다. 전자를 따르면 옛 문물과 제도를 보전할 수 있지만 후자를 따르면 금수의 나라가 될 것입니다.
을: 서양 사람은 한울님을 위한 단서가 없이 제 몸만을 위해 빌 따름이다.
병: 대개 동양인들은 형이상[道]에 밝은 반면, 서양인들은 형이하[器]에 밝다. 동양의 도로써 서양의 기를 행한다면 지구의 오대주는 평정할 것도 없다.

(나)

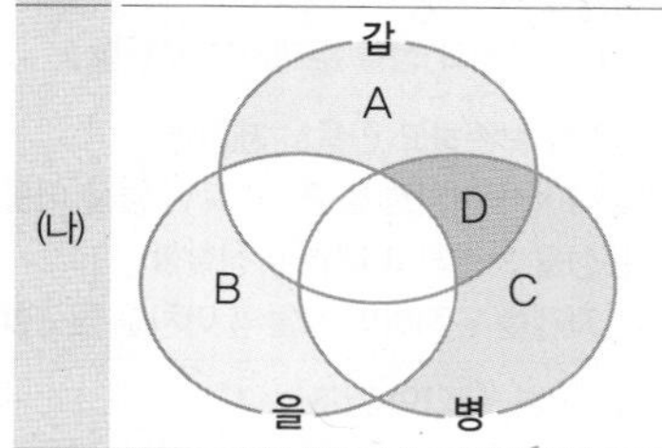


〈범례〉
A: 갑만의 입장
B: 을만의 입장
C: 병만의 입장
D: 갑과 병만의 공통 입장

① A: 동양의 도리를 바탕으로 서양의 기술을 수용해야 한다.
② B: 만민이 평등한 지상 낙원이 현세에 실현될 것이다.
③ B: 서양의 학문과 종교를 수용하여 근대화를 이루어야 한다.
④ C: 성리학에 바탕을 둔 유교적 질서와 가치는 지켜져야 한다.
⑤ D: 신분 차별이 사라진 자유롭고 평등한 사상을 이루어야 한다.

> 위정척사, 동도서기, 동학 사상의 비교

**완자샘의 시험 꿀팁**

위정척사와 동도서기, 동학의 공통점과 차이점을 비교해서 알아두어야 한다. 특히 유교적 질서에 대해 어떤 입장을 취했는지를 중점적으로 살펴보아야 한다.

**2** 갑, 을의 관점에서 〈사례〉에 대해 제시할 수 있는 조언만을 〈보기〉에서 있는 대로 고른 것은?

갑: 진인은 세속의 차별 의식에서 벗어나 도(道)의 관점에서 사물을 평등하게 인식한다.
을: 군자의 도는 세 가지이다. 어진 사람은 근심하지 않고, 지혜로운 사람은 미혹되지 않고, 용기 있는 사람은 두려워하지 않는다.

〈사례〉

○○ 기관의 '2015년 청소년 정직 지수' 조사 결과에 따르면 청소년의 윤리 의식이 현저히 낮은 것으로 나타났다. '이웃의 어려움과 관계없이 나만 잘살면 된다.'라는 항목에 고등학생 중 45%가 그렇다고 응답하여, 2013년의 36%보다도 타인과 사회적 약자를 배려하는 의식과 사회 정의를 실현하려는 의식이 낮아진 것으로 나타났다.

보기

ㄱ. 갑: 청렴과 절의의 덕목을 지키려면 이웃의 어려움을 외면해서는 안 된다.
ㄴ. 갑: 인위적 차별을 버리고 외물의 속박에서 벗어나 이웃을 평등하게 고려해야 한다.
ㄷ. 을: 자비의 마음을 바탕으로 이웃의 어려움을 공유해야 한다.
ㄹ. 을: 공공의 이익을 지향하고 의로움을 추구하여 이웃의 어려움에 관심을 기울여야 한다.

① ㄱ, ㄴ ② ㄱ, ㄷ ③ ㄴ, ㄹ
④ ㄱ, ㄷ, ㄹ ⑤ ㄴ, ㄷ, ㄹ

> 동양의 이상적 인간상과 현대 사회의 문제

**완자 사전**

• 미혹
무엇에 홀려 정신을 차리지 못하거나 정신이 헷갈리어 갈팡질팡 헤매는 것

## 01 사상의 연원

### 1. 동양 윤리 사상의 연원

| | |
|---|---|
| 배경 | • 농경 중심의 사회: 가족 윤리를 바탕으로 사회 및 국가 윤리 정립<br>• 자연의 절대적 영향: 자연의 원리를 통해 삶의 목적과 방향 설정 |
| 대표 사상 | • 유교: 인(仁)의 윤리를 통한 인격의 수양과 도덕적 실천 제시<br>• 불교: 자비의 윤리를 바탕으로 모든 존재가 소중함을 주장<br>• 도가: 무위자연의 삶을 제시하여 우주의 근원을 '도'로 규정하고 우주와 자연의 질서에 순응할 것을 강조 |
| 특징 | 유기체적 세계관, 공존과 공생의 사회관, 개인의 인격 도야 강조 |

### 2. 한국 윤리 사상의 연원

| | |
|---|---|
| 배경 | 고조선의 건국 신화, 무속 신앙 |
| 특징 | • (❶ ) 정신: 인간 존중과 인간 존엄성 강조<br>• 현세 지향적인 가치관: 현세에서 행복한 삶을 추구함<br>• 화합과 조화의 정신: 하늘과 인간의 합일을 염원함 |

## 02 인의 윤리

### 1. 도덕의 성립 근거

| | |
|---|---|
| 공자 | • 인(仁) 강조: 인간에 대한 사랑, 인간다움<br>• 인을 실천하는 방법: 효제, 충서(忠恕), 극기복례(克己復禮)<br>• (❷ ): 자신의 신분과 역할에 걸맞은 덕을 갖추고 행동해야 함<br>• 대동 사회: 분배의 형평성, 모두가 잘사는 이상 사회 |
| 맹자 | • 성선설: 불인인지심과 사단을 통해 인간의 본성이 선함을 알 수 있음<br>• 사단: 측은지심, 수오지심, 사양지심, 시비지심<br>• 왕도 정치: 인(仁)과 민본주의 사상에 근거<br>• 역성혁명: 군주답지 못하면 혁명을 통해 군주를 교체할 수 있음<br>• 생계를 유지하는 데 필요한 생업인 항산을 보장해야 도덕적 마음인 (❸ )을 유지 |
| 순자 | • 천인분이: 자연과 인간의 일을 구분함<br>• 성악설: 사람은 태어날 때 자신의 욕망과 이익을 충족하고자 하며, 그대로 놔두면 사회적 혼란이 발생함<br>• 예(禮) 강조: '예'를 배워 인간의 악한 본성을 인위적으로 교화해야 함[化性起僞]<br>• 예치: 예를 바탕으로 국가를 다스려야 함 |

### 2. 도덕 법칙의 탐구 방법

(1) 성리학(주희)

| | |
|---|---|
| 이기론 | • 우주 만물의 근원을 이와 기의 결합으로 설명한 이론<br>• 이기불상잡, 이기불상리: 이와 기는 사물 안에 함께 있지만 섞일 수 없으며 동시에 사물에서 분리될 수 없음 |
| 심성론 | • 본연지성: 하늘이 부여한 순선한 이치<br>• 기질지성: 이치가 기질에 부여된 것으로 기질의 맑고 탁함에 따라 사람마다 달라짐<br>• (❹ ): 마음이 성과 정을 주재하고 포괄함 |
| 수양론 | • 존천리거인욕: 천리를 보존하고 인욕을 제거함<br>• 격물치지: 사물에 나아가 이치를 탐구함으로써 앎을 이룸<br>• 존양성찰: 선한 본성을 보존하고 내면을 성찰함<br>• 거경궁리: 경건한 자세를 유지하며 사물의 이치를 탐구함 |
| 경세론 | 덕치와 예치를 통한 민본, 위민의 강조 |

(2) 양명학(왕수인)

| | |
|---|---|
| 심즉리 | 마음이 이치이며, 도덕법칙은 선천적으로 마음에 존재 |
| 치양지 | • 마음의 양지를 자각하고 따르는 것<br>• 존천리거인욕: 사욕을 극복하여 순선한 마음을 유지함 |
| 격물치지 | 사욕을 제거하고 마음을 바로잡아 양지를 실현함 |
| (❺ ) | 지와 행은 별개가 아님 |

## 03 도덕적 심성

### 1. 도덕 감정

| | |
|---|---|
| 이황 | • 이기호발: 이와 기 모두 각각 발할 수 있음<br>• 이귀기천: 이는 귀하고 기는 천함<br>• 사단 칠정론: 이가 발한 감정인 사단은 순선하며, 기가 발한 감정인 칠정은 선악의 가능성이 있음<br>• 수양론: 경 강조(정제엄숙, 주일무적, 상성성) |
| 이이 | • 기발이승일도설: 사단과 칠정 모두 기가 발하고 이가 탄 것<br>• 칠포사: 칠정이 사단을 포함함<br>• (❻ ): 이는 보편성, 기는 조건에 따른 특수성을 지님<br>• 수양론: 경과 더불어 성(誠) 강조, 교기질, 극기 |

### 2. 도덕 본성

| | |
|---|---|
| 실학 | 현실적인 사회 문제 해결을 중요시함 |
| 정약용 | • 욕구의 긍정: 욕구는 도덕적 삶을 위해 필요함<br>• 자주지권: 인간은 선악 중 선택할 수 있는 자유 의지를 지님<br>• (❼ ): 인간의 본성은 경향성이며 마음의 기호임<br>• 사덕은 사단의 확충으로 이루어지는 것으로 후천적임 |

## 04 자비의 윤리

### 1. 초기 불교의 가르침

| 구분 | 내용 |
|---|---|
| 연기설 | 모든 것은 원인과 조건에 의한 것이며, 독립적일 수 없음 |
| 사성제 | • 고성제: 인간 삶의 고통, 생로병사<br>• 집성제: 고통의 원인, 무명과 애욕, 삼독<br>• 멸성제: 집착에서 벗어나 고통이 사라진 상태, 해탈과 열반<br>• 도성제: 열반에 도달하기 위한 방법, 팔정도와 삼학 |
| 삼법인 | • 제행무상: 세상의 모든 것은 끊임없이 변화함<br>• (❽ ): 고정불변한 실체가 없음<br>• 일체개고: 인간 삶의 모든 현상이 고통<br>• 열반적정: 괴로움도 없이 고요하고 평온한 상태 |

### 2. 불교의 전개

| 구분 | 내용 |
|---|---|
| 부파 불교 | 개인의 해탈 중시 → 아라한 추구 |
| 대승 불교 | • 대중적 측면 강조 → 보살 추구<br>• 공 사상: 모든 것은 독자적 실체를 지니지 않음<br>• 중관 사상: 모든 것은 연기에 의해 존재하므로 자성이 없음 → 중도 강조<br>• 유식 사상: 모든 현상은 마음의 허상이지만, 진리를 깨닫는 마음은 존재함 |

### 3. 교종과 선종

| 구분 | 내용 |
|---|---|
| 교종 | • 경전의 해석과 계율의 실천을 강조<br>• 대표적 종파: 천태종, 화엄종, 정토종 |
| 선종 | • 문자에 집착하지 않고 마음으로 주고받는 것을 강조<br>• 이심전심, 불립문자, 교외별전, 직지인심, 견성성불 추구 |

## 05 분쟁과 화합

### 1. 한국 불교의 전통

| 구분 | 내용 |
|---|---|
| 원효 | • 일심 사상: 중생의 마음은 진여문과 생멸문 두 측면이 있지만 서로 별개의 것이 아니라는 사상<br>• (❾ ): 서로 다른 주장과 견해가 조화를 이루어 화합함 |
| 의천 | • 선교 통합: 교종인 천태종을 중심으로 선종을 통합<br>• 교관겸수: 교와 관을 함께 닦아야 함<br>• 내외겸전: 마음 수양과 교리 공부를 함께 행해야 함 |
| 지눌 | • 선교 통합: 선종을 중심으로 교종을 통합<br>• 돈오점수: 단박에 깨친 후에 점진적인 닦음의 과정을 따름<br>• (❿ ): 선정과 지혜를 함께 닦아야 함 |

### 2. 한국 불교의 특징: 조화 사상, 보살행, 호국 불교

## 06 무위자연의 윤리

### 1. 도가 사상의 전개

| 구분 | 내용 |
|---|---|
| 노자 | • 도: 천지 만물을 낳는 근원이자 자연을 생성, 운행하는 원리<br>• 도의 관점에서 만물은 상대적임<br>• 이상적 삶의 모습: 무위자연, 상선약수<br>• 정치사상: 소국과민, 무위지치 |
| 장자 | • 도: 만물에 깃들어 있음<br>• 차별과 편견을 벗어나 만물을 평등하게 볼 것을 중시함<br>• 이상적 경지: 소요유, 제물, 만물제동, 물아일체<br>• 수양 방법: 좌망, 심재 |

### 2. 도가 사상의 영향

| 구분 | 내용 |
|---|---|
| 전개 과정 | • 황로학파: 황제와 노자를 숭상, 무위의 정치 강조<br>• 태평도: 인간의 질병과 고통을 악행의 결과로 봄<br>• 오두미교: 도덕적 선행과 삼관수서 강조<br>• 현학: 청담을 통한 정신적 자유 추구 |
| 고유 사상과의 융합 | • 풍류도, 팔관회, 도관 건립, 재초, 양생술, 권선서<br>• 삼신 숭배, 풍수지리 등에 영향을 줌 |

## 07 한국과 동양 윤리 사상의 의의

### 1. 한국 전통 윤리 사상의 근대적 지향성

| 구분 | 내용 |
|---|---|
| 실학 | • 성리학의 공리공론 비판, 민생의 문제 해결에 관심<br>• 학문적 특징: 경세치용, 이용후생, 실사구시 |
| 강화학파 | 양명학을 비판적으로 수용하여 생활 속 실천 중시 |
| 위정척사 | 유교적 질서를 지키고 서양의 종교와 문물 배척 |
| 개화 | • 급진적 개화론: 조선의 유교적 질서를 폐지하고 서양의 근대화된 문물을 수용하자는 입장<br>• 온건적 개화론(⓫ ): 유교적 질서를 지키는 가운데 서양의 과학 기술을 수용하자는 입장 |
| 동학 | • 보국안민을 목표로 최제우가 창시<br>• 경천사상, 시천주, 오심즉여심, 사인여천, 인내천 강조 |
| 증산교 | 해원, 상생, 보은 강조 |
| 원불교 | 일원상을 신앙의 대상으로 삼는 한국형 생활 종교 |

### 2. 동양의 이상적 인간상과 시민

| 구분 | 내용 |
|---|---|
| 유교 | 군자: 인의예지의 덕을 갖추고 도덕적 책임을 자각 |
| 불교 | 보살: 위로는 깨달음을, 아래로는 중생을 교화 |
| 도가 | 진인, 성인, 지인, 신인: 도를 체득하여 만물의 평등을 지향함 |

●정답● ① 인본주의 ② 정명 ③ 양심 ④ 심통성정 ⑤ 지행합일 ⑥ 이통기국 ⑦ 성기호설 ⑧ 제법무아 ⑨ 화쟁 ⑩ 정혜쌍수 ⑪ 동도서기론

**01** 다음은 동양 고전의 일부이다. ㉠에 대한 설명으로 옳지 않은 것은?

> 안연이 ㉠ 에 대해 묻자 공자가 다음과 같이 대답하였다. "자신을 극복하여 예로 돌아가는 것이 ㉠ 이다. 하루라도 자신을 극복하면 천하가 ㉠ (으)로 돌아갈 것이다. ㉠ 을/를 행하는 것은 자신에게 달려 있지 다른 사람에 달린 것이겠는가?"

① 선을 좋아하고 악을 미워하는 사랑이다.
② 모든 사람을 차별 없이 사랑하는 것이다.
③ 가까운 사람으로부터 실천해 나가는 것이다.
④ 부모에 대한 공경과 형제간의 우애를 요구한다.
⑤ 사회적 존재로 완성된 인격체의 인간다움이다.

**02** 갑, 을은 고대 중국 사상가들이다. 갑이 을에게 제기할 수 있는 비판으로 가장 적절한 것은?

> 갑: 하늘은 사람들이 서로 사랑하며 서로 이롭게 하기를 바라지, 서로 미워하며 서로 해칠 것을 바라지 않는다.
> 을: '인'을 행하려면 '예'가 아니면 보지 말고, '예'가 아니면 듣지 말며, '예'가 아니면 말하지 말고, '예'가 아니면 움직이지 말아야 한다.

① 최상의 도덕 원리인 '인'이 본래 내재함을 모르고 있다.
② '인'은 인간다움의 본질을 이루는 사랑의 정신임을 간과하고 있다.
③ 인간이 진정한 행복을 누리기 위해 필요한 것이 '의'임을 모르고 있다.
④ 사회의 혼란은 분별적 사랑인 '인'을 통해 극복 가능함을 간과하고 있다.
⑤ '인'과 '예'에 따른 허례허식은 국가의 공리에 도움이 되지 않음을 모르고 있다.

**03** 그림은 고대 중국 사상가 갑, 을의 가상 대화이다. 갑, 을의 입장에 대한 설명으로 옳은 것은?

물은 동쪽으로 물길을 터놓으면 동쪽으로 흐르고, 서쪽으로 터놓으면 서쪽으로 흐릅니다. 인간의 본성을 선이나 악으로 구분 지을 수 없음은 이러한 물에 동서의 구분이 없는 것과 같습니다.

물에 동서의 구분이 없지만 위아래의 구분도 없습니까? 사람의 본성이 선한 것은 물이 항상 아래로 흐르는 것과 같이 자연스러운 것입니다.

① 갑은 맹자의 성선설, 을은 고자의 성무선악설이다.
② 갑은 인간은 선한 본성을 타고나며, 악한 사람은 후천적으로 그렇게 된 것이라고 본다.
③ 을은 사단을 근거로 인간의 본성이 선하다고 주장한다.
④ 을은 선악을 후천적인 환경과 선택에 따른 결과로 본다.
⑤ 갑, 을 모두 양지와 양능을 바탕으로 도덕적 마음을 수양할 것을 강조한다.

**04** 다음과 같이 주장한 고대 중국 사상가의 관점에서 주장할 통치자의 자세로 옳은 것은?

> 백성이 귀하고 사직(社稷)이 다음이며 군주는 가볍다. 평범한 백성의 마음을 얻어야 천자(天子)가 된다. 천자에게 신임을 얻으면 제후가 되고 제후에게 신임을 얻으면 대부가 된다. 제후가 사직을 위태롭게 하면 그를 바꾼다.

① 권모술수를 이용하여 사회 안정을 이루어야 한다.
② 신상필벌의 원칙에 따라 백성을 엄하게 다스려야 한다.
③ 예를 통해 백성의 악한 본성을 인위적으로 교화해야 한다.
④ 백성의 도덕적 마음을 유지하려면 경제적 안정을 보장해야 한다.
⑤ 다툼이 일어나지 않도록 백성에게 겸애의 정신을 함양해 주어야 한다.

정답친해 24쪽

**05** 다음과 같이 주장한 고대 중국 사상가의 입장을 〈보기〉에서 고른 것은?

> 사람은 나면서부터 욕망이 있는데 욕망을 채우지 못하면 이를 추구하지 않을 수 없다. 욕망을 추구하는 데 일정한 기준과 제한이 없으면 다툼이 없을 수 없다. 다툼은 혼란을 가져오고 혼란은 사람을 궁핍하게 만든다. 혼란을 싫어한 선왕은 예의를 제정하여 구분을 지었다.

보기

ㄱ. 하늘은 인간에게 도덕적 본성을 부여한다.
ㄴ. 선천적인 도덕적 마음을 보존하고 확충하려는 수양이 필요하다.
ㄷ. 덕의 유무에 따라 사회적 지위를 정하고, 능력을 헤아려 관직을 맡겨야 한다.
ㄹ. 인간은 인의를 알 수 있는 도덕적 인식 능력과 그것을 실현할 능력을 가지고 있다.

① ㄱ, ㄴ ② ㄱ, ㄷ ③ ㄴ, ㄷ
④ ㄴ, ㄹ ⑤ ㄷ, ㄹ

**06** 다음과 같이 주장한 동양 사상가의 입장으로 가장 적절한 것은?

> 성은 곧 이(理)이다. 마음[心]에서는 성이라고 부르고, 일[事]에서는 '이'라고 부른다. 성이란 사람이 하늘로부터 부여받은 이(理)여서 온전하게 선하지 않음이 없다.

① 마음 밖에는 어떤 이(理)도 없다.
② 기(氣)는 만물을 낳는 근본 원리이다.
③ 이(理)와 기(氣)는 논리적으로 구분될 수 없다.
④ 모든 존재와 현상은 이(理)만으로 이루어져 있다.
⑤ 모든 사람의 본연지성은 동일하지만 기질지성은 사람마다 다르다.

**07** 다음과 같이 주장한 동양 사상가의 관점에서 부정의 대답을 할 질문으로 옳은 것은?

> 마음 밖에 이치가 없고 마음 밖에 사물이 없다.
> [心外無理, 心外無物]

① 양지란 시비와 선악을 판단하는 능력인가?
② 사물에 대한 이치를 깨닫고 실천할 수 있는가?
③ 마음의 사욕을 제거하고 양지를 실천해야 하는가?
④ 이론적인 학습이 없어도 마음의 이치를 깨달을 수 있는가?
⑤ 사람은 누구나 양지를 가지고 이 양지를 자각하고 실천할 수 있는가?

**08** (가)의 동양 사상가 갑, 을의 입장을 (나) 그림으로 표현할 때, A~C에 해당하는 내용으로 옳은 것은?

(가)
갑: 양지란 맹자가 말한 옳고 그름을 가려내는 마음이며, 사람이 모두 갖고 있는 것이다. 옳고 그름을 가려내는 마음은 생각하지 않아도 알며, 배우지 않고도 알 수 있다. 이것이 바로 하늘이 부여해 준 성이며, 내 마음의 본체이다.
을: 기질지성에 대해 말씀하셨다. 본성을 물에 비유하면, 근본은 모두 맑다. 깨끗한 그릇에 담기면 맑지만, 깨끗하지 않은 그릇에 담으면 냄새가 나고, 더러운 그릇에 담으면 흐려진다.

(나)
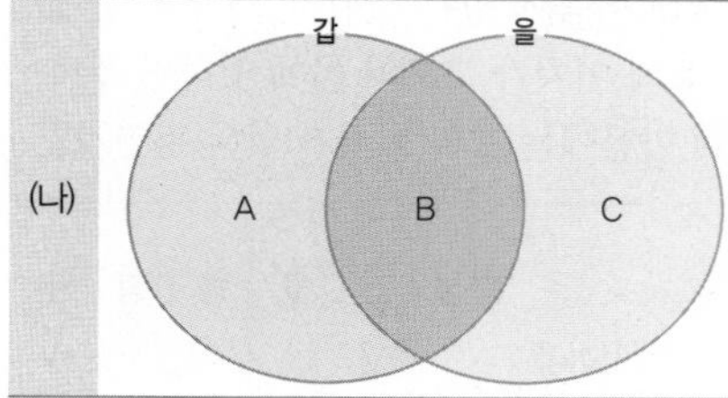


① A: 맹자의 성선설을 계승하였다.
② A: 천리를 보존하고 인욕을 제거해야 한다.
③ B: 사물의 이치를 깨닫기 위한 공부가 반드시 필요하다.
④ C: 마음이 모든 도덕 판단의 준거이다.
⑤ C: 앎과 실천 사이에는 선후(先後)가 있다.

## 실력 굳히기

**09** 다음과 같이 주장한 동양 사상가 갑, 을의 입장을 〈보기〉에서 골라 옳게 연결한 것은?

> 갑: 격물의 격이란 '바르게 한다(正)'는 것이며, 격물이란 그 마음의 바르지 못함을 바로잡는 것이다.
> 을: 격물치지는 사물에 나아가 사물의 이치를 궁구하는 것이다. 그러므로 공부하는 사람은 천하의 모든 사물에 나아가 이미 알고 있는 이치를 실마리로 하여 계속 궁구함으로써 지극한 데까지 이르도록 노력해야 한다.

**보기**

| | | 격물치지는 내 마음의 양지를 사물에 이르게 하는 것인가? | |
|---|---|---|---|
| | | 예 | 아니요 |
| 앎과 실천에는 선후 관계가 있는가? | 예 | A | B |
| | 아니요 | C | D |

| | 갑 | 을 | | 갑 | 을 |
|---|---|---|---|---|---|
| ① | A | B | ② | B | C |
| ③ | C | A | ④ | C | B |
| ⑤ | D | A | | | |

**10** 다음과 같이 주장한 동양 사상가의 관점에만 모두 'V'를 표시한 학생은?

> 격물치지는 내 마음의 양지가 모든 사물에 이르는 것이다. 각각의 사물에서 이치를 구하는 것은 부모에게서 효의 이치를 구하는 것과 같다. 부모에게서 효의 이치를 구한다면 효의 이치는 내 마음에 있는 것인가, 부모의 몸에 있는 것인가? 만약 효의 이치가 부모의 몸에 있다면 부모가 돌아가신 뒤의 내 마음에는 효의 이치가 없는 것인가?

| 관점 \ 학생 | 갑 | 을 | 병 | 정 | 무 |
|---|---|---|---|---|---|
| 양지는 후천적으로 길러지는 것이다. | V | | | V | V |
| 도덕 법칙은 마음 밖에서는 존재할 수 없다. | V | V | V | | |
| 양지란 시비와 선악을 즉각적으로 가려낼 수 있는 능력이다. | | V | | | V |
| 선후를 따지면 앎이 앞서고, 경중을 따지면 실천이 중요하다. | | | V | V | V |

① 갑 ② 을 ③ 병 ④ 정 ⑤ 무

**11** 다음과 같이 주장한 한국 사상가의 입장에 대한 옳은 설명만을 〈보기〉에서 있는 대로 고른 것은?

> '이'는 '기'의 주재자로서, '기'를 명령할 뿐 '기'에 구속되지는 않는다. 그러므로 '이'와 '기'를 섞어서 일물(一物)이라고 할 수 없는 것이다.

**보기**

ㄱ. 경(敬)을 통해 참된 이치인 성(誠)에 이를 것을 강조하였다.
ㄴ. 경(敬)의 실천 방법으로 주일무적, 정제엄숙, 상성성을 제시하였다.
ㄷ. 이(理)는 보편적, 기(氣)는 특수한 것이라는 '이통기국'을 주장하였다.
ㄹ. 이(理)의 운동성과 자발성을 인정하여 이(理)를 기(氣)보다 우위에 두었다.

① ㄱ, ㄴ ② ㄱ, ㄹ ③ ㄴ, ㄹ
④ ㄷ, ㄹ ⑤ ㄴ, ㄷ, ㄹ

**12** 갑, 을은 한국 사상가들이다. 을이 갑에게 제기할 수 있는 비판으로 가장 적절한 것은?

> 갑: 사단은 '이'가 발하여 '기'가 이를 따른 것이요, 칠정은 '기'가 발하여 '이'가 탄 것입니다.
> 을: 본연지성과 기질지성은 각각의 성이 아닙니다. 기질상에 나아가 단지 그 '이'만을 가리켜 말하면 본연지성이고, '이'와 기질을 합하여 말하면 기질지성입니다.

① '이'의 자발적인 운동성을 간과한다.
② '이'와 '기'는 서로 섞일 수 없음을 간과한다.
③ 사단과 칠정이 발생하는 연원이 다르지 않음을 간과한다.
④ '기'가 발하여 거기에 '이'가 타고 있다는 주장은 옳지 않다.
⑤ 사단은 마음의 '이'가 직접 발동한 것으로 순수한 선임을 인정해야 한다.

**13** (가)의 한국 사상가 갑, 을의 입장을 (나) 그림으로 탐구하고자 할 때, A~C에 들어갈 옳은 질문을 〈보기〉에서 고른 것은?

(가)
갑: 말할 때도 경(敬)해야 하고 움직일 때도 경해야 할 것이며, 앉아 있을 때도 경해야 하니 잠깐이라도 경을 버릴 수 없다.
을: '이'는 근본 원리이므로 모든 만물에 통하고 '기'는 맑고 흐림, 순수함과 섞임이 저마다 다르다. '이'는 보편성, '기'는 특수성으로 이통기국은 보편성과 특수성의 오묘한 결합을 뜻한다.

(나)
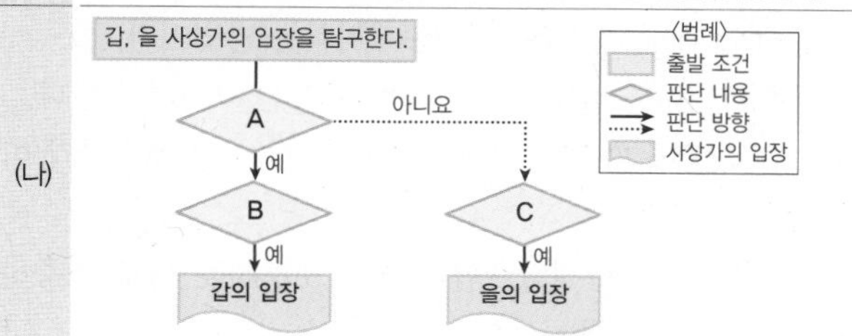


보기
ㄱ. A: 사람의 마음속에 인의예지의 덕이 성(性)으로 부여되어 있는가?
ㄴ. B: 사단은 '이'가 드러난 순선한 선이고, 칠정은 선악의 가능성이 모두 있는 감정인가?
ㄷ. B: 사단과 칠정은 근원이 다른 것이 아니라 '기'가 맑고 흐린 것에 차이점이 있는가?
ㄹ. C: 경(敬)이 아니면 몸을 주재하는 마음을 단속할 수 없고 성(誠)이 아니면 천리의 본연을 보존할 수 없는가?

① ㄱ, ㄴ ② ㄱ, ㄷ ③ ㄴ, ㄷ
④ ㄴ, ㄹ ⑤ ㄷ, ㄹ

**14** 다음과 같이 주장한 한국 사상가의 입장으로 옳지 <u>않은</u> 것은?

인간에게는 선악을 선택할 수 있는 자주지권이 있습니다. 따라서 인의예지의 이름은 행한 뒤에 이루어집니다. 사람을 사랑한 뒤에 인(仁)하다고 하지, 사람을 사랑하기 전에 어찌 '인'하다고 할 수 있겠습니까? 인의예지는 선택과 실천을 통해 이루어가는 것입니다.

① 동물과 인간은 모두 형구의 기호를 가진다.
② 인간의 본성은 어떤 것을 지향하는 기호이다.
③ 기호는 형구의 기호와 영지의 기호로 분류된다.
④ 동물과 인간은 생득적 능력이 동일한 존재이다.
⑤ 사람은 자율적 존재이며, 도덕 행위에 책임을 져야 하는 존재이다.

**15** 다음과 같이 주장한 한국 사상가의 입장을 〈보기〉에서 있는 대로 고른 것은?

사람의 잉태가 이루어지면, 하늘이 영명하고 형상이 없는 실체를 부여한다. 그 실체라는 것은 선을 즐거워하고 악을 미워하며 덕을 좋아하고 욕됨을 부끄러워하니, 이를 성이라고 한다. 덕은 곧은 마음을 행하는 것이다. 행하지 않는다면 덕이 있을 수 없다.

보기
ㄱ. 덕은 우리 심성에 이미 내재된 것으로 덕을 확충하여 살아가야 한다.
ㄴ. 인간은 선을 좋아하고 악을 미워하는 기호인 형구의 기호를 가진다.
ㄷ. 인간은 하늘로부터 선이나 악을 선택할 수 있는 자주지권을 부여받은 존재이다.
ㄹ. 인간의 도덕적 본성은 우주 자연의 원리인 '이'로서, 성에는 '이'가 갖추어져 있다.

① ㄱ ② ㄷ ③ ㄴ, ㄷ
④ ㄷ, ㄹ ⑤ ㄱ, ㄴ, ㄹ

**16** 갑은 중국 사상가, 을은 한국 사상가이다. 갑, 을의 입장에 대한 옳은 설명만을 〈보기〉에서 있는 대로 고른 것은?

갑: 마음이 성(性)과 정(情)을 주재하고 포괄하며, 성이 발하여 정이 된다. 성은 구체적으로 인의예지의 사덕이며, 정은 순선한 사단과 선악의 가능성을 모두 지닌 칠정이다.
을: 사단은 인의예지의 근본이므로 여기서부터 공부를 시작하여 확충해야 한다. 즉, 사덕은 본래부터 타고난 것이 아니라 형성되는 것이다.

보기
ㄱ. 갑은 사단에 선악이 함께 존재한다고 본다.
ㄴ. 을은 지속적인 수양을 통해 사단이 형성된다고 본다.
ㄷ. 갑은 을과 달리 '이'와 '기'로 사단과 칠정을 설명한다.
ㄹ. 갑, 을은 공통적으로 인간은 육체적이고 감각적인 것을 좋아하는 기호인 형구의 기호를 지닌다고 본다.

① ㄱ ② ㄷ ③ ㄱ, ㄷ
④ ㄱ, ㄴ, ㄹ ⑤ ㄴ, ㄷ, ㄹ

**17** 중국 사상가 갑, 한국 사상가 을 모두가 질문에 대하여 바르게 대답한 것은?

> 갑: 배가 고프면 먹을 것을 찾는 것은 날 때부터 그런 것이니 우왕과 걸왕이 다르지 않다. 성(性)은 주어진 것이어서 배우거나 일삼을 수 없으나, 예의(禮義)는 성인이 만든 것이어서 배워서 할 수 있고 일삼아서 이룰 수가 있다.
> 을: 배가 고프면 먹을 것을 찾는 것은 사람과 짐승이 다를 것이 없다. 기질(氣質)의 성은 사람과 짐승이 모두 지닌 것이고, 도의(道意)의 성은 사람에게만 있다. 하늘은 사람에게 덕을 좋아하고 선을 선택할 수 있는 능력을 주었다.

| | 질문 | 대답 | |
|---|---|---|---|
| | | 갑 | 을 |
| ① | 사람의 성과 동물의 성은 다른가? | 아니요 | 아니요 |
| ② | 사람의 삶은 고통으로 가득 차 있는가? | 예 | 아니요 |
| ③ | 사람의 성은 악하지만 선을 행할 수도 있는가? | 아니요 | 예 |
| ④ | 불인인지심과 사단을 통해 사람의 본성을 알 수 있는가? | 아니요 | 예 |
| ⑤ | 사람의 본성은 선을 좋아하고 악을 부끄러워하는 경향인가? | 아니요 | 예 |

**18** 다음 동양 사상의 관점에만 모두 '∨'를 표시한 학생은?

> 사람의 삶을 있는 그대로 바라보면 한 마디로 괴로움[苦]이다. 이는 애욕(愛慾)과 무명(無明)으로 인해 일어난 행동의 결과이다. 이것이 생(生)하면 저것이 '생'하고, 이것이 멸(滅)하면 저것이 '멸'한다.

| 관점 \ 학생 | 갑 | 을 | 병 | 정 | 무 |
|---|---|---|---|---|---|
| 사욕을 극복하고 '예'를 회복한다. | ∨ | | ∨ | | |
| 인연생기를 깨달아 자비를 실천한다. | | | ∨ | ∨ | ∨ |
| 문명을 거부하고 자연의 흐름을 따른다. | | ∨ | | | ∨ |
| 존재에 대한 집착은 고통의 원인이 된다. | | | | ∨ | ∨ |

① 갑 ② 을 ③ 병 ④ 정 ⑤ 무

**19** 다음 동양 사상에 대한 설명으로 옳은 것은?

> 이것이 있음으로써 저것이 있고, 이것이 일어남으로써 저것이 일어난다. 이것이 없으면 저것도 없고 이것이 없어지면 저것도 없어진다.

① 모든 존재는 영원하고 고정적이다.
② 존재에 대한 집착은 고통을 제거하는 방법이다.
③ 유아(有我)를 철저히 인식하여 이기심을 버려야 한다.
④ 인드라망에 따르면 개인은 서로 관계가 없으며 각각 따로 존재한다.
⑤ 연기의 법칙을 깨달으면 자기도 소중하듯 남도 소중하다는 사실을 깨닫는다.

**20** ㉠~㉢에 대한 옳은 설명만을 〈보기〉에서 있는 대로 고른 것은?

> 석가모니는 ㉠ 인간의 현실적 삶의 모습은 어떠하며, ㉡ 거기에서 벗어나는 방법은 무엇인지를 고민하던 끝에 출가하여, 보리수 아래에서 ㉢ 진리를 깨우침으로써 불타가 되었다.

보기
ㄱ. ㉠은 현실 자체가 고통인 고성제로 설명할 수 있다.
ㄴ. ㉡에는 팔정도와 삼학이 있다.
ㄷ. ㉡을 위해 중도(中道)를 따라 수행해야 한다.
ㄹ. ㉢은 현상계의 모든 사물이 무상이라는 것을 파악한 무명과 애욕으로 가능하다.

① ㄱ, ㄷ ② ㄱ, ㄹ ③ ㄴ, ㄹ
④ ㄱ, ㄴ, ㄷ ⑤ ㄴ, ㄷ, ㄹ

## 21 다음 동양 사상에 대한 설명으로 옳지 않은 것은?

- 나는 나 자신을 진리 속에 둘 것이며, 그래서 모든 세상 사람이 도움을 받을 수 있도록 나는 모든 중생을 진리 속에 있게 할 것이며, 또 모든 무한한 세계의 중생을 열반으로 인도할 것이다.
- 보살도 이와 같이 모든 중생을 아들처럼 사랑하기 때문에 중생이 병들면 보살이 병들고 중생의 병이 나으면 보살도 낫습니다. 보살의 병은 대비(大悲) 때문에 생깁니다.

① 보살은 여섯 가지 바라밀을 실천해야 한다.
② 사회와 분리된 엄격한 종교성과 개인의 해탈을 강조한다.
③ 내가 내 것을 누구에게 주었다는 생각조차 버리는 보시를 행해야 한다.
④ 나에 대한 이기적인 집착을 버리는 공(空)을 철저히 깨닫고 실천하는 것을 중요시한다.
⑤ 자신을 큰 수레로 자처하여 자비를 실천하고자 깨달음을 구하는 보살의 높은 이상을 추구해야 한다.

## 22 다음 동양 사상의 입장만을 〈보기〉에서 있는 대로 고른 것은?

이것들은 다만 식(識)일 뿐이다. 존재하지도 않는 대상이 나타난 것이기 때문이다. 예를 들면, 눈병이 걸린 사람에게 존재하지도 않는 머리카락이나 달 등이 보이는 것과 같다.

보기

ㄱ. 눈에 보이는 대상은 실체로서 존재하는 것이다.
ㄴ. 불변의 본질을 가진 객관적 현상은 존재하지 않는다.
ㄷ. 모든 현상은 오직 마음의 작용이며, 마음을 떠나서는 존재할 수 없다.
ㄹ. 모든 것은 마음이 만든 허상이지만, 진리를 깨닫는 마음은 존재한다.

① ㄱ ② ㄱ, ㄷ ③ ㄷ, ㄹ
④ ㄱ, ㄴ, ㄹ ⑤ ㄴ, ㄷ, ㄹ

## 23 (가)의 한국 불교 사상가 갑, 을의 입장을 (나) 그림으로 탐구할 때, A~C에 들어갈 옳은 질문을 〈보기〉에서 고른 것은?

(가)

갑: 교(敎)를 배우는 사람은 대개 안을 버리고 밖에서 구하려는 경향이 강하고, 반면에 선(禪)을 익히는 사람은 밖의 대상을 잊고 안으로만 파고들기를 좋아한다. 그러나 이 둘은 모두 치우친 집착으로서 두 변에 갇힌 것이다.

을: 불도(佛道)는 넓고 탕탕하여 걸림이 없고 범주가 없다. 영원히 의지하는 바가 없기에 타당하지 않음이 없다. 이 때문에 일체의 다른 교의가 모두 다 불교의 뜻이요, 백가의 설이 옳지 않음이 없으며, 팔만의 법문이 모두 이치에 들어간다.

(나)

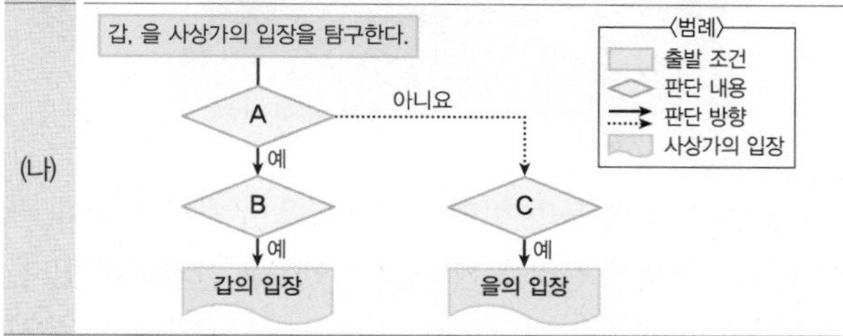


보기

ㄱ. A: 돈오점수와 정혜쌍수를 주장하는가?
ㄴ. A: 대립하는 불교 종파 간의 갈등을 화해시켜야 하는가?
ㄷ. B: 교종인 천태종을 중심으로 교종과 선종의 조화를 모색하는가?
ㄹ. C: 일체의 모든 이론은 일심을 바탕으로 한 것인가?

① ㄱ, ㄴ ② ㄱ, ㄷ ③ ㄴ, ㄷ
④ ㄴ, ㄹ ⑤ ㄷ, ㄹ

## 24 다음은 한국 불교 사상가의 글이다. 이 사상가의 수양 방법인 (가), (나)에 대한 설명으로 옳은 것은?

(가) 마음 밖에서 부처를 찾아 이리저리 헤매다가 스승의 가르침을 받고 바른 길에 들어 한 생각에 문득 마음의 빛을 돌이켜 자기 본성을 본다.
(나) 깨달음에 의지해 닦고 차츰 익혀서 공이 이루어지고 성인의 모태 기르기를 오래하면 성(聖)을 이루게 된다.

① (가)는 점수를 말하고 (나)는 돈오를 뜻한다.
② (가)는 오랫동안 쌓인 무명의 습기를 제거하기 위함이다.
③ (나)는 참 자아를 그대로 보는 것이다.
④ (나)를 위해 정과 혜를 같이 닦아야 한다.
⑤ (나)에서는 경전 공부가 마음 공부보다 우선시된다.

**25** 갑이 을에게 제기할 수 있는 비판으로 가장 적절한 것은?

진정한 진리는 경전의 가르침 외에 별도로 전해 내려오는 훌륭한 스승의 가르침이야.
아니야. 경전에서 말하는 진리가 진정한 것이야. 경전에 나온 훌륭한 보살의 점진적인 수행을 보면 돼.
갑
을


① 본성을 보려면 불경 번역이 필요함을 무시하고 있다.
② 문자를 익혀야 진리를 깨달을 수 있음을 간과하고 있다.
③ 체계적인 이론을 바탕으로 경전을 이해해야 함을 무시하고 있다.
④ 진리는 마음에서 마음으로 가르침을 주고받아야 함을 간과하고 있다.
⑤ 깨달음을 얻기 위해서는 교(敎)와 관(觀)이 어우러져야 함을 간과하고 있다.

**26** 다음과 같이 주장한 고대 동양 사상가의 입장을 〈보기〉에서 고른 것은?

> 성인(聖人)의 정치는 백성들의 마음을 비우게 해 주고, 그 배를 채워 주며, 그 뜻을 약하게 해 주고, 그 뼈를 튼튼하게 해 주는 것이다. 항상 백성들로 하여금 앎이 없고, 욕심이 없게 하여, 저 아는 자로 하여금 감히 손댈 수 없게 하는 것이다. 이와 같은 무위를 행하기만 하면 다스려지지 않는 경우가 없게 된다.

**보기**
ㄱ. 이 세상의 모든 것은 괴로움이다.
ㄴ. 자연을 본받은 도를 따라야 평안한 삶을 살 수 있다.
ㄷ. 일체의 인위적인 것을 버리고 무위의 덕을 행해야 한다.
ㄹ. 도는 만물의 법칙으로서 인간 사회에서 지켜야 할 당위 규범으로서 기능한다.

① ㄱ, ㄴ ② ㄱ, ㄷ ③ ㄴ, ㄷ
④ ㄴ, ㄹ ⑤ ㄷ, ㄹ

**27** (가)를 주장한 고대 동양 사상가의 입장에서 (나)의 물음에 제시할 답변으로 옳은 것은?

> (가) 도로써 사물을 보면 사물들 사이에 귀천이 없으나, 사물의 관점에서 사물을 보면 자기를 귀하다고 하고 상대편을 천하다고 한다. 만물은 한결같이 평등한 것이니, 어느 것이 못하고 어느 것이 더 나은가?
> (나) 사물을 평가할 수 있는 절대적 기준은 무엇인가?

① 내 마음이 곧 네 마음이라는 오심즉여심이 기준이다.
② 나라를 돕고 백성을 편안하게 하는 보국안민이 기준이다.
③ 도의 관점에서 보면 모두가 평등하므로 절대적인 기준은 없다.
④ 하늘로부터 부여받은 천리로서의 본성을 보존하기 위한 존천리거인욕이 기준이다.
⑤ 세상을 다스리는 데에 실질적 이익을 줄 수 있는 것이 중요하므로 실질적 이익이 기준이다.

**28** 다음 동양 사상가의 주장만을 〈보기〉에서 있는 대로 고른 것은?

> 오리의 다리가 짧다고 하여 길게 늘여 주어도 괴로움이 따르고, 학의 다리가 길다고 하여 잘라 주어도 아픔이 따른다. 그러므로 본래 긴 것은 자를 것이 아니며, 본래 짧은 것은 늘일 것이 아니다. 두려워하거나 괴로워할 까닭이 없다.

**보기**
ㄱ. 세속적 가치를 초월한 소요의 경지를 추구해야 한다.
ㄴ. 누구나 좌망을 통해 도(道)를 개념적으로 이해할 수 있다.
ㄷ. 외물에 얽매이지 말고 절대 자유의 경지를 추구해야 한다.
ㄹ. 일체의 차별에서 벗어나 사물의 자연스러운 본성을 존중해야 한다.

① ㄱ, ㄴ ② ㄴ, ㄹ ③ ㄷ, ㄹ
④ ㄱ, ㄴ, ㄷ ⑤ ㄱ, ㄷ, ㄹ

**29** **다음과 같이 주장한 동양 사상 (가), (나)의 공통점으로 가장 적절한 것은?**

> (가) 사람은 땅을 본받고 땅은 하늘을 본받고 하늘은 도를 본받고 도는 자연을 본받는다.
> (나) 선인(仙人)은 약물과 수련법으로 생명을 기르고 정신을 단련하여, 몸에 병이 생기지 않고 근심거리가 침범치 못하게 한다. 신선의 도는 지극히 높고 오묘하지만, 진실로 그 도리를 알면 불로장생도 어려운 일이 아니다.

① 세속적 가치를 추구하는 삶의 자세를 강조한다.
② 교단과 교리 체계를 갖추고 현세적인 길과 복을 추구한다.
③ 인간의 정신과 육체를 수련하는 내단(內丹)에 집중한다.
④ 우주 자연의 근원으로서 도를 중심으로 이론과 실천 방법을 전개한다.
⑤ 소극적으로는 생명을 유지하는 불사, 적극적으로는 자유롭게 생명력을 펼치는 신선을 추구한다.

**30** **다음 한국 사상의 입장에서 〈사례〉의 견해에 대한 평가로 적절한 것만을 〈보기〉에서 있는 대로 고른 것은?**

> 옛날, 환인의 아들인 환웅은 하늘 아래에 자주 뜻을 두고서 인간 세상을 탐내어 구하였다. 아버지가 아들의 뜻을 알고서 내려다보니 삼위태백이 인간을 널리 이롭게 할 수 있어 천부인 셋을 주며 내려가서 다스리도록 하였다.
>
> 〈사례〉
>
> 인간은 자연의 사용자 및 해석자로서 자연의 질서에 관해 실제로 관찰하고, 고찰한 것만큼 무엇인가를 할 수 있다.

**보기**

ㄱ. 천인합일 사상에 따라 자연을 파괴할 수 없음을 간과한다.
ㄴ. 지식을 부여받은 인간이 자연보다 우월함을 무시한다.
ㄷ. 내세에서의 행복한 삶을 위해 자연의 질서를 지켜야 함을 무시한다.
ㄹ. 하늘은 존경의 대상이며, 인간은 자연의 사용자로 볼 수 없음을 간과한다.

① ㄱ, ㄴ ② ㄱ, ㄹ ③ ㄴ, ㄹ
④ ㄷ, ㄹ ⑤ ㄴ, ㄷ, ㄹ

**31** **㉠, ㉡에 알맞은 이상적 인간상을 옳게 연결한 것은?**

> • [ ㉠ ]은/는 자신을 수양하고 다른 사람을 편안하게 해준다. [ ㉠ ]의 도는 세 가지이다. 어진 사람은 근심하지 않고, 지혜로운 사람은 미혹되지 않고, 용기 있는 사람은 두려워하지 않는다.
> • [ ㉡ ]은/는 자신의 깨달음과 중생의 구제를 함께 추구하는 인간이다. 대승 불교에서는 [ ㉡ ]이/가 열반에 이르기 위해 실천해야 할 육바라밀을 제시하였다.

| | ㉠ | ㉡ | | ㉠ | ㉡ |
|---|---|---|---|---|---|
| ① | 군자 | 진인 | ② | 군자 | 보살 |
| ③ | 신인 | 군자 | ④ | 보살 | 지인 |
| ⑤ | 지인 | 신인 | | | |

**32** **(가)의 근대 한국 사상가 갑, 을의 입장을 (나) 그림으로 탐구할 때, A~C에 들어갈 옳은 질문을 〈보기〉에서 고른 것은?**

(가)
갑: 대개 동양인들은 형이상[道]에 밝은 반면, 서양인들은 형이하[器]에 밝다. 동양의 '도'로써 서양의 '기'를 행한다면 지구의 오대주는 평정할 것도 없다.
을: 서로 화친할 수 없음은 내 나라 사람의 주장이고, 서양과 화친함은 적국 사람의 주장이다. 전자는 옛 문물과 제도를 보전할 수 있지만 후자를 따르면 금수의 나라가 될 것이다.

(나)
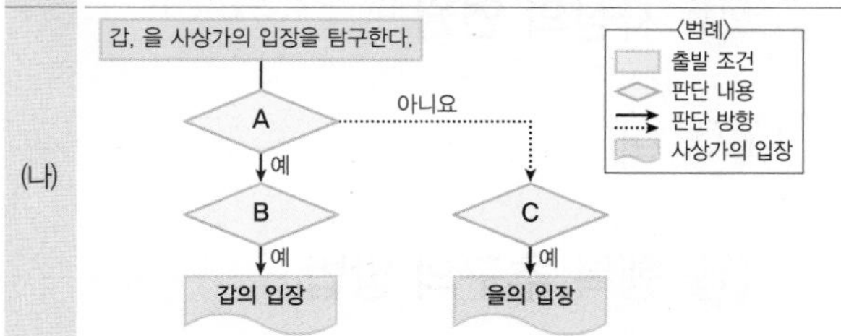


**보기**

ㄱ. A: 성리학적 가치관을 지향하는가?
ㄴ. B: 백성들의 삶에 도움이 되는 서양의 기술을 수용하고자 하는가?
ㄷ. C: 서양의 사상과 문물을 배척하고자 하는가?
ㄹ. C: 불평등, 부조리가 끝난 후천 세계가 도래할 것을 강조하는가?

① ㄱ, ㄴ ② ㄱ, ㄷ ③ ㄴ, ㄷ
④ ㄴ, ㄹ ⑤ ㄷ, ㄹ

# 서양 윤리 사상

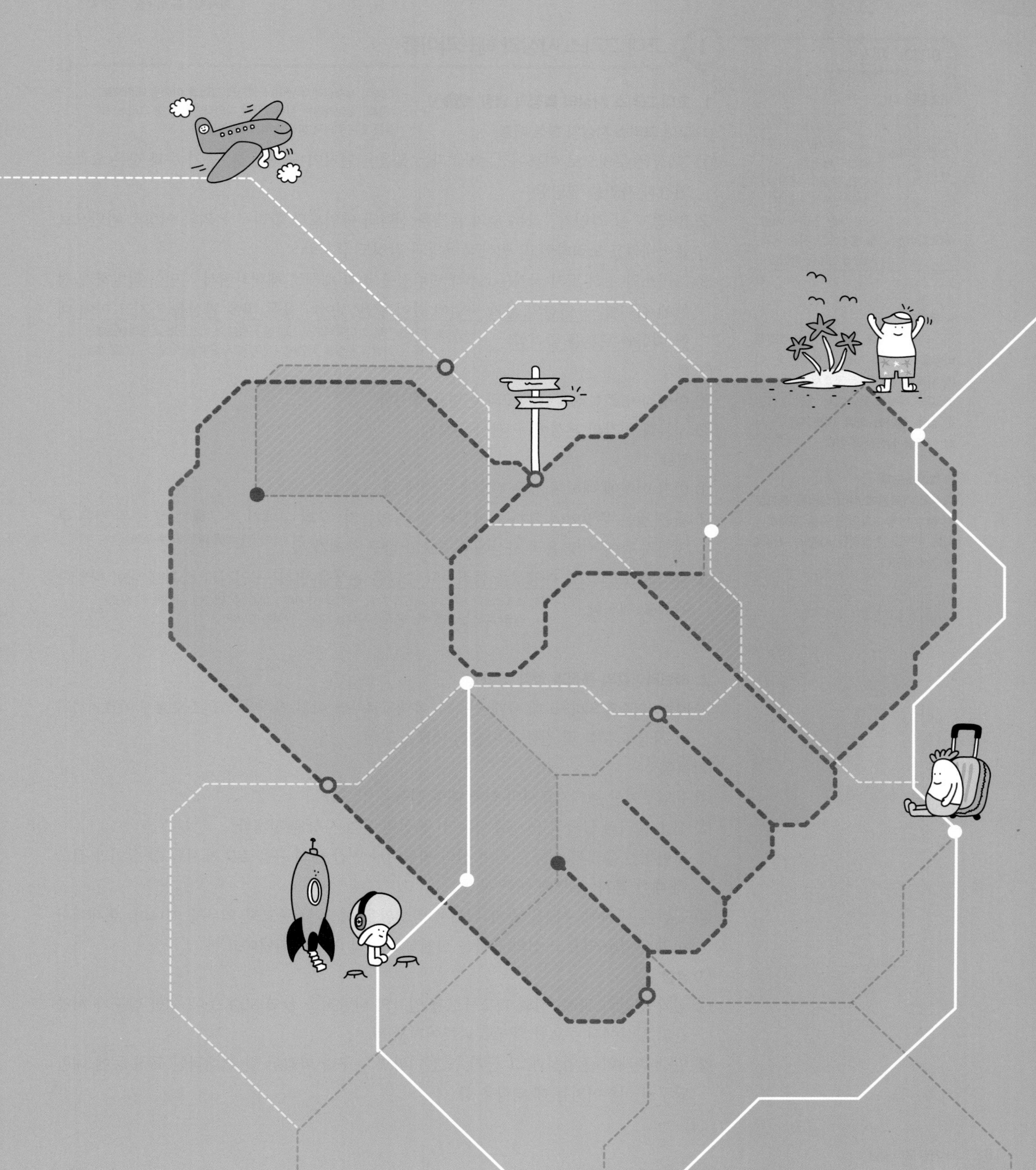

# 01 사상의 연원

**학습목표**

- 고대 그리스 사상과 헤브라이즘을 중심으로 서양 윤리 사상의 연원을 이해할 수 있다.
- 윤리적 상대주의와 윤리적 보편주의의 특징을 파악할 수 있다

**이것이 핵심!**

서양 윤리 사상의 연원

| | |
|---|---|
| 고대 그리스 사상 | • 이성과 경험을 바탕으로 바람직한 삶이 무엇인지 탐구함<br>• 인간 중심의 윤리 사상의 전통을 확립함 |
| 헤브라이즘 | 신에 대한 믿음과 사랑을 중심으로 하는 윤리 사상의 전통을 확립함 |

* **유대교**
이스라엘의 민족 종교로 신본주의에 바탕을 둔 윤리 사상을 제시한다. 이에 따르면 인간은 신에게서 받은 계명에 따라 세속적 욕망에서 벗어나 경건한 삶을 살아야 하며, 이웃 사랑과 사회 정의를 실천해야 한다.

* **그리스도교**
예수의 가르침에 따라 성립된 종교로서 예수는 유대교의 전통을 계승하면서도 민족을 초월하는 사랑의 보편성을 강조하였다.

## 1 고대 그리스 사상과 헤브라이즘

### 1. 고대 그리스 사상의 특징과 영향 자료 ①

신화적 세계관에서 벗어나 인간의 경험과 이성을 바탕으로 세계를 설명하려는 철학자들이 나타나면서 고대 그리스 사상은 인본주의적 성격을 띠게 되었어.

**(1) 고대 그리스 사상의 형성 배경**

① "세상은 무엇으로 이루어졌는가?"라는 물음을 던지며 물, 불, 흙, 공기 등과 같은 요소로 인간과 자연을 설명함

② "어떻게 살 것인가?"라는 삶의 문제를 신탁과 예언보다 합리적 논의와 이성적 판단으로 풀어내려고 노력하였고, 인간적 욕망과 감정도 중시함

③ 그리스의 여러 도시 국가(polis)가 민주정을 정치 체제로 채택하면서 시민이 활발하게 정치에 참여함 → 인간의 삶과 사회에 있어 좋은 것이나 옳은 것에 관심을 가지고 이에 대한 대화와 토론을 즐겨함

잠깐! 이러한 변화에 적극적으로 대응한 사람은 소피스트와 소크라테스였어. 이들은 사람의 관심을 자연에서 인간과 사회로 돌려 윤리 사상을 발전시켰어.

**(2) 특징**

① 이성적이고 합리적인 사고와 논변을 중시함

② 사물과 인간의 본질에 큰 관심을 보임

**(3) 영향**

① 인간 이성에 대하여 깊은 관심을 가지게 됨

② 옳은 것은 무엇이며 그것을 어떻게 알 수 있는지, 우리 삶에서 추구해야 할 좋은 것은 무엇인지 등이 서양 윤리 사상에서 중요한 탐구 주제가 됨

행복을 예로 들 수 있어.

③ 윤리의 보편성 및 다양성을 둘러싸고 수많은 논쟁을 펼침 → 인간과 사회에 대한 다양한 관점을 제시함

VS 소피스트는 윤리가 개인과 지역, 국가와 시대마다 다를 수 있다는 관점을 지녔지만, 소크라테스는 보편적인 윤리와 지식이 있다는 관점을 지녔어.

### 2. 헤브라이즘의 특징과 영향 자료 ②

**(1) 헤브라이즘의 의미**: 고대 유대 민족의 *유대교로부터 이후 전개된 *그리스도교에 이르기까지 그 사상과 문화 및 전통을 아울러 이르는 말임

**(2) 특징**

① 유일무이한 절대자로서의 신에 대한 믿음을 강조함

② 신을 윤리의 궁극적 근거로 삼는 신 중심의 윤리 사상을 전개함

③ 보편적인 윤리적 행동 지침이 신의 명령이자 인간 삶의 규율로서 제시됨 예 살인과 절도에 대한 금지, 부모에 대한 공경

④ 인간은 내세에 구원을 받기 위해 신앙생활을 해야 할 종교적 의무를 지니며, 현세에서 신의 명령을 따르고 신의 사랑을 실천할 도덕적 의무를 지닌다고 봄

**(3) 영향**

① 신과 인간의 관계, 신의 피조물로서 인간의 바람직한 삶의 모습 등에 대한 탐구가 서양 윤리 사상에서 주요한 과제로 다루어지게 됨

② 인간 존재의 존엄성과 그 근거, 인간이라면 누구나 따라야 할 절대적인 규칙 등에 대한 탐구가 이루어지는 데 영향을 줌

# 완자 자료 탐구

내 옆의 선생님

## 자료 1 고대 그리스 사상과 헤브라이즘의 차이점

> 헤브라이즘에서는 세상이 신에 의해 창조되었다고 설명한다. 창조주인 신이 세상을 창조하였으며, 세상 만물은 모두 신의 피조물이라는 것이다. 그리고 세상의 모든 변화는 신의 뜻에 따른 것이라고 설명한다. 반면, 고대 그리스의 자연 철학에서는 신에 대한 언급 없이 세상의 기원을 설명하려고 노력한다. 예를 들어 기원전 6세기에 활동한 철학자 탈레스는 세상 만물의 구성 요소를 탐구하는 데 힘을 기울였다. 이 과정에서 그는 다양한 사물 간에는 차이점이 존재하지만, 그것들 모두에는 어떤 근본적인 유사점이 존재한다는 생각, 즉 다자(the Many)는 일자(the One)와 연관되어 있다는 생각을 제시하였다. 모든 물질적 실재의 근저에는 몇 개의 단일 요소, 즉 그 자체의 행동이나 변화의 원칙을 내포하는 어떤 재료가 존재한다는 것이다. 그는 그 일자가 물[水]이라고 결론 내린다. – 새뮤얼 이녹 스텀프·제임스 피저, 『소크라테스에서 포스트모더니즘까지』

고대 그리스의 윤리 사상과 헤브라이즘의 윤리 사상은 서양 윤리 사상의 주요 원천이다. 고대 그리스 사상은 자연에 대한 관심에서 출발하였다. 자연에 대한 탐구는 경험적 다양성을 넘어서 합리적 보편성을 추구함으로써 서양 윤리 사상의 원천이 되었다. 한편, 신에 대한 믿음을 강조하는 헤브라이즘에서는 세상이 신에 의해 창조되었다고 본다. 헤브라이즘은 훗날 그리스도교가 서양 문명에서 중요한 위치를 차지하면서 서양 윤리 사상의 형성과 발전에 많은 영향을 끼쳤다.

예 '남에게 대접받고 싶은 대로 너희도 남을 대접하라.'라는 예수의 가르침은 황금률로 불리며, 오늘날에도 우리에게 가르침을 주고 있어.

## 자료 2 '축의 시대'와 윤리 사상의 적용

> 어느 세대나 자기 시대가 역사의 전환점이라고 믿겠지만, 우리 시대의 문제들은 특히 다루기가 어렵고 미래는 점점 불확실해지고 있다. 이제 우리는 땅을 성스럽게 여기지 않고 단순하게 '자원'으로 보기 때문에 환경 재앙이 닥칠 위험에 처해 있다. 뛰어난 과학 기술적 재능에 뒤처지지 않는 어떤 정신적 혁명이 없으면, 이 행성을 구하지 못할 것 같은 느낌이 든다. 이러한 곤경에서 우리는 독일의 철학자 야스퍼스(Jaspers, K.)가 '축의 시대'라고 부른 시기에서 영감을 얻을 수 있다. 이 시기는 인류의 정신적 발전의 중심축을 이루었다. 대략 기원전 900년부터 기원전 200년 사이에 세계의 네 지역에서 이후 인류의 정신에 자양분이 될 위대한 전통이 탄생하였다. 중국의 유교와 도가, 인도의 힌두교와 불교, 이스라엘의 유일신교, 그리고 그리스의 철학적 합리주의가 그것이다. …… 축의 시대의 선구자들은 다른 사람들이 건물을 지을 수 있는 토대를 닦았다. 그 결과 각 세대는 이들이 제시한 통찰을 자신의 독특한 환경에 맞추려고 노력했는데, 이것은 바로 오늘날 우리의 과제이기도 하다. – 카렌 암스트롱, 『축의 시대』

독일의 철학자 야스퍼스는 인류의 정신적 발전이 있었던 시기를 '축의 시대'라고 불렀다. 이 시기에 탄생한 위대한 사상적 전통은 동서양 문화의 기초를 다졌다. 대표적으로 서양 윤리 사상의 두 원천인 고대 그리스 사상과 헤브라이즘은 '우리가 어떻게 살아야 하는가?', '무엇을 해야 하는가?'와 같은 물음을 던지고 답을 찾는 과정에서 중요한 이론적 배경이 되고 있다. 오늘날 인류는 환경 문제의 심각성 등을 포함한 다양한 문제들을 안고 있다. 이러한 상황 속에서 우리는 고대 사상들이 닦아 놓은 기초들을 오늘날의 상황에 맞게 활용하는 지혜를 발휘하여 위기를 극복해 나가야 한다.

### 자료 하나 더 알고 가자!

**자연에 대한 관심에서 출발한 고대 그리스 사상**

- "만물의 근원은 물이다." – 탈레스
- "만물의 근원은 숫자와 관련이 있다." – 피타고라스
- "만물의 근원은 물, 불, 흙, 공기의 4원소로 구성되어 있다." – 엠페도클레스
- "만물은 더 이상 나눌 수 없는 여러 원자로 구성되어 있다." – 데모크리토스

소크라테스 이전 대부분의 그리스 사상가들은 자연의 다양한 현상을 보편적인 원리나 근원적인 요소를 통해 설명하고자 했다는 점에서 자연 철학자로 일컬어진다.

### 문제로 확인할까?

**고대 그리스 사상에 관한 내용으로 옳지 않은 것은?**

① 이성적 사고 중시
② 합리적 논변 강조
③ 신에 대한 믿음 강조
④ 인간의 본질에 대한 관심
⑤ 옳은 것에 대한 탐구 중시

답 ③

# 01 사상의 연원

## 2 규범의 다양성과 보편 도덕

**이것이 핵심!**

**윤리적 상대주의와 윤리적 보편주의**

| | |
|---|---|
| 윤리적 상대주의 | • 특징: 누구에게나 보편타당한 절대적인 진리와 도덕규범은 없다고 봄<br>• 대표 사상가: 프로타고라스, 고르기아스 |
| 윤리적 보편주의 | • 특징: 모든 시대, 사회, 사람을 관통하는 도덕 판단의 기준과 도덕규범이 있고, 이를 따르는 행위는 항상 정당하다고 봄<br>• 대표 사상가: 소크라테스 |

*** 소피스트(Sophist)**
'지혜를 지닌 사람'이라는 뜻으로, 고대 그리스의 여러 도시 국가를 다니면서 교양이나 수사학을 가르치는 일을 직업으로 삼았던 사람들을 가리킨다. 소피스트들은 상대주의적 윤리관을 바탕으로 현실의 삶에서 세속적 성공을 추구하였다.

*** 주지주의(主知主義)**
삶과 행동에서 앎을 중요시하는 태도로서 인간의 감정이나 욕구보다는 이성이나 이론, 사유 등 지적인 것을 중시한다.

*** 덕(德)**
특정 기능이나 역할에서 나타나는 탁월성을 덕이라고 한다. 소크라테스에 따르면 덕은 상황이나 시대에 따라 달라지지 않는 보편적인 것으로, 지혜·용기·절제·정의·경건과 같은 덕을 실천하려면 참된 지식이 있어야 한다.

*** 산파술**
산파는 산모가 아이를 낳을 때 도움을 주는 사람을 말한다. 소크라테스는 상대방과 묻고 답하는 문답법을 통해 비판적 사고 과정을 이끌어 주는 역할을 하였다.

### 1. 윤리적 상대주의와 소피스트의 윤리 사상

— 소피스트의 윤리 사상은 경험주의와 쾌락주의, 그리고 실용주의 등에 영향을 주었어.

**(1) 윤리적 상대주의의 특징**

① 고대 그리스에서 활동했던 *소피스트들이 본격적으로 주장함

② 누구에게나 보편타당한 절대적인 진리와 도덕규범은 없다고 봄 자료③

③ 바람직한 삶의 태도와 방식에 관해 사람마다 의견이 다르며, 공동체의 법과 관습, 윤리적 원칙도 사회나 시대마다 달라서 모두 상대적일 뿐이라고 여김

**(2) 대표적인 소피스트 사상가**

| | |
|---|---|
| 프로타고라스 | "인간은 모든 것의 척도이다."라고 주장함 → 각 개인의 지각(경험)만이 진리 판단과 도덕 판단의 기준이라고 봄 — 잠깐! 프로타고라스는 실용적 차원에서 공동체의 도덕규범은 옹호하였어. |
| 고르기아스 | "아무것도 없다. 만약 있다고 해도 알 수가 없다. 만약 있고 알 수 있다고 해도 다른 사람에게 분명하게 말할 수 없다."라고 주장함 → 회의주의적 관점에서 보편적이고 절대적인 존재와 진리, 그에 관한 객관적 인식을 부정함 |

꼭! 회의주의는 윤리적 문제에 관해 무엇이 옳고 참된 것인지를 판단하거나 공동체의 합의를 이끌어 내려는 노력이 의미 없다고 보는 관점이기 때문에 윤리적 허무주의에 빠질 위험이 있어.

### 2. 윤리적 보편주의와 소크라테스의 윤리 사상

**(1) 윤리적 보편주의의 특징:** 보편타당한 도덕 판단의 기준과 도덕규범이 있다고 봄

**(2) 소크라테스 윤리 사상의 특징** 교과서 자료

| | |
|---|---|
| 참된 앎(윤리적 *주지주의) | • 인간은 이성을 통해 보편적인 윤리를 파악할 수 있다는 윤리적 보편주의를 주장함<br>• 참된 앎, 즉 보편타당한 절대적 진리와 도덕규범은 존재하며 참된 앎을 지닌 사람은 도덕적인 삶을 살 수 있다고 봄<br>• 비도덕적인 행동의 원인을 무지(無知)에서 찾음 — 꼭! 소크라테스는 알면서도 악을 행한다는 것은 있을 수 없으며, 선을 모르기 때문에 악을 행하는 것이라는 지행합일을 주장하였어. |
| 지덕복 합일설 | • 영혼을 온전하게 가꾸는 일을 인간이 추구해야 할 최상의 과업으로 봄 → 영혼의 덕을 갖추기 위해서는 우선 덕이 무엇인지 알아야 하며, 참된 덕은 지혜에서 성립한다고 봄<br>• 참된 앎을 지닌 사람은 *덕 있는 사람이 되고, 덕이 있는 사람은 행복한 삶을 살게 된다는 지덕복 합일설을 주장함 |
| 성찰하는 삶 자료④ | 자기 자신을 검토하지 않고 영혼을 돌보지 않는 삶은 살 가치가 없다고 하며, 자신의 삶에 대한 반성과 성찰을 중시함 — 영혼에 관하여 스스로 숙고하지 않는 삶은 가치가 없다고 보았어. |
| 문답법(산파술) | 상대가 제시하는 의견에 논리적이고 이성적인 물음을 계속 제기하는 문답법(*산파술)을 사용하여 참된 앎에 다가서고자 함 |

### 3. 윤리적 상대주의와 윤리적 보편주의의 의의와 한계

— 꼭! 윤리적 상대주의의 장점을 인정함과 동시에 보편적 도덕 원리를 확립하여 윤리적 상대주의가 회의주의로 이어지지 않도록 해야 해.

| 구분 | 윤리적 상대주의 | 윤리적 보편주의 |
|---|---|---|
| 의의 | 우리가 서로 다른 개인과 사회의 상이한 도덕규범을 이해하고 관용하는 데 도움을 줄 수 있음 | 다원화 사회에서 나타나는 도덕적 갈등이나 혼란을 극복하는 데 도움을 줄 수 있음 |
| 한계 | • 옳음의 보편적인 기준을 인정하지 않음으로써 가치관의 혼란을 가져올 수 있음<br>• 두 집단에 속해 있는 사람의 경우, 각 집단에서 따르라고 요구하는 도덕규범이 서로 충돌한다면 동일한 도덕 문제를 옳으면서 동시에 옳지 않다고 판단해야 하는 모순적 상황에 놓일 수 있음 | • 윤리적 보편주의는 개인이나 사회가 처한 복잡한 상황이나 특수한 맥락을 충분히 고려하지 못할 수 있음<br>• 윤리적 보편주의가 극단화되어 단일한 가치만을 강조한다면 개인의 자유를 침해하고 사회를 획일화할 수 있음 |

왜? 보편적 도덕 원칙이 존재한다고 보기 때문이야.

# 완자 자료 탐구

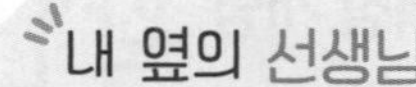

## 자료 3 트라시마코스가 생각하는 정의

법률의 제정에 있어 각 정권은 자기 이익을 목적으로 합니다. 법 제정을 마친 다음에는 권력자들에게 이익이 될 뿐인 법을 통치받는 사람들에게 정의로운 것인 듯 공표합니다. …… 그러니 정의란 실은 더 강한 자 및 통치자의 이익이고, 복종하고 섬겨야 하는 사람들의 입장에서는 해로운 것입니다.

– 플라톤, 『국가』

소피스트 사상가인 트라시마코스에 따르면 통치자와 같은 강한 자들은 오직 자신들의 이익을 추구하기 위하여 법률을 제정하고 사람들에게 공표한다. 그리고 이를 지키지 않는 자들을 정당하지 못한 사람들이라고 취급하고 처벌한다. 이에 따라 트라시마코스는 정의란 강한 자의 이익을 위한 것에 불과하다는 정의관을 제시하였다.

**문제로 확인할까?**

**소피스트에 대한 설명으로 옳은 것은?**

① 무지의 자각을 강조한다.
② 지덕복 합일설을 내세운다.
③ 윤리적 상대주의를 주장한다.
④ 보편타당한 도덕규범이 있음을 인정한다.
⑤ 참된 앎에 다가서는 방법으로 문답법을 강조한다.

답 ③

## 수능이 보이는 교과서 자료 프로타고라스에 대한 소크라테스의 비판

각자가 지각을 통해 판단하는 것이 옳고, 다른 사람이 지각한 바를 더 잘 판별하는 것도 아니요, 다른 사람의 판단이 옳은지 그른지를 검토하는 데 있어서 당사자보다 더 권위가 있는 것도 아니라면, 도대체 어떻게 프로타고라스가 다른 사람들의 교사가 되어 엄청난 보수를 받는 것이 정당하다고 할 수 있겠는가? …… 앎이란 경험들 속에 있는 것이 아니라네. 앎이란 그 경험들과 관련된 추론 속에 있는 것이라네.

– 플라톤, 『테아이테토스』

소피스트 사상가인 프로타고라스는 세상 모든 것에 대한 판단은 각 개인의 기준에 따를 뿐이라고 주장하였다. 이에 대해 소크라테스는 보편타당한 도덕규범은 존재하며, 인간은 이성을 통해 이를 파악할 수 있다고 반박하였다. 또한 소크라테스는 앎은 경험들 속에 있는 것이 아니라 경험들과 관련된 추론 속에 있는 것이라고 하며, 훌륭한 인간이 되기 위해서는 정신이 제 역할을 잘 수행해야 한다고 강조하였다.

**완자샘의 탐구강의**

**• 소피스트와 소크라테스 윤리 사상의 차이점을 서술해 보자.**

소피스트는 보편타당한 도덕 법칙이 존재하지 않는다는 윤리적 상대주의의 입장을, 소크라테스는 인간은 이성을 통해 보편적인 윤리를 파악할 수 있다는 윤리적 보편주의의 입장을 취한다.

함께 보기 110쪽, 1등급 정복하기 2

## 자료 4 영혼을 돌보는 삶을 강조한 소크라테스

자신이 모르면서도 알고 있다고 믿는 것이 인간이 가진 무지 중에서 가장 큰 무지입니다. …… 여러분이 자신의 영혼을 돌보는 일을 게을리하면서 더 많은 부와 명성을 쌓는 일에 몰두한다면, 그것이야말로 부끄러워해야 할 일 아니겠습니까? …… 나는 아테네의 시민을 찾아다니면서 신체나 재산이 아니라 각자의 영혼을 최상의 상태로 가꾸도록 하는 일을 하라고 설득할 것입니다.

– 플라톤, 『소크라테스의 변명』

소크라테스는 자신의 무지를 자각할 것을 강조하였다. 그리고 이러한 자각을 바탕으로 참된 앎을 추구해야 한다고 보았다. 그에 따르면 참된 앎을 추구하기 위해서는 이성적 숙고가 필요하다. 육체적 쾌락과 세속적 가치, 주관적 경험은 보편적 지침을 줄 수 없기 때문이다. 소크라테스는 당시 아테네 시민들의 세속적 가치관을 비판하면서, 아테네 시민들이 이성을 바탕으로 자신의 영혼을 돌보고 도덕적으로 성찰해야 한다고 권면하였다.

**자료 하나 더 알고 가자!**

**문답법(산파술)을 강조한 소크라테스**

아버지를 불경죄로 고발하려는 에우티프론에게 소크라테스는 "경건함이란 무엇인가?"라고 묻는다. 이 물음에 대해 에우티프론은 여러 대답을 차례로 내놓지만, 소크라테스는 각각의 대답이 지니는 한계를 지적하면서 더욱 확실한 정의를 요구한다.

– 스텀프·피저, 『소크라테스에서 포스트모더니즘까지』

소크라테스는 산파술, 즉 이성을 활용한 문답의 과정을 통해 확고부동한 지식을 얻을 수 있다고 보았다.

## STEP 1 핵심 개념 확인하기

정답친해 28쪽

**1** 고대 그리스 사상의 특징만을 〈보기〉에서 있는 대로 골라 기호를 쓰시오.

보기
ㄱ. 신의 명령보다 이성을 중시한다.
ㄴ. 신과 이웃에 대한 사랑을 강조한다.
ㄷ. 유일무이한 절대적인 인격신을 믿는다.

**2** 다음 설명에 해당하는 용어를 쓰시오.

고대 유대 민족의 유대교로부터 이후 전개된 그리스도교에 이르기까지 그 사상과 문화 및 전통을 아울러 이르는 말이다.

**3** 다음 설명이 맞으면 ○표, 틀리면 ×표를 하시오.

(1) 소피스트의 윤리 사상은 경험주의와 쾌락주의, 그리고 실용주의 등에 영향을 주었다. (　　)

(2) 고대 그리스의 윤리 사상은 신을 윤리의 궁극적 근거로 삼는 신 중심의 윤리 사상을 전개하였다. (　　)

(3) 소크라테스는 세속적 가치를 추구하기보다 자신을 도덕적으로 성찰하는 일을 중시해야 한다고 보았다. (　　)

**4** 다음과 같이 주장한 사상가를 〈보기〉에서 골라 기호를 쓰시오.

보기
ㄱ. 소크라테스　　ㄴ. 프로타고라스

(1) 인간은 모든 것의 척도이다. (　　)

(2) 검토하지 않고 영혼을 돌보지 않는 삶은 살 가치가 없다. (　　)

**5** 윤리를 바라보는 입장과 그 의미를 옳게 연결하시오.

(1) 윤리적 상대주의 •　　• ㉠ 이성을 통해 보편적인 윤리를 파악할 수 있다고 보는 입장이다.

(2) 윤리적 보편주의 •　　• ㉡ 누구에게나 보편타당한 절대적인 진리와 도덕규범은 없다고 보는 입장이다.

## STEP 2 내신 만점 공략하기

**01** (가), (나) 사상을 옳게 연결한 것은?

(가) 이성과 경험을 바탕으로 바람직한 인간의 삶이 무엇인지를 탐구하려고 하였다.
(나) 신에 대한 믿음과 사랑을 중심으로 신의 피조물로서 바람직한 인간의 삶이 무엇인지를 탐구하려고 하였다.

| | (가) | (나) |
|---|---|---|
| ① | 헤브라이즘 | 고대 그리스 사상 |
| ② | 고대 그리스 사상 | 헤브라이즘 |
| ③ | 윤리적 보편주의 | 윤리적 상대주의 |
| ④ | 윤리적 보편주의 | 윤리적 허무주의 |
| ⑤ | 신 중심 윤리 사상 | 인간 중심 윤리 사상 |

중요

**02** ㉠에 대한 설명으로 옳지 않은 것은?

서양 윤리 사상의 큰 뿌리인 [ ㉠ ]은/는 인간 중심 윤리 사상의 전통을 확립하였다. [ ㉠ ]은/는 기원전 5세기 무렵 아테네를 중심으로 활동한 소피스트와 소크라테스에 의해 전개되었다. 그들은 자연에서 인간으로 학문적 관심을 옮기고, 윤리적 문제를 본격적으로 제기하였다. 또 서로 다른 관점에서 '행복한 삶'이나 '선한 삶'이 무엇인지를 탐구하였다.

① 합리적인 사고와 논변을 중시하였다.
② 인간 이성에 대한 관심을 표출하였다.
③ 내세에 구원을 받기 위해 신앙생활을 해야 한다고 강조하였다.
④ 행복과 같이 인간이 추구해야 할 가치가 무엇인지 탐구하였다.
⑤ 인간의 경험과 이성을 바탕으로 세계를 탐구하고 설명하고자 하였다.

## 03 ㉠, ㉡에 대한 설명으로 옳은 것은?

> ㉠ 헤브라이즘에서는 세상이 신에 의해 창조되었다고 설명한다. 창조주인 신이 세상을 창조하였으며, 세상 만물은 모두 신의 피조물이라는 것이다. 그리고 세상의 모든 변화는 신의 뜻에 따른 것이라고 설명한다. 반면, ㉡ 고대 그리스의 자연 철학에서는 신에 대한 언급 없이 세상의 기원을 설명하려고 노력한다. 예를 들어 기원전 6세기에 활동한 철학자 탈레스는 세상 만물의 구성 요소를 탐구하는 데 힘을 기울였다.

① ㉠은 신에 대한 믿음보다 합리적인 추론을 중시한다.
② ㉠은 보편적인 윤리적 행동 지침을 신의 명령이자 인간 삶의 규율로서 제시한다.
③ ㉡은 인간의 이성과 경험을 벗어난 신화적 세계관을 지향한다.
④ ㉡의 과제는 인간과 세계의 근원으로서의 신을 탐구하는 것이다.
⑤ ㉡은 ㉠에 비해 신의 계명에 따라 세속적 욕망에서 벗어나 경건한 삶을 살 것을 강조한다.

## 04 다음과 같은 입장이 지니는 한계를 〈보기〉에서 고른 것은?

> 아무것도 없다. 만약 있다고 해도 알 수가 없다. 만약 있고 알 수 있다고 해도 다른 사람에게 분명하게 말할 수 없다.

**보기**

ㄱ. 단일한 가치를 강조하여 사회를 획일화할 수 있다.
ㄴ. 도덕적 합의를 어렵게 만드는 윤리적 회의주의에 빠질 수 있다.
ㄷ. 개인이나 사회가 처한 특수한 맥락을 충분히 고려하지 못할 수 있다.
ㄹ. 옳음의 보편적인 기준을 인정하지 않음으로써 가치관의 혼란을 가져올 수 있다.

① ㄱ, ㄴ ② ㄱ, ㄷ ③ ㄴ, ㄷ
④ ㄴ, ㄹ ⑤ ㄷ, ㄹ

## 05 (중요) 다음과 같이 주장한 사상가가 강조할 내용으로 가장 적절한 것은?

> 인간은 모든 것의 척도이다. 존재하는 것에 대해서는 그것이 존재한다는 척도이며, 존재하지 않는 것에 대해서는 그것이 존재하지 않는다는 척도이다.

① 보편타당한 법칙을 발견해야 한다.
② 인간이 내리는 가치 판단은 신뢰할 수 없다.
③ 개개인이 진위 판단과 가치 판단의 기준이다.
④ 모든 사람은 동일한 선악 판단 기준을 지니고 있다.
⑤ 시대와 장소를 초월한 절대적 진리를 추구해야 한다.

## 06 밑줄 친 '소피스트'에 대한 옳은 설명만을 〈보기〉에서 있는 대로 고른 것은?

> 고대 그리스의 윤리 사상은 기원전 5세기 무렵 아테네를 중심으로 활동한 소피스트와 소크라테스에 의해 전개되었다. 소피스트는 교양이나 변론술 등을 가르치는 일을 직업으로 삼았던 사람들을 일컫는 말로서, 자기 이익을 위해 변론술을 악용하기도 하여 궤변가라는 뜻으로도 쓰였다.

**보기**

ㄱ. 인간의 현실적인 이익을 중시한다.
ㄴ. 사람의 관심을 자연에서 인간과 사회에 대한 탐구로 전환하는 데 기여한다.
ㄷ. 서로 다른 가치관을 존중하고, 다양한 삶의 방식을 포용하는 데 사상적 기반을 제공한다.
ㄹ. 세속적이고 물질적인 삶을 추구하기보다 선한 삶과 정신적 가치를 추구해야 한다고 역설한다.

① ㄱ, ㄴ ② ㄴ, ㄷ ③ ㄷ, ㄹ
④ ㄱ, ㄴ, ㄷ ⑤ ㄴ, ㄷ, ㄹ

**07** ㉠에 들어갈 내용으로 가장 적절한 것은?

> 갑: 선생님이 생각하는 정의란 무엇입니까?
> 을: 법률의 제정에 있어 각 정권은 자기 이익을 목적으로 합니다. 법 제정을 마친 다음에는 권력자들에게 이익이 될 뿐인 법을 통치받는 사람들에게 정의로운 것인 듯 공표합니다. 이를 위반하는 자들은 정당하지 못한 일을 한 자들로 취급하고 처벌합니다. 그러니 정의는 [ ㉠ ]

① 강한 자의 이익일 뿐입니다.
② 영혼의 탁월함을 추구하는 것입니다.
③ 피치자와 통치자가 동일하게 되는 것입니다.
④ 아무것도 존재하지 않음을 인정하는 것입니다.
⑤ 인간이 만물의 척도라는 점을 깨닫는 것입니다.

중요

**08** 다음과 같이 주장한 사상가의 입장에 대한 설명으로 옳은 것은?

> 영혼의 올바른 상태가 있지 않겠소? …… 올바른 영혼과 올바른 사람은 훌륭하게 살게 되겠지만 올바르지 못한 영혼과 올바르지 못한 사람은 잘못 살게 될 것이오. 따라서 훌륭하게 사는 사람은 복을 받고 행복할 것이나 그렇지 못한 사람은 그 반대일 것이오. 그러니까 올바른 사람은 행복하되, 올바르지 못한 사람은 불행하오. 또한 불행하다는 것은 이득이 아니 되지만, 행복하다는 것은 이득이 되오. 그러니 보시오. 올바르지 못함은 올바름보다 결코 이득이 되지 않소.

① 부와 명예 등을 최고의 가치로 추구한다.
② 보편적 도덕 규범은 존재하지 않는다고 본다.
③ 신탁과 예언에 의존하는 신화적 세계관을 제시한다.
④ 이성적 사유보다 인간의 감각적 경험에 근거한 지식이 바람직하다고 본다.
⑤ 자신의 무지를 자각하고, 이를 바탕으로 참된 삶을 추구해야 한다고 주장한다.

**09** 다음과 같이 주장한 사상가의 입장으로 옳은 것은?

> 여러분은 지혜와 힘에 있어서 최고의 평판을 듣고 있는 아테네의 시민입니다. 그런 여러분이 자신의 영혼을 돌보는 일을 게을리하면서 더 많은 부와 명성을 쌓는 일에 몰두한다면, 그것이야말로 부끄러워해야 할 일 아니겠습니까?

① 인간은 유일신의 뜻에 따라야 한다.
② 선하게 사는 삶과 정신적 가치를 추구해야 한다.
③ 진리 판단과 도덕 판단의 기준은 사람마다 다르다.
④ 이성보다는 인간의 감각과 경험을 기반으로 참된 앎을 추구해야 한다.
⑤ 이성적 숙고를 통해 부와 명예와 같은 세속적 가치를 얻는 일에 힘써야 한다.

**10** 밑줄 친 '이 사람'이 지지할 내용을 〈보기〉에서 고른 것은?

> <u>이 사람</u>은 문답법(산파술)을 통해 아테네 시민들과 이성적이고 논리적인 대화를 나누었다. 그는 이 과정에서 시민들 스스로가 자신의 무지함을 깨닫도록 했고, 성찰하는 삶의 중요성을 일깨우려고 하였다. 특히 성찰하는 삶을 강조한 것은 "검토되지 않는 삶은 살 가치가 없다."라는 그의 말에서 잘 드러난다. 이처럼 그는 삶을 진지하게 숙고하고 성찰함으로써, 인간이 보편타당한 윤리와 행복에 도달할 수 있다고 믿었다.

보기

ㄱ. 자신의 영혼을 돌아보는 일에 힘써야 한다.
ㄴ. 인간의 이성으로는 보편적 진리를 인식할 수 없다.
ㄷ. 덕에 대한 참된 지식을 추구하는 철학적 탐구가 필요하다.
ㄹ. 수사학을 익혀 정치인으로서 청중의 호응을 받아야 한다.

① ㄱ, ㄴ ② ㄱ, ㄷ ③ ㄴ, ㄷ
④ ㄴ, ㄹ ⑤ ㄷ, ㄹ

**11** 다음과 같이 주장한 사상가의 입장을 〈보기〉에서 고른 것은?

> 아무도 자발적으로 악한 행위를 하지 않는다. 아름다운 것과 좋은 것을 아는 사람은 결코 그 반대의 것을 택하지 않을 것이다. 그리고 아름다운 것과 좋은 것에 대하여 무지하면 그것을 추구한다 하더라도 실패하게 될 것이다.

보기
ㄱ. 비도덕적 행동의 원인은 무지(無知)이다.
ㄴ. 진리 탐구를 위해서 우선 자신의 무지를 깨달아야 한다.
ㄷ. 올바른 것이 무엇인지 알아도 의지의 나약함 때문에 악을 행할 수 있다.
ㄹ. 참된 앎을 가지고 있다고 해서 반드시 그러한 행동을 하는 것은 아니다.

① ㄱ, ㄴ ② ㄱ, ㄷ ③ ㄴ, ㄷ
④ ㄴ, ㄹ ⑤ ㄷ, ㄹ

중요
**12** 갑, 을의 입장에 대한 설명으로 옳은 것은?

> 갑: 사물들이 나에게는 나에게 보이는 대로이고, 당신에게는 당신에게 보이는 대로입니다. 인간은 만물의 척도입니다.
> 을: 자신의 무지를 자각하고, 정신의 탁월한 상태인 덕을 실천함으로써 참된 지식에 이를 수 있습니다.

① 갑은 사람마다 가치 판단의 기준이 다르지 않다고 본다.
② 갑은 하나의 사물에 대해 모든 사람이 동일하게 인식한다고 본다.
③ 을은 신의 도움 없이는 참된 지식에 이를 수 없다고 강조한다.
④ 을은 절대적이고 보편적인 진리는 존재하지 않는다고 주장한다.
⑤ 갑, 을은 서로 다른 관점에서 '행복한 삶'이나 '선한 삶'이 무엇인지를 탐구한다.

## 서술형 문제

● 정답친해 29쪽

**01** 다음을 읽고 물음에 답하시오.

> 갑, 을은 무거운 수레를 끌고 언덕에 올라가시는 할머니를 보고 동시에 달려가서 도움을 드렸다. 이때 갑은 '성경의 가르침에 따라 할머니를 도와드려야겠다.'라고 판단하였고, 을은 '이성적으로 생각했을 때, 어려운 사람을 돕는 것은 사람의 도리니까 할머니를 도와드려야겠다.'라고 판단하였다.

(1) 갑, 을의 판단 근거와 관련 있는 서양 윤리 사상의 연원을 각각 쓰시오.

(2) 갑, 을의 판단 근거에 드러나는 서양 윤리 사상의 연원의 상대적 특징을 각각 서술하시오.

길잡이 갑, 을의 판단 근거가 각각 신 중심의 윤리와 인간 중심의 윤리라는 점을 염두에 두고 서술한다.

**02** 다음을 읽고 물음에 답하시오.

> 소크라테스는 [ ㉠ ]의 입장을, 소피스트는 ㉡ 윤리적 상대주의의 입장을 지니고 있다. 윤리적 상대주의는 삶의 다양성을 폭넓게 허용한다는 장점이 있다. 이는 서로 다른 가치관을 존중하고, 다양한 삶의 방식을 포용한다는 점에서 현대 민주주의의 사회나 다문화 사회와도 잘 어울린다.

(1) ㉠에 알맞은 용어를 쓰시오.

(2) ㉡을 따를 경우에 발생할 수 있는 문제점을 두 가지 이상 서술하시오.

길잡이 윤리적 상대주의가 가진 한계를 중심으로 서술한다.

# STEP 3 1등급 정복하기

## 1 ㉠, ㉡에 대한 옳은 설명을 〈보기〉에서 고른 것은?

> 서양 윤리 사상의 연원

이제 우리는 땅을 성스럽게 여기지 않고 단순하게 '자원'으로 보기 때문에 환경 재앙이 닥칠 위험에 처해 있다. 뛰어난 과학 기술적 재능에 뒤처지지 않는 어떤 정신적 혁명이 없으면, 이 행성을 구하지 못할 것 같은 느낌이 든다. 이러한 곤경에서 우리는 독일의 철학자 야스퍼스(Jaspers, K.)가 '축의 시대'라고 부른 시기에서 영감을 얻을 수 있다. 이 시기는 인류의 정신적 발전의 중심축을 이루었다. 대략 기원전 900년부터 기원전 200년 사이에 세계의 네 지역에서 이후 인류의 정신에 자양분이 될 위대한 전통이 탄생하였다. 중국의 유교와 도가, 인도의 힌두교와 불교, ㉠ 이스라엘의 유일신교, 그리고 ㉡ 그리스의 철학적 합리주의가 그것이다. …… 축의 시대의 선구자들은 다른 사람들이 건물을 지을 수 있는 토대를 닦았다. 그 결과 각 세대는 이들이 제시한 통찰을 자신의 독특한 환경에 맞추려고 노력했는데, 이것은 바로 오늘날 우리의 과제이기도 하다.

**보기**

ㄱ. ㉠은 인간이 신에게 의존하지 않고 자유 의지를 통해 행복해질 수 있다고 본다.
ㄴ. ㉡은 인간의 이성과 경험을 바탕으로 한 인간 중심 윤리 사상의 근원이 된다.
ㄷ. ㉡은 ㉠과 달리 인간과 신의 바람직한 관계를 탐구하였고 신에 대한 믿음을 중시한다.
ㄹ. ㉠, ㉡은 오늘날 서양 윤리 사상의 원천으로, 우리가 어떻게 살아야 하는가와 같은 물음을 던지고 답을 찾는 과정에서 중요한 이론적 배경을 제공한다.

① ㄱ, ㄴ ② ㄱ, ㄷ ③ ㄴ, ㄷ
④ ㄴ, ㄹ ⑤ ㄷ, ㄹ

**완자샘의 시험 꿀팁**

유대·그리스도교의 전통인 헤브라이즘과 그리스의 철학적 합리주의 사상은 서양 윤리 사상의 연원이다. 이를 바탕으로 두 사상의 차이점을 정리해 둔다.

## 2 다음과 같이 주장한 사상가의 입장으로 가장 적절한 것은?

> 소크라테스의 윤리 사상

각자가 지각을 통해 판단하는 것이 옳고, 다른 사람이 지각한 바를 더 잘 판별하는 것도 아니요, 다른 사람의 판단이 옳은지 그른지를 검토하는 데 있어서 당사자보다 더 권위가 있는 것도 아니라면, 도대체 어떻게 프로타고라스가 다른 사람들의 교사가 되어 엄청난 보수를 받는 것이 정당하고 할 수 있겠는가? 각자 스스로가 자신의 지혜의 척도인데 어떻게 우리가 프로타고라스보다 더 무지한 것이며, 왜 그에게 배워야 하는가? 각자의 느낌과 판단이 옳은데도 상대방의 느낌이나 판단을 검토하고 논박하려 든다는 것은 쓸데없는 허튼소리가 되지 않겠는가? 앎이란 경험들 속에 있는 것이 아니라네. 앎이란 그 경험들과 관련된 추론 속에 있는 것이라네.

① 윤리적 삶을 살기 위해 자신의 영혼에 관해 숙고해야 한다.
② 인간의 감각적 경험과 관찰만이 진리 탐구의 유일한 토대이다.
③ 참된 행복을 누리고 올바른 삶을 살기 위해 감각적 쾌락을 따라야 한다.
④ 모든 시대와 장소를 초월하여 통용되는 보편적인 진리는 존재할 수 없다.
⑤ 영혼을 덕을 갖추더라도 신의 은총을 받지 못한다면 행복한 삶에 이를 수 없다.

평가원 응용

**3** 갑~병의 입장에 대한 설명으로 옳지 않은 것은?

갑: 사물에 대한 판단 기준은 각 개인의 감각 경험이다. 같은 바람도 어떤 사람에게는 차갑게 느껴지지만 어떤 사람에게는 그렇지 않다. 각 개인이 만물의 척도이다.
을: 진리란 존재하지 않는다. 비록 존재한다고 해도 우리는 그것을 알 수 없다. 또한 우리가 그것을 알 수 있다고 해도 다른 사람에게 전할 수 없다.
병: 좋은 상태의 영혼으로서는 모든 일을 훌륭하게 해낼 것임이 필연적이다. 그러므로 올바름은 훌륭함이며 지혜이지만, 올바르지 못함은 나쁨이며 무지이다.

① 갑은 인간의 감각이나 경험에 의존하여 진리를 탐구해서는 안 된다고 본다.
② 을은 절대적이고 확실한 진리나 규범의 존재 자체를 의심할 수 있다고 본다.
③ 병은 모든 덕은 참된 앎에서 나오고 모든 악은 무지에서 비롯된다고 본다.
④ 갑은 병과 달리 절대적인 진리나 보편적인 윤리가 존재하지 않는다고 본다.
⑤ 병은 갑, 을과 달리 모든 사람에게 적용 가능한 보편타당한 도덕규범이 존재한다고 본다.

> 소피스트와 소크라테스의 윤리 사상 비교

**완자 사전**

• **척도**
평가하거나 측정할 때 의거할 기준

교육청 응용

**4** (가)의 갑, 을의 입장을 (나) 그림으로 표현할 때, A~C에 해당하는 옳은 진술을 〈보기〉에서 고른 것은?

(가)
갑: 좋은 것에 대한 보편적인 기준은 존재하지 않는다. 인간은 만물의 척도이므로 좋은 것에 대한 판단 기준은 개개인에게 있다.
을: 자신이 모르면서도 알고 있다고 믿는 것이 인간이 가진 무지 중에서 가장 큰 무지이다. 내가 대다수 사람들과 다른 점이 있다면, 그것은 바로 내가 무지하다는 것을 알고 있다는 것이다.

(나)
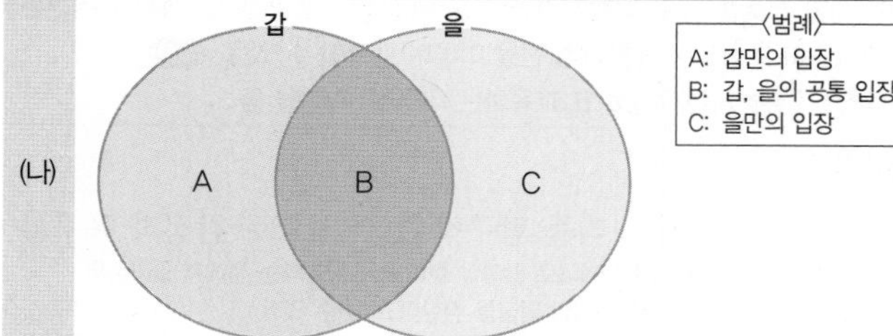


**보기**

ㄱ. A: 시대와 상황과 장소를 초월한 보편적 진리는 존재하지 않는다.
ㄴ. B: 인간과 사회보다 자연 현상의 원리를 밝혀내는 데 힘써야 한다.
ㄷ. C: 자신의 무지를 자각하고, 정신이 제 역할을 탁월하게 수행하는 삶을 살아야 한다.
ㄹ. C: 모든 사람이 인정하는 도덕규범은 존재하지 않으므로 참된 진리를 추구하기 위해 자신의 삶을 끊임없이 성찰해야 한다.

① ㄱ, ㄴ ② ㄱ, ㄷ ③ ㄴ, ㄷ
④ ㄴ, ㄹ ⑤ ㄷ, ㄹ

> 윤리적 상대주의와 윤리적 절대주의의 비교

**완자샘의 시험 꿀팁**

소피스트와 소크라테스 윤리 사상의 차이점을 묻는 문제가 자주 출제되므로 두 사상을 비교하여 정리해 둔다.

# 02 덕

학습목표
- 플라톤의 윤리 사상을 통해 덕과 행복의 관계를 이해할 수 있다.
- 아리스토텔레스의 윤리 사상을 통해 덕과 행복의 관계를 파악할 수 있다.

## 1 영혼의 정의와 행복

### 1. 플라톤 세계관의 특징

꼭! 플라톤은 세계를 현실 세계와 이데아 세계로 구분하였어.

#### (1) 이데아의 의미와 특징

예 '현실 세계에는 수많은 '사과'가 있지만 그것들을 사과로 부를 수 있게 해 주는 사과의 이데아는 하나야.

| 구분 | 내용 |
|---|---|
| 의미 | 사물의 불변하는 본질이자 참된 실재로서 완전한 것을 의미하며, 감각적인 개별 사물에 공통되는 보편적이고 절대적인 본질을 가리킴 |
| 특징 | • 각각의 사물에는 그것들의 이데아가 있으며, 최고의 이데아는 선(善)의 이데아임<br>• 이데아에 대한 지식은 오직 이성을 통해서만 얻을 수 있음<br>• 인간은 이성으로 선의 이데아를 인식하여 참된 진리의 세계에 도달할 수 있음 |

#### (2) *현실 세계와 이데아 세계의 특징

눈으로 볼 수 있는 세계야.

| 구분 | 내용 |
|---|---|
| 현실 세계 | 생성과 소멸을 끊임없이 반복하는 불완전한 세계로 감각 경험을 통해 파악되는 가시계(可視界)임 |
| 이데아 세계 | • 참된 실재가 존재하는 관념의 세계이고, 감각 경험이 아닌 이성을 통해 탐구되고 파악되는 가지계(可知界)임 (지성으로 알 수 있는 세계야.)<br>• 플라톤은 동굴의 비유를 통해 이데아와 현실의 관계를 구체적으로 설명함 교과서 자료 |

### 2. 플라톤 윤리 사상에서의 정의와 행복의 관계

플라톤은 소크라테스의 '영혼을 돌보라.'라는 가르침을 계승하여 인간의 영혼에 있어 정의의 덕을 실현하는 방안을 탐구하였어.

#### (1) 정의로운 인간과 정의로운 국가의 모습

| 구분 | 내용 |
|---|---|
| 정의로운 인간 | • 인간의 영혼은 이성, 기개, 욕구의 세 부분으로 이루어져 있음 자료① <br>• 이성은 지혜, 기개는 용기, 욕구는 절제의 덕을 갖추어야 함 → 이러한 덕이 서로 조화를 이룰 때 인간 영혼에서 정의의 덕을 실현하고 행복한 삶을 살 수 있음 |
| 정의로운 국가 | • 국가의 구성원을 통치자, 방위자, 생산자의 세 계급으로 구분함<br>• 통치자는 지혜, 방위자는 용기, 생산자는 절제의 덕을 갖추어야 함 → 세 계급의 사람들이 그들의 덕목을 갖추고 조화를 이룰 때 국가는 도덕적으로 올바르고 완벽한 상태인 정의의 덕을 실현할 수 있음 (잠깐! 지혜, 용기, 절제, 정의의 네 가지 덕을 사주덕이라고 하며, 특히 절제는 모든 계급에 요구되는 덕이야.)<br>• 선의 이데아에 대한 지혜를 갖춘 철학자가 국가를 다스리는 철인(哲人) 정치가 실현된 국가에서는 모든 구성원이 조화로운 균형과 발전을 이루며 행복할 수 있음 자료② <br>• 공공 정신이 투철한 *수호자를 양성하고 교육하는 데 많은 관심을 둠 |

#### (2) 행복한 삶을 이루기 위한 방법

① 행복한 삶을 살아가려면 불변의 보편적 진리를 탐구하고, 이성으로 감정과 욕구를 규제해야 함

잠깐! 윤리적으로 살고자 한다면 먼저 진리를 제대로 알아야 한다고 주장한다는 점에서 플라톤의 사상은 소크라테스와 마찬가지로 주지주의의 입장을 취한다고 볼 수 있어.

② 인간 영혼의 각 부분이 자기의 할 일을 하면서 조화를 이루고, 국가의 구성원들이 각자 맡은 일에 최선을 다하고 조화를 이루어 정의의 덕을 실현해야 함

### 3. 플라톤 윤리 사상의 의의와 한계

플라톤의 윤리학은 기개나 욕구에 비해 이성을 우위에 둔다는 점에서 이성 중심주의 윤리학이라고 할 수 있어.

(1) **의의**: 이성을 중심으로 하는 철학적 탐구와 이성을 통한 욕망의 조절을 강조한 것은 아리스토텔레스를 거쳐 서양 윤리 사상 전체에 큰 영향을 줌

(2) **한계**: 철인 정치는 현실성이 없으며, 자칫 독재와 전체주의를 옹호하고 민주주의를 폄하하는 데 악용될 수 있다는 비판을 받기도 함

---

이것이 핵심!

정의로운 인간과 정의로운 국가

| 영혼 | 덕 | 국가 |
|---|---|---|
| 이성 | 지혜 | 통치자 |
| 기개 | 용기 | 방위자 |
| 욕구 | 절제 | 생산자 |
| | ↓ 조화 | |
| 정의로운 인간 | 정의 | 정의로운 국가 |

★ 현실 세계와 이데아 세계의 특징

| 현실 세계 | 이데아 세계 |
|---|---|
| 가변성 | 불변성 |
| 상대적 | 보편적 |
| 불완전성 | 완전성 |
| 유한성 | 무한성 |
| 그림자 | 실재 |
| 가시계 | 가지계 |
| 모형 | 원형 |

★ 수호자

수호자는 국가를 위해 헌신하며, 국민 전체의 행복을 자신의 행복으로 여기는 사람으로서 통치자 계급과 방위자 계급을 아울러서 표현한 말이다. 플라톤은 이상 국가와 이상적인 인간이 만들어지기 위해서는 수호자에 대한 교육이 중요하다고 보았다. 수호자는 엄격한 선발 과정을 거쳐 통치자가 될 수 있다.

# 완자 자료 탐구

내 옆의 선생님

## 수능이 보이는 교과서 자료 플라톤의 동굴의 비유

> 지하 동굴에는 어릴 적부터 팔과 다리, 목이 묶여 동굴 입구를 등진 채 살아가는 사람들이 있다. …… 만약 그들 중 하나가 풀려나서 불빛을 쳐다본다면, 그 순간 눈이 아파 큰 고통을 느낄 것이다. 하지만 이내 그의 눈은 불빛에 적응할 것이고, 그리하여 동굴을 탈출한다면 그는 동굴 밖의 환한 세상을 보게 될 것이다. 동굴 밖의 세상을 본 그는 다시 동굴로 돌아와 사람들을 동굴 밖으로 인도하려 할 것이다.
>
> – 플라톤, 『국가』

플라톤의 동굴의 비유에 따르면 우리가 보는 세계는 동굴 안 그림자의 세계에 불과하다. 그림자는 이데아를 어느 정도 반영하기는 하지만 이데아 그 자체는 아니다. 참된 세계는 동굴 밖의 세계이며, 이 세계를 비추는 태양은 선의 이데아이다. 그리고 동굴 밖에 나가 태양이 비추는 세상을 본 사람이 철학자이다. 플라톤은 그림자의 세계에서 벗어나 참된 실재인 이데아의 세계로 나아가야 한다고 주장하였다.

**완자샘의 탐구강의**

• **동굴의 비유를 바탕으로 플라톤이 주장하는 이데아와 현실의 관계를 서술해 보자.**

플라톤은 그림자의 세계에서 벗어나 참된 실재인 이데아의 세계로 나아가야 한다고 주장하였다. 플라톤에 의하면 인간은 이성을 통해 선의 이데아를 인식하여 참된 진리의 세계에 도달할 수 있다.

함께 보기 120쪽, 1등급 정복하기 1

## 자료 1 인간 영혼의 이상적인 상태

> 마차를 끄는 두 마리의 말이 있다. 한 마리는 흰 말이고, 또 한 마리는 검은 말이다. 흰 말은 말을 잘 듣는 좋은 말이지만, 검은 말은 성질이 고약하여 채찍을 들어야만 겨우 말을 듣는 말이다. 인간의 영혼 역시 이처럼 이성(마부)이 기개(흰 말)와 욕구(검은 말)를 잘 다스릴 때 이상적 상태가 된다.
>
> – 플라톤, 『파이드로스』

플라톤은 인간의 영혼을 두 마리 말을 끄는 마차에 비유하였다. 두 마리 말 중 한 마리(기개)는 말을 잘 듣지만, 다른 한 마리(욕망)는 채찍을 들어야만 말을 듣는다. 마부(이성)는 두 마리 말을 잘 부려 마차를 목적지로 이끌어야 한다. 이처럼 기개와 욕구가 이성의 다스림을 받아 조화를 이룰 때 인간의 영혼은 정의의 덕을 갖출 수 있다. 그리고 정의의 덕에 따라 사는 사람만이 행복한 삶을 살 수 있다.

**문제로 확인할까?**

**플라톤의 사상으로 옳지 않은 것은?**

① 주지주의
② 철인 정치
③ 이분법적 세계관
④ 지혜, 용기, 절제의 조화
⑤ 감각을 통한 불변의 진리 파악

⑤ 답

## 자료 2 철인 정치의 실현을 주장한 플라톤

왜? 진실과 허상을 구별할 수 있는 철인은 다시 동굴로 들어와 허상만을 보는 사람들을 올바른 길로 인도할 수 있고, 나라 전체를 올바르게 다스릴 수 있기 때문이야.

> 철학자가 모든 나라의 왕이 되거나, 아니면 현재의 왕이나 최고 권력자들이 진정으로 철학을 하게 되지 않는 한, 모든 나라에 있어서, 아니 인류 전체에게 있어서 악은 종식되지 않을 것이다.
>
> – 플라톤, 『국가』

소크라테스의 제자인 플라톤은 소크라테스와 마찬가지로 이성으로 파악할 수 있는 보편적인 윤리와 진리가 있다고 보았다. 현실의 세속적인 가치보다는 이상적인 가치에 관심을 기울였던 그는 당시 아테네의 정치적 혼란의 원인을 중우 정치 때문이라고 보았다. 그래서 정의로운 국가가 되기 위해서는 선의 이데아에 대한 지혜를 갖춘 철학자가 국가를 다스리는 철인 정치가 실현되어야 한다고 주장하였다.

플라톤이 『국가』에서 '민주제의 타락한 정체'에 부여한 명칭으로 플라톤은 중우 정치를 다수의 우매한 인민들에 의한 정치라고 규정하였어.

**자료 하나 더 알고 가자!**

**플라톤이 생각하는 통치자의 자질**

> 실무나 학식 등 모든 면에서 가장 훌륭하였던 사람으로 하여금 고개를 들어 영혼의 눈으로 모든 것에 빛을 주는 좋음[善] 자체를 보게 해야 합니다. …… 여자라도 충분한 자질을 지니고 태어났다면 그도 철학자와 통치자가 될 수 있습니다.
>
> – 플라톤, 『국가』

플라톤은 철학자가 국가 구성원의 행복을 위해 희생하고 봉사하는 통치자가 되어야 한다고 보았다. 그리고 그 과정에서 권력, 부, 명예 등과 같은 대가를 바라서는 안 된다고 강조하였다.

# 02 덕

이것이 핵심!

**아리스토텔레스의 세계관과 탁월성(덕)**

| | |
|---|---|
| 세계관 | • 현실적인 윤리학: 선은 이데아의 세계가 아니라 현실 세계에 존재함<br>• 목적론적 세계관: 모든 것에는 목적이 있으며, 인간 행위의의 궁극적인 목적은 행복임 |
| 탁월성(덕)의 구분 | • 지성적 덕: 영혼의 이성적인 부분의 탁월함 예 철학적 지혜, 실천적 지혜, 추리적 논증<br>• 품성적 덕: 영혼의 이성에 귀 기울이는 부분의 탁월함 예 용기, 절제, 친절 |

★ **영혼의 구분**
아리스토텔레스는 인간의 영혼을 이성적인 부분, 이성의 영향을 받을 수 있는 부분(감각이나 욕구), 이성과 관련 없는 부분(영양이나 성장)으로 나누었고, 이에 따라 덕을 지성적 덕과 품성적 덕으로 구분하였다.

★ **실천적 지혜**
자신에게 좋고 유익한 것을 잘 숙고하여 일상생활에서 중용을 판별하는 데 도움을 주는 도덕 판단 능력을 뜻한다. 실천적 지혜는 품성적 덕을 형성하는 데 직접적인 영향을 미쳐 인간의 감정과 행위를 변화시킬 수 있다는 특성이 있다.

★ **중용의 구체적 예**

| 부족함 | 중용 | 과도함 |
|---|---|---|
| 무감각 | 절제 | 방종 |
| 비굴 | 긍지 | 오만 |
| 무기력 | 온화 | 성급함 |
| 비겁 | 용기 | 무모 |
| 인색 | 후덕 | 낭비 |

## 2 이론과 실천의 탁월성과 행복

### 1. 아리스토텔레스 세계관의 특징

꼭! 아리스토텔레스는 소크라테스와 플라톤의 전통을 이어받아 이성을 중시하였지만, 이상주의적 이데아론을 주장한 플라톤과 달리 현실 세계에서 진리를 추구해야 한다고 보았어.

| | |
|---|---|
| 현실적인 윤리학 | 플라톤에 비해 현실을 보다 중시하는 태도를 취함 → 세계는 개별적인 실체들로 이루어진 하나의 세계이며, 선(善)은 이데아의 세계가 아니라 현실 세계에 존재한다고 주장함 |
| 목적론적 세계관 | • 세상의 모든 것에는 목적이 있으며, 인간의 모든 행위는 선을 목적으로 함<br>• 인간 행위의 궁극적인 목적, 즉 최고선은 행복(eudaimonia)임 자료 3 |

└ 더는 올라갈 수 없는 최종적인 목적을 의미해.

### 2. 아리스토텔레스 윤리 사상에서의 행복과 탁월성(덕)의 관계

(1) **진정한 행복의 의미**: 진정한 행복은 탁월성으로서의 덕을 갖춘 삶을 통해 얻을 수 있는 것으로, 덕에 따른 *영혼의 활동을 의미함

(2) **탁월성(덕)의 구분** ─ 지성적 덕과 품성적 덕을 이성에 따라 조화롭게 발휘하면 인간은 참된 행복에 이를 수 있다고 보았어.

| | |
|---|---|
| 지성적 덕<br>(지적인 덕) | • 영혼의 순수하게 이성적인 기능이 탁월하게 작용할 때 얻을 수 있음 예 철학적 지혜, *실천적 지혜, 추리적 논증 등<br>• 주로 교육을 통해 길러지며, 품성적 덕의 형성에 영향을 끼침 |
| 품성적 덕<br>(도덕적 덕) | • 영혼의 감각과 욕구의 기능이 이성에 귀를 기울이고 이성의 명령에 따를 때 얻을 수 있음 예 용기, 절제, 친절 등<br>• 과도함과 부족함 사이의 적절한 상태인 *중용을 그 특징으로 함 자료 4<br>• 품성적 덕을 쌓기 위해서는 지속적인 도덕적 실천을 통해 도덕적 행동을 습관화해야 함 |

꼭! 이처럼 품성적 덕과 지성적 덕은 서로 연관성을 가져.

(3) **행복한 삶을 위한 자세**

VS 소크라테스는 그릇된 행동의 원인을 무지에서 찾았지만, 아리스토텔레스는 의지가 나약한 사람은 어떤 행위가 좋은 줄 알면서도 행하지 않고, 나쁜 줄 알면서도 저지를 수 있다고 보았어.

① 실천적 지혜를 통해 중용을 알아야 할 뿐만 아니라 실천할 수 있는 의지가 필요함

② 인간은 본성적으로 사회를 이루고 사는 존재이므로 사회적 역할을 잘 수행해야 함

꼭! 아리스토텔레스는 개인의 선과 자아실현이 공동체에서의 도덕적 삶을 통해서만 가능하다고 주장하였어.

### 3. 플라톤과 아리스토텔레스의 윤리 사상 비교

| 구분 | 플라톤 | 아리스토텔레스 |
|---|---|---|
| 차이점 | • 진리는 이데아의 세계에 있다고 봄<br>• 데카르트, 칸트와 같이 이성을 바탕으로 경험의 세계를 넘어서는 진리를 추구했던 사상가들에게 영향을 줌 | • 진리는 현실 세계에 존재한다고 봄<br>• 진리를 탐구하는 과정에서 현실 세계에 대한 고려가 중요하다는 점을 보여 줌 → 근대의 경험주의와 현대 덕 윤리에 영향을 줌 |
| 공통점 | • 덕 있는 삶을 살 때 행복한 삶을 살 수 있다고 봄<br>• 이성을 강조하고, 이성이 욕망을 적절히 통제해야 덕 있는 사람이 될 수 있다고 봄<br>• 그리스도교 윤리 사상의 발전에 기여함 | |

─ 아리스토텔레스의 덕 윤리를 계승한 사상이야.

### 4. 현대 덕 윤리의 특징과 한계

꼭! 현대 덕 윤리는 선한 동기, 감정, 성향을 계발하고, 이를 습관화하여 선한 성품을 지닌 덕 있는 사람이 되어야 한다고 강조해.

| | | |
|---|---|---|
| 특징 | 행위자 중심의 윤리 | '나는 어떻게 행위 해야 하는가?'가 아니라 '나는 어떤 인간이 되어야 하는가?'를 윤리학의 핵심 주제로 삼음 |
| | 공동체주의 윤리 자료 5 | 현대 덕 윤리학자인 매킨타이어는 개인의 행위를 그 행위가 이루어진 공동체의 구체적인 맥락 안에서 평가해야 한다고 강조함 |
| 한계 | • 어떤 사람이 덕 있는 사람인지 결정할 실질적인 기준을 명확하게 제시하지 못할 수 있음<br>• 문제 상황에서 어떤 행위를 해야 하는지 구체적인 지침을 제공하지 못할 수 있음<br>• 도덕적 전통이 서로 다른 공동체 사이에 갈등이 발생할 때, 옳고 그름을 판단할 객관적이고 보편적인 기준을 제시하지 못할 수 있음 | |

└ 매킨타이어는 아리스토텔레스의 전통을 이어받아 현대 덕 윤리를 발전시킨 사람이야.

완자 자료 탐구

내 옆의 선생님

## 자료 3 행복과 이성에 대한 아리스토텔레스의 관점

> 행복은 모든 것 가운데 가장 바람직한 것이요, 이러한 선(善)들 중 최고의 선이다. 따라서 행복은 궁극적이고 자족적이며, 모든 행동의 목적이라고 할 수 있다. …… 어떠한 활동이 잘 수행되는 것은 그것에 알맞은 덕을 가지고 수행될 때이다. 그러므로 행복이란 덕과 일치하는 정신의 활동이라고 할 수 있다.
>
> – 아리스토텔레스, 『니코마코스 윤리학』

아리스토텔레스는 진정한 행복에 도달하려면 덕 있는 삶을 살아야 한다고 주장하였다. 그에 따르면 덕은 인간의 고유한 기능을 탁월하게 발휘하는 것이다. 이때 아리스토텔레스가 제시하는 인간의 고유한 기능이 바로 이성이다. 따라서 인간이 행복해지기 위해서는 이성을 잘 발휘해야 한다.

## 자료 4 중용의 의미와 특징

> 모든 행위와 겪음이 중용을 받아들이는 것은 아니다. 왜냐하면 어떤 것들은 곧장 악행과 결부되는 이름을 가지고 있기 때문이다. 예를 들면 앙심(怏心), 파렴치, 시기(猜忌), 그리고 행동의 경우에는 간통, 도둑질, 살인 같은 것이 그런 것이다. 왜냐하면 이것들 모두와 비슷한 것들은, 그것들의 지나침이나 모자람이 아니라 오히려 그것들 자체 때문에 나쁜 것이라고 말해지는 것이기 때문이다. 그러므로 이런 것들에 관련해서, 우리는 결코 옳을 수 없으며 언제나 잘못을 저지르는 것이다. …… 오히려 이런 것들 중의 하나를 행하는 것은 무조건적으로 잘못을 저지르는 것이다.
>
> – 아리스토텔레스, 『니코마코스 윤리학』

품성적 덕은 인간의 감정이나 행위와 관련한 덕으로, 중용의 특성을 지닌다. 중용은 감정과 행위가 상황에 따라 지나치지도 모자라지도 않은 알맞은 상태를 뜻한다. 아리스토텔레스는 중용을 알기 위해 심사숙고하는 과정에서 실천적 지혜가 필요하다고 강조하였다. 또한 그는 모든 감정이나 행동에 중용이 존재하는 것은 아니라고 주장하며, 질투, 도둑질 등은 그 자체로 나쁜 감정이나 행동이기 때문에 중용이 존재할 수 없다고 보았다.

꼭! 중용은 양극단 사이의 산술적 중간이 아니라, 그 상황에서 가장 적절한 최선을 의미해. 그래서 각자가 처한 상황마다 중용에 따른 적절한 선택과 행동도 달라져.

## 자료 5 공동체를 중시하는 현대 덕 윤리

> 삶 속에서 우리는 특정한 제한에 예속되어 있다. 우리는 우리가 스스로 설치하지 않은 무대 위에 나아간다. …… 나는 나의 가족, 나의 도시, 나의 부족, 나의 민족으로부터 다양한 부채와 유산, 정당한 기대와 책무들을 물려받는다. 그것들은 나의 삶의 주어진 사실과 나의 도덕적 출발점을 구성한다.
>
> – 매킨타이어, 『덕의 상실』

도덕적 실천과 품성을 강조한 아리스토텔레스의 윤리 사상은 현대 덕 윤리로 계승되었다. 현대 덕 윤리에 따르면 인간은 그가 속한 공동체로부터 영향을 받으며 살아가기 때문에 공동체가 발전시켜 온 도덕적 전통의 가치와 중요성으로부터 분리될 수 없다. 또한 민주적 절차에 따라 공동체가 합의하고 공유하는 덕은 사회적 권위를 가지기 때문에 개인의 행동을 판단하는 기준이자 공동선을 실현하는 윤리적 방편이 된다.

### 정리 비법을 알려줄게!

아리스토텔레스의 탁월성(덕)과 행복

| | |
|---|---|
| 탁월성(덕) | 고유한 목적이나 기능을 훌륭하게 수행하는 것 |
| 행복 | 인간의 고유한 덕인 이성을 따르며 살아갈 때 이를 수 있는 것으로, 인간은 이성을 잘 발휘해야 행복에 이를 수 있음 |

### 자료 하나 더 알고 가자!

의지를 강조한 아리스토텔레스

> 의지가 나약한 사람은 자기가 무엇을 행하는지, 또 왜 그것을 행하는지 어떤 방식으로든 알고 있고 자발적으로 행하므로 나쁜 사람은 아니다. 그의 합리적 선택 자체는 훌륭하니까. 따라서 그는 반쯤 나쁜 사람이다.
>
> – 아리스토텔레스, 『니코마코스 윤리학』

아리스토텔레스는 올바른 것이 무엇인지 알아도 의지의 나약함으로 인해 올바른 행위를 하지 못할 수도 있다고 보았다. 따라서 그는 앎의 중요성과 함께 실천 의지의 필요성도 강조하였다. 이처럼 아리스토텔레스의 윤리 사상에는 주지주의적 요소와 주의주의적 요소가 모두 드러난다.

### 문제로 확인할까?

매킨타이어를 중심으로 한 현대 덕 윤리에서 중시하는 바로 옳지 않은 것은?

① 행위자의 품성
② 공동체주의 입장
③ 공동체의 전통과 맥락
④ 공동체와 분리된 개인
⑤ 아리스토텔레스의 윤리 사상

㉮ 답

STEP 1 **핵심 개념 확인하기**

정답친해 30쪽

**1** 다음 설명에 해당하는 용어를 쓰시오.

> 사물의 불변하는 본질이자 참된 실재로서 완전한 것을 의미하며, 감각적인 개별 사물에 공통되는 보편적이고 절대적인 본질을 가리킨다.

**2** 플라톤의 입장만을 〈보기〉에서 있는 대로 골라 기호를 쓰시오.

보기
ㄱ. 이성을 통해 진리를 얻을 수 있다.
ㄴ. 인간의 영혼은 이성, 기개, 욕구로 나누어져 있다.
ㄷ. 통치자, 방위자, 생산자 계급은 서로 자유롭게 다른 계급의 일에 간섭할 수 있다.

**3** 다음 설명이 맞으면 ○표, 틀리면 ×표를 하시오.

(1) 플라톤은 소크라테스와 마찬가지로 덕 있는 삶을 살 때 행복한 삶을 살 수 있다고 보았다. ( )

(2) 플라톤에 따르면 현실 세계는 이데아를 모방하여 생성과 소멸을 끊임없이 반복하는 불완전한 세계이다. ( )

(3) 아리스토텔레스는 플라톤의 입장을 계승하여 현실이 아닌 이상 세계에서 진리를 추구해야 한다고 보았다. ( )

**4** 아리스토텔레스는 소크라테스와는 달리 인간은 어떤 행위를 해야 할지 잘 알고 있더라도 ( )의 나약함 때문에 그것을 실천하지 못할 수도 있다고 보았다.

**5** 다음과 같이 주장한 사상가를 〈보기〉에서 골라 기호를 쓰시오.

보기
ㄱ. 매킨타이어　　　　ㄴ. 아리스토텔레스

(1) 행복은 덕과 일치하는 정신의 활동으로서 모든 것 가운데 가장 바람직하다. ( )

(2) 나는 나의 가족, 도시, 부족, 민족으로부터 다양한 부채와 유산, 정당한 기대와 책무들을 물려받는다. ( )

STEP 2 **내신 만점 공략하기**

**01** 중요 ㉠에 들어갈 내용으로 가장 적절한 것은?

> 정의로운 인간은 정의로운 국가와 닮아 있습니다. 정의로운 국가가 통치자, 방위자, 생산자가 조화를 이루듯이 정의로운 인간은 [ ㉠ ]

① 유일신의 명령에 따라 신의 뜻을 행하는 인간입니다.
② 감각적 경험을 통해 선의 이데아를 인식한 인간입니다.
③ 이성보다는 기개와 욕구를 중시하는 삶을 살아가는 인간입니다.
④ 지혜, 용기, 절제가 조화를 이루어 정의의 덕을 온전히 갖춘 인간입니다.
⑤ 상대주의적 윤리관을 바탕으로 이성을 통해 파악할 수 있는 참된 실재가 없다는 것을 깨달은 인간입니다.

**02** 다음과 같이 주장한 사상가의 입장을 〈보기〉에서 고른 것은?

> 마차를 끄는 두 마리의 말이 있다. 한 마리는 흰 말이고, 또 한 마리는 검은 말이다. 흰 말은 말을 잘 듣는 좋은 말이지만, 검은 말은 성질이 고약하여 채찍을 들어야만 겨우 말을 듣는 말이다. 마차가 힘차게 잘 달리기 위해서는 마부가 가야 할 방향을 잘 정해 두 마리 말 모두를 잘 다루어야 한다. 인간의 영혼 역시 이처럼 이성(마부)이 기개(흰 말)와 욕구(검은 말)를 잘 다스릴 때 이상적 상황이 된다.

보기
ㄱ. 이성이 기개와 욕구를 잘 조절해야 한다.
ㄴ. 지혜와 용기와 절제가 조화를 이룬 인간이 이상적 인간이다.
ㄷ. 이성이 없어도 기개와 욕구를 통해 정의로운 인간이 될 수 있다.
ㄹ. 인간이 지닌 모든 감정을 제거할 때 이상적인 인간이 될 수 있다.

① ㄱ, ㄴ　② ㄱ, ㄷ　③ ㄴ, ㄷ
④ ㄴ, ㄹ　⑤ ㄷ, ㄹ

**03** 다음과 같이 주장한 사상가의 입장으로 옳은 것은?

> 철학자가 모든 나라의 왕이 되거나, 아니면 현재의 왕이나 최고 권력자들이 진정으로 철학을 하게 되지 않는 한, 모든 나라에 있어서, 아니 인류 전체에게 있어서 악은 종식되지 않을 것이다.

① 통치자는 국민의 투표로 선출되어야 한다.
② 모든 정책 결정은 다수결의 원리에 따라 이루어져야 한다.
③ 선의 이데아에 대한 지식을 갖춘 철인이 나라를 다스려야 한다.
④ 기개가 이성을 지배하는 통치자가 나라를 다스릴 때 이상적인 국가가 실현된다.
⑤ 통치자의 자격은 태어날 때 결정되므로 이들에 대한 교육이나 선발 과정은 필요 없다.

**04** 제자의 질문에 관하여 스승의 입장에서 대답할 수 있는 내용을 〈보기〉에서 고른 것은?

> 스승: 정의는 각자가 자기의 성향에 가장 맞는 일을 한 가지에 종사하며 타인에게 참견하지 않는 것이네. 이렇게 해야 지혜, 용기, 절제가 국가 안에 생기고 이것들이 잘 보존될 수 있기 때문이라네. 정의는 제 것을 소유하고 제 일을 하는 것이라네.
> 제자: 정의로운 국가는 어떤 모습입니까?

**보기**

ㄱ. 정치권력과 철학이 합쳐진 국가이다.
ㄴ. 통치자, 방위자, 생산자가 자유롭게 직업을 교환할 수 있는 국가이다.
ㄷ. 통치자, 방위자, 생산자가 각자 자신에게 맞는 덕을 갖추고 조화를 이루는 국가이다.
ㄹ. 통치자가 현실 세계에서 감각을 통해 얻은 진리를 바탕으로 방위자와 생산자를 통치하는 국가이다.

① ㄱ, ㄴ ② ㄱ, ㄷ ③ ㄴ, ㄷ
④ ㄴ, ㄹ ⑤ ㄷ, ㄹ

**05** 중요 다음 질문에 대해 옳은 답변을 제시한 사람만을 있는 대로 고른 것은?

> ▶ 지식 Q&A
> 아리스토텔레스는 행복에 관하여 어떤 견해를 지녔나요?
>
> ▶ 답변하기
> ↳ 갑: 덕에 따른 영혼의 활동이라고 보았어요.
> ↳ 을: 유덕한 삶을 통해 얻을 수 있다고 보았어요.
> ↳ 병: 이데아의 세계에서 발견할 수 있는 것이라고 보았어요.
> ↳ 정: 궁극적이고 자족적이며, 모든 행동의 목적이라고 보았어요.
> ↳ 무: 감각적 쾌락을 추구할 때 진정한 행복을 실현할 수 있다고 보았어요.

① 갑, 을 ② 을, 정 ③ 병, 무
④ 갑, 을, 정 ⑤ 병, 정, 무

**06** 다음 글에서 강조하는 내용으로 옳은 것은?

> 모든 행위와 겪음이 중용을 받아들이는 것은 아니다. 왜냐하면 어떤 것들은 곧장 악행과 결부되는 이름을 가지고 있기 때문이다. 예를 들면 앙심(怏心), 파렴치, 시기(猜忌), 그리고 행동의 경우에는 간통, 도둑질, 살인 같은 것이 그런 것이다. 왜냐하면 이것들 모두와 비슷한 것들은, 그것들의 지나침이나 모자람이 아니라 오히려 그것들 자체 때문에 나쁜 것이라고 말해지는 것이기 때문이다. 그러므로 이런 것들에 관련해서, 우리는 결코 옳을 수 없으며 언제나 잘못을 저지르는 것이다.

① 어떤 감정이나 행위들은 중용을 가질 수 없다.
② 중용은 자신의 이익을 극대화하려는 인간의 성향이다.
③ 중용을 추구하면서 살아가는 삶은 현실적으로 불가능하다.
④ 각자가 처한 상황과 상관없이 중용에 따른 행동은 항상 똑같다.
⑤ 중용은 이데아의 세계에 존재하므로 신의 도움 없이는 파악할 수 없다.

중요
**07** 다음과 같이 주장한 사상가의 입장으로 옳은 것은?

> 의지가 나약한 사람은 자기가 무엇을 행하는지, 또 왜 그것을 행하는지 어떤 방식으로든 알고 있고 자발적으로 행하므로 나쁜 사람은 아니다. 그의 합리적 선택 자체는 훌륭하기 때문에 그는 반쯤 나쁜 사람이다. 그는 또 부정의한 사람이 아니다. 계획적으로 그러는 사람이 아니기 때문이다. 의지가 나약한 사람들 중 한편은 자신들이 숙고한 것에 머물지 못하는 사람들이며, 다른 한편은 불같은 성질의 소유자로 아예 숙고하려 들지 않는 사람이다.

① 품성적 덕과 지성적 덕은 상호 연관성이 없다.
② 사람은 공동체를 벗어날 때 비로소 자아실현을 할 수 있다.
③ 중용은 이데아에 대한 지식을 갖춘 사람만 실천할 수 있다.
④ 지성적 덕은 도덕적 실천을 통해, 품성적 덕은 교육을 통해 얻어진다.
⑤ 의지가 나약하면 무엇이 중용의 상태인지 알아도 실천하지 못할 수 있으므로 의지를 길러야 한다.

**08** 갑, 을의 입장에 대한 설명으로 옳은 것은?

모든 존재와 인식의 근거가 되는 초월적 실재인 이데아가 존재하며 이데아의 세계에 진리가 존재한다.
갑

인간의 궁극적인 목적은 최고선이며, 최고선은 행복이다. 행복은 덕과 일치하는 정신의 활동이다.
을


① 갑은 현실 세계에서 진리를 찾고자 한다.
② 갑에게 이상적인 정치란 다수결의 원리를 따르는 것이다.
③ 갑은 을에 비해 도덕적 실천에 있어서 인간의 의지를 강조한다.
④ 을은 인간의 고유의 기능인 이성을 탁월하게 발휘할 때 행복에 도달할 수 있다고 본다.
⑤ 갑, 을은 이성과 사유보다 감각과 경험을 중시한다.

**[09~10] 다음을 읽고 물음에 답하시오.**

> 현실 세계와 이데아 세계를 구분하고 정신적 이상을 추구한 [ ㉠ ]의 윤리 사상은 데카르트, 칸트와 같이 이성을 바탕으로 경험의 세계를 넘어서는 진리를 추구했던 사상가들에게 영향을 주었다. 반면에 [ ㉡ ]은/는 [ ㉠ ]의 이상주의적 이데아론을 비판하며, 현실에서 실현할 수 있는 선을 추구하였다. 이러한 [ ㉡ ]의 윤리 사상은 진리를 탐구하는 과정에서 현실 세계에 대한 고려가 중요하다는 점을 보여 줌으로써, 근대의 경험주의와 현대 덕 윤리에 많은 영향을 주었다.

**09** ㉠의 입장만을 〈보기〉에서 있는 대로 고른 것은?

보기
ㄱ. 현실 세계는 이데아 세계를 모방한 불완전한 세계이다.
ㄴ. 통치의 권한과 책임은 모든 사람이 나누어 가져야 한다.
ㄷ. 철인은 이성을 통해 이데아에 대한 참된 인식을 갖춘 사람이다.
ㄹ. 덕은 이성이 기개와 욕망에 굴복할 때 비로소 형성되는 것이다.

① ㄱ, ㄴ ② ㄱ, ㄷ ③ ㄴ, ㄹ
④ ㄱ, ㄴ, ㄹ ⑤ ㄴ, ㄷ, ㄹ

중요
**10** ㉠, ㉡의 공통점으로 옳은 것은?

① 그리스도교 윤리 사상의 발전에 기여하였다.
② 자신의 무지를 자각하는 순간 덕 있는 사람이 될 수 있다고 보았다.
③ 앎과 행함 사이에는 의지의 나약함 문제가 개입될 수 있다고 주장하였다.
④ 이성적 사유와 판단보다 감각적 경험과 관찰에 근거한 진리 추구를 강조하였다.
⑤ 국가의 세 계급은 인간 영혼의 세 부분에 대응되며, 각 계급에 맞는 덕목이 있다고 보았다.

**11** 현대 덕 윤리의 특징으로 옳지 않은 것은?

① 아리스토텔레스의 윤리 사상을 계승하였다.
② '나는 어떤 인간이 되어야 하는가?'에 초점을 둔다.
③ 인간은 이성을 통해 현실 세계를 초월한 세계에서 참된 진리를 파악할 수 있다고 본다.
④ 어떤 사람이 덕 있는 사람인지 결정할 실질적인 기준을 명확하게 제시하지 못할 수 있다는 한계가 있다.
⑤ 선한 동기, 감정, 성향을 계발하고, 이를 습관화하여 선한 성품을 지닌 사람이 되어야 한다고 강조한다.

**12** 다음과 같이 주장한 사상가의 입장만을 〈보기〉에서 있는 대로 고른 것은?

> 나는 누군가의 아들 또는 딸이고, 누군가의 사촌 또는 삼촌이다. 나는 이 도시 또는 저 도시의 시민이다. 나는 이 씨족에 속하고, 저 부족에 속하며, 이 민족에 속한다. 그렇기 때문에 나에게 좋은 것은 이러한 역할들을 담당하는 누구에게나 좋아야 한다. 이러한 역할을 담지자로서, 나는 나의 가족, 나의 도시, 나의 부족, 나의 민족으로부터 다양한 부채와 유산, 정당한 기대와 책무들을 물려받는다. 그것들은 나의 삶의 주어진 사실과 나의 도덕적 출발점을 구성한다.

보기

ㄱ. 인간은 그가 속한 공동체의 영향을 받는 존재이다.
ㄴ. 무지를 자각하여 참된 앎을 지닌 사람은 덕 있는 사람이 된다.
ㄷ. 행위자의 덕성보다는 행위 자체의 옳고 그름에 주목해야 한다.
ㄹ. 개인의 행위를 평가할 때는 행위가 이루어진 공동체의 맥락 안에서 평가해야 한다.

① ㄱ, ㄷ ② ㄱ, ㄹ ③ ㄴ, ㄹ
④ ㄱ, ㄴ, ㄹ ⑤ ㄴ, ㄷ, ㄹ

## 서술형 문제

● 정답친해 32쪽

**01** 다음을 읽고 물음에 답하시오.

> 실무나 학식 등 모든 면에서 가장 훌륭하였던 사람으로 하여금 고개를 들어 영혼의 눈으로 모든 것에 빛을 주는 좋음[善] 자체를 보게 해야 합니다. …… 그들은 여생의 대부분을 철학으로 소일하지만, 차례가 오면 나랏일로 수고하며 저마다 나라를 위해 통치자가 되어야 합니다. 그리고 다른 사람을 교육하여 자신을 대신할 사람을 남긴 다음, 축복받은 자들의 섬으로 가서 살게 해야 합니다. 내가 말한 것은 남자뿐만 아니라 여자에게도 해당합니다. 여자라도 충분한 자질을 지니고 태어났다면 그도 철학자와 통치자가 될 수 있습니다.

(1) 위와 같이 주장한 고대 그리스 사상가가 강조하는 이상적인 정치를 쓰시오.

(2) 위와 같이 주장한 고대 그리스 사상가가 강조하는 통치자의 자질을 서술하시오.

길잡이 플라톤은 지혜를 갖춘 철학자가 국가를 통치할 때 정의로운 국가가 된다고 강조하였다. 이를 바탕으로 통치자의 자질을 서술한다.

**02** 다음을 읽고 물음에 답하시오.

> 아리스토텔레스에 의하면 인간 행위의 궁극적인 목적은 행복이며, 행복이란 덕에 따르는 영혼의 활동이다. 그는 인간의 영혼을 이성적 부분과 비이성적 부분으로 구분하였고 이에 따라 덕도 ( ㉠ )와/과 ( ㉡ )(으)로 구분하였다. ( ㉠ )은/는 이성을 탁월하게 발휘하여 얻을 수 있는 지적 탁월성이며, ( ㉡ )은/는 인간의 감정이나 행위가 중용을 따르는 품성 상태를 뜻한다.

(1) ㉠, ㉡에 알맞은 용어를 각각 쓰시오.

(2) ㉠, ㉡을 기르는 방법을 각각 서술하시오.

길잡이 인간을 참된 행복에 이르게 하는 두 가지 덕의 특징을 파악하고, 이를 기르기 위한 방법을 서술한다.

# STEP 3 1등급 정복하기

**1** 다음 글에 대한 옳은 설명만을 〈보기〉에서 있는 대로 고른 것은?

> 플라톤의 동굴의 비유

지하 동굴에는 어릴 적부터 팔과 다리, 목이 묶여 동굴 입구를 등진 채 살아가는 사람들이 있다. 이들은 이곳에 머무르면서 막힌 동굴의 앞쪽만을 보도록 묶여 있고, 이들의 뒤쪽 멀리에서는 불이 타오르고 있다. 이 불과 묶인 사람들 사이에는 높은 담장이 있다. 그리고 담장 너머에서는 사람들이 인물상, 동물상 등을 담 위로 들고 지나다닌다. 동굴 안의 묶인 사람들은 불빛 때문에 동굴 벽에 만들어지는 그림자들만 볼 수 있을 뿐이다. 만약 그들 중 하나가 풀려나서 불빛을 쳐다본다면, 그 순간 눈이 아파 큰 고통을 느낄 것이다. 하지만 이내 그의 눈은 불빛에 적응할 것이고, 그리하여 동굴을 탈출한다면 그는 동굴 밖의 환한 세상을 보게 될 것이다. 동굴 밖의 세상을 본 그는 다시 동굴로 돌아와 사람들을 동굴 밖으로 인도하려 할 것이다.

**보기**

ㄱ. 참된 진리의 원천은 동굴 밖의 세계에 있다고 본다.
ㄴ. 철인은 동굴 밖으로 나가 선의 이데아를 본 사람이라고 본다.
ㄷ. 동굴 벽에 만들어지는 그림자는 참된 실재이자 이데아를 상징한다고 본다.
ㄹ. 선의 이데아를 인식한 철학자는 앎으로 인한 고통 때문에 다시 동굴 안의 세계에서 살고자 한다고 본다.

① ㄱ, ㄴ ② ㄱ, ㄷ ③ ㄴ, ㄷ
④ ㄱ, ㄴ, ㄷ ⑤ ㄴ, ㄷ, ㄹ

**2** 다음과 같이 주장한 사상가가 긍정의 대답을 할 질문으로 옳은 것을 〈보기〉에서 고른 것은?

> 아리스토텔레스 윤리 사상의 특징

우리가 바라는 것은 용감함이 무엇인지를 아는 것이 아니라 용감한 사람이 되는 것이며, 정의가 무엇인지를 아는 것이 아니라 정의로운 사람이 되는 것이다. 마치 건강함이 무엇인지를 인식하기보다는 오히려 건강하기를 바라고, 좋은 체력이 무엇인지를 인식하기보다는 오히려 좋은 체력을 가지기를 바라는 것과 같다.

**보기**

ㄱ. 중용은 모든 감정이나 행동에 존재하는가?
ㄴ. 인간은 선행과 악행을 선택할 수 있는 존재인가?
ㄷ. 인간이 지닌 모든 욕구를 제거하고 공동체에서 벗어날 때 진정한 행복에 이를 수 있는가?
ㄹ. 의지가 나약한 사람은 해야 할 일을 알고 있어도 그 앎에 반대하는 행동을 할 수도 있는가?

① ㄱ, ㄴ ② ㄱ, ㄷ ③ ㄴ, ㄷ
④ ㄴ, ㄹ ⑤ ㄷ, ㄹ

**완자샘의 시험 꿀팁**

아리스토텔레스의 사상과 관련된 문항이 자주 출제되고 있다. 그러므로 아리스토텔레스에게 덕 있는 사람이란 덕에 대한 지혜뿐만 아니라 이러한 지혜에 따라 실천하려는 의지를 가지고 지속적으로 실천하는 사람이라는 점을 파악해 둔다.

정답친해 32쪽

평가원 응용

**3** 갑, 을의 입장으로 옳지 않은 것은?

> 갑: 영혼은 앎을 사랑하는 이성적인 부분, 승리를 사랑하는 기개적인 부분, 돈을 사랑하는 욕구적인 부분으로 나뉜다. 각 부분의 탁월한 상태가 지혜, 용기, 절제의 덕이다.
> 을: 두려움과 대담함에 관련해서는 용기가 중용이다. 두려움이 전혀 없는 사람도 지나친 사람이고, 무모한 사람도 대담함이 지나친 사람이다. 반면 지나치게 두려워하며 대담함이 모자란 사람은 비겁한 사람이다.

① 갑: 선의 이데아에 대한 지식을 가진 철학자가 이상 국가를 통치한다.
② 갑: 절제는 이상 국가에서 생산자 계층 사람만이 갖춰야 하는 덕이다.
③ 을: 최고선은 다른 모든 좋음을 포함하는 완전한 선이다.
④ 을: 중용 상태를 파악하기 위해서는 실천적 지혜가 반드시 필요하다.
⑤ 갑, 을: 행복하게 살기 위해서 좋음[善]에 대한 객관적 앎이 있어야 한다.

> 플라톤과 아리스토텔레스의 윤리 사상 비교

**완자샘의 시험 꿀팁**

플라톤과 아리스토텔레스의 윤리 사상을 비교하는 문제가 자주 출제되므로 각각의 내용을 비교하여 잘 알아 두어야 한다.

교육청 응용

**4** (가)의 갑, 을의 입장을 (나) 그림으로 표현할 때, A~C에 해당하는 옳은 진술만을 〈보기〉에서 있는 대로 고른 것은?

(가)
갑: 영혼의 훌륭한 상태란 영혼의 세 부분들이 마치 화음을 이루는 최저음, 중간음, 최고음의 세 음정처럼 조화로워서 서로에 관해 참견하지 않도록 하며, 진정으로 자기에게 고유한 일들을 잘 감당하게 하는 것이다.
을: 행복은 궁극적이고 자족적이며, 모든 행동의 목적이라고 할 수 있다. 무엇이 행복인지를 알려면 인간의 기능에 대해서 생각해 보아야 한다. 인간만이 지닌 특별한 기능은 정신의 이성적 활동 능력이다. 인간의 기능을 훌륭하게 수행하는 것은 바로 이성적 활동을 잘 수행하는 것이다. 어떠한 활동이 잘 수행되는 것은 그것에 알맞은 덕을 가지고 수행될 때이다. 그러므로 행복이란 덕과 일치하는 정신의 활동이라고 할 수 있다.

(나)
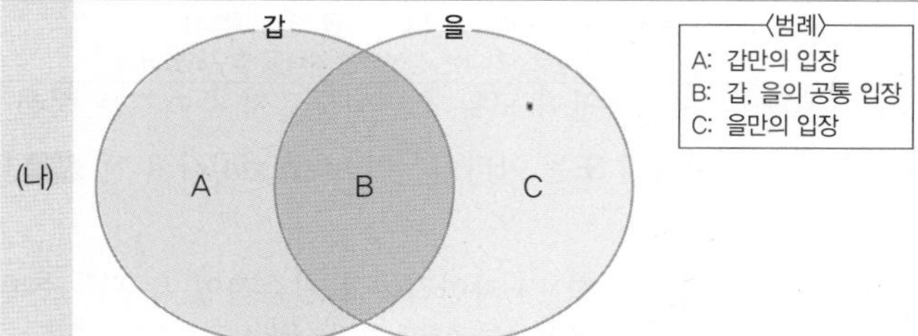


〈범례〉
A: 갑만의 입장
B: 갑, 을의 공통 입장
C: 을만의 입장

**보기**

ㄱ. A: 인간은 이성이 욕망을 적절히 통제하고 조절할 때 올바른 삶을 살 수 있다.
ㄴ. B: 덕 있는 삶을 살 때 행복한 삶을 누릴 수 있다.
ㄷ. B: 통치자는 선의 이데아에 대한 올바른 인식과 인격을 갖춘 사람이어야 한다.
ㄹ. C: 참된 진리는 이상적인 세계가 아니라 우리가 사는 현실 세계에 존재한다.

① ㄱ, ㄴ ② ㄱ, ㄷ ③ ㄴ, ㄹ
④ ㄱ, ㄴ, ㄹ ⑤ ㄴ, ㄷ, ㄹ

> 플라톤과 아리스토텔레스의 윤리 사상 비교

**완자 사전**

• **자족**
스스로 넉넉하게 여기는 상태

# 03 행복 추구의 방법

**학습목표**
- 에피쿠로스학파가 제시한 쾌락과 평정심의 의미를 이해할 수 있다.
- 스토아학파가 제시한 금욕과 부동심의 의미를 이해할 수 있다.

## 1 쾌락의 추구와 평정심

### 1. 헬레니즘 시대의 특징

**(1) 헬레니즘의 시대적 상황** — 잠깐! 헬레니즘 시대는 알렉산드로스 대왕이 죽은 이후부터 로마가 그리스와 이집트를 정복한 시기까지를 말해.

① 기원전 4세기 경 도시 국가(polis)가 해체되고 거대한 제국이 출현함 → 사람들이 도시 국가의 시민이 아닌 제국의 *신민으로 살아가게 됨

② 도시 국가의 구성원이라는 소속감이 약해지면서 개인주의가 등장하였고, 다른 한편에서는 제국의 일원으로서 동질성을 강조하는 세계 시민주의가 등장함

③ 정복 전쟁과 정치적 혼란이 계속됨 → 사람들은 안정되고 평온한 삶을 갈망함

**(2) 헬레니즘 시대의 사상적 경향**

① 행복에 이를 수 있는 방법을 주요한 탐구 주제로 삼음

② 평온한 삶으로서의 행복을 추구함

③ 행복한 삶에 이르는 방법으로 쾌락을 중시하는 에피쿠로스학파와 금욕을 추구하는 스토아학파가 등장함

에피쿠로스학파는 이 학파의 창시자인 에피쿠로스의 이름에서 유래하였어.

### 2. 에피쿠로스학파의 쾌락주의 윤리 사상

**(1) 특징**

① 에피쿠로스는 쾌락은 유일한 선이며 고통은 유일한 악이라고 전제하고, 쾌락이 행복한 삶의 시작이자 끝이라는 쾌락주의 입장을 제시함

② 소극적 쾌락주의: 적극적으로 욕망을 충족하거나 쾌락을 추구하기보다는 고통을 제거함으로써 주어지는 쾌락을 추구함

VS 감각적·육체적 쾌락을 추구한 키레네학파와 달리 에피쿠로스학파는 정신적인 쾌락을 추구하였어.

③ *정신적 쾌락 추구: 몸의 고통과 마음의 불안이 모두 소멸함으로써 주어지는 정신적 쾌락을 추구하였으며, 이러한 상태를 평정심 또는 아타락시아(ataraxia)라고 함 자료①

**(2) 참된 쾌락에 이르는 방법**

① 욕구를 절제하고 검소한 삶을 살 것을 강조함 → 자연적이고 필수적인 욕구를 충족하는 소박한 삶을 살 것을 제시함 자료② — 예 에피쿠로스는 소박한 식사와 물만으로 만족하는 삶을 통해 마음의 평온함을 유지해야 한다고 보았어.

② 평온함에 이르기 위하여 우주, *신, 죽음 등에 대한 잘못된 생각에서 벗어나야 한다고 강조함

③ 공적인 삶을 멀리하는 대신 사적인 공간에서 친구들과 우정을 나누며 정의롭게 사는 삶을 권장함 교과서 자료 — 왜? 공적으로 맺은 인간관계가 집착과 다툼 등 고통과 불안을 일으킬 수 있기 때문이야.

**(3) 에피쿠로스학파 윤리 사상이 미친 영향**

① 경험을 중시한 점은 근대 경험론에 영향을 줌

② 쾌락을 행복으로 보는 관점은 공리주의로 계승됨 — 에피쿠로스학파가 쾌락을 구분했던 점은 질적 공리주의에 많은 영향을 주었어.

---

**이것이 핵심!**

에피쿠로스학파의 쾌락주의 윤리

| | |
|---|---|
| 쾌락 | 행복한 삶의 시작과 끝 |
| 소극적 쾌락주의 | 고통을 제거함으로써 주어지는 쾌락을 추구함 |
| 진정한 쾌락 | 아타락시아: 몸의 고통과 마음의 불안이 모두 소멸함으로써 주어지는 정신적 쾌락이자 평정심의 상태 |
| 바람직한 삶 | • 검소하고 소박한 삶<br>• 공적인 삶을 멀리하는 대신 사적인 공간에서 친구들과 우정을 나누며 정의롭게 사는 삶 |

**★ 신민(臣民)**
군주가 다스리는 국가에서 살아가는 관리나 백성을 이르는 말로, 군주에 종속된 존재를 의미한다.

**★ 에피쿠로스학파가 추구한 쾌락**
에피쿠로스학파가 추구한 쾌락은 감각적이고 순간적인 쾌락과는 거리가 멀다. 왜냐하면 감각적이고 순간적인 쾌락을 추구하는 삶은 더 높은 강도의 쾌감을 탐닉하도록 부추겨 결국 더 많은 고통을 낳는다는 쾌락의 역설에 빠질 수 있기 때문이다.

**★ 신에 관한 에피쿠로스의 견해**
에피쿠로스는 신은 정념과 편애가 없는 완전한 존재이기 때문에 인간사에 간섭하지 않는다고 보았다. 그러므로 신에 대한 두려움을 가질 이유도 없고, 신에게 복을 빌 이유도 없다고 하였다.

## 완자 자료 탐구

### 자료 1 에피쿠로스학파가 주장하는 쾌락과 이성의 연관성

> 우리가 "쾌락이 목적이다."라고 할 때의 쾌락은 방탕한 사람의 쾌락이나 육체적인 쾌락이 아니다. 내가 말하는 쾌락은 몸의 고통과 마음의 불안으로부터의 자유이다. …… 오히려 모든 욕구와 회피의 근거를 파악하고 영혼을 회오리바람처럼 뒤흔드는 광기를 몰아내는 명료한 사고만이 쾌락적인 삶을 만들어 준다.
>
> – 에피쿠로스, 『쾌락』

에피쿠로스에 따르면 이성이나 지혜는 진정한 쾌락에 이르는 데 필요한 수단이다. 왜냐하면 이성을 통해 고통의 원인을 분석하고, 건전한 추론을 함으로써 쾌락을 분별해 낼 수 있기 때문이다. 이성과 지혜를 지닌 사람은 절제, 정의, 우정 등의 덕을 쌓는 삶을 통해 쾌락의 상태에 이를 수 있다.

### 자료 2 에피쿠로스가 제시한 욕구의 세 가지 유형

> 욕구 중 어떤 것은 자연적인 동시에 필수적이며, 다른 것은 자연적이기는 하지만 필수적이지는 않고, 또 다른 것은 자연적이지도 않고 필수적이지도 않으며, 다만 헛된 생각에 의해 생겨난다. …… 욕구 중 그것이 충족되지 않더라도 우리를 고통으로 이끌지 않는 욕구는 필수적이지 않다.
>
> – 에피쿠로스, 『쾌락』

에피쿠로스는 인간의 욕구를 세 가지로 구분하였다. 첫째 음식이나 수면에 대한 욕구처럼 자연적이고 필수적인 욕구, 둘째 성적(性的) 욕구처럼 자연적이지만 필수적이지 않은 욕구, 셋째 부, 명예, 권력에 대한 욕구처럼 자연적이지도 필수적이지도 않은 욕구이다. 에피쿠로스 관점에서 참된 쾌락을 누리려면 자연적이고 필수적인 욕구를 최소한으로 충족하면서, 필수적이지 않은 욕구를 자제하는 절제되고 소박한 삶을 살아야 한다.

왜? 에피쿠로스에 따르면 고통과 불안은 인간이 자연적이고 필수적인 욕구를 채우지 못하거나, 필수적이지 않은 욕구를 충족하려는 데에서 생겨.

### 수능이 보이는 교과서 자료 에피쿠로스가 추구한 바람직한 삶의 자세

> • 사려 깊고 아름답고 정의롭게 살지 않고서는 즐겁게 사는 것이 불가능하며, 반대로 즐겁게 살지 않고서 사려 깊고 아름답고 정의롭게 사는 것도 불가능하다. 덕은 본성적으로 즐거운 삶과 연결되어 있으며, 즐거운 삶은 덕과 분리할 수 없다.
> • 아름다움과 덕은 우리에게 쾌락을 제공할 때 가치를 지닌다. 이들이 쾌락을 주지 못한다면, 우리는 그것들을 버려야 한다.
>
> – 에피쿠로스, 『쾌락』

에피쿠로스는 쾌락주의의 관점에서 절제, 용기, 지혜, 정의와 같은 덕목들은 쾌락을 얻기 위한 도구적 가치를 지닐 뿐이고, 오로지 쾌락만이 본래적 가치를 지닌다고 하였다. 마찬가지로 아름다움이나 덕도 우리에게 쾌락을 제공할 때 비로소 가치를 지닌다고 보았다. 쾌락을 최고선으로 보았던 에피쿠로스는 사적인 공간에서 친구와 우정을 나누고 지적으로 교류하면서 정의롭게 살아갈 때 행복에 이를 수 있다고 보았다.

└ 에피쿠로스에게 우정은 행복한 삶을 위해 꼭 필요한 것이며, 정의는 서로 피해를 주고받지 않도록 하여 안전한 삶을 보장해 주는 것이야.

### 내 옆의 선생님

**자료 하나 더 알고 가자!**

**죽음에 관한 에피쿠로스의 견해**

> 죽음은 우리에게 아무것도 아니다. 우리가 존재하는 한 죽음은 우리와 함께 있지 않으며, 죽음이 존재하면 우리는 더 이상 존재하지 않기 때문이다.
>
> – 에피쿠로스, 『쾌락』

에피쿠로스에 따르면 우리가 살아 있을 때에는 죽음을 경험할 수 없고, 죽었을 때에는 우리의 감각이 상실되기 때문에 죽음은 우리에게 영향을 미칠 수 없다. 이에 따라 그는 우리가 죽음에 대한 막연한 공포에서 벗어나야 한다고 강조하였다.

**문제로 확인할까?**

**에피쿠로스가 추구하는 삶의 모습으로 옳은 것은?**

① 필수적이지 않은 욕구를 충족하는 삶
② 명예를 좇아 공적인 삶을 지향하는 삶
③ 음식에 대한 욕구를 최대한으로 충족하는 삶
④ 자연적이지만 필수적이지 않은 욕구를 충족하는 삶
⑤ 자연적이고 필수적인 욕구를 최소한으로 충족하는 삶

⑤ 답

**완자샘의 탐구 강의**

**• 에피쿠로스학파가 주장한 우정과 정의에 대해 서술해 보자.**

에피쿠로스학파에서는 공적인 삶을 멀리하는 대신 사적인 공간에서 친구들과 우정을 나누며 정의롭게 사는 삶을 권장하였다. 친구들과의 우정은 행복한 삶을 위해 필요한 것이며, 정의는 서로 피해를 주고받지 않도록 하여 안전한 삶을 보장해 주는 것이기 때문이다.

함께 보기 130쪽, 1등급 정복하기 1

# 03 행복 추구의 방법

이것이 핵심!

스토아학파의 금욕주의 윤리

| | |
|---|---|
| 자연에 따르는 삶 | 행복한 삶은 자연의 필연성에 순응하는 삶(=이성에 따르는 삶)임 |
| 금욕주의 | 이성의 법칙에 따르는 금욕주의적 삶을 강조함 |
| 자연법 사상 | • 자연법의 내용으로 가족, 친구, 동료 시민, 인류 전체에 대한 사랑을 제시함<br>• 인류의 공동선을 실현하기 위한 의무를 다해야 함 |

★ 정념

스토아학파에서 말하는 정념은 외부의 자극으로 일어나는 마음의 격렬한 움직임이며, 평온한 삶을 깨뜨리는 원인이다. 정념이 이성을 가리면 자연을 따라 살아가기보다는 육체·재산·평판 등 외적인 것에 관심을 쏟고 기쁨·슬픔·욕망 등에 시달리게 된다. 따라서 스토아학파는 정념에서 벗어나 어떠한 외부 상황에도 동요하지 않는 정신의 의연함과 평온함(아파테이아)에 이르도록 노력해야 한다고 강조하였다.

★ 자연법

자연법은 우주를 지배하는 이성의 명령이자 자연법칙을 의미한다. 또한 인위적인 법률과 가치에 대비되는 개념으로, 당연히 존재하고 언제 어디서나 유효한 보편적·불변적 법칙을 가리킨다.

★ 의무

행위의 결과와 무관하게 자연의 법칙인 이성의 명령에 따라 해야 하는 행위를 말한다.

## 2 금욕과 부동심

### 1. 스토아학파의 금욕주의 윤리 사상

(1) 특징

| | |
|---|---|
| 자연에 따르는 삶 | • 이 세계는 질서 있는 하나의 전체이고 신적인 이성(logos)은 이 세계 안에서 일어나는 모든 일을 지배함 → 신, 우주, 자연, 인간과 같은 세계의 모든 일은 이성으로 연결되어 있고, 이성의 법칙으로 구체화됨 — 잠깐! 스토아학파가 주장하는 이성은 신, 자연 등으로 표현되기도 해.<br>• 세계 안의 모든 일은 이성의 인과 법칙에 따라 필연적으로 일어나며, 그것은 우리에게 운명으로 다가옴 → 우리가 조절할 수 있는 것은 내면의 동기나 의지임<br>• 행복한 삶은 신적인 이성의 법칙과 필연적인 자연의 법칙에 따르는 삶임 자료 ③ |
| 금욕주의 | 평온한 삶을 위해 온갖 욕망과 감정으로부터 벗어날 것을 강조하기 때문에 금욕주의라고 불림 → *정념에서 벗어난 상태인 부동심, 즉 아파테이아(apatheia)에 이르도록 노력해야 함 |
| 자연법사상 | • *자연법의 내용으로 가족, 친구, 동료 시민, 인류 전체에 대한 사랑을 제시함<br>• 자연법사상에 기초하여 각 개인은 사회적 역할을 수행해야 할 뿐만 아니라 인류의 공동선을 실현하기 위한 *의무를 다해야 함 |

꼭! 자식에 대한 부모의 사랑, 인류에 대한 사랑과 같은 몇몇 감정은 허용하였어. 다만 어떤 정념이든 초연하게 대해야 한다고 강조하였어.

잠깐! 이성을 가진 모든 사람은 누구나 평등하다는 세계 시민주의 사상이 깔려 있어.

(2) 바람직한 삶의 모습으로서 부동심에 이르는 방법 자료 ④

① 이성에 따르는 삶: 자연의 필연적 질서와 법칙에 순응하는 삶이자 신의 섭리와 예정에 따르는 삶을 살아야 함 — 꼭! 스토아학파에 따르면 자연과 이성에 따라 행위 하는 것이 우리의 의무이며, 이 의무를 다한다면 그 결과에 상관없이 행복할 수 있어.

② 운명에 순응하는 삶: 나에게 일어나는 상황은 신으로부터 주어진 것임 → 자신에게 주어진 상황과 조건을 변화시키기보다는 그것을 자신의 운명으로 받아들여야 함

(3) 스토아학파 윤리 사상이 미친 영향

① 정념으로부터의 자유를 추구한 점은 스피노자 사상에 영향을 줌

② 이성에 부합하는 삶과 의무에 대한 강조는 칸트의 사상에 영향을 줌

③ 세계 시민주의를 기반으로 한 인류애의 강조는 로마의 만민법에 영향을 줌

④ 자연법사상은 중세의 아퀴나스와 근대의 자연법 사상가들에게 영향을 줌

### 2. 에피쿠로스학파와 스토아학파 사상의 한계와 현대적 의의 자료 ⑤

(1) 특징과 한계

| 구분 | 에피쿠로스학파 | 스토아학파 |
|---|---|---|
| 특징 | 쾌락을 추구하고 공적인 일을 멀리함 | 금욕적 생활과 공동선의 실현을 중시함 |
| 한계 | • 사회적 관계를 멀리하고 사적인 생활만 중시하여 이타적인 공공생활을 경시하였다는 비판을 받기도 함<br>• 쾌락을 최고선으로 본 점도 비판의 대상이 됨 → 쾌락이 우리가 추구해야 하는 궁극적인 목적과 동일시될 수 있는지 의문이 제기될 수 있음 | • 주어진 운명에 순응할 것을 지나치게 강조하여 도덕적 행위에 있어 인간의 의지와 정서의 역할을 간과하였다는 비판을 받기도 함<br>• 자연의 전개가 필연적이라는 세계관과 인간 내면의 자유를 인정한 관점은 양립하기 어렵다는 비판도 있음 |

(2) 현대적 의의

① 욕망의 절제를 통한 평온한 삶으로서의 행복을 추구함 → 물질과 명예를 지나치게 중시하는 현대인의 삶을 반성하게 함

② 평정심과 부동심을 추구함 → 급변하는 상황에서 불안해하는 현대인에게 내적 평온을 통한 행복의 중요성을 알려 줌

## 완자 자료 탐구

### 자료 3 이성의 법칙에 따르는 삶

> 인간사에서 중요한 것은 무엇인가? 권력과 이익을 추구하는 것이 아니다. 다른 사람들을 다스리는 자는 많으나 자기 자신을 다스리는 자는 매우 드물다. 중요한 것은 운명의 위협을 극복하는 정신이며, 우리의 욕구를 충족하는 것은 아무 가치도 없다는 것을 깨닫는 것이다. 만일 네가 신의 결정에 따라 모든 것이 이루어진다는 것을 안다면 진정으로 자유로운 사람인 것이다.
>
> – 세네카, 『자연의 의문들』

스토아학파에 따르면 우리를 둘러싼 외적인 것들은 이성의 법칙에 따라 결정되어 있으므로 우리의 의지대로 바꿀 수 없다. 우리가 바꿀 수 있는 것은 내면의 동기나 의지일 뿐이다. 따라서 인간은 이성의 명령에 따라 자연의 필연성을 기꺼이 받아들일 때 덕 있는 삶을 살아가고, 마음의 안정과 행복에 이를 수 있다.

### 자료 4 행복과 자유를 얻기 위해 필요한 태도

> 세상에는 우리의 의지대로 할 수 있는 것들이 있고, 그렇지 않은 것들이 있다. 앞의 것은 믿음이나 충동, 욕구를 가지는 일처럼 모든 상황에서 우리의 의지대로 할 수 있는 것들이다. 반면에 뒤의 것은 육체나 소유물, 평판, 지위와 같이 우리의 행위가 아닌 것들이다. …… 만약에 우리가 이러한 것들을 자신의 의지대로 할 수 있다고 생각한다면, 장애에 부딪치고 고통을 당할 것이며, 마음이 심란해지고 신들과 인간들을 비난하게 될 것이다.
>
> – 에픽테토스, 『엥케이리디온』

스토아학파 사상가인 에픽테토스는 세상에는 우리의 의지대로 할 수 있는 것과 우리의 의지대로 할 수 없는 것이 있다고 구분하였다. 그는 우리의 의지대로 할 수 없는 것들을 우리의 의지대로 할 수 있다고 생각한다면 고통을 당할 것이며 마음의 평온함이 깨지게 될 것이라고 경고하였다. 이에 따르면 우리가 바꿀 수 없는 일은 받아들이고, 바꿀 수 있는 일에 집중할 때 행복과 자유를 얻을 수 있다.

꼭! 모든 것이 순리대로 되었음을 이성으로 통찰하고 운명에 따를 때 행복과 자유를 얻을 수 있어.

### 자료 5 에피쿠로스학파와 스토아학파의 삶의 태도

> 쾌락이란 몸의 고통이나 마음의 혼란으로부터의 자유를 의미한다. 그러므로 우리는 스스로를 일상의 예속과 정치의 예속으로부터 해방해야 한다.
>
> – 에피쿠로스, 『쾌락』

> 세상에서 일어나는 일들이 네가 바라는 대로 일어나기를 요구하지 말고, 오히려 일어나는 일들이 실제로 일어나는 대로 일어나기를 원해라.
>
> – 에픽테토스, 『엥케이리디온』

에피쿠로스학파는 쾌락을 추구하며 육체의 고통과 마음의 불안에서 벗어날 때 행복한 삶을 살 수 있다고 보았다. 반면에 스토아학파는 금욕을 통해 정념의 지배에서 벗어나 이성에 따를 때 행복에 이를 수 있다고 보았다. 이처럼 에피쿠로스학파와 스토아학파는 행복한 삶에 이르는 방법으로 서로 다른 길을 제시하였다. 하지만 두 학파 모두 인간이 추구해야 할 궁극적 행복으로 부나 명예와 같은 외적인 것이 아닌, 마음의 평온함을 제시했다는 공통점이 있다.

VS 에피쿠로스학파의 평정심(아타락시아)은 육체적·정신적 고통이 사라짐으로써 얻는 평온함이지만, 스토아학파의 부동심(아파테이아)은 정념에서 해방됨으로써 얻는 평온함이야.

---

**내 옆의 선생님**

**자료 하나 더 알고 가자!**

**운명에 순응하는 삶을 강조한 스토아학파**

> 운명에 버둥거릴수록 사태는 점점 더 악화될 뿐이다. 마치 그물에 걸린 새가 날개를 퍼드덕거릴수록 더욱 사로잡히게 되는 것과 같다. 최상의 방법은 오직 신의 뜻에 순종하는 것이다.
>
> – 세네카, 『행복론』

스토아학파는 자연 안에서 일어나는 모든 일은 이미 신에 의해 운명 지어져 있다고 보았다. 따라서 우리가 지녀야 하는 바람직한 태도는 운명에 순응하고 운명을 사랑하는 것뿐이라고 강조하였다.

**정리 비법을 알려줄게!**

**이성과 행복한 삶에 관한 스토아학파의 견해**

| 이성(logos) | 신과 세계와 인간의 본성 |
|---|---|
| 행복한 삶 | 충동과 정념에 따르는 삶이 아니라 이성의 원리에 맞게 일관되고 평온한 삶을 사는 것 |

**문제로 확인할까?**

**스토아학파가 추구하는 삶의 모습으로 옳지 않은 것은?**

① 이성에 따르는 삶
② 정념으로부터 초연한 삶
③ 자연의 법칙에 순응하는 삶
④ 외부 상황에 동요하지 않는 의연한 삶
⑤ 자신에게 주어진 상황과 조건을 변화시키는 삶

⑤ 답

정답친해 33쪽

# STEP 1 핵심 개념 확인하기

**1** 다음 설명에 해당하는 용어를 쓰시오.

> 감각적이고 순간적인 쾌락을 추구하는 삶은 더 높은 강도의 쾌감을 탐닉하도록 부추겨 결국 더 많은 고통을 낳는다는 것을 일컫는 말이다.

**2** 에피쿠로스의 입장만을 〈보기〉에서 있는 대로 골라 기호를 쓰시오.

보기
ㄱ. 이성적 사고를 버리고 감각적 쾌락을 중시해야 한다.
ㄴ. 자연적이지도 필수적이지 않은 욕구는 자제해야 한다.
ㄷ. 공적인 삶을 멀리하는 대신 사적인 공간에서 우정을 나누는 삶이 바람직하다.

**3** 다음과 같이 주장한 사상가를 〈보기〉에서 골라 기호를 쓰시오.

보기
ㄱ. 에피쿠로스　　　ㄴ. 에픽테토스

(1) 쾌락은 행복한 삶의 시작이자 끝이다. (　　)

(2) 세상에는 우리의 의지대로 할 수 있는 일이 있고, 우리의 의지대로 할 수 없는 일이 있다. (　　)

**4** 다음 괄호 안의 내용 중 알맞은 말에 ○표 하시오.

(1) 스토아학파의 사상은 평온한 삶을 위해 온갖 욕망과 감정으로부터 벗어날 것을 강조하기 때문에 ( 쾌락주의, 금욕주의 )라고 불린다.

(2) 스토아학파 사상가들은 어떠한 외부 상황에도 동요하지 않는 정신의 의연함과 평온함을 의미하는 ( 아타락시아, 아파테이아 )에 이르도록 노력해야 한다고 주장하였다.

**5** 다음 설명이 맞으면 ○표, 틀리면 ×표를 하시오.

(1) 스토아학파 사상가들은 모든 정념을 부정하였다. (　　)

(2) 에피쿠로스학파와 스토아학파 사상가들은 모두 마음의 평온함을 추구하였다. (　　)

# STEP 2 내신 만점 공략하기

**01** 다음은 헬레니즘 시대의 윤리 사상에 관한 필기 내용이다. ㉠~㉤ 중 옳지 않은 것은?

**에피쿠로스학파와 스토아학파의 등장 배경과 특징**
1. 등장 배경
(1) 도시 국가 체제의 붕괴와 거대한 제국의 출현은 사람들의 정체성과 가치관에 큰 변화를 가져옴
(2) 공동체의 일원이라는 소속감이 약해지면서 개인주의가 등장함 ……… ㉠
(3) 다른 한편에서는 거대한 제국의 신민이라는 동질성을 강조하는 세계 시민주의가 등장함 ……… ㉡
2. 특징
(1) 외견상으로 볼 때 에피쿠로스학파는 개인주의와 결부됨 ……… ㉢
(2) 스토아학파 사상은 세계 시민주의를 기반으로 함 ……… ㉣
(3) 두 학파 모두 공동체에 대한 공적인 관심을 가져야 한다고 강조함 ……… ㉤

① ㉠　② ㉡　③ ㉢　④ ㉣　⑤ ㉤

**02** 다음 사상가의 관점에만 모두 'V'를 표시한 학생은?

> 우리가 "쾌락이 목적이다."라고 할 때의 쾌락은 방탕한 사람의 쾌락이나 육체적인 쾌락이 아니다. 내가 말하는 쾌락은 몸의 고통과 마음의 불안으로부터의 자유이다.

| 관점 \ 학생 | 갑 | 을 | 병 | 정 | 무 |
|---|---|---|---|---|---|
| 지속적이고 정신적인 쾌락은 참된 쾌락이 아니다. | V | V | | | V |
| 공적인 일에 적극적으로 참여하는 삶이 최선의 삶이다. | V | | V | | |
| 진정한 쾌락을 추구하기 위해서는 이성과 지혜가 필요하다. | | V | V | V | V |
| 적극적으로 쾌락을 추구하기보다는 고통과 불안을 제거하기 위해 노력해야 한다. | V | | | V | V |

① 갑　② 을　③ 병　④ 정　⑤ 무

중요

## 03 다음과 같이 주장한 사상가의 입장으로 옳은 것은?

> 넘칠 만큼의 음식이나 맛있는 생선 요리와 같이 풍성하게 차려진 식탁에 있는 것들이 쾌락적인 삶을 만들어 주는 것은 아니다. 오히려 모든 욕구와 회피의 근거를 파악하고 영혼을 회오리바람처럼 뒤흔드는 광기를 몰아내는 명료한 사고만이 쾌락적인 삶을 만들어 준다.

① 쾌락을 행복의 기준으로 삼아서는 안 된다.
② 참된 쾌락을 누리려면 검소한 삶을 살아야 한다.
③ 절제하는 삶은 쾌락을 추구하는 데 방해가 된다.
④ 감각적·육체적 쾌락을 적극적으로 추구해야 한다.
⑤ 우정을 나누고 정의롭게 사는 삶은 고통을 불러온다.

## 04 ㉠~㉢에 관한 에피쿠로스학파의 입장만을 〈보기〉에서 있는 대로 고른 것은?

> 욕구 중 ㉠ 어떤 것은 자연적인 동시에 필수적이며, ㉡ 다른 것은 자연적이기는 하지만 필수적이지는 않고, ㉢ 또 다른 것은 자연적이지도 않고 필수적이지도 않으며, 다만 헛된 생각에 의해 생겨난다. …… 욕구 중 그것이 충족되지 않더라도 우리를 고통으로 이끌지 않는 욕구는 필수적이지 않다.

**보기**

ㄱ. ㉠을 충족시키지 못하면 고통과 불안을 느낀다.
ㄴ. ㉠의 예로는 음식이나 수면에 대한 욕구가 있다.
ㄷ. ㉡의 예로는 명예나 권력에 대한 욕구가 있으며, 이를 많이 충족시킬수록 행복한 삶에 가까워진다.
ㄹ. ㉢은 인간의 본성과 무관할 뿐만 아니라 반드시 충족해야 할 필요도 없다.

① ㄱ, ㄴ　② ㄴ, ㄷ　③ ㄷ, ㄹ
④ ㄱ, ㄴ, ㄹ　⑤ ㄴ, ㄷ, ㄹ

## 05 다음과 같이 주장한 사상가의 입장을 〈보기〉에서 고른 것은?

> 죽음은 우리에게 아무것도 아니다. 우리가 존재하는 한 죽음은 우리와 함께 있지 않으며, 죽음이 존재하면 우리는 더 이상 존재하지 않기 때문이다.

**보기**

ㄱ. 죽음에 대한 고통과 두려움에서 벗어나야 한다.
ㄴ. 신의 은총을 받은 사람만이 참된 쾌락을 누릴 수 있다.
ㄷ. 인간이 가진 모든 욕구를 제거할 때 행복한 삶을 살 수 있다.
ㄹ. 번잡한 일에서 벗어나 친구들과 친하게 지내는 것은 행복한 삶을 위해 필요하다.

① ㄱ, ㄷ　② ㄱ, ㄹ　③ ㄴ, ㄷ
④ ㄴ, ㄹ　⑤ ㄷ, ㄹ

## 06 다음과 같이 주장한 사상가의 입장에 대한 설명으로 옳은 것은?

> 쾌락은 행복한 삶의 근원이자 목표이다. 참된 쾌락과 행복은 영혼의 고요한 평정에 있다. 두려움, 욕망, 고통 등과 같은 영혼의 소용돌이를 잠재울 때 바람 한 점 없는 잠잠함과 바다와 같은 고요함이 나타난다.

① 인간의 욕구를 구분하는 것은 불가능하다고 본다.
② 몸과 마음의 고통을 운명으로 받아들여야 한다고 본다.
③ 인간은 쾌락에서 벗어날 때 진정한 행복을 누릴 수 있다고 본다.
④ 참된 쾌락을 얻기 위해 욕구를 최대한으로 충족해야 한다고 본다.
⑤ 공적으로 맺은 인간관계가 고통과 불안을 일으킬 수 있다고 본다.

중요

**07** 다음과 같이 주장한 사상가의 입장으로 옳은 것은?

> 인간사에서 중요한 것은 무엇인가? 권력과 이익을 추구하는 것이 아니다. 다른 사람들을 다스리는 자는 많으나 자기 자신을 다스리는 자는 매우 드물다. …… 만일 네가 신의 결정에 따라 모든 것이 이루어진다는 것을 안다면 진정으로 자유로운 사람인 것이다.

① 공적인 지위와 권력 속에서 행복을 찾아야 한다.
② 인간의 모든 정념은 행복을 추구하는 데 방해가 된다.
③ 속세의 번잡함에서 벗어나 소박한 공동체 중심의 삶을 살아야 한다.
④ 이성적 판단과 냉철한 분별력으로 자신의 운명을 바꿔 나가야 한다.
⑤ 자연 안에서 일어나는 일은 신에 의해 운명 지어져 있다는 것을 받아들여야 한다.

**08** 밑줄 친 인물에게서 볼 수 있는 삶의 태도를 〈보기〉에서 고른 것은?

> <u>에픽테토스</u>가 노예였던 시절 하루는 주인이 몹시 화가 나서 그의 팔을 비틀기 시작하였다. 주인은 오랫동안 계속해서 그의 팔을 비틀었지만, 그는 아무런 반응도 보이지 않다가 마침내 평온하게 "주인님, 그렇게 계속하신다면 저의 팔이 부러질 것입니다."라고 말하였다. 그러나 이 말은 주인의 화를 더욱 돋우게 되었고, 결국 주인은 실제로 에픽테토스의 팔을 부러뜨려 버렸다. 그 순간에도 그는 평온함을 잃지 않고 "제가 그렇게 될 것이라고 말씀드리지 않았습니까?"라고 말하였다.

보기

ㄱ. 이성과 분별력을 통해 주어진 숙명을 변화시켜야 한다.
ㄴ. 우리를 둘러싼 외적인 것들은 우리의 의지대로 바꿀 수 없다.
ㄷ. 인간이 지닌 이성의 힘으로 자연의 질서를 바꾸어 나가야 한다.
ㄹ. 우리가 바꿀 수 없는 일은 받아들이고, 바꿀 수 있는 일에 집중해야 한다.

① ㄱ, ㄴ ② ㄱ, ㄷ ③ ㄴ, ㄷ
④ ㄴ, ㄹ ⑤ ㄷ, ㄹ

**09** 다음과 같이 주장한 사상가의 입장에서 긍정의 대답을 할 질문을 〈보기〉에서 고른 것은?

> 운명에 버둥거릴수록 사태는 점점 더 악화될 뿐이다. 마치 그물에 걸린 새가 날개를 퍼드덕거릴수록 더욱 사로잡히게 되는 것과 같다. 최상의 방법은 오직 신의 뜻에 순종하는 것이다.

보기

ㄱ. 세계는 이성적인 전체이며, 자연 또는 신과 동일시할 수 있는가?
ㄴ. 운명에 순응하는 존재인 인간이 행복을 느끼는 것은 불가능한가?
ㄷ. 인간이 지닌 모든 정념을 부정해야 이상적인 경지에 도달할 수 있는가?
ㄹ. 개인은 세계 전체의 한 부분으로서 존재하며, 공동체의 일원으로서 살아가는가?

① ㄱ, ㄴ ② ㄱ, ㄹ ③ ㄴ, ㄷ
④ ㄴ, ㄹ ⑤ ㄷ, ㄹ

**10** 다음과 같이 주장한 사상가의 입장에서 바람직하다고 평가할 사람으로 가장 적절한 것은?

> 절름발이 늙은이인 내가 신을 찬미하는 노래를 부르는 것 외에 달리 무엇을 할 수 있겠는가? 만약 내가 꾀꼬리라면 꾀꼬리의 일을 할 것이고, 백조라면 백조의 일을 할 것이다. 하지만 사실상 나는 '이성적 존재'이다. 그러니 나는 신을 찬양해야만 한다. 이것이 나의 일이다. 나는 그 일을 하고, 그 일을 하도록 나에게 주어지는 한 이 지위를 내버리지 않을 것이다. 그리고 나는 노래에 참여하도록 너에게 권할 것이다.

① 주어진 운명에 순응하고 사회적 역할을 수행하는 사람
② 번잡한 공적 업무에서 벗어나 은둔자적 삶을 사는 사람
③ 인간이 추구할 수 있는 모든 종류의 쾌락을 경험해 보는 사람
④ 현실 세계의 불완전함을 깨닫고 이데아 세계에서 진리를 찾는 사람
⑤ 육체적 욕구를 버리고 지위나 명예와 같은 정신적 욕구를 적극적으로 충족시키는 사람

**11** 학생 답안의 ㉠~㉤ 중 옳지 않은 것은?

수행 평가

◎ 문제: 스토아학파 윤리 사상의 특징을 서술하시오.

◎ 학생 답안

스토아학파는 자연의 법칙을 따르는 삶이 행복한 삶이라고 주장하였다. 그들에 따르면, ㉠ 세계 안의 모든 일은 이성의 인과 법칙에 따라 필연적으로 일어난다. 그래서 우리를 둘러싼 외적인 것들은 우리의 의지대로 바꿀 수 없으며, ㉡ 쾌락, 아름다움, 고통, 추함 등은 모두 우리의 행복과 무관한 것이므로 그것들에 우리의 마음이 좌우되어서는 안 된다고 보았다. 스토아학파는 ㉢ 선이나 덕, 행복의 기초를 우리의 의지대로 바꿀 수 있는 내면에서 찾아야 한다고 보았다. 스토아학파에 따르면 ㉣ 우리를 선한 사람으로 만들어 주는 것은 태도나 행위의 동기와 같이 우리의 내면에 있으며, ㉤ 자연의 일부인 인간이 자연을 지배하는 이성의 법칙을 이해하는 것은 불가능하다.

① ㉠ ② ㉡ ③ ㉢ ④ ㉣ ⑤ ㉤

**12** (가), (나) 사상에 대한 설명으로 옳은 것은?

(가) 쾌락이란 몸의 고통이나 마음의 혼란으로부터의 자유를 의미한다. 그러므로 우리는 스스로를 일상의 예속과 정치의 예속으로부터 해방해야 한다.

(나) 세상에서 일어나는 일들이 네가 바라는 대로 일어나기를 요구하지 말고, 오히려 일어나는 일들이 실제로 일어나는 대로 일어나기를 원해라. 그러면 모든 것이 잘되어 갈 것이다.

① (가): 물질적 재화의 충족을 지향한다.
② (나): 아파테이아를 지향한다.
③ (나): 소극적 쾌락주의를 추구한다.
④ (가), (나): 경제적 효율성을 중시한다.
⑤ (가), (나): 사적인 공간에서의 우정을 강조한다.

## 서술형 문제

● 정답친해 34쪽

**01** 다음과 같이 주장한 사상가의 입장에서 운명을 대하는 태도를 서술하시오.

너는 작가의 의지에 의해서 결정된 그러한 인물인 연극에서의 배우라는 것을 기억하라. 만일 그가 짧기를 바란다면 그 연극은 짧고, 만일 길기를 바란다면 그 연극은 길다. 만일 그가 너에게 거지의 역할을 하기를 원한다면, 이 역할조차도 또한 능숙하게 연기해야 한다는 것을 기억하라. 만일 그가 절름발이를, 공직 관리를, 평범한 사람의 역할을 하기를 원한다고 해도 이와 마찬가지이다. 너에게 주어진 그 역할을 잘 연기하는 것, 이것이 해야만 하는 너의 일이다.

길잡이 스토아학파의 입장을 바탕으로 서술한다.

**02** 다음을 읽고 물음에 답하시오.

헬레니즘 시대에 등장한 ( ㉠ )학파는 몸의 고통과 마음의 불안에서 벗어난 상태가 지속됨으로써 주어지는 정신적 쾌락을 추구할 때 행복한 삶을 살 수 있다고 보았다. 이와 달리 ( ㉡ )학파는 금욕을 통해 정념의 지배에서 벗어나 이성에 따를 때 행복에 이를 수 있다고 보았다.

(1) ㉠, ㉡에 알맞은 용어를 각각 쓰시오.

(2) ㉠, ㉡학파 사상의 현대적 의의를 두 가지 서술하시오.

길잡이 헬레니즘 시대에 등장한 두 학파의 공통점을 바탕으로 현대적 의의를 서술한다.

# STEP 3 1등급 정복하기

**1** 다음과 같이 주장한 사상가의 입장을 〈보기〉에서 고른 것은?

- 아름다움과 덕은 우리에게 쾌락을 제공할 때 가치를 지닌다. 이들이 쾌락을 주지 못한다면, 우리는 그것들을 버려야 한다.
- 사려 깊고 아름답고 정의롭게 살지 않고서는 즐겁게 사는 것이 불가능하며, 반대로 즐겁게 살지 않고서 사려 깊고 아름답고 정의롭게 사는 것도 불가능하다. 덕은 본성적으로 즐거운 삶과 연결되어 있으며, 즐거운 삶은 덕과 분리할 수 없다.

**보기**

ㄱ. 이성은 쾌락을 분별하므로 참된 쾌락을 얻는 데 필요한 수단이다.
ㄴ. 참된 쾌락은 헛된 욕구를 자제하는 소박한 삶 속에서 발견할 수 있다.
ㄷ. 죽음을 두려워하는 자세로 은둔하는 생활을 할 때 진정한 행복에 이를 수 있다.
ㄹ. 인간에게 자연적인 욕구라면 필수적이지 않은 욕구이더라도 최대한 충족시켜야 한다.

① ㄱ, ㄴ　② ㄱ, ㄷ　③ ㄴ, ㄷ
④ ㄴ, ㄹ　⑤ ㄷ, ㄹ

▶ 에피쿠로스학파의 쾌락과 이성의 연관성

**완자샘의 시험 꿀팁**

에피쿠로스학파에서 말하는 이성의 의미가 출제될 수 있다. 에피쿠로스학파가 말하는 이성은 진정한 쾌락에 이르는 데 필요한 수단이라는 점을 파악해 둔다.

**완자 사전**

- **사려**
여러 가지 일에 대한 깊은 생각

**2** 다음과 같이 주장한 사상가의 관점에만 모두 'V'를 표시한 학생은?

인간의 정신을 방해하는 것은 사건 자체가 아니라 사건에 대한 인간의 판단이다. 예를 들어 죽음을 두려운 것으로 만드는 유일한 것은 그것이 두렵다는 인간의 판단이다.

| 관점 \ 학생 | 갑 | 을 | 병 | 정 | 무 |
|---|---|---|---|---|---|
| 자연의 법칙과 이성에 따라 행위 하는 것이 인간의 의무이다. | V | | | V | |
| 인류 전체의 공동선을 위해 사는 삶보다 개인적인 행복을 중시해야 한다. | | V | | V | V |
| 자신의 건강을 돌보거나 부모를 사랑하는 마음과 같은 정념은 인정할 수 있다. | V | | V | | V |
| 세상에서 일어나는 모든 일은 신에 의해 결정되어 있으므로 인간은 어떠한 자유도 느낄 수 없다. | | V | V | V | V |

① 갑　② 을　③ 병　④ 정　⑤ 무

▶ 스토아학파 사상의 특징

평가원 응용

**3** 갑, 을의 입장에 대한 설명으로 옳은 것은?

> 에피쿠로스학파와 스토아학파의 사상 비교

갑: 세상에는 우리의 의지대로 할 수 있는 일이 있고, 우리의 의지대로 할 수 없는 일이 있다. 사물에 대해 의견을 내고, 의욕을 느끼며, 그것을 갈망하거나 기피하는 것과 같은 의지적 활동은 우리 뜻대로 할 수 있다. 그러나 육체·재산·평판·권력 등 우리 자신의 행위가 아닌 것은 우리 뜻대로 할 수 없다.
을: 욕망이 충족되지 않을 수 있지만 그것이 우리를 고통으로 이끌지 않는다면 필수적인 것은 아니다. 우리는 이 욕망이 헛된 생각에서 생긴 것임을 알고, 고통 없는 상태를 추구해야 한다.

① 갑은 덕을 갖추기 위해서 자연의 질서를 극복해야 한다고 본다.
② 갑은 인간의 이성으로는 신의 섭리를 파악할 수 없음을 강조한다.
③ 을은 정신적·육체적 고통이 제거된 상태가 곧 쾌락임을 강조한다.
④ 을은 소수의 친한 사람들과의 우정이 인간을 불행하게 한다고 본다.
⑤ 갑, 을은 덕이 쾌락을 제공하지 못한다 해도 그 자체로 가치를 지닌다고 본다.

**완자샘의 시험 꿀팁**

에피쿠로스학파와 스토아학파 사상을 비교하는 문항이 자주 출제되므로 두 사상의 공통점과 차이점을 파악해 둔다.

평가원 응용

**4** 갑, 을 모두가 부정할 주장으로 가장 적절한 것은?

> 에피쿠로스학파와 스토아학파의 사상 비교

갑: 우리는 자족(自足)을 큰 선이라고 생각한다. 그러나 이것은 항상 적은 것을 향유하기 위해서가 아니다. 우리가 비록 많은 것을 갖지 않더라도 '가장 적은 양을 필요로 하는 사람이 가장 큰 기쁨을 느낀다.', '자연적인 것은 얻기 쉽지만 허황된 것은 얻기가 어렵다.'라고 생각하며 적은 것들에 만족하기 위해서이다.
을: 몸에 관련된 것들은 겨우 필요한 만큼 취해야 한다. 예를 들어 음식, 옷, 집 등이 그러한 것들이다. 사치스러운 모든 것과는 단절해야 한다. 쾌락에 휩쓸리지 않도록 경계해야 한다. 우리가 쾌락을 멀리하였을 때 자신이 얼마나 기뻐할지, 그리고 자신을 얼마나 칭찬할지를 생각해야 한다.

① 자연의 필연적 법칙에 순응하고 자신의 역할에 충실해야 한다.
② 즐겁게 살기 위해서는 사려 깊고 정의로운 삶을 추구해야 한다.
③ 자기 보존을 위해 자연적이며 필수적인 욕구를 충족시켜야 한다.
④ 신과 자연과 인간의 본성인 이성의 명령을 충실히 수행해야 한다.
⑤ 개인의 욕망 충족이 사회적 쾌락 증진으로 이어지게 노력해야 한다.

# 04 신앙

**학습목표**
- 아우구스티누스 윤리 사상의 특징을 이해할 수 있다.
- 아퀴나스의 윤리 사상의 특징을 파악할 수 있다.

**이것이 핵심!**

예수와 아우구스티누스 윤리 사상의 특징

| | |
|---|---|
| 예수 | • 차별 없는 사랑의 윤리<br>• 보편 윤리로서의 황금률 |
| 아우구스티누스 | • 대표적인 교부 철학자이며, 플라톤의 사상을 수용함<br>• 신에 대한 사랑을 강조함<br>• 인간의 이성과 의지의 한계를 인정함 |

★ **황금률**
예수가 작은 산 위에서 행한 설교(산상 수훈) 중에 보인 기독교의 기본적 윤리관으로, 남에게 대접을 받고자 하는 대로 남을 대접하라는 가르침을 의미한다.

★ **천상의 나라와 지상의 나라**
아우구스티누스에 따르면 천상의 나라는 신을 사랑하는 사람들로 이루어진 나라이며, 지상의 나라는 자기만을 사랑하는 사람들로 이루어진 나라이다.

★ **원죄(原罪)**
『성경』의 「창세기」에 등장하는 아담과 하와가 신의 계율을 어기고 선악과를 따먹으면서 생겨난 죄이다. 그리스도교에서는 원죄로 인하여 모든 인간이 불완전한 상태로 태어난다고 본다.

★ **귀의**
종교적 절대자나 종교적 진리를 깊이 믿고 의지하는 일을 의미한다.

## 1 그리스도교와 사랑의 윤리

### 1. 그리스도교의 특징과 전개

**(1) 특징**

① 고대 그리스 사상과 더불어 서구 문명의 토대임

② 예수의 가르침을 기초로 성립된 종교로 유대교에 뿌리를 두고 있음

③ 신에 대한 믿음과 사랑의 실천을 강조하며, 내세의 구원을 지향함

**(2) 윤리적 행위에 대한 예수의 가르침** — 예수는 당시 통용되던 '눈에는 눈, 이에는 이'라는 보복의 법을 사랑과 용서의 법으로 바꿀 것을 주장하였어.

① 차별 없는 사랑의 윤리: "너희는 원수를 사랑하며, 너희를 박해하는 자를 위하여 기도하라." → 신과 이웃에 대한 사랑을 강조함 자료①

② 보편 윤리로서의 *황금률: "무엇이든지 남에게 대접받고자 하는 대로 너희도 남을 대접하라." → 율법적 의무보다 도덕적 의무를 우선시해야 하고, 마음뿐만 아니라 실천을 해야 한다고 강조함

**(3) 전개**

① 초창기 그리스도교: 통일된 교리를 갖추지 못했으며, 다신교가 지배적이었던 헬레니즘 문화권으로 전파되는 과정에서 많은 어려움을 겪음

② 중세 이후: 중세의 아우구스티누스와 아퀴나스 등이 고대 그리스 사상을 수용하여 교리를 체계화하였고, 점차 세계적인 종교로 발전함

### 2. 교부의 의미와 아우구스티누스 윤리 사상의 특징

**(1) 교부(敎父)의 의미**: 교부란 '교회의 아버지'라는 뜻으로 신앙이나 교회 생활에 중대한 영향을 미친 사람들을 의미함 — 대표적인 교부 철학자는 아우구스티누스야.

**(2) 아우구스티누스 윤리 사상의 특징** — 꼭! 플라톤의 사상을 바탕으로 그리스도교를 설명하면서도, 인간의 이성이나 의지 등의 한계를 밝히고 신과 사랑을 중심으로 한 윤리 사상을 정립하였어.

① 플라톤의 사상 수용: 플라톤이 완전한 이데아의 세계와 불완전한 현실 세계를 구분한 것처럼 아우구스티누스는 영원한 *천상의 나라와 유한한 지상의 나라를 구분함 자료②

② 신에 대한 사랑 강조: 신은 영원하고 완전한 존재로서 최고선이며, 신을 사랑하는 사람은 선을 실현하며 참된 행복에 이를 수 있다고 봄 자료③

③ 인간의 이성과 의지의 한계 인정: *원죄로부터 인간을 구원하는 것은 신의 은총에 의해서만 가능하다고 봄 → 신은 실존적으로 만나야 할 인격적 존재이므로, 오직 신앙을 통해 신에게 *귀의해야 한다고 주장함 — 꼭! 아우구스티누스에게 신은 이성적 인식의 대상이 아니야.

④ 악은 선의 결핍으로 생겨난다고 봄

| | |
|---|---|
| 자연적 악 | 이 세계의 모든 피조물은 신에 비해 불완전한 존재임 → 선의 결핍으로서의 자연적 악이 발생함 |
| 도덕적 악 | 도덕적 악은 인간이 자유 의지를 남용한 결과로 발생함 → 우리의 의지가 지향해야 할 대상을 신으로 전환할 때 참된 행복에 이를 수 있다고 봄 |

**(3) 아우구스티누스 윤리 사상의 영향**: 고대 그리스 사상을 그리스도교에 융합시켰을 뿐만 아니라 그리스도교 사상이 유럽으로 확산되는 데 기여함

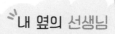

# 완자 자료 탐구

내 옆의 선생님

## 자료 1 보편적인 사랑의 윤리를 강조한 예수의 가르침

> 어느 날, 유대교의 율법학자가 예수에게 율법에서 '네 마음과 목숨을 다 바쳐 신과 이웃을 사랑하라.'라고 하는데, 여기에서 말하는 이웃이 누구냐고 물었다. 예수는 강도를 만난 사람 곁을 지나가던 세 사람 이야기를 해 주었다. …… 사마리아인이 강도를 만난 사람의 곁을 지나갔다. 그는 모든 일을 제쳐 두고 그 사람을 치료하고 끝까지 돌보아 주었다. 예수가 물었다. "이 세 사람 가운데 누가 강도를 만난 사람의 이웃이라고 생각합니까?" 율법학자는 "사마리아인입니다."라고 대답하였다. 그러자 예수는 "가서 이 사람과 똑같이 하십시오."라고 말하였다. – 『신약 성서』

예수는 유대인만이 신의 선택을 받았다는 유대교의 선민사상을 비판하면서 모든 사람은 민족이나 신분에 상관없이 신 앞에서 평등하고 존귀한 존재라라고 설파하였다. 또한 예수는 형식적으로 규율을 준수하는 데만 치우친 유대교의 율법주의를 비판하면서 율법의 참된 정신은 진정한 마음으로 신과 이웃을 사랑하는 것이라고 강조하였다. 이와 같은 예수의 가르침은 보편적인 사랑의 윤리를 담고 있다.

왜? 예수에 따르면 모든 인간은 신이 창조한 동등한 존재이기 때문이야.

## 자료 2 플라톤의 사주덕을 재해석한 아우구스티누스

> '절제'란 자신을 완전히 신에게 바치는 사랑이며, '용기'란 신 그 자체를 위하여 기꺼이 모든 것을 감당하는 사랑이며, '정의'란 신에게만 헌신하는 사랑이며, '지혜'란 신을 지향하는 데 필요한 것이 무엇인가를 분별할 줄 아는 사랑이다. – 아우구스티누스, 『가톨릭교회의 도덕에 관하여』

플라톤의 영향을 받은 아우구스티누스는 플라톤이 제시한 절제, 용기, 정의, 지혜의 사주덕을 신과의 관계에서 새롭게 해석하였다. 하지만 그는 플라톤과 달리 덕뿐만 아니라 신의 사랑과 은총이 있어야 정의롭고 행복해질 수 있으며, 구원받을 수 있다고 보았다. 이러한 관점에서 그는 믿음, 소망, 사랑이라는 종교적 덕 중에서 사랑이 그리스도교 윤리 사상의 핵심이자 모든 덕의 원천이라고 설명하였다.

## 자료 3 신에 대한 사랑을 강조한 아우구스티누스

> • 그 누구도 진정한 경건 없이는, 즉 진정한 신에 대한 참된 경배 없이는 진정한 덕을 지닐 수 없다. – 아우구스티누스, 『신의 도성』
>
> • 우리가 신을 뜨겁게 사랑할수록 우리는 더욱더 분명하고 완전하게 신을 알게 된다. – 아우구스티누스, 『삼위일체론』
>
> • 만일 신이 인간의 최고선이라 한다면, 그 최고선을 구하는 것이 잘 사는 일이므로, 잘 산다는 것은 분명히 마음을 다하고 목숨을 다하고 뜻을 다하여 신을 사랑하는 것에 다름 아니다. – 아우구스티누스, 『가톨릭교회의 습속과 마니교의 습속』

아우구스티누스에 따르면 신은 최고의 선이며, 신에 대한 사랑은 최고의 덕이다. 그러나 인간만의 노력으로는 신을 온전히 사랑할 수 없다. 따라서 유한하고 불완전한 인간은 신앙을 통해 완전한 존재인 신과 하나가 될 때 참된 행복을 누릴 수 있다.

잠깐! 아우구스티누스에 따르면 알기 위해서는 믿는 것이 필요해. 왜냐하면 믿음이 있어야 신과의 직접적 만남을 통해 신에 대한 참된 지식을 얻을 수 있기 때문이야.

### 정리 비법을 알려줄게!

예수의 가르침

| | |
|---|---|
| 차별 없는 사랑의 윤리 | 예수는 이웃에 대한 차별 없는 사랑이 인간의 마땅한 태도라고 보았음 |
| 보편 윤리로서의 황금률 | 예수는 이웃을 사랑함에 있어 율법적 의무보다는 도덕적 의무를 우선시해야 한다고 보았음 |

### 자료 하나 더 알고 가자!

아우구스티누스의 조명론

> 아우구스티누스는 태양이 사물을 보이게 만드는 물리적인 빛의 원천인 것처럼 신은 지성적인 지식을 정신에 인식 가능한 것으로 만드는 빛의 원천이라고 강조하였다. – 질송, 『아우구스티누스 사상의 이해』

아우구스티누스는 인간의 이성과 의지의 한계를 인정하였다. 따라서 사물을 지각하기 위해 태양이 비추어야 하듯 진리를 인식하기 위해서는 우리의 영혼에 신의 조명이 비추어져야 한다고 주장하였다.

### 문제로 확인할까?

아우구스티누스의 입장으로 옳지 않은 것은?

① 신은 최고의 선이다.
② 신은 이성적 인식의 대상이다.
③ 인간의 힘만으로는 구원받을 수 없다.
④ 신에 대한 완전한 사랑은 최고의 덕이다.
⑤ 도덕적 악은 인간이 자유 의지를 남용하여 생겨난 것이다.

② 답

# 04 신앙

## 이것이 핵심!

**아퀴나스 윤리 사상의 특징과 의의**

| | |
|---|---|
| 특징 | • 아리스토텔레스의 사상을 바탕으로 함<br>• 내세에 진정한 행복을 누리기 위해 인간이 현세의 삶에서 지켜야 할 도덕 법칙인 자연법을 따를 것을 강조함<br>• 신앙과 이성, 신학과 철학의 조화를 추구함 |
| 의의 | 그리스도교 지배 아래에서도 철학이 발달할 수 있는 발판이 됨 |

**★ 아퀴나스의 네 가지 법**

| | |
|---|---|
| 영원법 | 신의 섭리로서, 신의 예지와 의지로 창조 및 정립된 영원불변하는 존재의 질서에 관한 법 |
| 신법 | 인간이 신의 계시를 통해 부여받은 법 |
| 자연법 | 영원법에 참여할 수 있는 능력으로, 선악을 구별할 수 있는 이성을 통해 파악되는 도덕 법칙 |
| 인간법(실정법) | 인간의 합리적인 숙고를 통해 자연법에서 도출된 구체적인 실정법이다. 영원법이 자연법의 기초가 되듯 실정법은 자연법에 기초해야 한다. 실정법이 자연법을 위반할 경우, 그 실정법은 정당성을 상실한다. |

**★ 인간의 자연적 성향**

인간의 자연적 성향에는 자기 생명을 보존하려는 성향, 종족을 보존하려는 성향, 신에 대하여 알고자 하는 성향, 사회적 삶을 영위하고자 하는 성향이 있다.

**★ 프로테스탄티즘**

종교 개혁 당시 교회의 부패와 타락에 저항했던 사람들이 기존의 교황 중심의 교회와 구분하여 형성한 그리스도교 사상이다.

## 2 그리스도교와 자연법 윤리

### 1. 스콜라 철학의 의미와 아퀴나스 윤리 사상의 특징

**(1) 스콜라 철학의 의미:** 중세 후기 신학과 철학, 신앙과 이성, 자연과 인간의 조화를 통해 그리스도교의 교리를 철학적으로 논증하고자 한 사상 ─ 대표적인 스콜라 철학자는 아퀴나스야.

**(2) 아퀴나스 윤리 사상의 특징**

① 아리스토텔레스의 철학 수용: 아리스토텔레스의 사상을 활용하여 그리스도교의 교리를 철학적으로 논증하고자 함

꼭! 아퀴나스는 이성적 활동을 통해 자연적 덕을 형성해야 할뿐만 아니라 종교적 덕을 실천하여 신과 하나가 되어야 한다고 주장하였어.

| | |
|---|---|
| 인간 행위의 목적 | 인간 행위의 궁극적인 목적은 행복이며, 이성을 탁월하게 발휘함으로써 행복한 삶을 살 수 있음 ─ 꼭! 아퀴나스에게 완전한 행복이란 내세에 신에게 도달함으로써 주어지는 것이야. |
| 덕의 구분 | • 자연적 덕: 선과 진리를 추구하도록 이성을 지도하는 능력인 지성적 덕, 올바른 생활을 하도록 욕망을 통제함으로써 선에 이르게 하는 능력인 품성적 덕 ─ 아리스토텔레스가 구분한 덕과 같아.<br>• 종교적 덕: 믿음, 소망, 사랑과 같이 우리를 신에게 인도하는 덕<br>• 자연적 덕은 현세의 행복과, 종교적 덕은 내세의 행복과 관련 있음 |

② 인간이 마땅히 지키고 따라야 할 도덕 법칙으로서 이성의 명령인 자연법을 제시함

| | |
|---|---|
| 자연법의 의미 | 신이 부여한 이성을 통해 파악한 *영원법의 일부임 → 이성을 지닌 인간이라면 누구나 동의할 수밖에 없고 언제 어디서나 지켜야 하는 도덕 법칙임 |
| 자연법의 특징 | • 인간의 이성으로 인식할 수 있고, 모든 인간에게 보편적으로 적용할 수 있음<br>• 자연법의 제1원리인 '선을 행하고 악을 피하라.'라는 원리는 *인간의 자연적 성향에 의해 구체화됨 → 우리는 이성에 의해 인식된 자연적 성향을 성찰하고 실현함으로써 신이 원하는 바를 깨달을 수 있고, 행복한 삶을 살 수 있음 |

③ 이성적인 논증을 통해 신의 존재를 증명함 → 신앙 중심인 교부 철학에 비해 이성에 대해 더 많은 관심을 가지고 이를 신앙과 조화시키고자 노력함 교과서 자료

**(3) 스콜라 철학의 의의:** 그리스도교의 지배 아래에서도 철학이 발달할 수 있는 발판이 됨

꼭! 신앙의 영역과 이성의 영역을 구분하면서도 신앙과 이성이 상호 보완적인 역할을 한다고 보았어.

### 2. 종교 개혁 이후 그리스도교 윤리의 특징과 현대적 의의

루터의 주장은 '오직 믿음, 오직 은총, 오직 성서'라는 말로 요약할 수 있어.

**(1) 종교 개혁의 배경:** 종교 개혁은 루터가 교회의 부패한 행태를 비판하면서 촉발되었고, 이후 칼뱅은 예정설을 주장함으로써 기존 교회의 권위를 부정함 자료 5

| | |
|---|---|
| 루터 | • 참된 진리는 교회나 교황이 아니라 성서에 있음<br>• 교회와 성직자를 통하지 않고도 누구나 성서와 기도를 통해 신과 직접 대화할 수 있음 |
| 칼뱅 | • 예정설: 구원은 신에 의해 예정되어 있으며, 신에게 선택받은 사람만 구원받을 수 있음<br>• 직업 소명설: 직업은 신이 우리에게 내린 소명이며, 노동은 신의 영광을 실현하는 수단임 |

**(2) 종교 개혁 이후 그리스도교 윤리의 특징:** 종교 개혁으로부터 비롯된 *프로테스탄티즘의 등장으로 현세에서의 삶을 더욱 중시하게 됨

꼭! 칼뱅은 모든 직업에는 귀천이 없고 노동은 신성하며, 노동으로 얻은 것은 모두 신의 산물이라고 보았어.

**(3) 현대적 의의**

① 신의 은총에 의한 영원한 행복의 추구는 우리가 정신적인 가치를 추구하게 함

② 사랑에 기초한 윤리는 주변 사람들과 사회적 약자에 대한 관심을 이끌어 냄

③ 그리스도교의 자연법사상은 성별, 빈부 등의 차이를 넘어 모든 사람의 인권을 보장하고 향상하는 데 기여함

# 완자 자료 탐구

내 옆의 선생님

## 자료 4 아퀴나스의 영원법과 자연법의 관계

> 인간은 자신의 자연적 능력의 한계를 초월하는 영원한 행복이라는 목적 아래 질서 지어 있으므로, 마땅히 자연법이나 실정법을 초월하여 신에 의하여 주어진 법에 의해서도 자신의 목적을 향해 나아갈 필요가 있다.
>
> – 아퀴나스, 『신학 대전』

아퀴나스가 강조한 자연법은 신이 자연을 만들었다는 주장을 전제로 삼는다. 그는 도덕적 의무와 실정법은 자연법에 기초하되, 신의 계시로 얻을 수 있는 신법이 보완될 때 바로 설 수 있다고 보았다. 그리고 이 모든 법은 신의 명령인 영원법에 근원을 두므로 모든 도덕 원리와 법은 신에게서 나온다고 하였다. 이와 같은 자연법 윤리에 따르면 인간은 도덕적 의무와 실정법의 원리를 이성으로 이해하여 행위로써 구현해야 한다.

**자료 하나 더 알고 가자!**

**자연법을 따르는 삶을 강조한 아퀴나스**

> 인간이 자연적 성향을 갖는 것은 자연법에 귀속된다. 이 가운데 인간이 이성에 따라 행위를 하려는 것은 올바르다. 선은 행하고 증진해야 하며, 악은 피해야 한다. 이것이 이 법의 첫 번째 계율이며 자연법의 다른 모든 계율의 기초가 된다.
>
> – 아퀴나스, 『신학 대전』

아퀴나스에게 자연법이란 인간이 이성으로 파악한 보편적인 도덕 법칙이다. 따라서 도덕적인 행동은 자연법을 따르는 행동이고, 비도덕적인 행동은 자연법을 거스르는 행동이다.

## 수능이 보이는 교과서 자료 아퀴나스의 신 존재 증명

> 신이 존재한다는 것은 다섯 가지 길로 논증될 수 있다. 그중 첫째 길은 운동 변화에서 취해지는 길이다. 이 세계 안에는 어떤 것이 움직이고 있는 것이 확실하며, 또 그것은 감각적으로 확인되는 것이다. 그런데 움직여지는 모든 것은 다른 것한테서 움직여져야 한다. …… 그러므로 우리는 다른 어떤 것한테도 움직여지지 않는 어떤 제1운동자에 필연적으로 도달하게 된다. 모든 사람은 이런 존재를 신으로 이해한다.
>
> – 아퀴나스, 『신학 대전』

아퀴나스는 이성적인 추론을 통해 신의 존재를 증명하고자 하였다. 그는 세계의 변화와 운동은 최초의 운동자를 필요로 한다고 보았다. 그리고 운동의 최초의 원인, 곧 그 어떤 것으로부터도 비롯되지 않은 제1운동 원인이 바로 신이라고 주장하였다. 이러한 아퀴나스의 신 존재에 대한 이성적 논증은 신앙과 이성이 서로 모순되지 않으며 상호 보완적임을 보여 준다.

**완자샘의 탐구강의**

**• 신 존재 증명을 통해 알 수 있는 아퀴나스 사상의 특징을 서술해 보자.**

아퀴나스는 신을 신앙의 대상으로 삼으면서도 신의 존재를 이성적으로 증명하려고 노력하여 신앙과 이성이 서로 대립하는 것이 아니라 상호 보완인 관계를 이룬다고 보았다.

함께 보기 140쪽, 1등급 정복하기 2

## 자료 5 종교 개혁을 이끈 루터와 칼뱅

– 루터와 칼뱅이 이끈 종교 개혁은 신 앞에서 모든 인간이 평등하다는 것을 강조하였어.

> **제36조** 어떤 그리스도교인이든 자기의 죄에 대하여 참된 회개를 하는 사람은 면죄부 없이도 형벌과 죄에서 완전히 사함을 받는다.
>
> – 루터, 『95개조 반박문』

> 세상에서 칼뱅파의 사회적 활동은 오직 '신의 영광을 더하기 위한 활동'일 뿐이다. 그러므로 모든 이의 현세적 삶의 봉사하는 직업 노동 역시 그러한 성격을 갖는다.
>
> – 베버, 『프로테스탄티즘의 윤리와 자본주의 정신』

루터는 교회의 면죄부 판매를 비판하며 '95개조 반박문'을 발표하였다. 그는 교황이 발행하는 면죄부가 인간을 구원하지 못하며, 인간은 오직 믿음으로 구원받을 수 있다고 주장하였다. 루터는 교회의 독점적 권위를 부정하였고, 인간이 예수의 가르침과 사랑을 실천할 때 행복에 이를 수 있다고 강조하였다. 이후 칼뱅은 모든 직업은 신이 부여한 소명이라는 직업 소명설을 바탕으로 근면·성실하게 생활하여 직업에서 성공할 것을 중시하였다.

면죄부: 금전이나 재물을 바친 신자에게 죄를 사면해 준다는 뜻으로 발행한 증서야.

**문제로 확인할까?**

**루터와 관련 있는 내용으로 옳지 않은 것은?**

① 신에 대한 믿음 강조
② 신과의 직접 대화 강조
③ 기존 교회의 권위 부정
④ 면죄부 판매의 부당성 지적
⑤ 교회나 교황을 통한 구원 중시

⑤ 답

STEP 1 핵심 개념 확인하기

정답친해 35쪽

**1** 다음 설명에 해당하는 용어를 쓰시오.

> 예수가 작은 산 위에서 행한 설교 중에 보인 기독교의 기본적 윤리관으로, 남에게 대접을 받고자 하는 대로 남을 대접하라는 가르침을 이른다.

**2** 다음 설명이 맞으면 ○표, 틀리면 ×표를 하시오.

(1) 아우구스티누스에게 신은 영원하고 완전한 존재로서 최고선이다. ( )

(2) 아퀴나스는 종교적 덕만 실천하면 현세에서 완전한 행복에 이를 수 있다고 보았다. ( )

(3) 칼뱅에 따르면 직업은 신이 우리에게 내린 소명이며, 노동은 신의 영광을 실현하는 수단이다. ( )

**3** 중세 후기 신학과 철학, 신앙과 이성의 조화를 추구하였으며 그리스도교의 교리를 철학적으로 논증하고 합리적으로 설명하고자 한 철학은 ( ) 철학이다. 대표적인 인물에는 아퀴나스가 있다.

**4** 사상가와 그에 대한 설명을 옳게 연결하시오.

(1) 아퀴나스 • • ㉠ 플라톤 철학을 받아들여 그리스도교 교리를 체계화하였다.

(2) 아우구스티누스 • • ㉡ 아리스토텔레스의 사상을 활용하여 그리스도교의 교리를 철학적으로 논증하고자 하였다.

**5** 다음과 같이 주장한 사상가를 〈보기〉에서 골라 기호를 쓰시오.

보기

ㄱ. 루터 ㄴ. 칼뱅

(1) 구원은 신에 의해 예정되어 있으며, 신에게 선택받은 사람만이 구원받을 수 있다. ( )

(2) 참된 진리는 교회나 교황이 아니라 성서에 있으며, 누구나 신과 직접 대화할 수 있다. ( )

STEP 2 내신 만점 공략하기

**01** ㉠에 대한 설명으로 옳지 않은 것은?

> ㉠ 은/는 고대 그리스 사상과 더불어 서구 문명의 토대이자, 서구의 세계관과 가치관을 형성해 온 주요한 원천이다. 예수의 가르침을 중심으로 하는 ㉠ 윤리 사상은 절대자인 신을 도덕의 근본으로 삼는다.

① 내세의 구원을 지향한다.
② 선민사상과 율법주의를 핵심으로 삼는다.
③ 신에 대한 믿음과 사랑의 실천을 강조한다.
④ 신 중심 윤리이자 사랑의 윤리라고 할 수 있다.
⑤ 모든 인간이 신의 형상에 따라 창조된 존엄한 존재라고 본다.

**02** 중요 다음과 같이 주장한 사상가에 대한 설명으로 옳지 않은 것은?

> 네 마음을 다하여 하느님을 사랑하라 하셨으니 이것이 첫째 되는 계명이요, 둘째도 그와 같으니 네 이웃을 네 자신과 같이 사랑하라 하셨다. 이 두 계명이 모든 율법의 강령이다.

① 유대인만이 신에게 선택받았음을 강조한다.
② 형식에 치우친 유대교의 율법주의를 비판한다.
③ 현실에서 조건 없는 사랑을 실천하라고 가르친다.
④ 벌보다는 용서, 정의보다는 사랑이 더 가치 있다고 가르친다.
⑤ 모든 사람이 신의 자녀이므로 서로에게 형제애를 가져야 한다고 주장한다.

## 03 ㉠에 들어갈 내용으로 가장 적절한 것은?

진행자: 선생님께서는 플라톤의 사상을 수용하여 그리스도교 신앙과 사랑의 윤리를 체계화하셨습니다. 선생님께서 생각하시기에 신은 선과 악을 모두 창조하셨나요?
사상가: 아닙니다. 신은 악을 창조하지 않으셨습니다. 악은 [ ㉠ ]

① 본래 신 안에 내재되어 있는 것입니다.
② 인간이 자유 의지를 남용하였기 때문에 생겨났습니다.
③ 인간이나 신에 의한 것이 아니라 스스로 생겨난 것입니다.
④ 신이 인간을 선으로 이끌고자 일시적으로 인간에게 허용한 행위입니다.
⑤ 완전하고 영원불변한 신의 존재를 인정할 때 나타나는 자연스러운 현상입니다.

## 04 다음 사상가의 관점에만 모두 'V'를 표시한 학생은?

만일 신이 인간의 최고선이라 한다면, 그 최고선을 구하는 것이 잘 사는 일이므로 잘 산다는 것은 분명히 마음을 다하고 목숨을 다하고 뜻을 다하여 신을 사랑하는 것에 다름 아니다.

| 관점 \ 학생 | 갑 | 을 | 병 | 정 | 무 |
|---|---|---|---|---|---|
| 인간은 자신의 노력만으로 구원에 이를 수 있다. | V | V | | | V |
| 신은 최고선이며 신에 대한 사랑은 최고의 덕이다. | V | | V | V | V |
| 신에 대한 이성적 인식은 구원에 이르는 유일한 방법이다. | | V | | V | |
| 믿음, 소망, 사랑이라는 종교적 덕 중에서 사랑이 최고의 핵심이다. | | V | V | V | V |

① 갑 ② 을 ③ 병 ④ 정 ⑤ 무

## 05 다음과 같이 주장한 사상가의 입장으로 옳은 것은?

'절제'란 자신을 완전히 신에게 바치는 사랑이며, '용기'란 신 그 자체를 위하여 기꺼이 모든 것을 감당하는 사랑이며, '정의'란 신에게만 헌신하는 사랑이며, '지혜'란 신을 지향하는 데 필요한 것이 무엇인가를 분별할 줄 아는 사랑이다.

① 신은 곧 자연이다.
② 신은 알고 믿는 것이 아니라 믿고 아는 것이다.
③ 신학은 철학의 시녀이며 신앙은 이성에 종속된다.
④ 신에 대한 사랑 없이도 최고의 행복을 누릴 수 있다.
⑤ 신의 존재가 이성적 논증으로 파악될 때 비로소 믿음이 생긴다.

중요

## 06 다음과 같이 주장한 사상가에 대한 설명으로 옳은 것은?

우리가 신을 뜨겁게 사랑할수록 우리는 더욱더 분명하고 완전하게 신을 알게 된다.

① 교황의 면죄부 판매의 부당성을 지적한다.
② 아리스토텔레스의 철학을 받아들여 스콜라 철학을 정립한다.
③ 플라톤의 사주덕을 모두 신에 대한 사랑의 다른 표현으로 해석한다.
④ 선의 이데아를 모방하는 삶이 최고로 바람직한 삶이라고 주장한다.
⑤ 95개조 반박문을 통해 모든 그리스도인이 직접 신과 만날 수 있음을 강조한다.

**07** ㉠에 대한 옳은 설명을 〈보기〉에서 고른 것은?

> 인간이 자연적 성향을 갖는 것은 ㉠ 에 귀속된다. 이 가운데 인간이 이성에 따라 행위를 하려는 것은 올바르다. 선은 행하고 증진해야 하며, 악은 피해야 한다. 이것이 이 법의 첫 번째 계율이며 ㉠ 의 다른 모든 계율의 기초가 된다.

보기
ㄱ. 실정법과 관련이 없다.
ㄴ. 영원법보다 상위의 법이다.
ㄷ. 이성을 통해 파악할 수 있는 도덕 법칙이다.
ㄹ. 이성을 지닌 인간이라면 언제 어디서나 지켜야 하는 도덕 법칙이다.

① ㄱ, ㄴ ② ㄱ, ㄷ ③ ㄴ, ㄷ
④ ㄴ, ㄹ ⑤ ㄷ, ㄹ

**08** 다음과 같이 주장한 사상가의 입장을 〈보기〉에서 고른 것은?

> 인간은 자신의 자연적 능력의 한계를 초월하는 영원한 행복이라는 목적 아래 질서 지어 있으므로, 마땅히 자연법이나 실정법을 초월하여 신에 의하여 주어진 법에 의해서도 자신의 목적을 향해 나아갈 필요가 있다.

보기
ㄱ. 철학과 신학, 신앙과 이성은 조화를 이룰 수 있다.
ㄴ. 자연법을 비롯한 모든 법은 영원법에 근거해야 한다.
ㄷ. 지성적 덕과 품성적 덕만으로 완전한 행복을 이루어야 한다.
ㄹ. 지속적으로 덕을 쌓으면 현세에서 완전한 행복을 얻을 수 있다.

① ㄱ, ㄴ ② ㄱ, ㄷ ③ ㄴ, ㄷ
④ ㄴ, ㄹ ⑤ ㄷ, ㄹ

중요
**09** 다음과 같이 주장한 사상가의 입장으로 옳은 것은?

> • 우리의 자연적인 이해 능력만으로는 신의 본질을 파악하기에 충분하지 않으며, 이런 이해 능력은 반드시 신의 은총을 통하여 보충되어야만 한다.
> • 믿음은 우리를 믿음의 대상인 신에게로 인도하며, 소망은 우리의 의지가 신을 지향하도록 인도하고, 사랑은 우리의 의지가 신과 영적인 통일을 이루도록 인도한다.

① 신학과 철학의 영역은 서로 구분되지 않는다.
② 신에 대한 믿음을 기르기 위해 이성을 배제해야 한다.
③ 인간이 지식을 추구하는 것은 신의 뜻에 어긋나지 않는다.
④ 철학적 진리는 신으로부터 계시된 진리보다 우월한 진리이다.
⑤ 인간이 자연적 성향을 실현하는 것은 신의 뜻을 거스르는 행위이다.

**10** 갑, 을의 입장에 대한 설명으로 옳은 것은?

> 갑: 영원한 천상의 나라와 유한한 지상의 나라가 있으며, 영원하고 완전한 존재인 신을 사랑해야 한다.
> 을: 지성적 덕과 품성적 덕은 우리의 행위에 의해 획득되며, 우리 안에 미리 존재하고 있는 특정한 자연적 원리에 의해 발생한다. 이런 자연적 원리 대신에 신은 종교적 덕을 우리에게 수여하였다.

① 갑은 신을 사랑할 때 지상의 나라에 도달할 수 있다고 본다.
② 을은 신앙보다 이성을 우위에 둔다.
③ 을은 신의 존재를 이성적으로 증명하고자 한다.
④ 갑, 을은 신이 악을 창조했다고 본다.
⑤ 갑은 스콜라 철학자, 을은 교부 철학자이다.

## 11 다음 반박문을 발표한 사상가의 입장으로 옳은 것은?

> • 36조 어떤 그리스도인이든 자기의 죄에 대하여 참된 회개를 하는 사람은 면죄부 없이도 형벌과 죄에서 완전히 사함을 받는다.
> • 43조 가난한 자를 구제하는 것이 면죄부를 사는 것보다 더 큰 선행이라는 것을 그리스도교인에게 가르쳐 주어야 한다.

① 교회 중심의 신앙생활을 해야 한다.
② 성직자를 거치지 않고서는 신의 뜻을 이해할 수 없다.
③ 개인의 신앙보다는 교회의 예배 의식을 중시해야 한다.
④ 그리스도교의 진리는 교회나 교황이 아니라 성서에 있다.
⑤ 면죄부는 권위를 가진 교황이 발행할 때 구원의 효력이 발생한다.

## 12 ㉠, ㉡의 입장에 대한 설명으로 옳은 것은?

> ㉠ 은/는 교회의 면죄부 판매의 부당성을 지적하며 1517년 95개조의 반박문을 발표하고, 인간은 오직 믿음으로 구원받을 수 있다고 주장하였다. 이후 ㉡ 은/는 ㉠ 보다 더 적극적으로 교회의 권위를 부정하였다. 그는 신의 절대적 권위를 내세워, 신에게 선택받은 사람만이 구원받을 수 있다는 예정설을 주장하였다.

① ㉠은 교회를 통하지 않고는 신과 직접 만날 수 없다고 본다.
② ㉡은 직업 생활을 통해 신의 영광을 드러낼 수 없다고 본다.
③ ㉠은 ㉡과 달리 교회의 독점적 권위를 긍정한다.
④ ㉡은 ㉠과 달리 노동을 통해 얻은 산물을 부정적으로 본다.
⑤ ㉠, ㉡은 모두 현세에서의 삶도 중요하다고 본다.

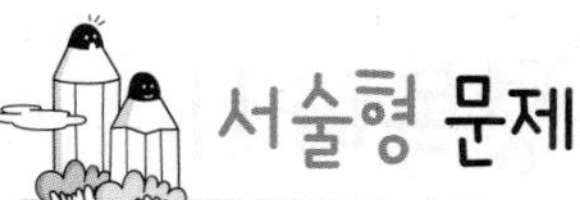

# 서술형 문제

● 정답친해 37쪽

## 01 다음과 같이 주장한 사상가의 입장에서 참된 행복에 도달하는 방법을 서술하시오.

> 나는 플라톤 학파의 책을 읽고 무형의 진리를 탐구하였고, 신이 만든 눈에 보이는 만물을 통해 보이지 않는 진리를 이해할 수 있었다. 그리고 내 영혼의 어둠 때문에 볼 수 없었던 것을 가까스로 느끼고 알게 되었다. 신이 참으로 실재하며 항상 동일하며 영원히 변치 않는다는 것을 확신할 수 있었다.

**길잡이** 아우구스티누스의 입장에서 참된 행복에 도달하는 방법을 서술한다.

## 02 다음을 읽고 물음에 답하시오.

> ㉠ 이/가 강조한 자연법의 제1원리는 "선을 행하고 악을 피하라."라는 것이다. 이것은 인간의 자연적 성향에 의해 구체화되고 정당화된다. 그래서 ㉠ 은/는 우리가 이성에 의해 인식된 자연적 성향을 성찰하고 실현함으로써 신이 무엇을 원하는지 깨달을 수 있으며 행복한 삶을 살 수 있다고 보았다.

(1) ㉠에 알맞은 중세 서양 사상가를 쓰시오.

(2) ㉠의 관점에서 인간 행위의 목적을 쓰고, 행복에 이르기 위한 방법을 서술하시오.

**길잡이** ㉠이 아리스토텔레스의 사상을 활용하여 그리스도교의 교리를 철학적으로 논증하고자 했다는 점을 고려하여 서술한다.

# STEP 3 1등급 정복하기

**1** 밑줄 친 '그'의 입장에 대한 옳은 설명을 〈보기〉에서 고른 것은?

> 그는 가톨릭교회가 정통적 견해로 받아들인 것, 즉 이성에 대한 신앙의 우위를 인정하였다. 그렇다고 해서 결코 이치에 닿지 않는 맹목적 신앙에 찬동한 것은 아니다. 그의 주장에 따르면, 알기 위해서는 우선 믿는 것이 필요하다. 왜냐하면 믿음이 있어야 신과의 직접적 만남을 통해 신에 대한 참된 지식을 얻을 수 있기 때문이다. 지혜라고 하는 보다 높은 종류의 지식은 신의 계시를 필요로 한다. 이러한 지식은 신앙의 결과인 동시에 성취로서, 우리에게 정신적 실재들이나 하느님에 대한 참된 이해를 가져다준다.

보기

ㄱ. 악은 선이 결여된 상태이며, 최고선인 신이 창조한 것이 아니라고 본다.
ㄴ. 인간은 원죄를 지니고 태어났기 때문에 신으로부터 구원받을 수 없다고 본다.
ㄷ. 신은 이성적 인식의 대상이 아니라 실존적으로 만나야 할 인격적 존재라고 본다.
ㄹ. 신의 모습대로 창조된 인간은 이성의 힘만으로도 영원한 진리를 인식할 수 있다고 본다.

① ㄱ, ㄴ ② ㄱ, ㄷ ③ ㄴ, ㄷ
④ ㄴ, ㄹ ⑤ ㄷ, ㄹ

**▶ 아우구스티누스 윤리 사상의 특징**

**완자 사전**

• **찬동**
어떤 행동이나 견해 따위가 옳거나 좋다고 판단하여 그에 뜻을 같이하는 것

**2** 다음과 같이 주장한 사상가의 입장만을 〈보기〉에서 있는 대로 고른 것은?

> 신이 존재한다는 것은 다섯 가지 길로 논증될 수 있다. 그중 첫째 길은 운동 변화에서 취해지는 길이다. 이 세계 안에서 어떤 것이 움직이고 있는 것이 확실하며, 또 그것은 감각적으로 확인되는 것이다. 그런데 움직여지는 모든 것은 다른 것한테서 움직여져야 한다. …… 그런데 이러한 과정은 무한히 소급해 갈 수는 없다. 만일 움직이는 것의 무한한 소급이 인정된다면 어떤 처음 움직이는 자가 없게 될 것이며, 따라서 어떠한 다른 움직여 주는 자도 없게 될 것이기 때문이다. 그러므로 우리는 다른 어떤 것한테도 움직여지지 않는 어떤 제1운동자에 필연적으로 도달하게 된다. 모든 사람은 이런 존재를 신으로 이해한다.

보기

ㄱ. 인간 행위의 궁극적인 목적은 행복이다.
ㄴ. 신앙과 이성은 서로 대립하는 것이 아니라 보완적인 관계에 있다.
ㄷ. 신의 구원은 예정되어 있기 때문에 현세에서의 도덕적인 삶은 의미가 없다.
ㄹ. 참된 행복은 내세에서 신의 은총을 통하여 신과 하나가 될 때 누릴 수 있다.

① ㄱ, ㄴ ② ㄱ, ㄷ ③ ㄴ, ㄹ
④ ㄱ, ㄴ, ㄹ ⑤ ㄴ, ㄷ, ㄹ

**▶ 아퀴나스 윤리 사상의 특징**

**완자 사전**

• **소급**
과거까지 거슬러 올라가서 미치게 하는 것

정답친해 37쪽

수능 응용

**3** (가)의 갑, 을의 입장을 (나) 그림으로 표현할 때, A~C에 해당하는 옳은 진술만을 〈보기〉에서 있는 대로 고른 것은?

(가)
갑: 행복은 이성에 따르는 삶에 있다. 이를 위해서는 본성적으로 내재하는 자연법의 명령에 따라 덕을 실천해야 한다. 그러나 이러한 행복은 현세의 행복일 뿐이고, 영원한 행복은 신을 보고 신과 하나가 되는 것으로만 가능하다.
을: 행복은 오직 신앙으로 가능하다. 행복의 필수 조건은 영원한 생명인데 원죄 때문에 인간은 죽을 수밖에 없는 운명을 가지고 태어났다. 인간은 신의 은총을 믿음으로써 지상의 나라에서 벗어나 영원한 생명을 얻을 수 있는 신의 나라로 가야 한다.

(나)
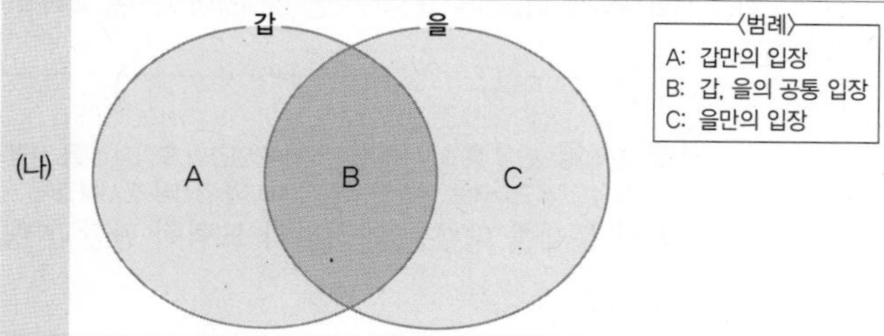


보기
ㄱ. A: 자연법에 위배되는 실정법이라도 법이기 때문에 준수해야 한다.
ㄴ. A: 신앙이 이성보다 우선하지만 이성으로 신의 존재를 증명할 수 있다.
ㄷ. B: 인간은 스스로의 노력만으로는 완전한 행복을 얻을 수 없다.
ㄹ. C: 자신만을 사랑하는 사람은 모두 천상의 나라에 속한다.

① ㄱ, ㄷ ② ㄱ, ㄹ ③ ㄴ, ㄷ
④ ㄱ, ㄴ, ㄹ ⑤ ㄴ, ㄷ, ㄹ

> 아우구스티누스와 아퀴나스의 윤리 사상 비교

완자샘의 시험 꿀팁
아우구스티누스와 아퀴나스의 윤리 사상을 비교하는 문제가 자주 출제되고 있으므로 각 사상의 내용을 잘 정리해 둔다.

평가원 응용

**4** 갑~병의 입장으로 옳은 것은?

갑: 신의 존재는 진리의 존재로부터 증명된다. 악은 의지의 산물이지만 덕은 신의 은총의 산물이며, 신의 은총이 있어야 완전한 행복이 가능하다. 또한 두 가지 사랑이 있음으로써 천상의 나라와 지상의 나라가 있게 된다.
을: 신의 존재는 다섯 가지 방법으로 증명된다. 인간의 의지는 자연법을 따를 수 있지만 거부할 수도 있으며, 자연법은 신의 명령인 영원법에 근거한다.
병: 교황은 신의 용서를 확증하는 이외에 어떠한 죄도 용서할 수 없다. 교황의 면죄부를 사면 모든 죄에서 벗어날 수 있다고 말하는 것은 잘못이다.

① 갑: 이성이 언제나 신앙보다 우선한다.
② 을: 인류의 과제는 신으로부터 해방되는 것이다.
③ 병: 누구나 성서와 기도를 통해 신과 직접 만날 수 있다.
④ 갑, 을: 종교적 덕이 없어도 완전한 행복에 이를 수 있다.
⑤ 갑, 을, 병: 인간 구원의 현세적 징표는 직업에서의 성공이다.

> 그리스도교 윤리 사상 비교

완자샘의 시험 꿀팁
아우구스티누스, 아퀴나스, 루터, 칼뱅 등 그리스도교 사상가들을 비교하는 문제가 출제되고 있으므로 각 사상가의 입장을 파악해 둔다.

# 05 도덕의 기초

**학습 목표**
- 데카르트와 스피노자의 사상이 가지는 특징을 알 수 있다.
- 베이컨, 홉스, 흄의 사상이 가지는 특징을 알 수 있다.

**이것이 핵심!**

이성주의의 대표적 사상가

| | |
|---|---|
| 데카르트 | 확고부동한 진리를 발견하기 위해 모든 것을 의심하는 방법적 회의를 사용함 |
| 스피노자 | • 신은 곧 자연이라고 봄<br>• 모든 생명체는 자기 보존을 위해 노력하는 존재라고 여김<br>• 이성의 힘으로 정념의 예속에서 벗어나고자 함 |

**★ 스피노자의 신**
스피노자는 신을 자연을 창조한 인격적 신이 아니라 자연 그 자체로 본다. 스피노자에 따르면 신, 즉 자연은 존재하는 유일한 실체이며, 자연의 개별 사물은 하나의 실체가 보여 주는 여러 가지 모습의 양태인 것이다.

**★ 자기 보존 노력**
스피노자에 따르면 모든 존재는 자신을 보존하려는 경향을 지니는데, 이를 자기 보존 노력 또는 코나투스라고 한다. 인간 역시 자기 보존의 노력을 기울이는 자연의 한 부분으로서 자기 보존에 유익한 것은 선으로, 해로운 것은 악으로 여긴다.

## 1 도덕적인 삶과 이성

### 1. 서양 근대 사상의 등장 배경과 특징

**(1) 등장 배경**

| | |
|---|---|
| 르네상스 (14~16세기에 일어난 문예 부흥 운동을 의미해.) | 개성을 존중하고 합리적 사고와 경험을 중시하는 근대적 사고방식이 자리 잡음 |
| 종교 개혁 | 중세의 봉건적 신분 질서를 지탱하던 교회의 권위주의적 전통이 무너짐으로써 각 개인은 신앙의 자유를 누릴 수 있게 됨 |
| 자연 과학의 발달 | 자연을 이해하기 위하여 신의 존재를 떠올리는 대신에 있는 그대로의 자연을 과학적 방법론으로 탐구하기 시작함 |

**(2) 특징**

① 인간이 진리와 도덕의 주체가 됨 — VS 중세에는 신을 통해 이 세계의 진리와 인간의 도덕적 삶을 설명하고자 하였으나, 근대에는 인간의 합리적 사고와 경험을 중시하였어.

② 객관적 지식의 성립 과정 및 진리의 인식 문제를 다루는 인식론과 도덕적 판단과 행동의 근거를 탐구하는 윤리학을 중심으로 전개됨

| | | |
|---|---|---|
| 인식론 | 합리론 | 이성에 기초한 자명한 원리로부터 추론을 통해 지식을 얻을 수 있다[연역법]는 관점 |
| | 경험론 | 관찰과 실험을 통해 여러 개별 사례를 관통하는 일반적 원리를 발견하여 지식을 얻을 수 있다[귀납법]는 관점 (경험론의 선구자는 베이컨이며, 홉스가 그 뒤를 이어받았어. 흄 역시 경험론을 바탕으로 감정 중심의 윤리 사상을 전개하였어.) |
| 윤리학 | 이성 중심의 윤리 | 도덕의 원천은 이성에 있으며, 인간은 이성의 능력을 발휘하여 도덕 원리나 법칙을 인식할 수 있다고 보는 입장(이성주의 윤리) |
| | 감정 중심의 윤리 | 도덕의 원천은 경험과 감정에 있으며, 인간은 그것들로부터 일반화된 도덕 원리를 정립할 수 있다고 보는 입장(경험주의 윤리) |

합리론의 기초를 닦은 사상가는 데카르트이며, 스피노자는 합리론을 바탕으로 이성 중심의 윤리 사상을 전개하였어.

### 2. 데카르트와 스피노자의 사상

**(1) 데카르트 사상의 특징** 자료 ①

① 이성적 추론을 통해서 얻은 지식만이 확실하고 참된 지식이라고 봄 — 왜? 데카르트는 감각적 경험을 통해서는 참된 지식을 얻을 수 없다고 보았기 때문이야.

② 방법적 회의를 통해 모든 것을 의심함 → 모든 것을 의심할 수 있지만 생각(의심)하고 있는 내가 존재한다는 사실은 의심할 수 없다는 것을 깨달음 → "나는 생각한다. 그러므로 나는 존재한다."라는 철학의 제1원리를 얻음 — 왜? 이성적 추론의 토대가 되는 확실한 원리를 찾기 위해서야.

**(2) 스피노자의 이성 중심 윤리 사상의 특징**

① 자연을 수학적 질서에 따라 움직이는 하나의 거대한 기계로 봄 → 자연의 모든 일은 원인과 결과의 필연적인 관계로 연결됨 자료 ② — 스피노자는 인간이 필연성에서 벗어나 자유 의지를 가지는 것은 불가능하다고 보았어.

② *신을 스스로가 자신의 존재 원인인 자연 그 자체라고 봄

③ 인간은 자연의 일부로서 자연법칙에 따라 살고 있고, *자기 보존을 위해 노력하는 존재임 → 자기 보존을 감소하거나 저해하는 경우 슬픔과 같은 수동적인 감정을 느낀다고 봄 (수동적인 감정: 스피노자는 이를 정념이라고 불렀어.)

④ 인간이 정념의 예속에서 벗어나 올바른 삶을 살기 위해서는 이성을 사용하여 사물의 원인과 질서를 인식해야 함을 강조함 — 꼭! 스피노자가 감정 자체를 배제한 것은 아니야. 다만 이성적 관조를 통해 정념을 올바르게 조절하는 방법을 제시하고자 한 것이야.

⑤ 인간은 이성적 관조를 통해 자연의 인과적 필연성을 인식함으로써 마음의 평정과 자유를 얻을 수 있으며, 이것이 바로 행복이자 최고선임 교과서 자료

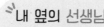

# 완자 자료 탐구

내 옆의 선생님

## 자료 1 데카르트의 방법적 회의

나는 이제부터 진리를 탐구하기 위해 조금이라도 의심할 수 있는 것들은 모두 거짓으로 보아 던져 버림으로써 전혀 의심할 수 없는 것이 내 생각 속에 남아 있는지를 살펴보기로 했다. …… 그러나 이런 식으로 모든 것이 거짓이라고 생각하고 있는 동안에도 이렇게 생각하는 나는 반드시 어떤 것이어야 한다는 것을 알게 되었다. "나는 생각한다. 그러므로 나는 존재한다."라는 이 진리는 아주 확실한 것이기 때문에 …… 나는 이것을 내가 찾고 있던 철학의 제1원리로 기꺼이 받아들일 수 있다고 판단하였다.

– 데카르트, 『방법 서설』

데카르트는 감각 경험이 우리에게 확실한 지식을 주지 못한다고 보고, 조금이라도 의심스러운 것은 모두 거짓으로 보는 절대적 회의를 지식의 출발점으로 삼았다. 이를 방법적 회의라고 한다. 데카르트는 "나는 생각한다. 그러므로 나는 존재한다."라는 자명한 진리를 철학의 제1원리로 삼은 후 이성적 추리를 통해 그 밖의 진리들을 하나하나 연역해 나갔다.

잠깐! 방법적 회의는 모든 지식을 거부하거나 부정하기 위한 것이 아니라 의심할 여지가 없는 명확한 지식을 확보하기 위한 것이야.

**문제로 확인할까?**

데카르트가 진리를 얻기 위해 사용한 방법으로 옳은 것은?

① 산파술
② 귀납법
③ 철인 통치
④ 방법적 회의
⑤ 신 중심의 사고

답 ④

## 자료 2 인간의 자유 의지에 관한 스피노자의 관점

정신 안에는 절대적이거나 자유로운 의지가 존재하지 않는다. 오히려 정신은 이것 또는 저것을 의지하도록 어떤 원인에 의해 결정되고, 이 원인 역시 다른 원인에 의해 결정되며, 그것은 다시 또 다른 원인에 의해 결정되는 식으로 무한히 진행된다.

– 스피노자, 『에티카』

스피노자에 따르면 자연의 일부인 인간이 자연법칙의 인과적 필연성에서 벗어나 자유 의지를 가지는 것은 불가능하다. 하지만 많은 사람들이 인간은 자유 의지에 따라 행동한다고 믿는다. 이러한 어리석음에서 벗어나려면 참된 인식에 이르러야 하는데, 참된 인식이란 자연법칙의 필연적인 인과 관계를 꿰뚫어 보는 것을 말한다.

스피노자는 인간이 자연의 필연적 질서를 인식하면 자신과 다른 존재들이 서로 연결되어 있음을 깨닫게 되며, 이를 통해 자신을 위해 추구하는 선을 다른 존재를 위해서도 추구할 수 있게 되어 도덕적인 삶을 살 수 있다고 보았어.

**자료 하나 더 알고 가자!**

**스피노자의 필연적 세계관**

자연 안에는 우연한 것이 없으며, 모든 것은 신의 본성의 필연성으로부터 일정한 방식으로 존재하고 영향을 미치게끔 되어 있다.

– 스피노자, 『에티카』

스피노자는 신을 자연 그 자체로 보았으며, 존재하는 유일한 실체라고 보았다. 그에 따르면 실체는 자기 본성에서 필연적으로 움직이므로 자연에서 일어나는 모든 일은 원인과 결과의 관계로 연결되어 있다.

이러한 사고방식을 범신론이라고 해.

## 수능이 보이는 교과서 자료 스피노자의 이성과 행복의 관계

- 인간의 삶에서 무엇보다 유익한 것은 우리의 이성을 가능한 한 완전하게 하는 것이며, 오직 이것에 최고의 행복이 있다. 최고의 행복이란 신을 인식함으로써 생기는 정신의 만족이다.
- 무지한 자는 외부 원인으로부터 갖가지 시달림을 받아 참된 마음의 평화를 누리지 못한다. 현명한 자는 어떤 영원한 필연성의 관점에서 자신과 신, 그리고 사물을 인식하며 참된 마음의 평화를 누린다.

– 스피노자, 『에티카』

스피노자에 따르면 인간은 슬픔, 마음의 동요, 불안 등과 같은 정념을 조절하고 통제하지 못하면 정념에 예속된다. 그리고 정념에 예속된 인간은 올바른 삶을 살 수 없다. 따라서 스피노자는 정념의 예속에서 벗어나는 삶을 살고자 이성에 따르는 삶을 살아야 한다고 주장하였다. 스피노자에게 최고의 행복이란 인간이 이성을 사용하여 자연의 필연적 인과 관계를 인식할 때 이를 수 있는 것이다.

꼭! 스피노자에 의하면 이처럼 모든 것을 이성적으로 관조하는 데서 오는 평온한 행복이 인간에게 가능한 유일한 행복이야.

**완자샘의 탐구 강의**

**• 스피노자의 관점에서 인간이 최고의 행복에 이르기 위한 방법을 서술해 보자.**

인간이 이성을 통해 자연의 필연적 인과 관계를 인식할 때 정념의 예속에서 벗어나 최고의 행복을 누릴 수 있다.

함께 보기 150쪽, 1등급 정복하기 1

# 05 도덕의 기초

이것이 핵심!

경험주의의 대표적 사상가

| | |
|---|---|
| 베이컨 | • 과학적 지식의 유용성을 강조함<br>• 귀납법을 제시함<br>• 우상을 제거하고 자연을 있는 그대로 관찰할 것을 강조함 |
| 홉스 | • 인간을 자기 보존 본능을 지닌 이기적 존재로 봄<br>• 사람들이 스스로의 생존과 이익을 지키기 위해 계약을 맺어 정부를 수립했다고 봄 |
| 흄 | • 감정을 도덕적 판단과 행동의 근거로 둠<br>• 도덕적 구별의 기준으로 시인의 감정과 부인의 감정을 제시함<br>• 공감을 중시함 |

★ 귀납법과 연역법의 사례

| | |
|---|---|
| 귀납법 | 사례 1: 갑은 죽는다.<br>사례 2: 을은 죽는다.<br>사례 3. 병은 죽는다.<br>…<br>결론: 모든 사람은 죽는다. |
| 연역법 | 대전제: 모든 사람은 죽는다.<br>소전제: 갑은 사람이다.<br>결론: 갑은 죽는다. |

★ 공감(sympathy)

'함께'를 뜻하는 접두사인 'sym(syn)'과 '감정'을 뜻하는 그리스어 '파토스(pathos)'에서 온 'pathy'가 결합한 말로, 주관을 넘어서는 함께 느끼는 보편적인 감정을 뜻한다. 공감은 우리가 감정을 교류하고, 서로를 이해하며, 편협하고 개인적인 관점을 극복하도록 해 주는 자연적 성향이다.

## 2 도덕적인 삶과 감정

### 1. 베이컨과 홉스의 경험주의적 사상

#### (1) 베이컨 사상의 특징

① 과학적 지식의 유용성 강조: 과학적 방법을 통해 자연에 대한 지배력을 확장하고 생활 방식을 개선하여 인류의 진보를 이룰 수 있다고 봄 → "아는 것이 힘이다."

② 새로운 진리 탐구 방법 제시: 경험과 관찰을 통해 새로운 지식을 발견하는 *귀납법을 제시함 자료 3 — 꼭! 베이컨은 연역적 추론을 통해서는 결코 새로운 지식을 얻을 수 없다고 보았어.

③ 우상의 타파 강조: 자연을 있는 그대로 인식하지 못하도록 방해하는 선입견과 편견을 우상이라고 칭하고, 이를 타파할 것을 역설함

| | |
|---|---|
| 종족의 우상 | 자연을 인간 중심의 관점에서 바라보는 편견 |
| 동굴의 우상 | 개인적인 경험이나 자란 환경에 따라 생긴 편견 |
| 시장의 우상 | 잘못된 말과 소문으로 인해 생기는 편견 |
| 극장의 우상 | 전통이나 권위를 맹신하는 데서 오는 편견 |

#### (2) 홉스 사상의 특징 — 잠깐! 홉스는 베이컨의 과학적 태도를 이어받았어.

| | |
|---|---|
| 유물론적 관점 | 세상 만물은 물질로 구성되어 있으며, 인간도 물리 법칙의 지배를 받는 존재라고 봄 |
| 인간을 이기적 존재로 봄 | 자연 상태에서 인간은 저마다 자신의 생존과 이익만을 추구한다고 봄 |
| 사회 계약론의 입장 | 자연 상태는 '만인의 만인에 대한 투쟁' 상태로서, 법도 규범도 없는 무정부 상태임 → 사람들은 스스로의 생존과 이익을 지키기 위해 계약을 맺어 정부를 수립함 → 사회의 법규를 위반한 사람을 제재하기 위해 주권자에게 절대적인 권력을 부여함 |

왜? 절대적인 권력만이 끔찍한 자연 상태로 되돌아가는 것을 막을 수 있다고 보았기 때문이야.

### 2. 흄의 감정 중심 윤리 사상

#### (1) 특징

꼭! 시인과 부인의 감정이 도덕적 구별의 기준이 되려면 그것이 개인이 주관적으로 느끼는 감정이 아니라 사람들이 보편적으로 느끼는 감정이어야 해.

| | |
|---|---|
| 감정 중심의 윤리 자료 4 | • 도덕적 실천의 동기가 될 수 있는 것은 오직 어떤 대상에 대한 감정이라고 봄<br>• 이성은 감정을 위한 도구적 역할로 한정함 예 길가에 쓰러진 사람을 돕도록 이끄는 동기는 그에 대한 동정이나 연민과 같은 감정이며, 이성은 단지 동기를 수행하기 위한 수단을 가르쳐 줄 뿐임 ┌ "이성은 단지 감정의 노예일 뿐이며, 감정에 봉사하고 복종하는 것 외에는 어떠한 역할도 하려고 해서는 안 된다."라고 하였어. |
| 시인의 감정과 부인의 감정 제시 | • 도덕적 구별의 기준으로 시인의 감정과 부인의 감정을 제시함<br>• 시인의 감정: 어떤 행동이 그것을 바라보는 사람에게 시인의 즐거운 감정을 가져다준다면 좋은 것[善]임 → 사회적이고 보편적으로 유용한 행동은 인간에게 시인의 감정을 불러일으키고 도덕적 행동을 하도록 이끎<br>• 부인의 감정: 어떤 행동이 그것을 바라보는 사람에게 부인의 불쾌한 감정을 가져다준다면 나쁜 것[惡]임 |
| *공감 중시 자료 5 | • 우리가 사회적·보편적으로 시인의 감정을 느끼는 이유는 공감 능력을 가졌기 때문임 → 인간은 개인의 주관적 감정을 넘어 사회적 차원의 감정, 보편적 인류애의 감정을 공유할 수 있음<br>• 도덕적인 삶을 살기 위해서는 공감을 통해 사람들에게 쾌감을 불러일으키는 행동을 실천해야 함 |

#### (2) 영향

① 사회의 행복에 유용한 행위를 강조함 → 공리주의의 사상적 뿌리가 됨

② 절대적 지식의 존재를 부정함 → 실용주의 윤리 사상 형성에 영향을 줌

## 완자 자료 탐구

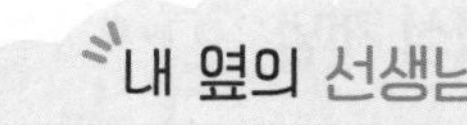

### 자료 3 귀납법을 강조한 베이컨

> 연역법의 기반이 되는 논리학과 삼단 논법은 새로운 과학을 정립하는 데 별 도움이 되지 못한다. …… 그리고 삼단 논법은 과학에 적용될 수 없었고 쓸데없는 공리만 양산했다. 이는 자연의 미묘함에 도저히 미칠 수 없기 때문이다. 삼단 논법은 명제를 확증하는 데 사용할 수 있지만 사물의 진리에 접근하는 것과는 거리가 멀다. – 베이컨, 『신기관』

베이컨은 과학적 방법을 통해 자연에 대한 지배력을 확장함으로써 인류의 진보를 이룰 수 있다고 보았다. 그에 따르면 우리가 자연에 관한 참된 지식을 얻으려면 우상을 제거해야 하는데, 우상을 몰아낼 수 있는 유일한 대책은 참된 귀납법으로 개념과 공리를 형성하는 것이다. 이처럼 베이컨은 귀납적 방법을 통해 알아낸 지식만이 유용한 참된 지식으로서 우리의 행복한 삶을 보장해 준다고 주장하였다.

잠깐! 베이컨은 과학적 지식이 발전할수록 도덕적 관용도 함께 커 가며, 인류를 위한 보다 나은 도덕적 세계가 건설된다고 보았어.

### 자료 4 흄의 감정 중심 윤리 사상에서의 이성의 역할

> 도덕이 행동과 감정에 영향을 미치기 때문에, 결과적으로 도덕은 이성에서 유래될 수 없다. 우리가 이미 입증했듯이 이성은 홀로 그와 같은 영향력을 전혀 가질 수 없기 때문이다. 도덕은 어떤 행동을 일으키거나 억제한다. 바로 이런 점에서 이성은 전혀 힘이 없다. …… 도덕성은 판단되기보다는 느껴진다는 것이 더욱 적절하다. – 흄, 『인간 본성에 관한 논고』

흄은 도덕에 있어 중요한 요인은 이성이 아니라 감정이라고 주장하였다. 왜냐하면 도덕에서는 무엇보다 실천이 중요한데, 감정은 도덕적 행위의 동기가 될 수 있지만 이성은 참이나 거짓을 밝히거나 사물의 원인과 결과를 따질 수 있을 뿐 어떤 의욕도 불러일으키지 않는다고 보았기 때문이다. 흄의 관점에서 이성은 우리의 감정이 원하는 바를 실현하는 방법이나 절차 등을 알려 줌으로써 도덕적 행위자에게 도움을 주는 역할을 한다. 따라서 흄에게 도덕성이란 이성으로 판단하는 것이 아니라 감정으로 느끼는 것이다.

흄은 이성이 도덕적 실천과 완전히 무관하다고 여기지는 않았어.

### 자료 5 도덕의 기초로서 공감을 강조한 흄 – 공감은 우리의 경험과 상상력을 바탕으로 일어나.

> • 현들이 똑같이 울릴 때, 한 현의 운동이 다른 현에 전달되는 것처럼, 감정은 어떤 사람에서 다른 사람으로 쉽게 옮겨 가며, 모든 인간 존재의 각각에게 걸맞은 운동을 일으킨다.
> • 적의 훌륭한 품성은 우리에게 해롭지만 우리의 존경심을 유발할 수 있다. 어떤 도덕적 품성이 선 또는 악이라 불리는 감정을 일으키는 경우는 오직 그것이 우리의 개별적 이익과 무관하게 일반적으로 고려될 때이다. – 흄, 『인간 본성에 관한 논고』

흄은 우리에게 공감 능력이 있기 때문에 사회의 행복에 유용한 행위가 사회적 시인의 감정을 불러일으킨다고 보았다. 이러한 공감 능력으로 인해 우리는 모든 사람에게 유용한 것에 쾌감을 느끼게 되며, 그것이 바로 도덕적 선이다. 다시 말해, 우리가 도덕적인 삶을 살기 위해서는 공감을 통해 사람들에게 쾌감을 불러일으키는 행동을 실천해야 한다.

**자료 하나 더 알고 가자!**

**우상의 타파를 강조한 베이컨**

> 인간의 지성을 사로잡고 있는 우상은 우리의 정신을 혼미하게 만들 뿐만 아니라, 우리가 얻을 수 있는 진리조차도 얻지 못하게 만든다. – 베이컨, 『신기관』

베이컨은 우리가 참된 지식을 얻기 위해서는 자연을 있는 그대로 인식해야 한다고 보았다. 그는 참된 인식을 방해하는 편견과 선입견을 우상이라고 불렀고, 이를 타파해야 한다고 주장하였다.

**정리 비법을 알려줄게!**

**감정과 이성의 역할**

| | |
|---|---|
| 감정 | 도덕적 실천의 직접적 동기임 |
| 이성 | 참과 거짓이 무엇인지 가르쳐 주거나 인간의 행동을 이끄는 감정을 위한 도구적인 역할을 함 |

**문제로 확인할까?**

흄의 윤리 사상에 대한 설명으로 옳지 않은 것은?

① 사회적 유용성을 강조한다.
② 도덕의 기초로서 공감을 중시한다.
③ 관찰과 실험보다는 연역적 추론에 주목한다.
④ 이성은 감정을 위한 도구적 역할을 한다고 본다.
⑤ 도덕적 실천의 동기가 될 수 있는 것은 감정이라고 주장한다.

③ 답

# STEP 1 핵심 개념 확인하기

정답친해 38쪽

**1** 다음 설명에 해당하는 용어를 쓰시오.

- 근대 서양 윤리 사상의 등장 배경 중 하나이다.
- 14~16세기에 일어난 문예 부흥 운동으로서 이를 통해 개성을 존중하고, 합리적 사고와 경험을 중시하는 근대적 사고방식이 자리 잡았다.

**2** 스피노자에게 (　　　　)은 스스로가 자신의 존재 원인인 자연 그 자체를 의미한다.

**3** 빈칸에 알맞은 용어를 쓰시오.

(1) 데카르트는 모든 것을 의심하는 (　　　　)를 통해 철학의 제1원리를 얻었다.

(2) 베이컨은 자연에 대한 참된 인식을 방해하는 선입견과 편견을 (　　　　)에 비유하고 이를 타파할 것을 역설하였다.

(3) 도덕의 원천이 경험과 감정이고, 인간은 그것들로부터 일반화된 도덕 원리를 정립할 수 있다고 보는 사상을 (　　　　) 윤리라고 한다.

**4** 다음 설명에 해당하는 우상을 <보기>에서 골라 기호를 쓰시오.

보기

ㄱ. 종족의 우상　　ㄴ. 동굴의 우상
ㄷ. 시장의 우상　　ㄹ. 극장의 우상

(1) 잘못된 말과 소문으로 인해 생기는 편견이다. (　　)

(2) 전통이나 권위를 맹신하는 데서 오는 편견이다. (　　)

(3) 자연을 인간 중심의 관점에서 바라보는 편견이다. (　　)

(4) 개인적인 경험이나 자란 환경에 따라 생기는 편견이다. (　　)

**5** 흄의 사상에 해당하는 내용만을 <보기>에서 있는 대로 골라 기호를 쓰시오.

보기

ㄱ. 공감 중시　　ㄴ. 이성적 관조 중시
ㄷ. 감정 중심의 윤리　　ㄹ. 이성 중심의 윤리

# STEP 2 내신 만점 공략하기

**01** 학생 답안의 ㉠~㉤ 중 옳지 <u>않은</u> 것은?

**서술형 평가**

◎ 문제: 근대 서양 사상의 등장 배경과 특징을 서술하시오.

◎ 학생 답안

서양은 ㉠ <u>르네상스와 종교 개혁, 자연 과학의 발달을 통해 중세에서 근대로 전환되었다.</u> 근대에는 ㉡ <u>신을 통해 이 세계의 진리와 인간의 도덕적 삶을 설명하였다.</u> 또한 ㉢ <u>이성을 지닌 인간이 진리와 도덕의 주체로 등장하면서 인식론과 윤리학을 중심으로 사상적 흐름이 전개되었다.</u> 근대 인식론은 합리론과 경험론으로 나뉘는데, ㉣ <u>합리론의 영향을 받아 이성주의 윤리 사상이 발전하였고, 경험론의 영향을 받아 경험주의 윤리 사상이 발전하였다.</u> 그리고 ㉤ <u>이성주의 윤리 사상에 따르면 도덕의 원천은 이성에 있으며, 경험주의 윤리 사상에 따르면 도덕의 원천이 경험과 감정에 있다.</u>

① ㉠　② ㉡　③ ㉢　④ ㉣　⑤ ㉤

**02** 갑, 을의 입장에 대한 설명으로 옳은 것은?

갑: 관찰과 실험을 통해 여러 개별 사례를 관통하는 일반적 원리를 발견하여 지식을 얻을 수 있습니다.
을: 이성에 기초한 자명한 원리로부터 추론을 통해 지식을 얻을 수 있습니다.

① 갑과 같은 입장의 영향을 받은 사상가는 스피노자이다.
② 갑은 삼단 논법식 연역 추리 방법에 따라 진리를 탐구해야 한다고 주장한다.
③ 을은 자명한 진리는 존재하지 않는다고 본다.
④ 을은 감각적 경험을 통해서는 참된 지식을 얻을 수 없다고 본다.
⑤ 갑, 을은 예언과 신탁에 의존하는 신화적 세계관을 지닌다.

정답친해 38쪽

**03** 다음과 같이 주장한 사상가의 입장으로 옳은 것은?

> 나는 이제부터 진리를 탐구하기 위해 조금이라도 의심할 수 있는 것들은 모두 거짓으로 보아 던져 버림으로써 전혀 의심할 수 없는 것이 내 생각 속에 남아 있는지를 살펴보기로 했다. …… 그러나 이런 식으로 모든 것이 거짓이라고 생각하고 있는 동안에도 이렇게 생각하는 나는 반드시 어떤 것이어야 한다는 것을 알게 되었다.

① 모든 것은 상대적이므로 자명한 진리는 없다.
② 확실한 지식은 없으며, 있다고 하더라도 알 수 없다.
③ 이성적 추론을 통해서 얻은 지식만이 참된 지식이다.
④ 사회에 유용성을 가져다주는 지식만이 참된 지식이다.
⑤ 감각적 경험을 통해 확고부동한 진리를 발견할 수 있다.

**04** 다음과 같이 주장한 사상가가 긍정의 대답을 할 질문으로 옳은 것은?

> 정신 안에는 절대적이거나 자유로운 의지가 존재하지 않는다. 오히려 정신은 이것 또는 저것을 의지하도록 어떤 원인에 의해 결정되고, 이 원인 역시 다른 원인에 의해 결정되며, 그것은 다시 또 다른 원인에 의해 결정되는 식으로 무한히 진행된다.

① 신은 자연을 창조한 인격적 존재인가?
② 모든 감정을 제거할 때 올바른 삶을 살 수 있는가?
③ 방법적 회의를 사용하여 진리에 도달할 수 있는가?
④ 행복에 이르기 위해서는 정념에 예속되어야 하는가?
⑤ 자연에서 일어나는 모든 일은 원인과 결과의 필연적인 관계로 연결되어 있는가?

**05** 다음과 같이 주장한 사상가의 입장으로 옳지 않은 것은?

> 삶에서 무엇보다 유익한 것은 가능한 한 이성을 완전하게 하는 것이며, 오로지 이것에 인간의 최상의 행복, 즉 지복(至福)이 존재한다. 지복이란 신의 직관적 인식에서 생기는 정신의 만족에 불과하다. 그리고 이성을 완전하게 하는 것은 신, 신의 속성, 그리고 신의 본성의 필연성에서 생기는 활동을 파악하는 것이다.

① 인간은 자연의 필연성을 벗어날 수 없다.
② 인간은 자유 의지를 통해 자신의 운명을 개척해야 한다.
③ 자연은 수학적 질서에 따라 움직이는 하나의 거대한 기계이다.
④ 인간은 자기 보존에 유익한 것은 선으로, 해로운 것은 악으로 여긴다.
⑤ 인간은 이성적 관조를 통해 자연의 필연적 질서를 인식할 때 마음의 평정을 얻을 수 있다.

중요

**06** 갑, 을의 입장에 대한 옳은 설명을 〈보기〉에서 고른 것은?

> 갑: "나는 생각한다. 그러므로 나는 존재한다."라는 이 진리는 아주 확실한 것이기 때문에 나는 이것을 내가 찾고 있던 철학의 제1원리로 기꺼이 받아들일 수 있다고 판단하였다.
> 을: 사물의 본성에는 어떤 것도 우연적으로 주어진 것이 없으며, 모든 것은 일정한 방식으로 존재하고 작용하게끔 신적 본성의 필연성에 의해 결정되어 있다.

보기

ㄱ. 갑은 방법적 회의로 확고부동한 진리를 얻을 수 있다고 본다.
ㄴ. 갑은 현실 세계가 아닌 이상 세계에서 진리를 찾아야 한다고 본다.
ㄷ. 을은 신의 은총을 통해 인격적 신과 직접 만날 때 진정한 행복을 느낄 수 있다고 본다.
ㄹ. 갑, 을은 지식과 사유의 원천을 이성으로 본다.

① ㄱ, ㄴ　② ㄱ, ㄷ　③ ㄱ, ㄹ
④ ㄴ, ㄷ　⑤ ㄷ, ㄹ

**07** 다음과 같이 주장한 사상가에 대한 설명으로 옳지 않은 것은?

> 연역법의 기반이 되는 논리학과 삼단 논법은 새로운 과학을 정립하는 데 별 도움이 되지 못한다. 논리학은 진리를 탐구하기보다는 그들이 기초하고 있는 잘못된 토대를 공고화하거나 고착하는 데 봉사할 뿐이다. 그리고 삼단 논법은 과학에 적용될 수 없었고 쓸데없는 공리만을 양산했다. 이는 자연의 미묘함에 도저히 미칠 수 없기 때문이다. 삼단 논법은 명제를 확증하는 데 사용할 수 있지만 사물의 진리에 접근하는 것과는 거리가 멀다.

① 과학적 지식의 유용성을 강조한다.
② 경험과 관찰을 통해 새로운 지식을 발견하는 귀납법을 제시한다.
③ 자연을 인간 중심의 관점에서 바라보는 편견을 극장의 우상이라고 명한다.
④ 과학적 지식이 발전할수록 인류를 위한 보다 나은 도덕적 세계가 건설된다고 본다.
⑤ 우상을 제거하고 자연을 있는 그대로 관찰할 때 올바른 지식을 얻을 수 있다고 본다.

**08** 밑줄 친 '이 사상가'가 보는 자연 상태의 모습으로 옳은 것은?

> <u>이 사상가</u>가 보기에 인간은 자기 보존 본능을 지닌 이기적 존재이다. 따라서 자연 상태에서 인간은 저마다 자신의 생존과 이익만을 추구한다. 그래서 사람들은 이러한 상태에서 벗어나 스스로의 생존과 이익을 지키기 위해 계약을 맺어서 법과 규범을 만들고, 이것을 집행하기 위한 정부를 세우게 된다.

① 다툼이 없는 평화로운 상태이다.
② 만인의 만인에 대한 투쟁 상태이다.
③ 정의로운 법과 규범이 갖추어진 상태이다.
④ 공동 생산과 공동 분배가 이루어지는 상태이다.
⑤ 사람들끼리 상호 연대가 잘 이루어지는 상태이다.

**09** 중요 다음 사상가의 관점에만 모두 'V'를 표시한 학생은?

> 도덕이 행동과 감정에 영향을 미치기 때문에 결과적으로 도덕은 이성에서 유래될 수 없다. 우리가 이미 입증했듯이 이성은 홀로 그와 같은 영향력을 전혀 가질 수 없기 때문이다. 도덕은 어떤 행동을 일으키거나 억제한다. 바로 이런 점에서 이성은 전혀 힘이 없다. 따라서 도덕성의 규칙은 이성의 산물이 아니다. 도덕성은 판단되기보다는 느껴진다는 것이 더욱 적절하다.

| 관점 \ 학생 | 갑 | 을 | 병 | 정 | 무 |
|---|---|---|---|---|---|
| 감정은 단지 이성의 노예일 뿐이다. | V | | | | |
| 도덕적 행동을 불러일으키는 동기는 감정이다. | V | V | V | V | |
| 사회의 행복에 기여하는 행동은 인간에게 시인의 감정을 불러일으킨다. | | V | | V | V |
| 도덕적 구별의 기준은 개인이 주관적으로 느끼는 시인과 부인의 감정이다. | | | V | V | V |

① 갑 ② 을 ③ 병 ④ 정 ⑤ 무

**10** 다음과 같이 주장한 사상가의 입장으로 옳지 않은 것은?

> 현들이 똑같이 울릴 때, 한 현의 운동이 다른 현에 전달되는 것처럼, 감정은 어떤 사람에서 다른 사람으로 쉽게 옮겨 가며, 모든 인간 존재의 각각에게 걸맞은 운동을 일으킨다.

① 사회의 행복에 유용한 행위를 실천해야 한다.
② 도덕적 선악은 이성적이고 인지적으로 판단하는 것이다.
③ 자연적 성향인 공감을 통해 자기중심적 관점을 극복해야 한다.
④ 이성은 인간의 행동을 이끄는 감정을 위한 도구적인 역할을 한다.
⑤ 인간은 사회적 차원의 감정, 보편적 인류애의 감정을 공유할 수 있다.

[11~12] 다음을 읽고 물음에 답하시오.

> 갑: 인간의 지성을 사로잡고 있는 우상은 우리의 정신을 혼미하게 만들 뿐만 아니라, 우리가 얻을 수 있는 진리조차도 얻지 못하게 만든다. 우상들을 몰아낼 수 있는 유일한 대책은 참된 귀납법으로 개념과 공리를 형성하는 것이다.
> 을: 적의 훌륭한 품성은 우리에게 해롭지만 우리의 존경심을 유발할 수 있다. 어떤 도덕적 품성이 선 또는 악이라 불리는 감정을 일으키는 경우는 오직 그것이 우리의 개별적 이익과 무관하게 일반적으로 고려될 때이다.

**11** (중요) 갑, 을의 입장에 대한 설명으로 옳은 것은?

① 갑은 신화적 세계관을 유지하고자 한다.
② 갑은 전통이나 권위를 맹신해야 한다고 강조한다.
③ 을은 감정의 공감은 상상력의 작용으로 일어난다고 주장한다.
④ 을은 우상을 통해 얻은 올바른 지식을 이용함으로써 자연을 지배할 수 있다고 믿는다.
⑤ 갑, 을은 자연의 필연적 질서를 이성으로 인식해야 한다고 본다.

**12** 을의 관점에서 도덕적이라고 평가할 수 있는 사람으로 가장 적절한 것은?

① 자신의 무지를 자각한 사람
② 공동체를 떠나 속세와 단절된 삶을 사는 사람
③ 모든 감정을 제거하여 마음의 평정을 얻은 사람
④ 모든 것을 의심하여 단 하나의 확실한 진리를 찾고자 하는 사람
⑤ 공감을 통해 사람들에게 쾌감을 불러일으키는 행동을 실천하는 사람

## 서술형 문제

● 정답친해 39쪽

**01** 갑, 을이 올바른 지식을 얻기 위해 강조한 방법을 서술하시오.

> 갑: 나는 생각한다. 그러므로 나는 존재한다.
> 을: 아는 것이 힘이다.

길잡이 합리론과 경험론의 차이를 바탕으로 서술한다.

**02** 다음을 읽고 물음에 답하시오.

> 개인적인 쾌락과 이익은 사람마다 차이가 있다. 따라서 사람들이 공통의 관점으로 대상을 조망하지 않는 한, 사람들의 소감과 판단은 결코 언제나 일치할 수 없다. 성격을 판단하는 경우, 모든 관찰자에게 동일하게 나타나는 이익이나 쾌락만이 …… 더 불변적이고 보편적이므로, 현실적으로도 우리 자신의 이익과 평형을 이루며, 덕과 도덕성의 유일한 기준으로 인정된다.

(1) 위와 같이 주장한 근대 서양 사상가를 쓰시오.

(2) 위와 같이 주장한 사상가의 입장에서 사회의 행복에 유용한 행위가 사회적 시인의 감정을 불러일으키는 이유를 서술하시오.

길잡이 개인의 주관적 감정을 넘어 사회적 차원의 감정을 공유하게 하는 것이 무엇인지 떠올린 후 서술한다.

STEP 3 1등급 정복하기

수능 응용

**1** 다음과 같이 주장한 사상가의 입장에서 제시할 수 있는 이상적인 경지에 이르는 방법으로 가장 적절한 것은?

> • 인간의 삶에서 무엇보다 유익한 것은 우리의 이성을 가능한 한 완전하게 하는 것이며, 오직 이것에 최고의 행복이 있다. 최고의 행복이란 신을 인식함으로써 생기는 정신의 만족이다.
> • 무지한 자는 외부 원인으로부터 갖가지 시달림을 받아 참된 마음의 평화를 누리지 못한다. 현명한 자는 어떤 영원한 필연성의 관점에서 자신과 신, 그리고 사물을 인식하며 참된 마음의 평화를 누린다.

① 오직 이성에 따라 살아갈 수 있도록 모든 정념을 버려야 한다.
② 자유 의지를 발휘하여 필연적인 인과 질서에서 벗어나야 한다.
③ 신과 이웃을 조건 없이 사랑하여 인격신의 은총을 받아야 한다.
④ 신을 이성적으로 관조하거나 지적으로 사랑하려고 힘써야 한다.
⑤ 만물의 초월적 원인인 신을 인식하거나 파악하려고 애써야 한다.

> 스피노자 윤리 사상의 특징

**완자샘의 시험 꿀팁**

스피노자 윤리 사상의 특징을 묻는 문항이 자주 출제되고 있으므로 스피노자의 세계관과 행복에 대한 견해를 파악해 둔다. 특히 스피노자에게 신이란 세계 밖에 별개로 존재하는 인격적 존재가 아니라는 점을 기억해 둔다.

평가원 응용

**2** 갑, 을의 입장으로 옳지 않은 것은?

> 갑: 자연의 진리를 발견하기 위해서는 인간의 지성을 고질적으로 사로잡고 있는 우상들을 제거해야 한다. 이러한 우상들을 없앨 수 있는 유일한 대책은 참된 귀납법으로 개념과 공리를 형성하는 것이다.
> 을: 학문의 기초로서의 모든 것에 대한 의심은 우리를 모든 선입견에서 벗어나게 해 주고 정신을 감각으로부터 떼어 내는 데 가장 쉬운 길을 열어 준다. 이러한 의심은 우리가 참이라고 발견한 것에 대해서는 더 이상 의심할 수 없게 해 준다.

① 갑: 올바른 진리를 발견하는 데 이성의 역할이 필요하다.
② 갑: 과학적 지식을 통해 자연에 대한 지배력을 확장하고 인간의 생활 방식을 개선할 수 있다.
③ 을: 감각적 경험을 통해 얻은 지식은 명백한 진리가 될 수 없다.
④ 을: 연역적 추론은 올바른 지식을 탐구하기 위한 적절한 방법이 될 수 없다.
⑤ 갑, 을: 인간에게 자연에 관한 진리를 발견할 수 있는 능력이 있다.

> 베이컨과 데카르트의 사상의 특징 비교

**3** 다음과 같이 주장한 사상가의 입장에서 〈사례〉 속 라이언 레작의 행동에 내릴 평가로 가장 적절한 것은?

> 유용성이 도덕적 감정의 근원이고, 이 유용성이 항상 개인 자신만을 챙기는 어떤 것이 아니라면, 이로부터 다음과 같은 사실이 도출된다. 즉 사회의 행복에 기여하는 모든 것은 곧바로 우리의 시인을 받는다.
>
> 〈사례〉
>
> 라이언 레작은 초등학교 1학년 수업 시간에 선생님으로부터 아프리카 아이들이 깨끗한 식수를 마시지 못해 고통받고 있으며, 일부 아이들은 죽어 간다는 이야기를 듣고 깊은 연민을 느꼈다. 그래서 라이언 레작은 이들을 도울 방법을 궁리한 결과 돈을 모아 아프리카에 우물을 파 주어야겠다고 결정하였다. 그는 용돈을 모으는 것에서 더 나아가 사람들과 비정부 단체를 대상으로 모금 운동을 시작하였다. 이러한 노력을 통해 라이언과 그의 가족이 설립한 라이언 우물 재단은 세계 14개국에서 모두 319개의 우물을 만들었다.

① 모든 감정을 제거했기 때문에 도덕적이다.
② 이성은 아무런 역할도 하지 않았기 때문에 비도덕적이다.
③ 이성을 통해 자연의 이치를 파악했기 때문에 도덕적이다.
④ 공감을 통해 사람들에게 쾌감을 불러일으키는 행동을 했기 때문에 도덕적이다.
⑤ 방법적 회의를 사용하여 아프리카 아이들을 도울 방법을 찾았기 때문에 도덕적이다.

**흄 윤리 사상의 특징**

**완자샘의 시험 꿀팁**

흄 윤리 사상의 특징을 묻는 문항이 자주 출제되고 있다. 그러므로 도덕적인 삶에서 이성과 감정의 역할에 관한 흄의 사상을 잘 알아 두어야 한다.

**4** 갑, 을의 입장에 대한 설명으로 옳은 것은?

> 갑: 인류애가 허영심이나 야망처럼 그렇게 강한 것으로 평가되지는 않을지 모르나, 그것은 모든 인간이 공유하는 것으로서 유일하게 도덕의 기초가 될 수 있는 것이다.
>
> 을: 우리는 우리 존재의 보존에 도움이 되거나 해가 되는 것을, 즉 우리의 활동 능력을 증대하거나 감소하고, 촉진하거나 억제하는 것을 선 또는 악이라고 부른다. …… 선과 악의 인식은 기쁨이나 슬픔의 정념 자체에서 필연적으로 생기는 기쁨이나 슬픔의 관념일 뿐이다.

① 갑은 도덕적인 삶에 있어서 이성은 어떠한 역할도 하지 않는다고 본다.
② 갑은 인간이 자연의 인과적 필연성을 인식할 때 마음의 평정을 얻을 수 있다고 본다.
③ 을은 인간이 자연의 필연적 질서를 인식하게 되면 자신과 다른 존재들이 연결되어 있음을 깨닫게 된다고 본다.
④ 갑은 을과 달리 정념에 예속되는 삶을 경계한다.
⑤ 갑, 을은 인격신에 대한 지적인 사랑을 통해서 오는 행복을 최고선이라고 여긴다.

**흄과 스피노자 윤리 사상의 특징 비교**

**완자 사전**

• **예속**
남의 지배나 지휘 아래 매이는 것

# 06 옳고 그름의 기준

**학습목표**
- 의무론 및 칸트 윤리 사상의 특징을 이해할 수 있다.
- 결과론 및 공리주의의 특징을 파악할 수 있다.

**이것이 핵심!**

**칸트 윤리 사상과 현대 칸트주의의 특징**

| | |
|---|---|
| 칸트 윤리 사상 | • 의무론의 입장에서 도덕 법칙에 따를 것을 강조함<br>• 자율적 존재로서 인간은 선의지를 가지며, 선의지에 따른 행위만이 도덕적 가치를 지닌다고 봄<br>• 정언 명령을 통해 보편주의와 인간 존중의 정신을 드러냄 |
| 현대 칸트주의 | 칸트 윤리 사상의 한계로 지적되는 정언 명령의 엄격성, 도덕적 의무 간의 상충 문제 등을 해결하고자 조건부 의무를 제시함 |

★ **실천 이성**
마땅히 해야 할 바를 생각하고 그것을 스스로의 의지로 결단하는 능력을 말한다.

★ **선의지**
절대적이고 무조건적으로 선한 것으로, 옳은 행위를 오로지 그것이 옳다는 이유에서 받아들이고 따르려는 마음가짐을 의미한다. 칸트는 선의지에서 비롯된 의무에 따른 행위만이 도덕적 가치를 지닌다고 보았다.

★ **정언 명령과 가언 명령**
- 정언 명령: '무조건 …하라.'의 형식을 띠는 무조건적인 명령이다.
- 가언 명령: '만약 ~하고 싶으면, …하라.'와 같이 어떤 조건이 붙는 명령이므로 가언 명령은 도덕 법칙이 될 수 없다.

★ **준칙**
각 개인이 나름대로 정립한 행위의 규칙을 의미한다.

★ **조건부 의무**
한번 봐서 직관적으로 알 수 있는 옳고 명백한 의무이다. 예를 들어 약속을 지키는 것, 타인에게 해를 끼치지 않는 것 등이 조건부 의무에 속한다. 조건부의무는 절대적 의무가 아니므로 더 우선적인 다른 의무에 의해서 무시될 수 있다.

## 1 의무론과 칸트주의

### 1. 의무론의 의미와 특징 — 의무론의 대표적 사상가로는 칸트가 있어.

(1) **의미**: 우리가 마땅히 지켜야 할 의무에 따라 행위의 옳고 그름을 판단해야 한다는 이론

(2) **특징**

① 행위의 결과보다 행위의 동기를 중시함 — 잠깐! 의무론에서는 도덕 법칙이나 의무에 따른 행위라면 좋지 않은 결과를 낳더라도 그 행위는 도덕적으로 옳다고 여겨.

② 행위의 가치가 본래 정해져 있다고 봄

③ 목적이 수단을 정당화할 수 없다고 봄

### 2. 칸트 윤리 사상

(1) **특징**

꼭! 자연법칙이 자연의 모든 사물에 필연적으로 적용되는 법칙이라면, 도덕 법칙은 자유 의지를 지닌 인간이 스스로 세우고 따르는 법칙이므로 이성적 존재에게만 적용돼.

| | |
|---|---|
| 도덕 법칙 강조 | • 인간의 마음에는 누구나 반드시 지키고 따라야 할 도덕 법칙이 존재함 자료 ①<br>• 도덕 법칙은 우리 안의 *실천 이성에 의해 세워진 것임 |
| 인간의 자율성과 존엄성 강조 | 인간은 자신의 본능적 욕구를 극복하고 실천 이성이 스스로에게 부과하는 명령을 따를 수 있는 자율적 존재이며, 자율적 존재로서 인간은 *선의지를 가짐 자료 ② |
| 도덕 법칙을 *정언 명령의 형태로 제시 | • 정언 명령은 '무조건 …하라.'와 같은 절대적인 명령의 형식을 취함<br>• 정언 명령의 첫 번째 정식(준칙의 보편화 가능성): "네 의지의 *준칙이 언제나 동시에 보편적 입법의 원리가 될 수 있도록 행위 하라." 교과서 자료<br>• 정언 명령의 두 번째 정식(인간 존엄성): "너 자신과 다른 모든 사람의 인격을 결코 단순히 수단으로만 대하지 말고 언제나 동시에 목적으로 대하도록 행위 하라." |

왜? 인간은 본능적 욕구를 지녀서 선의지를 저절로 따를 수 없기 때문이야.

(2) **의의와 한계**

| | |
|---|---|
| 의의 | • 도덕을 인간다움의 핵심적인 요소로 둠 → 도덕의 중요성을 잘 보여 줌<br>• 준칙의 보편화 가능성과 인간 존엄성을 도덕적 의무의 핵심에 놓음 → 모든 사람의 자유와 권리를 강조하는 자유주의의 초석이 됨 |
| 한계 | • 행위의 결과에 대한 판단을 배제한 채 오로지 의무에 따른 행위만을 도덕적 행위로 인정하여 지나치게 엄격하다는 비판을 받음 — 자연스러운 감정의 도덕적 가치를 소홀히 여긴다는 비판을 받기도 해.<br>• 정언 명령은 단지 형식만을 제공해 주기 때문에 도덕적 의무가 상충할 경우에 구체적인 행위 규칙을 제공할 수 없다는 비판을 받음 — 예 '무고한 사람을 죽게 하지 말라.'라는 의무와 '거짓말을 하지 말라.'라는 의무가 서로 상충할 때 어떤 의무가 우선인지 판단하기 어려워. |

### 3. 현대 칸트주의

(1) **등장 배경**: 칸트 윤리 사상의 원리를 계승하면서도 그 사상의 한계를 극복하고자 등장함

(2) **특징**

① 로스는 정언 명령의 엄격성과 도덕적 의무간의 상충 문제 등을 해결하고자 *조건부 의무를 제시함 — 현대 칸트주의의 대표적인 사상가야.

② 조건부 의무는 특별한 상황이 발생할 경우 예외가 인정되기 때문에 칸트의 정언 명령보다는 느슨하게 적용됨 — 예 진실을 말하면 무고한 사람이 죽게 될 경우, '거짓말을 하지 마라.'라는 의무는 '무고한 사람을 죽이지 마라.'라는 의무에 의해 미루어져.

(3) **의의**

① 현실에 더욱 적합한 형태로 칸트의 의무론을 발전적으로 계승함

② 칸트 의무론의 인격주의를 바탕으로 인권 사상과 자유주의 발전의 이론적 토대를 제공함

# 완자 자료 탐구

내 옆의 선생님

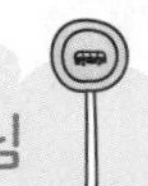

## 자료 1 도덕 법칙을 강조한 칸트

> 내가 그것들을 더욱 자주, 더욱 진지하게 생각하면 할수록 항상 새롭고 더욱 높아지는 감탄과 경외로 나의 마음을 가득 채우는 것이 두 가지가 있다. 그것은 내 위에 있는 별이 빛나는 하늘과 내 안에 있는 도덕 법칙이다.
>
> – 칸트, 『실천 이성 비판』

인간은 자연 만물과 마찬가지로 자연법칙을 따를 수밖에 없다. 그래서 인간은 욕구나 욕망과 같은 자연적 경향성을 지닌다. 하지만 이성적 존재인 인간은 자연적 경향성만을 따르지 않는다. 인간에게는 자유 의지가 있기 때문이다. 즉, 칸트는 인간이 인간다운 존재가 될 수 있는 것은 자신의 욕구를 극복하고 도덕 법칙에 따를 수 있기 때문이라고 보았다.

└ 인간이 자연스럽게 가지게 되는 경향성으로, 자신의 이익을 추구하려는 욕구나 두려움, 동정심과 같은 감정 등을 말해.

## 자료 2 도덕성의 척도로서 선의지의 중요성

> 이 세계에서 또는 이 세계 밖에서까지라도 아무런 제한 없이 선하다고 생각될 수 있는 것은 선의지뿐이다. 지성, 기지, 판단력 같은 정신적 재능들 또는 용기, 결단성, 초지일관성 같은 기질상의 성질은 의심할 여지없이 많은 의도에서 선하고 바람직하다. 그러나 이러한 천부적 재능이나 기질조차 그것을 사용하는 의지가 선하지 않다면, 극도로 악하고 해가 될 수도 있다.
>
> – 칸트, 『윤리 형이상학 정초』

칸트는 인간에게 자유 의지가 있다고 보았다. 칸트가 말하는 자유 의지는 자연적인 경향성을 초월하여 스스로 도덕 법칙에 따르려는 의지이다. 칸트는 이를 선의지라고 불렀으며, 무조건적으로 선한 것은 선의지밖에 없다고 보았다. 그리고 그는 선의지에 따른 행위를 의무로부터 비롯한 행위라고 부르면서, 의무이기 때문에 행한 행위만이 도덕적 가치를 지닌다고 주장하였다.

— 우리는 동정심이나 연민과 같은 자연적 경향성이나, 장기적 이익과 같은 유용성 때문에 결과적으로 '의무에 알맞은' 행위를 할 수 있어. 그러나 칸트는 이런 행위들은 '의무로부터 비롯한' 행위가 아니기 때문에 도덕적 가치가 없다고 보았어.

### 자료 하나 더 알고 가자!

**현대 칸트주의에서의 조건부 의무**

> 조건부 의무의 종류에는 약속 이행의 의무(성실의 의무), 보은의 의무, 선행의 의무, 악행 금지의 의무, 정의의 의무, 자기 개선의 의무가 있다.

로스에 따르면 두 가지 조건부 의무 사이에 갈등이 발생한다면, 그중 더 우선하는 의무는 실제 의무가 되고, 유보되는 의무는 조건부 의무가 된다. 이때 어떤 것이 우선하는지는 교육받은 사람들의 직관에 따라서 결정된다.

### 문제로 확인할까?

**칸트가 생각하는 도덕적 행위로 옳은 것은?**

① 선의지에 따른 행위
② 동정심과 이타심에 기반한 행위
③ 공공의 이익 실현을 목표로 한 행위
④ 최대 다수의 최대 행복을 산출한 행위
⑤ 자연의 필연적 인과 법칙에 따르는 행위

① 답

## 수능이 보이는 교과서 자료 칸트의 정언 명령에 담긴 보편주의 정신

> 과연 거짓말로 약속하는 것이 의무에 부합하는가 그렇지 않은가라는 이 과제의 답을, 아주 간략하면서도 속임이 없이 제시하기 위해 나는 자신에게 물어본다. 진실하지 못한 약속을 통해 곤경에서 벗어나겠다는 나의 준칙이, 나뿐만 아니라 다른 사람을 위한 보편적 법칙으로서 타당해야 한다는 원리를 정말로 충족할 수 있는가? …… 이렇게 보면 나는 곧 내가 거짓말을 할 수 없다는 점을 깨닫게 된다.
>
> – 칸트, 『윤리 형이상학 정초』

칸트는 어떤 행위의 옳고 그름을 판단하려면 다른 모든 사람들이 그 행위를 해도 좋다고 기꺼이 바랄 수 있는지 자신에게 물어보아야 한다고 주장하였다. 그는 한 사람이 선택한 준칙을 다른 사람들이 보편적으로 받아들일 수 있을 때, 이 준칙이 도덕 법칙이 될 수 있다고 보았다. 이와 같이 칸트의 첫 번째 정언 명령에는 보편주의 정신이 담겨 있다.

└ 꼭! 도덕 법칙은 개인의 주관적 경험이나 자기 행복의 원리에 의해 수립되어서는 안 되고, 일체의 경향성을 배제한 채 수립되어야 해.

### 완자샘의 탐구 강의

**• 칸트의 정언 명령에 보편주의 정신이 담겼다고 보는 이유를 서술해 보자.**

칸트는 한 사람이 선택한 준칙을 다른 사람들이 보편적으로 받아들일 수 있을 때, 그 준칙이 도덕 법칙이 될 수 있다고 보았기 때문이다. 칸트는 만약 어떤 준칙이 보편타당성을 지니지 못한다면, 그 준칙은 각 개인의 주관적 행위 규칙에 불과하다고 보았다.

함께 보기 160쪽, 1등급 정복하기 1

# 06 옳고 그름의 기준

## 이것이 핵심!

**고전적 공리주의의 특징**

| | |
|---|---|
| 벤담 | • 도덕의 목적은 인간의 행복 증진이라고 봄<br>• '최대 다수의 최대 행복'이라는 공리의 원리를 제시함<br>• 쾌락에 질적 차이는 없으며 양적 차이만 있다는 양적 공리주의를 주장함 |
| 밀 | • 벤담의 사상을 계승함<br>• 쾌락에는 질적인 차이가 있다는 질적 공리주의를 주장함<br>• 이타심을 중시하였고, 이를 토대로 공익을 실현하고자 함 |

**★ 쾌락 계산의 기준**

| | |
|---|---|
| 강도 | 얼마나 강한가? |
| 지속성 | 얼마나 지속되는가? |
| 확실성 | 얼마나 확실히 일어나는가? |
| 접근성 | 얼마나 가까운 장래에 일어나는가? |
| 생산성 | 얼마나 다른 쾌락으로 이어질 수 있는가? |
| 순수성 | 얼마나 고통을 배제할 수 있는가? |
| 범위 | 얼마나 많은 사람이 경험할 수 있는가? |

**★ 싱어**

현대의 대표적인 공리주의자인 싱어는 쾌락과 고통을 느끼는 모든 존재의 이익을 공평하게 고려해야 한다는 이익 평등 고려의 원칙을 주장하였다. 그는 인간 생명의 가치는 국적에 따라 달라질 수 없기 때문에 우리는 세계의 절대 빈곤 구제에 나서야 할 의무가 있다고 보았다. 더 나아가 싱어는 동물에 대한 차별에도 반대하였다.

## 2 결과론과 공리주의

### 1. 결과론의 의미와 특징 — 결과론의 대표적인 사상으로 경험론을 계승한 공리주의를 들 수 있어.

**(1) 의미**: 어떤 행위를 수행함으로써 발생하는 결과에 따라 그 행위의 옳고 그름을 판단해야 한다는 이론 → 올바른 행위는 최선의 결과를 가져오는 행위임

**(2) 특징**

① 행위의 가치는 각 상황과 결과에 의해 결정되며, 미리 정해져 있지 않다고 봄

② 좋은 결과를 산출하는 데 도움을 주는 수단은 도덕적으로 정당화될 수 있다고 봄

### 2. 고전적 공리주의 — 고전적 공리주의는 개별 행위에 공리의 원리를 적용하여 옳고 그름을 판단한다는 점에서 행위 공리주의라고도 해.

**(1) 벤담의 양적 공리주의**

① 인간의 모든 행위는 고통과 쾌락에 의해 결정된다고 봄 → 우리 행위의 목적은 고통을 회피하고 쾌락을 추구하는 것임

잠깐! 벤담은 최대 다수와 최대 행복이 충돌을 일으킬 때는 최대 행복이 도덕적으로 더 중요하다고 보았어.

② 옳고 그름의 기준으로 '최대 다수의 최대 행복'이라는 공리의 원리를 제시함 → 사회는 개인의 집합체이므로 더 많은 사람이 쾌락을 누리게 되는 것은 좋은 일이라고 봄 자료③

③ 쾌락에 질적 차이는 없으며 양적 차이만 있다고 봄 → *쾌락 계산의 기준을 제시함

**(2) 밀의 질적 공리주의**

① 벤담과 마찬가지로 '최대 다수의 최대 행복'이라는 공리의 원리를 강조함

② 쾌락에는 질적인 차이가 있다고 봄 → 질적으로 높은 수준의 쾌락과 낮은 수준의 쾌락을 구분함 자료④ — 꼭! 높은 수준의 쾌락은 적은 양이라 하더라도 질적으로 낮은 수준의 다량의 쾌락보다 훨씬 우월하다고 보았어.

③ 합리적인 인간이라면 누구나 쾌락의 질적 차이를 분별할 수 있으며, 높은 수준의 쾌락을 선호한다고 봄 — 어떤 쾌락이 더 우월한지를 판단해야 할 때는 두 가지 쾌락을 모두 경험한 사람의 선택을 존중해야 한다고 하였어.

④ 자유를 옹호하면서 타인에게 피해를 주지 않는 한 개인의 자유를 최대한 보장해야 한다고 주장함 — 잠깐! 벤담은 개인의 이기적인 행위가 공익을 침해할 것을 우려하여 네 가지 제재 방법으로 물리적, 도덕적, 정치적, 종교적 제재를 제시하였어. 한편 밀은 처벌과 같은 외적인 제재와 양심의 후회와 같은 내적인 제재를 주장하였어.

**(3) 의의와 한계**

| | |
|---|---|
| 의의 | • '최대 다수의 최대 행복'이라는 핵심 원리를 제시함으로써 개인적 쾌락을 넘어 사회적 쾌락을 추구함<br>• 각각의 상황에서 가장 좋은 결과를 가져오는 대안을 선택하라고 함으로써 변화에 탄력적으로 대처할 수 있는 융통성을 지닌다는 평가를 받음 |
| 한계 | • 행위의 결과를 지나치게 강조함으로써 인간의 내면적 동기나 과정을 소홀히 한다는 비판을 받음<br>• 쾌락이나 결과를 정확하게 계산하고 예측하기 어려움<br>• 최대 다수의 최대 행복을 위해 개인의 권리를 침해할 수도 있다는 점에서 비판을 받음 |

### 3. 현대 공리주의 — 고전적 공리주의의 원리를 계승하면서도 그것이 가진 문제점을 보완하고자 하였어.

| | |
|---|---|
| 선호 공리주의 | • 선택할 수 있는 행위 중 그 행위에 영향을 받을 모든 사람의 선호를 가장 많이 만족하게 해 주는 행위가 옳다고 주장하는 이론임 — 직접적인 쾌락의 증가가 아니라, 자신이 진정으로 바라는 선호를 실현하는 것이 더 좋은 결과를 산출한다고 여겨.<br>• *싱어는 선호 공리주의를 바탕으로 감각을 지닌 개체의 이익을 동등하게 고려해야 한다고 봄 |
| 규칙 공리주의 | • 좋은 결과를 가져다줄 가능성이 큰 규칙을 따름으로써 공리를 극대화할 수 있다는 이론임<br>• 주어진 상황에서 행위의 결과를 계산해야 하는 행위 공리주의에 비해 경제적임 자료⑤ |

예 '도둑질하지 마라.'라는 도덕 규칙이 최대 다수의 최대 행복이라는 원리에 따라 정당화되면, 이 규칙을 따르는 것이 옳은 행위야.

## 완자 자료 탐구

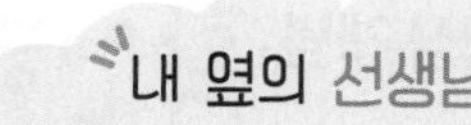

### 자료 3 공리의 원리를 제안한 벤담

> 자연은 인류를 고통과 쾌락이라는 최고의 두 주인이 지배하도록 하였다. 우리가 무엇을 행할까를 결정할 뿐만 아니라 우리가 무엇을 해야 하는지를 지시해 주는 것은 오직 고통과 쾌락뿐이다. …… 이들은 우리가 행하는 모든 행위에서, 우리가 말하는 모든 말에서, 그리고 우리가 생각하는 모든 사고에서 우리를 지배한다.
>
> – 벤담, 『도덕과 입법의 원칙에 대한 서론』

벤담에게 옳은 행위란 이해 당사자들을 공평하게 고려하여 최대 행복을 낳는 행위이다. 그는 다른 사람의 이익을 배제하고 오직 자신의 이익만을 추구하는 행동은 정당화될 수 없다고 보았다. 그래서 공리의 원리를 최대 다수의 최대 행복의 원리라고도 한다. 벤담은 이를 근거로 최대 행복을 가져오지 않는 제도와 관습을 타파해야 한다고 주장하였다. 한편 쾌락에 질적 차이가 없다고 주장하는 벤담의 사상은 인간과 동물의 쾌락도 질적으로 동일시하였고, 인간을 동물과 다를 바 없는 존재로 만들었다는 비판을 받기도 하였다.

**문제**로 확인할까?

벤담의 주장으로 옳은 것은?

① 신은 곧 자연이다.
② 모든 쾌락은 질적으로 동일하다.
③ 선의지에 따른 행위가 도덕적 행위이다.
④ 감각적 쾌락보다 정신적 쾌락이 더 수준 높은 쾌락이다.
⑤ 사회적 차원의 쾌락보다 개인적 차원의 쾌락이 중요하다.

② 답

### 자료 4 쾌락의 질적 차이를 강조한 밀

> 공리의 원리는 다음과 같은 사실, 즉 어떤 종류의 쾌락은 다른 쾌락보다 훨씬 더 바람직하고, 한층 더 가치 있다는 점을 인정한다. 다른 모든 것을 평가할 때는 양과 마찬가지로 질도 고려하는 것이 보통인데, 유독 쾌락을 평가할 때만 반드시 양에 의존하라는 것은 불합리하지 않은가?
>
> – 밀, 『공리주의』

밀은 벤담과 달리 쾌락의 양만을 중시할 것이 아니라 질적 차이도 고려해야 한다고 보았다. 그는 쾌락을 질적인 차이에 따라 고급 쾌락과 저급 쾌락으로 나누었다. 이때 고급 쾌락은 지성, 감정과 상상력, 도덕적 감정과 같은 높은 수준의 능력을 활용해서 얻는 쾌락을 뜻한다. 반면에 저급 쾌락은 그와 같은 능력 없이도 얻는 쾌락을 의미한다. 밀은 인간의 경험을 바탕으로 쾌락의 질적 차이를 구분할 수 있다고 보았다.

└ 밀은 두 유형의 쾌락을 모두 잘 알고 있는 사람은 일부러 저급 쾌락을 선택하지 않을 것이라고 생각하였어.

**자료** 하나 더 알고 가자!

정신적 쾌락을 추구한 밀

> 만족한 돼지보다는 불만족한 인간이 낫고, 만족한 바보보다는 불만족한 소크라테스가 더 낫다. – 밀, 『공리주의』

밀에 따르면 감각적 쾌락과 정신적 쾌락을 모두 경험한 사람들은 정신적 쾌락이 더 우월한 쾌락이라는 것을 알 수 있다. 밀은 다른 사람의 행복에 대해서 느끼는 쾌락도 질적으로 높은 쾌락에 포함되므로, 자신의 쾌락과 더불어 다른 사람의 쾌락도 함께 추구해야 한다고 주장하였다.

### 자료 5 규칙 공리주의의 한계

> 규칙 공리주의는 구체적인 상황에서 어떤 규칙을 따르는 것이 더 큰 유용성을 산출할지가 불분명할 경우, "당신의 최선의 판단에 비추어 공리를 극대화하는 행위라고 생각되는 것을 행하라."라는 행위 공리주의의 원리를 내세울 것이다. 이처럼 규칙 공리주의는 규칙이 충돌하는 상황에서 결국 행위 공리주의로 환원될 수밖에 없다는 비판에 직면한다.
>
> – 포이만 외, 『윤리학: 옳고 그름의 발견』

규칙 공리주의는 과거 경험에서 유용성이 이미 입증된 규칙을 따르므로 좋은 결과를 산출할 확률이 높고, 개별 행위의 결과를 계산하는 것보다 효율적이며, 대부분 도덕적 상식과 일치한다는 장점이 있다. 하지만 규칙 공리주의도 규칙들이 서로 충돌하는 상황에서는 어떻게 해야 할지 분명한 기준을 제시하지 못하는 한계가 있다.

**정리** 비법을 알려줄게!

규칙 공리주의의 의미와 특징

| | |
|---|---|
| 의미 | 공리의 원리에 부합하는 도덕 규칙을 따르는 행위를 옳은 것으로 보는 이론임 |
| 장점 | 도덕적 갈등을 마주하는 순간마다 결과를 예측하거나 계산할 필요가 없음 |
| 한계 | 규칙이 서로 충돌하는 상황에서 어떻게 해야 할지 분명한 기준을 제시하지 못함 |

정답친해 40쪽

## STEP 1 핵심 개념 확인하기

**1** 칸트의 사상에 해당하는 내용만을 〈보기〉에서 있는 대로 골라 기호를 쓰시오.

보기
ㄱ. 선의지 강조
ㄴ. 가언 명령 제시
ㄷ. 도덕 법칙 중시
ㄹ. 실천 이성 중시

**2** 다음 설명에 해당하는 용어를 쓰시오.

절대적이고 무조건적으로 선한 것으로, 옳은 행위를 오로지 그것이 옳다는 이유에서 받아들이고 따르려는 마음가짐을 의미한다.

**3** 빈칸에 알맞은 용어를 쓰시오.

(1) 밀은 (            )으로 높은 수준의 쾌락과 낮은 수준의 쾌락을 구분한다.

(2) (            )은 '무조건 …하라.'와 같은 절대적인 명령의 형식을 취한다.

(3) 벤담은 옳고 그름의 기준으로 '최대 다수의 최대 행복'이라는 (            )의 원리를 제시하였다.

(4) 로스는 정언 명령의 엄격성과 도덕적 의무간의 상충 문제 등을 해결하고자 (            )를 제시하였다.

**4** 현대 공리주의의 종류와 그에 대한 설명을 옳게 연결하시오.

(1) 선호 공리주의 •
(2) 규칙 공리주의 •

• ㉠ 좋은 결과를 가져다줄 가능성이 큰 규칙을 따름으로써 공리를 극대화할 수 있다는 이론이다.
• ㉡ 선택할 수 있는 행위 중 그 행위에 영향을 받을 모든 사람의 선호를 가장 많이 만족하게 해 주는 행위가 옳다고 주장하는 이론이다.

## STEP 2 내신 만점 공략하기

**01** 학생 답안의 ㉠~㉤ 중 옳지 않은 것은?

**서술형 평가**

◎ 문제: 의무론의 의미와 특징을 서술하시오.

◎ 학생 답안

의무론이란 ㉠ 우리가 마땅히 지켜야 할 의무에 따라 행위의 옳고 그름을 판단해야 한다는 이론이다. 의무론에 따르면 ㉡ 도덕 법칙이나 원리를 따르는 행위는 옳고 위반하는 행위는 그르다. 그러므로 도덕 법칙이나 의무에 따른 행위라면 좋지 않은 결과를 낳더라도 그 행위는 도덕적으로 옳다. 의무론에서는 ㉢ 행위의 결과보다 행위의 동기를 중시한다. 또한 ㉣ 행위의 가치가 본래 정해져 있으며, ㉤ 목적이 좋다면 수단을 정당화할 수 있다고 본다.

① ㉠ ② ㉡ ③ ㉢ ④ ㉣ ⑤ ㉤

**02** ㉠에 대한 옳은 설명만을 〈보기〉에서 있는 대로 고른 것은?

내가 그것들을 더욱 자주, 더욱 진지하게 생각하면 할수록 항상 새롭고 더욱 높아지는 감탄과 경외로 나의 마음을 가득 채우는 것이 두 가지가 있다. 그것은 내 위에 있는 별이 빛나는 하늘과 내 안에 있는 [ ㉠ ]이다.

보기
ㄱ. 사회의 유용성 증진을 목적으로 한다.
ㄴ. 실천 이성이 자율적으로 수립한 법칙이다.
ㄷ. 개인의 주관적 경험이나 경향성을 바탕으로 한다.
ㄹ. 무조건적으로 선한 선의지에 따를 것을 명령한다.

① ㄱ, ㄴ ② ㄱ, ㄹ ③ ㄴ, ㄹ
④ ㄱ, ㄴ, ㄷ ⑤ ㄴ, ㄷ, ㄹ

중요
## 03 다음과 같이 주장한 사상가의 입장으로 옳은 것은?

> 이 세계에서 또는 이 세계 밖에서까지라도 아무런 제한 없이 선하다고 생각될 수 있는 것은 선의지뿐이다. 지성, 기지, 판단력 같은 정신적 재능들 또는 용기, 결단성, 초지일관성 같은 기질상의 성질은 의심할 여지없이 많은 의도에서 선하고 바람직하다. 그러나 이러한 천부적 재능이나 기질조차 그것을 사용하는 의지가 선하지 않다면, 극도로 악하고 해가 될 수도 있다.

① 보편적인 가치는 존재하지 않는다.
② 도덕 법칙은 인간을 포함한 자연 만물에 적용된다.
③ 도덕 판단을 내릴 때는 쾌락의 질을 고려해야 한다.
④ 도덕적 행동은 선의지에서 비롯된 의무에 따른 행동이다.
⑤ 쾌락과 고통을 느끼는 모든 존재의 이익을 동등하게 고려해야 한다.

## 04 다음 사상가의 입장에서 〈사례〉 속 ○○에게 해 줄 조언으로 가장 적절한 것은?

> 선의지는 그것이 생기게 하는 것이나 성취한 것 때문에, 또는 어떤 목적을 달성하는 데 쓸모 있기 때문에 선한 것이 아니라, 오로지 그 자체로 선한 것이다. 선의지는 그 자체만으로 고찰될 때 어떤 것과도 비교할 수 없을 만큼 훨씬 더 높게 평가되어야 한다.
>
> 〈사례〉
>
> 어느 날 괴한들에게 쫓기던 친구가 자신을 숨겨 달라고 ○○의 집에 찾아왔다. ○○은 그 친구를 자신의 집에 숨겨 주었다. 그런데 친구를 쫓던 괴한들이 ○○의 집에 찾아와서 "누군가 여기에 숨어 있지 않습니까?"라고 물었다. 이 상황에서 ○○은 어떻게 해야 할까?

① 시인의 감정을 가져다주는 행동을 해야 합니다.
② 사회 전체의 이익을 증진하는 행동을 해야 합니다.
③ 행위의 결과는 예측할 수 없으므로 의무에 따른 행동을 해야 합니다.
④ 이성을 통해 자연의 인과적 필연성을 인식하여 이에 부합하는 행동을 해야 합니다.
⑤ 행위의 결과가 가져다줄 이익을 따져 본 후에 더 큰 이익을 산출하는 행동을 해야 합니다.

## 05 다음 질문에 대해 옳은 답변을 제시한 사람만을 있는 대로 고른 것은?

> ▶ 지식 Q&A
>
> 현대 칸트주의에서 말하는 조건부 의무가 무엇인가요?
>
> ▶ 답변하기
>
> ↳ 갑: 옳고 그름의 판단 기준으로서, 자연적 경향성만을 따릅니다.
>
> ↳ 을: 한번 봐서 직관적으로 알 수 있는 옳고 명백한 의무입니다.
>
> ↳ 병: 칸트의 의무론적 윤리가 지닌 한계를 해결하기 위해 로스가 제시했어요.
>
> ↳ 정: 칸트와 마찬가지로 도덕적 의무끼리 상충할 때 무엇을 우선시해야 하는지 답을 주지 못합니다.
>
> ↳ 무: 특별한 상황이 발생할 경우 예외가 인정되기 때문에 칸트의 정언 명령보다는 느슨하게 적용되지요.

① 갑, 을　② 을, 정　③ 병, 무
④ 갑, 을, 정　⑤ 을, 병, 무

## 06 다음과 같이 주장한 사상가가 긍정의 대답을 할 질문으로 옳은 것은?

> 자연은 인류를 고통과 쾌락이라는 최고의 두 주인이 지배하도록 하였다. 우리가 무엇을 행할까를 결정할 뿐만 아니라 우리가 무엇을 해야 하는지를 지시해 주는 것은 오직 고통과 쾌락뿐이다.

① 최대 다수의 최대 행복의 원리에 따라서 행위 해야 하는가?
② 행위의 선악은 결과보다 동기에 의해서 판단되어야 하는가?
③ 쾌락의 양적 차이와 함께 질적 차이도 함께 고려해야 하는가?
④ 다른 사람의 이익을 배제하고 자신의 이익만을 추구해야 하는가?
⑤ 모든 감각을 제거하여 쾌락으로부터 벗어날 때 진정한 행복을 느낄 수 있는가?

**07** 갑의 입장에서 을에게 제기할 수 있는 비판으로 가장 적절한 것은?

> 갑: 네 의지의 준칙이 언제나 동시에 보편적 입법의 원리가 될 수 있도록 행위 하라.
> 을: 인간의 모든 판단과 행위는 고통을 피하고 쾌락을 추구하려는 경향에 따라 좌우된다.

① 쾌락에 질적 차이가 없다는 것을 간과하고 있다.
② 의무에서 비롯된 행위가 도덕적이라는 것을 간과하고 있다.
③ 개개인의 쾌락은 사회 전체의 쾌락과 연결된다는 것을 간과하고 있다.
④ 최대 다수의 최대 행복이라는 원리를 따라야 한다는 것을 간과하고 있다.
⑤ 옳은 행위란 당사자들을 공평하게 고려하여 최대 행복을 낳는 행위라는 것을 간과하고 있다.

**08** 다음과 같이 주장한 사상가의 입장에 대한 설명으로 옳지 않은 것은?

> 공리의 원리는 다음과 같은 사실, 즉 어떤 종류의 쾌락은 다른 쾌락보다 훨씬 더 바람직하고, 한층 더 가치 있다는 점을 인정한다. 다른 모든 것을 평가할 때는 양과 마찬가지로 질도 고려하는 것이 보통인데, 유독 쾌락을 평가할 때만 반드시 양에 의존하라는 것은 불합리하지 않은가?

① 최대 다수의 최대 행복이라는 공리의 원리를 강조한다.
② 감각적 쾌락보다 정신적 쾌락이 더 우월하다고 생각한다.
③ 쾌락을 계산할 때 양뿐만 아니라 질적인 차이도 고려해야 한다고 본다.
④ 합리적인 인간이라면 누구나 쾌락의 질적 차이를 분별할 수 있다고 주장한다.
⑤ 어떤 행위가 도덕 법칙이나 의무에 따른 행위라면 결과와 상관없이 그 행위는 도덕적으로 옳다고 본다.

**09** 다음과 같이 주장한 사상가의 입장에서 지지할 내용을 〈보기〉에서 고른 것은?

> 만족한 돼지가 되기보다는 불만족한 인간이 되는 편이 낫고, 만족한 바보이기보다는 불만족한 소크라테스가 되는 편이 낫다. 바보나 돼지가 이러한 주장과 다르게 생각한다면, 그것은 이들이 한쪽 측면만 알고 있기 때문이다. 이들과 비교 대상이 되는 인간이나 소크라테스는 양쪽 측면 모두를 잘 알고 있다.

**보기**

ㄱ. 인간의 능력으로는 쾌락의 질적 차이를 구별할 수 없다.
ㄴ. 지성이나 상상력 등을 통한 쾌락은 감각적 쾌락보다 질적으로 낫다.
ㄷ. 질적으로 높은 소량의 쾌락은 질적으로 낮은 다량의 쾌락보다 우월하다.
ㄹ. 다른 사람의 행복에 대해서 느끼는 쾌락도 질적으로 높은 쾌락에 포함된다.

① ㄱ, ㄴ ② ㄱ, ㄷ ③ ㄴ, ㄷ
④ ㄴ, ㄹ ⑤ ㄷ, ㄹ

**10** (가), (나)에 대한 설명으로 옳지 않은 것은?

> (가) 지각 능력이 있는 모든 존재의 선호를 최대한 만족시키는 것이 옳다고 보는 관점이다.
> (나) 공리의 원리에 부합하는 도덕 규칙을 마련하고, 그 규칙을 따르는 행위를 옳은 것으로 보는 관점이다.

① (가)는 선호 공리주의에 대한 설명이다.
② (가)의 대표적 사상가인 싱어는 이익 평등 고려의 원칙을 바탕으로 동물에 대한 차별도 반대한다.
③ (나)는 규칙 공리주의에 대한 설명이다.
④ (나)는 개별 행위의 결과를 계산하므로 행위 공리주의에 비해 경제적이다.
⑤ (가), (나)는 고전적 공리주의를 계승하되, 그 문제점을 보완하려는 사상이다.

[11~12] 다음을 읽고 물음에 답하시오.

> 갑: 공동체의 이익이란 도덕 용어에서 나올 수 있는 가장 일반적인 표현에 속한다. 공동체란 그 구성원으로 간주되는 개인들의 집합에 불과한 가공일 뿐이다. 그렇다면 공동체의 이익이란 무엇인가? 공동체 구성원들의 이익의 총합일 뿐이다.
> 을: 쾌락을 평가할 때 양에만 의존하는 것은 불합리하다. 동물이 쾌락을 아무리 많이 누린다고 해도, 하등 동물이 되는 것에 동의할 사람은 아무도 없을 것이다.
> 병: 오직 인간, 그리고 그와 더불어 있는 모든 이성적 피조물만이 목적 그 자체이다. 즉, 그는 도덕 법칙의 주체이며, 도덕 법칙은 그의 자유가 아닌 자율로 인해서 신성한 것이다.

**11** 갑, 을 입장의 공통점으로 가장 적절한 것은?

① 공리의 원리를 도덕 판단의 기준으로 삼는다.
② 쾌락에 질적인 차이가 있다는 것을 인정한다.
③ 어떤 행위를 평가할 때 그것의 결과를 고려하지 않는다.
④ 인간이 지닌 모든 욕구를 충족하는 삶이 행복한 삶이라고 여긴다.
⑤ 일반적으로 최대 행복을 가져오는 도덕 규칙을 세우고 그 규칙을 따른다.

**12** 갑~병의 입장에 대한 설명으로 옳지 <u>않은</u> 것은?

① 갑은 쾌락과 고통의 양을 계산하기 위해 일곱 가지 기준을 제시한다.
② 을은 타인에게 피해를 주지 않는 한 자유를 최대한 보장해야 한다고 본다.
③ 병은 무조건적 선은 이성적 존재의 의지 안에서 발견할 수 있다고 본다.
④ 을은 갑과 달리 사회적 쾌락보다 개인적 쾌락을 중시한다.
⑤ 갑, 을은 병과 달리 삶의 궁극적인 목표가 쾌락, 즉 행복이라고 본다.

## 서술형 문제

● 정답친해 42쪽

**01** 다음과 같은 정언 명령의 두 가지 정식이 의미하는 바를 각각 서술하시오.

> • 첫 번째 정식: 네 의지의 준칙이 언제나 동시에 보편적 입법의 원리가 될 수 있도록 행위 하라.
> • 두 번째 정식: 너 자신과 다른 모든 사람의 인격을 결코 단순히 수단으로만 대하지 말고 언제나 동시에 목적으로 대하도록 행위 하라.

길잡이 칸트의 윤리 사상이 보편주의 정신과 인격주의 정신을 담고 있다는 점을 바탕으로 서술한다.

**02** 다음을 읽고 물음에 답하시오.

> 결과론을 대표하는 윤리 사상인 [ ㉠ ]은/는 가치 판단의 기준을 효용과 행복의 증진에 둔다. 그리고 가능한 한 많은 사람의 행복을 최대한 증진할 수 있는지를 옳고 그름의 기준으로 삼는다.

(1) ㉠에 알맞은 용어를 쓰시오.

(2) ㉠의 한계를 <u>두 가지</u> 서술하시오.

길잡이 ㉠이 공리의 원리를 기준으로 도덕 판단의 구체적인 실천 지침을 제공해 줄 수 있는 윤리 사상이라는 점에 착안하여 한계를 서술한다.

STEP 3

# 1등급 정복하기

수능 응용

**1** 갑, 을의 입장으로 옳지 않은 것은?

> 갑: 진실하지 못한 약속을 통해 곤경에서 벗어나겠다는 나의 준칙이, 나뿐만 아니라 다른 사람을 위한 보편적 법칙으로서 타당해야 한다는 원리를 정말로 충족할 수 있는가? 그리고 누구든 그 자신이 다른 방도로써 벗어날 수 없는 곤경에 처한다면, 진실하지 못한 약속을 할 수도 있다고 정말로 나에게 말할 수 있는가? 이렇게 보면 나는 곧 내가 거짓말을 할 수 없다는 점을 깨닫게 된다.
> 을: 도덕 원리는 그 자체 이외의 어떤 증거도 필요 없이 자명한 것이다. 구체적 상황에서 하나의 행위가 한 관점에서 일견 옳다고 하더라도 더 중요한 다른 관점들에서는 그르다면 실제적 의무가 될 수 없다. 특정 상황에서 가장 옳은 행위 수행만이 실제적 의무가 된다.

① 갑: 보편화할 수 없는 행위의 준칙은 도덕 법칙과 일치될 수 없다.
② 갑: 동정심에 근거한 행위가 의무에 적합할 경우 무조건적으로 선하다.
③ 을: 절대적인 구속력을 가지는 자명한 하나의 도덕 원리는 없다.
④ 을: 의무들이 상충하는 경우 실제적 의무는 직관에 의해 결정된다.
⑤ 갑, 을: 행위의 결과와 유용성보다 도덕적 의무가 우선한다.

**칸트 윤리 사상과 현대 칸트주의 비교**

**완자샘의 시험 꿀팁**

칸트의 윤리 사상과 다른 서양 윤리 사상을 비교하는 문제가 자주 출제되고 있다. 그러므로 의무로부터 비롯한 행위가 도덕적 가치를 지닌다고 보았던 칸트의 윤리 사상을 구체적으로 파악해 둔다.

**2** 갑, 을의 입장에 대한 옳은 설명만을 〈보기〉에서 있는 대로 고른 것은?

> 갑: 순수한 실천 이성이 바라는 것은 오직 의무가 문제일 때에 행복을 전혀 고려하지 말아야 한다는 것이다. 물론 '의무에 맞는' 행위라고 해서 모두 도덕적인 행위는 아니다. '의무이기 때문에' 한 행위만이 참된 도덕적 가치를 가진다.
> 을: 우리가 모차르트 음악을 들으며 느끼는 기쁨과 어린 동생을 괴롭히면서 느끼는 기쁨은 본질적인 차이가 없다.

**보기**

ㄱ. 갑: 도덕 법칙은 절대적인 명령의 형식을 취한다고 본다.
ㄴ. 갑: 이 세상에서 그 자체로 선한 것은 선의지뿐이라고 본다.
ㄷ. 을: 모든 쾌락은 질적으로 동일하며, 양적 차이만을 가진다고 본다.
ㄹ. 을: 어떤 행동은 그 결과와 상관없이 그 자체로 옳거나 그르다고 주장할 수 있다고 본다.

① ㄱ, ㄴ　　② ㄱ, ㄷ　　③ ㄴ, ㄷ
④ ㄱ, ㄴ, ㄷ　　⑤ ㄴ, ㄷ, ㄹ

**칸트와 벤담의 윤리 사상 비교**

**3** 다음과 같이 주장한 사상가의 관점에서 〈문제 상황〉 속 의사 A에게 해 줄 조언으로 가장 적절한 것은?

> 행위의 옳고 그름을 평가하는 유일한 기준은 그 행위가 가져올 쾌락과 고통의 양이다. 자연적 존재인 인간의 유일한 목적은 쾌락을 최대화하고 고통을 최소화하는 데 있기 때문이다.
>
> 〈문제 상황〉
>
> 의사 A는 동물 실험을 통해 특정한 약이 특정한 암을 치료하는 데 탁월한 효과가 있다는 사실을 알아냈다. 그러나 동물 실험에서 몇 건의 부작용이 관찰되었다. 이를 통해 의사 A는 향후 임상 시험에서 일부 피험자들이 구토 증세로 고생할 것으로 예상하고 있다. 만약 이런 정보를 그대로 알린다면, 충분한 수의 피험자를 확보할 수 없어서 수많은 암 환자들의 고통을 덜어 줄 수 있는 신약을 개발할 수 없을 것이다. 의사 A는 피험자들이 임상 시험의 부작용을 물었을 때, 예상되는 부작용을 숨기고 거짓을 말해야 하는지 고민하고 있다.

① 의무 의식에 따라 피험자에게 진실만을 말해야 합니다.
② 행위 결과의 좋음이 아닌 도덕적 옳음을 우선시해야 합니다.
③ 인간은 도덕 법칙의 입법자로서 그 자체가 목적인 명령에 따라야 합니다.
④ '선을 행하고 악을 피하라.'라는 자연법의 원리에 따라야 한다는 사실을 기억해야 합니다.
⑤ 도덕적으로 옳은 행위란 고통의 양을 최소화하고 쾌락의 양을 극대화하는 행위라는 점을 염두에 두어야 합니다.

▶ **벤담의 양적 공리주의**

**완자 사전**

• **임상 시험**
의약품이나 의료 기기 등의 안전성과 효과를 증명하기 위해 사람을 대상으로 실시하는 시험

• **피험자**
시험이나 실험의 대상이 되는 사람

**평가원 응용**

**4** 갑, 을 모두가 긍정의 대답을 할 질문으로 옳은 것은?

> 갑: 모든 쾌락과 고통은 측정될 수 있다. 그 기준은 강도, 지속성, 확실성, 근접성, 범위이다. 어떤 쾌락이나 고통이 또 다른 쾌락이나 고통과 연결될 때 그 쾌락이나 고통도 측정될 수 있다. 그 기준은 다산성과 순수성이다.
>
> 을: 어떤 쾌락에는 만족보다 불만족의 양이 많아서 사람들은 그 쾌락 대신에 다른 쾌락을 누릴 수도 있다. 그럼에도 여전히 사람들은 불만족의 양이 더 많은 쾌락을 포기하지 않는다. 그 이유는 불만족의 양이 더 많은 쾌락이 질적으로 우월하기 때문이다.

① 최대 행복을 가져올 유덕한 행위는 공리의 원리에 어긋나는가?
② 감각적 쾌락과 지적인 활동에서 얻는 쾌락에는 질적 차이가 있는가?
③ 행위자가 느끼는 불쾌감과 고통이 그 행위자에게 선이 될 수 있는가?
④ 행위의 도덕성은 행위의 결과와 무관한 행위 자체의 옳음에 근거하는가?
⑤ 행위자만이 아니라 관련된 모든 사람의 행복을 증진시키는 행위가 옳은가?

▶ **벤담과 밀의 공리주의 비교**

**완자샘의 시험 꿀팁**

벤담의 양적 공리주의와 밀의 질적 공리주의를 비교하는 문항이 자주 출제된다. 그러므로 벤담과 밀의 사상의 공통점과 차이점을 정리해 둔다.

# 현대의 윤리적 삶

**학습목표**
- 실존주의의 등장 배경과 주요 사상가들의 윤리적 입장을 알 수 있다.
- 실용주의의 등장 배경과 주요 사상가들의 윤리적 입장을 파악할 수 있다.

**이것이 핵심!**

실존주의의 대표적 사상가

| | |
|---|---|
| 키르케고르 | 신 앞에 선 단독자가 되어 스스로 신을 믿고 따르리라 결단할 때 참된 실존에 이를 수 있음 |
| 야스퍼스 | 인간은 한계 상황에서 자신의 유한성을 자각하여 참된 실존을 회복할 수 있음 |
| 하이데거 | 인간은 자신이 죽음에 이르는 존재임을 받아들일 때 진정한 실존을 회복할 수 있음 |
| 사르트르 | 실존은 본질에 앞서므로 자신의 결단을 통해 자기 자신의 모습을 만들어 가야 함 |

★ **한계 상황**
이성이나 과학의 힘으로 결코 해결할 수 없고, 피할 수도 변화시킬 수도 없는 상황으로 죽음, 고통, 전쟁, 책임 등이 있다.

★ **현존재(Dasein)**
'여기에 있음'이라는 의미로 지금, 여기에 있는 현실적인 인간 존재를 의미한다.

## 1 주체적 결단과 실존

### 1. 실존의 의미와 실존주의의 등장 배경

(1) **실존의 의미**: 지금 여기에 있는 구체적인 개인, 또는 주체적인 존재

(2) **실존주의의 등장 배경**: 근대 이성주의에 대한 반성

① 근대 이성주의는 풍요와 편리함을 위한 이성의 도구적 기능만을 강조함으로써 비인간화 및 인간 소외와 같은 사회 문제를 초래함 ─ 이성을 바탕으로 한 산업화는 물질 만능주의 풍토를 조성하여 인간마저도 물질을 생산하기 위한 수단처럼 여기도록 만들었어.

② 근대 이성주의는 객관적·보편적 지식이나 도덕을 강조한 나머지 개인이 겪는 구체적인 삶의 문제를 도외시함

③ 20세기에 발생한 두 차례의 세계 대전은 당시의 사람들에게 심각한 불안과 이성에 대한 불신을 초래함

④ 이러한 상황 속에서 한 개인이 불안과 고통을 극복하고 참된 실존을 회복하는 방법을 제시한 것이 실존주의임 ─ 실존주의는 인간에게 고정된 본질이 있다는 생각을 부정하며, 개인은 자신의 주체적 결단으로 스스로를 규정하고 주체적 삶을 살아가야 한다고 강조해.

### 2. 실존주의의 대표적 사상가

(1) **키르케고르의 사상**

① 개인은 실존적 상황에서 '이것이냐 저것이냐'를 선택해야 하는 구체적 상황에 놓임

② 개인은 늘 불안을 느끼며 주체적 결정을 회피하면서 절망에 빠짐 ─ 키르케고르는 이런 절망을 죽음에 이르는 병이라고 불렀어.

③ 절망에서 벗어나기 위한 실존의 세 단계를 제시함 자료① ─ 개인은 주체적 결단을 통해 다음 단계로 나아갈 수 있어.

| 심미적 실존 단계 | | 윤리적 실존 단계 | | 종교적 실존 단계 |
|---|---|---|---|---|
| • 감각적 쾌락 추구<br>• 쾌락을 추구하다가 허망함을 느끼고 절망에 빠짐 | ➔ | • 보편적 윤리 추구<br>• 윤리 규범을 어기면서 죄책감을 느끼고 자신의 불완전성을 자각하면서 절망에 빠짐 | ➔ | • 신 앞에 선 단독자의 삶 추구<br>• 신의 사랑에 의해 불안과 절망에서 벗어나 참된 실존을 회복함 |

(2) **야스퍼스의 사상** 자료②

① ★한계 상황에서 개인의 주체적 결단을 통해 참된 실존을 회복할 수 있음

② 인간은 자신의 유한성을 자각하는 순간 스스로의 결단을 통해 초월자의 존재를 수용하고 참된 실존을 회복할 수 있음

(3) **하이데거의 사상**

① ★현존재는 죽음에 대한 불안과 염려를 가지고 있음

② 인간은 자신이 죽음에 이르는 존재라는 사실을 받아들이고 삶의 유한성을 깨달음으로써 진정한 실존을 회복할 수 있음

(4) **사르트르의 사상** 교과서 자료 ─ VS 키르케고르의 사상은 유신론적 실존주의, 사르트르의 사상은 무신론적 실존주의라고도 해.

① 인간은 이 세상에 우연히 내던져진 존재임 → "실존은 본질에 앞선다."

② 모든 인간에게 자유가 주어져 있음 → 주체적인 선택과 결단에 따라 자신의 삶을 스스로 만들어 나가고 그 결과에 대하여 책임질 때 참된 실존을 회복함

잠깐! 사르트르는 인간은 자신의 행위를 통해 사회에 참여하므로 사회 문제에도 책임 의식을 지녀야 한다고 보았어.

## 완자 자료 탐구

내 옆의 선생님

### 자료 1 키르케고르의 참된 실존에 이르는 과정

> 실존에는 심미적 단계, 윤리적 단계, 종교적 단계가 있다. 심미적 단계에서 인간은 쾌락을 즐기지만 허전함을 느끼고 절망에 이르게 된다. 윤리적 단계에서 인간은 보편적인 윤리 규범에 따라 살아가지만 자신의 유한성을 자각하고 또다시 절망하게 된다. 종교적 단계에 이르러서야 인간은 신 앞에 선 단독자로서 주체적 결단을 내리고 참된 실존에 이르게 된다. – 키르케고르

실존의 세 단계 중 심미적 실존 단계는 인간이 감각적 쾌락을 추구하는 단계로, 이 단계에서 인간은 곧 허무함을 느끼고 절망에 이르게 된다. 윤리적 실존 단계는 인간이 윤리 규범에 따라 살아가지만, 인간으로서 자신의 한계를 느끼고 다시 절망하는 단계이다. 끝으로 종교적 실존 단계는 인간이 주체적으로 신을 믿고 따르기로 결정함으로써 불안과 절망을 극복하고 참된 실존을 회복하는 단계이다.

└ 종교적 실존 단계에서 인간은 초월적인 신과의 만남을 통해 신 앞에 선 단독자로서 자신의 삶을 책임지고, 주체적 결단을 내리는 존재가 돼.

### 자료 2 야스퍼스와 하이데거의 실존주의

> 갈등과 고통 없이 살 수 없고, 피할 수 없는 책임을 내 어깨 위에 걸머지고 있으며, 죽을 수밖에 없는 상황을 한계 상황이라고 한다. – 야스퍼스, 『철학』

> 현존재의 참된 모습은 그 실존 속에 숨어 있다. 따라서 현존재는 집, 책상 등과 같은 존재의 본질이 아니라 지금 여기에 있는 존재를 가리킨다. – 하이데거, 『존재와 시간』

야스퍼스는 인간이 한계 상황에서 겪는 절망과 좌절을 발판으로 삼아 참된 자기 실존을 이해할 수 있다고 보았다. 또한 그는 다른 사람과의 연대를 통하여 자신뿐만 아니라 다른 사람의 실존적 삶을 위해서도 노력해야 한다고 보았다. 한편 하이데거는 현존재인 인간은 죽음을 미리 생각해 봄으로써 자신의 유한함을 깨닫고, 스스로의 삶을 되돌아볼 수 있다고 보았다. 그리고 이때 진정한 자신을 발견하고, 실존을 회복할 수 있다고 주장하였다.

**자료 하나 더 알고 가자!**

**진리에 관한 키르케고르의 견해**

> 소위 객관적 진리를 발견한다고 해서 그것이 무슨 소용이 있다는 말인가? 철학의 모든 체계를 탐구하고 그것을 모두 개관하고 개별 체계 속에 깃든 불합리를 지적한다고 해서 그것이 무슨 소용이 있단 말인가? 그 속에 내가 살고 있는 것이 아니지 않은가? – 키르케고르, 『일기·유고』

단독자로서의 개인은 구체적, 현실적, 개별적, 주체적인 자기 존재인 주체성을 최대의 관심사로 삼는다. 키르케고르에게는 이 주체성이 진리이다. 따라서 진리는 합리적이거나 객관적인 것이 아니다.

**문제로 확인할까?**

**실존주의 사상가가 아닌 사람은?**

① 칸트
② 하이데거
③ 사르트르
④ 야스퍼스
⑤ 키르케고르

① 답

### 수능이 보이는 교과서 자료 선택과 책임을 강조하는 사르트르

> 사람은 자유로우며 자유 그 자체이다. 신이 없다면 우리의 행위를 정당화해 줄 가치나 질서를 우리 앞에서 찾지 못한다. …… 우리는 그 어떤 핑계도 갖지 못한 채 홀로 있는 것이다. 바로 이것이 내가 인간은 자유롭도록 선고받았다는 말을 통해 표현하려는 것이다. 사람은 스스로를 창조한 것이 아니기 때문에 선고받은 것이요, 세상에 내던져진 이상 자신이 하는 모든 것에 대해서 책임이 있기 때문에 자유로운 것이다. – 사르트르, 『실존주의는 휴머니즘이다』

사르트르에 따르면 인간에게는 미리 주어진 본질이나 실현해야 할 정해진 목적이 없다. 즉, 자유롭도록 운명 지워진 인간은 자신의 선택에 따른 책임을 피할 수 없다. 이러한 상황은 인간에게 불안을 일으키는데, 실존의 불안에 빠진 인간은 불성실에 빠지게 된다. 그래서 사르트르는 인간이 주체적인 결단을 내림으로써 불성실에서 벗어나고, 자신의 선택에 책임지는 삶을 살아야 한다고 강조하였다.

└ 불성실은 자유와 주체성을 부정하면서 기존의 관습, 고정된 법칙 또는 신과 같은 존재에게 순응하는 자세를 말해.

**완자샘의 탐구 강의**

**• 사르트르의 관점에서 인간이 추구해야 할 삶의 태도를 서술해 보자.**

사르트르는 인간이 자유롭도록 운명 지워졌기 때문에 주체적인 선택과 결단을 통해 자신의 삶을 만들어가야 하며, 자신의 선택에 책임지는 삶을 살아야 한다고 강조하였다.

함께 보기 169쪽, 1등급 정복하기 1

# 07 현대의 윤리적 삶

이것이 핵심!

실용주의 특징과 대표적 사상가

| | |
|---|---|
| 특징 | • 실생활에 유용한 지식을 강조함<br>• 절대적 진리나 고정불변의 도덕규범은 존재하지 않는다고 봄 |
| 대표적 사상가 | • 퍼스: 실용주의의 격률<br>• 제임스: 현금 가치<br>• 듀이: 도구주의, 창조적 지성 |

★ 실용주의
'실제', '실천' 등을 의미하는 그리스어 프라그마(pragma)에서 유래하였으며, 인간의 지식이나 도덕의 유용성을 강조하는 사상이다. 다윈의 진화론적 관점을 수용한 실용주의는 인간을 자연에 적응해 나가는 생물 종의 하나로 파악하였고, 환경 적응에 도움이 되는 지식을 추구하였다.

★ 실용주의의 격률
어떤 것이 옳으려면 그것이 반드시 쓸모 있는 실제적 성과를 만들어 내야 한다는 원칙을 의미한다.

★ 창조적 지성
주어지지 않은 여러 가능성을 탐구하면서 미래를 전망하고 창조하는 지성을 의미한다.

## 2 실용주의와 문제 해결의 유용성

### 1. 실용주의의 등장 배경과 특징

(1) 등장 배경

① 19세기 말 산업화와 도시화로 다양한 사회 문제와 갈등에 직면한 미국에서 등장함

② 옳고 그름과 선악의 절대적인 기준을 강조하는 기존의 사상으로는 사회적 혼란을 해결할 수 없다고 봄 → 영국의 경험론과 다윈의 진화론을 수용하여 *실용주의를 전개함

(2) 특징

① 경험적이고 과학적인 방법을 바탕으로 문제 해결에 유용한 지식을 강조함

② 인간이 살아가는 환경이 변화하면 지식과 도덕도 발전해야 한다고 봄

절대적 가치나 법칙에 따라 도덕규범을 설명하려는 시도를 거부하였어.

### 2. 실용주의의 대표적 사상가

(1) 퍼스의 사상

① 어떤 사상이 진리가 되기 위해서는 반드시 쓸모가 있어야 한다고 주장함

② *실용주의의 격률이라는 개념을 통해 과학적 탐구의 방법을 거친 지식의 중요성을 강조함

(2) 제임스의 사상 자료 3

① 현금 가치라는 개념을 통해 지식과 신념의 유용성을 강조함

② 이로움과 옳음을 같은 맥락으로 보고, 고정적이고 절대적인 진리의 존재를 거부함

(3) 듀이의 사상 자료 4 자료 5

① 도구주의: 진화론적 관점에서 지식을 인간이 환경에 적응하기 위한 수단이자 도구로 보는 입장

② 지성적인 탐구를 통해 상황에 맞게 지식이나 이론을 수정하고 발전시킴으로써 사회의 성장과 진보가 가능하다고 봄

지성은 근대 과학이 보여 준 실험적, 실천적인 지적 태도를 말해.

③ 지성적인 방식의 문제 해결을 보장하는 정치 제도로서 민주주의를 강조함

④ 교육의 역할은 *창조적 지성을 갖춘 시민을 양성하는 것이라고 봄

⑤ 도덕이나 윤리, 인간도 고정된 것이 아니라 성장하고 변화함 → 불변하는 고정적 진리나 지식은 존재하지 않는다고 봄

꼭! 듀이에게 도덕적 인간이란 도덕적으로 성장하는 과정에 있는 사람이며, 도덕적 문제 상황에서 지성을 발휘하여 옳은 선택을 하려고 노력하는 사람이야.

### 3. 실존주의와 실용주의의 의의와 한계

| 구분 | 실존주의 | 실용주의 |
|---|---|---|
| 의의 | • 인간의 개성을 긍정적으로 봄<br>• 개별성을 상실한 획일화된 삶이 아니라 주체적인 삶을 살기 위해 노력할 것을 강조함<br>• 인간의 존엄성에 대한 새로운 성찰의 계기를 제공함 | • 지성적인 방식으로 우리 삶을 개선하는 데 도움을 줌<br>• 문제 해결에 도움이 되는 모든 것들을 수용하려는 태도는 관용적 태도와 연결되어 다원주의 사회를 만드는 데 도움을 줌 |
| 한계 | 인간의 개별성을 강조하여 자칫 보편적 도덕규범을 부정할 우려가 있음 | • 보편적인 도덕을 부정하여 윤리적 상대주의에 빠질 수 있다는 우려가 있음<br>• 유용성의 관점에서 자칫 비도덕적 행위를 합리화한다는 비판을 받기도 함 |

왜? 인간이 본질을 실현함으로써 존엄한 존재가 되는 것이 아니라, 실존적 삶을 사는 현재의 자신이 존엄하다고 주장하기 때문이야.

# 완자 자료 탐구

내 옆의 선생님

## 자료 3 지식과 규범의 실천적 유용성을 강조한 제임스

> 진리의 소유는 그 자체가 목표이기는커녕 다른 필수적인 만족을 위한 예비 수단일 뿐이다. 만일 내가 숲에서 길을 잃고 굶주리다가 소가 다니는 길처럼 보이는 것을 발견한다면, 가장 중요한 것은 내가 그 길 끝에 있는 집을 생각해야 한다는 것이다. 왜냐하면 내가 그렇게 해서 그 길을 따라간다면 살아날 수 있기 때문이다. …… 따라서 참된 관념의 가치는 일차적으로 그 대상이 우리에게 실질적으로 중요하다는 데에서 나온다. – 제임스, 『프래그머티즘』

제임스는 지식이나 규범이 실천적 유용성을 지닐 때 가치가 있다고 보았다. 그는 현금 가치라는 말을 활용하여 실용주의 사상을 전개하였다. 현금 가치는 마치 현금처럼 우리가 실생활에서 사용할 수 있는 유용한 가치를 말한다. 현금 가치를 지닌 지식이란 우리가 직면하는 다양한 현실적 문제를 해결해 주거나, 실생활을 편리하게 만들어 줌으로써 사람이 살아가는 데 도움이 되는 것이다.

잠깐! 제임스는 문학이나 철학 등의 학문도 사람들이 의미 있는 삶을 사는 데 기여하므로 현금 가치를 지닌다고 보았어.

## 자료 4 듀이가 생각한 도덕과 사회 환경의 관계

> 정적인 성과나 결과보다는 성장, 개선, 진보의 과정이 의미 있다. 최종적으로 고정된 목적으로서의 건강이 아니라 필요한 건강의 개선이 목적이자 선이다. 목적은 더 이상 도달해야 할 종착점이나 한계가 아니다. 그것은 현재 상황을 변화시키는 능동적 과정이다. 건강, 부, 학식과 마찬가지로 정직, 근면, 정의도 마치 그것들이 획득해야 할 고정된 목표를 표현하는 선은 아니다. 성장 자체는 도덕의 유일한 목적이다. – 듀이, 『철학의 재구성』

듀이에 따르면 인간은 주변 환경과 상호 작용하며 살아가고, 인간은 환경과 상호 작용하며 쌓아 온 지식들을 활용하여 자신들이 직면한 문제를 해결한다. 그리고 도덕 역시 우리가 살고 있는 사회 환경과 관련이 있다. 따라서 사회 환경에 맞추어 객관적인 조건이나 제도를 바꾸는 것이 도덕적으로 중요하다. 다시 말해 듀이는 도덕이나 윤리는 지식과 마찬가지로 그 자체로 목적이 아니며, 시대와 상황에 따라 변화한다고 주장하였다.

## 자료 5 도덕 판단에 관한 듀이의 견해

> 어떤 개인이나 집단도 …… 그들이 움직이고 있는 방향에 따라 판단해야 할 것이다. 악한 사람이란, 그가 아무리 지금까지 선했다 하더라도 현재 타락하기 시작하고 선을 상실해 가고 있는 사람이다. 선한 사람이란 그가 지금까지 아무리 도덕적으로 무가치했었다 하더라도 현재 더 선해지기 시작하는 사람이다. – 듀이, 『철학의 재구성』

듀이는 환경이 바뀌면 도덕도 바뀔 수 있다고 보았다. 그러나 그는 도덕 판단이 주관적이라고 보지는 않았다. 우리가 절대적으로 따라야 하는 올바름은 없지만, 옳은 선택은 존재하기 때문이다. 그에 따르면 인간은 실험적이며 실천적인 성격의 지성을 통해 올바른 선택을 내리고 문제를 해결하여 우리의 삶과 사회를 개선할 수 있다.

└ 인간의 지성은 도덕적 갈등 상황에서 올바른 선택을 하도록 안내하는 역할을 해.

### 자료 하나 더 알고 가자!

**제임스가 제시한 현금 가치의 의미**

> 각각의 책 속에서 이러한 용어들의 현금 가치를 뽑아내야 한다. 그래서 그 용어를 당신의 경험의 흐름 속에서 작동하게 하라. – 제임스, 『프래그머티즘』

제임스는 어떤 지식이라도 현금 가치를 갖지 않으면 쓸모없는 것이라고 보았다. 즉, 아무리 훌륭해 보이는 지식일지라도 우리의 실생활에 유용하지 않으면 쓸모가 없다고 생각하였다.

### 정리 비법을 알려줄게!

**실용주의의 대표적 사상가**

| | |
|---|---|
| 퍼스 | 어떤 사상이 진리가 되기 위해서는 반드시 쓸모가 있어야 한다는 실용주의의 격률을 제시함 |
| 제임스 | 지식과 신념은 우리 삶에 유용할 때 가치를 지닌다고 보며, 지식의 현금 가치를 중시함 |
| 듀이 | • 도구주의를 바탕으로 지식은 인간이 환경에 적응하기 위한 수단이라고 봄<br>• 도덕이나 윤리, 인간도 성장하고 변화한다고 봄 |

### 문제로 확인할까?

**듀이의 사상에 대한 설명으로 옳은 것은?**

① 결정론적 세계관을 기반으로 삼는다.
② 도덕은 절대적 가치를 지닌다고 본다.
③ 고정적이며 보편타당한 진리를 강조한다.
④ 학문의 유용성보다 진리의 절대성을 강조한다.
⑤ 진리는 상황에 따라 변화하고 성장한다고 본다.

⑤ 답

# STEP 1 핵심 개념 확인하기

정답친해 43쪽

**1** 다음 설명에 해당하는 용어를 쓰시오.

- 19세기 말 산업화와 도시화로 다양한 사회 문제와 갈등에 직면한 미국에서 등장한 현대 서양 윤리 사조이다.
- '실제', '실천' 등을 의미하는 그리스어 프라그마(pragma)에서 유래하였으며, 인간의 지식이나 도덕의 유용성을 강조하는 사상이다.

**2** 빈칸에 알맞은 용어를 쓰시오.

(1) 퍼스는 (　　　　)이라는 개념을 통해 과학적 탐구의 방법을 거친 지식의 중요성을 강조하였다.

(2) 키르케고르가 말한 실존의 세 단계는 심미적 실존 단계, (　　　　) 실존 단계, 종교적 실존 단계이다.

(3) 하이데거 사상에서 (　　　　)란 '여기에 있음'이라는 의미로 지금, 여기에 있는 현실적인 인간 존재를 의미한다.

(4) 야스퍼스는 이성이나 과학의 힘으로 결코 해결할 수 없고, 피할 수도 변화시킬 수도 없는 상황을 (　　　　)이라고 불렀다.

**3** 다음과 같이 주장한 사상가를 〈보기〉에서 골라 기호를 쓰시오.

보기
ㄱ. 듀이　　ㄴ. 사르트르
ㄷ. 하이데거　　ㄹ. 키르케고르

(1) 실존은 본질에 앞선다. (　　)

(2) 현존재의 참된 모습은 그 실존 속에 숨어 있다. (　　)

(3) 정적인 성과나 결과보다는 성장, 개선, 진보의 과정이 의미 있다. (　　)

(4) 인간은 신 앞에 선 단독자로서 주체적 결단을 내림으로써 참된 실존에 이르게 된다. (　　)

**4** 듀이의 사상에 해당하는 내용만을 〈보기〉에서 있는 대로 골라 기호를 쓰시오.

보기
ㄱ. 도구주의　　ㄴ. 실용주의
ㄷ. 정언 명령　　ㄹ. 창조적 지성

# STEP 2 내신 만점 공략하기

**01** 밑줄 친 '이것'에 대한 옳은 설명만을 〈보기〉에서 있는 대로 고른 것은?

<u>이것</u>은 근대 이성주의에 대한 반성을 배경으로 등장하였다. 근대 이성주의는 보편성과 객관성만을 추구한 나머지, 개별 인간의 구체적인 문제를 적절히 해결하지 못하였다. 특히 두 차례의 세계 대전에서 드러난 극단적인 비인간화 현상은 인간의 이성에 관한 의심을 싹트게 하였다. 이에 따라 <u>이것</u>은 구체적인 상황에서 개별적 인간의 주체적 선택과 결단을 강조하였다.

보기
ㄱ. 인간에게 고정된 본질이 있다고 본다.
ㄴ. 개인의 자유와 책임, 주체성을 강조한다.
ㄷ. 근대 이성 중심적 사고의 한계를 극복하고자 한다.
ㄹ. 개인이 불안과 고통을 극복하고 참된 실존을 회복하는 방법을 제시한다.

① ㄱ, ㄴ　② ㄱ, ㄹ　③ ㄴ, ㄹ
④ ㄱ, ㄴ, ㄷ　⑤ ㄴ, ㄷ, ㄹ

**02** 다음은 ㉠의 저서를 검색했을 때의 검색 결과이다. ㉠이 긍정의 대답을 할 질문으로 옳은 것은?

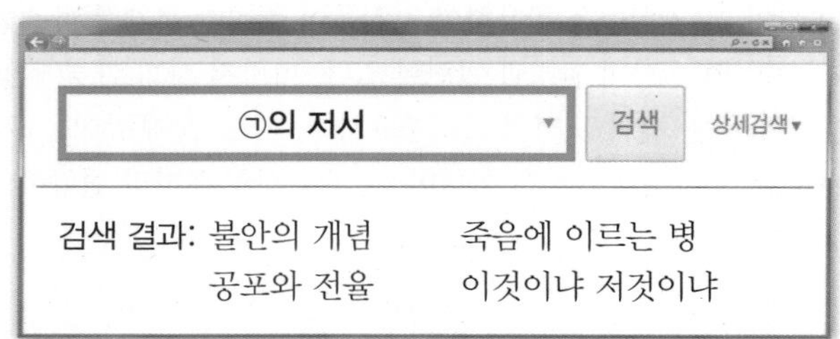

㉠의 저서
검색
상세검색
검색 결과: 불안의 개념　죽음에 이르는 병
공포와 전율　이것이냐 저것이냐


① 진리는 객관적으로 검증할 수 있는 것이어야 하는가?
② 확실한 지식을 찾기 위해 모든 것을 의심해 보아야 하는가?
③ 삶에서 직면하는 문제는 객관적인 지식으로 해결해야 하는가?
④ 이성적 사유에 기초하여 수립한 도덕 법칙을 중시해야 하는가?
⑤ 절망에 빠진 인간이 참된 실존을 회복할 수 있는 방법이 있는가?

정답친해 43쪽

**03** 다음 가상 대화에서 스승이 제시할 수 있는 답변으로 가장 적절한 것은?

> 제자: 인간은 왜 불안을 느낀다고 생각하십니까?
> 스승: 인간은 항상 이것이냐 저것이냐를 선택해야 하는 구체적인 상황에 놓인 존재입니다. 그래서 인간은 선택의 어려움으로 불안이나 고통을 느끼지요.
> 제자: 선생님께서는 인간이 선택의 상황에서 결정을 회피하거나 유보함으로써 절망에 빠진다고 하셨는데, 절망에서 벗어나려면 어떻게 해야 합니까?

① 보편적이고 객관적인 진리를 발견해야 합니다.
② 불안을 초래하는 선택 상황들을 회피해야 합니다.
③ 신 앞에 선 단독자로서 주체적 결단을 내려야 합니다.
④ 신 앞에 마주 섬으로써 절대적 신을 극복해야 합니다.
⑤ 주체성 자각과 종교적 실존이 무관함을 이해해야 합니다.

**04** 갑, 을의 입장에 대한 설명으로 옳은 것은?

> 갑: 갈등과 고통 없이 살 수 없고, 피할 수 없는 책임을 내 어깨 위에 걸머지고 있으며, 죽을 수밖에 없는 상황을 한계 상황이라고 한다.
> 을: 현존재의 참된 모습은 그 실존 속에 숨어 있다. 따라서 현존재는 집, 책상 등과 같은 존재의 본질이 아니라 지금 여기에 있는 존재를 가리킨다.

① 갑: 객관적 합리성을 중시한다.
② 갑: 다른 사람과의 연대를 통해 자신뿐만 아니라 다른 사람의 실존적 삶을 위해서도 노력해야 한다고 본다.
③ 을: 인간은 자신의 유한성을 자각하는 순간 필연적으로 삶의 의지를 상실한다고 주장한다.
④ 갑, 을: 한계 상황이나 죽음을 회피해야 할 대상으로 여긴다.
⑤ 갑, 을: 보편적 이성을 통하여 삶의 본질을 추구해야 한다고 본다.

**05** 중요 ㉠, ㉡의 입장에 대한 설명으로 옳은 것은?

각자 자신이 조사한 현대 서양 사상가에 대하여 발표해 봅시다.
저는 "인간은 신 앞에 항상 단독자로 선다."라고 말한 사상가 ㉠ 을/를 조사하였습니다.
제가 조사한 사상가 ㉡ 은/는 "실존은 본질에 앞선다."라고 말하였습니다.


① ㉠: 이성적 논증을 통해 신의 존재를 부정한다.
② ㉠: 생명의 역동적인 힘을 믿고 체험의 객관성을 중시한다.
③ ㉡: 불안과 죽음의 문제를 신을 통해 극복하고자 한다.
④ ㉡: 합리적 추론을 통해 참된 인간에게 주어진 본질을 파악할 수 있다고 본다.
⑤ ㉠, ㉡: 구체적인 상황에서 개인의 주체적인 선택과 결단을 강조한다.

**06** 다음과 같이 주장한 사상가가 긍정의 대답을 할 질문으로 옳은 것은?

> 진리의 소유는 그 자체가 목표이기는커녕 다른 필수적인 만족을 위한 예비 수단일 뿐이다. 만일 내가 숲에서 길을 잃고 굶주리다가 소가 다니는 길처럼 보이는 것을 발견한다면, 가장 중요한 것은 내가 그 길 끝에 있는 집을 생각해야 한다는 것이다. 왜냐하면 내가 그렇게 해서 그 길을 따라간다면 살아날 수 있기 때문이다. 여기서 내 생각이 참인 이유는 그 대상인 집이 유용하기 때문이다. 따라서 참된 관념의 가치는 일차적으로 그 대상이 우리에게 실질적으로 중요하다는 데에서 나온다.

① 진리는 고정적이고 불변하는가?
② 진리는 누구에게나 동등한 가치를 지니는가?
③ 진리는 실생활에 유용할 때 가치를 가지는가?
④ 진리는 그 자체로 절대적인 가치를 가지는가?
⑤ 진리를 인식하기 위해 신의 은총이 필요한가?

## 07 다음과 같이 주장한 사상가의 입장으로 옳지 않은 것은?

정적인 성과나 결과보다는 성장, 개선, 진보의 과정이 의미 있다. 최종적으로 고정된 목적으로서의 건강이 아니라 필요한 건강의 개선이 목적이자 선이다. 목적은 더 이상 도달해야 할 종착점이나 한계가 아니다. 그것은 현재 상황을 변화시키는 능동적 과정이다. 건강, 부, 학식과 마찬가지로 정직, 근면, 정의도 마치 그것들이 획득해야 할 고정된 목표를 표현하는 선은 아니다. 성장 자체는 도덕의 유일한 목적이다.

① 지식은 인간이 환경에 적응하기 위한 도구이다.
② 학문 탐구의 목표는 삶의 개선과 사회의 성장이다.
③ 도덕이나 윤리는 고정된 것이 아니라 성장하고 변화한다.
④ 지식은 실천이나 사회 변혁을 위해 사용될 때 가치가 있다.
⑤ 각각의 상황에 일관되게 적용할 수 있는 지식이 도덕적 지식이다.

중요

## 08 다음과 같이 주장한 사상가의 관점에만 모두 'V'를 표시한 학생은?

어떤 개인이나 집단도 그들이 어떤 고정된 결과에 도달했는지 아니면 미치지 못했는지에 따라 판단하는 것이 아니라, 그들이 움직이고 있는 방향에 따라 판단해야 할 것이다.

| 관점 \ 학생 | 갑 | 을 | 병 | 정 | 무 |
|---|---|---|---|---|---|
| 보편적이고 객관적인 진리가 존재한다. | V | | | | V |
| 인간은 주변 환경과 상호 작용하며 살아간다. | V | V | V | | |
| 지성적인 탐구를 통해 문제 상황을 개선해야 한다 | | V | | V | V |
| 실천 이성이 수립한 도덕규범을 따를 때 참된 실존을 찾을 수 있다. | V | | V | V | V |

① 갑 ② 을 ③ 병 ④ 정 ⑤ 무

# 서술형 문제

● 정답친해 44쪽

## 01 다음을 읽고 물음에 답하시오.

갑: 절망은 죽음에 이르는 병이다.
을: 한계 상황은 실존을 각성하는 계기이다.
병: 인간은 죽음에 이른다는 것을 자각하는 존재이다.
정: 실존은 본질에 앞서므로 인간은 절대로 일정하고 고정된 인간성으로 설명할 수 없다.

(1) 갑~정이 대표하는 사상을 쓰시오.

(2) (1)에서 답한 사상의 의의를 두 가지 서술하시오.

길잡이 (1)의 사상이 개인의 자유와 책임, 주체성을 강조하는 사상이라는 점을 바탕으로 서술한다.

## 02 다음을 읽고 물음에 답하시오.

[ ㉠ ]은/는 마치 현금처럼 우리가 실생활에서 사용할 수 있는 유용한 가치를 말한다. 제임스는 "각각의 책 속에서 이러한 용어들의 [ ㉠ ]을/를 뽑아내야 한다. 그래서 그 용어를 당신의 경험의 흐름 속에서 작동하게 하라."라고 말하였다.

(1) ㉠에 알맞은 용어를 쓰시오.

(2) ㉠을 지닌 지식의 의미를 서술하시오.

길잡이 제임스는 실용주의의 관점에서 지식과 신념의 유용성을 강조했다는 점을 염두에 두고 서술한다.

# STEP 3 1등급 정복하기

정답친해 44쪽

평가원 응용

**1** 그림의 강연자가 강조하는 삶의 태도로 가장 적절한 것은?

사람은 자유로우며 자유 그 자체입니다. 신이 없다면 우리의 행위를 정당화해 줄 가치나 질서를 우리 앞에서 찾지 못하지요. 우리는 그 어떤 핑계도 갖지 못한 채 홀로 있는 것입니다. 바로 이것이 내가 인간은 자유롭도록 선고받았다는 말을 통해 표현하려는 것입니다. 사람은 스스로를 창조한 것이 아니기 때문에 선고받은 것이요, 세상에 내던져진 이상 자신이 하는 모든 것에 대해서 책임이 있기 때문에 자유로운 것입니다.


① 규범의 속박에서 벗어나 타고난 본성인 이성의 명령을 따른다.
② 감정과 욕망을 배제하고 언제 어디서나 보편적인 규범을 따른다.
③ 자유롭게 자신의 삶을 창조하고 자신의 행위에 대해 책임을 진다.
④ 절대자에게 모든 것을 맡기고 그의 명령을 따르기로 결단을 한다.
⑤ 사회적 삶을 거부하고 주체적으로 설정한 원칙에 따라 행위를 한다.

> 사르트르의 실존주의 사상의 특징

**완자샘의 시험 꿀팁**
실존주의 사상가의 입장을 묻는 문항이 꾸준히 출제되고 있다. 실존주의는 근대 이성주의에 대한 반성으로 등장했다는 것을 바탕으로 여러 실존주의 사상가의 특징을 정리해 둔다.

**2** 다음과 같이 주장한 사상가에 대한 옳은 설명을 〈보기〉에서 고른 것은?

우리의 경제적 성취에 걸맞은 도덕적 진보는 어디에 있는가? 거기에 상응하는 인문학과 예술은 어디에 있는가? …… 이러한 고찰은 우리의 정치가 얼마나 발달하지 못했는지, 우리의 교육이 얼마나 조악하고 원시적인지, 우리의 도덕이 얼마나 수동적이고 활력이 없는지를 보여 준다.

**보기**

ㄱ. 도덕 문제 상황을 해결하기 위한 탐구 과정을 중시한다.
ㄴ. 오직 합리적 이성으로 도덕적 진리를 얻을 수 있다고 본다.
ㄷ. 실생활에 도움이 되는 유용한 지식을 가치가 있는 것으로 본다.
ㄹ. 도덕 판단의 기준은 선험적으로 주어져 있는 본유 관념에 있다고 본다.

① ㄱ, ㄴ ② ㄱ, ㄷ ③ ㄴ, ㄷ
④ ㄴ, ㄹ ⑤ ㄷ, ㄹ

> 듀이의 실용주의 사상의 특징

**완자샘의 시험 꿀팁**
듀이의 실용주의 사상이 출제될 수 있다. 실용주의자로서 듀이는 고정적이고 절대적인 가치를 부정하였으며, 지식은 실천이나 사회 변혁을 위해 사용될 때 가치가 있다고 보았다는 점을 기억해 둔다.

**완자 사전**
• **본유 관념**
감각이나 경험에 의해서가 아니고 나면서부터 가지고 있는 선천적 관념

## 01 사상의 연원

### 1. 고대 그리스 사상과 헤브라이즘

| 고대 그리스 사상 | 헤브라이즘 |
|---|---|
| • 이성적, 합리적 사고와 논변을 중시함<br>• 사물과 인간의 본질에 관심을 둠 | • 유일무이한 절대자로서의 신에 대한 믿음을 강조함<br>• 신을 윤리의 궁극적 근거로 삼음 |

### 2. 규범의 다양성과 보편 도덕

| 구분 | 소피스트 | 소크라테스 |
|---|---|---|
| 차이점 | • 윤리적 상대주의<br>• 현실에서의 세속적 성공을 추구함 → 수사학의 유용성을 강조함 | • 윤리적 (❶       )<br>• 선하고 도덕적인 삶을 강조함 → 이성을 활용한 문답법(산파술)을 강조함 |
| 공통점 | 철학의 주제를 자연에서 인간과 사회로 전환함 | |

## 02 덕

### 1. 영혼의 정의와 행복

| | |
|---|---|
| 플라톤의 세계관 | • 현실 세계: 이데아를 모방하여 생겨나고 끊임없이 생성·소멸하며 변화하는 불완전한 세계<br>• (❷       ) 세계: 참된 실재가 존재하는 영원불멸한 세계 |
| 플라톤의 정의와 행복 | • 정의로운 사람: 지혜, 용기, 절제의 덕이 조화를 이루어 정의의 덕을 실현하는 사람<br>• 정의로운 국가: 통치자가 지혜, 방위자가 용기, 생산자가 절제의 덕을 발휘하면서 조화를 이룰 때 실현되는 국가 |

### 2. 이론과 실천의 탁월성과 행복

| | |
|---|---|
| 아리스토텔레스의 세계관 | • 현실적인 윤리학: 선은 이데아의 세계가 아닌 현실 세계에 존재함<br>• 목적론적 세계관: 인간의 모든 행위는 선을 목적으로 함 |
| 아리스토텔레스의 덕론 | • 지성적 덕: 이성을 탁월하게 발휘하여 얻을 수 있는 지적 탁월성으로 교육을 통해 길러짐<br>• 품성적 덕: 인간의 감정이나 행위가 (❸       )을 따르는 품성 상태로 영혼의 비이성적 부분이 실천적 지혜를 따를 때 갖출 수 있음 |

## 03 행복 추구의 방법

### 1. 쾌락의 추구와 평정심

| | |
|---|---|
| 에피쿠로스학파의 쾌락주의 | • 고통을 제거함으로써 주어지는 쾌락을 추구함<br>• 몸의 고통과 마음의 불안이 없는 평온한 상태인 아타락시아를 중시함 |
| 참된 쾌락에 이르는 방법 | • 욕구를 절제하고 검소한 삶을 살아야 함<br>• 우주, 신, 죽음 등에 대한 잘못된 생각에서 벗어나야 함<br>• 번잡한 세속의 삶을 떠나 작은 공동체에서 살아야 함 |

### 2. 금욕과 부동심

| | |
|---|---|
| 스토아학파의 금욕주의 | • 세계 안의 모든 일은 이성의 인과 법칙에 따라 필연적으로 일어남 → 자연의 필연성을 받아들여야 함<br>• 어떠한 외부 상황에도 동요하지 않는 정신의 의연함인 (❹       )를 중시함 |
| 부동심에 이르는 방법 | • 정념의 지배에서 벗어나 이성의 명령에 따라야 함<br>• 자연법사상에 기초하여 인류의 공동선을 실현하기 위한 의무를 다해야 함 |

## 04 신앙

### 1. 그리스도교와 사랑의 윤리

| | |
|---|---|
| 예수의 가르침 | • 차별 없는 사랑의 윤리를 강조함<br>• 보편 윤리로서의 황금률을 제시함 |
| 아우구스티누스의 윤리 사상 | • 대표적인 교부 철학자이며, 플라톤의 사상을 수용함<br>• 신에 대한 완전한 사랑을 최고의 덕으로 봄<br>• 신은 이성적 인식의 대상이 아니라 실존적으로 만나야 할 인격적 존재라고 봄 |

### 2. 그리스도교와 자연법 윤리

| | |
|---|---|
| 아퀴나스의 윤리 사상 | • 대표적인 스콜라 철학자이며, 아리스토텔레스의 사상을 수용함<br>• 이성적 활동을 통해 자연적 덕을 형성할 뿐만 아니라 종교적 덕을 실천하여 신과 하나가 되어야 한다고 봄<br>• 이성을 지닌 인간이라면 지켜야 할 도덕 법칙으로 자연법을 강조함<br>• (❺       )과 신앙의 조화를 추구함 |
| 종교 개혁 이후 그리스도교 윤리 | • 루터: 누구나 성서와 기도를 통해 신과 대화할 수 있다고 봄<br>• 칼뱅: 예정설, 직업 소명설을 주장함 |

## 05 도덕의 기초

### 1. 도덕적인 삶과 이성

| | |
|---|---|
| 합리론 | • 지식과 사유의 토대가 인간의 이성에 있다고 봄<br>• 확실한 원리로부터 이성적 추론을 통해 지식을 얻어 내는 연역적 방법을 강조함<br>• 대표 사상가: 데카르트는 모든 것을 의심해 보는 방법적 회의를 통해 확고부동한 원리를 찾고자 함 |
| 스피노자의 이성 중심 윤리 사상 | • 자연에서 일어나는 모든 일은 원인과 결과의 필연적인 관계로 연결되어 있음 → 이성적 (❻ )를 통해 자연의 인과적 필연성을 인식해야 함<br>• 신은 자연 그 자체를 의미함<br>• 정념의 예속에서 벗어나야 함 |

### 2. 도덕적인 삶과 감정

| | |
|---|---|
| 경험론 | • 확실한 지식의 토대가 인간의 감각이나 경험에 있다고 봄<br>• 개별적 경험으로부터 일반적 원리를 얻어 내는 귀납적 방법을 강조함<br>• 대표 사상가: 베이컨은 인간이 지닌 선입관과 편견(우상)을 제거하고 자연을 있는 그대로 관찰하고자 함 |
| 흄의 감정 중심 윤리 사상 | • 도덕적 실천의 동기는 어떤 대상에 대한 (❼ )임 → 도덕적 선악은 감정으로 느끼는 것임<br>• 도덕적 구별의 기준으로 시인의 감정과 부인의 감정을 제시함<br>• 도덕의 기초는 공감임 |

## 06 옳고 그름의 기준

### 1. 의무론과 칸트 윤리 사상

| | |
|---|---|
| 의무론 | • 의무에 따라 행위의 옳고 그름을 판단해야 한다는 이론<br>• 행위의 결과보다 행위의 동기를 중시함<br>• 행위의 가치가 본래 정해져 있다고 봄 |
| 칸트 윤리 사상 | • 도덕 법칙: 우리 안의 실천 이성에 의해 세워진 것<br>• (❽ ): 어떤 것이 의무이기 때문에 그것을 하고자 하는 의지로, 이것에서 비롯된 의무에 따른 행위만이 도덕적 가치를 지님<br>• 정언 명령의 두 정식: 준칙의 보편화 가능성, 인간 존엄성 |
| 현대 칸트주의 | 로스는 칸트 윤리 사상의 한계를 극복하기 위해 조건부 의무를 제시함 |

### 2. 결과론과 공리주의

| | | |
|---|---|---|
| 결과론 | | • 행위를 수행함으로써 발생하는 결과에 따라 행위의 옳고 그름을 판단해야 한다는 이론<br>• 행위의 가치가 결정되어 있지 않다고 봄<br>• 좋은 결과의 산출이라는 목적에 도움이 되는 수단은 도덕적으로 정당화될 수 있다고 봄 |
| 고전적 공리주의 | 벤담 | • 양적 공리주의(쾌락의 양적 차이만 인정함)<br>• 인간의 모든 행위는 고통과 쾌락에 의해 결정됨<br>• 최대 다수의 최대 행복이라는 (❾ )의 원리를 제시함 |
| | 밀 | • 질적 공리주의(쾌락의 질적 차이를 인정함)<br>• 합리적인 인간이라면 누구나 쾌락의 질적 차이를 분별할 수 있으며, 보다 높은 수준의 쾌락을 선호함 |
| 현대 공리주의 | | 선호 공리주의와 규칙 공리주의는 고전적 공리주의의 문제점을 보완하고자 함 |

## 07 현대의 윤리적 삶

### 1. 주체적 결단과 실존

| | | |
|---|---|---|
| 유신론 | 키르케고르 | 인간은 신 앞에 선 단독자로서 살기로 결단할 때 참된 실존을 회복함 |
| | 야스퍼스 | • 인간은 한계 상황에서 개인의 주체적 결단을 통해 참된 실존을 회복할 수 있음<br>• 타인과의 연대를 강조함 |
| 무신론 | 하이데거 | (❿ )인 인간은 자신이 죽음에 이르는 존재임을 받아들일 때 진정한 실존을 회복할 수 있음 |
| | 사르트르 | • "실존은 본질에 앞선다."<br>• 개인의 주체적인 선택과 결단, 책임을 중시함 |

### 2. 실용주의와 문제 해결의 유용성

| | |
|---|---|
| 퍼스 | 실용주의의 격률이라는 개념을 통해 어떤 사상이 진리가 되기 위해서는 쓸모가 있어야 한다고 봄 |
| 제임스 | 현금 가치라는 개념을 통해 지식과 신념의 유용성을 강조함 |
| 듀이 | • (⓫ ): 지식은 인간이 환경에 적응하기 위한 도구라고 보는 입장<br>• 도덕이나 윤리 역시 시대와 상황에 따라 변화한다고 봄<br>• 창조적 지성: 주어지지 않은 여러 가능성을 탐구하면서 미래를 전망하고 창조하는 지성을 강조함 |

●정답● ① 보편주의 ② 이데아 ③ 중용 ④ 아파테이아 ⑤ 이성 ⑥ 관조 ⑦ 감정 ⑧ 선의지 ⑨ 공리 ⑩ 현존재 ⑪ 도구주의

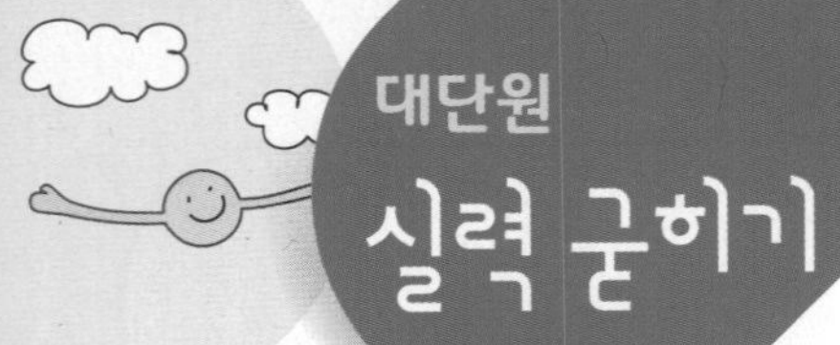


**01** 고대 서양 사상가 갑, 을의 입장에 대한 설명으로 옳지 <u>않은</u> 것은?

> 갑: 어떤 것들이 나에게 나타나는 대로 그것들은 나에게는 그렇게 존재하며, 어떤 것들이 당신에게 나타나는 대로 그것들은 당신에게는 그렇게 존재한다.
> 을: 참된 앎이란 영혼의 수련을 통한 깨달음입니다. 덕은 참된 앎에서 나오고, 악덕은 무지에서 비롯됩니다.

① 갑은 감각적 경험에서 가치 판단의 기준을 찾는다.
② 갑은 보편타당한 도덕규범은 존재하지 않는다고 본다.
③ 을은 수사학, 변론술 등의 실용적인 지식을 바탕으로 덕을 설명한다.
④ 을은 덕 있는 삶을 살려면 덕에 대한 보편적인 지식을 추구해야 한다고 주장한다.
⑤ 갑, 을은 철학적 관심을 자연에서 인간과 사회로 전환한다.

**02** 다음 글에서 알 수 있는 내용만을 〈보기〉에서 있는 대로 고른 것은?

> 동굴 안에 한 무리의 사람들이 있습니다. 그들은 모두 동굴 벽만 쳐다보도록 묶여 있습니다. 뒤에는 불이 피어 있고 그 앞으로 여러 모양의 인형들이 지나다닙니다. 그들이 볼 수 있는 것이라곤 벽에 비친 인형의 그림자뿐입니다. …… 어느 날 한 사람이 우연히 포박을 끊고 동굴 밖으로 나가 불빛 쪽을 본다면 처음에는 눈이 아파서 힘들어할 것입니다. 그러나 차차 불빛에 익숙해지고 동굴 밖의 밝은 세상을 볼 것입니다.

보기
ㄱ. 동굴 안의 세계는 불완전하다.
ㄴ. 불변하는 본질은 동굴 밖에 따로 있다.
ㄷ. 그림자를 보고 존재의 참모습을 알 수 있다.
ㄹ. 참된 진리는 동굴 밖으로 나왔을 때 얻을 수 있다.

① ㄱ, ㄴ ② ㄴ, ㄷ ③ ㄷ, ㄹ
④ ㄱ, ㄴ, ㄹ ⑤ ㄱ, ㄷ, ㄹ

**03** 그림의 강연자가 지지할 주장을 〈보기〉에서 고른 것은?

완전하게 된다는 것은 지혜롭고, 용기 있으며, 절제할 줄 알고, 정의롭게 되는 것을 의미합니다. 또한 영혼은 지식과 덕을 통하여 그 자신을 감각적인 세계의 감옥으로부터 해방시킬 때, 비로소 행복을 발견할 수 있습니다.


보기
ㄱ. 지혜의 덕을 갖춘 철학자가 나라를 다스려야 한다.
ㄴ. 이성에 의해 파악되는 이데아의 세계만이 참된 세계이다.
ㄷ. 도덕적인 삶을 살려면 이성의 역할보다 실천 의지의 역할이 더욱 중요하다.
ㄹ. 감각과 경험으로 파악할 수 있는 현실 속에서 선의 이데아를 획득할 수 있다.

① ㄱ, ㄴ ② ㄱ, ㄷ ③ ㄴ, ㄷ
④ ㄴ, ㄹ ⑤ ㄷ, ㄹ

**04** ㉠에 대한 설명으로 옳지 <u>않은</u> 것은?

> 행복한 삶을 이해하기 위해서는 덕에 대한 이해가 필요하다. 인간의 영혼은 이성적인 부분, 이성에 귀 기울이는 부분, 비이성적인 부분으로 나눌 수 있다. 이중에서 이성적인 부분의 탁월함을 지성적 덕이라고 한다. 그리고 이성에 귀 기울이는 부분의 탁월함을 ㉠ (이)라고 한다.

① 인간의 감정이나 행위와 관련한 덕이다.
② 이데아의 세계에서 발견할 수 있는 진리이다.
③ ㉠의 구체적 예로 용기, 절제, 친절 등이 있다.
④ 지속적으로 도덕적 행동을 실천할 때 형성된다.
⑤ 과도함과 부족함 사이의 적절한 상태를 그 특징으로 한다.

**05** 고대 서양 사상가 갑, 을의 입장에 대한 설명으로 옳은 것은?

> 갑: 무엇이 옳은 것인지를 아는 사람은 그 지식으로 인하여 옳은 것을 행할 것이며, 무지한 사람은 그른 일을 행할 것이다.
> 을: 통치 계급에 속한 자들은 이성을, 국방 수호의 역할을 담당한 자들은 용기를, 생산 계급에 속한 자들은 절제를 미덕으로 삼아야 한다.

① 갑은 윤리적 원칙은 사회나 시대에 따라 다르다고 본다.
② 갑은 옳은 행위가 무엇인지 알아도 의지가 나약해서 실천으로 옮기지 못할 수 있다고 본다.
③ 을은 철인 정치를 이상적인 정치 체제로 간주한다.
④ 을은 감각적 욕구를 실현해 나가는 삶을 이상적인 삶으로 간주한다.
⑤ 갑, 을은 개인의 경험이 진리와 가치를 판단하는 기준이라고 여긴다.

**06** 고대 서양 사상가 갑, 을의 입장에 대한 옳은 설명만을 〈보기〉에서 있는 대로 고른 것은?

> 갑: 아무도 자발적으로 악한 행위를 하지 않는다. 아름다운 것과 좋은 것을 아는 사람은 결코 그 반대의 것을 택하지 않을 것이다.
> 을: 의지가 나약한 사람은 자기가 무엇을 행하는지, 또 왜 그것을 행하는지 어떤 방식으로든 알고 있고 자발적으로 행하므로 나쁜 사람은 아니다. 그의 합리적 선택 자체는 훌륭하니까. 따라서 그는 반쯤 나쁜 사람이다.

**보기**

ㄱ. 갑은 무엇이 선인지를 알면서도 악을 행하는 사람은 없다고 본다.
ㄴ. 을은 인간의 악한 본성을 덕으로 교화해야 한다고 본다.
ㄷ. 을은 품성적 덕을 쌓는 방법으로 도덕적 행동을 습관화할 것을 강조한다.
ㄹ. 갑은 을과 달리 실천 의지의 중요성을 강조한다.

① ㄱ, ㄴ　② ㄱ, ㄷ　③ ㄷ, ㄹ
④ ㄱ, ㄴ, ㄹ　⑤ ㄴ, ㄷ, ㄹ

**07** (가)의 고대 서양 사상가 갑, 을의 입장을 (나) 그림으로 탐구할 때, A~C에 들어갈 적절한 질문만을 〈보기〉에서 있는 대로 고른 것은?

(가)
> 갑: 알맞은 때에 알맞은 것을, 알맞은 사람들에게 알맞은 목적을 위해 알맞은 방식으로 하는 것이 중용이자 최선이다.
> 을: 우리가 사는 현실 세계는 단지 이데아 세계의 모방일 뿐이다. 그러한 까닭에 행복한 삶이란 현실적 욕구가 아니라 정신적 이상을 추구하는 삶이어야 한다.

(나)

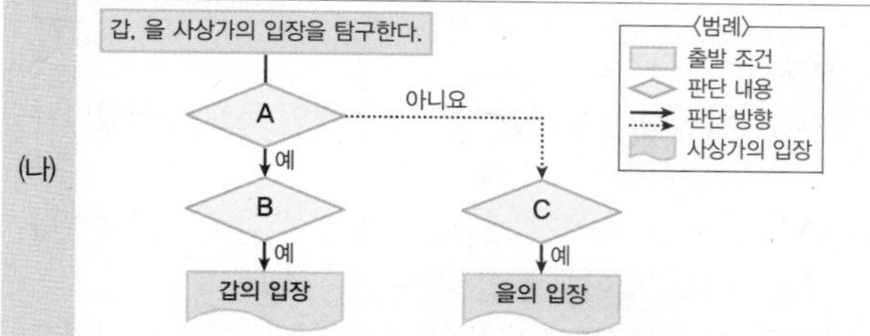


**보기**

ㄱ. A: 현실에서 참다운 존재를 찾고자 하는가?
ㄴ. B: 유덕한 사람은 은둔 생활을 지향하는가?
ㄷ. C: 이데아는 이성으로만 파악할 수 있는가?
ㄹ. C: 인간의 영혼을 구성하는 부분의 세 가지 덕이 조화를 이룰 때 정의로운 사람이 되는가?

① ㄱ, ㄴ　② ㄱ, ㄷ　③ ㄴ, ㄹ
④ ㄱ, ㄷ, ㄹ　⑤ ㄴ, ㄷ, ㄹ

**08** 다음은 한 서양 고전의 목차이다. 목차에 들어갈 내용으로 적절하지 않은 것은?

> **에픽테토스의 『엥케이리디온』**
>
> 〈목차〉
>
> • 우리에게 달려 있는 것들과 우리에게 달려 있지 않은 것들에 대하여.
> • 일 자체와 그 일에 대한 믿음은 같은 것이 아니다. ······ ㉠
> • 너 자신의 내면 세계를 탐구하라. ······ ㉡
> • 너 자신에게 달려 있는 것만을 바라라. ······ ㉢
> • 네 차례가 올 때까지 기다려라. ······ ㉣
> • 자유 의지를 통해 네 운명을 개척하라. ······ ㉤

① ㉠　② ㉡　③ ㉢　④ ㉣　⑤ ㉤

**09** 다음과 같이 주장한 사상가에 관하여 모둠별로 탐구하려고 한다. 접근 방식이 적절한 사람을 〈보기〉에서 고른 것은?

> 불안에서 벗어나 마음의 평온함을 추구해야 한다. 몸의 지속적인 건강 상태와 건강에 대한 확고한 희망은 완전하고 확실한 기쁨을 준다. 또한 아름다움과 탁월함 등은 우리에게 즐거움을 제공할 때 가치를 지닌다. 이들이 즐거움을 주지 못한다면 우리는 그것들을 버려야 한다.

**보기**

- 갑: 아타락시아의 상태를 삶의 궁극적인 목표로 삼았다는 것을 염두에 두어야 해.
- 을: 적극적으로 육체적 쾌락을 추구해야 한다고 강조했다는 사실도 잊어서는 안 돼.
- 병: 검소한 삶을 통해 마음의 평온함을 유지해야 한다고 보았다는 점도 탐구 보고서에 넣자.
- 정: 이 사상가의 한계로는 진정한 쾌락에 이르는 데 이성은 아무런 역할도 하지 못한다고 본 점을 쓰자.

① 갑, 을 ② 갑, 병 ③ 을, 병
④ 을, 정 ⑤ 병, 정

**10** 다음 글에서 강조하는 삶의 태도를 〈보기〉에서 고른 것은?

> 어떤 것에 대해서도 결코 "내가 그것을 잃어버렸다."라고 말하지 말고, "되돌려 주었다."라고 말하라. 자식이 죽었는가? 되돌려 준 것이다. 땅을 빼앗겼는가? 그것 또한 되돌려 달라고 요청한 것이니, 너에게 그것이 무슨 관심일 수 있겠느냐?

**보기**

- ㄱ. 이성적 사유보다 감각적 경험을 우선시해야 한다.
- ㄴ. 우리의 의지대로 바꿀 수 없는 일은 받아들여야 한다.
- ㄷ. 어떠한 외부 상황에도 흔들리지 않는 의연한 정신력을 길러야 한다.
- ㄹ. 세계 시민으로서 인류 전체의 공동선을 위해서 사는 것을 경계해야 한다.

① ㄱ, ㄴ ② ㄱ, ㄷ ③ ㄴ, ㄷ
④ ㄴ, ㄹ ⑤ ㄷ, ㄹ

**11** 다음은 스토아학파 윤리 사상의 특징에 관한 필기 내용이다. ㉠~㉤ 중 옳지 않은 것은?

> **스토아학파 윤리 사상의 특징**
> 1. 금욕주의: 온갖 욕망과 감정으로부터 벗어날 것을 강조함 ······ ㉠
> 2. 이성에 따르는 삶 강조
>    - 이성의 의미: 만물의 본질이자 만물의 생성과 변화를 이끌어 가는 힘 ······ ㉡
>    - 신적인 이성의 법칙이자 필연적인 자연의 법칙을 따라야 함 ······ ㉢
> 3. 자연법의 구체적인 내용으로 '쾌락은 유일한 선이요, 고통은 유일한 악'이라는 점을 제시함 ······ ㉣
> 4. 운명을 대하는 바람직한 태도: 운명에 순응하고 운명을 사랑해야 함 ······ ㉤

① ㉠ ② ㉡ ③ ㉢ ④ ㉣ ⑤ ㉤

**12** 갑, 을은 고대 서양 사상가이다. 갑은 긍정, 을은 부정의 대답을 할 질문으로 옳은 것은?

> 갑: 죽음이나 고통과 같은 자연 현상에 대한 두려움을 없애고, 욕구가 무제한적인 것이 아님을 깨달으면 아무것도 꺼릴 것이 없고, 어떤 것으로부터도 고통이 오지 않을 것이다. 또한 고통이나 악을 불러일으키는 어떤 것도 갖지 않게 될 것이다.
> 을: 당신은 작가의 의도대로 연극 속에 등장하는 배우에 불과하다는 것을 명심해야 한다. 작가가 단막극을 쓰면 짧은 생을 사는 것이고, 장막극을 쓰면 조금 오래 사는 것이다. 가난뱅이 역을 맡으라고 하면 기꺼이 그 역할을 잘할 수 있도록 노력하라. 배역을 선택하는 것은 우리가 할 수 있는 일이 아니다.

① 신의 본성인 이성에 맞게 행위 해야 하는가?
② 인간이 느끼는 모든 감정을 부정적으로 여기는가?
③ 자신에게 주어진 상황과 조건에 순응해야 하는가?
④ 공적인 삶을 멀리하고 사적인 공간에서 친구들과 우정을 나누는 삶을 살아야 하는가?
⑤ 모든 욕구의 충족을 통해 어떠한 상황에서도 흔들리지 않는 부동심을 추구해야 하는가?

**13** 고대 서양 사상가 갑~병 모두가 긍정의 대답을 할 질문으로 옳은 것은?

> 갑: 인간 영혼의 과제는 현명하게 되는 것이고, 기개의 과제는 활력 있게 이성을 따르는 것이고, 욕망 역시 이성의 안내를 따라야 한다.
> 을: 이 세계가 조화를 이룬 가운데 움직이고 있다는 사실을 증명해 주는 수많은 이론을 생각하라. 그러면 마침내 평안한 마음을 지니게 될 것이다.
> 병: 진정한 행복은 끝없는 욕구를 채우는 것이 아니라 오히려 욕구를 줄여 나갈 때 얻을 수 있다. 얻으려는 노력을 포기할 때 참다운 행복을 얻게 된다.

① 행복한 삶에 이르기 위해 이성의 역할이 필요한가?
② 행복한 삶은 모든 시민이 정치에 참여할 때 이를 수 있는가?
③ 행복한 삶을 위해 도덕적인 행위를 반복적으로 실천해야 하는가?
④ 최고선을 실현하기 위해서 이성을 통해 모든 욕구를 제거해야 하는가?
⑤ 행복한 삶은 결과적으로 유용한 가치를 산출하는 행위와 관련 깊은가?

**14** 다음 사상가의 관점에만 모두 '∨'를 표시한 학생은?

> • 인간은 자유 의지를 남용하여 원죄를 지니고 있다.
> • 인간은 신의 사랑과 은총을 통해서만 비로소 원죄에서 벗어나 구원을 얻고 참된 행복을 누릴 수 있다.

| 관점 \ 학생 | 갑 | 을 | 병 | 정 | 무 |
|---|---|---|---|---|---|
| 신은 영원불변하는 존재이다. | ∨ | | | ∨ | |
| 인간은 신을 닮은 완전한 존재이다. | | ∨ | ∨ | | ∨ |
| 신은 실존을 통해 만나야 하는 인격적 존재이다. | ∨ | ∨ | | ∨ | ∨ |
| 신은 스스로가 자신의 존재 원인인 자연 그 자체이다. | | | ∨ | ∨ | ∨ |

① 갑 ② 을 ③ 병 ④ 정 ⑤ 무

**15** 다음과 같이 주장한 사상가의 입장으로 옳은 것은?

> 신이 존재한다거나 신이 하나라는 것을 증명하는 데 이성을 사용할 수 있다. 또한 신앙의 진리를 이해하고 신앙에 대한 공격을 저지하는 데도 이성을 사용할 수 있다. 신앙과 이성은 모두 신에게서 나온 것이므로 서로 모순되지 않는다.

보기
> ㄱ. 궁극적인 행복은 현세에서 이룰 수 있다.
> ㄴ. 신은 인간과 자연 세계를 창조한 존재이다.
> ㄷ. 인간의 능력으로는 신의 존재를 증명할 수 없다.
> ㄹ. 이성과 신앙은 서로 대립하지 않고 조화될 수 있다.

① ㄱ, ㄴ ② ㄱ, ㄷ ③ ㄱ, ㄹ
④ ㄴ, ㄹ ⑤ ㄷ, ㄹ

**16** 갑의 입장에 비해 을의 입장이 가지는 상대적 특징을 그림의 ㉠~㉤ 중에서 고른 것은?

> 갑: 이데아는 만물을 창조한 신 안에 있다. 신은 궁극적 실재이며, 종교적 체험을 통해 만나야 할 인격적 존재이다. 우리는 신에게 귀의하고 신을 사랑해야 한다.
> 을: 자연적 덕만으로는 행복에 이를 수 없다. 신은 무한한 선이므로 오직 신만이 우리의 의지를 넘칠 만큼 가득 채울 수 있다. 그러므로 종교적 덕의 실천과 신의 은총이 있어야 내세에 영원한 행복에 이를 수 있다.

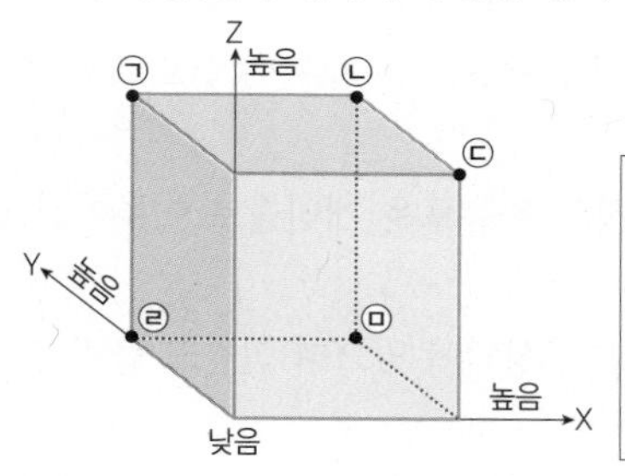


• X: 이성의 역할을 강조하는 정도
• Y: 플라톤의 사상을 수용하는 정도
• Z: 철학의 자율성을 강조하는 정도

① ㉠ ② ㉡ ③ ㉢ ④ ㉣ ⑤ ㉤

**17** 근대 서양 사상가 갑, 을의 입장에 대한 설명으로 옳은 것은?

신 중심적인 사고에서 벗어났는가?
↓ 예
확실한 원리로부터 이성적 추론을 통해 지식을 얻고자 하는가?
↓ 예 → 방법적 회의를 통해 모든 것을 의심해 보는가? ↓ 예 → 갑
↓ 아니요 → 우상을 제거하고 자연을 있는 그대로 관찰하고자 하는가? ↓ 예 → 을

① 갑은 가치 판단의 기준으로 유용성을 중시한다.
② 갑은 도덕적 삶의 근거를 경험이나 감정에서 찾는다.
③ 을은 도덕적 삶의 근거를 인간의 이성에서 찾는다.
④ 을은 이성의 명령에 따른 정의와 선의 구현을 중시한다.
⑤ 갑은 합리론, 을은 경험론의 입장을 취한다.

**18** 다음과 같이 주장한 사상가가 긍정의 대답을 할 질문으로 옳은 것은?

> 자연 상태는 '만인에 대한 만인의 투쟁' 상태와 같이 격정과 적의에 의해 산출된 폭력적 충돌의 상태이다. 이러한 치명적 위험에 대한 공포가 인간으로 하여금 정치 공동체를 구성하게 한다.

① 인간은 자기 보존의 욕구로 인해 본성상 선할 수밖에 없는가?
② 인간을 포함한 이 세상의 모든 존재는 정신으로부터 파생되는가?
③ 자연 상태는 평등하고 자유로운 개인들로 이루어진 평화 상태인가?
④ 세상 만물은 물질로 구성되어 있으며 인간도 물리 법칙의 지배를 받는가?
⑤ 인간은 타인의 이익 증진을 위한 이타심을 인간 행위의 근원적 동기로 여기는가?

**[19~20]** 다음을 읽고 물음에 답하시오.

> 갑: 우리의 도덕적 신념들은 이성보다는 감정(정념)으로부터 도출되는 것이다. 이성은 감정의 노예일 뿐이고, 감정에 봉사하고 복종하는 것 이외의 다른 어떤 직무를 탐해서도 안 된다.
> 을: 이 세상에는 오직 하나의 실체만이 존재하는데, 이는 신 또는 자연과 동일한 것이다. 우리 인간도 단지 전체의 한 부분에 지나지 않으며, 우리의 본성은 항상 전체의 법칙들에 의해서 결정된다.

**19** 근대 서양 사상가 갑, 을에 대한 설명으로 옳은 것은?

① 갑은 타인에 대한 동정심과 연민의 감정으로부터 벗어나야 한다고 주장한다.
② 을은 이 세계 안의 모든 것은 인과적 자연법칙에 의해 연결되어 있다고 주장한다.
③ 갑, 을은 신에 대한 믿음을 토대로 신 중심의 사고를 한다.
④ 갑, 을은 확실한 지식을 얻기 위해 방법적 회의를 사용한다.
⑤ 갑은 이성적 사유 능력을, 을은 관찰과 실험에 의한 지식을 중시한다.

**20** 갑의 입장에서 을에게 제기할 수 있는 비판을 〈보기〉에서 고른 것은?

보기
ㄱ. 도덕적 행위의 동기는 감정에 의해서 생겨나는 것임을 간과하고 있다.
ㄴ. 감정에 따르는 행동보다 의무에 따르는 행위가 도덕적임을 간과하고 있다.
ㄷ. 인간의 이성적 관조를 통해 자연의 인과적 필연성을 인식해야 함을 간과하고 있다.
ㄹ. 타인의 행복과 불행을 함께 느낄 수 있는 공감 능력이 윤리적 구별의 원천임을 간과하고 있다.

① ㄱ, ㄴ ② ㄱ, ㄷ ③ ㄱ, ㄹ
④ ㄴ, ㄹ ⑤ ㄷ, ㄹ

**21** 다음과 같이 주장한 사상가가 지지할 내용으로 가장 적절한 것은?

> 네 의지의 격률이 언제나 동시에 보편적 입법의 원리가 될 수 있도록 행위 하라. 너 자신과 다른 모든 사람의 인격을 결코 단순히 수단으로 취급하지 말고, 언제나 동시에 목적으로 대우하도록 행위 하라.

① 자연적 경향성에 근거한 윤리 원칙을 중시해야 한다.
② 도덕적 행위를 판단할 때 동기보다 결과를 중시해야 한다.
③ 최대 다수의 최대 행복을 도덕의 입법 원리로 삼아야 한다.
④ 모든 도덕적인 행위의 기준은 유용성에 비추어 판단해야 한다.
⑤ 모두에게 보편적으로 적용할 수 있는 도덕 원리를 중시해야 한다.

**22** 갑, 을은 근대 서양 사상가이다. 갑은 긍정, 을은 부정의 대답을 할 질문으로 옳은 것은?

갑

> 동정심에 근거한 행위의 경우, 그 행위가 아무리 '의무에 맞고' 또 사랑스럽다 해도 참된 도덕적 가치가 전혀 없다. 왜냐하면 그 준칙에는 도덕적인 내용, 즉 '의무이기 때문에' 하는 행위가 빠져 있기 때문이다.

> 유용성이 도덕적 감정의 근원이고, 이 유용성이 항상 개인 자신만을 챙기는 어떤 것이 아니라면, 사회의 행복에 기여하는 모든 것은 곧바로 우리의 시인을 받는다는 사실이 도출된다.

을

① 도덕적 행위와 관련하여 감정보다 이성의 역할이 중요한가?
② 도덕적 행동의 동기가 되는 것은 어떤 대상에 대한 감정인가?
③ 공감을 통해 쾌감을 불러일으키는 것을 선(善)이라고 하는가?
④ 모든 준칙은 보편타당성을 지니는 도덕 법칙이 될 수 있는가?
⑤ 행위의 옳고 그름은 동기가 아니라 결과에 의해서 결정되는가?

**23** ㉠에 들어갈 진술로 가장 적절한 것은?

> 나는 이성적 존재는 자기 스스로 도덕 법칙을 수립할 때 목적의 나라에 속할 수 있고, 목적 그 자체로 대우받을 수 있다고 생각합니다. 그러므로 자율은 인간과 모든 이성적 존재의 존엄성의 근거라고 주장해 왔습니다. 그러나 어떤 서양 사상가는 이성은 감정에 봉사하고 복종하는 것 말고 다른 어떤 역할도 요구할 수 없다고 주장합니다. 나는 이러한 입장이 [ ㉠ ]

① 사회적 차원의 이익을 간과하고 있다고 생각합니다.
② 준칙의 보편화 가능성을 강조하고 있다고 생각합니다.
③ 정언 명령의 두 가지 정식을 잘 따르고 있다고 생각합니다.
④ 행위의 동기를 중시하여 도덕 판단을 내리고 있다고 생각합니다.
⑤ 자연적 경향성을 따르는 행위는 도덕적 가치를 지닐 수 없다는 것을 간과하고 있다고 생각합니다.

**24** 학생 답안의 ㉠~㉤ 중 옳지 않은 것은?

> **서술형 평가**
> ◎ 문제: 밀이 주장한 공리주의의 특징을 서술하시오.
> ◎ 학생 답안
> 밀은 ㉠ 벤담과 마찬가지로 공리의 원리를 도덕 판단의 기준으로 삼았다. 그리고 ㉡ 공리의 원리에 부합하는 도덕 규칙을 마련하여 그 규칙을 따르는 행위를 옳은 것으로 보았다. 하지만 벤담과 달리 밀은 ㉢ 쾌락에 질적 차이가 있다는 질적 공리주의를 주장하였다. 그에 따르면 ㉣ 고급 쾌락은 양과 무관하게 저급 쾌락보다 더 가치 있다. 또한 ㉤ 인간은 더 수준 높은 쾌락을 추구하는 고귀한 존재이다.

① ㉠ ② ㉡ ③ ㉢ ④ ㉣ ⑤ ㉤

**25** (가)의 근대 서양 사상가 갑, 을의 입장을 (나) 그림으로 표현할 때, A~C에 해당하는 진술로 옳은 것은?

(가)
갑: 의지를 결정할 수 있는 것은 객관적으로는 법칙뿐이고, 주관적으로는 실천 법칙에 대한 순수한 존경, 즉 나의 모든 경향성을 포기하고서라도 그 법칙을 따르겠다는 준칙뿐이다.
을: 고통이나 쾌락을 제외하면 인간 행위의 근거로 삼을 만한 것이 아무것도 없다. 모든 이해 당사자의 최대 행복은 인간 행위의 유일하게 옳고 적절하며 보편적으로 소망 가능한 목적이다.

(나)
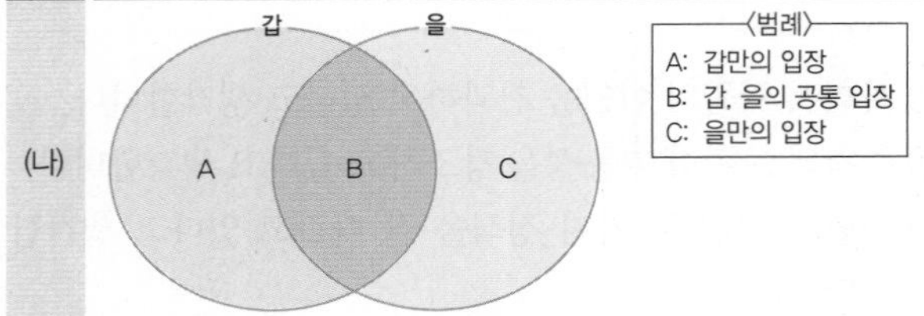


① A: 도덕 법칙은 보편화 가능한 것이어야 한다.
② A: 도덕과 인간의 자유 의지는 양립할 수 없다.
③ B: 인간의 자연적인 경향성은 도덕의 기반이 될 수 없다.
④ C: 성서는 옳고 그름을 판단하는 기준이다.
⑤ C: 인간의 행복과 도덕은 대립적인 관계에 놓여 있다.

**26** 밑줄 친 '어떤 서양 사상가'의 입장에 대한 옳은 설명을 〈보기〉에서 고른 것은?

우리는 살아가면서 실존적인 선택의 상황에서 늘 불안하고 절망하며, 절규하게 된다. 어떤 서양 사상가는 이것이 바로 죽음에 이르는 병이라고 주장하였다. 그에 따르면 바로 이런 상황에서 우리에게는 늘 '이것이냐 저것이냐'의 선택이 뒤따른다. 어느 한쪽을 선택하는 것은 불안하지만 한편으로는 실존적 자유를 의미하기도 한다.

보기
ㄱ. 인간의 주체적 결단을 강조한다.
ㄴ. 인간의 보편적 합리성을 중시한다.
ㄷ. 윤리적 실존 단계에서 참된 실존을 회복할 수 있다고 본다.
ㄹ. 심미적 실존 단계에서의 개인은 쾌락을 추구하다가 허망함을 느낀다고 본다.

① ㄱ, ㄴ ② ㄱ, ㄷ ③ ㄱ, ㄹ
④ ㄴ, ㄷ ⑤ ㄷ, ㄹ

**27** 현대 서양 사상가 갑, 을 모두가 긍정의 대답을 할 질문으로 옳은 것은?

갑: 인간의 실존은 그의 본질에서 인식되는 것이 아니라 피할 수 없는 투쟁, 고통, 죽음, 죄에 대한 책임과 같은 '한계 상황'에서 발견된다.
을: 아브라함이 한 일을 윤리적으로 표현한다면 이삭을 죽이려고 한 것이고, 종교적으로 표현한다면 이삭을 바치려고 한 것이다. 그런데 바로 이 모순 속에 사람들이 잠을 이루지 못하게 하는 불안이 있다. 불안을 극복하고 참된 실존을 회복하기 위해서 '신 앞에 선 단독자'로서 생각하고 행동해야 한다.

① 윤리적 삶을 통해 불안과 절망을 극복할 수 있는가?
② 합리적인 사유를 통해 객관적인 실존을 찾을 수 있는가?
③ 개인은 자유로운 결단을 통해 참된 실존을 회복할 수 있는가?
④ 초월자와의 단절을 통해 인간이 지닌 한계 상황을 극복할 수 있는가?
⑤ 보편적이고 절대적인 지식을 통해서만 참된 삶의 의미를 발견 할 수 있는가?

**28** 다음과 같이 주장한 사상가가 긍정의 대답을 할 질문을 〈보기〉에서 고른 것은?

현존재는 '지금'이라는 시간과 '여기'라는 장소에 한정되어 불안과 염려를 안고 살아가는 존재이다. 현존재는 자신이 죽음에 이르는 존재라는 것을 수용함으로써 자신의 본래적 모습을 만날 수 있게 된다.

보기
ㄱ. 인간은 죽음에 이른다는 것을 자각할 수 있는가?
ㄴ. 이성적이고 합리적 판단을 통해 현재적 불안을 근본적으로 극복할 수 있는가?
ㄷ. 자신의 죽음을 예견하고 적극적으로 회피함으로써 참된 실존을 회복할 수 있는가?
ㄹ. 인간은 자신이 죽음에 이르는 존재라는 사실을 받아들임으로써 진정한 실존을 회복할 수 있는가?

① ㄱ, ㄴ ② ㄱ, ㄷ ③ ㄱ, ㄹ
④ ㄴ, ㄹ ⑤ ㄷ, ㄹ

## 29 다음 사상가의 입장에서 〈사례〉 속 ○○에게 해 줄 조언으로 가장 적절한 것은?

> 한 자루의 종이칼과 같은 사물은 그것을 만드는 제작자가 설정한 목적에 따라 만들어진 것이며, 한정된 쓰임새를 가진 것이다. 그러나 인간은 이런 사물과 달리 미리 결정된 보편 개념으로서의 인간성이라는 본질을 지니고 이 세계에 존재하는 것이 아니다. 인간은 먼저 존재하고 스스로 만들어 가는 것 이외에 아무것도 아니다.
>
> 〈사례〉
>
> ○○은 인기 있는 연예인의 옷차림과 말투를 따라하며 지내 왔다. 그러다가 어느 날 문득 ○○은 자신만의 개성을 잃어버리고 있는 것 같다는 생각이 들었다.

① 신의 뜻에 따라 경건한 삶을 살아야 합니다.
② 신앙생활에 충실하여 참된 실존을 회복해야 합니다.
③ 자연의 필연적인 질서에 따르는 삶을 살아야 합니다.
④ 보편적인 도덕 원리에 비추어 자신의 행동을 성찰해야 합니다.
⑤ 자신의 주체적인 선택과 결단에 따라 삶을 만들어 가야 합니다.

## 30 다음과 같이 주장한 사상가의 입장에서 제시할 수 있는 바람직한 삶의 태도로 가장 적절한 것은?

> 정말 실존이 본질에 앞선다면 사람은 자기가 어떤 것인가에 대해 책임이 있다. 그래서 실존주의의 첫걸음은 모든 사람으로 하여금 그의 실존의 임자가 되게 하고 그에게 그의 실존에 대한 전적인 책임을 돌리는 것이다. 이때 사람은 자신에 대해서 책임이 있다고 말할 때, 사람은 모든 타인에 대해서 책임이 있다는 말이다.

① 자신이 타고난 본질을 인식하고 실현해야 한다.
② 절대자에게 의지하여 참된 실존을 찾아야 한다.
③ 자신이 속한 공동체에서 벗어나 자유로운 삶을 살아야 한다.
④ 자신에게 주어진 운명에 순응하며 마음의 평온을 지켜야 한다.
⑤ 구체적인 상황에서 자신이 주체적으로 선택하고, 그 결단에 책임을 져야 한다.

## 31 다음과 같이 주장한 사상가의 입장으로 옳은 것은?

> 아무리 '선의지'나 '황금률'을 설파하고, 사랑과 평등의 감정을 퍼뜨린다고 해도, 그 결과를 얻지는 못할 것이다. …… 우리는 단순히 사람들의 마음에만 손대는 데서 그치는 것이 아니라 환경에도 손을 대야 한다. 만약 그렇지 않으면, 사막에서 꽃이 필 수 있고, 정글에서 자동차가 달릴 수 있다고 생각하는 것과 같다. 이 두 가지는 오직 사막이나 정글을 변화시킴으로써, 어떤 기적도 없이 이루어질 수 없다.

① 사회 환경에 맞추어 객관적 조건이나 제도를 바꾸는 것이 중요하다.
② 진정한 학문의 목표는 자연법칙을 이해하고 자연을 보호하는 데 있다.
③ 우리의 삶을 개선하기 위해 변하지 않는 지식과 도덕규범을 찾아야 한다.
④ 자연을 제대로 탐구하기 위해 자명한 원리로부터 연역적 추론을 해야 한다.
⑤ 자연에 대한 올바른 이해를 위해 지식의 유용성을 중시하는 태도를 버려야 한다.

## 32 현대 서양 사상가 갑, 을의 입장으로 옳은 것은?

> 갑: 소위 객관적 진리를 발견한다고 해서 그것이 무슨 소용이 있다는 말인가? 철학의 모든 체계를 탐구하려고 그것을 모두 개관하고 개별 체계 속에 깃든 불합리를 지적한다고 해서 그것이 무슨 소용이 있단 말인가? 그 속에 내가 살고 있는 것이 아니지 않은가?
>
> 을: 각각의 도덕적 상황은 그것이 요구하는 올바른 행위의 방향이 있다. 이것에 관한 탐구가 바로 지성이다.

① 갑: 인간은 보편적 윤리 규범을 따를 때 행복에 이를 수 있다.
② 갑: 인간은 이성의 법칙을 따를 때 주체적인 삶을 누릴 수 있다.
③ 을: 쓸모 있는 지식은 현실에 존재하지 않는다.
④ 을: 인간은 신을 믿고 따르기로 결정할 때 참된 실존을 회복할 수 있다.
⑤ 갑, 을: 고정불변의 절대적인 진리는 존재하지 않는다.

# 사회사상

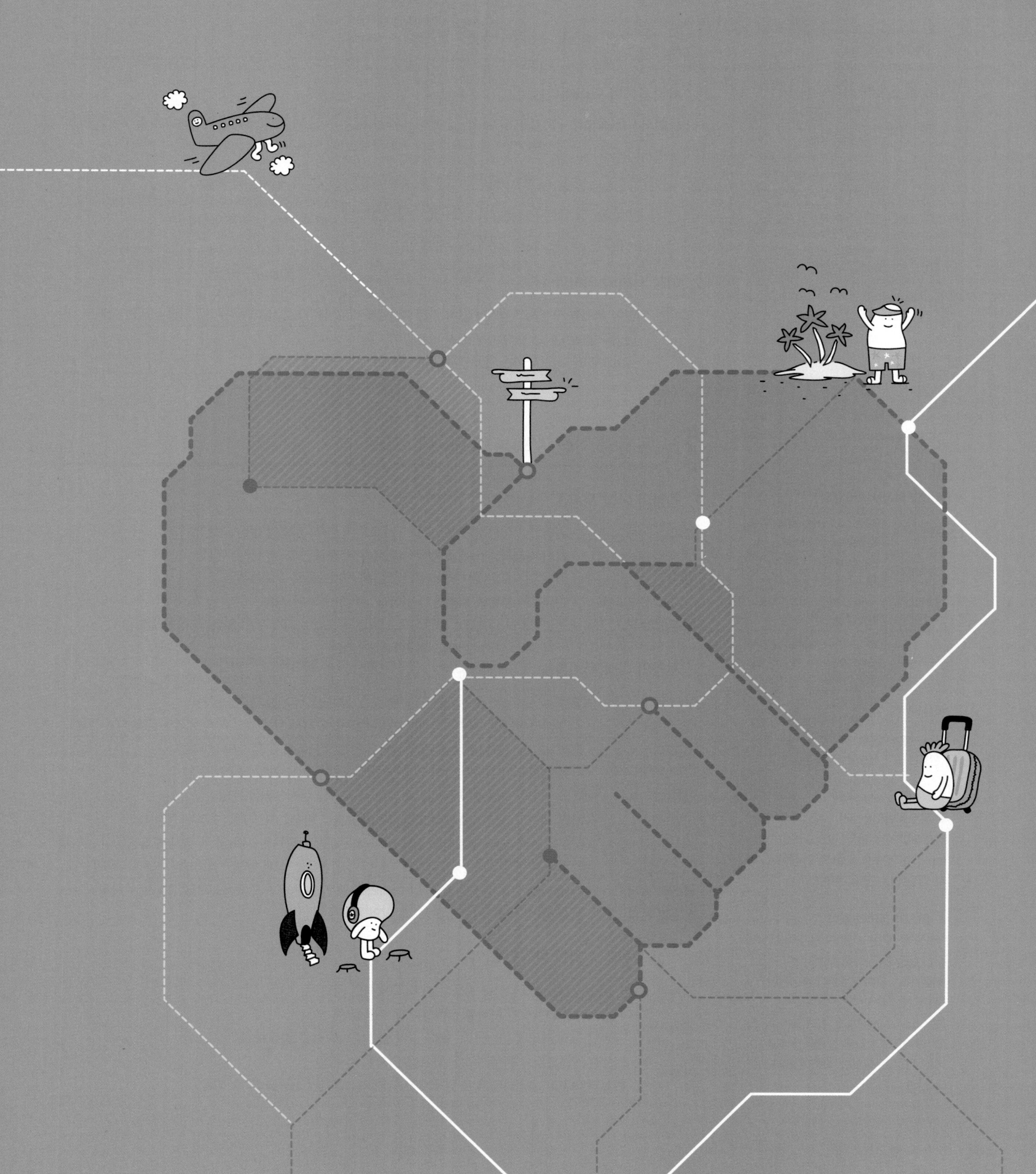

# 사회사상과 이상 사회

- 사회사상이 인간의 삶에 미치는 영향을 파악할 수 있다.
- 동서양의 다양한 이상 사회를 설명할 수 있다.

이것이 핵심!

사회사상과 이상 사회의 기능

| | |
|---|---|
| 사회사상 | • 사회 현상에 대한 이론적 틀을 제공<br>• 사회 현상을 평가하는 규범적 기준 제시<br>• 사회 변화의 실천 지침 제공 |
| 이상 사회 | • 현실 개혁의 기준과 목표 제공<br>• 이상 사회를 위한 신념과 실천 의지 부여 |

## 1 인간의 삶과 사회사상의 지향

### 1. 사회사상의 의미와 기능

(1) **사회사상의 의미**: 인간의 사회적 삶에서 나타나는 현상에 대한 체계적인 사유와 해석

예 자유주의, 공화주의, 민주주의, 자본주의, 세계 시민주의 등이 있어.

(2) **사회사상의 기능**

① 사회 현상을 설명하고 이해하는 데 도움이 되는 이론적 틀을 제공함

② 사회 현상을 평가하는 규범적 기준을 제시함 — 인간의 사회적 삶에서 어떤 가치가 중요한지에 대한 다양한 관점을 제시하기도 해.

③ 사회를 변화시키는 실천 지침을 제공함

### 2. 이상 사회의 의미와 기능

잠깐! 인류는 과거부터 끊임없이 이상 사회를 추구했지만, 그것이 현실에서 완벽하게 실현된 적은 없었어.

| | |
|---|---|
| 의미 | 인간이 사회를 구성하고 생활하면서 가장 바람직하다고 여기고, 그렇게 이루어지기를 바라는 사회 |
| 기능 | • 현실을 개혁하는 데 필요한 기준과 목표를 제시함<br>• 인간에게 더 나은 사회를 만들고자 하는 신념과 실천 의지를 부여함 |

이것이 핵심!

동서양 이상 사회의 특징

| | |
|---|---|
| 대동 사회 | 인(仁)이 모든 사람에게 확대된 도덕적 사회 |
| 소국과민 | 인위적 분별과 차별에서 벗어나 소박하게 사는 사회 |
| 정의로운 국가 | 국가의 세 계급이 각자의 역할에 충실한 국가 |
| 유토피아 | 경제적으로 풍요롭고 소유와 생산에서 완전한 평등을 이룬 도덕적 사회 |
| 공산 사회 | 사유 재산·계급이 소멸하고 경제적으로 평등한 사회 |
| 질서 정연한 사회 | 공적 정의관에 따라 효율적으로 규제되는 사회 |

★ **유토피아(Utopia)**
유토피아라는 말은 그리스어인 '없는(ou-)'과 '장소(topos)'의 합성어로 '아무 데도 없는 곳'을 뜻한다.

★ **롤스의 정의의 원칙**
(제1원칙) 모든 사람은 기본적 자유에 관한 동등한 권리를 가져야 한다.
(제2원칙) 사회·경제적 불평등은 다음 두 조건을 만족할 때 허용된다. 첫째, 최소 수혜자에게 최대 이익이 되고, 둘째, 그와 같은 불평등은 모든 이에게 개방된 직위나 직책에 결부되어야 한다.

## 2 동서양 이상 사회론의 현대적 의의

### 1. 동양의 이상 사회론

인(仁)이 모든 사람에게 확대된 도덕적 사회야.

| | |
|---|---|
| 공자의 대동 사회(大同社會) 자료 ① | • 현명하고 유능하다면 누구나 등용되는 신분적 차별이 없는 사회<br>• 사회적 재화의 고른 분배와 사회적 약자에 대한 보호가 이루어짐<br>• 가족 이기주의에서 벗어나 타인을 배려하는 도덕적 공동체임 |
| 노자의 소국과민(小國寡民) | • 인위적인 분별과 차별에서 벗어나 소박하게 사는 사회<br>• 문명의 이기(利器)에 무관심하고 자연의 순리에 따라 무위(無爲)의 삶을 살아감 |

이기: 기술 문명에 의해 만들어진 편리한 생활 수단이나 기구를 말해.

### 2. 서양의 이상 사회론

잠깐! 플라톤은 통치자가 사유 재산을 소유하거나 가족을 이루어서는 안 된다고 보았어.

| | |
|---|---|
| 플라톤의 정의로운 국가 | • 좋음의 이데아에 관한 지혜의 덕을 갖춘 철인(哲人)이 통치하는 국가<br>• 국가의 구성원인 생산자(절제), 방위자(용기), 통치자(지혜)가 각자의 역할을 충실히 수행함 |
| 모어의 ★유토피아 자료 ② | • 경제적으로 풍요롭고 소유와 생산에서 완전한 평등을 이룬 도덕적 사회<br>• 사유 재산을 인정하지 않아 잉여 생산에 대한 욕망을 가질 필요가 없음<br>• 필요 이상의 노동을 하지 않으며 정신적 자유와 문화생활을 누림 |
| 마르크스의 공산 사회 교과서 자료 | • 사유 재산과 계급이 소멸하고 생산력이 고도로 발전되어 경제적으로 안정된 사회<br>• 자신의 능력에 따라 일하고 필요에 따라 분배받는 평등한 사회임 → 경제적 불평등이 사라져 억압과 착취가 없음 — 마르크스는 생산 수단을 공유함으로써 비인간적인 사회적 모순을 극복할 수 있다고 보았어. |
| 롤스의 질서 정연한 사회 | • 각 성원의 선을 증진해 줄 뿐만 아니라 공적 정의관에 따라 효율적으로 규제되는 사회<br>• 질서 정연한 사회의 조건으로 ★정의의 원칙을 제안함 |

### 3. 이상 사회의 지향과 현대적 의의

| | |
|---|---|
| 지향점 | 평화로운 사회, 경제적으로 평등한 사회, 도덕적인 사회 등 |
| 의의 | • 관용적이고 다원적인 사회를 실현하는 데 도움을 줌<br>• 공평한 경제 제도에 바탕을 둔 분배 정의 실현의 중요성을 일깨워 줌 |
| 한계 | • 과도한 신념으로 인한 독선적인 태도를 야기할 수 있음<br>• 현실의 여건을 고려하지 않은 맹목적인 열정으로 과격한 행동을 할 수 있음 |

# 완자 자료 탐구

## 자료 1 공자의 대동 사회

> 큰 도(道)가 행해지고 천하가 모두의 것이다. 현명하고 유능한 자를 뽑아 다스리게 하니, 사람들은 자기 부모만 부모로 여기지 않고 자기 자식만 자식으로 여기지 않는다. 노인은 여생을 잘 마치게 하고, 장년은 일자리가 있으며, 어린이는 잘 양육되고, 홀로된 자와 병든 자도 모두 부양받는다. 남녀가 따로 직분이 있고, 재화가 낭비되는 것을 싫어하지만 그것을 결코 자신의 이익만을 위해 사용하지 않는다. 스스로 일하는 것을 싫어하지 않지만 자기만을 위해 일하지 않는다. 그러므로 음모가 생기지 않고 도적과 난적이 생기지 않기 때문에 바깥문을 닫을 필요가 없다. 이런 상태를 대동(大同)이라고 한다.
>
> – 『예기』

대동 사회는 인(仁)이 모든 사람에게 확대된 도덕적 공동체로서, 이상적인 성인(聖人)이 나라를 다스리고, 모든 사람이 서로를 위하여 가족 같은 관계를 맺으며, 자기의 이익만을 위하여 재물을 사용하지 않는 사회이다.

**자료 하나 더 알고 가자!**

**노자의 소국과민**

> 인구가 적은 작은 나라, 열 가지 백 가지 기계가 있으나 쓰지 않도록 하고, 백성이 죽음을 중히 여겨 멀리 옮겨 가는 일이 없게 하면, 배와 수레가 있어도 타는 일이 없고, 갑옷과 무기가 있어도 내보일 일이 없다. – 노자, 『도덕경』

노자는 유가에서 제시하는 예와 같은 인위적 덕목을 비판하면서, 적은 수의 백성이 작은 공동체를 이루어 소박하지만 자연스러운 삶을 살아가는 사회를 이상 사회로 제시하였다.

## 자료 2 토마스 모어의 『유토피아』

> 초승달 모양의 섬 유토피아에는 같은 말과 비슷한 풍습, 시설, 법률을 가진 54개의 마을이 있다. 그곳의 시민들에게는 빈곤도 없고 사치나 낭비도 없다. 이 섬의 성인들은 남녀를 가리지 않고 생산적 노동에 종사한다. 노동은 매일 6시간으로 제한되고, 8시간 잠자고 남은 시간은 정신적 오락이나 연구에 사용된다. 집집마다 열쇠를 채우거나 빗장을 거는 일이 절대로 없다. 왜냐하면 집 안에 들어간들 어느 개인의 소유란 없기 때문이다. 그리고 그곳의 시민들은 10년마다 제비를 뽑아 집을 교환한다.
>
> – 모어, 『유토피아』

영국의 사상가인 모어는 군주와 귀족의 사치 및 16세기 당시의 금전만능의 사회적 풍조를 비판하기 위해 『유토피아』를 발표하였다. 유토피아란 기본적으로 계급과 신분을 철폐하고, 생산과 소유의 평등을 실현하며, 도덕적으로 타락하지 않은 사회이다.

**자료 하나 더 알고 가자!**

**베이컨의 뉴 아틀란티스**

> 우리가 만든 물을 마시면 건강이 증진되고 생명이 연장됩니다. 우리는 유성의 체계와 운동을 모방한 거대한 건물도 만들었습니다. 여기에서 눈, 비, 우박 등을 인공적으로 내리게 하며, 천둥과 번개도 만들 수 있습니다. …… 한 번 먹고 나면 오랫동안 먹지 않아도 살 수 있는 고기, 빵, 음료수도 개발하였습니다.
>
> – 베이컨, 『뉴 아틀란티스』

베이컨이 제시한 뉴 아틀란티스는 과학 기술이 발달하여 인간 생활이 풍요로워지고 복지가 증진된 이상 사회이다.

## 수능이 보이는 교과서 자료 마르크스의 공산 사회

> 만일 프롤레타리아가 부르주아(자본가 계급)에 대항하는 투쟁에서 반드시 계급으로 한데 뭉쳐 혁명을 통해 스스로 지배 계급이 되고, 또 지배 계급으로서 낡은 생산관계를 폭력적으로 폐지하게 된다면 그들은 이 생산관계와 아울러 계급적 대립의 존재 조건과 모든 계급을 폐지하게 될 것이다. 따라서 자기 자신의 계급적 지배까지도 폐지하게 될 것이다.
>
> – 마르크스·엥겔스, 『공산당 선언』

마르크스는 물질 만능주의, 사기나 도둑질과 같은 범죄, 자본의 소유에 따른 차별 등의 사회 문제들이 사유 재산 제도 때문에 발생한다고 보았다. 그래서 그는 사유 재산 제도를 바탕으로 하는 자본주의 사회를 비판하면서 공산 사회를 이상 사회로 제시하였다. 공산 사회는 생산 수단이 공유되어 계급이 소멸하고 생산력이 고도로 발전하여, 구성원 각자가 능력에 따라 일하고 필요에 따라 분배받는 평등한 사회이다.

잠깐! 마르크스는 공산 사회가 도래하면 궁극적으로 국가도 소멸할 것이라고 주장하였어.

**완자샘의 탐구 강의**

**• 마르크스가 주장한 자본주의 사회의 문제점과 그 해결 방안을 서술하시오.**

마르크스는 사유 재산 제도로 인해 물질 만능주의, 사기나 도둑질, 자본의 소유에 따른 차별 등과 같은 문제가 발생한다고 보았다. 그래서 그는 이러한 문제를 해결하기 위해 생산 수단을 공유하고, 구성원 각자가 능력에 따라 일하고 필요에 따라 분배받아야 한다고 주장하였다.

함께 보기 187쪽, 1등급 정복하기 2

# STEP 1 핵심 개념 확인하기

정답친해 48쪽

**1** 밑줄 친 '이것'에 해당하는 용어를 쓰시오.

> 이것은 인간이 사회를 구성하고 생활하면서 가장 바람직하다고 여기고, 그렇게 이루어지기를 바라는 사회를 의미한다.

**2** 다음 설명에 해당하는 이상 사회를 〈보기〉에서 골라 기호를 쓰시오.

> **보기**
> ㄱ. 대동 사회　　　　　ㄴ. 소국과민

(1) 이상적인 성인이 나라를 다스리고, 모든 사람이 서로를 위하여 가족 같은 관계를 맺으며, 자기 이익만을 위하여 재물을 사용하지 않는 사회이다. (　　)

(2) 작은 영토에 적은 수의 백성으로 구성된 사회로, 인간의 자유로운 삶을 제약하는 인위를 거부하고, 구성원이 인간의 본래적 자연성에 따라 살아가는 사회이다. (　　)

**3** 서양의 이상 사회론과 그에 대한 설명을 옳게 연결하시오.

(1) 플라톤의 정의로운 국가 •　　• ㉠ 공적 정의관에 따라 효율적으로 규제되는 사회

(2) 모어의 유토피아 •　　• ㉡ 좋음의 이데아에 관한 지혜를 갖춘 철인이 통치하는 국가

(3) 마르크스의 공산 사회 •　　• ㉢ 초승달 모양의 섬으로, 소유와 생산에서 완전한 평등을 이룬 도덕적 사회

(4) 롤스의 질서 정연한 사회 •　　• ㉣ 프롤레타리아 혁명으로 사유 재산과 계급이 소멸하고 경제적 평등을 이룬 사회

**4** 베이컨이 제시한 (　　　　)는 과학 기술이 발달하여 인간 생활이 풍요로워지고 복지가 증진된 이상 사회이다.

# STEP 2 내신 만점 공략하기

**01** 다음은 인터넷에서 ㉠을 검색한 결과이다. ㉠에 대한 옳은 설명만을 〈보기〉에서 있는 대로 고른 것은?

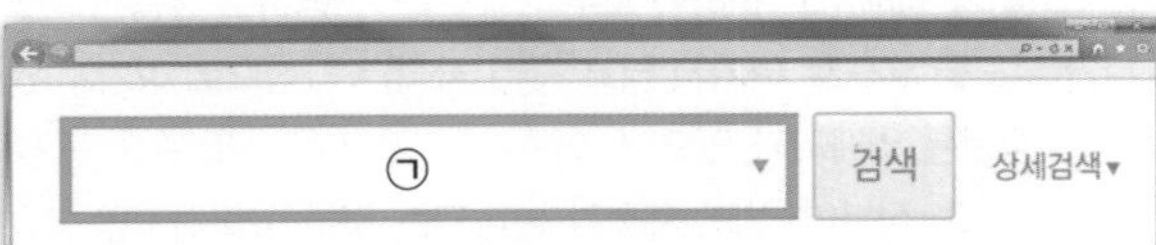


> • 인간의 사회적 삶에서 나타나는 현상에 대한 체계적인 사유와 해석을 의미한다.
> • 구체적인 예시로 자유주의, 공화주의, 민주주의, 자본주의, 세계 시민주의 등이 있다.

> **보기**
> ㄱ. 사회 현상을 평가하는 규범적 기준을 제시한다.
> ㄴ. 사회를 변화시키기 위한 실천 지침을 제공한다.
> ㄷ. 인간의 사회적 삶보다는 개인의 삶에 초점을 맞춘다.
> ㄹ. 사회 현상을 설명하고 이해하기 위한 이론적 틀을 제공한다.

① ㄱ, ㄴ　② ㄴ, ㄷ　③ ㄱ, ㄴ, ㄷ
④ ㄱ, ㄴ, ㄹ　⑤ ㄴ, ㄷ, ㄹ

**02** 다음 이상 사회에 대한 설명으로 옳지 않은 것은?

> 큰 도(道)가 행해지고 천하가 모두의 것이다. 현명하고 유능한 자를 뽑아 다스리게 하니, 사람들은 자기 부모만 부모로 여기지 않고 자기 자식만 자식으로 여기지 않는다. 노인은 여생을 잘 마치게 하고, 장년은 일자리가 있으며, 어린이는 잘 양육되고, 홀로된 자와 병든 자도 모두 부양받는다. 남녀가 따로 직분이 있고, 재화가 낭비되는 것을 싫어하지만 그것을 결코 자신의 이익만을 위해 사용하지 않는다.

① 이상적인 성인(聖人)이 다스리는 사회이다.
② 인(仁)이 모든 사람에게 확대된 도덕적 사회이다.
③ 사회적 약자에 대한 보호가 잘 이루어지는 사회이다.
④ 현명하고 유능한 사람이 등용되는 신분적 차별이 없는 사회이다.
⑤ 자기 가족과 타인을 구분하는 가족 이기주의를 바탕으로 하는 사회이다.

정답친해 48쪽

**03** 갑은 긍정, 을은 부정의 대답을 할 질문으로 가장 적절한 것은?

> 갑: 지극히 선한 상태는 물의 성질을 닮은 상태입니다. 물은 만물을 이롭게 하면서도 다투지 않는 부쟁(不爭)의 덕을 지니고 있습니다. 인간은 이러한 물과 같은 무위(無爲)의 삶을 살아야 합니다.
> 을: 사람의 마음에는 '인(仁)'이 자리 잡고 있습니다. 부모와 자식 사이의 관계에서 인(仁)은 사랑의 감정으로 드러납니다. 이 사랑의 감정을 온전히 길러 모든 사람에게 확대할 때, 우리는 도덕적 사회를 만들 수 있습니다.

① 규모가 크고 백성이 많은 나라를 지향해야 하는가?
② 인의(仁義)를 바탕으로 한 도덕적 사회를 지향해야 하는가?
③ 예(禮)와 같은 인위적 분별에서 벗어나 소박하게 살아야 하는가?
④ 모든 사람이 깨달음을 얻어 고통에서 벗어난 사회를 지향해야 하는가?
⑤ 이상 사회를 실현하기 위해 인위적인 제도와 규범을 확립해야 하는가?

**04** 다음과 같이 주장한 사상가의 입장에만 모두 'V'를 표시한 학생은?

> 인구가 적은 작은 나라, 열 가지 백 가지 기계가 있으나 쓰지 않도록 하고, 백성이 죽음을 중히 여겨 멀리 옮겨 가는 일이 없게 하면, 배와 수레가 있어도 타는 일이 없고, 갑옷과 무기가 있어도 내보일 일이 없다.

| 입장 \ 학생 | 갑 | 을 | 병 | 정 | 무 |
|---|---|---|---|---|---|
| 인위적인 문명을 발달시켜야 한다. | V | | | | V |
| 자연의 순리에 따라 무위의 삶을 살아야 한다. | V | V | V | V | |
| 대동 사회(大同社會)를 이상 사회로서 지향해야 한다. | | | V | V | |
| 작은 영토에 적은 수의 백성으로 구성된 사회를 지향해야 한다. | V | V | V | | V |

① 갑 ② 을 ③ 병 ④ 정 ⑤ 무

**05** 그림의 강연자가 지지할 주장으로 옳은 것을 <보기>에서 고른 것은?

> 인간의 영혼은 이성, 기개, 욕망의 세 부분으로 이루어져 있습니다. 그리고 영혼의 각 부분이 제 기능을 다하며 서로 조화를 이룰 때 영혼의 정의가 실현됩니다. 이와 마찬가지로 국가의 세 계급이 제 역할을 다하며 조화를 이룰 때 정의로운 국가가 될 수 있습니다.

**보기**
ㄱ. 생산자는 용기의 덕을 잘 발휘해야 한다.
ㄴ. 나라의 통치자는 사유 재산을 소유해서는 안 된다.
ㄷ. 세 계급은 필요에 따라 자신의 역할을 유동적으로 바꿀 수 있다.
ㄹ. 좋음의 이데아에 관한 지식을 갖춘 사람이 국가를 통치해야 한다.

① ㄱ, ㄴ ② ㄱ, ㄷ ③ ㄴ, ㄷ
④ ㄴ, ㄹ ⑤ ㄷ, ㄹ

**06** ㉠에 대한 설명으로 옳지 않은 것은?

> 초승달 모양의 섬 ( ㉠ )에는 같은 말과 비슷한 풍습, 시설, 법률을 가진 54개의 마을이 있다. 그곳의 시민들에게는 빈곤도 없고 사치나 낭비도 없다. 이 섬의 성인들은 남녀를 가리지 않고 생산적 노동에 종사한다. 노동은 매일 6시간으로 제한되고, 8시간 잠자고 남은 시간은 정신적 오락이나 연구에 사용된다. 집집마다 열쇠를 채우거나 빗장을 거는 일이 절대로 없다. 왜냐하면 집 안에 들어간들 어느 개인의 소유란 없기 때문이다.

① 사람들의 사유 재산을 인정하는 사회이다.
② 현실에는 존재하지 않는 이상향을 의미한다.
③ 소유와 생산에서 완전한 평등을 이룬 사회이다.
④ 금전만능의 사회적 풍조에 대해 비판적인 사회이다.
⑤ 필요 이상의 노동을 하지 않으며 정신적 여가와 문화생활을 누리는 사회이다.

**07** 학생의 답이 옳게 표시된 것을 ㉠~㉣ 중에서 고른 것은?

> **형성 평가**
>
> △학년 □반 이름: ○○○
>
> ※ 다음 주장을 한 사상가의 입장으로 옳으면 '예', 틀리면 '아니요'에 V표를 하시오.
>
> 프롤레타리아가 부르주아에 대항하는 투쟁에서 반드시 계급으로 한데 뭉쳐 혁명을 통해 스스로 지배 계급이 되고, 또 지배 계급으로서 낡은 생산관계를 폭력적으로 폐지하게 된다면 그들은 이 생산관계와 아울러 계급적 대립의 존재 조건과 모든 계급을 폐지하게 될 것이다.
>
> - 주장1: 개인의 재산권은 사유 재산 제도로 보호해야 한다. 예☑ 아니요□ …… ㉠
> - 주장2: 생산 수단을 공유하여 경제적 평등을 실현해야 한다. 예□ 아니요☑ …… ㉡
> - 주장3: 구성원 각자가 능력에 따라 일하고 필요에 따라 분배받아야 한다. 예☑ 아니요□ …… ㉢
> - 주장4: 자본주의를 비판적으로 고찰해 건전한 자본주의를 만들어야 한다. 예□ 아니요☑ …… ㉣

① ㉠, ㉡　② ㉠, ㉢　③ ㉡, ㉢
④ ㉡, ㉣　⑤ ㉢, ㉣

중요

**08** 다음과 같이 주장한 사상가에 대한 설명으로 옳은 것은?

> 첫째, 각 개인은 다른 사람의 자유와 양립할 수 있는 평등한 기본적 자유를 최대한 누릴 수 있는 평등한 권리를 가져야 한다. 둘째, 사회적·경제적 불평등은 다음 두 조건을 만족시키도록 편성되어야 한다. 우선 최소 수혜자에게 최대의 이익이 되고, 다음으로 공정한 기회균등의 조건 아래 모든 이에게 개방된 직책과 직위에 결부되어야 한다.

① 경제적 불평등이 완전히 사라진 사회를 주장한다.
② 어떠한 경우에도 불평등을 인정하지 말아야 한다고 본다.
③ 사유 재산을 폐지하고 생산 수단을 공유해야 한다고 본다.
④ 사회적 지위에 따라 자유에 대한 권리가 달라진다고 본다.
⑤ 공적 정의관에 따라 효율적으로 규제되는 사회를 지향한다.

## 서술형 문제

● 정답친해 49쪽

**01** 다음 글을 읽고 물음에 답하시오.

> 이것은 인간의 사회적 삶에서 나타나는 현상에 대한 체계적인 사유와 해석을 담고 있다. 우리가 살아가는 사회는 끊임없이 변화하며 이에 따라 추구하는 가치도 변화한다. 예를 들어 어떤 시대에는 개인보다 공동체를 강조하고, 또 어떤 시대에는 공동체보다 개인을 강조하기도 한다.

(1) 밑줄 친 '이것'에 해당하는 용어를 쓰시오.

(2) 밑줄 친 '이것'의 기능을 두 가지 이상 서술하시오.

길잡이 사회사상이 우리 삶에서 어떤 기능을 하는지 서술한다.

**02** ㉠에 해당하는 이상 사회와 그 특징을 서술하시오.

> 롤스는 현대에서 지향해야 할 이상적인 사회의 모습으로 [㉠]을/를 제시하였다. [㉠]에서 중요한 역할을 하는 것이 공적인 정의관이다. 그는 인간의 이기적인 경향성이 서로 간의 경계를 불가피하게 한다면, 공적인 정의관은 그들의 굳건한 결합을 가능하게 해 주고, 서로 다른 목적과 의도를 가진 사람들의 유대를 공고히 해 준다고 본다.

길잡이 롤스의 질서 정연한 사회의 특징에 대해 서술한다.

**03** 밑줄 친 '한계'에 해당하는 내용을 두 가지 서술하시오.

> 이상 사회는 현실을 개혁하는 데 필요한 기준과 목표를 제시하고, 인간에게 더 나은 사회를 만들고자 하는 신념과 실천 의지를 부여한다. 그러나 인류가 이상 사회를 끊임없이 꿈꾸어 왔음에도, 이상 사회는 그 한계로 인해 완벽하게 실현된 적이 없다.

길잡이 이상 사회의 한계를 두 가지 서술한다.

정답친해 49쪽

# STEP 3 1등급 정복하기

수능 응용

**1** 고대 동양 사상가 갑, 을에 대한 옳은 설명만을 〈보기〉에서 있는 대로 고른 것은?

> 갑: 새나 짐승과는 함께 모여 살 수 없으니 내가 세상 사람들과 더불어 살지 않으면 누구와 더불어 살겠는가? 인(仁)은 나에게서 말미암은 것이니, 덕(德)으로 인도하고 예(禮)로 다스려야 사람들이 염치를 알게 된다.
> 을: 하늘과 땅이 오래도록 지속되는 것은 자기만을 위해 살지 않기 때문이다. 성인도 자신을 뒤에 세우지만 앞서게 되고 자기를 버리지만 자기를 보존하게 된다. 성인은 억지로 하지 않으니[無爲] 다스려지지 않는 것이 없다.

**보기**

ㄱ. 갑은 재화의 고른 분배를 통한 사회적 화합을 도모한다.
ㄴ. 갑은 인(仁)이 모든 사람에게 확대된 도덕적 사회를 지향한다.
ㄷ. 을은 문명의 발달을 추구하지 않는 소박하고 자족적인 삶을 지향한다.
ㄹ. 을은 인위적인 예(禮)의 실현을 위해 부쟁(不爭)의 덕이 필요하다고 본다.

① ㄱ, ㄴ ② ㄴ, ㄷ ③ ㄱ, ㄴ, ㄷ
④ ㄱ, ㄴ, ㄹ ⑤ ㄴ, ㄷ, ㄹ

**공자와 노자의 이상 사회**

**완자샘의 시험 꿀팁**

공자와 노자, 또는 유교 사상가와 도가 사상가를 비교하는 문제가 수능에서 자주 출제되니, 인위적인 덕목에 대한 공자와 노자의 입장 차이를 잘 정리해 둘 필요가 있다.

**2** (가)의 갑, 을의 입장을 (나) 그림으로 탐구할 때, A~C에 들어갈 질문으로 옳지 않은 것은?

(가)
갑: 공산 사회에서는 노동 분업에 예속된 개인의 노예 상태가 사라지고, 노동이 생활을 위한 수단일 뿐 아니라 삶의 기본적 욕구가 된다. 생산력 또한 증가되고 집단의 부가 풍요로워진다. 각자는 자신의 능력에 따라 일하고, 자신의 필요에 따라 분배받는다.
을: 유토피아는 생산과 소유의 평등이 실현된 사회이다. 이곳의 시민들에게는 빈곤도 없고 사치나 낭비도 없다. 개인이 어떤 것도 소유하지 않기 때문에 집집마다 열쇠를 채우거나 빗장을 거는 일이 절대로 없다.

(나)
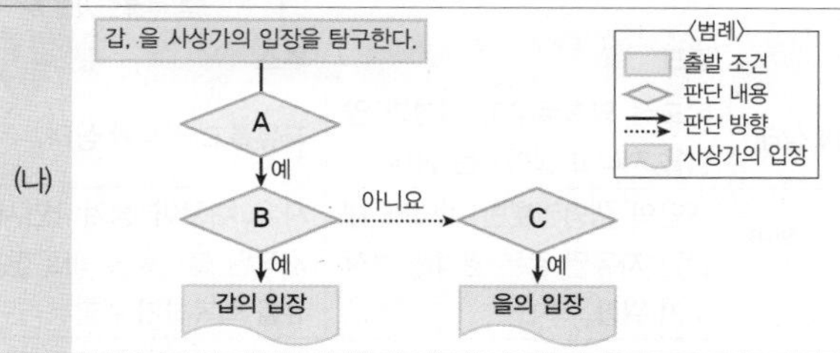


① A: 사유 재산 제도를 인정하지 않는가?
② B: 생산과 소유에 있어 평등을 실현해야 하는가?
③ B: 프롤레타리아 혁명을 통해 자본주의를 전복해야 하는가?
④ C: 필요 이상의 노동을 하지 않으면서 문화생활을 누릴 수 있는가?
⑤ C: 경제적으로 풍요롭고 도덕적으로 타락하지 않은 사회를 지향하는가?

**모어와 마르크스의 이상 사회**

**완자 사전**

• **예속**
남의 지배나 지휘 아래 매여 있는 상태

# 02 국가

학습목표
- 국가의 기원과 본질에 대한 동서양의 사상을 이해할 수 있다.
- 국가의 역할과 정당성에 대한 비판적이고 체계적인 관점을 지닐 수 있다.

이것이 핵심!

국가의 기원과 본질에 관한 관점들

| | |
|---|---|
| 유교 | 국가는 도덕적인 삶을 위한 도덕 공동체 |
| 아리스토텔레스 | 국가는 생존뿐만 아니라 구성원의 훌륭한 삶을 실현하기 위한 공동체 |
| 공화주의 | 국가는 공동선을 지향하는 시민들이 참여하여 만든 공동체 |
| 사회 계약론 | 국가는 자유롭고 평등한 인간이 자신의 생명, 자유, 재산 등을 지키려고 만들어낸 수단 |
| 마르크스 | 국가는 지배 계급이 피지배 계급을 억압하고 착취하기 위한 수단 |

★ **공화주의(Republicanism)**
공화주의는 '공공의 것'을 뜻하는 라틴어 '레스 푸블리카(res publica)'에서 유래하였다. 이는 '개인적인 것'이라는 뜻의 '레스 프리바타(res privata)'와 반대되는 용어이다.

★ **공동선**
개인만을 위한 것이 아니라 국가나 사회와 같은 공동체나 온 인류를 위한 선을 뜻한다. 공공선(公共善)이라고도 한다.

★ **자연 상태**
근대 사회 계약론에서 국가의 성립을 설명할 때 전제가 되는 상태로서, 정치 사회가 형성되기 이전의 상태를 가리킨다.

## 1 국가의 기원과 본질에 대한 관점

### 1. 유교의 관점

(1) **국가의 기원**: 가족 질서가 확장되어 국가가 형성되었다고 봄 자료 ①

(2) **국가의 본질**

① 백성들의 도덕적인 삶을 위한 도덕 공동체

② 가족 윤리인 효제(孝悌)가 확대되어 인의(仁義)가 실현되는 공동체

### 2. 아리스토텔레스의 관점 자료 ②

(1) **국가의 기원**: 인간의 사회적·정치적 본성에 의해 자연스럽게 형성되었다고 봄 — 아리스토텔레스는 "시간적으로는 개인이 국가에 선행하지만, 논리적으로는 국가가 개인에 선행한다."라고 말하였어.

(2) **국가의 본질**

① 행복의 실현이라는 최고선을 추구하는 도덕적 공동체 — 왜? 아리스토텔레스는 선악, 옳고 그름에 대한 인식의 공유에서 가정과 국가가 생성되는 것이라고 보았어.

② 단순한 생존뿐만 아니라 구성원의 훌륭한 삶을 실현하기 위한 공동체

### 3. ★공화주의의 관점 — 공화주의는 크게 시민적 공화주의와 신로마 공화주의로 나눌 수 있어.

(1) **국가의 기원**: 시민의 자유를 보장하기 위해 ★공동선을 지향하는 시민들이 참여하여 만든 것이라고 봄

(2) **국가의 본질**

① 시민의 자유를 지켜내기 위한 수단 — 신로마 공화주의의 입장이야.

② 특정 개인의 소유물이 아니라 공공의 것 — 공화주의자인 키케로는 "국가는 인민의 것이다. 인민은 무작정 모인 사람들의 집합이 아니라 정의와 공동선을 위해 협력한다고 동의한 다수의 결사이다."라고 말하였어.

### 4. 사회 계약론의 관점

(1) **국가의 기원**: 개인들이 자신의 자유와 권리를 보장받기 위해 동의와 계약을 통해 국가를 형성하였다고 봄 자료 ③ — VS 중세에는 국가와 군주의 기원을 신의 뜻으로 설명하는 왕권신수설이 지배적이었어.

(2) **국가의 본질**: 자유롭고 평등한 인간이 자신의 생명, 자유, 재산 등을 지키기 위해 만들어낸 수단 — 사회 계약론에 따르면, 국가는 개인에 선행하지 않아.

(3) **사회 계약론에 대한 입장들**

잠깐! 루소는 사회 계약론을 주장했지만 동시에 공화주의자로 분류되기도 해.

| 구분 | 홉스 | 로크 | 루소 |
|---|---|---|---|
| ★자연 상태 | 만인에 대한 만인의 투쟁 상태 | 비교적 평화로우며 이성과 양심을 지니고 살아가는 상태 | 자유롭고 평등한 상태 |
| 사회 계약의 목적 | 평화 유지를 통해 개인의 생명을 보존하기 위함 | 개인의 생명권뿐만 아니라 재산권·자유권 같은 권리를 보장하기 위함 | 사유 재산이 생겨나면서부터 시작된 불평등을 바로잡고 자유를 회복하기 위함 |

### 5. 마르크스의 관점 — 마르크스는 국가가 생기기 이전인 최초의 원시 공산 사회에서는 모두가 평등했다고 주장하였어.

(1) **국가의 기원**: 소수의 지배 계급이 다수의 피지배 계급을 억압하고 착취하기 위한 수단으로서 생겨났다고 봄

(2) **국가의 본질**: 계급 지배의 수단이자 계급 지배와 착취를 노동자 계급이 깨닫지 못하도록 이념으로 정당화하는 가장 강력한 도구

# 완자 자료 탐구

내 옆의 선생님

## 자료 1 공자의 정치관

> 어떤 사람이 공자에게 물었다. "선생님은 왜 정치에 참여하지 않습니까?" 선생님께서 말씀하셨다. "『서경(書經)』에서 '효도하라, 오직 효도하라. 형제간에 우애하여 (이러한 기풍이) 정치에까지 이르게 하라.'라고 하였다. 이것도 정치에 참여하는 것이니, 어찌 벼슬자리에 앉아야만 정치하는 것이겠는가."
>
> – 공자, 『논어』

유교에서는 효제(孝悌)와 같은 가족 윤리가 국가를 다스리는 토대가 되며, 부모를 섬기는 도리와 나라를 다스리는 원리의 근본이 다르지 않다고 본다. 따라서 자식은 부모에게 효도하고 부모는 자식을 자애로 대해야 하는 것처럼, 백성은 군주에게 충성하고 군주는 백성을 사랑으로 대함으로써 백성들이 도덕적인 삶을 살 수 있도록 해야 한다고 본다.

## 자료 2 아리스토텔레스의 국가관

> 필요 충족을 위해 자연적으로 형성된 공동체가 국가이고, 여러 가정으로 구성된 최초의 공동체가 마을이다. 여러 부락으로 구성되는 완전한 공동체가 국가인데, 국가는 완전한 자급자족이라는 최고 단계에 도달해 있다. 다시 말해 국가는 단순한 생존을 위해 형성되었지만 훌륭한 삶을 위해 존속하는 것이다.
>
> – 아리스토텔레스, 『정치학』

아리스토텔레스는 인간을 정치적 동물로 규정하고, 국가란 인간의 정치적 본성에 따라 자연적으로 만들어진 산물이라고 보았다. 이때 국가는 개인의 자아실현과 도덕적 능력 계발을 가능하게 하는 최상의 공동체로서, 개인의 행복한 삶을 위해 필수적인 것이다.

## 자료 3 근대 사회 계약론

> • 원래 자유를 사랑하고 타인을 지배하기를 좋아하는 인간이 국가의 틀 안에서 살기로 한 궁극적 이유는 자기 보존과 그것에 따른 만족한 생활에 대한 전망이나 예상에 기인한다. 즉 인간이 자연 상태의 비참한 전쟁 상황으로부터 빠져나오고 싶다고 생각했기 때문이다. – 홉스, 『리바이어던』
>
> • 사람들이 사회에 들어갈 때 그들이 자연 상태에서 가졌던 평등, 자유 및 집행권을 사회의 선이 요구하는 바에 따라 입법부가 처리할 수 있도록 사회의 수중에 양도한다. 그러나 그것은 오직 모든 사람이 그 자신, 그의 자유 및 그의 재산을 더욱 잘 보존하려는 의도에서 행하는 것이다. – 로크, 『통치론』
>
> • 인간은 자신의 자연 상태를 그대로 보존하고자 한다. 그러나 그것을 방해하는 힘이 너무 강해져서, 개인이 감당할 수 없는 지경에 이르렀다. …… 각 개인은 전체와 결합하지만 종전처럼 자신에게만 복종하고, 그전처럼 자유를 잃지 않는 연합 형태야말로 사회 계약으로 이루어야 할 근본적인 과제이다. ─ 루소도 공동의 힘으로 각자의 생명과 재산을 보호하고 보존하기 위한 연합 형태를 지향하였어. – 루소, 『사회 계약론』

홉스, 로크, 루소는 대표적인 사회 계약론자이다. 사회 계약의 구체적인 내용에 대한 입장은 다르지만, 그들은 공통적으로 자연 상태의 개개인이 자신의 권리를 제대로 보장받지 못하는 상황을 벗어나기 위해 계약을 통해 국가를 형성했다고 주장하였다.

### 자료 하나 더 알고 가자!

**유교의 국가관**

> 하늘이 듣고 보는 것은 백성이 듣고 보는 것이다. 하늘이 밝히고 두렵게 하는 것 또한 백성을 통하여 밝히고 두렵게 하는 것이다. 이처럼 하늘과 백성은 서로 통하는 것이니, 땅을 다스리는 사람은 백성을 공경해야 한다. – 『서경』

유교는 국가의 근본을 백성에서 찾는 민본주의(民本主義) 사상을 바탕으로 백성의 마음을 하늘의 마음으로 여기고, 백성의 목소리에 귀 기울여야 한다고 본다.

### 문제로 확인할까?

**아리스토텔레스의 국가관으로 옳은 것은?**

① 지배 계급의 착취 수단
② 효제(孝悌)가 확대된 공동체
③ 행복을 실현하기 위한 공동체
④ 개인의 자유를 지키기 위한 수단
⑤ 신에게서 권력을 부여받은 공동체

③ 답

### 정리 비법을 알려줄게!

**홉스, 로크, 루소의 사회 계약론**

| | |
|---|---|
| 홉스 | • 자연 상태: 만인에 대한 만인의 투쟁 상태<br>• 평화 유지를 통한 개인의 생명 보존이 목적 |
| 로크 | • 자연 상태: 비교적 평화로운 상태<br>• 생명, 재산, 자유 등의 보장이 목적 |
| 루소 | • 자연 상태: 자유롭고 평등한 상태<br>• 문명사회의 불평등을 바로잡고 자유를 회복하는 것이 목적 |

# 02 국가

## 2 국가의 역할과 정당성에 대한 동서양 사상

### 1. 국가의 역할과 정당성

**(1) 유교** — 유교에서 국가가 해야 할 일은 곧 군주가 해야 할 일이야.

① 국가의 역할: 민본 정치를 바탕으로 *위민을 실현하고, 국가를 인륜이 실현되는 도덕 공동체로 만드는 것

(군주는 법이나 형벌보다는 인륜에 따라 백성을 다스려야 해.)

② 국가의 정당성 확보 방안
- 백성들이 도덕적인 삶을 살 수 있도록 경제적 안정을 이루어야 함 자료 ④
- 방위력을 길러 백성의 생명과 재산을 보호해야 함

꼭! 맹자는 군주가 정당성을 잃으면 군주를 바꿀 수도 있다는 역성혁명 사상을 주장하였어.

**(2) 아리스토텔레스**

① 국가의 역할: 시민이 행복한 삶을 살 수 있도록 이끄는 것

② 국가의 정당성 확보 방안: 시민이 정치에 참여할 수 있는 제도를 마련하고, 그들이 영혼의 탁월성을 발휘하여 덕 있는 삶(행복한 삶)을 실현할 수 있도록 해야 함

**(3) 공화주의**

① 국가의 역할: 시민의 자유를 보장하고, 공동선을 실현하기 위해 *시민적 덕성을 기를 수 있도록 돕는 것

② 국가의 정당성 확보 방안
- 시민들이 공적인 의사 결정에 적극적으로 참여할 수 있는 제도와 질서를 마련해야 함
- 특정한 소수가 국가 권력을 독점하여 사익을 추구하지 못하도록 해야 함

(신로마 공화주의에서는 소수가 권력을 독점할 때 국가가 정당성을 잃게 된다고 주장해.)

**(4) 사회 계약론** 교과서 자료

잠깐! 홉스는 권리를 양도받은 절대 군주를 「구약 성경」에 나오는 바다 괴물인 '리바이어던'에 비유해서 그 막강한 권력을 표현하였어.

| 구분 | 홉스 | 로크 |
|---|---|---|
| 국가의 역할 | 사회 질서와 평화를 유지하는 것 | 개인의 생명, 자유, 재산 등을 보장하는 것 |
| 국가 정당성에 대한 입장 | • 개인의 안전을 보장할 때 정당성을 가짐<br>• 개인은 자신의 모든 권리를 절대 군주에게 양도했으므로 정치적 저항은 불가능함 → 개인이 자신의 신체와 생명을 부당하게 위협당하면 개별적 반발은 가능함 | • 국가의 역할을 잘 수행할 때 정당성을 지님<br>• 개인은 자신의 모든 권리를 국가에 양도한 것이 아님 → 정부가 개인의 권리를 침해하거나 공동선을 해칠 경우 시민들은 정치적 저항권을 행사할 수 있음 |

**(5) 마르크스** 자료 ⑤

① 국가의 역할: 자본가 계급을 보호하고, 노동자에 대한 자본가의 착취를 방임하는 것

② 국가의 정당성 확보 방안: 국가는 그 자체로 정당성을 지니지 못하고, *역사의 필연적인 발전 단계에 따라 소멸할 것임

(국가가 소멸한 후에는 '각자의 자유로운 발전이 만인의 자유로운 발전을 위한 조건이 되는 연합체'가 국가를 대체할 것이라고 주장하였어.)

### 2. 현대 국가의 역할

(1) **국민 복지와 행복 실현**: 경제적 불평등을 해소하고 국민의 인간다운 삶과 자아실현에 기여해야 함

(2) **국민의 도덕성과 시민성 함양**: 국민의 도덕성과 시민성을 함양하여 국가 발전에 도움을 주도록 해야 함

(3) **국민의 생명, 재산, 자유 등의 보장**: 외적의 침입과 국내외 범죄, 테러로부터 국민의 안전과 생명을 보호해야 함

---

**이것이 핵심!**

**홉스와 로크의 국가관**

| | |
|---|---|
| 홉스 | • 국가 역할: 사회 질서와 평화 유지<br>• 저항권: 절대 군주에게 권리를 전면 양도하였으므로 정치적 저항 불가 |
| 로크 | • 국가 역할: 개인의 생명, 자유, 재산 등의 보장<br>• 저항권: 권리를 일부만 양도하였으므로 정치적 저항 가능 |

**★ 위민(爲民)**
'백성을 위한다.'라는 뜻으로서, 백성의 뜻은 곧 하늘의 뜻이므로 군주는 백성을 위한 정치를 펼쳐야 한다는 '천명(天命)사상'에서 잘 드러난다.

**★ 시민적 덕성(Civic virtue)**
공적인 일에 대한 관심과 지식, 공동체의 구성원으로서 가지는 소속감 등을 의미하는 말이다.

**★ 마르크스의 역사 발전 단계**

**원시 공산 사회**
(무계급)
↓ 잉여 생산물 발생
**계급 사회**
고대 노예 사회 (자유민↔노예)
↓
중세 봉건 사회 (영주·귀족↔농노)
↓
근대 자본주의 사회 (자본가↔노동자)
↓ 사회주의(과도기)
**공산주의 사회**
(무계급)

## 완자 자료 탐구

내 옆의 선생님

### 자료 4 맹자가 주장한 항산과 항심

> 현명한 군주는 백성들의 생업을 마련해 주는데, 반드시 위로는 부모를 섬기기에 충분하게 하고 아래로는 처자를 먹여 살릴 만하게 하여, 풍년에는 언제나 배부르고 흉년에는 죽음을 면하게 한다. 그렇게 한 후에 백성들을 선(善)한 데로 유도하므로 백성들이 따르기 쉽다. – 맹자, 『맹자』

맹자는 덕치를 실현하기 위해서 경제적 안정을 이루어야 한다는 항산(恒産)을 주장하였다. 백성들이 경제적으로 안정되어야 도덕적 마음인 항심(恒心)을 유지하여 선하게 살아갈 수 있다고 보았기 때문이다.

**자료 하나 더 알고 가자!**

**정약용의 정치관**

> 정(政)은 바로잡는다는[正] 뜻이다. 똑같은 우리 백성인데 누구는 토지의 혜택을 받아 부유한 생활을 하고, 누구는 그렇지 못하여 가난하게 살 것인가. 이 때문에 토지를 개량하고 백성에게 고루 나누어 주어 그것을 바로잡았으니 이것이 정이다. – 정약용, 「원정」

정약용은 정치란 정의롭지 못한 사회·경제 구조를 바르게 하는 것이라고 말하였다.

### 수능이 보이는 교과서 자료 저항권에 대한 홉스와 로크의 입장

> 일단 신민이 된 사람은 주권자에게 저항해서는 안 된다. 모든 사람을 하나의 인격으로 통일한 것이 국가인 만큼, 이론적으로 주권자의 행위는 곧 신민 자신의 행위이다. 또한 한번 계약을 맺으면 파기할 수 없다. 심지어 계약에 반대하는 사람도 복종해야 한다. 입법권과 사법권, 전쟁 선포권은 모두 주권자의 것이다. 주권은 분할할 수도 없고 견제받아서도 안 된다. – 홉스, 『리바이어던』

> 최고 권력인 국가의 입법권을 장악한 사람은 널리 알려지고 항구적으로 확립된 법률에 근거해 통치해야 한다. 아울러 국가는 안에서는 법률 집행을 위해서만 힘을 행사해야 하고, 밖으로는 외적의 침략으로부터 공동 사회를 수호하기 위해 힘을 사용해야 한다. 국민의 평화와 안정, 공공의 복지 이외의 다른 목적을 위해 자신의 힘을 사용하지 못하도록 국가 권력을 제한해야 한다. – 로크, 『통치론』

근대 사회 계약론자인 홉스와 로크는 정치적 저항권에 대한 상반되는 견해를 주장하였다. 홉스는 각 개인들이 자신의 권력을 절대 군주에게 전면으로 양도했으므로 정치적 저항이 불가능하다고 보았다. 반면에 로크는 절대 군주를 비판하며, 국가의 주권이 국민에게 있다는 '국민 주권론'을 주장하였다. 그리고 개개인이 자신의 권리를 정부에 일부만 양도했기 때문에 정치적 저항권을 행사할 수 있다고 보았다.

**완자샘의 탐구 강의**

**• 정치적 저항권에 대한 홉스와 로크의 차이점을 서술하시오.**

홉스는 각 개인이 자신의 권력을 절대 군주에게 전면으로 양도했기 때문에 정치적 저항이 불가능하다고 보았다. 반면, 로크는 각 개인이 자신의 권리를 정부에 일부만 양도했으므로 정치적 저항을 할 수 있다고 보았다.

함께 보기 195쪽, 1등급 정복하기 2

### 자료 5 마르크스의 국가 비판

> • 국가가 계급 지배의 착취 도구에 불과하다면, 국가에 대한 귀속감이나 국가에 헌신하고 봉사하려는 애국심은 적어도 프롤레타리아(노동자 계급)에게는 헛된 관념에 지나지 않는다.
> • 지금까지 존재한 모든 사회의 역사는 계급 투쟁의 역사이다. …… 현대 대의제 국가에서는 마침내 부르주아(자본가 계급)가 배타적인 정치적 지배권을 쟁취하였다. 현대 국가의 집행부는 부르주아 전체의 공동 업무를 관장하는 위원회에 불과하다. – 마르크스·엥겔스, 『공산당 선언』

마르크스는 국가가 기존의 계급 구조를 정당화하는 각종 사회 구조와 제도를 만듦으로써, 지배 계급의 이익을 대변한다고 보았다. 따라서 국가는 그 자체로서 부정적인 것이고 정당화될 수 없다고 주장하였다.

꼭! 마르크스는 장차 정의로운 국가라는 관념도 사라질 것이라고 주장해.

**문제로 확인할까?**

**마르크스의 국가관으로 옳지 않은 것은?**

① 계급 지배의 수단
② 정의로운 국가를 지향
③ 지배 계급의 이익 대변
④ 프롤레타리아 혁명 이후 소멸
⑤ 잉여 생산물로 인해 국가 발생

② 답

정답친해 50쪽

## STEP 1 핵심 개념 확인하기

**1** 국가에 대한 관점과 그 설명을 옳게 연결하시오.

(1) 유교의 관점 • • ㉠ 가족 윤리인 효제가 확대된 공동체
(2) 아리스토텔레스의 관점 • • ㉡ 개인들이 동의와 계약을 통해 형성한 공동체
(3) 공화주의의 관점 • • ㉢ 행복의 실현이라는 최고선을 추구하는 공동체
(4) 사회 계약론의 관점 • • ㉣ 공동선을 지향하는 시민들이 참여하여 만들어진 공동체
(5) 마르크스의 관점 • • ㉤ 지배 계급이 피지배 계급을 착취하는 수단으로서의 공동체

**2** 다음 설명이 맞으면 ○표, 틀리면 ×표를 하시오.

(1) 유교에서는 어떤 경우에도 군주를 바꿀 수 없다고 본다. ( )
(2) 아리스토텔레스에 따르면, 국가의 역할은 시민의 생명 보존에 국한된다. ( )
(3) 공화주의에서는 국가가 개인의 소유물이 아니라 공공의 것이라고 본다. ( )
(4) 홉스는 각 개인이 자신의 권리를 절대 군주에게 일부만 양도했다고 주장한다. ( )
(5) 로크는 국가의 역할이 개인의 생명, 자유, 재산 등을 보장하는 데 있다고 본다. ( )
(6) 마르크스는 국가의 긍정적인 역할을 부정하며 국가란 계급 지배의 수단일 뿐이라고 주장한다. ( )

**3** 빈칸에 알맞은 용어를 쓰시오.

(1) 유교에서는 백성을 위한 정치를 펼쳐야 한다는 ( ) 을 실현하고자 한다.
(2) ( )에 따르면, 국가는 그 자체로 정당성을 지니지 못하고 결국에는 소멸하게 될 것이다.
(3) 국가의 성립을 설명할 때 전제가 되는 상태로서, 정치 사회가 형성되기 이전의 상태를 ( )라고 한다.

## STEP 2 내신 만점 공략하기

**01** 중요 다음과 같이 주장한 고대 동양 사상가에 대한 설명으로 옳지 않은 것은?

현명한 군주는 백성들의 생업을 마련해 주는데, 반드시 위로는 부모를 섬기기에 충분하게 하고 아래로는 처자를 먹여 살릴 만하게 하여, 풍년에는 언제나 배부르고 흉년에는 죽음을 면하게 한다. 그렇게 한 후에 백성들을 선(善)한 데로 유도하므로 백성들이 따르기 쉽다.

① 인의(仁義)에 바탕을 둔 도덕 정치의 실현을 추구한다.
② 민심을 잃은 부덕한 통치자를 교체하는 혁명을 인정한다.
③ 국가의 근본을 백성으로부터 찾는 민본주의 사상을 주장한다.
④ 덕에 의한 정치보다는 법과 형벌을 통한 정치를 더욱 중시한다.
⑤ 덕치를 실현하기 위해서는 백성들의 경제적 안정이 필요하다고 본다.

**02** 다음과 같이 주장한 서양 사상가가 부정의 대답을 할 질문으로 가장 적절한 것은?

필요 충족을 위해 자연적으로 형성된 공동체가 국가이고, 여러 가정으로 구성된 최초의 공동체가 마을이다. 여러 부락으로 구성되는 완전한 공동체가 국가인데, 국가는 완전한 자급자족이라는 최고 단계에 도달해 있다. 다시 말해 국가는 단순한 생존을 위해 형성되었지만 훌륭한 삶을 위해 존속하는 것이다.

① 인간 영혼의 탁월성과 정치에의 참여는 무관한가?
② 국가는 인간의 정치적 본성에 따라 만들어진 것인가?
③ 국가는 시민의 훌륭한 삶을 실현하는 데 필수적인가?
④ 시민이 행복한 삶을 살도록 이끄는 것이 국가의 역할인가?
⑤ 다른 동물과 달리 인간은 선악과 옳고 그름에 대한 인식을 공유하는가?

## 03 서양 사상가 갑, 을의 입장에 대한 옳은 설명을 〈보기〉에서 고른 것은?

갑: 국가는 인민의 것입니다. 여기서 인민이란 무작정 모인 사람들의 집합이 아니라 정의와 공동선을 위해 협력한다고 동의한 다수의 결사입니다.
을: 국가가 계급 지배의 착취 도구에 불과하다면, 국가에 대한 귀속감이나 국가에 헌신하고 봉사하려는 애국심은 적어도 노동자에게는 헛된 관념에 지나지 않습니다.

보기

ㄱ. 갑은 공동선보다 사익을 우선시해야 한다고 본다.
ㄴ. 갑은 국가가 개인이 아니라 공공의 것이라고 본다.
ㄷ. 을은 국가가 노동자에 대한 자본가의 착취를 방임한다고 본다.
ㄹ. 을은 역사의 발전 단계에 따라 정의로운 국가가 등장할 것이라고 본다.

① ㄱ, ㄴ ② ㄱ, ㄷ ③ ㄴ, ㄷ
④ ㄴ, ㄹ ⑤ ㄷ, ㄹ

## 04 을이 갑에게 할 수 있는 비판으로 가장 적절한 것은?

왕권은 신에게서 받은 절대적인 것이므로 인민이나 의회에 의하여 제한되지 않습니다.
정부의 권력은 사람들이 자연 상태에서 가졌던 권리를 일부 양도한 것입니다.
갑
을

① 군주는 인륜에 따라서 정치를 행해야 합니다.
② 노동자 혁명을 통해서 국가 권력을 전복해야 합니다.
③ 국가 권력은 자유로운 개인들의 동의와 계약으로 형성되어야 합니다.
④ 시민이 정치에 참여하여 덕 있는 삶을 실현할 수 있도록 해야 합니다.
⑤ 국가는 시민의 자유를 보장하고 시민의 덕성을 함양하기 위해 노력해야 합니다.

## 05 학생 답안의 ㉠~㉤ 중 옳지 않은 것은?

중요

**서술형 평가**

◎ 문제: 갑, 을의 국가관에 대한 입장을 서술하시오.

갑: 일단 신민이 된 사람은 주권자에게 저항해서는 안 된다. 모든 사람을 하나의 인격으로 통일한 것이 국가인 만큼, 이론적으로 주권자의 행위는 곧 신민 자신의 행위이다.
을: 최고 권력인 국가의 입법권을 장악한 사람은 널리 알려지고 항구적으로 확립된 법률에 근거해 통치해야 한다. 국민의 평화와 안정, 공공의 복지 이외의 다른 목적을 위해 힘을 사용하는 국가 권력은 제한해야 한다.

◎ 학생 답안

갑은 ㉠ 자연 상태의 개인들이 만인에 대한 만인의 투쟁 상태에서 벗어나기 위해 사회 계약을 맺었다고 본다. ㉡ 이때 국가의 역할은 사회 질서와 평화 유지이다. 을도 ㉢ 사회 계약론을 주장하였지만, ㉣ 자연 상태가 비교적 평화롭다고 본다. ㉤ 두 사상가 모두 부당한 국가 권력에 정치적 저항권을 행사할 수 있다고 주장한다.

① ㉠ ② ㉡ ③ ㉢ ④ ㉣ ⑤ ㉤

## 06 ㉠에 들어갈 말로 가장 적절한 것은?

지금까지 존재한 모든 사회의 역사는 계급 투쟁의 역사이다. 현대 대의제 국가에서는 마침내 부르주아(자본가 계급)가 배타적인 정치적 지배권을 쟁취했다. 현대 국가의 집행부는 부르주아 전체의 공동 업무를 관장하는 위원회에 불과하다. 다시 말해 국가란 ( ㉠ )

① 가족 질서가 확장되어 형성된 것이다.
② 지배 계급의 이익을 대변하므로 그 자체로 부당하다.
③ 특정 개인의 것이 아니라 시민 모두의 것이어야 한다.
④ 신으로부터 절대 권력을 부여받은 통치자의 소유물이다.
⑤ 구성원의 생명, 자유, 재산 등을 보장할 때 정의로울 수 있다.

## 07 갑~병의 입장에 대한 설명으로 옳지 않은 것은?

중요

> 갑: 사회는 권력을 구성원의 복지와 재산의 보존을 위해서 사용해야 한다는 명시적 또는 묵시적 신탁과 함께 스스로 선택한 통치자에게 넘긴 것이다.
> 을: 『서경(書經)』에서 '효도하라, 오직 효도하라. 형제간에 우애하여 (이러한 기풍이) 정치에까지 이르게 하라.' 라고 하였다. 이것도 정치에 참여하는 것이니, 어찌 벼슬자리에 앉아야만 정치하는 것이겠는가.
> 병: 국가는 권력자의 자의적인 지배로부터 시민들의 자유를 보호해야 한다. 국가 안에서 모든 시민이 한 사람이나 다수의 자의에 종속될 때, 국가는 그 정당성을 잃게 된다.

① 갑은 국가의 주권이 국민에게 있다고 본다.
② 을은 국가의 기원을 가족 질서에서부터 찾는다.
③ 병은 특정한 소수에 의한 국가 권력의 독점을 비판한다.
④ 갑, 병은 국가란 특정한 목적을 실현하기 위한 수단이라고 본다.
⑤ 을, 병은 공동선의 실현을 위한 시민의 자발적인 정치 참여를 중시한다.

## 08 다음과 같이 주장한 사상가에 대한 옳은 설명을 〈보기〉에서 고른 것은?

> 각 개인은 전체와 결합하지만 종전처럼 자신에게만 복종하고, 그전처럼 자유를 잃지 않는 연합 형태야말로 사회계약으로 이루어야 할 근본적인 과제이다.

**보기**

ㄱ. 자연 상태에서 모두가 평화로웠다고 본다.
ㄴ. 절대 군주가 국가를 통치해야 한다고 본다.
ㄷ. 문명사회가 등장하며 불평등이 생겨났다고 주장한다.
ㄹ. 주권을 군주에게 전면적으로 양도해야 한다고 주장한다.

① ㄱ, ㄴ　② ㄱ, ㄷ　③ ㄴ, ㄷ
④ ㄴ, ㄹ　⑤ ㄷ, ㄹ

# 서술형 문제

● 정답친해 51쪽

## 01 다음 글을 읽고 물음에 답하시오.

> (가) 유교의 관점에 따르면, 나라를 다스리는 원리는 가족 윤리인 효제(孝悌)가 국가적 차원으로 확대된 것이다.
> (나) 아리스토텔레스에 따르면, 국가란 단순한 생존뿐만이 아니라 구성원의 훌륭한 삶을 실현하기 위한 공동체이다.

(1) (가)에서 주장하는 국가의 정당성 확보 방안을 두 가지 서술하시오.

(2) (가), (나) 사상의 국가의 본질에 관한 공통적인 입장을 서술하시오.

길잡이 국가를 도덕 공동체로 파악하는 입장에 대해 서술한다.

## 02 다음 글을 읽고 물음에 답하시오.

> 공적인 것(res publica)이라는 말에서 유래한 공화주의에 따르면, 국가의 역할은 [ ㉠ ]을/를 보장하고, 공동선을 실현하기 위해 시민들이 시민적 덕성을 기를 수 있도록 돕는 것이다.

(1) ㉠에 알맞은 용어를 쓰시오.

(2) 윗글의 입장에서 국가 권력이 정당성을 확보하기 위한 방안을 두 가지 서술하시오.

길잡이 공화주의에서 주장하는 국가의 역할과 정당성 확보 방안을 서술한다.

정답친해 51쪽

# STEP 3 1등급 정복하기

수능 응용

**1** 다음과 같이 주장한 사상가의 입장으로 가장 적절한 것은?

> 국가는 자연적으로 존재하는 공동체들의 완성입니다. 자신의 본성상 국가의 구성원이 될 수 없거나 이미 자족해서 그럴 필요가 없는 존재는 보잘것없는 존재이거나 인간 이상의 존재입니다. 인간만이 서로 도와줄 필요가 없는 경우에도 국가를 이루길 원합니다. 국가가 존재하는 목적은 단지 물질적 필요의 충족만이 아닙니다. 그것만이 국가의 목적이라면 노예나 짐승의 국가도 존재할 수 있습니다.

① 국가는 구성원의 덕성 함양에 중립적이어야 한다.
② 국가 안에서만 개인의 궁극적인 목적이 실현된다.
③ 국가와 구성원 간 합의로 정치적 의무가 소멸된다.
④ 국가는 개인들의 선택으로 구성되는 명목에 불과하다.
⑤ 국가 구성원으로서의 훌륭한 삶과 개인의 좋은 삶은 무관하다.

> 아리스토텔레스의 국가관

**완자샘의 시험 꿀팁**

국가에 관한 아리스토텔레스의 주장은 행복을 최고선으로 보는 그의 목적론적 세계관과 관련되어 있으니, 아리스토텔레스의 윤리 사상과 사회사상을 연계하여 공부할 필요가 있다.

**2** (가)의 서양 사상가 갑, 을의 입장을 (나) 그림으로 표현할 때, A~C에 해당하는 적절한 진술만을 〈보기〉에서 있는 대로 고른 것은?

(가)
갑: 일단 신민이 된 사람은 주권자에게 저항해서는 안 된다. 또한 한번 계약을 맺으면 파기할 수 없다. 심지어 계약에 반대하는 사람도 복종해야 한다. 입법권과 사법권, 전쟁 선포권은 모두 주권자의 것이다. 주권은 분할할 수도 없고 견제받아서도 안 된다.
을: 국가는 안에서는 법률 집행을 위해서만 힘을 행사해야 하고, 밖으로는 외적의 침략으로부터 공동사회를 수호하기 위해 힘을 사용해야 한다. 국민의 평화와 안정, 공공의 복지 이외의 다른 목적을 위해 자신의 힘을 사용하지 못하도록 국가 권력을 제한해야 한다.

(나)

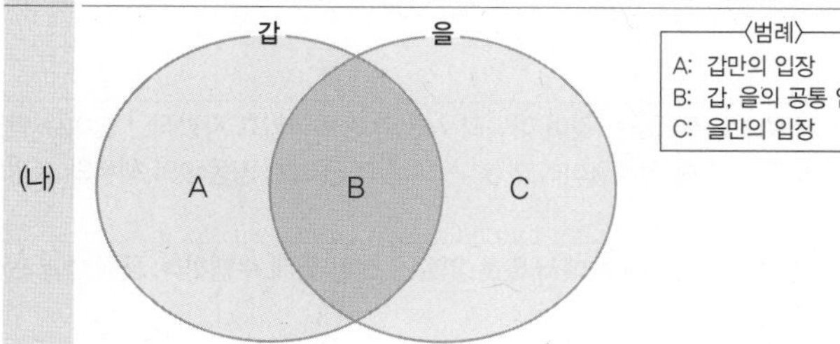


〈범례〉
A: 갑만의 입장
B: 갑, 을의 공통 입장
C: 을만의 입장

**보기**

ㄱ. A: 자연 상태에서도 공통의 권력은 존재한다.
ㄴ. A: 인간은 전쟁 상태인 자연 상태를 벗어나고자 한다.
ㄷ. B: 국가 권력의 정당성은 개인들의 합의에서 비롯된다.
ㄹ. C: 계약의 목적을 위배하여 정당성을 상실한 정치권력에 대해 시민은 정치적으로 저항할 수 있는 권리가 있다.

① ㄱ, ㄴ　② ㄱ, ㄷ　③ ㄴ, ㄷ
④ ㄱ, ㄴ, ㄹ　⑤ ㄴ, ㄷ, ㄹ

> 홉스와 로크의 사회 계약론

**완자샘의 시험 꿀팁**

홉스와 로크의 사회 계약론에 관한 문항이 수능에서 자주 출제되고 있으니, 두 사상가가 주장하는 사회 계약론의 공통점과 차이점을 비교하여 공부해야 할 필요가 있다.

# 03 시민

**학습목표**
- 시민적 자유와 권리의 근거에 대한 자유주의와 공화주의의 입장을 설명할 수 있다.
- 공동체와 공동선 및 시민적 덕성에 대한 자유주의와 공화주의의 입장을 파악할 수 있다.

## 1 시민적 자유와 권리의 근거

### 1. 시민적 자유와 권리의 근거에 대한 자유주의적 관점

(1) **자연권** — 꼭! 시대나 장소에 상관없이 인간에게 보편적으로 내재해 있는 권리를 뜻해.

① 의미: 인간이 태어날 때 하늘로부터 부여받은 권리로서, 천부 인권(天賦人權)이라고도 함

② 홉스, 로크 등 근대의 사회 계약론자에 의해 계승되고 발전됨

| | |
|---|---|
| 홉스 | 각 개인은 자신의 생명을 지키기 위해서라면 어떠한 행위도 할 수 있는 '만물에 대한 생득적 권리'를 가지고 있다고 봄 |
| 로크 | 자신의 생명과 자유에 대한 자연권과 함께 정당한 노동을 통해 획득한 재산에 대해 침해받지 않을 자연권도 지니고 있다고 봄 |

(2) **자유주의**

① 의미: 자연권 사상을 바탕으로 개인의 자유와 권리를 무엇보다 중시하는 사상

② 사상적 특징 — 예) 자유주의에서는 사상, 양심, 신체, 표현의 자유 등을 중시해.

| | |
|---|---|
| 자유관 | • *소극적 자유를 중심으로 전개됨 자료① <br>• 자유를 최상의 정치적·사회적 가치로 삼으며 개인의 자유를 위협하는 체제와 제도에 반대함 → 다른 시민의 자유와 권리를 침해할 때 외에는 공권력과 법이 개인의 행동을 제약할 수 없다고 봄 |
| 권리 중시 | • 개인의 권리와 정치적 의무가 충돌할 경우 개인의 권리를 우선시함 <br>• 불가피하게 개인의 권리를 제약하거나 개인에게 의무를 부과할 경우 → 시민들의 자발적 *동의를 얻어야 함. 왜? 자유주의자들은 개인이 모여서 국가를 형성한다고 보았기 때문이야. |
| 개인주의 | 개인이 국가보다 우선한다는 개인주의를 바탕으로 함 |

### 2. 시민적 자유와 권리에 대한 공화주의적 관점

(1) **공화주의** — 꼭! 공화주의는 개인의 우선성을 강조하는 자유주의와 달리 인간의 상호 의존성을 중시해.

① 의미: 공화국을 실현하려는 정치적 생각이나 이념으로서, 시민을 개체적 존재가 아니라 사회적 존재로 보는 사상

② 사상적 특징

| | |
|---|---|
| 정치 참여 강조 | 시민의 권리는 천부적으로 주어지는 것이 아니라 시민의 능동적이고 자발적인 참여로 만들어지고 향유되는 정치적·사회적 성취물이라고 봄 → 시민의 권리가 공동체의 책무와 결합되어 있다고 주장함 |
| 이상적 인간상 | 공익을 중시하고, 자신이 속한 공동체에서 맡은 역할을 책임 있게 수행하며, 공동선에 관심을 가지는 사람 |

(2) **공화주의의 두 흐름** — 왜? 정치 참여란 덕성을 함양하는 일이자 윤리적 자기실현이라고 보기 때문이야.

| | |
|---|---|
| 시민적 공화주의 | • 아리스토텔레스의 영향을 받은 아테네 전통의 공화주의 → 인간의 자연적 사회성을 강조함 <br>• 정치 참여: 시민의 책무이자 자유를 행사하는 것으로서, 그 자체가 목적임 <br>• 개인의 권리나 이익보다 시민의 정치적 의무를 우선시함 <br>• 시민적 공화주의는 다른 말로 *공동체주의라고 불리기도 함 교과서 자료 |
| 신로마 공화주의 | • 마키아벨리의 영향을 받은 로마 전통의 공화주의 <br>• 정치 참여: 외세와 폭정으로부터 시민의 자유를 지키기 위한 수단임 <br>• 비지배로서의 자유: 타인의 *자의적인 지배에서 벗어나 타인에게 종속되지 않는 상태 자료② <br>• 법은 자의적 권력의 지배로부터 시민을 보호해 주는 방패 역할을 한다고 봄 <br>• 시민들의 참여로 만들어진 공공의 법에 복종함으로써 스스로의 의지에 따를 수 있다고 봄 |

꼭! 정치 참여의 근거를 인간의 자연적 사회성이나 윤리적 자기실현에서 찾지 않고, 윤리와 정치를 구분하였어.

---

**이것이 핵심!**

**자유주의와 공화주의의 관점 차이**

| | |
|---|---|
| 자유주의 | • 소극적 자유(~로부터의 자유)를 중시함 <br>• 시민의 권리는 자연권에 따라 태어날 때부터 부여받은 것임 |
| 공화주의 | • 신로마 공화주의: 비지배 자유를 중시함 <br>• 시민의 권리는 정치 참여로 이루어낸 성취물임 |

**★ 소극적 자유 VS 적극적 자유**

| | |
|---|---|
| 소극적 자유 | • ~로부터의 자유 <br>• 외부의 부당한 압력이나 간섭이 없는 상태 |
| 적극적 자유 | • …할 자유 <br>• 자신의 의지에 따라 스스로가 원하는 삶을 능동적으로 실현할 수 있는 자유 |

적극적 자유의 지지자들은 가치 있는 삶과 자기실현을 위한 자율적 삶을 중시하면서, 개인의 지적, 신체적, 사회적 능력의 신장과 기회의 평등을 보장하기 위한 국가의 개입을 정당화하였어.

**★ 명시적 동의와 묵시적 동의**

자유주의자인 로크는 의무를 명시적 의무와 묵시적 의무로 구분하고, 어떤 나라에 거주한다는 사실 자체로 묵시적 동의가 성립하므로 의무가 발생할 수 있다고 보았다. 그러나 명시적이건 묵시적이건 모든 의무는 동의에 기초해야 한다고 보았다.

**★ 공동체주의**

공동체주의는 개인의 자율성을 우선시하는 자유주의와 다르게 공동체가 추구하는 덕이나 가치를 더욱 중시하는 관점이다. 이에 따르면, 인간은 태어나면서 특정 공동체에 소속되기 때문에 그곳의 가치관에 영향을 받을 수밖에 없다. 따라서 공동체주의에서는 개인의 선택에 공동체의 가치가 반영되어 있다고 본다.

**★ 자의(恣意)**

일정한 질서를 무시하고 제멋대로 하는 것을 뜻한다.

# 완자 자료 탐구

내 옆의 선생님

## 자료 1 소극적 자유

내 활동에 어느 누구도 간섭하지 않는 상태를 자유롭다고 일컫는다. 이러한 의미에서 자유란 그저 한 사람이 타인에게 방해받지 않고 행동할 수 있는 영역을 의미한다. …… 그리고 타인 때문에 그 영역이 일정한 한도 이상으로 축소될 때, 나는 강제당하거나 혹은 노예 상태에 처한 것이다.

– 벌린, 「자유의 두 개념」

벌린은 자유를 '소극적 자유'와 '적극적 자유'로 구분하면서, 소극적 자유가 자유주의에서 추구해야 할 진정한 자유라고 보았다. 소극적 자유는 국가와 타인에게 구속당하지 않고 행동할 수 있는 사적 영역을 보장함으로써 실현될 수 있다. – 잠깐! 소극적 자유는 간섭이 없는 상태인 방임으로서의 자유를 의미하기도 해.

**문제로 확인할까?**

소극적 자유의 특징으로 가장 적절한 것은?

① 정치 참여 강조
② 지배의 부재 강조
③ 사적 영역의 강조
④ '…할 자유'의 강조
⑤ 윤리적 자기실현 강조

답 ③

## 수능이 보이는 교과서 자료 시민적 자유에 대한 자유주의와 공동체주의의 관점

개별적 삶을 살아가는 개별적 개인 외에 그 어떤 사회적·정치적 실체도 없다. …… 국가가 개인의 삶에 적게 간섭할수록 좋은 것이며, 어떤 이상이나 특정한 유토피아를 말하는 국가는 정당한 한계를 벗어난다.

– 노직, 『아나키에서 유토피아로』

국가는 개인의 삶의 문제에 결코 중립적일 수 없다. 우리의 본성은 정치적 존재라는 데 있으며, 자유의 실현은 오직 공동선을 숙고하고, 국가의 공공 생활에 참여하는 우리 역량을 발휘하는 데서만 가능하다.

– 샌델, 『공동체주의와 공공성』

자유주의자인 노직은 개별적 삶을 사는 개인을 강조하면서 개인에 대한 국가의 간섭을 최소화해야 한다는 소극적 자유관을 주장하였다. 이와 달리 공동체주의자인 샌델은 인간의 정치적 본성을 강조하면서 자유란 공동선을 숙고하고 정치에 참여하는 가운데 실현될 수 있으며, 국가는 개인의 삶의 문제에 중립적일 수 없다고 본다.

**완자샘의 탐구 강의**

**• 자유와 공동체의 관계에 대한 자유주의와 공동체주의의 차이점을 서술하시오.**

자유주의에서는 개인의 자유를 무엇보다 중시하면서 국가가 개인의 삶에 최소한으로 간섭해야 한다고 주장한다. 반면에 공동체주의에서 말하는 자유란 공동선을 숙고하고 정치에 참여하는 가운데 실현될 수 있는 것이므로 공동체에서 지향하는 가치가 중요하다고 본다.

함께 보기 205쪽, 1등급 정복하기 3

## 자료 2 비지배로서의 자유는 누가 보호해야 하는가?

어떤 사물이든 그것을 차지하려는 마음이 가장 적은 자에게 맡겨야 한다고 말하고 싶다. 의심의 여지없이 귀족과 귀족이 아닌 자의 목적을 검토해 보면, 전자에게는 지배하려는 강한 갈망이 있고, 후자에게는 단지 지배당하지 않으려는 갈망, 다시 말해 귀족보다 지배권을 장악할 전망이 적으므로 자유 속에서 살고자 하는 강한 열망이 있다는 점을 발견할 것이다. 그러므로 평민이 자유를 보호하는 직책을 담당하면 그들은 스스로 그것을 독점할 수 없기 때문에 타인이 그것을 독점하지 않도록 훨씬 잘 지킬 것이다.

– 마키아벨리, 『로마사 논고』

비지배로서의 자유는 자유주의에서 말하는 간섭의 부재에 그치는 것이 아니라 타인에게 사적으로 종속되지 않는 상태를 의미한다. 공화주의자인 마키아벨리는 지배하려는 갈망이 큰 귀족보다 지배당하지 않으려는 갈망이 있는 평민이 이러한 자유를 더욱 잘 보호할 수 있다고 주장하였다. 그리고 이를 실현하기 위해 법 앞의 평등, 사익 추구 제어, 정치 참여 등을 강조하였다.

**정리 비법을 알려줄게!**

공화주의의 두 흐름

| | |
|---|---|
| 시민적 공화주의 | 정치 참여란 덕성을 함양하는 일이자 윤리적 자기실현으로서 목적 그 자체라고 봄 |
| 신로마 공화주의 | 윤리와 정치를 구분하며 정치 참여는 시민의 자유를 지키기 위한 수단이라고 봄 |

# 03 시민

이것이 핵심!

**법치와 관용에 대한 입장**

| | |
|---|---|
| 자유주의 | • 법치: 국가가 개인의 사생활에 과도하게 간섭하거나 개인의 자유를 침해하는 것을 방지<br>• 관용: 자신의 견해나 행동을 다른 사람에게 강요하지 않는 태도 |
| 공화주의 | • 법치: 권력의 타락을 방지<br>• 관용: 비지배의 조건을 보장하기 위해 타인의 자율성과 구성원 간의 평등을 존중하는 적극적인 시민 의식 |

*** 개인선**
개개인에게 좋거나 훌륭한 것을 말하며, 사람마다 추구하는 바가 다르기 때문에 다양한 방식으로 나타난다.

*** 관용의 역설**
관용을 무제한으로 허용한 결과 인권이 침해되고, 사회 질서가 무너지는 현상을 의미한다.

*** 대승적**
사사로운 이익이나 작은 일에 얽매이지 않고 전체적인 관점에서 판단하고 행동하는 것을 뜻한다.

## 2 공동체와 공동선 및 시민적 덕성

### 1. 공동체와 공동선에 대한 두 관점

| 구분 | 자유주의 | 공화주의 |
|---|---|---|
| 강조점 | 자신의 삶을 스스로 계획하고 결정할 수 있는 자율적인 존재로서 인간을 강조함 | 공동체의 시민으로서 이행해야 할 의무와 공동체적 삶의 중요성을 강조함 |
| 공동체 | • 정치 공동체는 개인의 자유와 권리를 보장하기 위한 수단으로서 존재함<br>• 국가는 중립성을 유지하여 구성원들 스스로가 자신의 선택에 따라 살아갈 수 있도록 해야 함 | • 정치 공동체는 개인의 자유와 권리를 실현하는 데 필수적임<br>• 공동체란 공동선을 자기 삶의 이념으로 받아들인 개인으로 구성된 것임 |
| 공동선 | • 공동선보다는 개인의 사적인 삶과 *개인선을 중시함<br>• 지나친 개인선의 추구는 시민의 의무와 공동선에 대한 무관심으로 이어질 수 있음 | • 개인선뿐만 아니라 정치 공동체에 참여함으로써 실현되는 공동선도 중시함<br>• 지나친 공동선의 강조는 개인의 자유와 권리의 행사를 방해할 수 있음 |

잠깐! 자유주의에서는 다양한 개인선을 보장함으로써 사회 전체의 선도 증진할 수 있다고 봐.

### 2. 자유주의와 공화주의의 시민성

**(1) 자유주의적 시민성**

| | |
|---|---|
| 법치 | • 목적: 국가가 개인의 사생활에 과도하게 간섭하거나 개인의 자유를 무분별하게 침해하는 것을 방지하는 데 있음<br>• 국가는 중립을 지키며 법과 제도를 모든 시민에게 동등하게 적용해야 함 |
| 관용 | • 자신과 다른 견해나 행동을 인정하며, 자신의 견해나 행동을 다른 사람에게 강요하지 않는 태도임<br>• 타인에게 해를 끼치지 않는 이상 개인의 가치관이나 취향을 존중해야 한다고 봄 → *관용의 역설을 경계해야 함 자료 3 — 양심, 사상, 표현의 자유를 침해하는 행위는 관용의 대상이 아니라고 봐. |

**(2) 공화주의적 시민성**

| | |
|---|---|
| 시민적 덕성 | 공공의 가치와 공동선을 존중하고 정치를 비롯한 공적 책무에 적극적으로 참여하는 의식과 태도인 시민적 덕성을 강조함 자료 4 |
| 법치 | • 목적: 권력의 타락을 방지하는 데 있음<br>• 구성원 모두의 뜻과 의지가 반영된 법에 따라 시민의 자유와 권리를 보호하고자 함 |
| 관용 | 서로의 차이를 단순히 묵인하거나 허용하는 데에서 한 걸음 더 나아가 비지배의 조건을 보장하기 위해 타인의 자율성 및 구성원 간의 평등을 존중하는 적극적인 시민 의식임 |

신로마 공화주의의 입장이야. (법치, 관용)

서로 다른 생각과 가치관을 가진 시민들이 공공 사안을 토론할 때 발생할 수 있는 갈등을 조정하고 상호 견제와 균형을 이루는 데 필요해.

**(3) 애국심에 대한 다양한 관점**

헌법 애국주의라고 부르기도 해.

| | |
|---|---|
| 자유주의적 애국심 | • 국가의 정체를 규정하는 헌법의 기본 이념에 대한 국민적 동의와 충성을 의미함<br>• 중립적이고 보편적인 정치 원리(자유, 민주주의, 인권) 등에 헌신하고자 하는 마음임 |
| 공화주의적 애국심 자료 5 | • 시민의 자유를 지켜 주는 정치 공동체와 동료 시민에 대한 *대승적·자발적 사랑임<br>• 정치 공동체의 문화, 역사, 전통 등을 강조함 신로마 공화주의에서 강조하는 애국심이야. |
| 민족주의적 애국심 | • 자신이 태어난 나라와 소속된 민족에 대한 사랑임<br>• 혈연, 지연, 전통에 기초한 선천적 애착을 강조함 |

### 3. 개인선과 공동선의 조화를 위한 방안

(1) **제도화**: 국가가 시민을 일방적으로 규제하기보다는 좋은 삶을 실현하고자 하는 시민의 노력을 제도화하는 과정이 자연스럽게 지속되어야 함

(2) **성숙한 시민 의식**: 무분별한 사익 추구를 지양하고, 법률과 제도에서 규정한 의무를 잘 지키면서도 타인과 조화롭게 살 수 있는 방안을 모색하려는 성숙한 시민 의식이 필요함

성숙한 시민 의식을 바탕으로 할 때 국가는 자신의 역할을 다할 수 있고, 민주주의와 자본주의가 더욱 발전할 수 있어.

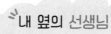

# 완자 자료 탐구

내 옆의 선생님

## 자료 3 자유에 대한 밀의 관점

밀은 내면적 의식의 영역에서의 자유, 결사의 자유, 각자가 개성에 맞게 자기 삶을 설계하고 자기 좋을 대로 살아갈 자유를 주장하였어.

> 그 이름값을 하는 유일한 자유는, 우리가 타인들로부터 그들의 노력을 방해하려고 하지 않는 한, 우리 자신의 이익을 우리 나름의 방식으로 추구할 자유이다. …… 어떤 종류의 행동이든 정당한 이유 없이 다른 사람에게 해를 끼치는 것은 강압적인 통제를 받을 수 있으며, 사안이 심각하다면 반드시 통제해야 한다. 나아가 필요하다면 사회 전체가 적극적으로 간섭해야 한다. – 밀, 『자유론』

대표적인 자유주의자인 밀은 개인의 자유가 자신을 제외한 어떤 사람의 이익과도 관련되지 않는 한 사회적으로 제재받지 않아야 한다고 주장하였다. 다만 그는 개인이 행사하는 자유가 타인에게 해를 끼치게 된다면, 사회적·법적 처벌을 통해 행동을 제약할 수 있다고 보았다.

## 자료 4 시민적 덕성과 공화주의

> 시민적 덕성은 시민들이 공동의 이익에 관심을 가지고 그것에 복무하는 마음가짐과 자세를 의미한다. 따라서 시민적 덕성은 자신만의 사익을 추구하려는 경향과 대비된다. …… 공동체의 유지와 번영을 목표로 하는 공화주의는 구성원의 자발적인 참여와 적극적인 복무의 필요성을 주장한다. 이를 위해 구성원들이 갖추어야 하는 것이 바로 시민적 덕성이다. 시민적 덕성은 주인 의식과 배려의 정신에서 나온다. 주인 의식은 공동체의 구성원으로서 억압과 차별이 존재하지 않을 때 가능하다. …… 시민적 덕성은 개개인의 윤리 문제가 아니라 사회에 널리 퍼져 있는 공정하고 자유로운 분위기 속에서만 나타날 수 있는 공동체의 문제이다. 그것이 공동체 구성원 개개인의 마음과 행동을 움직이는 것이다. – 김경희, 『공화주의』

공화주의에서는 공공의 가치와 공동선을 존중하고 정치를 비롯한 공적 책무에 적극적으로 참여하는 의식과 태도인 시민적 덕성을 강조한다. 그리고 이를 위해서 정치 지도자들은 시민적 덕성을 모범적으로 실천해야 하고, 국가는 시민 교육을 바탕으로 시민들이 덕성을 함양할 수 있도록 도와야 한다고 본다.

## 자료 5 공화주의적 애국심

> 공화국은 기억과 기념이 무척이나 필요하다. 기억은 시민적 덕성을 키우는 강력한 수단이다. …… 우리에게 필요한 것은 조국과 조상의 위대함에 대해 비겁한 거짓말로 잔뜩 치장한 유치찬란한 국민적 자부심이 아니다. 우리는 우리나라 역사의 이야기들 속에서 비록 짧았고 군사적으로 패배하여 사라졌던 것이라도 그런 자유의 소중한 경험들을 다시 발견해 낼 필요가 있다. 이러한 경험들을 기억함으로써 우리는 자랑스러운 역사를 물려받았다는 느낌과 함께 우리나라를 진정한 시민 공동체로 만들어야겠다는 어떤 도덕적 의무감을 부여받게 되는 것이다. – 비롤리, 『공화주의』

공화주의적 애국심은 '자유로운 정치 체제'와 그러한 정치 체제를 수호하는 '동료 시민'에 대한 자발적·대승적 사랑이다. 비롤리는 이러한 애국심이 자유를 수호해 온 공동체의 역사적 기억을 기반으로 생겨나는 것이라고 주장한다. 다시 말해 공화주의적 애국심은 국가에 의해 강요된 획일적 애국심이 아니라 시민의 자유를 지켜 주는 공동체의 공유된 역사에 대한 시민들의 자발적인 사랑을 의미한다.

### 자료 하나 더 알고 가자!

**공유지의 비극**

> 모두가 공유하는 목초지가 있었다. 사람들은 점점 많은 수의 소를 그곳에 풀어놓았다. 시간이 지날수록 목초지에 소들이 많아졌고, 풀이 자라나는 속도보다 소들이 풀을 뜯어 먹는 속도가 더 빨라서 그곳은 결국 황무지가 되었다. – 하딘, 『공유지의 비극』

공유지의 비극은 극단적인 사익 추구가 결국 공익뿐만 아니라 사익마저도 파괴할 수 있음을 보여 주는 사례이다.

### 자료 하나 더 알고 가자!

**루소가 말하는 공화국**

> 나는 법에 의해 다스려지는 모든 국가를, 그것이 어떤 정부 형태를 갖추든지 공화국이라고 부른다. 왜냐하면 오로지 그때에만 공공의 이익이 지배하고, 공공의 것이 중요한 것이 되기 때문이다. – 루소, 『사회 계약론』

루소가 말하는 공화국은 국민의 일반 의지에 따라 통치되는 국가, 즉 법의 지배가 이루어지는 국가이다. 그는 '법의 지배를 통한 자유의 보장'과 '정치 참여를 통한 자치와 자율의 확립'이라는 공화주의의 전통을 강조하였다.

### 정리 비법을 알려줄게!

**애국심에 대한 다양한 입장**

| | |
|---|---|
| 자유주의 애국심 | 국가의 정치 체제를 규정하는 헌법의 기본 이념에 대한 국민적 동의와 충성 |
| 공화주의 애국심 | 시민의 자유를 지켜 주는 정치 공동체와 동료 시민에 대한 대승적 사랑 |
| 민족주의 애국심 | 자신이 태어난 나라와 소속된 민족에 대한 사랑 |

## STEP 1 핵심 개념 확인하기

정답친해 52쪽

**1** 빈칸에 알맞은 용어를 쓰시오.

(　　　　)이란 인위적인 법이나 제도 이전에 인간이 태어나면서부터 하늘로부터 부여받은 권리를 뜻하는 말로, 천부 인권이라고도 한다.

**2** 다음 설명이 맞으면 ○표, 틀리면 ×표를 하시오.

(1) 자유주의자들은 개인의 자유를 위협하는 체제와 제도에 반대한다. (　　)

(2) 자유주의에서는 자신이 원하는 삶을 능동적으로 실현할 수 있는 적극적 자유만을 중시한다. (　　)

(3) 자유주의에 따르면, 타인에게 해를 끼치지 않는 이상 개인의 가치관이나 취향은 존중되어야 한다. (　　)

**3** 다음 괄호 안의 내용 중 알맞은 말에 ○표를 하시오.

(1) 공화주의는 자유주의와 달리 인간을 ( 개체적, 사회적 ) 존재로 본다.

(2) 공화주의는 정치 공동체에 참여함으로써 실현되는 ( 개인선, 공동선)을 중시한다.

(3) 신로마 공화주의자들은 타인의 자의적인 ( 간섭, 지배 )에서 벗어나 타인에게 종속되지 않는 자유를 지향한다.

**4** 공화주의에서는 공공의 가치와 공동선을 존중하고 정치를 비롯한 공적 책무에 적극적으로 참여하는 의식과 태도인 (　　　　)을 강조한다.

**5** 애국심에 대한 관점과 그 내용을 옳게 연결하시오.

| | |
|---|---|
| (1) 자유주의 애국심 • | • ㉠ 혈연·지연 등을 공유하는 민족에 대한 사랑 |
| (2) 공화주의 애국심 • | • ㉡ 국가의 정체를 규정하는 헌법의 기본 이념에 대한 국민적 동의와 충성 |
| (3) 민족주의 애국심 • | • ㉢ 시민의 자유를 지켜 주는 정치 공동체와 동료 시민에 대한 대승적 사랑 |

## STEP 2 내신 만점 공략하기

**01** 그림의 강연자가 지지할 입장으로 가장 적절한 것은?

내 활동에 어느 누구도 간섭하지 않는 상태를 자유롭다고 합니다. 이러한 의미에서 자유란 한 사람이 타인에게 방해받지 않고 행동할 수 있는 상태입니다. 타인 때문에 내 행동이 제한된다면 그것은 자유롭지 않은 것입니다.

① 진정한 의미의 자유는 적극적 자유이다.
② 인간은 개체적 존재가 아니라 사회적 존재이다.
③ 외부의 부당한 강제로부터 벗어난 상태가 자유이다.
④ 기회의 평등을 보장하기 위한 국가의 개입은 정당하다.
⑤ 개인의 권리와 정치적 의무가 충돌할 경우 정치적 의무를 우선시해야 한다.

**02** 중요 갑, 을의 입장에 대한 옳은 설명을 〈보기〉에서 고른 것은?

갑: 국가는 개인에게 최소한으로 간섭해야 합니다. 국가의 간섭은 개인의 자유로운 선택을 방해할 뿐만 아니라 개인의 권리를 침해할 수 있습니다.
을: 개인이 자유로운 의지를 통해 원하는 삶을 살기 위해서는 지적, 신체적, 사회적 능력 등의 신장과 기회의 평등이 보장되어야 합니다. 이러한 조건을 마련하기 위해 국가의 개입이 적극적으로 필요합니다.

보기
ㄱ. 갑은 소극적 자유를 강조한다.
ㄴ. 갑은 정치 참여를 시민적 자유의 근거라고 본다.
ㄷ. 을은 방임으로서의 자유가 진정한 자유라고 본다.
ㄹ. 갑은 을의 입장이 개인의 자유와 권리를 침해할 여지가 있다고 본다.

① ㄱ, ㄴ　② ㄱ, ㄹ　③ ㄴ, ㄷ　④ ㄴ, ㄹ　⑤ ㄷ, ㄹ

## 03 밑줄 친 '이것'에 대한 설명으로 옳은 것은?

> 과거 절대 군주가 다스린 국가에서 신민은 군주의 소유물로서 자유와 존엄성을 인정받을 수 없었다. 반면 근대 이후 자유주의가 등장하고 이것이 확립되면서 모든 사람에게 시민의 자유와 권리를 보장해야 한다는 의식이 확산되었다. 이것은 다른 말로 천부 인권이라고 부르기도 한다.

① 공화주의적 자유의 토대가 된다.
② 적극적인 정치 참여를 통해서만 주어진다.
③ 중세의 절대 왕정을 정당화하는 데 활용되었다.
④ 시대, 장소, 인종 등에 따라 달라지는 권리이다.
⑤ 로크는 정당한 노동을 통해 획득한 재산에 대한 권리를 이것에 포함하였다.

## 04 갑은 긍정, 을은 부정의 대답을 할 질문을 〈보기〉에서 고른 것은?

중요

> 갑: 시민의 권리는 공동체 시민의 능동적이고 자발적인 참여로 만들어지는 것이다. 즉, 시민의 권리는 천부적으로 주어지는 것이 아니라 공동체의 법과 제도를 통해 실현될 수 있는 것이다.
> 을: 개인의 권리와 정치적 의무가 충돌할 때 우리는 개인의 권리를 우선시해야 한다. 불가피하게 개인의 권리를 제약하거나 개인에게 의무를 부과하려면 반드시 시민들의 자발적인 동의가 필요하다.

보기

ㄱ. 시민의 자유와 권리는 천부적으로 주어지는 것인가?
ㄴ. 인간은 개체적 존재이기보다는 상호 의존적 존재인가?
ㄷ. 시민의 자유와 권리를 제약할 수 있는 경우가 있는가?
ㄹ. 시민의 권리는 시민의 자발적인 정치 참여로써 보장되는가?

① ㄱ, ㄴ ② ㄱ, ㄷ ③ ㄴ, ㄷ
④ ㄴ, ㄹ ⑤ ㄷ, ㄹ

## 05 다음과 같이 주장한 사상가가 지지할 내용으로 적절하지 않은 것은?

> 어떤 사물이든 그것을 차지하려는 마음이 가장 적은 자에게 맡겨야 한다고 말하고 싶다. 의심의 여지없이 귀족과 귀족이 아닌 자의 목적을 검토해 보면, 전자에게는 지배하려는 강한 갈망이 있고, 후자에게는 단지 지배당하지 않으려는 갈망, 다시 말해 귀족보다 지배권을 장악할 전망이 적으므로 자유 속에서 살고자 하는 강한 열망이 있다는 점을 발견할 것이다.

① 공동체가 지향하는 공공의 가치를 중시해야 한다.
② 공공의 일에 적극적으로 참여하는 태도를 길러야 한다.
③ 시민적 자유의 실현을 위해 사익 추구를 제어할 수 있다.
④ 간섭의 부재가 아니라 지배가 없는 자유를 지향해야 한다.
⑤ 어떠한 경우에도 시민에게 정치적 의무를 부과할 수 없다.

## 06 갑, 을의 입장에 대한 설명으로 옳은 것은?

갑: 정치 참여는 외세와 폭정으로부터 시민의 자유를 지키기 위한 수단이야.

을: 정치 참여는 시민의 책무이자 자유를 행사하는 것으로 그 자체가 목적이야.

① 갑은 정치 참여의 근거를 인간의 자연적 사회성에서 찾는다.
② 갑은 법이 시민을 자의적 권력으로부터 보호해 준다고 본다.
③ 을은 마키아벨리의 영향을 받은 신로마 공화주의를 주장한다.
④ 을은 개인의 권리나 이익을 시민의 정치적 의무보다 우선시한다.
⑤ 갑, 을은 정치 참여를 통해 윤리적 자기실현을 할 수 있다고 본다.

**07** 갑, 을의 입장에 대한 설명으로 옳지 않은 것은?

> 갑: 개별적 삶을 살아가는 개별적 개인 외에 그 어떤 사회적·정치적 실체도 없다. 자기 자신의 목적을 추구할 자유는 재산과 자원 축적의 권리와 결합해 있다.
> 을: 국가는 개인의 삶의 문제에 결코 중립적일 수 없다. 자유의 실현은 오직 공동선을 숙고하고, 국가의 공공 생활에 참여하는 우리 역량을 발휘하는 데서만 가능하다.

① 갑은 개인의 선택에 공동체의 가치가 반영된다고 본다.
② 갑은 국가가 개인의 삶에 적게 간섭할수록 좋다고 본다.
③ 을은 자유가 정치에 참여함으로써 실현될 수 있다고 본다.
④ 을은 인간이 공동체 안에서만 도덕적 존재로 살아갈 수 있다고 본다.
⑤ 갑은 인간의 개별성을, 을은 인간의 상호 의존성을 강조하는 입장을 지지한다.

**08** 다음과 같이 주장한 사상가가 지지할 입장에만 모두 'V'를 표시한 학생은?

> 그 이름값을 하는 유일한 자유는 우리가 타인들로부터 그들의 노력을 방해하려고 하지 않는 한, 우리 자신의 이익을 우리 나름의 방식으로 추구할 자유이다. …… 어떤 종류의 행동이든 정당한 이유 없이 다른 사람에게 해를 끼치는 것은 강압적인 통제를 받을 수 있다.

| 입장 \ 학생 | 갑 | 을 | 병 | 정 | 무 |
|---|---|---|---|---|---|
| 내면적 의식 영역에서의 자유를 보장해야 한다. | | V | V | | V |
| 정치 공동체는 개인의 자유와 권리를 보장하기 위한 수단이다. | V | | V | V | V |
| 각자의 개성에 따라 자기 삶을 설계하며 살아갈 수 있어야 한다. | | V | V | V | |
| 개인의 자유에 대한 사회의 간섭은 어떤 경우에도 정당화될 수 없다. | V | | | | V |

① 갑　② 을　③ 병　④ 정　⑤ 무

**09** 그림의 수업 장면에서 학생들 모두가 옳은 대답을 했다고 할 때, ㉠에 들어갈 질문으로 가장 적절한 것은?

① 우리 사회에서 관용은 어떤 역할을 할까요?
② 개인선을 실현하기 위한 방안은 무엇일까요?
③ 개인선과 공동선은 어떤 관계를 맺고 있을까요?
④ 시민의 자유를 보장하는 데 있어 법치는 어떤 역할을 할까요?
⑤ 공동선을 지나치게 강조할 경우 발생할 수 있는 문제점은 무엇일까요?

**10** (가)의 관점에서 (나)를 비판한 내용으로 가장 적절한 것은?

> (가) 시민적 덕성은 시민들이 공동의 이익에 관심을 가지고 그것에 복무하는 마음가짐과 자세를 의미한다. 따라서 시민적 덕성은 자신만의 사익을 추구하려는 경향과 대비된다.
> (나) 사람들이 소에게 풀을 먹이려고 모두가 공유하는 목초지에 소들을 경쟁적으로 풀어 놓았다. 시간이 지날수록 한정된 목초지에 방목하는 소들이 많아졌고, 풀이 자라나는 속도보다 소들이 풀을 뜯어 먹는 속도가 더 빨라서 그곳은 결국 재생이 불가능한 황무지가 되었다.

① 개인의 자유를 무엇보다 우선시해야 한다.
② 개인선과 공동선을 완전히 분리해서 고려해야 한다.
③ 공동선에 대한 강조는 개인의 권리를 침해할 수 있다.
④ 상황에 관계없이 무조건적으로 공동선을 추구해야 한다.
⑤ 지나친 개인선의 추구는 개인선과 공동선을 모두 해칠 수 있다.

**11** ㉠, ㉡에 대한 옳은 설명만을 〈보기〉에서 있는 대로 고른 것은?

> ㉠ 의 관점에 따르면, 우리는 자신과 다른 견해나 행동을 승인하며, 자신의 견해나 행동을 다른 사람에게 강요하지 않는 태도인 관용을 중시해야 한다. 이와 달리 ㉡ 의 관점에 따르면, 관용은 비지배적 자유의 보장을 위해 시민이라면 모두 갖추어야 할 덕성이다.

보기

ㄱ. ㉠은 개인의 가치관과 취향 등을 존중하고자 한다.
ㄴ. ㉠은 사상의 자유를 침해하는 행위도 관용해야 한다고 본다.
ㄷ. ㉡은 관용이 서로의 차이를 단순히 묵인하는 데 그치는 소극적 시민 의식이라고 본다.
ㄹ. ㉡은 시민들이 공공 사안을 토론할 때 발생할 수 있는 갈등을 조정하기 위해 관용이 필요하다고 본다.

① ㄱ, ㄷ ② ㄱ, ㄹ ③ ㄴ, ㄷ
④ ㄱ, ㄷ, ㄹ ⑤ ㄴ, ㄷ, ㄹ

중요

**12** 다음 글에서 주장하는 애국심에 대한 설명으로 가장 적절한 것은?

> 공화국은 기억과 기념이 무척이나 필요하다. 기억은 시민적 덕성을 키우는 강력한 수단이다. 우리는 독재에 대해 항거한 역사나 자유를 향해 투쟁한 역사를 기념함으로써, 우리가 모두 함께 고통받았던 역사의 한 페이지를 회고함으로써, 이러한 이야기를 듣는 모든 이들에게 자신들도 그러한 업적을 만들어야 한다는 도덕적 의무감을 가슴 깊이 일깨울 수 있다.

① 혈연, 지연, 전통에 기초한 선천적 애착이다.
② 정치 공동체와 시민에 대한 대승적 사랑이다.
③ 자신이 태어난 나라에 대한 무조건적인 사랑이다.
④ 헌법의 기본 이념에 대한 국민적 동의와 충성이다.
⑤ 중립적이고 보편적인 정치 원리에 헌신하는 마음이다.

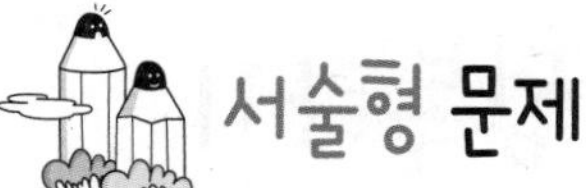

## 서술형 문제

● 정답친해 53쪽

**01** 다음과 같이 주장한 사상가의 입장에서 자유를 제한할 수 있는 경우를 서술하시오.

> 어떤 정부 형태를 가지고 있든 내면적 의식의 영역에서의 자유, 결사의 자유, 그리고 각자가 개성에 맞게 자기 삶을 설계하고 자기 좋은 대로 살아갈 자유가 원칙적으로 존중되지 않는 사회라면, 결코 자유로운 사회라고 할 수 없다.

길잡이 자유주의의 관점에서 자유를 제한할 수 있는 경우를 서술한다.

**02** 밑줄 친 '이것'의 정치 참여에 대한 입장을 서술하시오.

> <u>이것</u>은 개인의 자율성을 우선시하는 자유주의와 다르게 공동체가 추구하는 덕이나 가치를 더욱 중시하는 관점이다. 이에 따르면, 인간은 태어나면서 특정 공동체에 소속되기 때문에 그곳의 가치관에 영향을 받을 수밖에 없다. 따라서 <u>이것</u>은 개인의 선택에 공동체의 가치가 반영되어 있다고 본다.

길잡이 시민적 공화주의에서 강조하는 정치 참여에 대해 서술한다.

**03** 다음 글을 읽고 물음에 답하시오.

> (가) 헌법 애국주의란 특정한 민주적 절차와 법 원칙, 그리고 그러한 기반 위에 형성된 정치적 문화에 대한 공동체 구성원의 충성심에 바탕을 둔다.
> (나) 조국은 땅이 아니다. 땅은 그 토대에 불과하다. 조국은 이 토대 위에 건립된 이념이다. 그것은 사랑에 관한 사상이며, 이 땅의 자식들을 하나로 엮어 내는 공동체 의식이다.

(1) (가)에서 주장하는 애국심의 특징을 <u>두 가지</u> 서술하시오.

(2) (나)의 애국심의 특징을 '민족주의 애국심'과 비교하여 서술하시오.

길잡이 자유주의, 공화주의, 민족주의 애국심의 특징을 서술한다.

# STEP 3 1등급 정복하기

평가원 응용

**1** 사회사상 (가), (나)의 입장에 대한 설명으로 적절하지 않은 것은?

> 자유주의와 공화주의의 국가관

(가) 공동의 목표를 배제한 정치 제도는 정당화될 수 없으며, 공동의 삶을 살아가는 시민으로서의 역할이 배제된 우리 자신도 생각할 수 없다. 우리는 그 공동체의 목표에 밀접하게 결합되어 있다.

(나) 국가는 개인의 삶을 국가가 의도하는 방향으로 인도하기 위해 특정한 가치관이나 입장을 지지해서는 안 된다. 국가는 개인의 자율적인 삶을 보장하고 그것을 실현 가능하게 해 주는 수단이다.

① (가)는 공유된 가치를 바탕으로 한 공동체 의식을 강조한다.
② (가)는 시민이 공동체의 일에 적극적으로 참여하는 것을 중시한다.
③ (나)는 좋은 삶의 조건으로 공동체가 부여한 역할 수행을 중시한다.
④ (나)는 개인의 삶의 방식에 대한 결정권이 개인에게 있음을 강조한다.
⑤ (가)는 시민적 덕성의 함양을, (나)는 사적인 삶과 개인의 선을 중시한다.

**2** (가)의 갑, 을의 입장을 (나) 그림으로 표현할 때, A~C에 해당하는 옳은 진술을 <보기>에서 고른 것은?

> 공화주의의 두 흐름

(가)
갑: 비지배로서의 자유는 자의적 통치나 폭정으로부터 시민들을 보호한다는 의미와 시민들이 공적이고 정치적인 삶에 적극적으로 참여한다는 의미를 조합한 것이다.
을: 국가는 개인의 삶의 문제에 결코 중립적일 수 없다. 우리의 본성은 정치적 존재라는 데 있으며, 자유의 실현은 오직 공동선을 숙고하고 국가의 공공 생활에 참여하는 우리 역량을 발휘하는 데서만 가능하다.

(나)
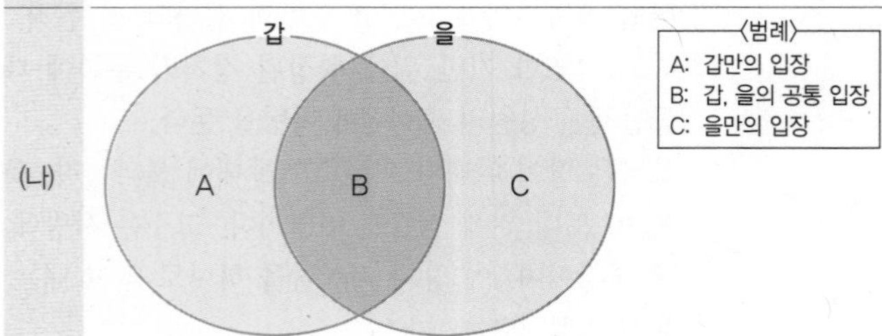


보기
ㄱ. A: 로마 전통 공화주의의 영향 아래에 있다.
ㄴ. B: 정치 참여를 통해 윤리적 자기실현을 할 수 있다.
ㄷ. B: 정치 공동체는 개인의 자유와 권리를 실현하는 데 필수적이다.
ㄹ. C: 정치 참여는 외세와 폭정으로부터 시민의 자유를 지키기 위한 수단이다.

① ㄱ, ㄴ ② ㄱ, ㄷ ③ ㄴ, ㄷ
④ ㄴ, ㄹ ⑤ ㄷ, ㄹ

**완자샘의 시험 꿀팁**

공화주의는 시민적 공화주의와 신로마 공화주의로 분류할 수 있다. 시민적 공화주의는 정치 참여가 목적 그 자체라고 보고, 신로마 공화주의는 정치 참여를 수단으로 본다. 공화주의의 두 흐름이 출제될 가능성이 있으니, 두 사상의 공통점과 차이점을 정리해 둘 필요가 있다.

수능 응용

**3** **(가)의 입장에 비해 (나)의 입장이 가지는 상대적인 특징을 그림의 ㉠~㉤ 중에서 고른 것은?**

(가) 개별적 삶을 살아가는 개별적 개인 외에 그 어떤 사회적·정치적 실체도 없다. …… 국가가 개인의 삶에 적게 간섭할수록 좋은 것이며, 어떤 이상이나 특정한 유토피아를 말하는 국가는 정당한 한계를 벗어난다.

(나) 자유는 '함께하는 자치'에 달려 있다. 자치를 공유하는 것은 공동선에 대해 동료 시민들과 숙고하는 것을 의미하며, 자치를 공유하기 위해서는 시민들이 바람직한 품성을 습득해야 한다. 자치에 필수적인 품성을 길러 내는 것이 정치이다.

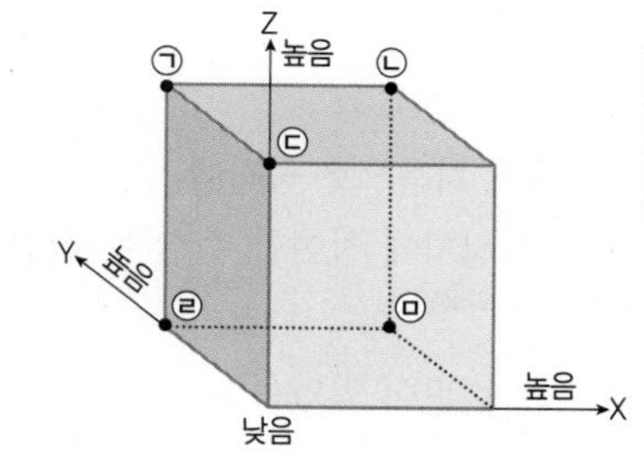


- X: 개인적 선이 공동체를 토대로 형성됨을 강조하는 정도
- Y: 개인들의 정치 참여 의무와 유대 의식을 강조하는 정도
- Z: 개인들의 가치관에 대한 국가의 중립을 강조하는 정도

① ㉠ ② ㉡ ③ ㉢ ④ ㉣ ⑤ ㉤

**자유주의와 공동체주의의 입장 비교**

**완자 사전**

- **자치**
  자기 일을 스스로 다스리는 것

**4** **다음과 같이 주장한 사상가가 애국심에 대해 부정의 대답을 할 질문으로 옳은 것은?**

공화국은 기억과 기념이 무척이나 필요하다. 기억은 시민적 덕성을 키우는 강력한 수단이다. …… 우리에게 필요한 것은 조국과 조상의 위대함에 대해 비겁한 거짓말로 잔뜩 치장한 유치찬란한 국민적 자부심이 아니다. 우리는 우리나라 역사의 이야기들 속에서 비록 짧았고 군사적으로 패배하여 사라졌던 것이라도 그런 자유의 소중한 경험들을 다시 발견해 낼 필요가 있다. 이러한 경험들을 기억함으로써 우리는 자랑스러운 역사를 물려받았다는 느낌과 함께 우리나라를 진정한 시민 공동체로 만들어야겠다는 어떤 도덕적 의무감을 부여받게 되는 것이다.

① 애국심은 국가에 의해 강요된 획일적인 감정을 바탕으로 하는가?
② 애국심이란 자유를 수호해 온 공동체의 역사를 기반으로 형성되는가?
③ 애국심은 구성원들 간의 차별이 존재하지 않는 정치 공동체에서 나타나는가?
④ 애국심은 권력의 따른 주종적 지배 관계가 없는 정치 공동체에서 나타나는가?
⑤ 애국심은 시민의 자유를 지켜 주는 공동체에 대한 시민들의 자발적인 사랑인가?

**공화주의적 애국심**

**완자샘의 시험 꿀팁**

공화주의적 애국심은 자유로운 정치 체제와 그러한 체제를 지키기 위해 투쟁하고 노력하는 동료 시민에 대한 대승적 사랑을 의미한다. 공화주의적 애국심과 함께 자유주의적 애국심, 민족주의적 애국심을 비교하는 문제가 출제될 수 있으니, 각 특징을 정리해 둘 필요가 있다.

# 04 민주주의

학습목표
- 민주주의의 원리와 근대 자유 민주주의의 특징을 이해할 수 있다.
- 현대 민주주의의 규범적 특징과 바람직한 민주 시민의 자세를 파악할 수 있다.

이것이 핵심!

**민주주의의 원리와 원칙**

| 근본 원리 | 국민 주권의 원리: 지배하는 자와 지배받는 자가 동일함 |
|---|---|
| 기본 원칙 | • 모든 시민에게 동등한 참여 권한과 기회를 부여함<br>• 권력 구성과 집행은 시민의 통제에 따라야 함 |

**★ 로크의 법치주의와 권력 분립**

| 법치주의 | 법에 따라 통치하고 그에 따라 살아가는 것 |
|---|---|
| 권력 분립 | 권력을 독점하지 못하도록 입법권과 집행권을 분리하는 것 |

**★ 일반 의지**
각 개인의 사적 이익을 초월하여 오로지 공공의 이익만을 지향하는 보편적인 의지를 뜻한다.

**★ 복수 투표제**
선거에서 현명하고 재능 있는 사람에게 투표권을 더 주는 제도이다.

## 1 근대 민주주의의 지향과 자유 민주주의

### 1. 민주주의의 사상적 기원과 근본 원리

**(1) 민주주의의 의미**

① 민주주의(democracy)의 어원: 그리스어로 민중을 뜻하는 '데모스(demos)'와 통치(지배)를 뜻하는 '크라토스(kratos)'가 합쳐진 말로, 민중이 지배하는 통치 형태를 가리킴

VS 민주주의는 개인이나 소수가 지배하는 군주제나 귀족제와는 달라.

② 정치 공동체의 주권이 국민에게 있고 국민을 위하여 정치를 행하는 제도 또는 그러한 정치를 지향하는 사상을 의미함

**(2) 민주주의의 기원** 자료 ①

① 민주주의는 고대 그리스의 도시 국가였던 아테네에서 처음으로 등장함

② 아테네 민주주의는 자격을 갖춘 시민이라면 누구나 정치에 참여할 수 있는 직접 민주주의였음

자유민 성인 남성을 의미해. 여자와 노예, 외국인은 정치에 참여할 수 없었다는 한계가 있어.

③ 고대 그리스 당시 민주주의가 위험한 정치 체제라는 비판이 있었음

왜? 대중은 정치에 필요한 자질과 전문적인 지식이 없으므로 정치적으로 합당한 판단을 내리기 어렵고, 선동에 휩쓸리기 쉽다고 보았기 때문이야.

**(3) 민주주의의 근본 원리와 기본 원칙**

| 근본 원리 | 국민 주권의 원리: 지배하는 자와 지배받는 자가 같은 정치적 지배 원리 |
|---|---|
| 기본 원칙 | • 모든 시민의 동등한 참여 권한과 기회의 원칙: 정치적 평등을 바탕으로 구성원 모두에게 공공의 일에 참여할 수 있는 동등한 권한과 기회가 부여됨<br>• 권력 구성과 집행에 대한 시민의 통제 원칙: 시민은 정치 지도자를 선출할 뿐만 아니라 선출된 지도자를 감시하고 결과에 책임을 물을 수 있음 |

### 2. 근대 자유 민주주의의 발전

**(1) 사회 계약론의 영향**: 사회 계약론은 절대 왕정 시대의 억압적인 정치 질서와 불평등한 사회 구조를 개혁하고 인간의 자유와 평등의 가치를 보장하는 계기가 됨

국가의 주권이 국민에게 있다는 점을 재차 확인함으로써 민주주의의 이론적 근거가 되었어.

**(2) 민주주의의 발전에 영향을 준 사상가들**

꼭! 로크는 국민들이 저항권을 행사해서 정부에 위임하였던 권리를 회수할 수도 있다고 보았어.

| 로크 자료 ② | • 개인들이 계약을 맺어 자신의 권리를 보장해 줄 정치 공동체의 구성원이 된다고 봄<br>• 정치 공동체는 권력의 남용을 막기 위해 견제와 균형의 원리에 입각해 운영되어야 한다고 주장함 → *법치주의와 권력 분립을 강조함 |
|---|---|
| 루소 자료 ③ | • 각 개인은 스스로가 주권자이고 입법자인 공동체 내에서 자연 상태에서의 자유에 상응하는 시민적 자유를 재발견하게 된다고 봄<br>• 정치 공동체는 *일반 의지에 근거하여 운영되어야 한다고 주장함 |
| 밀 | • 개인의 자유를 최대한 보장하는 정부를 좋은 정부로 봄 → 사회나 국가가 개인을 통제할 수 있는 경우를 엄격하게 규정함<br>• 지성과 덕성이 뛰어난 사람이 더 큰 영향력을 행사하는 대의제를 이상적인 정치 체제로 여김 → *복수 투표제를 주장함 |

**(3) 근대 자유 민주주의의 지향**

잠깐! 근대의 자유 민주주의는 자유의 보장을 최고의 가치로 삼는 자유주의의 이상과 민주주의의 통치 방식이 결합한 사상이라고 볼 수 있어.

① 국민 주권을 제도화하는 정치 체제를 구현하고자 함

② 평등한 시민의 자유권, 참정권, 사회권 등을 보장하고자 함

③ 인간의 존엄, 자유, 평등을 지향하며 이를 보장하기 위한 정치 원리와 제도를 강조함

## 완자 자료 탐구

내 옆의 선생님

### 자료 1 페리클레스의 장례식 연설

> 우리의 정치 체제는 민주주의라고 불립니다. 왜냐하면 권력이 소수의 손에 있는 것이 아니라 전체 시민의 손에 있기 때문입니다. 사적인 분쟁을 수습해야 하는 문제가 있을 때 모든 사람은 법 앞에 평등합니다. 국가에 기여할 수 있는 능력을 가지고 있는 한 어느 누구도 빈곤하다는 이유로 정치적으로 무시되지 않습니다. …… 아테네에서 각 개인은 자신의 일뿐만 아니라 국가의 일에도 관심을 가집니다. 자신의 일에만 대체로 전념하는 사람들도 정치 일반에 대하여 아주 잘 알고 있습니다. 우리 아테네인들은 정책에 대한 결정을 스스로 내리거나 적절한 토의에 회부합니다.
>
> – 투키디데스, 『펠로폰네소스 전쟁사』

고대 그리스의 정치가인 페리클레스는 펠로폰네소스 전쟁에서 죽은 아테네 시민들을 애도하는 연설을 하였다. 그는 이 연설을 통해 모든 시민이 아테네 정치 공동체의 운영에 참여할 수 있다는 점을 민주주의의 특징으로 꼽았으며, 민주적 의사 결정에 이르는 방법으로 시민들 사이의 대화와 토론을 강조하였다.

### 자료 2 로크가 주장하는 법치주의와 권력 분립

> 정부가 가진 모든 권력은 오직 사회의 선을 위한 것이므로 자의적이고 제멋대로 행사되어서는 안 되며, 확립되고 선포된 법률에 따라 행사되어야 한다. 왜냐하면 한편으로는 국민이 그들의 의무를 알 수 있고 법률의 한도 내에서 안심할 수 있기 때문이며, 다른 한편으로는 통치자가 적절한 한계 내에서 처신하면서 권력의 유혹에 빠져 권력을 함부로 행사하는 일이 없도록 방지할 수 있기 때문이다.
>
> – 로크, 『통치론』

로크는 입법권을 최고의 권력으로 보고, 권력을 독점하였을 때 발생할 수 있는 문제를 방지하고자 법을 제정하는 입법권과 제정된 법을 집행하는 집행권을 분리해야 한다고 주장하였다. 인간에게는 권력을 장악하고 싶어 하는 경향이 있어 법률을 제정하는 권력을 지닌 사람이 법률을 집행하는 권력까지도 가지려 한다고 보았기 때문이다.

### 자료 3 루소의 일반 의지와 시민적 자유

꼭! 루소는 사회 계약을 통해서 사유 재산의 발생 이후에 생겨난 불평등과 자유의 속박에서 벗어나고, 시민적 자유를 회복할 수 있다고 보았어.

> "공동의 힘을 다해 각자의 몸과 재산을 지켜 보호해 주고, 저마다가 모든 사람과 결합하면서도 자기 자신에게만 복종해 전과 다름없이 자유롭도록 해 주는 그러한 형식을 찾아낼 것." 사회 계약이 그 해답을 주는 근본 문제란 이런 것이다. …… 우리는 각자 자기 몸과 모든 힘을 공동의 것으로서 일반 의지의 지도 아래 둔다. …… 이는 인간이 자유로워지도록 (일반 의지에 의해) 강요당할 것 말고는 다른 것을 뜻하지 않는다. 왜냐하면 그것이야말로 각 시민을 조국에 바침으로써 그를 모든 개인적 종속으로부터 보호해 주는 조건이기 때문이다.
>
> – 루소, 『사회 계약론』

루소에 따르면, 각 개인은 정치 공동체의 구성원이 되면서 자연 상태에서의 자유를 포기하지만, 스스로가 주권자이고 입법자인 공동체 내에서 자연 상태에 상응하는 시민적 자유를 발견하게 된다. 나아가 루소는 정치 공동체가 일반 의지에 근거해야 한다고 주장함으로써, 공동선의 실현과 국민 주권의 원리를 중시하는 자유 민주주의에 영향을 주었다.

---

**문제로 확인할까?**

민주주의에 대한 설명으로 옳지 않은 것은?

① 국민 주권의 원리
② 고대 아테네에서 태동
③ 소수가 지배하는 정체
④ 시민의 동등한 참여 권한
⑤ 권력에 대한 시민의 통제 원칙

답 ③

**자료 하나 더 알고 가자!**

인간과 시민의 권리 선언(1789)

- **제1조** 인간은 자유롭고 평등한 권리를 지니고 태어나서 살아간다.
- **제2조** 모든 정치적 결사의 목적은 인간이 지닌 소멸될 수 없는 자연권을 보전하는 데 있다. 이러한 권리는 자유권과 재산권, 신체 안전에 대한 권리와 억압에 대한 저항권이다.

프랑스 대혁명(1789) 당시 선언된 '인간과 시민의 권리 선언'에는 자유주의가 자유 민주주의의 발전에 미친 영향이 잘 드러나 있다.

**자료 하나 더 알고 가자!**

자유에 대한 밀의 견해

> 첫째, 모든 주제에 대해 양심의 자유, 생각과 감정의 자유, 의견과 주장의 자유를 누려야 한다. 둘째, 자신의 기호를 즐기고 희망하는 것을 추구할 자유를 지녀야 한다. 셋째, 타인에게 해가 되지 않는 한 어떤 목적의 모임이든 자유롭게 결성할 수 있어야 한다. – 밀, 『자유론』

밀은 자유의 기본 영역으로 위와 같은 세 가지 자유를 제시하고, 이를 존중하는 사회가 자유로운 사회라고 주장하였다.

# 04 민주주의

이것이 핵심!

**시민 불복종**

| | |
|---|---|
| 의미 | 정의롭지 못한 법이나 정책을 변화시킬 목적으로 시민들이 의도적으로 법을 위반하는 행위 |
| 정당화 근거 | • 롤스: 정의의 원칙과 같은 실질적 도덕 원칙에 근거함<br>• 하버마스: 의사소통적 합리성과 같은 형식적 도덕 원칙에 근거함 |

★ **엘리트 민주주의**
의사 결정 능력을 가진 능숙하고 창의적인 엘리트를 선출하고, 그의 중심적 역할을 강조하는 민주주의의 유형이다. 일반 시민들은 정치적 사안을 파악하기 위한 정보가 부족하거나 관심이 없어 조작당하기 쉬우므로, 투표를 통해 선출된 지배 엘리트에게 통치를 맡겨야 한다고 본다.

★ **롤스의 시민 불복종 정당화 조건**
① 공개성, ② 공익성, ③ 비폭력성, ④ 처벌 감수, ⑤ 최후의 수단

★ **의사소통적 합리성**
하버마스는 합리성을 단순한 논리적 사고가 아니라 사람들 사이의 대화와 토론에서 찾는다. 그는 올바른 대화의 기준으로 ① 서로 무슨 뜻인지 이해할 수 있고, ② 그 내용이 참이어야 하며, ③ 상대방이 성실히 지킬 것을 믿을 수 있고, ④ 말하는 사람들의 관계가 평등하고 수평적이어야 함을 제시한다.

## 2 도덕적 자율성과 책임성 및 시민의 소통과 유대

### 1. 현대 민주주의의 규범적 특징

(1) **대의 민주주의**: 시민의 투표를 통해 선출된 대표자가 시민들의 의사를 전달하고 실현하는 형태의 민주주의 — Oh? 현실적으로 모든 시민이 정치적 의사 결정 과정에 직접 참여하기 어렵기 때문이야.

| | |
|---|---|
| 특징 | • 근대 이후 민주주의의 기본적인 형태로 자리 잡음<br>• 국민의 지배가 그들이 선출한 대표자를 통해 간접적으로 이루어짐 |
| 한계 | • 대표자가 다수의 의사를 온전히 대표하기 어려워서 대표의 실패라는 문제가 나타날 수 있음<br>• *엘리트 민주주의의 성격을 지님 → 시민들의 정치적 소외감을 강화하고 냉소주의를 조장함 자료 ④<br>• 소수의 의견을 배제하여 사회 통합을 저해할 수 있음 |

(2) **참여 민주주의**: 다수의 시민이 공공 정책이나 사회 문제를 다루는 의사 결정 과정에 자발적으로 참여하는 형태의 민주주의 — 꼭! 참여의 영역은 정부, 의회, 정당의 의사 결정뿐만 아니라 기업, 학교, 지역 자치 등 사회 전반으로 확대되어야 해.

| | |
|---|---|
| 특징 | • 자신의 의사를 직접 전달하거나 소수의 의견을 전달할 수 있음<br>• 시민이 자신과 관련된 공동체의 규율과 규제를 형성하는 데 관여할 수 있음 |
| 한계 | • 참여한 시민이 자기만을 생각하는 이기적인 태도를 보일 경우 시민 전체의 의지가 왜곡될 수 있음<br>• 각 시민이 처한 여건으로 인해 정치적 의사 결정에 동등하게 참여하기가 어려움 |

(3) **심의 민주주의**: 시민이 직접 공적 심의 과정에 참여해 정책을 결정하는 형태의 민주주의

| | |
|---|---|
| 특징 | • 공론의 장에서 시민이 사회적 쟁점을 깊이 있게 토론하고 심의하는 과정을 중시함 자료 ⑤<br>• 시민은 자신의 선호를 정책 결정 과정에 반영하고, 대표자는 공공성을 추구하는 정책을 만들 수 있음 |
| 한계 | • 심의 과정에서 모든 시민이 동등한 기회를 부여받지 못할 수 있음<br>• 합리적 의사소통 능력이 결여된 시민의 참여로 심의 결과의 정당성과 적절성에 문제가 생길 수 있음 |

— 권력이나 부와 무관하게 모든 사람이 심의 과정에서 동등한 기회와 지위를 누리고, 토론과 숙고를 통해 자신의 선호를 수정할 수 있어야 해.

### 2. 민주 시민의 자세와 시민 불복종

(1) **바람직한 민주 시민의 자세**

① 다양한 욕구와 의견을 조율할 수 있는 소통 능력과 숙의 능력을 길러야 함

② 인간이 사회적 존재임을 자각하여 정치에 참여하고 시민들 간에 연대해야 함

③ 상호 존중에 뿌리를 두고 공동의 가치와 공동선을 증진하기 위해 노력해야 함

④ 공적인 문제에 관한 도덕적 판단을 내리고 자신의 말과 행동에 책임을 져야 함

(2) **시민 불복종** 교과서 자료

① 의미: 정의롭지 못한 법이나 정책을 변화시킬 목적으로 시민들이 의도적으로 법을 위반하는 행위

② 시민 불복종에 대한 두 입장

| | |
|---|---|
| 롤스 | • 법이나 정부의 정책에 변혁을 가져올 목적으로 행해지는 공공적이고 비폭력적이며 양심적이긴 하지만 법에 반하는 정치적 행위라고 주장함<br>• 정의의 원칙이 존중되고 있지 않음을 선언하고, 시민 다수의 정의감에 호소하는 행위라고 봄 — 정의에 반하는 실질적이고 명확한 침해가 있어야 시민 불복종이 정당화될 수 있다고 봐.<br>• 시민 불복종의 *정당화 조건을 제시함 |
| 하버마스 | • 시민 불복종 정당화 조건에 대한 롤스의 입장을 일부 수용 → 시민 불복종은 비폭력적이어야 하며, 규범을 위반하는 것에 대한 처벌을 감수한다는 전제하에서 행해져야 한다고 봄<br>• 오류의 소지가 있는 법이나 정책은 *의사소통 과정에서 교정되어야 한다고 봄 — 시민 불복종이 이러한 교정의 기회를 제공한다고 봐.<br>• 시민 불복종은 정당하지 않은 규정을 수정하거나 개혁할 수 있는 마지막 가능성임 → 성숙한 정치 문화를 구성하는 필수적인 요소라고 주장함 |

VS 롤스가 정의의 원칙과 같은 실질적 도덕 원칙에 근거하여 시민 불복종을 정의하는 것과는 다르게 하버마스는 의사소통적 합리성과 같은 형식적인 도덕 원칙에 대한 위반에 근거하여 시민 불복종을 정의해.

# 완자 자료 탐구

내 옆의 선생님

## 자료 4 슘페터가 주장하는 엘리트 민주주의

> 민주주의란 국민의 표를 얻는 데 성공한 결과로서, 모든 문제에 대한 결정권을 특정 개인들에게 부여하는 방식을 통해 정치적(입법적·행정적) 결정에 도달하려는 제도적 장치이다. …… '국민'과 '지배'라는 용어의 분명한 의미가 무엇이건 간에, 민주주의는 국민이 실제로 지배하는 것을 의미하지 않으며 또한 의미할 수도 없다. 민주주의는 다만 국민이, 그들을 지배할 예정인 사람들을 승인하거나 부인할 기회를 가지고 있음을 의미할 따름이다. – 슘페터, 『자본주의, 사회주의, 민주주의』

슘페터는 민주주의를 엘리트가 대중의 승인을 얻고자 자유롭게 경쟁하는 제도적 장치로 이해하였다. 그리고 정치적 지배는 정치 엘리트인 지도자에게 맡겨야 하며, 시민의 역할은 지도자를 선출하는 투표자에 한정해야 한다고 보았다.

왜? 일반적으로 시민은 정치적 문제에 대한 감각과 책임 의식을 지니기 어려워 비합리적인 편견을 가지거나 충동에 빠지는 경향이 있다고 보기 때문이야.

## 자료 5 심의 민주주의에 대한 롤스의 입장

> 심의 민주주의를 규정하는 것은 심의 개념 자체이다. 시민이 정치적 문제들을 심의할 때, 그들은 의견을 교환하고 자신들이 지지하는 근거들을 토론한다. 이들은 자신의 정치적 의견이 다른 시민들과 토론하면서 수정될 수 있음을 가정한다. …… 이 지점에서 공적 이성(public reason)은 아주 결정적이다. – 롤스, 『만민법』

심의 민주주의는 시민들이 공공의 문제에 대해 서로 소통하면서 집단의 의사를 형성해 가는 민주적 과정을 강조하는 방식이다. 이와 관련하여 롤스는 '공적 이성'이 심의 민주주의에서 중요한 역할을 한다고 보았다.

### 자료 하나 더 알고 가자!

**루소의 대의 민주주의 비판**

> 주권은 양도될 수 없다는 것과 같은 이유에서 대변될 수도 없다. …… 영국 국민은 자유롭다고 생각한다. …… 그러나 그들이 자유로운 것은 오직 의회의 대의원을 선출할 때뿐이며, 일단 선출이 끝나면 그들은 노예가 되고 존재하지 않게 된다. – 루소, 『사회 계약론』

루소는 대의 민주주의의 한계를 지적하며 직접 민주주의를 주장하였다.

### 정리 비법을 알려줄게!

**현대 민주주의의 유형**

| | |
|---|---|
| 대의 민주주의 | 대표자를 선출해 시민의 의사를 전달하고 실현하는 민주주의 |
| 참여 민주주의 | 다수의 시민이 의사 결정 과정에 자발적으로 참여하는 민주주의 |
| 심의 민주주의 | 시민이 직접 공적 심의 과정에 참여해 정책을 결정하는 민주주의 |

## 수능이 보이는 교과서 자료 시민 불복종: 롤스와 하버마스의 관점

> 시민 불복종은 불법이다. 하지만 결국 입헌 제도를 안정시키는 도구 중 하나이다. 공공적이고 비폭력적 성격을 가지고 있는 시민 불복종은 다수의 정의관에 근거해야 하며, 평등한 자유의 원칙에 대한 심한 위반이나 공정한 기회 균등의 원칙에 대한 현저한 위배가 있을 때 가능하다. – 롤스, 『정의론』

> 진정한 법치 국가는 단순한 합법성을 토대로 정당성을 내세워서는 안 되며, 시민들에게는 법에 대한 절대적 복종이 아닌 조건부의 복종을 요구해야 한다. 시민 불복종은 저항의 논증이 더 강한 반향을 얻기 위해 사용할 수 있는 마지막 수단이며, 시민의 비판적 판단에 호소해야 한다. – 하버마스, 『새로운 불투명성』

롤스와 하버마스는 공통적으로 민주 사회에서 시민 불복종이 필요하다고 본다. 시민 불복종은 부정의한 법이나 제도를 교정하도록 하여 사회 정의를 실현하는 데 이바지하기 때문이다. 그러나 롤스가 공공의 정의관에 어긋나는 것에 대한 저항으로 시민 불복종을 정의한 반면, 하버마스는 시민들이 합리적인 의사소통을 통해 합의한 원칙에 어긋나는 법이나 정책에 대한 저항으로서 시민 불복종을 정의한다는 입장의 차이가 있다.

### 완자샘의 탐구 강의

**• 롤스와 하버마스가 주장하는 시민 불복종의 차이점을 서술하시오.**

하버마스는 시민 불복종을 시민들의 합리적인 의사소통을 통해 합의한 원칙에 어긋나는 법이나 정책에 대한 저항으로 정의한다. 이는 시민 불복종을 공공의 정의관에 어긋나는 것에 대한 저항으로 정의한 롤스의 입장과 차이가 있다.

함께 보기 215쪽, 1등급 정복하기 4

## STEP 1 핵심 개념 확인하기

정답친해 55쪽

**1** 밑줄 친 '이것'에 해당하는 용어를 쓰시오.

> 이것은 그리스어로 민중을 뜻하는 '데모스(demos)'와 통치를 뜻하는 '크라토스(kratos)'가 합쳐진 말로, 민중이 지배하는 통치 형태를 가리킨다.

**2** 다음 설명이 맞으면 ○표, 틀리면 ×표를 하시오.

(1) 민주주의는 개인이나 소수가 지배하는 통치 형태이다. ( )

(2) 국민 주권의 원리에 따르면, 사회적 신분과 재산에 따라서 정치 참여의 정도가 달라진다. ( )

(3) 민주주의 사회에서 시민은 정치 지도자를 선출할 뿐만 아니라 선출된 지도자를 감시할 수도 있다. ( )

**3** 현대 민주주의의 유형과 그에 대한 설명을 옳게 연결하시오.

(1) 대의 민주주의 •    • ㉠ 다수의 시민이 의사 결정 과정에 자발적으로 참여하는 형태의 민주주의

(2) 참여 민주주의 •    • ㉡ 선출된 대표자가 시민들의 의사를 전달하고 실현하는 형태의 민주주의

(3) 심의 민주주의 •    • ㉢ 시민이 직접 공적 심의 과정에 참여해 정책을 결정하는 형태의 민주주의

**4** 정의롭지 못한 법이나 정책을 변화시킬 목적으로 시민들이 의도적으로 법을 위반하는 행위를 ( )이라고 한다.

**5** 롤스가 제시한 시민 불복종의 정당화 조건으로 옳은 것만을 〈보기〉에서 있는 대로 골라 기호를 쓰시오.

보기

ㄱ. 공개성    ㄴ. 공익의 지향
ㄷ. 폭력적 행위    ㄹ. 최후의 수단

## STEP 2 내신 만점 공략하기

**01** 중요 ㉠에 대한 설명으로 옳지 않은 것은?

> 우리의 정치 체제는 ㉠ (이)라고 불립니다. 왜냐하면 권력이 소수의 손에 있는 것이 아니라 전체 시민의 손에 있기 때문입니다. 사적인 분쟁을 수습해야 하는 문제가 있을 때 모든 사람은 법 앞에 평등합니다. 국가에 기여할 수 있는 능력을 가지고 있는 한 어느 누구도 빈곤하다는 이유로 정치적으로 무시되지 않습니다.

① 민중이 지배하는 통치 형태이다.
② 권력은 소수의 시민에 의해 구성되고 집행된다.
③ 지배하는 자와 지배받는 자가 동일한 정치 체제이다.
④ 고대 그리스의 도시 국가였던 아테네에서 처음으로 등장하였다.
⑤ 구성원 모두에게 공공의 일에 참여할 수 있는 동등한 권한과 기회가 부여된다.

**02** 다음은 '인간과 시민의 권리 선언'의 내용 중 일부이다. 이에 대한 옳은 설명을 〈보기〉에서 고른 것은?

> • 제1조 인간은 자유롭고 평등한 권리를 지니고 태어나서 살아간다.
> • 제2조 모든 정치적 결사의 목적은 인간이 지닌 소멸될 수 없는 자연권을 보전하는 데 있다. 이러한 권리는 자유권과 재산권, 신체 안전에 대한 권리와 억압에 대한 저항권이다.
> • 제3조 모든 주권은 본질적으로 국민에게 있다.

보기

ㄱ. 국민 주권의 원리를 천명하고 있다.
ㄴ. 근대의 자연권 사상에서 영향을 받았다.
ㄷ. 직접 민주주의가 발전하는 계기가 되었다.
ㄹ. 인간의 권리가 정치 공동체로부터 주어진 것이라고 본다.

① ㄱ, ㄴ    ② ㄱ, ㄷ    ③ ㄴ, ㄷ
④ ㄴ, ㄹ    ⑤ ㄷ, ㄹ

**03** 밑줄 친 '이것'이 민주주의에 미친 영향력을 〈보기〉에서 고른 것은?

> 이것은 근대에 등장한 사상으로서, 자유로운 개인들이 동의와 계약을 맺어 국가를 형성했다고 본다. 개개인은 국가가 없는 자연 상태에서 자신의 권리를 제대로 보장받지 못하기 때문에 계약을 통해 이 상황에서 벗어나려고 한다는 것이다.

보기

ㄱ. 정치적 권리를 지닌 시민의 범위를 축소하였다.
ㄴ. 자유와 평등의 가치를 보장하는 데 영향을 주었다.
ㄷ. 국가의 주권이 국민에게 있음을 확인하는 계기가 되었다.
ㄹ. 절대 왕정 시대의 정치 질서를 유지하는 데 영향을 미쳤다.

① ㄱ, ㄴ ② ㄱ, ㄷ ③ ㄴ, ㄷ
④ ㄴ, ㄹ ⑤ ㄷ, ㄹ

중요

**04** 다음과 같이 주장한 사상가가 부정의 대답을 할 질문으로 가장 적절한 것은?

> 정부가 가진 모든 권력은 오직 사회의 선을 위한 것이므로 자의적이고 제멋대로 행사되어서는 안 되며, 확립되고 선포된 법률에 따라 행사되어야 한다. 왜냐하면 한편으로는 국민이 그들의 의무를 알 수 있고 법률의 한도 내에서 안심할 수 있기 때문이며, 다른 한편으로는 통치자가 적절한 한계 내에서 처신하면서 권력의 유혹에 빠져 권력을 함부로 행사하는 일이 없도록 방지할 수 있기 때문이다.

① 국가는 개인들의 계약을 통해 형성된 것인가?
② 국가는 법치주의를 바탕으로 운영되어야 하는가?
③ 국가는 견제와 균형의 원리에 입각하여 운영되어야 하는가?
④ 효율적인 통치를 위해 입법권과 집행권은 결합되어야 하는가?
⑤ 국민은 제 역할을 하지 못하는 국가에게 저항권을 행사할 수 있는가?

**05** 다음과 같이 주장한 사상가의 입장으로 옳지 않은 것은?

> "공동의 힘을 다해 각자의 몸과 재산을 지켜 보호해 주고, 저마다가 모든 사람과 결합하면서도 자기 자신에게만 복종해 전과 다름없이 자유롭도록 해 주는 그러한 형식을 찾아낼 것." 사회 계약이 그 해답을 주는 근본 문제란 이런 것이다. …… 우리는 각자 자기 몸과 모든 힘을 공동의 것으로서 일반 의지의 지도 아래 둔다.

① 사유 재산이 발생하면서 인간 불평등이 시작되었다.
② 각 개인은 자신의 권리를 통치자에게 전적으로 위임해야 한다.
③ 개인은 주권자로서 정치 공동체 안에서 시민적 자유를 회복할 수 있다.
④ 개인은 입법자가 되는 계약을 통해서만 시민적 자유를 회복할 수 있다.
⑤ 공공의 이익을 지향하는 일반 의지에 따라 정치 공동체를 운영해야 한다.

**06** 다음과 같이 주장한 사상가가 지지할 관점에만 모두 'V'를 표시한 학생은?

> 자유의 기본 영역으로 다음의 세 가지를 생각할 수 있다. 첫째, 모든 주제에 대해 양심의 자유, 생각과 감정의 자유, 의견과 주장의 자유를 누려야 한다. 둘째, 자신의 기호를 즐기고 희망하는 것을 추구할 자유를 지녀야 한다. 셋째, 타인에게 해가 되지 않는 한 어떤 목적의 모임이든 자유롭게 결성할 수 있어야 한다.

| 관점 \ 학생 | 갑 | 을 | 병 | 정 | 무 |
|---|---|---|---|---|---|
| 직접 민주주의가 가장 이상적인 정치 체제이다. | V | | | V | |
| 좋은 정부란 개인의 자유를 최대한 보장하는 정부이다. | | V | V | | V |
| 현명하고 재능 있는 사람에게 투표권을 더 주어야 한다. | V | V | | V | V |
| 정당한 근거 없이 타인에게 해를 끼친다면 사회의 통제를 받을 수 있다. | | | V | V | V |

① 갑 ② 을 ③ 병 ④ 정 ⑤ 무

**07** 다음과 같이 주장한 사상가의 입장으로 적절하지 않은 것은?

> 민주주의란 국민의 표를 얻는 데 성공한 결과로서, 모든 문제에 대한 결정권을 특정 개인들에게 부여하는 방식을 통해 정치적(입법적·행정적) 결정에 도달하려는 제도적 장치이다. …… '국민'과 '지배'라는 용어의 분명한 의미가 무엇이건 간에, 민주주의는 국민이 실제로 지배하는 것을 의미하지 않으며 또한 의미할 수도 없다.

① 대중은 정치적 사안에 관심이 없어 조작당하기 쉽다.
② 정치적 지배는 정치 엘리트인 지도자에게 맡겨야 한다.
③ 일반적인 시민은 정치적 문제에 대한 감각과 책임 의식을 지니기 어렵다.
④ 민주주의는 엘리트가 대중의 승인을 얻으려고 경쟁하는 제도적 장치이다.
⑤ 시민의 역할은 지도자의 선출을 넘어 직접적인 정치 참여로 확장되어야 한다.

**08** 다음은 '현대 민주주의의 한계'에 대한 신문 사설이다. ㉠에 들어갈 제목으로 가장 적절한 것은?

> ㉠
>
> 주권은 양도될 수 없다는 것과 같은 이유에서 대변될 수도 없다. 대의원은 국민의 대표자도 아니고 그렇게 될 수도 없다. 국민들은 스스로를 자유롭다고 생각한다. 그러나 그들은 크게 착각하고 있다. 그들이 자유로운 것은 오직 의회의 대의원을 선출할 때뿐이며, 일단 선출이 끝나면 그들은 노예가 되어 존재하지 않게 된다.

① 엘리트 민주주의를 시행해야 한다
② 투표를 통해 더 많은 정치적 대표자를 선출해야 한다
③ 모든 시민이 정치적 의사 결정 과정에 참여해서는 안 된다
④ 대의 민주주의 체제는 시민 다수의 의사를 대표하기 어렵다
⑤ 민주주의 사회에서 국민의 지배는 간접적으로 이루어져야 한다

**09** 다음은 참여 민주주의에 대한 필기 내용이다. ㉠~㉤ 중 옳지 않은 것은?

> **참여 민주주의의 특징과 한계**
>
> 1. 특징
> 가. 자신의 의사를 직접 전달하거나 소수의 의견을 전달할 수 있음 ……… ㉠
> 나. 참여의 영역은 정부, 의회, 정당의 의사 결정 과정에 한정되어야 함 ……… ㉡
> 다. 시민이 자신과 관련된 공동체의 규율과 규제를 형성하는 데 관여할 수 있음 ……… ㉢
>
> 2. 한계
> 가. 모든 시민이 정치적 의사 결정에 동등하게 참여하기가 쉽지 않음 ……… ㉣
> 나. 참여한 시민이 자신의 이해관계만을 우선시하는 이기적인 태도를 보일 경우 시민 전체의 의지가 왜곡될 수 있음 ……… ㉤

① ㉠ ② ㉡ ③ ㉢ ④ ㉣ ⑤ ㉤

**10** 현대 민주주의의 유형 중 하나인 ㉠에 대한 옳은 설명만을 <보기>에서 있는 대로 고른 것은?

> ㉠ 을/를 규정하는 것은 심의 개념 자체이다. 시민이 정치적 문제들을 심의할 때, 그들은 의견을 교환하고 자신들이 지지하는 근거들을 토론한다. 이들은 자신들의 정치적 의견이 다른 시민들과 토론하면서 수정될 수 있음을 가정한다.

**보기**

ㄱ. 공적 이성(public reason)의 역할을 강조한다.
ㄴ. 권력에 따라서 심의 참여의 기회가 달라진다고 본다.
ㄷ. 시민이 자신의 선호를 정책 결정 과정에 반영할 수 있다고 본다.
ㄹ. 공론의 장에서 시민들이 사회적 쟁점을 깊이 있게 토론할 수 있다고 본다.

① ㄱ, ㄴ ② ㄱ, ㄷ ③ ㄴ, ㄷ
④ ㄱ, ㄷ, ㄹ ⑤ ㄴ, ㄷ, ㄹ

**11** 다음과 같이 주장한 사상가의 입장에 대한 설명으로 옳지 않은 것은?

> 시민 불복종은 법의 바깥 경계선에 있는 것이기는 하지만 법에 대한 충실성의 한계 내에서의 불복종을 나타낸다. 법에 대한 충실성은 그 행위의 공공적이고 비폭력적인 성격과 그 행위의 법적인 결과를 받아들이겠다는 의지에 의해 표현된다.

① 시민 불복종은 공익을 지향하는 행위라고 본다.
② 시민 불복종 그 자체는 위법적인 행위가 아니라고 본다.
③ 시민 불복종은 다수의 정의감에 호소하는 행위라고 본다.
④ 시민 불복종이 정당화되기 위해서는 비폭력적이어야 한다고 본다.
⑤ 정의에 반하는 실질적으로 명확한 침해가 있어야 시민 불복종이 정당화될 수 있다고 본다.

**12** 중요 갑, 을의 입장에 대한 설명으로 옳지 않은 것은?

시민 불복종은 다수의 정의관에 근거해야 하며, 평등한 자유의 원칙에 대한 심한 위반이나 공정한 기회균등의 원칙에 대한 현저한 위배가 있을 때 가능하다.

갑

진정한 법치 국가는 단순한 합법성을 토대로 정당성을 내세워서는 안 된다. …… 시민 불복종은 저항의 논증이 더 강한 반향을 얻기 위해 사용할 수 있는 마지막 수단이며, 시민의 비판적 판단에 호소해야 한다.

을

① 갑은 시민 불복종이 입헌 제도를 안정시키는 도구 중 하나라고 본다.
② 을은 오류의 소지가 있는 법은 의사소통 과정에서 교정되어야 한다고 본다.
③ 을은 시민 불복종이 성숙한 정치 문화를 구성하는 데 필수적인 요소라고 본다.
④ 갑, 을은 시민 불복종을 행할 때 규범 위반에 대한 처벌을 감수해야 한다고 본다.
⑤ 갑, 을은 정의의 원칙과 같은 실질적 도덕 원칙에 근거하여 시민 불복종을 정의한다.

## 서술형 문제

● 정답친해 56쪽

**01** 다음 글을 읽고 물음에 답하시오.

> (가) 우리의 정치 체제는 ㉠ (이)라고 불립니다. 왜냐하면 권력이 소수의 손에 있는 것이 아니라 전체 시민의 손에 있기 때문입니다. 사적인 분쟁을 수습해야 하는 문제가 있을 때 모든 사람은 법 앞에 평등합니다.
> (나) 인간은 이 세상에 태어나면서부터 다른 모든 인간과 마찬가지로 평등하게 완전한 자유를 소유한다. 그리고 자연법이 정해 주는 일체의 권리와 특권을 아무런 제한도 받지 않고 누릴 수 있는 자격을 가진다.

(1) ㉠에 해당하는 사회사상의 근본 원리와 그 의미를 쓰시오.

(2) (나)의 관점이 (가) 사회사상에 미친 영향력을 서술하시오.

길잡이 자연권 사상이 민주주의에 미친 영향력을 서술한다.

**02** 다음 글을 읽고 물음에 답하시오.

> 갑: 시민 불복종은 정의의 원칙이 존중되고 있지 않음을 선언하고 시민 다수의 정의감에 호소하는 행위입니다.
> 을: 오류의 소지가 있는 법이나 정책은 의사소통 과정에서 교정되어야 합니다. 시민 불복종은 이러한 교정의 기회를 제공합니다.

(1) 시민 불복종에 대한 갑, 을의 공통적인 입장을 두 가지 서술하시오.

(2) 시민 불복종에 대한 갑, 을의 입장 차이를 서술하시오.

길잡이 롤스와 하버마스의 시민 불복종에 대해 서술한다.

STEP 3 **1등급 정복하기**

평가원 응용

**1** **(가), (나)는 민주주의에 대한 두 입장이다. 이에 대한 옳은 설명을 〈보기〉에서 고른 것은?**

> (가) 민주주의는 '국민에 의한 지배'를 의미한다. 이는 시민들이 대표자 선출이라는 기본적인 정치 참여뿐만 아니라 정부의 정책 결정 과정 등 공적 영역에 적극적으로 참여할 때 실현될 수 있다.
> (나) 민주주의는 '정치가의 지배'이며, 엘리트들이 대중의 승인을 얻기 위해 자유롭게 경쟁하는 제도적 장치이다. 정치적 지배는 정치가에게 맡겨야 하며 시민의 역할은 정치가를 선출하는 역할로 한정해야 한다.

보기

ㄱ. (가)는 시민의 적극적인 정치 참여가 민주주의를 발전시킨다고 본다.
ㄴ. (나)는 모든 형태의 민주주의가 중우 정치로 귀결될 수 있다고 본다.
ㄷ. (가)는 (나)와 다르게 시민이 합리적인 의사 결정을 할 수 없다고 본다.
ㄹ. (나)는 (가)와 다르게 소수에 의해 정치권력이 행사되어야 한다고 본다.

① ㄱ, ㄴ　② ㄱ, ㄹ　③ ㄴ, ㄷ
④ ㄴ, ㄹ　⑤ ㄷ, ㄹ

**참여 민주주의와 엘리트 민주주의**

**완자 사전**

• **중우 정치**
이성보다 일시적 충동에 의하여 좌우되는 어리석은 대중들의 정치를 뜻한다.

**2** **서양 사상가 갑, 을의 입장에 대한 설명으로 옳지 않은 것은?**

> 갑: 정부가 가진 모든 권력은 오직 사회의 선을 위한 것이므로 자의적이고 제멋대로 행사되어서는 안 되며, 확립되고 선포된 법률에 따라 행사되어야 한다. 왜냐하면 한편으로는 국민이 그들의 의무를 알 수 있고 법률의 한도 내에서 안심할 수 있기 때문이며, 다른 한편으로는 통치자가 적절한 한계 내에서 처신하면서 권력의 유혹에 빠져 권력을 함부로 행사하는 일이 없도록 방지할 수 있기 때문이다.
> 을: 우리 각자는 신체와 모든 힘을 공동의 것으로 삼아 일반 의지의 최고 지도 아래에 둔다. 다수의 사람들이 결합하여 스스로 일체를 형성한다고 생각하는 한, 그들은 '공동의 보전'과 '일반적 복지'에 대한 관심이라는 단 하나의 의지만을 갖는다.

① 갑은 권력 독점을 막기 위해 권력을 분리해야 한다고 본다.
② 갑은 국민이 정부에 위임했던 권리를 되찾을 수 있다고 본다.
③ 을은 사유 재산 제도가 인간 불평등의 원인이 되었다고 본다.
④ 을은 이상적인 국가는 절대 군주제가 시행되는 국가라고 본다.
⑤ 갑, 을은 국가 권력의 정당성이 주권을 가진 국민의 동의에서 발생한다고 본다.

**로크와 루소의 사회 계약론**

**완자샘의 시험 꿀팁**

로크와 루소의 사회 계약론은 근대 자유 민주주의가 발전하는 데 큰 영향을 주었다. 따라서 해당 사상가의 사회 계약론의 특징을 파악해 둘 필요가 있다.

수능 응용

**3** **그림의 강연자가 지지할 주장으로 가장 적절한 것은?**

▶ 심의 민주주의

민주적 의사 결정에서는 경쟁적 이해관계의 타협이나 거래가 아니라 다양하고 풍부한 토의 과정을 통해 시민의 동의를 얻을 수 있는 합의가 중요합니다. 선거로 선출된 사람들에게만 정책에 대한 심의와 결정을 전적으로 맡겨서는 안 됩니다. 의사 결정 자체보다는 집단적 의사 결정 과정의 '질(質)'을 높이는 것이 더 중요하기 때문입니다. 시민들 간의 대화, 협의, 합의의 과정에서 전개되는 정치적 행위는 가장 적극적인 형태의 정치 참여이며, 순전히 사적인 이익을 표출할 수도 있는 투표 행위와는 대조적으로 공적인 성격이 강합니다.

① 신속한 의사 결정을 위해 시민의 참여를 최대한 배제해야 한다.
② 투표로 선출된 대표에 의해서만 정책이 심의되고 결정되어야 한다.
③ 정책 심의의 효율성을 위해 의사 표현의 기회에 제한을 두어야 한다.
④ 시민들 간의 토론과 소통을 통해 정책 결정의 공공성을 강화해야 한다.
⑤ 사적인 이익을 표출할 수 있는 투표로 시민의 정치 참여를 높여야 한다.

**4** **(가)의 갑, 을의 입장을 (나) 그림으로 탐구할 때, A~C에 들어갈 질문으로 옳지 않은 것은?**

▶ 시민 불복종

**완자샘의 시험 꿀팁**
롤스와 하버마스의 시민 불복종에 대한 입장이 새롭게 출제될 가능성이 높다. 따라서 두 입장의 공통점과 차이점을 잘 정리해 두어야 한다.

| | |
|---|---|
| (가) | 갑: 거의 정의로운 사회는 심각한 부정의가 존재할지도 모르지만 일종의 민주적 정부의 형태를 갖춘 사회이다. 이러한 사회에서 정의의 원칙들은 자유롭고 평등한 인간들 간의 자발적인 협동의 기본 조항으로서 공공적으로 인정된다.<br>을: 진정한 법치 국가는 단순한 합법성을 토대로 정당성을 내세워서는 안 되며, 시민들에게는 법에 대한 절대적 복종이 아닌 조건부의 복종을 요구해야 한다. 시민 불복종은 저항의 논증이 더 강한 반향을 얻기 위해 사용할 수 있는 마지막 수단이며, 시민의 비판적 판단에 호소해야 한다. |
| (나) | 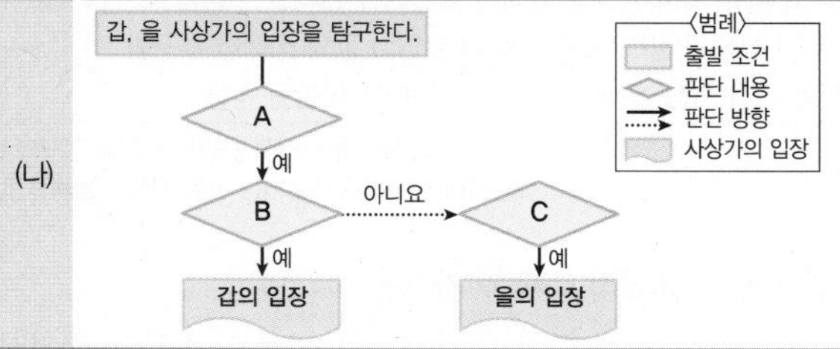 |

① A: 시민 불복종은 비폭력을 전제로 행해져야 하는가?
② A: 시민 불복종은 의도적으로 법을 위반하는 행위인가?
③ B: 시민 불복종은 법을 위반한 것에 대한 처벌을 감수해야 하는가?
④ C: 시민 불복종은 의사소통적 합리성과 같은 형식적인 도덕 원칙에 따르는가?
⑤ C: 시민 불복종은 정당하지 않은 규정을 수정하고 바꿀 수 있는 최후의 수단인가?

# 05 자본주의

**학습목표**
- 자본주의의 규범적 특징과 그 기여에 대해 설명할 수 있다.
- 자본주의의 한계를 비판하고 자본주의의 바람직한 발전 방향을 파악할 수 있다.

**이것이 핵심!**

자본주의의 전개 과정

| 구분 | 특징 | 문제점 |
|---|---|---|
| 고전적 자본주의 | 자유 시장 경제 중시, 작은 정부 | 시장 실패 |
| ↓ | | |
| 수정 자본주의 | 정부 개입 확대, 큰 정부 | 정부 실패 |
| ↓ | | |
| 신자유주의 | 자유 경쟁 중시, 작은 정부 | 시장 실패 반복 가능 |

★ **사유 재산 제도**
토지, 천연자원, 공장 등의 모든 생산 수단을 개인이 소유할 수 있고, 자유롭게 처분할 수 있도록 법으로 보장하는 제도이다.

★ **로크의 소유권 개념**

| 넓은 의미 | 좁은 의미 |
|---|---|
| 자신의 생명과 자유 및 재산에 관한 일체의 권리 | 자기 노동으로 취득한 토지나 재산에 관한 권리 |

★ **부르주아**
'성(bourg)' 안에 사는 사람들이라는 뜻으로, 재산을 축적해 도시에 모인 상공업 종사자, 즉 신흥 시민 계급을 가리킨다.

★ **보이지 않는 손**
개인이 자신의 이익에 따르면 시장의 질서가 자연적으로 조화를 이루어 사회 구성원 모두에게 유익한 결과가 발생하게 됨을 비유한 말이다.

★ **시장 실패**
시장 경제에서 '보이지 않는 손'이 제대로 작동하지 않아 효율적으로 자원을 배분하거나 공정한 소득 분배가 이루어지지 못하는 상황이다.

★ **정부 실패**
정부가 시장에 개입한 결과 최적의 자원 배분과 공정한 소득 분배에 실패한 상태이다.

## 1 자본주의의 규범적 특징과 기여

### 1. 자본주의의 전개 과정과 규범적 특징

**(1) 자본주의의 의미와 규범적 특징**

| | |
|---|---|
| 의미 | *사유 재산 제도를 바탕으로, 합리적으로 이윤을 추구할 수 있도록 자유로운 경제 활동을 보장하는 자유 시장 질서 중심의 경제 체제 |
| 규범적 특징 | • 이윤 추구를 위한 시장에서의 자유 경쟁을 허용함<br>• 개인의 경제적 자율성, 사적 *소유권, 거래와 계약의 자유를 보장함 |

꼭! 로크는 오늘날 자본주의 사회에서 일반적으로 통용되는 소유권 개념을 정립하였어.

**(2) 자본주의 발전의 배경**

① 근대 초기 지리상의 발견과 국가 간 교역의 확대로 상업이 발달하기 시작함

② 자유주의 사상의 영향으로 사유 재산과 경제적 자유를 보장하는 토대가 마련됨

③ *부르주아의 등장 → 상공업에 종사하면서 자신들의 이익과 권리를 자유롭게 추구함으로써 자본주의 사상을 발전시킴

상업 발전에 힘입어 토지와 노동이 상품화되기 시작하였어.

④ 종교 개혁과 프로테스탄티즘의 등장 → 근면, 검소, 성실을 강조하며 합리적인 이윤 추구를 긍정하는 계기를 마련함

잠깐! 자본주의와 종교 개혁은 서로 영향을 주며 건전한 직업 의식과 소유권 개념이 형성되는 데 영향을 주었어.

**(3) 자본주의의 전개 과정**

| | |
|---|---|
| 전통 경제 | • 경제 활동이 국가의 통제 아래에서 이루어짐<br>• 주로 농업 위주의 자급자족 생활을 함 → 시장에서의 자유 교환은 보조적 역할만 함 |
| 고전적 자본주의 자료 ① | • 대표자: 애덤 스미스<br>• *보이지 않는 손의 강조: 개인의 경제적 자율성을 최대한 보장하고 국가의 간섭을 배제해야 한다고 주장하며 자유방임주의를 도덕적으로 정당화함 → 국가의 역할은 국방과 치안, 공공사업 등 최소한의 영역에 국한해야 한다고 주장함<br>• 개개인의 이윤 추구가 자연스럽게 사회 전체의 부로 이어진다고 봄 |
| 수정 자본주의 교과서 자료 | • 대표자: 케인스<br>• 자유방임적 *시장 실패로 빈부 격차가 심화하고, 빈곤과 실업이 대량 발생하게 됨<br>• 정부의 적극적인 시장 개입을 통해 불황과 실업을 극복하고 복지를 확대해야 한다고 주장함 |
| 신자유주의 자료 ② | • 대표자: 하이에크<br>• 1970년대 이후 발생한 세계적인 불황이 *정부 실패로 인한 것이라고 봄<br>• 정부 기능을 축소하고 자유 시장 경쟁을 최대한 보장해야 한다고 주장함<br>• 공기업의 민영화, 복지 정책의 감축, 노동 시장의 유연화 등의 정책을 추구함<br>• 고전적 자본주의처럼 다시 시장 실패로 이어질 수 있다는 비판을 받음 |

수정 자본주의는 시장 실패로 발생했던 1929년의 대공황을 극복하는 데 크게 기여하였어.

노동 시장의 유연화는 인적 자원이 사회와 경제의 변화에 대응하여 신속하게 배분되는 노동 시장의 능력을 말해.

### 2. 자본주의의 윤리적 기여

(1) **물질적 풍요**: 경제적 효율성을 증진하여 물질적 풍요를 가져옴

(2) **개인의 자유와 권리 신장**: 개인의 자유로운 경제 활동과 사적 소유권을 보호하고 증진시킴으로써 개인의 자유와 권리 신장에 기여함

(3) **개인의 자율성과 창의성 증대**: 남들과 경쟁하는 과정에서 기존의 틀을 벗어나 끊임없는 변화를 시도함으로써 개인의 자율성과 창의성이 증대됨

개인의 자율성과 창의성은 다원주의적이고 경쟁적인 사회 구조를 형성하는 데 영향을 미쳤어.

(4) **민주주의의 발전**: 자유로운 경쟁의 강조는 민주주의의 정당 제도나 선거 제도가 발전하는 데 영향을 미침

## 완자 자료 탐구

내 옆의 선생님

### 자료 1 애덤 스미스의 고전적 자본주의

> 개인은 공공의 이익을 증진하려고 의도하지도 않으며, 자신이 얼마나 그것에 기여하는지도 알지 못한다. 개인은 오직 자신의 노동 생산물이 최대의 가치를 갖도록 함으로써 자신의 이익만을 추구할 뿐이다. 그런데 그는 이렇게 함으로써 '보이지 않는 손'에 이끌려 그가 전혀 의도하지 않은 목적을 달성하게 된다. 개인은 자기 자신의 이익을 추구함으로써 흔히 그 자신이 진실로 사회의 이익을 증진하려고 의도하는 경우보다 더욱 효과적으로 그것을 증진한다. – 애덤 스미스, 『국부론』

애덤 스미스에 따르면, 개인의 이기심과 세속적 욕망은 죄악이 아니라 오히려 사회 전체의 부를 증가시키는 원동력이라고 할 수 있다. 또한 그는 국가의 간섭이 없다면 시장은 '보이지 않는 손'에 따라 조화롭게 작동할 것이라고 보았다.

스미스는 인간에게 이성과 도덕적 공감 능력이 있으므로 사회의 부가 스스로 조화를 이룰 것이라고 보았어.

**자료 하나 더 알고 가자!**

**애덤 스미스가 본 자본주의의 원리**

> 우리가 저녁 식사를 기대할 수 있는 건 푸줏간 주인, 양조장 주인, 빵집 주인의 자비심 덕분이 아니라, 그들이 자기 이익을 챙기려는 생각 덕분이다. …… 그는 자신의 이익을 추구함으로써 오히려 더 효과적으로 사회의 이익을 촉진한다. – 애덤 스미스, 『국부론』

애덤 스미스는 자본주의의 작동 원리가 인간의 자비심이 아니라 자기 이익을 추구하려는 이기심이라고 주장하였다.

### 수능이 보이는 교과서 자료 수정 자본주의 VS 신자유주의

> 우리 경제 사회의 심각한 결함은 완전 고용을 성취하지 못하고, 부와 소득 분배가 불평등하다는 점에 있다. …… 정부의 기능 확대는 …… 현재 경제의 파탄을 피하는 유일한 수단이며, 개인의 창의성이 제대로 발휘될 수 있는 조건이다. – 케인스, 『일반 이론』

> 경쟁은 알려진 방법 중 가장 효율적일 뿐만 아니라 권력의 강제적이고 자의적인 간섭 없이도 우리의 행위가 조정될 수 있는 유일한 방법이기 때문에 우월한 방법이라고 할 수 있다. 경쟁은 의식적인 사회적 통제를 필요로 하지 않는다. – 하이에크, 『노예의 길』

수정 자본주의의 대표자인 케인스는 시장의 결함에서 파생하는 공황, 불황, 실업, 부와 소득의 불평등 등의 문제를 해결하기 위해 정부가 다양한 정책과 규제를 통해 적극적으로 시장에 개입해야 한다고 주장하였다. 신자유주의의 대표자인 하이에크는 국가가 경제 계획을 통해 시장을 통제할 수 있다는 생각은 잘못된 것이며, 개인의 경제 활동의 목적은 오직 자유 경쟁 체제에서만 실현될 수 있다고 보았다.

**완자샘의 탐구강의**

• 수정 자본주의와 신자유주의의 공통점과 차이점을 서술하시오.

수정 자본주의와 신자유주의는 공통적으로 개인의 경제적 자율성, 사적 소유권의 보장, 이윤 추구를 위한 자유 경쟁의 허용 등 자본주의의 기본 틀을 공유한다. 그러나 수정 자본주의가 국가의 적극적인 개입을 통해 고전적 자본주의의 시장 실패를 교정하려는 반면에, 신자유주의는 정부의 기능을 축소하여 자유 경쟁을 강화해야 한다고 주장한다.

함께 보기 223쪽, 1등급 정복하기 1

### 자료 2 노직의 소유 권리론

> • 각 개인은 자신에 대한 완전한 소유권을 지니며 개인이 취득, 양도, 교정의 원리에 따라 획득한 재화에 대해서는 배타적 소유권을 인정해야 한다.
> • 근로 소득에 대한 과세는 강제 노동과 동등한 것이다. 일정 시간분의 소득을 세금으로 취하는 것은 노동자로부터 그 시간을 빼앗는 것과 같다. 이는 마치 노동자에게 다른 사람을 위해 그 시간만큼 일하게 하는 것과 같다. – 노직, 『아나키에서 유토피아로』

노직은 신자유주의적 입장에서 개인의 소유권을 보호하고 존중하는 것이 정의라고 보았다. 그리고 개인이 정당한 취득과 양도의 과정을 거쳐 얻게 된 소유물에 대해서는 배타적인 권리를 지니며, 소유물의 처분도 전적으로 그에게 달려 있다고 주장하였다.

노직은 취득과 양도의 과정에 부정의가 있었다면 바로잡아야 한다고 보았어.

**문제로 확인할까?**

신자유주의에 대한 설명으로 옳지 않은 것은?

① 시장 실패의 가능성
② 공기업의 민영화 주장
③ 정부의 시장 개입 강조
④ 자본주의 시장 경제 긍정
⑤ 개인의 경제적 자율성 보장

③ 目

# 05 자본주의

이것이 핵심!

자본주의에 대한 대안적 시도

| | |
|---|---|
| 수정 자본주의 | 고전적 자본주의를 보완하기 위해 국가가 시장에 적극적으로 개입해야 한다고 주장함 |
| 롤스의 정의론 | 정의론을 바탕으로 국가의 시장 개입을 도덕적으로 정당화함 |
| 마르크스 사회주의 | 프롤레타리아에 의한 생산 수단의 공유와 계획 경제를 주장함 |
| 민주 사회주의 | 의회를 통한 점진적인 개혁으로 사회주의의 이상을 실현하고자 함 |

* **천민자본주의**
돈에 집착한 나머지 공정성을 상실하고 독점, 투기, 불로 소득에 대한 집착, 정경 유착 등을 추구하는 타락한 자본주의를 뜻한다.

* **가치 전도 현상**
인간의 존엄성과 같은 보편적·정신적 가치보다 물질적 가치를 더 중요하게 여기는 현상이다.

* **생산 수단**
인간 생활에 필요한 재화를 생산하는 데 도움이 되는 수단으로 토지, 건물, 생산을 위한 도구나 기계 등을 가리킨다.

* **프롤레타리아**
부르주아와 달리 생산 수단을 소유하지 못해 노동력을 제공하며 살아가는 빈곤한 노동자 계급을 뜻한다.

* **계획 경제**
한 나라의 경제 전체 부문이 국가의 의사에 따라 통일적·계획적으로 움직이는 구조를 의미한다.

## 2 자본주의에 대한 비판과 대안들

### 1. 자본주의에 대한 비판들

꼭! 사람들의 노력과 선택에 따라 빈부 격차가 발생하는 것은 자본주의 사회에서 자연스러운 현상이야. 다만, 빈부 격차가 심화되면 여러 가지 사회 문제가 발생할 수 있어.

**(1) 사회 양극화의 심화**

① 경쟁에 참여하는 개인들의 선천적 능력, 물려받은 재산, 교육 정도 등의 차이로 인해 노동의 기회나 소득의 격차가 발생함 → 빈부 격차의 심화

② 소득 수준에 따른 계층 간 갈등은 사회 발전과 통합을 가로막는 원인이 되기도 함

**(2) 물질 만능주의**

① 자본을 추구하는 과정에서 물질적 가치가 절대적인 기준이자 만능의 도구라는 인식이 퍼짐 → *천민자본주의적 풍조가 만연하게 됨

② 노동력의 산물인 상품, 화폐, 자본 등이 신앙 또는 숭배의 대상이 되는 '물신 숭배(物神崇拜)' 현상이 발생함

**(3) 인간 소외 현상**: 인간이 만들어 낸 물질에 의해 인간이 지배당하거나 물질적 가치만을 좇으면서 인간성을 상실하는 현상이 발생함 → *가치 전도 현상 발생

### 2. 자본주의에 대한 대안적 시도

**(1) 수정 자본주의** 자료 3

① 자유 시장 경제의 불완전성을 지적하고 고전적 자본주의를 비판하며 등장함

② 빈곤과 실업에 따른 자유의 상실과 인간 존엄성을 지키기 위해 국가가 시장에 적극적으로 개입해야 한다고 주장함

**(2) 롤스의 정의론**

잠깐! 롤스는 '정의의 원칙'으로서, 제1원칙인 평등한 자유의 원칙과 제2원칙인 차등의 원칙, 동등한 기회균등의 원칙을 제시하였어.

① 정의론을 바탕으로 국가의 시장 개입을 도덕적으로 정당화함

② 자연적이고 사회적인 조건의 우연성이 개인의 자유 실현과 삶의 전망에 미칠 영향을 최소화하는 정의로운 사회를 주장함

예 실업과 빈곤, 재해와 질병, 선천적인 능력의 차이 등이 있어.

**(3) 사회주의**

| | |
|---|---|
| 마르크스 사회주의 자료 4 | • 자본주의의 근본적인 문제점이 *생산 수단의 사적인 소유와 자유 시장 경제에 있다고 봄<br>• *프롤레타리아 혁명을 통해 프롤레타리아에 의한 생산 수단의 공유와 *계획 경제를 주장함<br>• 궁극적으로 사유 재산, 계급, 국가가 소멸하고 모두가 평등하게 살아가는 공산주의 사회를 지향함 |
| 민주 사회주의 자료 5 | • 사회주의의 비판적 계승 → 의회를 통한 점진적인 개혁으로 사회주의의 이상을 실현하고자 함<br>• 사회 보장 제도의 확대를 주장하여 서구의 복지 자본주의 발전에 기여함<br>• 사익보다 공익을 우선할 것을 강조함 |

불평등한 조건을 완화하여 사회 양극화 문제를 해결하는 데 도움이 되었어.

잠깐! 폭력 혁명인 프롤레타리아 혁명과 다르게 민주 사회주의는 평화적이고 민주적인 방법으로 사회를 점진적으로 개혁하고자 하였어.

### 3. 바람직한 자본주의 사회를 실현하기 위한 노력

기업은 공정한 경쟁을 통해 합리적으로 이윤을 추구하고, 개인은 환경과 인권을 생각하는 윤리적 소비를 해야 해.

| | |
|---|---|
| 개인적 차원 | • 양심에 어긋나지 않는 윤리적 경제 행위를 해야 함<br>• 인간의 가치를 경제적으로만 평가하고 판단하는 태도를 극복해야 함 |
| 사회적 차원 | • 공동체 의식의 함양과 상생의 문화를 확립해야 함<br>• 경제적 불평등을 완화하기 위한 정책을 마련해야 함 |
| 국제적 차원 | • 국가 간 빈부 격차를 완화하려는 노력이 필요함<br>• 세계 시민 의식을 바탕으로 한 국제 정의를 실현해야 함 |

이를 위해 국가 간의 협력과 국제기구의 노력이 필요해.

# 완자 자료 탐구

내 옆의 선생님

## 자료 3 수정 자본주의의 대안적 시도

> 정부가 몇 개의 낡은 병에 지폐를 채워 폐광에 적당한 깊이로 묻고 탄갱을 지면까지 쓰레기로 채운 후, 개인 기업으로 하여금 그 지폐를 다시 파내게 한다면, 실업은 사라질 것이다. 또한 그 파급 효과로 한 사회의 실질 소득과 그 자본의 부도 크게 늘어날 것이다. – 케인스, 『일반 이론』

케인스는 공황과 실업이 기업의 투자 감소와 국민의 소비 저하로부터 발생한다고 파악하였다. 그래서 그는 정부가 다양한 공공 정책을 펼침으로써 기업 투자의 불확실성에서 비롯한 문제를 완화하고, 국민이 기본적인 실제 구매력을 잃지 않도록 유효 수요도 창출할 수 있도록 해야 한다고 주장하였다.

└ 유효 수요: 실제로 구매력이 있는 수요를 뜻해.

## 자료 4 자본주의에 대한 마르크스의 비판

> • 자본주의 사회에서 노동자 계급은 일거리가 있을 때만 생존할 수 있으며, 그들의 노동이 자본을 증식하는 한에서만 일거리를 얻을 수 있다. 자신의 노동력을 팔지 않으면 안 되는 이 노동자들은 다른 온갖 상품과 마찬가지로 하나의 상품이며, 따라서 다른 상품과 마찬가지로 경쟁의 모든 성패와 시장의 모든 변동에 내맡겨져 있다. – 마르크스·엥겔스, 『공산당 선언』
>
> • 공장제 수공업은 이전에는 독립적이었던 노동자를 자본의 지휘와 규율에 복종시킬 뿐만 아니라 노동자 자신들 사이에 등급적 계층을 만들어 낸다. 단순 협업은 개개인들의 노동 방식을 대체로 변경시키지 않지만, 공장제 수공업은 그것을 철저히 변혁시키며 개별 노동력을 완전히 장악한다. 공장제 수공업은 노동자의 모든 생산적인 능력과 소질을 억압하고 특수한 기능만을 촉진함으로써 노동자를 소외시킨다. – 마르크스, 『자본론』

마르크스에 따르면, 분업화된 자본주의 사회에서 노동자는 노동의 주체가 될 수 없다. 노동은 자본가에 의해 강제되고, 노동자가 만들어 낸 생산품은 노동자에게 귀속되지 않기 때문이다. 따라서 마르크스는 자본주의 사회의 노동자가 그 자신의 노동으로부터 소외된다고 주장하였다.

## 자료 5 프랑크푸르트 선언과 민주 사회주의

꼭! 마르크스와 다르게 사적 소유의 일부를 긍정하였어.

> • 사회주의적 계획화는 모든 생산 수단의 공유화를 전제하지 않는다. 그것은 중요한 부문, 예컨대 농업, 수공업, 소매업, 중소기업 등에서의 사적 소유와 양립할 수 있다.
>
> • 인간의 기본적인 필요는 생산 성과의 분배에 있어서 가장 먼저 고려되어야 한다. 하지만 개인이 자기의 능력에 따라 일할 의욕을 빼앗겨서는 안 된다. 사회주의자는 노력에 따라 보수를 받을 개인의 권리를 자명한 것으로 받아들인다. –「프랑크푸르트 선언」

윗글은 1951년에 서독 프랑크푸르트 암 마인에서 채택한 사회주의 인터내셔널 강령의 내용이다. 서구의 사회주의자들은 이를 통해 마르크스 사회주의가 주장하는 급진적 폭력 혁명과 히틀러와 스탈린의 독재 정치를 비판하고, 자유 속에서 민주적인 방식으로 사회주의 이상을 추구하였다. 「프랑크푸르트 선언」은 이후 민주 사회주의가 가고자 하는 방향을 제시하는 계기가 되었다.

└ 사회주의 인터내셔널: 1951년 각국의 사회 민주주의 정당들이 결성한 국제 조직을 뜻해.

### 자료 하나 더 알고 가자!

롤스의 정의론

> 천부적으로 보다 유리한 처지에 있는 자는 아주 불리한 처지에 있는 자의 여건을 향상하여 준다는 조건하에서만 그들의 행운에 따른 이익을 누릴 수 있다. – 롤스, 『정의론』

롤스에 따르면, 사회적·경제적 불평등은 사회적 약자인 최소 수혜자에게 최대 이익을 보장할 때에만 허용될 수 있다.

### 문제로 확인할까?

자본주의의 문제점으로 옳지 않은 것은?

① 인간 소외
② 빈부 격차 심화
③ 가치 전도 현상
④ 생산 수단의 공유화
⑤ 물질 만능주의 풍조

④ 답

### 정리 비법을 알려줄게!

사회주의

| | |
|---|---|
| 마르크스 사회주의 | • 생산 수단의 사적 소유와 자유 시장 경제를 비판함<br>• 프롤레타리아에 의한 생산 수단 공유와 계획 경제를 주장함 |
| 민주 사회주의 | • 의회를 통한 점진적인 개혁으로 사회주의의 이상을 실현하고자 함<br>• 사회 보장 제도의 확대를 주장함 |

## STEP 1 핵심 개념 확인하기

정답친해 58쪽

**1** 다음 설명에 해당하는 사회사상을 쓰시오.

- 이윤 추구를 위한 자유 경쟁을 긍정한다.
- 자유 시장 질서 중심의 경제 체제를 지향한다.
- 개인의 경제적 자율성과 사적 소유권을 최대한 보장한다.

**2** 다음 설명이 맞으면 ○표, 틀리면 ×표를 하시오.

(1) 신대륙의 발견, 부르주아의 등장, 종교 개혁 등의 사건은 자본주의 발전에 영향을 끼쳤다. ( )

(2) 신자유주의는 공기업의 민영화, 복지 정책의 감축, 노동 시장의 유연화 등의 정책을 추구한다. ( )

**3** 다음 설명에 해당하는 사회사상을 〈보기〉에서 골라 기호를 쓰시오.

보기

ㄱ. 수정 자본주의　　ㄴ. 신자유주의

(1) 정부의 무능과 부패 등의 정부 실패 문제를 시장 경제의 효율성으로 해결할 수 있다는 입장 ( )

(2) 불황과 실업 등의 시장 실패 문제를 정부가 적극적으로 시장에 개입하여 해결해야 한다는 입장 ( )

**4** 어떤 개인이나 단체의 계획 없이도 각 개인이 자신의 이익에 따르면 시장 질서가 자연적으로 조화를 이룬다는 주장의 은유적 표현을 (　　　　)이라고 한다.

**5** 사회사상과 그에 대한 설명을 옳게 연결하시오.

(1) 마르크스 사회주의 •　　• ㉠ 정의론을 바탕으로 국가의 시장 개입을 도덕적으로 정당화함

(2) 롤스의 정의론 •　　• ㉡ 평화적이고 민주적인 방법으로 사회주의의 이상을 실현하고자 함

(3) 민주 사회주의 •　　• ㉢ 자본주의의 근본적인 문제점이 생산 수단의 사적인 소유와 자유 시장 경제에 있다고 봄

## STEP 2 내신 만점 공략하기

**01** (중요) 다음과 같이 주장한 사상가에 대한 옳은 설명을 〈보기〉에서 고른 것은?

개인은 공공의 이익을 증진하려고 의도하지도 않으며, 자신이 얼마나 그것에 기여하는지도 알지 못한다. 개인은 오직 자신의 노동 생산물이 최대의 가치를 갖도록 함으로써 자신의 이익만을 추구할 뿐이다. 그런데 그는 이렇게 함으로써 '보이지 않는 손'에 이끌려 그가 전혀 의도하지 않은 목적을 달성하게 된다.

보기

ㄱ. 국가의 간섭이 없는 시장은 조화롭게 작동한다고 본다.
ㄴ. 사람들의 이기심이 사회 전체의 부를 증진한다고 본다.
ㄷ. 개인의 이기심과 세속적 욕망은 죄악시되어야 한다고 본다.
ㄹ. 토지, 천연자원, 공장과 같은 생산 수단을 국유화해야 한다고 본다.

① ㄱ, ㄴ　② ㄱ, ㄷ　③ ㄴ, ㄷ　④ ㄴ, ㄹ　⑤ ㄷ, ㄹ

**02** ㉠에 들어갈 말로 가장 적절한 것은?

자유방임주의 경제 체제는 공황, 실업, 빈부 격차와 같은 시장의 실패로 여러 번의 위기를 맞이하였다. 대표적으로 1929년의 대공황이 있다. 1933년 당시 미국에서는 경기 침체의 여파로 전 근로자의 약 30%에 해당하는 1,500만 명이 실업자로 전락하였다. 이후 자본주의 진영 내부에서 이러한 시장 실패를 교정하려는 사상가가 등장하였는데, 그는 실업 문제를 해결하려면 [　㉠　] 주장하였다.

① 국가가 소득 재분배 정책을 시행해야 한다고
② 사회 복지 정책을 없애거나 축소해야 한다고
③ 노동자의 소득에 대한 세금을 없애야 한다고
④ 사유 재산을 몰수하여 국가에서 관리해야 한다고
⑤ 시장이 스스로 균형을 찾을 때까지 기다려야 한다고

정답친해 58쪽

**03** 갑, 을의 입장에 대한 설명으로 옳은 것은?

개개인은 그냥 자신의 이익을 추구하면 됩니다. 그러면 자연스럽게 사회의 부가 증가할 것입니다.
갑

그렇게 하면 정말 아무런 문제가 없을까요? 정부가 나서서 시장 질서를 잡아주어야 합니다.
을


① 갑은 복지 정책의 확대를 주장한다.
② 갑은 소득을 재분배하는 제도를 지지한다.
③ 을은 국가의 역할을 치안 유지에 국한한다.
④ 을은 국가가 완전히 소멸해야 한다고 본다.
⑤ 갑, 을은 모두 시장 경제 체제 유지에 찬성한다.

중요

**04** 사회사상 (가), (나)에 대한 설명으로 옳은 것은?

> (가) 국가가 빈 병들을 지폐로 가득 채운 후 어느 폐광에 다 묻고서 기업들이 마음대로 그 병들을 파 가도록 한다면 실업은 사라질 것이다. 그리고 사회의 실질 소득과 그 자본의 부도 크게 늘어날 것이다.
> (나) 각 개인은 자신에 대한 완전한 소유권을 지니며 개인이 취득, 양도, 교정의 원리에 따라 획득한 재화에 대해서는 배타적 소유권을 인정해야 한다. 그리고 국가는 범죄로부터 시민을 보호하고 계약 이행을 감시하는 최소 국가의 역할만을 해야 한다.

① (가)는 시장에 대한 정부 개입을 줄여야 한다고 본다.
② (가)는 자유 경쟁을 통한 사회 발전을 전면 부정한다.
③ (나)는 개인의 자유와 시장 경제의 효율성을 강조한다.
④ (나)는 인간다운 삶을 위한 복지 정책의 확대를 주장한다.
⑤ (가)는 경제의 발전에, (나)는 동등한 분배에 중심을 둔다.

**05** 다음은 자본주의에 대한 필기 내용이다. ㉠~㉤ 중 적절하지 않은 것은?

> **자본주의의 윤리적 기여**
> 1. 물질적 풍요: 경제적 효율성을 증진하여 물질적 풍요를 이루어 냄 ······ ㉠
> 2. 개인의 자율성과 창의성 증대: 타인과의 경쟁 과정에서 기존의 틀을 벗어나기 위해 노력함 ······ ㉡
> 3. 자유와 권리의 신장: 개인의 자유로운 경제 활동과 사적 소유권을 보호하여 개인의 자유와 권리를 신장함 ······ ㉢
>
> **자본주의의 윤리적 문제**
> 1. 물질 만능주의: 물질적 가치를 절대시하여 천민자본주의적 풍조가 만연하게 됨 ······ ㉣
> 2. 인간 소외 현상: 소득 수준에 따른 계층 간 갈등으로 사회 발전과 통합을 가로막음 ······ ㉤

① ㉠ ② ㉡ ③ ㉢ ④ ㉣ ⑤ ㉤

**06** 갑은 긍정, 을은 부정의 대답을 할 질문으로 가장 적절한 것은?

> 갑: 우리가 저녁 식사를 기대할 수 있는 건 푸줏간 주인, 양조장 주인, 빵집 주인의 자비심 덕분이 아니라, 그들이 자기 이익을 챙기려는 생각 덕분이다. …… 그는 자신의 이익을 추구함으로써 오히려 더 효과적으로 사회의 이익을 촉진한다.
> 을: 자본주의 사회에서 노동자 계급은 일거리가 있을 때만 생존할 수 있으며, 그들의 노동이 자본을 증식하는 한에서만 일거리를 얻을 수 있다. 자신의 노동력을 팔지 않으면 안 되는 이 노동자들은 다른 온갖 상품과 마찬가지로 하나의 상품이다.

① 사익의 추구가 사회 전체의 부로 이어지는가?
② 혁명을 통해 사회의 모순을 바로 잡아야 하는가?
③ 사회 혼란의 원인은 생산 수단의 사적 소유인가?
④ 개인의 경제적 자율성을 최대한 제한해야 하는가?
⑤ 자본주의적 생산 방식은 자유로운 노동을 왜곡하는가?

**07** 중요 다음 사상가의 주장에 대한 옳은 설명을 〈보기〉에서 고른 것은?

> 단순 협업은 개개인들의 노동 방식을 대체로 변경시키지 않지만, 공장제 수공업은 그것을 철저히 변혁시키며 개별 노동력을 완전히 장악한다. 공장제 수공업은 노동자의 모든 생산적인 능력과 소질을 억압하고 특수한 기능만을 촉진함으로써 노동자를 소외시킨다.

**보기**

ㄱ. 자유 시장에서의 경쟁을 최대한 보장해야 한다고 본다.
ㄴ. 생산 수단의 사적 소유가 빈부 격차의 원인이라고 본다.
ㄷ. 정의의 원칙을 통해 사회적 약자를 보호해야 한다고 본다.
ㄹ. 자본주의 사회에서 노동자는 노동의 주체가 될 수 없다고 본다.

① ㄱ, ㄴ ② ㄱ, ㄹ ③ ㄴ, ㄷ
④ ㄴ, ㄹ ⑤ ㄷ, ㄹ

**08** (가), (나)에 해당하는 사회사상을 옳게 연결한 것은?

> (가) 사회주의적 계획화는 모든 생산 수단의 공유화를 전제하지 않는다. 그것은 중요한 부문, 예컨대 농업, 수공업, 중소기업 등에서의 사적 소유와 양립할 수 있다.
> (나) 사회 전체가 두 적대 진영으로, 즉 서로 대립하는 두 계급인 부르주아와 프롤레타리아로 더욱더 분열되고 있다. 우리의 과업은 부르주아적 소유의 폐지를 선포하는 것이다.

| | (가) | (나) |
|---|---|---|
| ① | 수정 자본주의 | 마르크스 사회주의 |
| ② | 자유방임주의 | 수정 자본주의 |
| ③ | 민주 사회주의 | 마르크스 사회주의 |
| ④ | 민주 사회주의 | 수정 자본주의 |
| ⑤ | 마르크스 사회주의 | 민주 사회주의 |

## 서술형 문제

● 정답친해 59쪽

**01** 다음 글을 읽고 물음에 답하시오.

> (가) 복지, 노동, 교육, 재분배를 위한 정부의 다양한 정책과 규제를 통하여 실업과 경제 불황 등의 문제를 해결할 수 있다.
> (나) 공기업 민영화, 복지 정책의 감축, 노동 시장의 유연화 등과 같은 정책을 통해 세계적인 불황을 해결할 수 있다.

(1) (가), (나) 사상의 공통점을 두 가지 이상 쓰시오.

(2) (나)의 관점에서 (가)의 입장을 비판하시오.

길잡이 수정 자본주의와 신자유주의의 공통점과 차이점을 서술한다.

**02** (가) 사상이 (나)의 문제점에 끼친 윤리적 시사점을 서술하시오.

> (가) 인간의 기본적인 필요는 생산성과 분배에 가장 먼저 고려되어야 한다. 하지만 개인이 자기의 능력에 따라 일할 의욕을 빼앗겨서는 안 된다. 사회주의자는 노력에 따라 보수를 받을 개인의 권리를 자명한 것으로 받아들인다.
> (나) 경쟁에 참여하는 개인들은 선천적인 능력, 물려받은 재산, 교육 받은 정도 등에서 차이가 날 수밖에 없다. 이러한 상태에서 경쟁이 계속됨으로써 사람들이 얻는 노동의 기회나 소득의 차이가 점점 벌어지게 되는 것이 자본주의의 문제이다.

길잡이 민주 사회주의가 자본주의의 건전한 발전에 미친 영향력을 서술한다.

STEP 3 1등급 **정복하기**

정답친해 60쪽

평가원 응용

**1** **사회사상가 갑, 을에 대한 옳은 입장만을 〈보기〉에서 있는 대로 고른 것은?**

> 수정 자본주의와 신자유주의

갑: 정부의 기능 확대는 19세기 정치 평론가나 현대 금융업자에게는 개인주의를 향한 가공할 위협으로 보일 수 있지만, 현재 경제의 파탄을 피하는 유일한 수단이며, 개인의 창의성이 제대로 발휘될 수 있는 조건이라는 점에서, 나는 정부의 기능 확대를 옹호한다.

을: 경쟁은 알려진 방법 중 가장 효율적일 뿐만 아니라 권력의 강제적이고 자의적인 간섭 없이도 우리의 행위가 조정될 수 있는 유일한 방법이기 때문에 우월한 방법이라고 할 수 있다. 경쟁은 의식적인 사회적 통제를 필요로 하지 않는다.

**보기**

ㄱ. 갑: 빈부격차가 완전히 사라진 경제적 평등 사회를 실현해야 한다.
ㄴ. 갑: 정부는 공정한 분배를 위해 다양한 정책과 규제를 시행해야 한다.
ㄷ. 을: 국제적인 시장의 개방과 공공 영역의 민영화 등을 확대해야 한다.
ㄹ. 갑, 을: 개개인의 사적 소유권과 자유로운 시장 경쟁을 허용해야 한다.

① ㄱ, ㄴ ② ㄱ, ㄷ ③ ㄴ, ㄹ
④ ㄱ, ㄴ, ㄷ ⑤ ㄴ, ㄷ, ㄹ

**완자샘의 시험 꿀팁**

자본주의는 기본적으로 사적 소유권, 자유 시장 경제 등의 보장을 중심으로 한다. 그러나 국가의 시장 개입에 대한 수정 자본주의와 신자유주의의 입장에는 차이가 있으니, 두 사상의 공통점과 차이점을 정리해 둘 필요가 있다.

수능 응용

**2** **사회사상 (가)에서는 긍정, (나)에서는 부정의 대답을 할 질문으로 가장 적절한 것은?**

> 마르크스 사회주의와 민주 사회주의

(가) 생산 수단을 소유한 소수가 다수의 임금 노동자를 착취하는 사회를 전복하는 것이 공산주의의 목표이다. 공산주의는 생산물을 취득할 권리를 빼앗고자 하는 것이 아니라 타인의 노동을 예속시키는 권력을 빼앗고자 한다.

(나) 생산 수단을 소유한 소수에게 의존하고 있는 상태로부터 사람들을 해방시키는 것이 사회주의의 목표이다. 공산주의가 사회주의의 전통을 계승하고 있다는 주장은 잘못된 것이다. 공산주의는 개인의 자유를 위협하고 있다.

① 생산의 효율성을 높이기 위해 복지 정책을 축소해야 하는가?
② 의회 중심의 정당 활동을 통해 사회주의를 실현할 수 있는가?
③ 자신의 능력에 따라 분배받는 공정한 사회를 실현해야 하는가?
④ 평등 사회 실현을 위해 사적 소유권을 전면적으로 폐지해야 하는가?
⑤ 자신의 노동으로부터 인간이 소외되지 않는 사회를 실현해야 하는가?

**완자샘의 시험 꿀팁**

프롤레타리아의 폭력 혁명을 통해 공산 사회를 실현하려는 마르크스주의와 민주주의 체제하에서 정당한 정치 활동을 통해 사회주의의 이상을 실현하려는 민주 사회주의를 비교하는 문항은 출제 빈도가 높은 편이므로, 두 사상의 공통점과 차이점을 정리해 두어야 한다.

# 06 평화

학습목표
- 동서양의 다양한 평화 사상을 이해할 수 있다.
- 세계 시민주의의 특징과 해외 원조에 대한 다양한 입장을 알 수 있다.

이것이 핵심!

갈퉁의 평화론

| 직접적 폭력 | 간접적 폭력 | |
|---|---|---|
| 언어폭력, 신체적 폭력 | 구조적 폭력 | 문화적 폭력 |
| ↕ | | |
| 직접적 평화 / 소극적 평화 | 구조적 평화 | 문화적 평화 |
| 적극적 평화 | | |

★ 갈퉁이 제시한 세 가지 평화

| | |
|---|---|
| 직접적 평화 | 한 개인에게 직접 가해지는 언어적, 신체적 폭력[직접적 폭력]의 부재 상태 |
| 구조적 평화 | 부정의한 사회 구조로부터 발생하는 폭력[구조적 폭력]의 부재 상태 |
| 문화적 평화 | 가부장적 권위주의와 같은 폭력적인 문화[문화적 폭력]의 부재 상태 |

★ **수기이안백성(修己以安百姓)**
자신을 수양한 후에 덕을 베풀어 모든 사람을 평온하게 해 주어야 한다는 뜻이다.

★ **수제치평(修齊治平)**
자기 수양을 시작으로 가정, 사회, 국가로 윤리적 실천 단계를 확대한다는 뜻으로, 수신제가 치국평천하(修身齊家治國平天下)를 의미한다.

★ **화평(和平)**
사람들 간의 화합과 조화를 강조하는 말로, 화(和)는 크고 작은 대립들이 없어진다는 뜻이고 평(平)은 안정된 상태를 이루었다는 뜻이다.

★ **존비친소(尊卑親疏)**
윗사람과 아랫사람, 가까운 사람과 먼 사람을 사회적 지위나 자신과의 친분을 고려하여 분별적으로 대하는 것을 뜻한다.

## 1 동서양의 다양한 평화 사상

### 1. 평화의 의미

(1) **평화의 일반적인 의미**

① 전쟁이나 분쟁, 갈등이 없는 상태

② 물리적 폭력의 부재뿐만 아니라 복지, 평등, 자유 등과 같은 인간의 기본적인 욕구가 충족되는 상태

(2) ***갈퉁의 평화론** 자료 ①

갈퉁은 진정한 평화를 실현하기 위해 갈등을 비폭력적 방식으로 풀어갈 수 있는 평화의 구조와 문화를 구축해야 한다고 보고, 평화 교육의 필요성을 역설해.

| 소극적 평화 | 적극적 평화 |
|---|---|
| 신체에 직접 위해를 가하는 전쟁, 테러, 폭행과 같은 직접적이고 물리적인 폭력이 없는 상태 | 직접적·물리적 폭력뿐만 아니라 사회 제도나 관습 등에 따른 빈곤, 억압, 차별, 착취와 같은 간접적 폭력이 없는 상태 |

인간다운 삶을 누릴 수 있는 사회 정의와 복지가 실현된 상태를 지향해.

### 2. 동양의 평화 사상

| | |
|---|---|
| 유교 | • 도덕적 타락을 불화와 갈등의 원인으로 봄 → 구성원의 도덕성 회복과 인의(仁義)의 실현을 강조함<br>• *수기이안백성, *수제치평과 같은 도덕적 수양을 바탕으로 *화평한 세계를 실현하고자 함<br>• 도덕적인 사람들이 모여 사는 대동 사회를 화평이 실현된 사회로 봄 |
| 묵가 | • 유교의 인(仁)은 *존비친소를 분별하는 사랑으로, 사회 혼란을 초래한다고 비판함<br>• 서로 차별 없이 사랑하고 이익을 나누어야 한다는 겸애교리(兼愛交利)를 강조함 교과서 자료<br>• 타국을 정복하거나 침략하는 전쟁에 반대하는 비공(非攻)을 주장함 (겸애란 보편적 인류애를 뜻해.) |
| 도가 | • 인간의 그릇된 가치관과 인위적인 사회 제도가 사회 혼란의 원인이라고 봄<br>• 소박하고 순수한 본성의 덕에 따라 자연과 조화를 이루며 사는 것을 평화라고 주장함 |
| 불교 | • 개인의 도덕적 수양을 강조하며 탐욕, 화냄, 어리석음을 제거하고 연기에 대한 깨달음에 이를 것을 주장함 → 무차별적 사랑인 자비(慈悲)로 이어짐<br>• 생명 존중의 평화 사상을 바탕으로 모든 생명체에 대하여 폭력을 사용해서는 안 된다고 주장함 |

불교에서는 생명을 지닌 존재를 죽이지 않는 불살생(不殺生)을 제시하였어.

### 3. 서양의 평화 사상

(1) **에라스뮈스** 자료 ②

① 그리스도교의 사랑과 비폭력의 평화 사상을 계승함

② 전쟁은 본성상 선보다 악을 초래한다고 주장함 (VS 아퀴나스와 같은 사상가는 정당한 목적을 지닌 전쟁은 허용될 수 있다고 봐.)

③ 전쟁은 평화를 추구하는 종교 정신에 위배되고, 무관한 사람들이 피해를 겪기 때문에 도덕적으로 옳지 않으며, 전쟁으로 인해 많은 경제적 손실이 발생한다고 봄

(2) **생피에르**

① 평화 실현을 위해 종교나 도덕성에 호소하는 대신 인간의 이기심과 합리적 이성에 따를 것을 주장함

② 전쟁이 인간의 이기심으로 인해 발생하지만, 오히려 이기심을 이용하면 평화로 이끌 수 있다고 봄

왜? 군주에게 전쟁에 따르는 불이익과 평화에 따르는 이익을 제시하여 평화가 유리하다는 것을 증명하면 군주 스스로 평화를 지향할 것이라고 보았기 때문이야.

③ 공리적 관점을 바탕으로 군주들의 연합을 만들면 항구적인 평화를 실현할 수 있다고 봄

## 완자 자료 탐구

내 옆의 선생님

### 자료 1 갈퉁의 평화론

아프리카인이 생포되어 노예로 부려지기 위해 강제로 대서양을 건너는 과정에서 수백만 명이 아프리카에서, 배 위에서, 그리고 아메리카에서 살해되었다. 수 세기를 거친 이 같은 직접적인 폭력은 주인이자 사회적 강자로서의 백인과 노예이자 사회적 약자로서의 흑인과 더불어 구조적 폭력으로 확산되어 가며 정착되었고, 어디서나 볼 수 있는 인종주의적 이념과 함께 문화적 폭력을 생산하고 또 재생산하였다. 얼마의 시간이 지난 후, 직접적인 폭력은 잊히고 노예 제도도 잊혔지만 두 개의 폭력은 여전히 남아 있다. 바로 구조적 폭력을 나타내는 '차별'과 문화적 폭력을 나타내는 '편견'이 그것이다.

– 갈퉁, 『평화적 수단에 의한 평화』

갈퉁은 물리적 폭력뿐만 아니라 구조적 폭력과 문화적 폭력까지 사라진 상태인 적극적 평화를 추구해야 한다고 본다. 이는 가난, 차별, 억압, 환경 파괴 등이 제거되어 사람들 간의 협력과 조화, 그리고 정의가 실현된 상태를 의미한다. – 적극적 평화는 평화 개념을 국가 안보 차원에서 인간의 생명과 존엄을 중시하는 인간 안보 차원으로 확장한 것이야.

**문제로 확인할까?**

갈퉁이 주장한 문화적 폭력의 예시로 가장 적절한 것은?

① 전쟁
② 테러
③ 신체적 폭행
④ 직접적 언어폭력
⑤ 가부장적 권위주의

⑤ 답

### 수능이 보이는 교과서 자료 묵자의 겸애교리의 평화론

- 모든 천하의 재난과 찬탈과 원한이 일어나는 까닭은 서로 사랑하지 않는 데에서 생겨나는 것이다. 모두가 두루 아울러 서로 사랑하고 모두가 서로 이롭게 하는 방법으로써 이를 대신해야 한다.
- 전쟁이란 국가와 백성에게 이롭지 않다. 전쟁으로 말미암아 국가는 제 본분을 잃고, 백성은 생업을 잃는다. 천하 민중이 전쟁을 반대하고 화목하여 단결함으로써 생산에 힘쓰고, 이로써 생산이 증대되면 백성에게 얼마나 이로울 것인가.

– 묵자, 『묵자』

묵자는 서로 차별 없이 사랑하고[兼愛], 서로 이로움을 나누어야[交利] 전쟁과 같은 불의(不義)가 발생하지 않을 것이라고 보았다. 그리고 그는 전쟁이 나라의 생산력을 떨어뜨리고 백성들의 생명을 희생시키기 때문에 전쟁에서 이겨도 자국에 이익이 되지 않으므로, 통치자는 전쟁을 피해야 한다고 주장하였다.

**완자샘의 탐구강의**

**• 평화에 대한 유교의 입장을 묵가의 관점에서 비판적으로 서술하시오.**

유교에서는 인(仁)을 바탕으로 개인의 도덕적 수양에서 시작하여 가정, 사회, 국가로 평화를 확대해 나갈 것을 주장하였다. 그러나 묵가에서는 유교의 인이 존비친소를 분별하는 사랑이라고 비판하면서, 모든 사람을 차별 없이 사랑하고 이익을 나눌 때 평화를 실현할 수 있다고 보았다.

함께 보기 231쪽, 1등급 정복하기 1

### 자료 2 에라스뮈스의 평화론

주교관과 전투 헬멧, 목자의 지팡이와 군인의 창, 복음서와 방패가 도대체 어떻게 조화될 수 있단 말인가? 온 세상을 피비린내 나는 전장으로 몰고 가면서 어떻게 동시에 아무렇지도 않게 "평화가 당신과 함께하기를!" 하며 인사할 수 있단 말인가? 입으로 평화를 말하면서도, 어떻게 손과 행동으로는 파괴를 일삼을 수 있단 말인가?

– 에라스뮈스, 『평화의 탄식』

아우구스티누스나 아퀴나스는 악을 징벌할 때에는 정당한 목적을 실현하기 위해 정당한 수단을 사용하는 전쟁을 허용할 수 있다는 정전론(正戰論)의 입장을 취하였다. 그러나 르네상스 시기의 인문학자이자 가톨릭 성직자인 에라스뮈스는 종교적·도덕적·경제적인 측면에서 전쟁은 선보다 악을 초래한다며 전쟁에 반대하였다. – 에라스뮈스는 전쟁을 피하는 방법으로서 학자, 성직자 등이 분쟁 당사자 간의 화해를 돕는 중재 제도를 제안하였어.

**자료 하나 더 알고 가자!**

**아퀴나스의 정전론**

정의로운 전쟁은 전쟁 수행자들이 올바른 의도를 갖는 것이 요구된다. …… 악한 경향들을 미연에 방지하려면 전쟁 수행자들에게 관용과 온유함과 같은 절제의 덕이 필요하다. – 아퀴나스, 『신학대전』

아퀴나스는 전쟁의 정당화 조건으로 ① 전쟁을 선포할 수 있는 권위를 지닌 사람에 의한 전쟁의 선포, ② 정당한 원인, ③ 정당한 의도를 제시하였다.

# 06 평화

★ **안보 딜레마**
자국의 안보를 위해 군사력을 증강하면 다른 국가들도 군사력을 증강하는 군비 경쟁으로 그 전보다 오히려 안전하지 못한 결과에 이를 수 있음을 뜻하는 말이다.

(3) **현실주의와 이상주의**

| 구분 | 현실주의 | 이상주의 |
|---|---|---|
| 대표자 | 마키아벨리, 홉스 | 칸트 자료 3 |
| 입장 | • 평화란 경쟁 국가와 대등한 힘을 보유하거나 군사 동맹을 통해 세력 균형을 맞춘 상태임<br>• 생존과 이익을 추구하는 공동체인 국가보다 상위의 권위를 가지는 국제기구나 국제법은 실효적인 권위가 없거나 존재하지 않는다고 봄 | • 평화는 국제적 갈등을 이성에 근거한 보편적 도덕 원리에 따라 해결해 나갈 때 실현할 수 있음<br>• 국제기구나 국제법 등을 통해 잘못된 제도들을 바로 잡아야 한다고 봄<br>• 개별 국가의 자유를 보장하는 국제 연맹을 결성하여 세계 평화를 실현하고자 함 |
| 한계 | • *안보 딜레마가 발생하고 국제 질서가 불확실함<br>• 국제기구나 비정부 기구 등의 기여를 설명 못함<br>• 국가의 이익과 생존을 위해 비윤리적 행위를 합리화할 위험성이 있음 | • 이성에 따른 보편적 도덕 원리 정립이 현실적으로 어려움<br>• 국제법이 실질적 구속력과 효력을 발휘하기 어려움 |

## 2 세계 시민주의와 세계 시민 윤리의 구상

### 1. 세계 시민주의

(1) **의미**: 헬레니즘 시대의 스토아학파에서 발전해 온 사상으로, 특정 민족이나 국가를 넘어서 인류를 하나라고 보는 입장

└ 스토아학파에서는 모든 사람이 자연적(이성적) 질서에 따라 살아가기에 인종, 혈통, 국적 등을 초월하여 한 개인으로서 세계 시민의 자격을 갖추고 있다고 보았어.

| | |
|---|---|
| 필요성 | 현대 사회는 경제, 정치, 문화, 환경 등 다양한 영역에서 국가 간의 교류가 과거와 비교하기 힘들 정도로 밀접하게 연결됨 → 인류 공동체의 결속력을 높이고 인류가 평화롭게 공존해야 함 |
| 특징 | • 보편적 인류애를 강조하고, 갈등을 평화롭게 해결하기 위해 노력함<br>• 다양성을 인정하고 관용을 베풀 것을 강조함<br>• 전 지구적인 문제의 해결과 발전에 관심을 가짐 |

예 기아와 난민, 인권 침해, 생태계 파괴, 대량 살상 무기 개발 등이 있어.

(2) **세계 시민주의 사상가**

| | |
|---|---|
| 칸트 | • 모든 사람은 세계 시민으로서 적대적인 대접을 받지 않고 타국을 방문할 권리가 있음을 주장함<br>• 모든 사람에게 지구에 관한 공동의 권리와 책임이 있다고 봄 |
| 애피아 | • 세계 시민주의를 지지하면서도 국가나 민족의 정체성을 전면적으로 부정하지는 않음<br>• 민주 국가의 시민으로서 애국심을 지니고 살아가면서도 국경을 초월하여 다른 사람과 연대할 수 있다고 주장함 |
| 누스바움 | • 국가적 소속감이나 자국 중심의 배타주의를 극복하고 보편적 인간애를 중시함<br>• 출생 국가는 도덕적으로 임의적인 특성이므로 국경과 무관하게 정의와 선에 대한 합리적 추론 능력을 함양해야 한다고 주장함 |

### 2. 지구적 협력과 해외 원조에 대한 입장

꼭! 롤스는 인류의 복지 수준 향상보다는 빈곤의 원인이 되는 사회 구조를 개선하여 사회 정의를 실현하는 것이 해외 원조의 목적이라고 봐.

| 구분 | 롤스 자료 4 | 싱어 자료 5 | 노직 |
|---|---|---|---|
| 입장 | *국제주의 | 공리주의 | 자유지상주의 |
| 목적 | 고통받는 사회를 *질서 정연한 사회로 만드는 것 | 인류의 고통을 줄이고 복지를 향상하는 것 | – |
| 의무 | *만민은 불리한 여건으로 고통을 겪는 사회를 원조해야 할 도덕적 의무가 있음 → 부정의한 사회 구조로 인해 고통받는 사회를 도와야 함 | 해외 원조는 물리적 거리를 넘어 절대 빈곤에 처한 인류를 돕기 위한 의무임 → *이익 평등 고려의 원칙에 따라 고통을 느낄 수 있는 모든 존재를 도와야 함 | 해외 원조는 선한 행위로 평가할 수 있지만 의무는 아님 → 해외 원조는 개인의 자율적인 선택에 맡겨야 함 |

**이것이 핵심!**

**해외 원조에 대한 다양한 입장**

| | |
|---|---|
| 롤스 | • 국제주의의 입장에서 해외 원조를 의무로 봄<br>• 고통받는 사회를 질서 정연한 사회로 만드는 것이 목적임 |
| 싱어 | • 공리주의의 입장에서 해외 원조를 의무로 봄<br>• 전 인류의 고통을 줄이고 복지를 향상하는 것이 목적임 |
| 노직 | 자유지상주의의 입장에서 해외 원조를 의무가 아닌 자율적 선택으로 봄 |

★ **국제주의**
개인을 단위로 하는 세계 시민주의와는 달리 국가라는 틀을 유지하며, 국가 간 상호 협력을 바탕으로 세계 평화를 실현하고자 하는 관점이다.

★ **질서 정연한 사회**
시민들의 인권이 보장되고 민주적으로 의사 결정이 이루어지는 사회이다.

★ **만민**
롤스가 국가를 대체하기 위해 사용한 용어로서, 지구적 협력에 동조하며 적절한 정치적 제도 아래에서 도덕적 본성과 정의관을 갖춘 집단을 의미한다.

★ **이익 평등 고려의 원칙**
고통을 느낄 수 있는 모든 존재의 이익을 동등하게 고려해야 한다는 원칙이다.

## 완자 자료 탐구

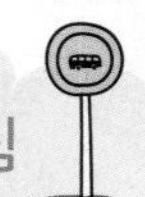

내 옆의 선생님

### 자료 3 칸트의 『영구 평화론』의 조항

| 확정 조항 | 예비 조항 |
|---|---|
| ① 모든 국가의 시민적 정체는 공화정이어야 한다.<br>② 국제법은 자유로운 국가들의 연방 체제에 기초하지 않으면 안 된다.<br>③ 세계 시민법은 보편적 우호의 조건에 국한되어야 한다. | ① 장차 전쟁의 화근이 될 수 있는 내용을 유보한 채로 맺은 평화 조약은 불가능하다.<br>② 어떠한 독립 국가도 타국의 소유가 될 수 없다.<br>③ 상비군은 조만간 완전히 폐지되어야 한다.<br>④ 대외적 분쟁과 관련하여 어떠한 국채도 발행해서는 안 된다.<br>⑤ 타국의 체제와 통치에 폭력으로 간섭해서는 안 된다.<br>⑥ 전쟁 중 암살이나 독살, 항복 조약 파기 등의 신뢰를 배신하는 비열한 행위를 하지 않는다. |

칸트가 말하는 평화는 전쟁이 일시적으로 중단된 상태가 아니라 이성에 근거한 보편적 도덕 원리에 따르는 영구적인 평화를 의미한다. 그는 이를 보장하기 위해 국제 연맹의 창설과 국제법 및 세계 시민법의 조건을 담은 확정 조항과, 국가 간 평화를 위해 금지해야 할 내용을 담은 예비 조항을 제시하였다.

### 자료 4 롤스의 해외 원조에 대한 입장

롤스는 고통받는 사회가 '입헌적 자유주의 사회' 혹은 이에 가까운 사회가 될 때까지만 원조의 의무가 유효하다고 봐.

> 질서 정연한 사회의 만민은 고통을 겪는 사회를 원조해야 할 의무가 있다. …… 사회들 간의 부와 복지의 수준은 다양할 수 있고 그럴 것으로 추정된다. 그러나 이런 부와 복지 수준을 조정하는 것은 원조의 목표가 아니다. …… 천연자원과 부가 빈약한 사회라 할지라도 만약 그들의 종교적·도덕적 신념과 문화를 떠받쳐 주는 그 사회의 정치적 전통, 법, 재산, 계급 구조가 자유적 사회나 적정 수준의 사회를 유지하게 하는 것이라면 질서 정연해질 수 있다.
> – 롤스, 『만민법』

롤스는 억압이나 폭력, 기아나 빈곤과 같은 문제는 국내 정치·사회 제도의 부정의함에서 비롯되는 것이므로 정치적 부정의함을 제거하고 정의로운 제도를 수립하면 그와 같은 문제도 자연히 해결될 것이라고 보았다. 그리고 각 사회마다 고유한 문화와 역사에 따라 필요한 부의 수준이 다르므로 물질적으로 평준화할 필요가 없다고 주장하였다.

### 자료 5 싱어의 세계화 윤리

> 사치품과 부질없는 것에 낭비할 만큼 돈을 충분히 가진 사람들은 넉넉한 양식과 깨끗한 식수, 비바람을 피할 보금자리, 기본적인 의료 혜택을 얻는 데 어려움을 겪는 사람들에게 자신의 소득 1달러당 적어도 1센트를 나누어 주어야 한다. …… 내가 돕는 사람이 나한테서 10야드 떨어진 곳에 사는 이웃의 어린아이인지, 아니면 이름도 알지 못하는 1만 마일 떨어진 벵골인인지는 나에게 도덕적으로 아무런 차이가 없다.
> – 싱어, 『세계화의 윤리』

싱어는 공리주의의 관점에서 가난으로 고통받는 세계의 모든 사람을 물리적 거리에 상관없이 원조의 대상으로 삼아야 한다고 주장한다. 그리고 우리가 커다란 희생 없이도 어려운 처지에 있는 사람을 도울 수 있다면 무조건 돕는 것이 우리의 의무라고 본다.

**자료 하나 더 알고 가자!**

**마키아벨리의 현실주의 평화관**

> 자신의 군사력을 갖추지 않으면 어떠한 군주정도 안전하지 않습니다. …… 현명한 인간이 간직해야 할 금언은 늘 같습니다. 즉, "자신의 전력에 기초를 두지 않은 권력의 명성만큼 불확실하고 불안정한 것은 없다."라는 것입니다.
> – 마키아벨리, 『군주론』

마키아벨리에 따르면, 국가는 생존과 이익을 추구하는 공동체로서, 평화를 실현하기 위해서는 경쟁하는 국가와 대등한 힘을 보유하거나 군사 동맹을 통해 세력 균형을 맞추어야 한다.

**자료 하나 더 알고 가자!**

**노직의 정의의 원칙과 해외 원조**

> ① 취득의 원칙: 재화의 최초 취득이 합법적이고 정의로워야 한다.
> ② 이전의 원칙: ①을 통해 획득한 재화는 자유로운 개인들 간의 교환을 통해 이전될 때 정의롭다.
> ③ 부정의 교정 원칙: ①, ②를 따르지 않은 부당한 취득은 교정되어야 한다.
> – 노직, 『아나키에서 유토피아로』

노직은 개인의 소유 권리를 강조하며 해외 원조를 하지 않는다고 해서 도덕적으로 비난받아야 할 이유가 없다고 보았다.

**정리 비법을 알려줄게!**

**롤스와 싱어의 해외 원조의 목적**

| 롤스 | 싱어 |
|---|---|
| 국제주의 | 공리주의 |
| 사회 제도와 구조의 개선을 통해 고통받는 사회를 질서 정연한 사회로 만드는 것 | 공리주의적 관점에서 전 인류의 고통을 줄이고 복지를 향상시키는 것 |

# STEP 1 핵심 개념 확인하기

정답친해 60쪽

**1** 다음 설명에 해당하는 용어를 쓰시오.

- 직접적 폭력과 빈곤, 억압, 차별 등의 간접적 폭력이 없는 상태
- 인간다운 삶을 누릴 수 있는 사회 정의와 복지가 실현된 상태

**2** 다음 설명에 해당하는 동양 윤리 사상을 〈보기〉에서 골라 기호를 쓰시오.

보기
ㄱ. 유교　　ㄴ. 묵가　　ㄷ. 불교

(1) 모든 사람을 똑같이 사랑하고 이로움을 서로 나누어야 한다고 본다. (　　)

(2) 개인의 도덕적 수양을 바탕으로 화평한 사회를 실현해야 한다고 본다. (　　)

(3) 연기에 대한 깨달음을 바탕으로 생명을 지닌 존재를 죽이지 않는 불살생을 실천해야 한다고 본다. (　　)

**3** 서양의 평화 사상가와 그 주장을 옳게 연결하시오.

(1) 에라스뮈스 •　　• ㉠ 인간의 이기심을 이용하여 평화로 이끌 수 있다.

(2) 생피에르 •　　• ㉡ 전쟁은 평화를 추구하는 종교 정신에 위배되는 것이다.

(3) 칸트 •　　• ㉢ 개별 국가의 자유를 보장하는 국제 연맹을 결성하여 세계 평화를 실현해야 한다.

**4** 특정 민족이나 국가를 넘어서 인류를 하나라고 보는 사상을 (　　　　)라고 한다.

**5** 다음 설명이 맞으면 ○표, 틀리면 ×표를 하시오.

(1) 롤스는 인류의 고통을 줄이고 복지를 향상하는 것이 해외 원조의 목적이라고 본다. (　　)

(2) 싱어는 해외 원조를 선한 행위로 평가할 수 있지만 그것이 의무는 아니라고 주장한다. (　　)

# STEP 2 내신 만점 공략하기

**01** (중요) 다음과 같이 주장한 사상가가 지지할 입장으로 옳은 것을 〈보기〉에서 고른 것은?

> 폭력에는 물리적·언어적 폭력으로 대변되는 직접적 폭력과 법률과 제도에 의한 억압을 의미하는 구조적 폭력, 직접적·구조적 폭력을 정당화하는 문화적 폭력이 있다.

보기
ㄱ. 궁극적으로 소극적 평화를 지향해야 한다.
ㄴ. 진정한 평화는 개인의 의지만으로 성취될 수 있다.
ㄷ. 갈등을 비폭력적인 방식으로 풀어갈 수 있는 평화의 구조를 구축해야 한다.
ㄹ. 진정한 평화는 직접적 폭력만이 아니라 구조적·문화적 폭력을 제거할 때 실현될 수 있다.

① ㄱ, ㄴ　② ㄱ, ㄷ　③ ㄴ, ㄷ
④ ㄴ, ㄹ　⑤ ㄷ, ㄹ

**02** (중요) (가), (나) 사상의 평화관에 대한 설명으로 옳지 <u>않은</u> 것은?

> (가) 자신을 수양한 이후에 집안이 잘 다스려지고, 집안이 잘 다스려진 이후에 나라가 잘 다스려지고, 나라가 잘 다스려진 이후에 천하가 평화롭게 된다.
> (나) 모든 천하의 재난과 찬탈과 원한이 일어나는 까닭은 서로 사랑하지 않는 데에서 생겨나는 것이다. 모두가 두루 아울러 서로 사랑하고 모두가 서로 이롭게 하는 방법으로써 이를 대신해야 한다.

① (가)는 대동 사회를 평화가 실현된 사회로 본다.
② (가)는 도덕적 수양을 통해 화평을 실현하고자 한다.
③ (나)는 타국을 정복하거나 침략하는 전쟁에 반대한다.
④ (나)는 존비친소를 분별하는 사랑이 사회 혼란을 초래한다고 본다.
⑤ (가), (나)는 공통적으로 사람들을 차별 없이 사랑해야 한다는 겸애를 주장한다.

**03** ㉠에 들어갈 말로 가장 적절한 것은?

> 평화를 실현하기 위해서는 인간의 이기심과 합리적 이성에 따라야 한다. 전쟁의 원인은 인간이 가진 권력이나 명예에 대한 욕망, 정복욕과 복수심, 소유욕 등이다. 하지만 이것들을 배제함으로써 전쟁을 폐지하는 것은 불가능하다. 때문에 군주들에게 [ ㉠ ] 하면 평화를 실현할 수 있다.

① 인간 존엄의 중요성을 설명
② 전쟁보다 평화가 이익이라는 것을 증명
③ 복수는 복수를 낳을 뿐이라는 사실을 증명
④ 생명 존중의 관점에서 전쟁의 폐해를 설명
⑤ 인류애의 측면에서 사람들이 느끼는 고통을 설명

**04** 갑, 을이 국제 관계를 바라보는 관점에 대한 설명으로 옳은 것은?

경쟁 국가 간에 대등한 힘을 보유할 때 국제 평화가 실현될 수 있어.
국제 관계에서도 보편적 도덕 원리에 따라 평화를 실현할 수 있어.
갑
을


① 갑은 안보 딜레마의 문제를 해결하기 어렵다.
② 갑은 인간 본성의 선함에 대한 믿음을 가지고 있다.
③ 을은 국가의 비윤리적 행위도 합리화할 가능성이 있다.
④ 을은 국제기구나 국제법이 기여하는 바를 설명하지 못한다.
⑤ 갑, 을은 모두 국제 관계에서 평화 실현이 불가능하다고 본다.

**05** 다음과 같이 주장한 사상가의 입장에만 모두 'V'를 표시한 학생은?

> 이성을 지닌 인간은 누구나 평화를 원하고 평화를 이루어 내야 할 의무가 있다. 인간이 이성을 잘 발휘하지 못하므로 분쟁과 혼란, 그리고 전쟁이 일어나는 것이다. 따라서 이성에 근거한 보편적 도덕 원리를 정립하여 평화를 실현해야 한다.

| 입장 \ 학생 | 갑 | 을 | 병 | 정 | 무 |
|---|---|---|---|---|---|
| 도덕 원리는 국제 관계에도 적용할 수 있다. | V | | V | | V |
| 국가는 생존과 이익을 추구하는 공동체이다. | | V | | V | V |
| 주권 국가보다 높은 권위를 지니는 실효적인 법은 없다. | | V | V | | |
| 개별 국가의 자유를 보장하는 국제 연맹을 결성해야 한다. | V | V | V | V | V |

① 갑 ② 을 ③ 병 ④ 정 ⑤ 무

**06** (중요) 학생 답안의 ㉠~㉤ 중 옳지 않은 것은?

**서술형 평가**

◎ 문제: 전쟁에 대한 갑, 을의 입장을 서술하시오.

> 갑: 목자의 지팡이와 군인의 창, 복음서와 방패가 도대체 어떻게 조화될 수 있단 말인가? 입으로 평화를 말하면서도, 어떻게 손과 행동으로는 파괴를 일삼을 수 있단 말인가?
> 을: 정의로운 전쟁은 전쟁 수행자들이 올바른 의도를 갖는 것이 요구된다. 즉 선을 증진하거나 악을 회피하도록 해야 한다.

◎ 학생 답안

갑은 전쟁에 반대하며 ㉠ 전쟁은 본성상 선보다 악을 초래한다고 주장한다. ㉡ 전쟁이 경제적으로 자국에 이득을 주기는 하지만, ㉢ 평화를 추구하는 종교 정신에 위배된다고 보기 때문이다. 을은 ㉣ 정당한 목적을 실현하기 위한 전쟁을 긍정하면서, ㉤ 그 조건으로 정당한 원인과 정당한 의도 등을 제시하였다.

① ㉠ ② ㉡ ③ ㉢ ④ ㉣ ⑤ ㉤

**07** 밑줄 친 '이 사상'의 특징에 대한 옳은 설명을 〈보기〉에서 고른 것은?

> 이 사상은 제국이 세워진 헬레니즘 시대에 처음 등장하였다. 당시 이를 주장한 학파에 따르면, 모든 사람은 이성을 바탕으로 세계를 지배하는 자연의 원리와 법칙을 파악하여 그에 따라 살아가고, 불안정한 공동체가 아니라 영원한 자연적·이성적 질서에 따른다.

보기
ㄱ. 에피쿠로스학파로부터 영향을 받았다.
ㄴ. 여러 인종, 민족, 문화의 다양성을 중시한다.
ㄷ. 전 지구적인 문제의 해결과 발전에 관심을 가진다.
ㄹ. 국적, 인종, 종교 등에 대한 구별을 바탕으로 한다.

① ㄱ, ㄴ ② ㄱ, ㄷ ③ ㄴ, ㄷ
④ ㄴ, ㄹ ⑤ ㄷ, ㄹ

중요
**08** 갑~병의 입장에 대한 설명으로 옳지 않은 것은?

> 갑: 가난한 나라에 대한 무관심이 기아 문제의 원인이다. 선진국 사람들은 기아로 고통받는 사람들의 이익과 자신의 이익에 대한 관심을 동등하게 고려하여 인류 전체의 행복을 증진해야 한다.
> 을: 재산의 소유권은 전적으로 개인에게 있다. 따라서 해외 원조를 하지 않는다고 해서 도덕적으로 비난받아야 할 이유는 없다.
> 병: 원조의 목적은 고통받는 사회의 사람들이 국제 사회의 완전한 구성원이 되도록 돕는 것이다. 모든 사회가 자유적이거나 적정한 수준의 기본 제도를 가질 때까지 원조의 의무는 유효하다.

① 갑은 이익 평등 고려 원칙에 따라 원조를 지지한다.
② 을은 해외 원조를 선한 행위로 평가할 수 있다고 본다.
③ 병은 잘못된 사회 구조를 개선하는 것이 원조의 목적이라고 본다.
④ 갑, 병은 인류의 복지 향상을 위해 해외 원조를 해야 한다고 본다.
⑤ 을은 해외 원조를 개인의 선택으로, 병은 해외 원조를 의무로 간주한다.

## 서술형 문제

정답친해 61쪽

**01** 다음 글을 읽고 물음에 답하시오.

> 평화는 모든 종류의 폭력의 부재나 감소이다. 폭력은 세 가지 유형으로 구분할 수 있는데, 직접적 폭력, [ ㉠ ], [ ㉡ ]이다. 이 세 가지 폭력은 서로 유기적으로 연결되어 있는데, 우리는 직접적이고 물리적인 폭력이 없는 상태인 소극적 평화를 넘어 적극적 평화를 지향해야 한다.

(1) ㉠, ㉡에 알맞은 용어를 각각 쓰시오.

(2) 밑줄 친 '적극적 평화'의 의미를 서술하시오.

길잡이 갈퉁이 구분한 폭력의 유형과 적극적 평화에 대해 서술한다.

**02** 다음 글을 읽고 물음에 답하시오.

> (가) 국제적 갈등을 이성에 근거한 보편적 도덕 원리에 따라 해결해 나갈 때 평화를 실현할 수 있다.
> (나) 주권 국가보다 상위의 권위를 지니는 국제기구나 국제법은 존재하지 않거나 존재하더라도 실효적인 권위가 없다.

(1) (가), (나)에 해당하는 평화에 대한 입장을 각각 쓰시오.

(2) (가), (나) 사상의 한계를 각각 두 가지 서술하시오.

길잡이 평화에 관한 이상주의와 현실주의의 한계를 서술한다.

**03** 다음 사상가의 해외 원조의 목적에 대해 서술하시오.

> 빈곤과 기아 문제는 물적 자원의 부족이 아닌 정치적·사회적 제도의 결함에서 비롯된 것이다. 그리고 각 사회의 고유한 문화와 역사에 따라서 필요한 부의 수준이 다르므로 국가 간에 부를 평준화할 필요는 없다.

길잡이 해외 원조의 목적에 대한 롤스의 관점을 서술한다.

# STEP 3 1등급 정복하기

정답친해 62쪽

수능 응용

**1** 다음 고대 중국 사상가의 주장으로 가장 적절한 것은?

> 묵자의 평화관

전쟁이란 국가와 백성에게 이롭지 않다. 전쟁으로 말미암아 국가는 제 본분을 잃고, 백성은 생업을 잃는다. 천하 민중이 전쟁을 반대하고 화목하여 단결함으로써 생산에 힘쓰고, 이로써 생산이 증대되면 백성에게 얼마나 이로울 것인가.

① 군주는 인정(人情)에 따라 상벌로써 백성을 다스려야 한다.
② 성인은 시비(是非) 논변을 초월하고 자연에 순응해야 한다.
③ 군자는 사단(四端)을 확충하여 인정(仁政)을 실시해야 한다.
④ 선비는 예법(禮法)에 따라 인간의 자연적 욕망을 절제해야 한다.
⑤ 인자는 차별 없는 사랑[兼愛]으로 백성의 이익을 도모해야 한다.

**2** (가)의 갑, 을의 입장을 (나) 그림으로 표현할 때, A~C에 해당하는 옳은 진술을 <보기>에서 고른 것은?

> 해외 원조에 관한 입장

(가)
갑: 질서 정연한 사회의 만민은 고통을 겪는 사회를 원조해야 할 의무가 있다. 천연자원과 부가 빈약한 사회라 할지라도 만약 그들의 종교적·도덕적 신념과 문화를 떠받쳐 주는 그 사회의 정치적 전통, 법, 재산, 계급 구조가 자유적 사회나 적정 수준의 사회를 유지하게 하는 것이라면 질서 정연해질 수 있다.
을: 정의의 원칙을 자기 사회 내에 있는 사람들에게만 적용하고 세계를 지금 이대로 내버려 둔다면, 수백만 명이나 되는 사람들이 자신의 나라가 질서 정연한 사회가 되기 전에 빈곤으로 인해 죽어갈 것이다. 우리는 고통을 느끼는 모든 존재의 이익을 평등하게 고려해야 하므로 물리적 거리와 상관없이 빈곤으로 인해 고통받는 사람들을 도와야만 한다.

(나)

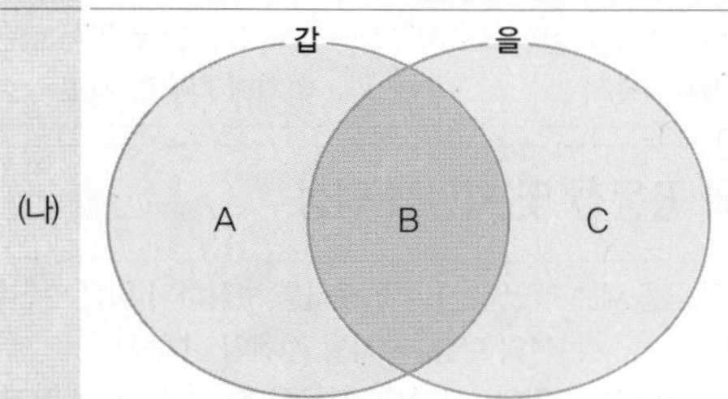


<범례>
A: 갑만의 입장
B: 갑, 을의 공통 입장
C: 을만의 입장

**보기**

ㄱ. A: 원조의 최종 목적은 고통받는 사회의 정치 문화를 개선하는 것이다.
ㄴ. A: 원조는 지구적 정의 실현이 아닌 인류의 공리 증진을 지향해야 한다.
ㄷ. B: 원조의 의무는 고통받는 사회가 질서 정연한 사회가 될 때까지 유효하다.
ㄹ. C: 해외 원조 대상에는 질서 정연한 사회의 빈곤한 시민도 포함되어야 한다.

① ㄱ, ㄴ　② ㄱ, ㄷ　③ ㄱ, ㄹ
④ ㄴ, ㄷ　⑤ ㄷ, ㄹ

**완자샘의 시험 꿀팁**

해외 원조를 도덕적 의무로 보는 롤스와 싱어의 주장을 비교하는 문제가 출제될 가능성이 높으니, 두 사상가의 입장을 비교하여 공부해 둘 필요가 있다.

## 01 사회사상과 이상 사회

### 1. 인간의 삶과 사회사상의 지향

| | |
|---|---|
| 이상 사회의 의미 | 인간이 가장 바람직하다고 여기고 그렇게 되기를 바라는 사회 |
| 이상 사회의 기능 | • 현실을 개혁하는 데 필요한 기준과 목표를 제시<br>• 더 나은 사회를 만들고자 하는 신념과 실천 의지 부여 |

### 2. 동서양 이상 사회론의 현대적 의의

(1) 동양의 이상 사회론

| | |
|---|---|
| 공자의 대동 사회 | 인(仁)이 실현된 도덕적 공동체 |
| 노자의 ( ❶ ) | 인위적인 분별과 차별에서 벗어나 소박하게 사는 사회 |

(2) 서양의 이상 사회론

| | |
|---|---|
| 플라톤의 정의로운 국가 | 생산자(절제), 방위자(용기), 통치자(지혜) 계급이 조화를 이룬 국가 |
| 모어의 유토피아 | 경제적으로 풍요롭고 소유와 생산에서 완전한 평등을 이룬 도덕적 사회 |
| 마르크스의 공산주의 사회 | 사유 재산과 ( ❷ )이 소멸하고 생산력이 고도로 발전되어 경제적으로 안정된 평등 사회 |
| 롤스의 질서 정연한 사회 | 각 구성원의 선을 증진하고 공적 정의관에 따라 효율적으로 규제되는 사회 |

## 02 국가

### 1. 국가의 기원과 본질에 대한 관점

| | |
|---|---|
| 유교 | 가족의 질서가 확장된 공동체로서, 백성들의 도덕적인 삶을 위한 도덕 공동체 |
| 아리스토텔레스 | 인간의 정치적 본성에 따라 형성된 것으로, 구성원의 훌륭한 삶을 실현하기 위한 공동체 |
| 공화주의 | 시민의 자유 보장을 위해 공동선을 지향하는 시민들이 참여하여 만든 정치 공동체 → 국가는 공공의 것 |
| 사회 계약론 | 국가는 개인이 자유와 권리를 보장받기 위해 계약을 통해 만들어낸 수단 |
| 마르크스 | 국가는 지배 계급이 피지배 계급을 억압하고 착취하기 위해 생겨난 수단 |

### 2. 국가의 역할과 정당성에 대한 동서양 사상

| | | |
|---|---|---|
| 유교 | | 민본 정치를 통해 위민을 실현하고, 국가를 인륜이 실현되는 도덕 공동체로 만드는 것 |
| 아리스토텔레스 | | 시민이 정치에 참여하여 덕 있는 삶을 실현할 수 있도록 하는 것 |
| 공화주의 | | 시민의 자유를 보장하고 공동선의 실현을 위해 시민적 덕성을 기르도록 돕는 것 |
| 사회 계약론 | 홉스 | • 사회 질서와 평화를 유지하는 것<br>• 정치적 저항권 없음 |
| | 로크 | • 개인의 생명, 자유, 재산을 보장하는 것<br>• 정치적 ( ❸ ) 인정 |
| 마르크스 | | 국가는 그 자체로 부당하므로 소멸할 것이라 주장함 |

## 03 시민

### 1. 시민적 자유와 권리의 근거

| | | |
|---|---|---|
| 자유주의 | • 자연권: 인간이 태어날 때부터 부여받은 권리[천부 인권]<br>• 자연권을 바탕으로 개인의 자유와 권리를 무엇보다 중시<br>• 소극적 자유(~로부터의 자유)를 강조 | |
| 공화주의 | • 인간의 상호 의존성 중시 → 인간을 사회적 존재로 봄<br>• ( ❹ )선의 실현을 강조<br>• 시민의 권리에 대한 근거를 정치 참여에서 찾음<br>• 시민의 의무를 강조함 | |
| | **시민적 공화주의(공동체주의)** | **신로마 공화주의** |
| | • 아리스토텔레스의 영향<br>• 정치 참여: 시민의 책무이자 윤리적 자기실현으로서 그 자체가 목적 | • 마키아벨리의 영향<br>• 정치 참여: 그 자체로 목적이 아니라 자유를 위한 수단<br>• 비지배 자유를 강조 |

### 2. 공동체와 공동선 및 시민적 덕성

| | |
|---|---|
| 자유주의 | • 정치 공동체는 개인의 자유와 권리를 보장하기 위한 수단임<br>• ( ❺ )선의 보장 → 사회 전체의 선 증진<br>• 법치: 국가가 개인의 사생활과 자유를 침해하는 것을 방지<br>• 관용: 자신의 견해나 행동을 타인에게 강요하지 않는 태도<br>• 자유주의적 애국심: 헌법의 기본 이념에 대한 동의와 충성 |
| 공화주의 | • 정치 공동체는 개인의 자유와 권리를 실현하는 데 필수적임<br>• 공공의 가치와 공동선 존중 → 시민적 덕성 강조<br>• 법치: 권력의 타락을 방지하는 것<br>• 관용: 비지배적 자유의 보장을 위해 갖추어야 할 덕성<br>• 공화주의적 애국심: 동료 시민에 대한 대승적·자발적 사랑 |

## 04 민주주의

### 1. 근대 민주주의의 지향과 자유 민주주의

(1) 민주주의의 의미와 특징

| | |
|---|---|
| 의미 | 정치 공동체의 주권이 국민에게 있고 국민을 위하여 정치를 행하는 제도나 그러한 정치를 지향하는 사상 |
| 특징 | • 국민 주권: 지배자와 피지배자가 동일<br>• 시민들의 동등한 정치 참여 권한과 기회 보장<br>• 권력 구성과 집행은 시민의 통제에 따름 |

(2) 근대 자유 민주주의의 발전

| | |
|---|---|
| (❻ ) | 국가 권력의 정당성이 주권을 가진 국민의 동의에서 발생한다는 것을 이론적으로 정당화함 |
| 자유 민주주의 | 자유주의 + 민주주의 → 개인의 자유를 핵심 가치로 삼는 자유 민주주의로 발전함 |

### 2. 도덕적 자율성과 책임성 및 시민의 소통과 유대

(1) 현대 민주주의의 규범적 특징

| | |
|---|---|
| 대의 민주주의 | 투표를 통해 선출된 대표자가 시민의 의사를 실현 |
| 참여 민주주의 | 다수의 시민이 의사 결정 과정에 자발적으로 참여 |
| 심의 민주주의 | 시민이 직접 공적 심의 과정에 참여해 정책을 결정 |

(2) (❼ )

| | |
|---|---|
| 의미 | 정의롭지 못한 법이나 정책을 변화시킬 목적으로 시민들이 의도적으로 법을 위반하는 행위 |
| 롤스 | 정의의 원칙이 존중되고 있지 않음을 선언하고, 시민 다수의 정의감에 호소하는 행위라고 봄 |
| 하버마스 | 오류의 소지가 있는 법이나 정책은 의사소통 과정에서 교정되어야 한다고 봄 |

## 05 자본주의

### 1. 자본주의의 전개 과정과 규범적 특징

(1) 자본주의의 전개 과정

| | |
|---|---|
| 고전적 자본주의 | 스미스: (❽ )을 주장하며 개인의 경제적 자율성을 최대한 보장하고 국가의 간섭을 배제해야 한다고 봄 |
| 수정 자본주의 | 케인스: 자유방임적 시장의 실패로 발생한 문제를 정부의 적극적인 시장 개입으로 해결하고자 함 |
| 신자유주의 | 하이에크: 고전적 자본주의를 계승하여 정부 기능을 축소하고 자유 시장 경쟁을 최대한 보장해야 한다고 봄 |

(2) **자본주의의 규범적 특징:** 경제적 자율성 및 사적 소유권 보장, 거래와 계약의 자유, 자유 경쟁

### 2. 자본주의에 대한 비판과 대안들

| | |
|---|---|
| 롤스의 정의론 | 정의론을 바탕으로 국가의 시장 개입을 도덕적·이론적으로 정당화함 |
| 마르크스 사회주의 | (❾ )에 의한 생산 수단의 공유와 계획 경제를 주장함 |
| 민주 사회주의 | 평화적이고 민주적인 방법으로 사회를 점진적으로 개혁하고자 함 |

## 06 평화

### 1. 동서양의 다양한 평화 사상

(1) 평화의 의미

| | |
|---|---|
| 소극적 평화 | 신체에 위해를 가하는 직접적· 물리적인 폭력이 없는 상태 |
| 적극적 평화 | 직접적·물리적 폭력뿐만 아니라 사회 제도나 관습 등에 따른 빈곤, 억압, 차별, 착취와 같은 간접적 폭력이 없는 상태 |

(2) 동양의 평화 사상

| | |
|---|---|
| 유교 | 도덕적 수양을 바탕으로 화평을 실현 |
| 묵가 | • 서로 사랑하고 이익을 나누는 겸애교리 주장<br>• 타국에 대한 정복이나 침략 전쟁에 반대함 |

(3) 서양의 평화 사상

| | |
|---|---|
| 에라스뮈스 | 전쟁은 본성상 선보다 악을 초래한다고 주장 |
| 생피에르 | 평화 실현을 위해 이기심과 합리적 이성에 따를 것을 주장 |
| 현실주의 | 경쟁 국가와 대등한 힘의 보유하거나 군사 동맹을 통한 세력 균형을 주장 |
| 이상주의 | 국제적 갈등을 보편적 도덕 원리로 해결 |

### 2. 세계 시민주의와 세계 시민 윤리의 구상

(1) **세계 시민주의:** 특정 민족이나 국가를 넘어서 인류를 하나라고 보는 입장

(2) 지구적 협력과 해외 원조에 대한 입장

| | |
|---|---|
| 롤스의 국제주의 | 고통받는 사회를 (❿ )로 만드는 것이 원조의 목적 → 원조는 도덕적 의무임 |
| 싱어의 공리주의 | 인류의 고통을 줄이고 복지를 향상하는 것이 원조의 목적 → 이익 평등 고려의 원칙에 따라 원조는 의무임 |

●정답● ① 소국과민 ② 계급 ③ 자연권 ④ 운동 ⑤ 개인 ⑥ 사회 계약론 ⑦ 시민 불복종 ⑧ 보이지 않는 손 ⑨ 프롤레타리아 ⑩ 질서 정연한 사회

**01** 다음 글에서 제시하는 이상 사회의 모습으로 옳은 것은?

> 큰 도가 행해지고 천하가 모두의 것이다. 현명하고 유능한 자를 뽑아 다스리게 하니, 사람들은 자기 부모만 부모로 여기지 않고 자기 자식만 자식으로 여기지 않는다. 노인은 여생을 잘 마치게 하고, 장년은 일자리가 있으며, 어린이는 잘 양육되고, 홀로된 자와 병든 자도 모두 부양받는다. 남녀가 따로 직분이 있고, 재화가 낭비되는 것을 싫어하지만 그것을 결코 자신의 이익만을 위해 사용하지 않는다.

① 인위적인 제도에서 벗어나 무위와 무욕이 실현된다.
② 개인의 능력을 인정하고 능력의 차이에 따라 재화를 분배한다.
③ 고통의 원인이 되는 집착을 버리고 깨달음을 얻은 사람들이 모여 산다.
④ 통치자가 자신을 수양하고 덕행을 베풀어 모든 사람을 평안하게 살게 한다.
⑤ 인위적인 것들을 거부하고 세속적인 가치를 떠나서 예술적 사유를 중시한다.

**02** 밑줄 친 '유토피아'에 대한 옳은 설명만을 〈보기〉에서 있는 대로 고른 것은?

> 초승달 모양의 섬 <u>유토피아</u>에는 같은 말과 비슷한 풍습, 시설, 법률을 가진 54개의 마을이 있다. 그곳의 시민들에게는 빈곤도 없고 사치나 낭비도 없다. 이 섬의 성인들은 남녀를 가리지 않고 생산적 노동에 종사한다.

**보기**

ㄱ. 시민의 능력에 따라 계급이 나뉘는 사회이다.
ㄴ. 시민들의 노동 시간에 제한을 두는 사회이다.
ㄷ. 육체적 노동 없이 정신적 오락에만 집중하는 사회이다.
ㄹ. 생산과 소유에 있어서 평등을 실현한 도덕적인 사회이다.

① ㄱ, ㄴ ② ㄱ, ㄷ ③ ㄴ, ㄹ
④ ㄱ, ㄴ, ㄷ ⑤ ㄴ, ㄷ, ㄹ

**03** 다음 이상 사회에 대한 옳은 설명에만 모두 'V'를 표시한 학생은?

> 국가의 계급은 생산자, 수호자, 통치자로 나뉜다. 생산자는 절제의 덕, 수호자는 용기의 덕, 통치자는 지혜의 덕을 잘 구현해야 한다. 교육은 수호자를 양성하는 데 집중된다. 수호자 중에 뛰어난 자가 통치자가 된다.

| 설명 \ 학생 | 갑 | 을 | 병 | 정 | 무 |
|---|---|---|---|---|---|
| 지혜를 갖춘 철학자가 통치하는 사회이다. | V | | | V | V |
| 직접 민주주의의 이상이 실현된 사회이다. | V | V | V | | V |
| 능력에 따라 일하고 필요에 따라 분배받는 사회이다. | | V | V | | |
| 통치자는 사유 재산을 지니거나 가족을 이룰 수 없다. | | | V | V | V |

① 갑 ② 을 ③ 병 ④ 정 ⑤ 무

**04** 갑은 긍정, 을은 부정의 대답을 할 질문으로 옳은 것은?

> 갑: 자연 상태에서 각 개인은 이성과 양심을 지니고 살아간다. 하지만 개인들 스스로 재산을 지키거나 권리의 분쟁을 해결하기가 쉽지 않다. 그래서 그들은 자신의 생명, 자유, 재산을 보장하기 위해 사회 계약을 맺었다.
> 을: 자연 상태에서 개인들은 만인에 대한 만인의 투쟁 상태에 놓여 있다. 그들은 이런 상태를 벗어나기 위해 자신의 권리를 통치자에게 양도하고 안전을 보장받는 계약을 맺었다.

① 국가는 백성들을 덕으로 교화하고 다스려야 하는가?
② 국가 자체가 정당성을 지니지 못하므로 소멸되어야 하는가?
③ 개인은 절대 군주에게 자신의 권리를 전면적으로 양도하였는가?
④ 국가는 개인이 자신의 생명을 보존하기 위해 만들어 낸 수단인가?
⑤ 국가가 불의(不義)하면 시민들은 국가에 정치적으로 저항할 수 있는가?

정답친해 63쪽

## 05 ㉠에 들어갈 말로 가장 적절한 것은?

> 현명한 군주는 백성들의 생업을 마련해 주는데, 반드시 위로는 부모를 섬기기에 충분하게 하고 아래로는 처자를 먹여 살릴 만하게 하여, 풍년에는 언제나 배부르고 흉년에는 죽음을 면하게 한다. 그렇게 한 후에 백성들을 선(善)한 데로 유도하므로 백성들이 따르기 쉽다. 따라서 ㉠

① 군주는 민생의 안정 이후에 백성의 도덕성을 함양해야 한다.
② 군주가 제 역할을 다하지 못한다 하더라도 백성들은 인내해야 한다.
③ 군주는 백성들이 도덕적인 행동을 할 수 있도록 형벌로 다스려야 한다.
④ 군주는 백성들이 정치에 참여할 수 있도록 공론의 장을 마련해야 한다.
⑤ 군주는 강력한 법을 제정하여 백성들이 잘못을 저지르지 못하도록 해야 한다.

## 06 갑, 을의 입장에 대한 설명으로 옳지 않은 것은?

> 갑: 여러 마을로 구성되는 완전한 공동체가 국가인데, 국가는 이미 완전한 자급자족이라는 최고 단계에 도달해 있다. 국가는 단순한 생존을 위해 형성되었지만 훌륭한 삶을 위해 존속하는 것이다.
> 을: 공화국은 인민의 일들이다. 그러나 인민은 아무렇게나 모인 한 무리의 사람들을 뜻하는 것이 아니다. 그것은 법을 존중하고, 공동의 이익을 인정하고 동의한 사람들의 모임이다.

① 갑은 국가가 인간의 본성에 따라 자연적으로 형성된 것이라고 본다.
② 갑은 시민의 덕 있는 삶을 실현하는 것이 국가의 역할이라고 주장한다.
③ 을은 국가 공동체란 공동선을 지향하는 시민들이 모여서 만든 결사라고 본다.
④ 을은 국가의 역할이 시민의 자유를 보장하고 공동선을 실현하는 데 있다고 본다.
⑤ 갑, 을은 국가가 행복의 실현이라는 최고선을 추구하는 도덕적 공동체라고 주장한다.

## 07 ㉠, ㉡에 대한 옳은 설명을 〈보기〉에서 고른 것은?

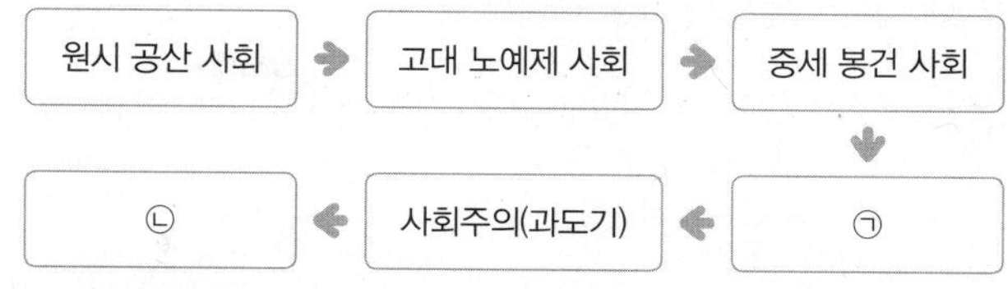


**보기**

ㄱ. ㉠은 자본가와 노동자 사이의 계급 투쟁이 일어나는 사회이다.
ㄴ. ㉠은 사유 재산, 계급, 국가가 완전하게 소멸한 시민 사회이다.
ㄷ. ㉡은 근면을 강조하며 합리적인 이윤 추구를 장려하는 사회이다.
ㄹ. ㉡은 자신의 능력에 따라 일하고 필요에 따라 분배받는 사회이다.

① ㄱ, ㄴ ② ㄱ, ㄹ ③ ㄴ, ㄷ
④ ㄴ, ㄹ ⑤ ㄷ, ㄹ

## 08 그림의 강연자가 지지할 입장으로 옳은 것은?

> 자유란 내 활동에 어느 누구도 간섭하지 않는 상태를 말합니다. 타인 때문에 나의 영역이 일정한 한도 이상으로 축소될 때, 나는 강제당하거나 노예 상태에 처한 것입니다.

① 시민으로서의 의무를 개인의 자유보다 우선시해야 한다.
② 개인의 자유는 어떤 경우에도 무제약적으로 향유될 수 있다.
③ 자유는 타인이 침해할 수 없는 사적 영역을 보장하는 데 있다.
④ 개인에게 기회의 평등을 보장하기 위해 국가가 적극적으로 개입해야 한다.
⑤ 자유는 자신의 의지에 따라 스스로가 원하는 삶을 능동적으로 실현하는 것이다.

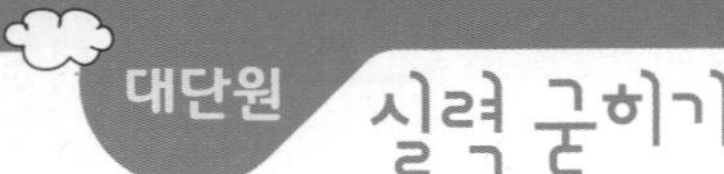

## 대단원 실력 굳히기

**09** (가) 사상의 입장에서 볼 때, (나)의 퍼즐 속 세로 낱말 (A)에 대한 설명으로 가장 적절한 것은?

(가) 진정한 자유는 한 사람이나 여러 사람의 자의에 종속되지 않는 것이다. 자유로운 시민은 오직 법에만 복종하며, 타인에게 예속되어 복종하도록 강제될 수 없다.

(나)

| | | | | | |
|---|---|---|---|---|---|
| | | | | | |
| | | (A) | | | |
| | (B) | | | | |
| | | (C) | | | |
| | | | | | |

[가로 열쇠]
(A) 군주가 백성을 사랑해야 함
예) 다산 정약용의 ○○ 정신
(B) 무위와 무욕의 덕이 실현된 노자의 이상 사회
(C) 심사하고 토의한다는 뜻
예) ○○ 민주주의
[세로 열쇠]
(A): …… 개념

① 공동체 전체에 이익이 되는 공익성이라는 의미이다.
② 자의적 권력의 지배와 그 가능성의 부재를 의미한다.
③ 자유, 민주주의, 인권 등에 헌신하고자 하는 마음이다.
④ 정치 공동체와 동료 시민에 대한 대승적 사랑을 의미한다.
⑤ 개인과 대비되는 개념으로 운명을 같이하는 집단을 뜻한다.

**10** 다음은 수업의 정리 내용이다. ㉠에 대한 설명으로 옳지 않은 것은?

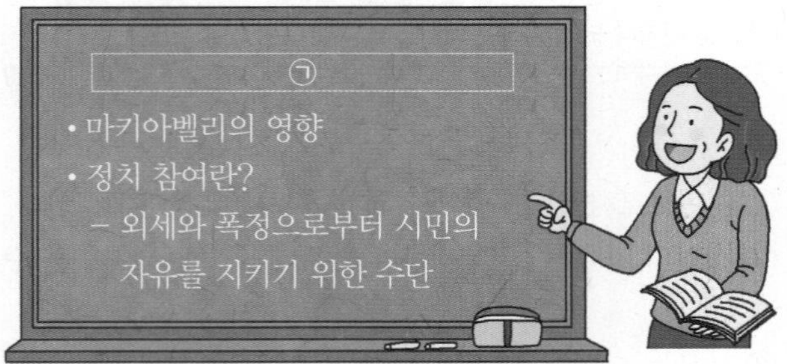

㉠
• 마키아벨리의 영향
• 정치 참여란?
– 외세와 폭정으로부터 시민의 자유를 지키기 위한 수단


① 자유의 근거를 공동의 법에서 찾는다.
② 정치 참여와 같은 시민의 의무를 강조한다.
③ 정치 참여는 목적이 아니라 수단이라고 본다.
④ 정치 참여의 근거를 윤리적 자기실현에서 찾는다.
⑤ 타인의 자의적인 지배에서 벗어나는 것을 강조한다.

**11** 밑줄 친 '일반 의지'에 대한 옳은 설명만을 〈보기〉에서 있는 대로 고른 것은?

"공동의 힘을 다해 각자의 몸과 재산을 지켜 보호해 주고, 저마다가 모든 사람과 결합하면서도 자기 자신에게만 복종해 전과 다름없이 자유롭도록 해 주는 그러한 형식을 찾아낼 것." 사회 계약이 그 해답을 주는 근본 문제란 이런 것이다. …… 우리는 각자 자기 몸과 모든 힘을 공동의 것으로서 <u>일반 의지</u>의 지도 아래 둔다.

보기
ㄱ. 각 개인의 사적 이익을 초월하는 의지이다.
ㄴ. 공공의 이익만을 지향하는 보편적인 의지이다.
ㄷ. 인간의 악한 본성을 변화시키고자 하는 의지이다.
ㄹ. 자유를 포기하고 안전만을 보장받고자 하는 의지이다.

① ㄱ, ㄴ ② ㄱ, ㄷ ③ ㄱ, ㄴ, ㄷ
④ ㄱ, ㄷ, ㄹ ⑤ ㄴ, ㄷ, ㄹ

**12** (가), (나)에 대한 옳은 설명을 〈보기〉에서 고른 것은?

(가) 대의원은 국민의 대표자도 아니며, 그렇게 될 수도 없다. …… 영국 국민은 자유롭다고 생각한다. 그러나 그들이 자유로운 것은 오직 의회의 대의원을 선출할 때뿐이다.
(나) 민주주의는 엘리트가 대중의 승인을 얻고자 자유롭게 경쟁하는 제도적 장치이다. 따라서 정치적 지배는 지도자에게 맡겨야 한다. 일반적으로 시민은 정치적 문제에 대한 감각과 책임 의식을 지니기 어렵다.

보기
ㄱ. (가)는 시민이 정치에 적극 참여해야 한다고 본다.
ㄴ. (가)는 민주주의를 어리석은 대중들의 정치라고 생각한다.
ㄷ. (나)는 정치에서 시민의 역할을 투표자에 한정해야 한다고 본다.
ㄹ. (나)는 대의 민주주의보다 참여 민주주의를 실행해야 한다고 본다.

① ㄱ, ㄴ ② ㄱ, ㄷ ③ ㄴ, ㄷ
④ ㄴ, ㄹ ⑤ ㄷ, ㄹ

**13** 갑 사상가의 입장에 비해 을 사상가의 입장이 가지는 상대적 특징을 그림의 ㉠~㉤ 중에서 고른 것은?

갑: 시민 불복종은 저항의 논증이 더 강한 반향을 얻기 위해 사용할 수 있는 마지막 수단이며, 시민의 비판적 판단에 호소하는 것이다.
을: 시민 불복종은 다수의 정의관에 근거해야 하며, 평등한 자유의 원칙에 대한 심각한 위반이나 공정한 기회 균등의 원칙에 대한 현저한 위배가 있을 때 가능하다.

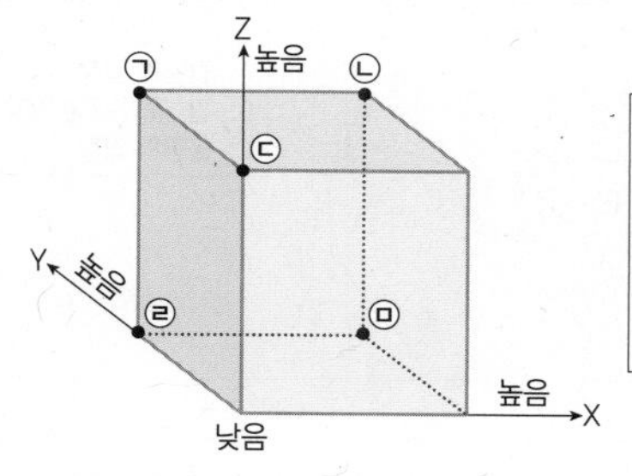


- X: 의사소통적 합리성에 따르는 정도
- Y: 공적 정의관에 바탕을 두는 정도
- Z: 형식적인 도덕 원칙을 강조하는 정도

① ㉠ ② ㉡ ③ ㉢ ④ ㉣ ⑤ ㉤

**14** 다음과 같이 주장한 사상가가 적극 장려할 수 있는 경제 문제 해결책만을 〈보기〉에서 있는 대로 고른 것은?

경쟁은 알려진 방법 중 가장 효율적일 뿐만 아니라 권력의 강제적이고 자의적인 간섭 없이도 우리의 행위가 조정될 수 있는 유일한 방법이기 때문에 우월한 방법이라고 할 수 있다. 경쟁은 의식적인 사회적 통제를 필요로 하지 않는다. 어떤 일이 그 일과 연관된 불리한 점과 위험 요소를 상쇄하고도 남을 만큼 전망이 있는지 아닌지를 결정하는 것은 각자에게 달려 있다.

**보기**

ㄱ. 공기업의 민영화
ㄴ. 복지 정책의 감축
ㄷ. 노동 시장의 유연화
ㄹ. 공익적 목적의 투자

① ㄱ, ㄴ ② ㄱ, ㄷ ③ ㄴ, ㄹ
④ ㄱ, ㄴ, ㄷ ⑤ ㄴ, ㄷ, ㄹ

**15** 다음과 같이 주장한 사상가의 입장으로 가장 적절한 것은?

- 아무리 이기적인 사람이라고 할지라도 다른 사람들의 행복이나 불행에 관심을 가지며 자신의 행복으로 삼는 원리들이 분명히 존재한다. 자기애의 강력한 충동을 억제할 수 있는 것은 이성이요, 동감의 원리이다.
- 우리가 저녁 식사를 기대할 수 있는 건 푸줏간 주인, 양조장 주인, 빵집 주인의 자비심 덕분이 아니라, 그들이 자기 이익을 챙기려는 생각 덕분이다. …… 각 개인은 보이지 않는 손에 의해 인도되어 자기가 전혀 의도하지 않았던 목적을 촉진하게 된다.

① 인간은 이기심만 있어서 다른 사람을 배려할 수 없다.
② 공정한 법질서 속에서 최대한의 자유를 허용해야 한다.
③ 자유의 무제약적 추구를 통해 사회 발전을 이룰 수 있다.
④ 개인들이 자유롭게 경쟁해도 사회의 부는 변하지 않는다.
⑤ 재화의 사적 소유를 폐지하고 인간 존엄성을 찾아야 한다.

**16** (가) 사상가가 (나)의 문제를 해결하기 위해 제시할 수 있는 주장으로 가장 적절한 것은?

(가) 천부적으로 보다 유리한 처지에 있는 자는 아주 불리한 처지에 있는 자의 여건을 향상하여 준다는 조건하에서만 그들의 행운에 따른 이익을 누릴 수 있다.
(나) 개인들은 타고난 능력, 물려받은 재산 등이 각자 다르다. 이런 상태에서 경쟁을 계속하게 되면 사람들이 얻는 노동의 기회나 소득의 차이는 점점 더 벌어지게 되고 결국 사회 양극화 현상이 나타날 수밖에 없다.

① 정부는 자유로운 개인들의 경쟁을 더욱 보장해야 한다.
② 개개인의 이타적인 마음을 통해 부의 재분배를 이뤄야 한다.
③ 국민들은 스스로의 인간다운 삶을 위해 각자 노력해야 한다.
④ 국민들은 정부의 무능을 해결하기 위해 혁명을 일으켜야 한다.
⑤ 정부는 인간다운 삶을 보장하기 위한 복지 정책을 시행해야 한다.

**17** (가)의 입장에서 (나)의 주장을 비판한 내용으로 가장 적절한 것은?

(가) 자본주의 사회에서 노동자 계급은 일거리가 있을 때만 생존할 수 있으며, 그들의 노동이 자본을 증식하는 한에서만 일거리를 얻을 수 있다. 자신의 노동력을 팔지 않으면 안 되는 이 노동자들은 다른 온갖 상품과 마찬가지로 하나의 상품이다.
(나) 정부의 기능 확대는 19세기 정치 평론가나 현대 금융업자에게는 개인주의를 향한 가공할 위협으로 보일 수 있다. 하지만 현재 경제의 파탄을 피하는 유일한 수단이며, 개인의 창의성이 제대로 발휘될 수 있는 조건이라는 점에서 나는 정부의 기능 확대를 옹호한다.

① 경제의 효율성을 높이기 위해서는 자유 경쟁이 장려되어야 한다.
② 시장의 원활한 작동을 위해서는 계약의 자유가 보장되어야 한다.
③ 시장 문제의 근본적 해결을 위해 사유 재산제는 폐지되어야 한다.
④ 시장 기능을 보완하기 위해서 자본가와 노동자가 화합해야 한다.
⑤ 경제적 불평등을 해소하기 위해서는 정의로운 국가를 지향해야 한다.

**18** 다음과 같이 주장한 사상가의 입장으로 가장 적절한 것은?

전쟁이란 국가와 백성에게 이롭지 않다. 전쟁으로 말미암아 국가는 제 본분을 잃고, 백성은 생업을 잃는다. 천하 민중이 전쟁을 반대하고 화목하여 단결함으로써 생산에 힘쓰고, 이로써 생산이 증대되면 백성에게 얼마나 이로울 것인가.

① 인위를 버리고 자연의 순리에 따라야 한다.
② 연기에 대한 깨달음을 얻는 것이 중요하다.
③ 모든 생명체는 평등한 가치를 지니고 있다.
④ 존비친소를 바탕으로 예의를 실현해야 한다.
⑤ 차별 없이 사랑하고 이로움을 나누어야 한다.

**19** (가)의 서양 사상가 갑, 을의 입장을 (나) 그림으로 표현할 때, A~C에 해당하는 적절한 진술만을 〈보기〉에서 있는 대로 고른 것은?

(가)
갑: 질서 정연한 사회의 만민은 고통을 겪는 사회를 원조해야 할 의무가 있다. 각 사회의 부와 복지 수준을 조정하는 것은 원조의 목표가 아니다.
을: 가난으로 고통받는 세계의 모든 사람을 도와야 한다. 우리가 큰 희생 없이도 어려운 처지에 있는 사람을 도울 수 있다면 무조건 도와야 한다.

(나)
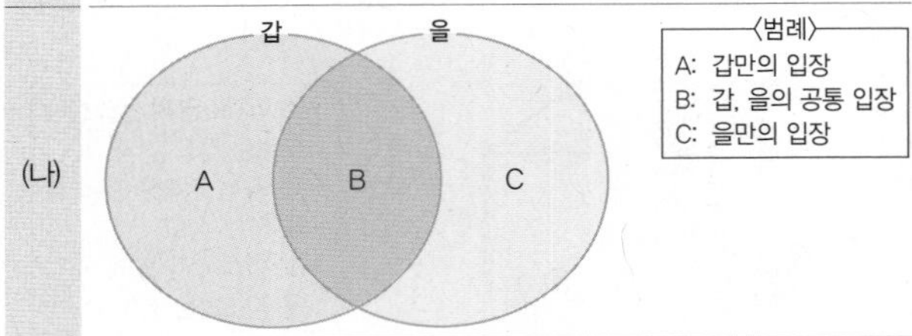


보기
ㄱ. A: 해외 원조의 근거를 공리주의 관점에서 찾아야 한다.
ㄴ. B: 해외 원조의 목적은 부정의한 사회 구조의 개선이다.
ㄷ. B: 해외 원조는 도덕적 의무 차원에서 행해져야 한다.
ㄹ. C: 해외 원조의 범위는 고통을 느낄 수 있는 모든 인간으로 확대되어야 한다.

① ㄱ, ㄴ ② ㄷ, ㄹ ③ ㄱ, ㄴ, ㄷ
④ ㄱ, ㄷ, ㄹ ⑤ ㄴ, ㄷ, ㄹ

**20** ㉠에 들어갈 내용으로 가장 적절한 것은?

인간은 기본적으로 합리적이고 윤리적인 존재이다. 이러한 인간들로 구성된 국가 역시 국제 사회에서 합리적으로 행위할 수 있다. 국가들은 상호 교류와 협력을 통해 의존성을 높이고 전쟁의 가능성을 낮추게 된다. 하지만 어떤 사람들은 인간의 본성을 이기적이고 탐욕적인 것으로 생각하고 국제 사회 역시 그러할 것이라고 생각한다. 이런 생각을 가진 사람들은 [ ㉠ ]을 모르고 있다.

① 국가 간의 관계에서 가장 중요한 것은 국력임
② 보편적 도덕 원리의 정립은 현실적으로 불가능함
③ 국제 사회의 질서는 국제기구를 통해 유지할 수 있음
④ 국가 간의 관계에서 윤리나 도덕은 고려 사항이 아님
⑤ 국가 간의 문제에서 실질적 구속력을 발휘하는 제도가 없음

Memo

Memo

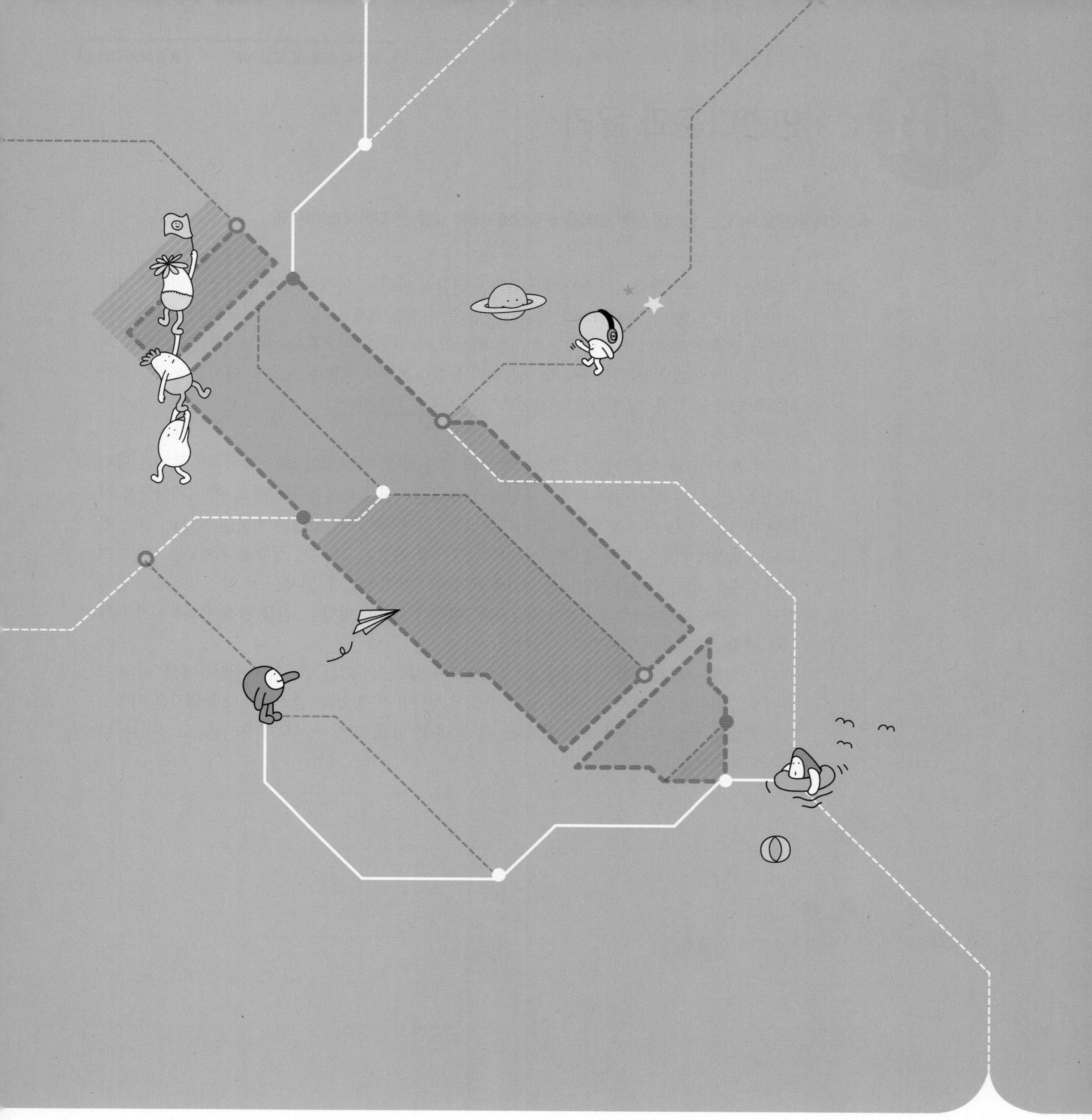

# 논술형 문제

≫ 정답친해 66쪽

# 인간다움과 윤리

**(나)에서 추론할 수 있는 인간에 대한 관점을 바탕으로 (가)의 밑줄 친 질문에 답하시오.**

(가) 『정글북』의 주인공 모글리는 늑대에게 길러진 인간의 아이로, 야생 동물처럼 정글의 법칙에 따라서 살아간다. 그런데 이 이야기가 허구인 것만은 아니다. 실제로 야생에서 성장한 아이를 발견한 사례가 종종 보고되었기 때문이다. 하지만 야생의 아이는 이후 교육을 받아도 인간의 문화를 거의 습득하지 못했고, 사람들과도 잘 어울리지 못했다고 한다. 이러한 야생의 아이를 우리는 인간이라고 말할 수 있을까? <u>인간을 인간으로 만드는 것은 무엇일까?</u>

(나) 20○○년 4월 7일 서울 지하철 2호선 낙성대역에서 한 30대 여성이 50대 남성에게 폭행을 당하고 있었다. 여성은 무자비한 폭행에 무방비 상태로 당하면서 도움을 요청했고, 이때 개찰구를 지나던 한 남성이 두 사람을 향해 다가왔다. 범인이 도망치려 하자 남성은 범인을 쫓았고, 칼을 휘두르는 범인에 의해 남자는 팔뚝에 상해를 입고 피를 흘렸다. 그 사이 상황을 지켜보던 시민들이 함께 힘을 모았다. 남자와 시민들은 범인을 제압해 경찰에 넘겼다. 남자는 곧 인근 병원으로 옮겨졌고, 오른팔 동맥과 6개의 신경이 절단되어 7시간의 수술을 받았다. 팔을 완전히 회복하기 위해서는 재활 치료를 2년가량 받아야 한다.
'피해 여성을 구하고 범인을 잡은 40대 남성'으로만 알려졌던 그는 언론과의 인터뷰에서 "나의 가족에게도 일어날 수 있는 일이라는 생각이 들어 지나칠 수 없었다. 난 의인이나 정의로운 사람이 아닌 평범한 일반 시민이다. 누구에게나 선한 마음은 있고, 그래서 사회가 유지된다고 믿는다."라고 담담히 말하였다.

# 윤리 사상과 사회사상의 관계

**다음을 읽고 물음에 답하시오.**

(가) 국가가 훌륭해지는 것은 행운의 소관이 아니라, 지혜와 윤리적 결단의 산물이다. 훌륭한 국가가 되려면 국정에 참여하는 시민들이 훌륭해야 한다. 그런데 우리의 시민들은 모두 국정에 참여한다. 따라서 우리는 어떻게 해야 사람이 훌륭해질 수 있는지 고찰해 보아야 한다.

– 아리스토텔레스, 『정치학』

(나) 개개의 인간은 자신의 이해관계뿐만 아니라 다른 사람의 이해관계도 고려하며, 때에 따라서는 행위의 문제를 결정하는 데 다른 사람의 이익을 더욱 존중할 수도 있다는 의미에서 도덕적이다. …… (하지만) 모든 인간 집단은 개인과 비교할 때 충동을 올바르게 인도하고 때에 따라 억제할 수 있는 이성과 자기 극복 능력, 그리고 다른 사람의 욕구를 수용하는 능력이 훨씬 결여되어 있다. …… 게다가 집단을 구성하는 개인이 개인적 관계에서 보여 주는 것에 비해 훨씬 심한 이기주의가 모든 집단에서 나타난다.

– 니부어, 『도덕적 인간과 비도덕적 사회』

(다) 1964년 캐서린 제노비스라는 한 젊은 여성이 늦은 밤 그녀의 집 근처에서 무참히 살해되는 사건이 발생하였다. 그녀가 살해되는 동안 법을 잘 지키고 모범적인 서른여덟명의 시민이 그 광경을 보고 있었다. 사건이 진행되는 약 35분 동안 그녀의 이웃들은 자신들의 침실에서 창문을 통해 그 광경을 지켜보았다. 하지만 아무도 경찰에 전화를 걸지 않았으며, 제노비스를 도우러 가지 않은 것은 물론, 범죄자를 향해 소리를 지른 사람조차 없었다. 마침내 70세의 여성이 경찰에 전화를 걸었다. 2분 만에 경찰이 도착했지만, 그때 제노비스는 이미 죽어 있었다.

**1** 윤리 사상과 사회사상의 관계에 대한 (가), (나)의 입장을 비교하여 서술하시오.

**2** (다)의 밑줄 친 '시민들'의 행동을 (나)의 관점에서 평가하시오.

# 주제 03 인간의 본성에 대한 입장

**다음을 읽고 물음에 답하시오.**

(가) 갑: 어린아이가 우물로 기어가 빠지려는 위험에 처하면 사람들은 모두 측은지심이 일어나서 아이를 구하려고 한다. 이는 어린아이의 부모와 교제하려는 생각에서나 고향의 친구들에게 명예를 구하거나 비난하는 소리가 듣기 싫어서가 아니다. 이로 말미암아 보면 측은지심이 없으면 사람이 아니며, 수오지심이 없으면 사람이 아니며, 사양지심이 없으면 사람이 아니며, 시비지심이 없으면 사람이 아니다. 사람이 이러한 사단을 가지는 것은 몸에 사지가 있는 것과 같다.

을: 사람의 본성은 태어나면서부터 이익을 좋아하며, 이를 좇으므로 쟁탈이 생겨서 사양(辭讓)함이 사라진다. 나면서부터 질투하고 미워함이 있으며, 이를 좇으므로 서로를 해쳐서 진실과 믿음이 사라진다. 따라서 사람의 성(性)과 정(情)을 좇으면 반드시 쟁탈이 일어나 구분을 무너뜨리고 이치를 어지럽혀 폭동으로 귀결된다. 이렇게 본다면 사람의 본성은 악함이 분명하며, 그것이 선해짐은 후천적인 인위(人爲) 때문이다.

(나) 최근 사이버 따돌림의 사례가 늘고 있다. 사이버 따돌림이란 '2인 이상의 사람이 특정인에게 이메일이나 전자 게시판, 소셜 네트워크 서비스, 휴대 전화 채팅방 등의 전자적 수단을 통하여 지속적이고 의도적인 괴롭힘을 가해서 고통을 주는 행위'를 말한다. 사이버 따돌림은 학교 폭력의 한 유형으로, 이것이 주는 피해는 24시간 지속되며 학교와 가정 등 공간을 초월해서 가해지는 것이므로 피해자가 받는 고통은 다른 유형의 학교 폭력보다 훨씬 크다.

**1** **(가)의 갑과 을이 주장한 인간 본성의 특징을 비교하여 서술하시오.**

**2** **(가)의 갑, 을 사상가의 관점에서 (나)에 나타난 문제를 해결하기 위한 방안을 각각 서술하시오.**

# 이황과 이이의 심성론

**다음을 읽고 물음에 답하시오.**

갑: 마음의 이(理)는 너무나 넓어 잡을 수 없고 흐려서 그 경계를 알 수 없습니다. 실로 경(敬)으로 마음을 집중하지 않으면 어떻게 그 성(性)을 보존하고, 본체를 세울 수 있겠습니까? 또한 마음이 발할 때는 털끝처럼 살피기 어렵고 위태로워 구덩이처럼 밟기 어려우니, 경으로 마음을 집중하지 않는다면 어떻게 그 기미를 바르게 하고 실제의 작용에 통할 수 있겠습니까? 군자의 학문은 마음이 아직 발하지 않을 때 반드시 경을 위주로 하여 존양 공부를 하고 마음이 이미 발했을 때도 역시 경을 위주로 하여 성찰 공부를 해야 합니다.

을: 기질은 그릇과 같고 본성은 물과 같습니다. 깨끗한 그릇에 물이 담긴 것은 성인이고, 그릇에 모래와 진흙이 섞인 것은 중간쯤 되는 보통 사람이며, 완전히 진흙 속에 물이 있는 것은 맨 밑의 사람입니다. 짐승들은 비록 막혀 있기는 하지만 물이 없지는 않습니다. 비유하자면 물이 섞인 진흙덩이와 같아서 끝내 맑게 할 수 없으니, 물기가 이미 말라 버려서 맑게 할 방법도 없고 물이 있는 것이 보이지도 않기 때문입니다. 하지만, 그렇다고 물이 없다고는 말할 수 없습니다.

**1** 갑과 을이 주장한 사단과 칠정의 관계를 서술하시오.

**2** 갑과 을이 주장한 수양론을 각각 서술하시오.

도덕적 사고 능력 + 도덕적 대인 관계 능력

# 주제 05 고통을 대하는 불교의 자세

**다음 동양 사상의 입장에서 갑, 을 학생에게 해 줄 수 있는 조언을 각각 서술하시오.**

- 이것이 있음으로써 저것이 있고, 이것이 일어남으로써 저것이 일어난다. 이것이 없으면 저것도 없고, 이것이 없어지면 저것도 없어진다.
- 비유하면 세 개의 갈대를 아무것도 없는 땅 위에 세우려고 할 때 서로 의지해야 설 수 있는 것과 같다. 만일 그 가운데 한 개를 제거해 버리면 두 개의 갈대는 서지 못하고, 그 가운데 두 개의 갈대를 제거해 버리면 나머지 한 개도 역시 서지 못한다. 그 세 개의 갈대는 서로 의지해야 설 수 있는 것이다.

**갑 학생의 상담 쪽지**

저는 왜 친구들과 함께 지내야 되는지 모르겠어요. 어차피 혼자서도 살 수 있잖아요. 그래서 친구들이 말을 걸어도 대답하지 않았어요. 그런데 점점 제가 외톨이로 느껴져요. 점심시간에도 혼자 밥을 먹으니 어쩐지 친구들이 저를 보고 비웃는 것 같아서 힘들어요.

**을 학생의 상담 쪽지**

지난 시험에 열심히 공부했는데도 생각했던 것보다 성적이 훨씬 더 낮게 나와서 정말 속상했어요. 시간이 지나면 까먹을 줄 알았는데 여전히 힘들어요. '다음 시험에서 잘 보면 괜찮겠지.'라고 스스로 위로해 보지만, 오히려 더 슬퍼져요.

# 도가 사상의 현대적 의의

**다음 글의 관점에서 〈사례〉에 대해 비판할 내용과 해결 방안을 서술하시오.**

혼합하여 이루어진 것이 있는데, 천지보다도 먼저 생겼다. 고요히 소리도 없고 형체도 없다. 짝도 없이 홀로 있다. 언제나 변함이 없다. 어디나 안 가는 곳이 없지만 깨어지거나 손상될 위험이 없다. 그것은 천하 만물의 어머니가 될 만하다. 나는 그 이름을 알지 못한다. 그래서 그저 부르는 이름이 '도'이다. 사람은 땅을 본받고, 땅은 하늘을 본받는다. 하늘은 도를 본받고, 도는 자연을 본받는다.

〈사례〉

투발루는 남태평양 오스트레일리아 북동부 4,000km 지점에 있는 작은 섬나라이다. 원래는 9개의 산호섬으로 이루어져 있는데 지금은 두 곳이 바다에 가라앉아 이제 7개의 섬만 남아 있다. 지구 온난화가 가져온 재앙의 상징이 된 투발루 국민은 이제 '환경 난민'이 되어 세계를 떠돌아 다녀야 할 처지에 놓여 있다. 투발루의 이피사이 이엘레미아 총리는 다음과 같이 투발루의 실상을 전했다. "인구 1만 1,000명의 소국인 투발루의 국토는 이제 수면 위 1m 높이밖에 유지하지 못할 정도로 절체 절명의 위기에 처해 있으며, 강력한 태풍이 불면 바닷물이 도시 안쪽까지 밀려들 정도로 침수 피해가 상당히 심각해 2040년 수몰 위기에 처했다."

– 한국철학사상연구회, 『세계를 바꾼 아홉 가지 단어』

# 플라톤의 철인 정치

**다음을 읽고 물음에 답하시오.**

플라톤은 동굴의 비유에서 현실 세계를 어두운 동굴로, 사람들은 동굴 안에서 쇠사슬에 묶여 횃불에 비치는 사물의 그림자만을 보며 사는 죄수로 비유한다. 조금 더 자세히 말하면, 사람들은 땅 밑에 있는 동굴 안에 있으며, 태어나면서부터 몸이 묶여 있어 출입구 쪽으로 등을 돌린 채 뒤돌아 볼 수도 없다. 따라서 이들이 볼 수 있는 것은 출입구와 맞서 있는 동굴 안의 벽뿐이다. 묶여 있는 사람들 뒤에는 큰 담이 있고 그 뒤에 동굴을 가로지르는 길이 있으며 그 뒤로 불이 타오르고 있다. 그래서 이 불과 벽 사이의 길로 누군가가 동물의 모습을 한 상과 도구 등을 짊어지고 다닌다면, 이 사물들의 그림자가 동굴의 벽에 비치게 된다. 동굴 안의 묶인 이들은 이런 그림자를 참된 현실이라고 생각한다. 그런데 이제 동굴 안에 있던 사람들 가운데 하나가 묶인 상태로부터 풀려났다고 상상해 보자. 그는 시선을 돌려 빛의 근원인 불을 볼 것이다. 처음에는 눈부심의 고통이 따르나 이내 사물의 실재를 낱낱이 볼 수 있다. 그는 더욱 용기를 내어 동굴을 벗어나 탈출을 감행한다. 그리고 그는 만물을 비추는 빛의 근원인 태양을 보게 된다.

**1** 밑줄 친 '그림자'와 '태양'이 의미하는 바를 각각 서술하시오.

**2** 윗글에서 철학자를 가리키는 부분을 찾아서 쓰고, 플라톤의 관점에서 철인 정치가 필요한 이유를 논술하시오.

# 흄의 감정 중심의 윤리 사상

**다음을 읽고 물음에 답하시오.**

(가) 덕과 악덕은 그것이 유발하는 인상이나 감정을 통해서만 그 차이가 확정될 수 있다. 덕에서 발생하는 호의적인 인상에서는 시인의 감정을, 악덕에서 발생하는 거북한 인상에서는 부인의 감정을 느낀다.

(나) 어느 겨울, 암벽 등반을 하고 내려오던 A와 B는 갑자기 불어 닥친 돌풍 때문에 절벽 중간에 고립되었다. 그 둘은 뼛속까지 파고드는 매서운 한파와 배고픔 속에서 죽음의 공포와 싸움을 벌였다. 하지만 밤이 더 깊어지면서 그들은 점점 무기력해져 갔다. 그때 B가 추위와 굶주림을 견디지 못하고 결국 쓰러지고 말았다. A도 점점 더 힘을 잃어 가고 있었지만, 옆에서 의식을 잃은 B를 보니 마음이 아파서 모른 체할 수 없었다. A는 B의 체온이 더 떨어지지 않도록 자신의 옷을 벗어서 덮어 주고 B를 꼭 끌어안았다. 그리고 B가 의식을 잃지 않도록 계속해서 말을 걸었다. 몇 시간 후 마침내 구조대가 도착했고, A는 B를 먼저 구해 달라고 구조대에 요구하였다. 그리고 A와 B는 고립된 지 9시간 만에 무사히 집으로 돌아갈 수 있었다.

**1** (가)의 입장에서 (나)의 A의 행동을 평가하시오.

**2** 밑줄 친 부분을 통해 알 수 있는 감정과 이성의 관계를 (가)의 관점에서 서술하시오.

# 칸트와 벤담의 도덕 판단

**(가), (나)의 관점에서 (다)의 질문에 제시할 수 있는 답변을 각각 서술하시오.**

(가) 존경심이 일종의 감정이라 할지라도, 존경심은 어떤 외부의 영향에 의해 받아들여진 것이 아니라 하나의 이성 개념에 의해 자체적으로 산출된 것이다. 따라서 존경심은 성향이나 공포 같은 감정들과는 전혀 다른 종류의 것이다. 내가 나에 대한 법칙으로서 직접적으로 인식하는 것, 그것에 대해 나는 존경심을 가진다. 이러한 존경심이 의미하는 바는 나의 의지가 하나의 법칙에 복종하고 있다는 깨달음뿐이다.

(나) 쾌락과 고통에도 강렬하고 지속적이며 확실하고 근접해 있으며 생산적이고 순수한 것이 있으니 그와 같은 것이 쾌락이라면 추구해야 한다. 그것이 사적이라면 당신의 목표로 삼고, 공적이라면 널리 전파하라. 당신이 고통이라고 느끼는 무엇이든지 간에 피하고 최소화하도록 노력해야 한다.

(다) 집에 친구가 숨어 있는 상황에서 흉기를 든 살인자가 나타나 친구의 행방을 묻는다면, 우리에게 인류애에 입각해 거짓말을 할 수 있는 권리가 있는가?

# 실존주의의 현대적 가치

**(가)의 밑줄 친 '이 사상'이 (나)와 같은 현대 사회를 살아가는 사람들에게 줄 수 있는 시사점을 두 가지 서술하시오.**

(가) 우리는 살아가면서 실존적인 선택의 상황에서 늘 불안하고 절망하며, 절규하게 된다. 키르케고르는 이것을 '죽음에 이르는 병'이라고 부른다. 바로 이런 상황에서 우리에게는 늘 '이것이냐 저것이냐' 의 선택이 뒤따른다. 어느 한쪽을 선택하는 것은 불안하지만 한편으로는 실존적 자유를 의미하기도 한다. 신을 통해 실존의 최종 단계에 이를 수 있다고 보았던 키르케고르와 달리 사르트르는 신을 인정하지 않았다. 따라서 사르트르에게 인간은 더욱 자유로운 존재로 이해된다. 신이 없으므로 개인이 존재하는 현실은 처음부터 끝까지 미리 정해진 계획이 없다는 것이다. 그래서 인간 개인은 소중한 자유를 어떻게 사용하고 누릴 것인지를 고민하고 자신의 자유의 범위를 확장해 가는 것이 올바른 삶의 방향이라고 강조하였다. 키르케고르와 사르트르가 전개한 이 사상은 인간의 실존 문제를 중시하였다.

(나) 영화감독 A 씨는 자신의 작품을 통해 고독과 인간 소외에 허덕이며 인간성이 상실된 현대 사회에서 살고 있는 인간을 이야기한다. 그는 자신의 작품을 통해 인간은 신을 통하든 아니든 스스로를 구원하여야 한다고 말하고 있다. 이것이 현대인 누구에게나 주어지는 불안이면서 한편으로 자유이다. A 씨에 따르면 불안을 어떻게 극복하고 자유를 어떻게 누릴 것인가는 삶의 근원적 물음이다.

비판적 사고력 + 도덕적 공동체 의식

# 자유주의와 공화주의

**다음을 읽고 물음에 답하시오.**

(가) 고전적 자유주의에서는 국가가 단지 기본 질서를 유지하고 외부로부터의 침입을 방어하는 역할만을 담당하고, 개인들이 자유롭게 자신들의 능력에 의지해 정치·사회·경제 활동을 하는 것을 이상적으로 생각했습니다. 그러므로 고전적 자유주의의 특징은 개인의 권리를 가장 중요하게 생각하여 개인의 삶의 영역으로부터 국가의 간섭을 철저하게 배제시키려 했다는 점입니다. 국가의 역할이 작으면 작을수록 개인에게 간섭할 여지가 줄어들게 되는 것은 당연한 일입니다.

– 김만권, 『자유주의에 관한 짧은 에세이들』

(나) 시민적 덕성은 시민들이 공동의 이익에 관심을 가지고 그것에 복무하는 마음가짐과 자세를 의미한다. 따라서 시민적 덕성은 자신만의 사익을 추구하려는 경향과 대비된다. …… 공동체의 유지와 번영을 목표로 하는 공화주의는 구성원의 자발적인 참여와 적극적인 복무의 필요성을 주장한다. 이를 위해 구성원들이 갖추어야 하는 것이 바로 시민적 덕성이다. 시민적 덕성은 주인 의식과 배려의 정신에서 나온다. 주인 의식은 공동체의 구성원으로서 억압과 차별이 존재하지 않을 때 가능하다.

– 김경희, 『공화주의』

(다) 양심적 병역 거부에 대해 검찰 측은 "누구라도 개인 신념으로 거부한다면 통제할 방법이 없다.", "생명권 등 높은 기본권 제한에도 젊은이들은 국가 존립과 사회 안전을 위해 군 복무를 하고 있고, 국가가 존재해야 기본권을 보장할 수 있다. …… 현 상황에서는 최소한의 형벌 부과가 불가피하다."라고 강조하였다.

피고인 측 변호인은 "병역 거부자는 병역 기피자들과 분명히 다르며 형사 처벌로 양심의 자유가 침해된다.", "내면적인 것이지만 양심에 따른 병역 거부는 보호받을 가치가 있으므로 헌재가 위헌 소지가 있다고 판단한 것"이라 반박하였다.

– 뉴스1, 2018. 8. 30

**1** **시민의 의무와 개인의 권리에 대한 (가), (나) 입장의 차이점을 서술하시오.**

**2** **1을 바탕으로 (다) 문제에 대한 자신의 주장을 그 근거를 들어 서술하시오.**

# 엘리트 민주주의와 참여·심의 민주주의

**다음을 읽고 물음에 답하시오.**

(가) 민주주의란 국민의 표를 얻는 데 성공한 결과로서, 모든 문제에 대한 결정권을 특정 개인들에게 부과하는 방식을 통해 정치적(입법적·행정적) 결정에 도달하려는 제도적 장치이다. …… '국민'과 '지배'라는 용어의 분명한 의미가 무엇이건 간에, 민주주의는 국민이 실제로 지배하는 것을 의미하지 않으며 또한 의미할 수도 없다. 민주주의는 다만 국민이, 그들을 지배할 예정인 사람들을 승인하거나 부인할 기회를 가지고 있음을 의미할 따름이다. – 슘페터, 『자본주의, 사회주의, 민주주의』

(나) • 참여 민주주의는 대의 민주주의의 한계를 시민의 적극적 참여로써 보완하고자 하는 방식이다. 시민들의 정치 참여가 투표에만 머물지 않고, 공공 정책이나 사회 문제를 다루는 의사 결정 과정으로 나아가야 한다고 강조하는 것이다.

• 심의 민주주의를 규정하는 것은 심의 개념 자체이다. 시민이 정치적 문제들을 심의할 때, 그들은 의견을 교환하고 자신들이 지지하는 근거들을 토론한다. 이들은 자신들의 정치적 의견이 다른 시민들과 토론하면서 수정될 수 있음을 가정한다. …… 이 지점에서 공적 이성(public reason)은 아주 결정적이다.

(다) 우리가 다니고 있는 학교에도 민주주의의 요소들이 나타난다. 학생들을 대표하고 싶은 학생들은 학생회 선거에 후보로 등록하고 선거 활동을 펼친다. 이때 함께 선거 활동을 한 학생들이 나중에 학생회를 꾸리는 경우가 많다. 학생들은 후보자들의 공약을 보고 투표를 한다. 이렇게 선거로 뽑힌 학생회장과 부회장 등의 학생회 학생들은 다수 학생들의 입장을 대변하고 학교에 요구 사항을 전달하는 역할을 맡게 된다. ㉠ <u>하지만 학생회 대표를 통해 우리의 의견을 전달하는 지금의 학교를 민주주의가 실현된 학교라고 할 수 있을까?</u>

**1** **(가), (나)의 입장 중 하나를 선택하여 다른 입장을 비판하시오.**

**2** **㉠에 대한 자신의 생각과 그 근거를 서술하고, 민주적 학교를 만들기 위해 나아가야 할 방향을 제시하시오.**

# 주제 13 자본주의의 한계와 기본 소득 논쟁

다음을 읽고 물음에 답하시오.

(가) 정부가 몇 개의 낡은 병에 지폐를 채워 폐광에 적당한 깊이로 묻고 탄갱을 지면까지 쓰레기로 채운 후, 개인 기업으로 하여금 그 지폐를 다시 파내게 한다면, 실업은 사라질 것이다. 또한 그 파급 효과로 한 사회의 실질 소득과 그 자본의 부도 크게 늘어날 것이다.

– 케인스, 『고용, 이자, 화폐의 일반이론』

(나) 경쟁은 알려진 방법 중 가장 효율적일 뿐만 아니라 권력의 강제적이고 자의적인 간섭 없이도 우리의 행위가 조정될 수 있는 유일한 방법이기 때문에 우월한 방법이라고 할 수 있다. 경쟁은 의식적인 사회적 통제를 필요로 하지 않는다. 어떤 일이 그 일과 연관된 불리한 점과 위험 요소를 상쇄하고도 남을 만큼 전망이 있는지 아닌지를 결정하는 것은 각자에게 달려있다. – 하이에크, 『노예의 길』

(다) 전 세계적으로 '기본 소득' 논쟁이 뜨겁다. 기술의 발전에 따라 점점 사라지는 일자리 문제와 갈수록 심화되는 양극화 해소의 대안으로 '기본 소득'이 주목받고 있는 것. 기본 소득(basic income)이란 모든 사람에게 '무조건적'으로 자산 심사 혹은 노동의 요구 없이 지급되는 소득이다. …… ○○○ 위원장은 "앞으로 물건 만드는 일은 로봇이 하는 시대가 됐다. 미래 사회로 갈수록 일자리는 부족해지고, 돈을 잘 버는 사람은 소수에 불과해진다.", "결국 부를 가진 소수를 제외한 나머지가 살아가기 위해서는 돈에 상관없이 본인이 좋아하는 일을 행복하게 할 수 있는 여건이 필요하다."라고 밝혔다.

– 경기뉴스광장, 2019. 4. 19.

**1** 자본주의가 초래할 수 있는 문제점은 무엇인지 서술하시오.

**2** (가), (나) 중 하나의 관점을 선택하여, (다)에 대한 찬반 입장을 그 근거를 들어 서술하시오.

# 민족주의와 세계 시민주의

**(가)에서 제시하는 세계 시민을 기르기 위한 세계 시민 교육은 (나), (다)의 입장 중 어떤 방향으로 가야 하는지 그 근거를 들어 자신의 생각을 서술하시오.**

(가) 세계 시민은 어떤 사람인가? 인류 공동체에 대한 소속감을 지니고 인류가 마주한 문제들에 대해 알고 이를 해결하기 위해 노력하는 사람이다. 좀 더 덧붙이자면 보다 정의롭고 평화로운 세상을 만들기 위해 따뜻한 시선으로 주위를 살피고, 여러 가지 사회 문제를 비판적으로 사고할 줄 알며, 이를 실천으로 옮길 수 있는 용기와 역량이 있는 사람이다.

– 민동석, 『세계 시민에게 필요한 교육은 무엇인가』

(나) 나는 *세계 시민주의를 지지한다. 하지만 국가나 민족의 정체성이 사라져야 한다는 이야기를 하는 것은 아니다. 세계 시민주의가 사회적·문화적 생활 방식의 다양성과 차이를 존중한다는 측면에서 동의한다. 이와 동시에 이러한 문화적 다양성은 민족과 국가를 바탕으로 하고 있으므로 민족과 국가의 존재를 인정해야 한다. 다시 말하면 민주 국가에서 시민으로서 애국심을 지니고 살아가는 것과 동시에 국경을 초월하여 다른 사람과 연대할 수 있는 세계 시민주의를 주장하는 것이다.

(다) 나는 국가적 소속감이나 자기 국가 중심의 배타적 민족주의나 애국주의를 극복하고 보편적인 인간에 대한 사랑을 중시하는 세계 시민주의를 주장한다. 우리가 어느 나라에서 태어났는가는 우연에 의해 결정되므로 도덕적으로 임의적인 특성에 해당한다. 따라서 민족이나 국경을 초월하여 모든 인간은 정의와 선에 대한 합리적 추론 능력을 함양해야 한다.

* 세계 시민주의: 국적, 인종, 종교 등을 초월하여 전 인류를 동등한 가치와 권리를 지닌 동포이자 시민으로 여기는 사상

Memo

15개정 교육과정

· 완벽한 자율학습서 ·

완자

완자네 새주소

# 자율학습시 비상구

정확한 답과 친절한 해설

# 정답친해로 53

정답친해로 오삼~

# 윤리와 사상

책 속의 가접 별책 (특허 제 0557442호)
'정답친해'는 본책에서 쉽게 분리할 수 있도록 제작되었으므로 유통 과정에서 분리될 수 있으나 파본이 아닌 정상제품입니다.

visang

우리는 남다른 상상과 혁신으로
교육 문화의 새로운 전형을 만들어
모든 이의 행복한 경험과 성장에 기여한다

우리는 남다른 상상과 혁신으로
교육 문화의 새로운 전형을 만들어
모든 이의 행복한 경험과 성장에 기여한다

· 완벽한 자율학습서 ·

# 자율학습시 비상구 정답친해로 53

정확한 답과 친절한 해설

## 윤리와 사상

# I. 인간과 윤리 사상

## 01 윤리 사상과 사회사상의 필요성

### STEP 1 핵심 개념 확인하기 012쪽

1 (1) ㄴ (2) ㄷ (3) ㄱ　2 (1) – ⓒ (2) – ⓛ (3) – ㉠　3 (1) × (2) × (3) ○　4 사회사상

### STEP 2 내신 만점 공략하기 012～014쪽

01 ④　02 ①　03 ②　04 ③　05 ⑤　06 ②　07 ②　08 ④

**01 인간의 특성**

인간은 여러 사람들과 사회를 이루고 살아가는 '사회적 존재'로서, 사회적 삶을 통해 인간만의 삶의 양식을 공유하고 발전시킨다.

**바로 알기** ① 유희적 존재에 대한 설명이다. ② 종교적 존재에 대한 설명이다. ③ 정치적 존재에 대한 설명이다. ⑤ 예술적 존재에 대한 설명이다.

**02 윤리적 존재로서의 인간**

인간을 인간으로 만들어 주는 특성은 무엇보다 인간이 윤리적 존재라는 점이다. 윤리적 존재인 인간은 동물과 달리 이성적 판단과 윤리적 규범 체계에 따라 도덕적 행동을 의식적으로 수행한다. 그리고 인간은 타인을 배려하고, 보편타당한 선을 파악할 수 있으며, 도덕 법칙을 스스로 수립하고 실천할 수 있는 자율적 존재이다.

**03 결핍된 존재로서의 인간**

제시된 글은 독일의 사상가 겔렌의 주장이다. 그는 인간이 결핍된 존재이기 때문에 여타의 동물과 다른 삶을 살게 되었다고 말하였다. 인간은 결핍을 극복하기 위해서 도구를 만들어 사용하거나 주어진 환경을 극복하며 문화를 만들어 가는 존재이기 때문이다.

**바로 알기** ㄴ. 인간은 공동체적 삶을 살아가는 사회적 존재이다. ㄹ. 종교적 존재에 대한 설명이다.

**04 인간과 동물의 차이점**

인간이 협력적인 종이 된 이유를 동물과 비교하여 설명하는 글이다. 동물도 인간처럼 이타적인 행동이나 협력을 하지만, 이러한 행동은 단지 본능에서 비롯된 것이다. 이와 달리 인간의 협력과 이타적 행동은 이성적 판단과 윤리적 규범 체계에 따라 의식적으로 이루어진다.

**바로 알기** ② 동물들에게서도 이타적인 행동은 나타나지만, 본능에 따라 이루어진다는 점에서 인간과 다르다. ⑤ 자신의 행위와 삶을 윤리적으로 반성할 수 있는 존재는 인간이 유일하다.

**05 인간 본성에 대한 관점**

갑은 고자로서, 인간의 본성이 선악으로 결정되어 있지 않다는 성무선악설(性無善惡說)을 주장하였다. 을은 맹자로서, 인간은 본래 선한 본성을 지니고 태어난다는 성선설(性善說)을 주장하였다. 맹자는 인간이 선한 본성을 유지하며 선하게 살기 위해서는 윤리적 노력이 필요하다고 보았다.

**바로 알기** ① 인간이 이기적 욕망을 가지고 태어난다는 것은 성악설을 주장한 순자의 입장이다. ③ 고자의 주장이다. ④ 성악설을 주장한 순자의 입장이다.

**완자 정리 노트** 인간의 본성에 대한 관점

| 구분 | 성선설 | 성악설 | 성무선악설 |
|---|---|---|---|
| 입장 | 인간에게는 천부적으로 선한 도덕심이 있음 | 인간은 이기적 욕구와 욕망을 가지고 태어남 | 인간의 본성은 선이나 악으로 결정되어 있지 않음 |
| 대표자 | 맹자, 루소 | 순자, 홉스 | 고자, 로크 |
| 공통점 | 인간의 선한 삶을 위해서는 윤리적 노력이 필요하다고 봄 | | |

**06 윤리 사상의 의미와 필요성**

윤리 사상은 인간의 행위 규범이자 삶의 도리인 윤리에 관한 체계적인 생각으로, 자아 발견 및 탐색, 바람직한 삶의 목적과 방향 설정, 도덕적 행동 지침 및 판단 근거 제공 등, 우리 삶에서 중요한 역할을 한다.

**바로 알기** ⓛ은 사회사상에 대한 설명이다.

**07 윤리 사상과 사회사상**

(가)는 윤리 사상, (나)는 사회사상이다. ㄱ. 윤리 사상은 자아 탐색의 근거를 제공한다. ㄷ. 사회사상은 세상을 이해하고 평가하는 일정한 기준과 체계적인 틀을 제공한다.

**바로 알기** ㄴ. 윤리 사상은 개인에 따라 다른 행위 원칙이 아닌 보편적으로 적용될 수 있는 원칙을 제공한다. ㄹ. 윤리 사상은 주로 개인의 삶과 관련하여 바람직한 인간을 탐구 대상으로 하고, 사회사상은 주로 사회적 삶과 관련하여 좋은 사회를 탐구 대상으로 한다.

**08 사회사상의 필요성**

밑줄 친 '이것'은 사회사상이다. 사회사상은 우리에게 이상 사회의 모습을 제시하고, 현실의 사회 제도나 정책을 진단하고 평가하는 데 도움을 주며, 현실 사회의 모습을 정당화하거나 비판할 수 있는 기준을 제공한다. 또한 사회사상은 우리가 사회 구성원으로서 해야 할 역할과 의무를 알려 준다.

**바로 알기** ④ 사회사상은 단순히 사회 구조에 대한 정보만이 아니라 이상 사회의 모습과 같은 가치 지향적인 정보를 포함한다.

## 서술형 문제

014쪽

### 01 주제: 윤리적 존재로서의 인간

예시 답안 밑줄 친 신의 말에서 알 수 있는 인간의 특성은 '윤리적 존재'이다. 윤리적 존재인 인간은 보편타당한 선(善)을 파악하는 능력과 부끄러움을 아는 마음을 지니고 있고, 자신만을 위한 삶에서 벗어나 다른 사람을 고려하고 배려할 수 있다.

채점 기준

| | |
|---|---|
| 상 | 인간의 윤리적 특성을 제시하고, 그 특징을 두 가지 서술한 경우 |
| 중 | 인간의 윤리적 특성을 제시하고, 그 특징을 한 가지만 서술한 경우 |
| 하 | 인간의 윤리적 특성만을 제시한 경우 |

### 02 주제: 인간의 본성

예시 답안 갑은 맹자, 을은 순자이다. 맹자는 인간이 천부적으로 선한 도덕심을 갖추고 있다는 성선설을 주장하였고, 순자는 이와 반대로 인간의 본성이 본래 악하다는 성악설을 주장하였다. 인간 본성에 대한 두 사상가의 입장에는 차이가 있지만, 인간이 선한 삶을 살기 위해 윤리적으로 노력해야 한다고 보았다는 점은 공통적이다.

채점 기준

| | |
|---|---|
| 상 | 인간 본성에 대한 두 사상가의 공통점과 차이점을 서술한 경우 |
| 하 | 인간 본성에 대한 두 사상가의 공통점과 차이점 중 하나만 서술한 경우 |

## STEP 3 1등급 정복하기

015쪽

1 ⑤ 2 ③

### 1 정치적 존재로서의 인간

제시된 글은 인간을 정치적 존재로 보는 아리스토텔레스의 주장이다. 아리스토텔레스는 인간이 좋고 나쁨, 옳고 그름에 대한 인식의 공유를 기초로 공동체와 국가를 생성하고 운영하는 존재라고 보았다.

**바로 알기** ② 인간이 행복을 추구하는 것은 단순히 본능적인 욕구에 따르는 것이 아니라 이성적이고 의식적인 행동이다.

### 2 인간 본성에 대한 관점

갑은 순자, 을은 맹자이다. 성악설을 주장한 순자는 인간이 이기적 본성을 가지고 태어나기 때문에 예법을 통해 악한 본성을 교화해야 한다고 주장하였다. 성선설을 주장한 맹자는 인간이 본래 지니고 있는 선한 본성을 확충하여 선한 삶을 살 수 있도록 노력해야 한다고 강조하였다.

**바로 알기** ㄱ. 고자의 성무선악설에 대한 설명이다. ㄹ. 인간이 식욕과 성욕과 같은 본성만을 타고났다고 주장한 것은 고자이다.

# 02 윤리 사상과 사회사상의 역할

## STEP 1 핵심 개념 확인하기

018쪽

1 풍류 2 (1) 의로움 (2) 자비 (3) 자연 3 (1) – ⓒ (2) – ⓔ (3) – ⓜ (4) – ⓛ (5) – ㉠ 4 (1) × (2) ○ (3) × (4) ○ (5) ×

## STEP 2 내신 만점 공략하기

018~020쪽

01 ③ 02 ② 03 ⑤ 04 ⑤ 05 ③ 06 ① 07 ③ 08 ④

### 01 한국 윤리 사상의 특징

제시된 글은 한국의 춤과 그 안에 담긴 풍류 정신에 대한 설명이다. 풍류 정신은 우리 고유의 사상적 바탕 위에서 다양한 외래 사상과의 조화를 보여 준다. 즉, 풍류 정신에는 다양한 문화 간의 조화와 통합, 화합의 정신 등이 잘 드러나 있다.

**바로 알기** ④ 한국 윤리 사상은 인간과 자연의 조화와 상호 의존성을 중시한다. ⑤ 효(孝)에 대한 강조는 한국 윤리 사상의 특징이지만, 제시된 글과는 거리가 멀다.

### 02 불교와 도가 사상의 특징

갑은 불교, 을은 도가의 입장을 제시하고 있다. 불교에서는 만물의 상호 의존성과 자비의 정신을 바탕으로 모든 생명을 소중히 여기고 존중해야 한다고 가르친다.

**바로 알기** ①, ④ 유교의 입장이다. ③ 도가에서는 자기중심적으로 세상을 바라보는 것을 비판한다. ⑤ 동양 윤리 사상은 공통적으로 세계를 유기적 관점에서 파악한다.

### 03 유교 사상의 특징

유교 윤리 사상은 개인의 도덕적 인격 수양을 바탕으로 타인과 더불어 사는 공동체를 강조한다. 이는 현대 사회의 과도한 개인주의와 이기주의로 발생하는 다양한 윤리 문제를 해결하는 데 도움을 준다. 또한 의로움과 청렴을 강조하는 유교 윤리는 우리 사회의 부패를 예방하는 전통 사상으로서의 역할을 한다.

**바로 알기** 을의 주장은 도가 윤리 사상에 해당한다. 병의 설명은 불교 윤리 사상에 해당한다.

### 04 서양 윤리 사상의 흐름

현대 서양 윤리 사상은 보편적인 도덕 법칙에 따르는 수동적인 삶보다는 스스로 결단하고 선택하는 주체적인 삶을 강조하거나, 우리 삶을 개선하기 위한 문제 해결의 유용성과 실용성을 강조한다는 특징이 있다.

**완자 정리 노트** 서양의 윤리 사상의 역할

| | |
|---|---|
| 고대 그리스 | 행복한 삶을 목적으로 하며 덕 있는 삶 강조 |
| 헬레니즘 | 정신적 쾌락과 금욕을 통한 개인의 행복 강조 |
| 중세 그리스도교 | 이웃에 대한 사랑과 배려 강조 |
| 근대 | • 합리적 판단과 공감의 중요성 강조<br>• 의무로서의 도덕 법칙과 최선의 결과를 중시하는 도덕 판단 기준 제시 |
| 현대 | 스스로 선택하는 주체적인 삶 또는 유용성 강조 |

### 05 중세 그리스도교의 윤리 사상

㈎는 그리스도교 윤리 사상으로서, 모든 인간에 대한 조건 없는 사랑을 최고 가치로 삼는다. 모든 이웃에게 참된 사랑을 적극적으로 실천하라는 박애주의 정신을 강조하는 것이다.

**바로 알기** ① 헬레니즘 윤리 사상의 특징이다. ② 고대 그리스 윤리 사상의 특징이다. ④ 현대의 무신론적 실존주의의 특징이다. ⑤ 현대 실용주의 윤리 사상의 특징이다.

### 06 다양한 사회사상 그 특징

제시된 글은 다양한 사회사상과 그 의미 및 특징에 대한 설명이다. ㉠은 공화주의, ㉡은 자본주의, ㉢은 민주주의, ㉣은 민본주의에 해당한다.

**완자 정리 노트** 사회사상의 역할

| | |
|---|---|
| 자유주의 | 부당한 간섭이나 침해로부터 개인의 자유와 권리 보장 |
| 공화주의 | 공익 실현을 위한 정치 참여의 중요성 강조 |
| 민주주의 | 국민 주권의 원리 및 국가의 주인으로서의 책임감 강조 |
| 자본주의 | 사유 재산과 자유로운 시장 경제 보장 |
| 세계 시민주의 | 전 인류를 보편적 가치와 권리를 지닌 시민으로 간주 |

### 07 자유주의 사상의 특징

㈎는 세계 인권 선언, ㈏는 미국 독립 선언의 내용이다. 두 선언은 공통적으로 인간이 태어나면서부터 지니고 있는 권리인 천부인권(天賦人權)을 바탕으로 하며, 이를 통해 자유주의 사상으로부터 영향을 받았음을 알 수 있다. 자유주의 사상은 국가의 부당한 간섭이나 침해로부터 개인의 자유와 권리를 보장하는 사상적 근거를 제공한다.

**바로 알기** ① 사회주의에 대한 설명이다. ② 공화주의에 대한 설명이다. ④ 자본주의에 대한 설명이다. ⑤ 세계 시민주의에 대한 설명이다.

### 08 윤리 사상과 사회사상의 관계

갑은 니부어, 을은 맹자이다. 니부어는 도덕적인 개인도 집단의 구성원으로서는 이기적일 수 있다고 분석하면서 개인의 도덕성과 집단의 윤리를 구분해야 한다고 주장하였다. 반대로 맹자는 개인의 윤리와 공동체가 서로 밀접한 관계가 있다고 주장하면서, 윤리 사상과 사회사상의 상호 의존성을 강조하였다.

**바로 알기** ① 갑, 을 모두 부정의 대답을 할 질문이다. ② 갑은 부정의 대답을 할 지문이다. ③ 갑은 부정, 을은 긍정의 대답을 할 질문이다. ⑤ 갑, 을 모두 긍정의 대답을 할 질문이다.

**완자 정리 노트** 윤리 사상과 사회사상의 관계

| 구분 | 윤리 사상 | 사회사상 |
|---|---|---|
| 영역 | 인간의 본질과 바람직한 인간의 모습 탐구 | 바람직한 공동체의 모습 탐구 |
| 관계 | • 윤리 사상과 사회사상은 궁극적으로 인간다움과 행복을 실현하고자 함<br>• 윤리 사상과 사회사상은 상호 보완적 관계임 | |

## 서술형 문제

020쪽

### 01 주제: 민주주의가 우리 삶에 미친 영향

(1) 민주주의

(2) 예시 답안 민주주의는 국가의 권력이 모든 국민에게서 나온다는 사실을 확인하는 사상적 근거가 되었으며, 우리가 국가의 주인으로서 책임감을 지니고 정치에 적극적으로 참여해야 한다는 사실을 일깨워 주었다.

**채점 기준**

| | |
|---|---|
| 상 | 민주주의의 원리와 그것이 우리 삶에 미친 영향을 서술한 경우 |
| 중 | 민주주의가 우리 삶에 미친 영향만을 서술한 경우 |
| 하 | 민주주의의 원리만을 서술한 경우 |

### 02 주제: 윤리 사상과 사회사상의 관계

(1) 예시 답안 소크라테스는 윤리 사상과 사회사상이 상호 의존적인 관계라고 보고 있다. 왜냐하면 그는 정의가 개인과 국가에 모두 적용되며, 개인의 정의와 국가의 정의가 닮아 있다고 주장하기 때문이다.

**채점 기준**

| | |
|---|---|
| 상 | 소크라테스가 바라보는 윤리 사상과 사회사상의 관계를 그 이유와 함께 서술한 경우 |
| 하 | 소크라테스가 바라보는 윤리 사상과 사회사상의 관계만 서술한 경우 |

(2) 예시 답안 사회 구조가 정의롭지 못하면 개인은 도덕적으로 살아가기가 어렵고, 제도가 잘 마련되어 있어도 개인이 도덕적이지 않으면 사회 제도는 형식에 불과해질 것이다. 따라서 우리는 윤리 사상을 통해 개인의 도덕성을 함양하고, 사회사상을 통해 정의로운 제도를 마련할 때 더 바람직한 삶을 살 수 있을 것이다.

**채점 기준**

| | |
|---|---|
| 상 | 윤리 사상과 사회사상의 상호 의존성을 바탕으로, 그 필요성을 서술한 경우 |
| 하 | 윤리 사상과 사회사상의 필요성만을 단순하게 서술한 경우 |

## STEP 3 1등급 정복하기 021쪽

1 ④ 2 ②

### 1 사회사상의 역할

(가)는 미국 독립 선언의 내용이다. 미국 독립 선언은 자유주의에서 주장하는 천부 인권과 국가의 권력이 국민으로부터 나온다는 민주주의의 원리를 담고 있다. 이러한 관점을 바탕으로 (나)의 독재 국가를 비판한 내용으로 가장 적절한 것은 모든 인간이 국가의 부당한 권력으로부터 침해당할 수 없는 천부 인권을 지니고 있음을 인정해야 한다는 주장이다.

**바로 알기** ① 세계 시민주의의 관점이다. ② 자본주의의 관점이다. ③ 유교에서 주장하는 민본주의의 관점이다. ⑤ 마르크스 사회주의의 관점이다.

### 2 윤리 사상과 사회사상의 관계

제시된 글은 아리스토텔레스의 주장이다. 아리스토텔레스는 좋은 국가가 없으면 인간다운 삶이 불가능하며, 동시에 국가 역시 바람직한 인간이 없이는 제대로 운영되지 않는다고 주장하면서 개인의 도덕성과 공동체의 도덕성이 밀접한 관계에 있음을 강조하였다.

**바로 알기** ㄷ. 윤리 사상과 사회사상이 밀접한 관계에 있다고 해서 도덕적인 인간을 대상으로 하는 윤리 사상과 바람직한 사회를 대상으로 하는 사회사상에 독자적인 영역이 없다고 말할 수는 없다. ㄹ. 아리스토텔레스는 정의롭지 못한 국가 안에서는 인간다운 삶을 살기가 어렵다고 보았다.

## 대단원 실력 굳히기 023～025쪽

01 ② 02 ④ 03 ③ 04 ⑤ 05 ④ 06 ② 07 ③
08 ① 09 ② 10 ④ 11 ② 12 ②

### 01 인간의 다양한 특성

인간은 자신의 필요에 따라 다양한 형태의 도구를 만들어 사용하는 '도구적 존재'이고, 국가를 이루고 개인과 공동체의 문제에 대해 서로 협의하고 조정하는 '정치적 존재'이며, 유한한 세계를 넘어 초월적이고 무한한 것을 추구하는 '종교적 존재'이다.

### 02 인간의 특성

**자료 분석**

갑: 생각은 인간을 위대하게 만든다. 팔다리가 없는 인간을 떠올릴 수는 있지만 생각이 없는 인간을 떠올릴 수는 없다. 인간은 '생각하는 갈대'이다.

을: 인간이 자신의 삶에 기여하도록 개조한 자연의 총체가 문화이다. 무기와 불이 없는 인간 사회, 음식을 비축하고 식품을 조리할 줄 모르는 인간 사회, 피난처와 협동 체계가 없는 인간 사회는 없다.

- 인간의 가장 주요한 특성으로 생각하는 능력을 들고 있어.
- 인간이 자연을 개조하여 문화를 형성하였음을 주장하고 있어.

갑은 근대 사상가인 파스칼로서, 인간을 생각하는 갈대라고 정의하며 인간의 이성적 사유 능력을 강조하였다. 을은 독일의 사상가 겔렌으로서, 인간이 삶의 양식을 창조하고 계승하는 문화적 존재라고 보았다.

**바로 알기** ㄱ. 유희적 존재에 대한 설명이다. ㄷ. 윤리적 존재에 대한 설명이다.

### 03 윤리적 존재로서의 인간

제시된 글은 공통적으로 인간의 반성 능력과 인간이 지켜야 할 도리를 주장하고 있다. 즉, 이를 통해 추론할 수 있는 인간의 특성은 인간이 스스로 반성하고, 삶의 도리를 지키는 윤리적 존재라는 점이다.

### 04 윤리적 존재의 특징

제시된 글은 근대 윤리 사상가 칸트의 주장으로, 도덕 법칙에 대한 경외심을 통해 인간이 윤리적 존재임을 드러내고 있다. 따라서 칸트가 긍정의 대답을 할 질문은 ⑤ '인간은 스스로 도덕 법칙을 수립하고 실천하는 도덕적 자율성을 지녔는가?'이다.

**바로 알기** ① 인간은 보편타당한 선을 파악할 수 있는 윤리적 존재이다. ② 인간은 자연적인 욕구에만 따르지 않고 의식적으로 선을 행하는 존재이다. ③ 인간의 도덕적 행동은 동물의 그것과는 다르게 의식적으로 이루어진다. ④ 인간은 자연법칙에 따르지만, 동시에 도덕 법칙에 자율적으로 따르는 존재이다.

## 05 인간 본성에 대한 다양한 관점

갑은 성선설을 주장한 맹자, 을은 성악설을 주장한 순자, 병은 성무선악설을 주장한 고자이다. 순자도 악한 본성을 선하게 변화시키기 위해 후천적인 교육이 필요하다고 보았다. 따라서 정답은 ④이다.

**바로 알기** ③ 고자는 선과 악이 선천적인 것이 아니라 후천적인 환경과 교육에 의해 정해지는 것이라고 주장하였다. ⑤ 맹자와 순자는 선악의 관점을 바탕으로 인간의 본성을 파악하고자 하였다.

## 06 윤리 사상의 중요성

윤리 사상은 도덕적 행동 지침 및 도덕적 판단 근거를 제공하고, 바람직한 삶의 목적과 방향을 설정하는 데 도움을 주며, 자아를 발견하고 성찰하도록 도움으로써 자아 탐색의 근거를 제공하는 등 우리 삶에서 중요한 역할을 한다.

**바로 알기** ② 이상 사회의 모습과 이를 실현하기 위한 방안을 모색하는 데 도움을 주는 것은 사회사상이다.

## 07 윤리 사상과 사회사상의 역할

윤리 사상은 우리가 바람직한 삶의 모습을 탐구하고, 도덕규범을 명확히 이해하고 올바른 도덕 판단을 내리는 데 도움을 주는 이론적 토대를 제공한다. 그러나 ㉢ 다양한 사회 제도, 사회 정책 등을 비판적으로 평가할 수 있는 기준점을 제시하는 것은 윤리 사상이 아니라 사회사상이다.

**바로 알기** ㉣ 사회사상은 인간의 사회적 삶을 이해하는 데 일정하고 체계적인 틀을 제공한다. ㉤ 사회사상은 우리가 사회적 존재로서 공동체 안에서 어떠한 삶을 살아야 하는지 탐구하는 데 도움을 준다.

## 08 유교 윤리 사상의 역할

제시된 글은 이로움보다는 의로움을 더욱 강조하는 유교 윤리 사상의 정신을 보여 주고 있다. 이처럼 유교 윤리 사상은 ① 의로움과 청렴을 강조함으로써 우리 사회의 부패를 예방하는 역할을 담당하고 있다.

**바로 알기** ②, ⑤ 불교의 관점이다. ③, ④ 도가의 관점이다.

## 09 한국과 동양 윤리 사상의 역할

제시된 글은 현대 사회의 윤리적 문제인 환경 파괴, 자원 고갈, 관계의 단절 등에 대한 한국 및 동양 윤리 사상의 역할을 강조하고 있다. 한국 및 동양 윤리 사상은 ㄱ. 인간과 자연의 상호 연관성과 조화를 강조하며 환경 파괴나 자원 고갈과 같은 문제에 도움을 줄 수 있다. 그리고 효(孝)와 공동체의 유대를 강조하는 한국 윤리 사상은 ㄷ. 관계의 단절로 소외감을 느끼는 현대인에게 공동체의 유대를 가르쳐 줄 수 있다.

**바로 알기** ㄴ. 이성과 합리성의 강조는 서양 윤리 사상의 특징이다. ㄹ. 인간 존엄성, 자유, 평등, 인권 등의 보편적 가치를 강조하는 것은 서양 윤리 사상이다.

**완자 정리 노트** 한국 및 동양의 윤리 사상의 역할

| | | |
|---|---|---|
| 한국 | 고유한 정신적 바탕 위에서 외래 사상과 조화 → 화해와 통합의 정신을 가르쳐 줌 | |
| | 효(孝), 노인 공경, 공동체의 유대 중시 → 현대 사회의 가족 해체 현상을 해결하는 데 중심 역할을 함 | |
| 동양 | 유교 | 도덕적 인격 수양과 공동체 강조, 의로움과 청렴 강조 |
| | 불교 | 만물의 상호 의존적 관계 인식을 통한 자비 정신 강조 |
| | 도가 | 자연스러운 순리에 따르는 삶 강조 → 무위자연의 삶 |

## 10 서양 윤리 사상의 역할

서양 근대 윤리 사상은 도덕적 삶에서 이성과 감정의 역할을 함께 강조하며, 도덕과 합리적 판단의 관계 및 도덕과 공감의 관계를 탐구하였다. 따라서 서양 윤리 사상의 역할을 잘못 이해한 것은 ④이다.

## 11 자본주의의 역할

㉠에 들어갈 사회사상은 '자본주의'이다. 자본주의는 사유 재산과 자유로운 시장 경제를 보장하는 사상적 근거로, 대한민국 경제 체제의 바탕이 되고 있다. 그리고 자본주의는 이윤 추구를 목적으로 자유로운 경제 활동을 지향함으로써, 개인의 자율적 의사 결정을 존중하고, 개인의 노력에 따른 소득을 정당화하는 데 기여하였다.

**바로 알기** ㄴ. 민주주의에 대한 설명이다. ㄹ. 공화주의에 대한 설명이다.

## 12 윤리 사상과 사회사상의 관계

갑은 맹자, 을은 플라톤이다. 두 사상가는 모두 개인과 사회를 분리할 수 없듯이 사회사상의 구현도 개인의 윤리적 측면과 떼려야 뗄 수 없는 관계라고 보았다. 따라서 도덕적인 삶을 지향하는 윤리 사상은 바람직한 사회를 지향하는 사회사상과 언제나 밀접한 관계를 맺고 있음을 알 수 있다.

**바로 알기** ① 개인의 도덕적 삶과 정의로운 공동체를 함께 이루어야 하지 공동체를 위해 개인을 희생해야 한다고 주장하는 것은 아니다. ③ 갑, 을 모두 개인의 과도한 이익 추구가 정의로운 사회를 만드는 데 걸림돌이 될 수 있다고 주장한다. ⑤ 도덕적인 사회는 일부 지도자들만이 아니라 구성원 모두가 노력할 때 만들어질 수 있다.

# Ⅱ. 동양과 한국 윤리 사상

## 01 사상의 연원

**STEP 1** 핵심 개념 확인하기 030쪽

1 유기체적 자연관 2 (1) × (2) ○ (3) ○ 3 (1) ㄷ (2) ㄴ (3) ㄱ
4 (1) 공동체 의식 (2) 현세 지향적 (3) 인본주의 5 ㄱ, ㄴ, ㄹ

**STEP 2** 내신 만점 공략하기 030～032쪽

01 ⑤ 02 ③ 03 ④ 04 ① 05 ③ 06 ② 07 ③
08 ③ 09 ① 10 ②

### 01 동양 문화의 특징

제시된 글은 동양 사회의 일반적 특징에 대한 설명이다. 동양은 농업 중심의 사회로 집단적인 노동력을 중요하게 생각하였으므로 이를 토대로 가족 중심의 사회 제도가 확립되었다. 또한 자연의 원리로 삶의 목적과 방향을 정하였으며, 자연과의 친화적인 관계를 중요하게 생각하였다.

**바로 알기** ⑤ 이분법적 세계관은 서양의 세계관에 해당하며, 동양 윤리 사상은 가족 윤리를 바탕으로 사회와 국가 윤리를 정립하였다.

### 02 불교와 도가의 자연관

갑은 불교, 을은 도가의 입장이다. 불교는 어떠한 사물도 독자적으로 존재할 수 없다는 연기설에 따라 만물의 상호 의존성을 강조한다. 한편 도가는 자연의 흐름에 따라 살아가는 삶을 이상적으로 보았으며, 이러한 이상적인 삶을 위해 소규모 공동체인 소국과민을 주장한다.

**바로 알기** ① 불교의 이상적 인간상은 보살이며, 군자는 유교의 이상적 인간상이다. ② 수양을 통한 개인의 도덕적 완성과 사회 공동체를 강조하는 것은 유교이다. ④ 모든 존재의 상호 의존성을 강조하는 것은 불교이다. ⑤ 도가는 인위적인 규범과 제도를 거부하고 작은 공동체인 소국과민을 이상으로 삼았다.

### 03 불교 윤리 사상의 특징

밑줄 친 '이것'은 불교이다. 불교는 세계의 모든 존재가 서로 인과적으로 의존하고 있다는 연기설을 주장한다. 또한 남을 가엾게 여기는 자비를 실천하여 이러한 진리를 모르는 모든 중생을 깨우쳐야 한다고 주장한다.

**바로 알기** ④ 서양의 자연관인 이분법적 세계관에 대한 설명으로, 인간이 자연보다 우월한 존재라고 보는 관점이다.

### 04 유교 윤리 사상의 특징

제시된 글의 관점은 유교 윤리 사상이다. 유교 윤리 사상은 개인의 인격 도야를 강조하여 자신을 수양하며 동시에 타인을 사랑하는 삶인 수기이안인을 강조하였다.

**바로 알기** ②, ⑤ 유교와 관련이 없는 내용이다. ③ 서양의 자연관에 관한 내용이다. 유교를 포함한 동양 윤리 사상에서는 자연을 정복의 대상으로 보지 않는다. ④ 무위자연에 대한 내용으로 도가의 입장이다.

### 05 동양의 이상 사회

(가)는 유교, (나)는 도가의 입장이다. 유교는 자기 수양을 통해 타인을 사랑하는 수기이안인(修己以安人)의 실천을 강조하였으며, 이상 사회로 대동 사회를 제시한다. 도가는 인위에서 벗어나 자연에 순응하는 삶을 강조하였으며, 이상 사회로 소국과민을 제시한다.

**바로 알기** 불국 정토는 모든 중생이 번뇌와 괴로움에서 벗어난다는 불교의 이상 사회이다.

**완자 정리 노트** 동양의 이상 사회

| 윤리 사상 | 이상 사회 | 특징 |
|---|---|---|
| 유교 | 대동 사회 | 모든 사람이 더불어 잘 사는 사회 |
| 불교 | 불국 정토 | 모든 중생이 번뇌와 괴로움에서 벗어나는 사회 |
| 도가 | 소국과민 | 탐욕과 경쟁으로부터 벗어나 소박한 삶을 추구하는 사회 |

### 06 동양 윤리 사상의 현대적 의의

제시된 글은 현대 사회의 다양한 갈등에 대한 내용이다. 갈등의 대부분은 상대의 입장을 이해하지 못하고 자신의 입장만을 관철할 때 발생한다. 갈등을 해결하기 위해서는 서로에 대한 이해와 조화의 정신이 요구된다. 동양 윤리 사상에서 찾을 수 있는 도덕에 대한 관심과 공존, 화합, 조화의 정신 등이 이러한 갈등을 해결하는 데 도움이 될 수 있다.

**바로 알기** ② 자연과 인간을 분리하는 것은 서양의 자연관에 대한 내용이며, 사회 계층에 대한 이분법적 사고는 갈등을 증폭시킬 수 있다.

### 07 동양의 유기체적 세계관

제시된 글은 동양의 '대대'라는 개념을 통해 유기체적 세계관에 대해 말하고 있다. 대대는 서로 대립되는 것들이 동시에 상호 의존적이고 상보적인 관계를 맺고 있음을 말하고 있다.

**바로 알기** ㄴ. 인간을 자연보다 우월하다고 보는 것은 서양의 자연관이다. ㄷ. 서양의 도구적 자연관에 관한 내용이다.

### 08 동서양의 자연관

갑은 불교, 을은 서양 사상가인 베이컨의 입장이다. 불교는 연기설을 바탕으로 모든 존재가 상호 의존적 관계에 있다는 것을 강조한다. 반면 베이컨은 자연에 대한 지식을 가진 인간이 자연을 이용하고 정복하는 것을 정당하다고 보았다.

**바로 알기** ①, ②, ④, ⑤ 서양의 자연관에 해당하는 내용이다.

## 09 단군 신화의 윤리적 의의

제시된 글은 단군 신화의 일부이다. 단군 신화에서 민족의 기원을 하늘에 두었다는 점을 통해 하늘을 숭배하는 경천사상의 특징을, 환웅이 인간 세상에 내려오는 모습을 통해 생명 존중, 자연 친화, 평화 애호의 모습을 찾을 수 있다.

**| 바로 알기 |** ① 개인주의는 단군 신화와는 관련이 없는 내용이다.

## 10 풍류도의 특징

**자료분석**

나라에 현묘(玄妙)한 도가 있으니 풍류(風流)라고 한다. …… 가정에서 부모에게 효도하고, 밖에 나가서 나라에 충성하며, 무위(無爲)로 처신하고 무언(無言)의 가르침을 행하며, 악한 행동을 하지 말고 선행을 하는 것을 강조하며 이를 통해 많은 사람을 교화하였다.

- 유교와 관련 있는 내용이야.
- 불교에 대한 내용이야.
- 도가의 내용이야.

제시된 글은 풍류도에 대한 설명이다. 풍류는 자연의 호방한 기상을 본받으면서 인격을 닦을 것을 강조한 신라의 사상이다. 풍류도에는 유불도가 전래되기 이전부터 이미 유불도의 내용이 포함되어 있어 조화 정신이 내포된 대표적인 예라고 할 수 있다.

**| 바로 알기 |** ① 풍류도는 일상과 관련된 가르침에 대한 것으로 내세의 행복과는 관련이 없다. ③ 풍류도는 생활 지침으로서 초월자에 대한 신앙과는 무관하다. ④ 풍류도는 개인의 희생을 강조하지 않았다. ⑤ 풍류도는 유·불·도의 가르침을 포함하는 것으로, 불교와 도가의 유입을 반대하지 않았다.

## 서술형 문제 032쪽

## 01 주제: 동양 윤리 사상의 특징

(1) 갑 – 군자, 을 – 보살, 병 – 진인

(2) 예시 답안 동양 윤리 사상은 인간과 세계를 하나의 통합된 전체로 보는 유기체적 자연관을 토대로 삼고 있다. 동양 윤리 사상에서 모든 존재는 서로 조화를 이루는 생명으로 연결되어 있으며, 상호 의존적이고 상보적인 관계로 이루어져 있다.

채점 기준

| | |
|---|---|
| 상 | 유기체적 자연관, 상호 의존성, 상보적 관계를 포함하여 서술한 경우 |
| 중 | 인간과 자연이 조화를 이룬다는 내용을 유기체적 자연관, 상호 의존성, 상보적 관계의 용어를 사용하지 않고 서술한 경우 |
| 하 | 인간과 자연이 조화를 이룬다는 내용만을 간단하게 서술한 경우 |

## 02 주제: 한국 윤리 사상의 조화 사상

(1) 조화 사상

(2) 예시 답안 현대 사회의 갈등은 대부분 세대, 이념, 지역, 노사, 성별 등 관점의 차이에서 비롯된다. 이때 한국 윤리의 조화 사상을 통해 상대의 입장을 이해하고 공존하는 방안을 모색할 수 있다.

채점 기준

| | |
|---|---|
| 상 | 현대 사회의 문제점과 조화 사상을 구체적으로 언급하여 서술한 경우 |
| 중 | 현대 사회의 문제점과 그 해결 방안에 대해 추상적으로 서술한 경우 |
| 하 | 현대 사회의 문제점과 그 해결 방안에 대해 서술하지 못한 경우 |

## STEP 3 1등급 정복하기 033쪽

1 ① 2 ②

## 1 동양의 자연관

동양은 인간과 자연의 관계를 상호 의존적인 것으로 보는 유기체적 세계관을 강조한다. 그렇기 때문에 자연 친화적인 삶을 바탕으로 인간과 자연의 조화를 강조하며, 이는 서양의 자연관과 대비되는 내용이다.

**| 바로 알기 |** ㄷ. 동양은 인간과 자연이 밀접한 관계를 맺고 있다고 생각하며, 생명의 위계를 나누지 않았다. ㄹ. 도구적 자연관에 관한 내용으로 동양의 자연관에는 해당하지 않는다.

## 2 동양의 이상 사회

(가)는 도가의 소국과민, (나)는 유교의 대동 사회이다. 도가의 소국과민은 작은 영토에 적은 인구로 구성된 사회이며, 인위에서 벗어나 소박한 삶을 추구한다. 유교의 대동 사회는 인(仁)이 실현된 도덕적 사회이며, 모든 사람이 더불어 잘 살며 공정한 분배가 이루어지는 사회이다.

**| 바로 알기 |** ㄴ. 형벌을 주장한 것은 법가의 한비자이다. ㄹ. 인생을 고통으로 보고 이에서 벗어날 것을 주장한 것은 불교이다.

# 02 인의 윤리

**STEP 1** 핵심 개념 확인하기 038쪽

1 인(仁) 2 (1) ○ (2) × (3) ○ 3 (1) ㄴ (2) ㄱ (3) ㄷ 4 (1) 마음 (2) 양명학 (3) 선지후행 (4) 격물치지 5 (1) – ㉡ (2) – ㉠

**STEP 2** 내신 만점 공략하기 038～041쪽

01 ① 02 ⑤ 03 ② 04 ② 05 ⑤ 06 ④ 07 ⑤
08 ② 09 ④ 10 ② 11 ④ 12 ④

### 01 공자의 사상

제시된 글은 공자의 사상이다. 공자는 인을 올바르게 알려면 공부를 하여 지혜[知]를 키워야 하고, 인을 실천하려면 용기[勇]가 있어야 한다고 본다. 그래서 공자는 인과 함께 지(知), 용(勇)의 덕을 중시하고, 이러한 덕을 닦아 인을 실천하는 이상적 인격을 지닌 사람을 군자라고 하였다. 또한 바람직한 정치를 위해서는 먼저 자신을 수양해야 함[修己以安人]을 강조하였다.

**바로 알기** ① 공자는 내면적 도덕성을 인(仁)으로 보고 외면적 도덕규범을 예(禮)로 보았다.

**완자 정리 노트** 공자의 사상

| 사회 혼란의 원인 | 인간의 도덕성 타락 |
|---|---|
| 극복 방안 | • 인의 회복<br>• 예의 실천[극기복례(克己復禮)]<br>• 덕치(德治) |

### 02 공자의 예(禮)

제시된 글은 공자의 예(禮)에 대한 것이다. 공자는 인을 바탕으로 예를 실천할 것을 강조하였으며 인을 갖추고 예를 실천하는 이상적 인간을 군자라고 보았다. 또한 공자의 예는 외면적 도덕규범으로 공자는 법률과 형벌로 다스리기보다 예나 덕으로 백성을 이끄는 정치인 덕치를 주장하였다.

**바로 알기** 첫 번째 관점. 악한 본성을 인위적으로 교화해야 한다고 주장한 것은 순자이다. 두 번째 관점. 법의 필요성과 신상필벌의 원칙에 대해 주장한 것은 한비자이다.

### 03 맹자의 정치사상

제시된 글은 맹자의 역성혁명에 대한 내용이다. 역성혁명은 공자의 정명사상을 계승하여 군주가 군주답지 못하다면 군주를 바꿀 수 있다는 내용으로 민본주의적 혁명론이라고도 한다. 맹자는 백성을 나라의 근본으로 여기며, 백성들의 도덕적 마음을 유지하기 위해 항산을 보장해야 한다고 보았다.

**바로 알기** ① 한비자의 신상필벌에 관한 내용이다. ③ 덕과 능력에 따라 지위와 관직을 맡겨야 함은 순자의 주장이다. ④ 겸애를 주장한 것은 묵자이다. ⑤ 맹자는 무력과 권모술수로 다스리는 것을 패도라고 비판하였다.

### 04 맹자의 사상적 특징

제시된 글은 맹자의 성선설에 관한 내용으로 우산의 아름다움이 인위적으로 훼손되었다 하더라도 우산이 원래 아름다웠음을 이야기하고 있다. 이는 인간의 선한 본성을 우산에 비유하여 말한 것이다.

**바로 알기** ② 순자가 주장할 내용이다.

### 05 맹자와 한비자의 사상 비교

갑은 법가 사상을 주장한 한비자, 을은 성선설을 주장한 맹자이다. 한비자는 인간의 본성이 악하다는 순자의 사상을 계승하였으며, 악한 본성이 선하게 변화될 수 없기에 오직 강력한 법으로 다스려야 한다고 주장하였다. 한편 맹자는 인간의 본성이 선하며 군주는 이러한 도덕성을 실현하는 정치인 왕도정치를 실현해야 한다고 보았다.

**바로 알기** ⑤ 한비자는 인간이 악하다고 보았기에 선한 본성을 회복한다는 것과 관련이 없다.

### 06 맹자와 순자의 사상 비교

갑은 순자, 을은 맹자이다. 순자는 사람이 태어날 때부터 이익을 좋아하고 다른 사람을 질투하며 미워하는 존재라고 보았다. 반면 맹자는 불인인지심과 사단을 통해 인간의 본성이 선하다고 주장하였다. 맹자와 순자는 모두 교육과 수양을 강조하였는데, 맹자는 양지와 양능을 토대로 도덕적 마음을 보존하고 확충하려는 수양이 필요함을, 순자는 인간의 악한 본성을 변화시켜야 한다고 보았다.

**바로 알기** ① 맹자의 입장에 해당한다. 순자는 인간의 본성이 악하다고 보았다. ② 순자는 예를 옛 성인(聖人)의 가르침에 따라 제정하였다고 보았다. ③ 순자의 천인분이(天人分二)에 관한 내용이다. ⑤ 맹자는 교육과 수양을 통하여 본성을 확충해야 한다고 주장하였다.

**완자 정리 노트** 맹자의 사단(四端)

| 측은지심 | 사람을 사랑하고 불쌍히 여기는 마음 |
|---|---|
| 수오지심 | 잘못을 부끄러워하고 불의를 미워하는 마음 |
| 사양지심 | 양보하고 공경하는 마음 |
| 시비지심 | 옳고 그른 것을 분별하는 마음 |

### 07 맹자와 순자의 사상 비교

갑은 맹자, 을은 순자이다. 맹자는 선한 본성을 확충하기 위한 노력을 강조하였고, 순자는 교육과 제도적 규범으로 악한 본성을 교

화해야 한다고 주장하였다. 맹자와 순자는 공통적으로 교육과 수양의 중요성을 강조하였다.

**| 바로 알기 |** ① 맹자는 항심을 보존하기 위해 항산을 유지해야 한다고 보았다. ② 묵자의 겸애설이다. ③ 순자는 악한 본성을 교화하기 위해 예가 필요하다고 보았다. ④ 법령과 형벌의 강화를 주장한 것은 한비자이다.

## 08 성리학의 이기론

제시된 글은 주희의 이기론에 관한 것으로 『주자어류』에 실려 있는 내용이다. 성리학에 따르면 모든 사물은 '이'와 '기'의 결합으로 이루어져 있다. 이(理)는 사물의 본질을 가리키는 무형의 원리이자 인간이 마땅히 따라야할 도덕 법칙이고, 기(氣)는 사물을 이루는 유형의 재료를 가리킨다. '이'와 '기'는 하나의 사물 안에 함께 있지만 섞일 수 없는 엄연히 다른 것[理氣不相雜]이고, 동시에 실제 사물에서 서로 분리될 수 없다[理氣不相離].

**| 바로 알기 |** ① 현실에 존재하는 사물은 '기'의 상태이다. ③ 순자가 주장한 천인분이 사상이다. ④ 양명학에서 주장하는 심즉리에 해당한다. ⑤ '이'와 '기'는 서로 섞일 수 없으면서도 분리될 수도 없다.

## 09 성리학의 특징

주희는 맹자의 성선설을 바탕으로 기존의 성즉리설을 집대성하였다. 그는 우주 만물의 근원을 이와 기의 결합으로 설명하였으며, 이를 통해 인간의 마음과 본성도 심층적으로 분석하였다. 또한, 존천리거인욕, 격물치지, 존양성찰, 거경궁리 등의 수양론을 제시하였으며, 덕치와 예치를 통한 민본과 위민을 강조하였다.

**| 바로 알기 |** ㄹ 민본과 위민은 경세론에 해당하며, 수양론에는 존천리거인욕, 격물치지, 존양성찰, 거경궁리 등이 포함된다.

## 10 양명학의 특징

제시된 글의 사상가는 양명학을 주장한 왕수인이다. 양명학은 사물에 '이'가 객관적으로 존재한다고 본 주희와 달리 '이'가 마음 밖에 있는 것이 아니며, 욕심에 가리지 않은 본래의 마음이 바로 '이'라고[心卽理] 하였다. 그러므로 이러한 순선한 마음을 유지하기 위해서는 본래의 마음인 양지의 실현을 방해하는 사욕을 극복해야 한다.

**| 바로 알기 |** ㄴ. 성리학에서 주장하는 선지후행에 관한 내용이다. 양명학은 앎과 행동은 둘이 아니고 하나라고 본다. ㄹ. 성리학의 입장이다. 양명학에서는 만물의 이치는 마음속에 내재되어 있다고 본다.

## 11 성리학과 양명학 비교

갑은 성리학, 을은 양명학이다. 성리학은 '이'가 만물에 내재하여 있으며 이를 위해 만물을 탐구하고 '이'가 무엇인지 알아야 실천이 가능하다고 보았다. 반면 양명학은 모든 '이'는 마음속에 내재하며 이를 실천해 나감으로써 그 앎이 완성된다고 보았다.

**| 바로 알기 |** ④ 양명학은 타고난 선천적 앎을 구체적인 상황에 바르게 적용하는 과정을 중시하였다.

**완자 정리 노트** 성리학과 양명학의 공통점과 차이점

| 구분 | 성리학 | 양명학 |
|---|---|---|
| 공통점 | • 맹자의 성선설을 계승 → 본성을 함양하고 확충할 것을 강조<br>• 학문의 목적은 성인이 되는 것<br>• 존천리거인욕(存天理去人慾)을 중시 | |
| 차이점 | • 성즉리(性卽理)<br>• 격물치지: 사물에 나아가 그 이치를 탐구하여 앎을 극진히 하는 것<br>• 선지후행, 지행병진 | • 심즉리(心卽理)<br>• 격물치지: 마음의 양지를 개별 사물에서 실현하는 것<br>• 지행합일 |

## 12 맹자, 성리학, 양명학의 입장 비교

**자료분석**

양명학의 입장에서 해석한 존천리거인욕의 의미야.

갑: 성현이 베푼 가르침은 인욕(人欲)을 제거하고 천리(天理)를 보존하는 방법 아닌 것이 없다. 인욕이 없고 순수한 천리인 마음은 정성스럽게 효도하는 마음이다.

심즉리에 해당해.

을: 지와 행이 의존함은 눈이 있어도 발이 없으면 다닐 수 없고, 발이 있어도 눈이 없으면 볼 수 없는 것과 같다. 선후는 지가 우선이고, 경중은 행이 중요하다.

선지후행에 대한 내용으로 성리학의 입장이야.

병: 사람이 배우지 않고도 할 수 있는 바는 양능(良能)이고, 생각하지 않고도 알 수 있는 바는 양지(良知)이다. 부모를 사랑함은 인(仁)이요, 어른을 공경함은 의(義)이다.

양능, 양지, 인과 의를 강조한 맹자의 입장이야.

갑은 양명학, 을은 성리학, 병은 맹자의 사상이다. 양명학은 인간의 마음이 곧 이치라고 주장한다. 그렇기 때문에 마음을 떠난 수양이 아니라 자신의 마음속에 있는 인욕을 제거하는 것을 가장 중요하게 생각한다. 반면 성리학은 덕성의 실천을 위해서 이론적 지식의 습득이 가장 중요하다고 본다. 성리학과 양명학은 모두 맹자의 성선설을 계승하여 인간의 내면적 도덕성에 대한 신뢰를 강조한다는 공통점이 있다.

**| 바로 알기 |** ㄷ. 고자의 성무선악설에 대한 설명이다.

## 서술형 문제

041쪽

## 01 주제: 맹자의 항산과 항심

**예시 답안** 맹자는 백성이 일정한 생업[恒産]이 있어야 선한 마음[恒心]을 유지할 수 있다고 보아 국가가 백성을 인간답게 살 수 있도록 우선 먹고 살 수 있는 생업을 마련해 주는 것이 바람직한 정치의 출발이라고 보았다.

채점 기준

| | |
|---|---|
| 상 | 바람직한 정치의 출발점으로 생업을 보장해야 함을 '항산'과 '항심'을 포함하여 구체적으로 서술한 경우 |
| 중 | 바람직한 정치의 출발점으로 생업 보장의 중요성을 '항산'과 '항심' 중 하나만을 포함하여 서술한 경우 |
| 하 | 정치와 경제적 이익의 관계만을 서술한 경우 |

## 02 주제: 순자의 성악설

예시 답안 순자는 인간의 본성이 악하며 외적 규범인 예를 구체적인 상황에서 실천함으로써 선해질 수 있다고 보았다. 그러므로 인간이 도덕을 실천하는 이유는 인위적이고 후천적인 노력의 결과라고 볼 수 있다.

채점 기준

| | |
|---|---|
| 상 | 본성이 악하며, 인위적 노력의 결과로 도덕성이 실현됨을 명확하게 서술한 경우 |
| 하 | 성악설과 도덕성의 실현 과정 중 한 가지만 서술한 경우 |

## 03 주제: 성리학과 양명학의 공통점과 차이점

(1) 격물치지(格物致知)

(2) 예시 답안 갑은 성리학으로 도덕적 실천을 위해서는 인간을 포함한 만물의 본성과 인간 사회의 마땅한 이치를 깊고 넓게 연구하여 올바른 지식을 갖추어야 참된 실천을 할 수 있다고 보았다. 을은 양명학으로 인간은 누구나 마음에 시비선악을 구별할 수 있는 양지를 지니고 있으므로 실제에서 벗어난 공부가 아니라 마음의 양지를 구체적으로 실천할 것을 강조하였다.

채점 기준

| | |
|---|---|
| 상 | 성리학의 선지후행과 양명학의 지행합일을 구체적으로 서술한 경우 |
| 하 | 성리학과 양명학의 특징만 서술한 경우 |

## STEP 3 1등급 정복하기

042~043쪽

1 ④ 2 ④ 3 ② 4 ④

### 1 공자와 맹자의 정치사상

갑은 공자, 을은 맹자이다. 공자는 바람직한 정치를 위해 분배의 공정함을 중시하였으며, 인과 예가 실현된 덕치를 주장하였다. 맹자는 인과 의를 중시하여 왕도정치의 실현을 강조하였으며, 왕도정치의 출발점을 백성들의 경제적 안정인 항산을 보장하는 것으로 보았다.

**바로 알기** ㄴ. 본성을 변화시켜야 한다고 강조한 사상가는 순자이다.

### 2 고자와 맹자의 본성론

(가)의 갑은 성무선악설을 주장한 고자, 을은 성선설을 주장한 맹자이다. 고자는 인간의 본성은 성욕과 식욕 등이 전부이며 본성 속에 선악이 내재하지 않아 선악의 모습은 후천적으로 나타난다고 보았다. 한편 맹자는 인간은 선한 본성을 가지고 태어나며 선한 본성을 유지하기 위해 지속적으로 노력해야 한다고 강조했다.

**바로 알기** ① 고자는 인간의 본성이 선악으로 정해져 있지 않다고 보았다. ② 고자는 식욕과 성욕이 인간의 선천적인 욕구라고 보았다. ③ 맹자의 입장으로 C에 해당한다. ⑤ 맹자는 양지를 선천적인 것으로 보았다.

### 3 성리학과 양명학의 격물치지

갑은 주희, 을은 왕수인이다. 제시문은 성리학과 양명학에서 말하는 격물치지(格物致知)에 대한 설명으로 성리학에서는 만물의 이치에 대한 학습 후 행동으로, 양명학에서는 타고난 참된 앎을 구체적으로 실천하는 과정을 중시한다.

**바로 알기** ㄴ. 선지후행에 대한 내용으로 성리학의 입장이다. ㄹ. 성리학과 양명학은 존천리거인욕에 대해 각 입장에서 주장하는 의미는 조금 다르지만, 크게 천리를 보존하고 인욕을 제거함을 뜻한다.

### 4 성리학과 양명학의 사상적 특징

갑은 성리학을 주장한 주희, 을은 양명학을 주장한 왕수인이다. 성리학은 만물의 본성 속에 그 이치가 내재하므로 만물의 이치를 탐구하는 과정을 거친 후 구체적인 행동으로 이어질 수 있음을 강조한다. 양명학은 도덕적인 지식이 선천적으로 내재하므로 마음속의 양지를 자각하고 그대로 따를 것을 강조한다.

**바로 알기** ㄹ. 선지후행을 강조한 것은 성리학이다.

# 03 도덕적 심성

**STEP 1** 핵심 개념 확인하기 048쪽

1 ㄱ, ㄴ, ㄷ 2 이통기국 3 (1) × (2) × (3) ○ 4 (1) ㄴ (2) ㄱ
5 형구의 기호, 영지의 기호

**STEP 2** 내신 만점 공략하기 048~051쪽

01 ① 02 ② 03 ③ 04 ④ 05 ⑤ 06 ⑤ 07 ⑤
08 ⑤ 09 ③ 10 ④ 11 ④ 12 ③

### 01 이황의 사상

제시된 글의 사상가는 이황이다. 이황은 이귀기천, 이기호발설을 통하여 사단과 칠정의 근원을 구분하고 도덕적으로 순선한 '이'를 부각하였다.

**바로 알기** ②, ③, ④ 이이의 관점이다. 이이는 이통기국, 기발이승일도설을 통하여 이와 기의 조화를 강조하였으며 사단은 칠정 중의 선한 감정이라고 하였다. ⑤ 정약용의 입장으로 사덕은 구체적인 선의 실천을 통해 후천적으로 형성된다고 보았다.

**완자 정리 노트** 이황의 주요 사상

| 이귀기천 | '이'는 귀한 것이고 '기'는 비천한 것임 |
|---|---|
| 이기호발설 | '이'와 '기'는 모두 작용할 수 있음 |
| 사단칠정론 | 사단은 '이'가 발하고 '기'가 그것을 따른 것이고, 칠정은 '기'가 발하고 '이'가 그것을 타는 것임 |
| 수양론 | 거경(주일무적, 정제엄숙, 상성성) |

### 02 이황의 수양론

제시된 글의 사상가는 이황이다. 이황은 도덕 본성의 실현과 관련한 수양의 태도로 경(敬)을 강조하였다. 이황은 경을 유지하기 위해 의식을 집중시켜 마음이 흐트러지지 않고[主一無適], 몸가짐을 단정히 하고 엄숙한 태도를 유지하며[整齊嚴肅], 항시 또렷하게 깨어 있어야 함[常惺惺]을 강조하였다.

**바로 알기** 네 번째 주장. 양명학의 치양지(致良知)에 대한 설명이다.

### 03 이이의 사상

이이는 '이'와 '기'가 서로 분리될 수 없다는 점에 주목하여 사단과 칠정을 막론하고 모든 감정은 '기'가 발하고 '이'가 여기에 타면서 드러나는 경우밖에 없다는 기발이승일도설을 주장하였다. 이이에 따르면 사단과 칠정은 모두 기질지성이 발한 감정이며, 본연지성은 '기'를 배제하고 순수하게 '이'만 조명한 것으로 이론적으로만 가능할 뿐 현실적으로는 기질지성만이 존재한다고 보았다. 이러한 관점에서 이이는 칠정이 사단을 포함한다는 칠포사를 제시하였다.

**바로 알기** ③ '이'와 '기'가 섞일 수 없음을 강조하며 이귀기천을 주장한 것은 이황이다.

### 04 이이의 사상

제시된 글은 이이의 이기지묘와 기발이승에 관한 내용이다. 이이는 현실적으로 '기'와 분리된 '이'를 인정하지 않았고 모든 차이는 '기'에서 온다고 보았다. 또한 '이'는 시간과 공간의 제약을 받지 않아 보편성을 유지하지만, '기'는 시간과 공간의 제약을 받기 때문에 조건에 따라 특수성을 가진다는 이통기국론을 제시하였다.

**바로 알기** ④ 조선 후기 성리학을 비판하며 등장한 실학의 특징이다.

**완자 정리 노트** 이이의 주요 사상

| 기발이승일도설 | 발동하는 것은 '기'뿐이며 '이'가 그것을 타는 것 |
|---|---|
| 이기지묘 | '이'와 '기'는 둘이자 하나이고 하나이며 둘인 묘합의 관계 |
| 이통기국 | • '이': 형체가 없어 보편적으로 실재 → 만물에 두루 통함<br>• '기': 형체가 있어 제한적 → 개개 사물은 서로 국한됨 |
| 사단 칠정론 | • 사단과 칠정은 기가 발한 것이며, 서로 분리될 수 없음<br>• 칠포사 |
| 수양론 | 경(經)의 실천을 통해 성(誠)에 이를 것, 교기질, 극기 |
| 사회 경장론 | 무실과 경장 → 실학 형성에 기여함 |

### 05 이이의 수양론

제시된 글의 사상가는 이이이다. 이이가 제시한 수양론으로는 기질을 맑고 깨끗하게 바로잡아 도덕 본성으로서의 '이'를 실현할 것을 강조한 교기질이 가장 대표적이다. 이러한 기질을 바로잡기 위해서는 사사로운 욕망을 극복하는 극기(克己)의 자세가 필요하다. 또한 사욕을 제거하는 방법으로 경(敬)의 실천을 말하며, 이를 통해 궁극적으로는 성(誠)을 추구하였다.

**바로 알기** ⑤ 순자의 화성기위에 대한 내용이다.

### 06 이황과 이이의 사상 비교

갑은 이황, 을은 이이이다. 이황은 사단은 '이'가 발한 것, 칠정은 '기'가 발한 것으로, 사단과 칠정이 발하는 원천을 명확히 구분하였다. 반면 이이는 사단과 칠정이 부분과 전체의 관계임을 주장하며, 사단이 칠정 가운데 선한 부분을 가리킨다고 보았다. 이황과 이이는 모두 성리학의 기본 명제인 이기불상잡과 이기불상리를 긍정한다. 다만, 이황은 이기불상잡을, 이이는 이기불상리를 강조한다는 차이점이 있다.

**바로 알기** ① 이황은 이귀기천을 주장하며 '이'는 귀하고 '기'는 천하다고 보았다. ② 덕이 후천적으로 형성된다고 본 것은 정약용이다. ③ 이기호발은 이황의 입장이다. ④ 이이는 '기'의 발동만을 인정하였다.

### 07 정약용의 사상

제시된 글의 사상가는 정약용이다. 정약용은 인간에게 본성적으로

사덕이 주어진다는 기존의 성리학적 설명을 거부하였다. 그는 인간은 선을 기호하기 때문에 사단과 같은 도덕적인 마음을 가지며 이를 실천함으로써 후천적으로 인의예지라는 사덕을 갖출 수 있다고 보았다.

**바로 알기** ① 인간의 본성을 이치로 본 것은 성리학이다. ② 정약용은 인간이 육체적이고 감각적인 형구의 기호와, 선을 좋아하고 악을 미워하는 영지의 기호를 갖고 태어난다고 보았다. ③ 정약용은 인간의 욕구가 실천을 위한 원동력이라고 주장하였다. ④ 정약용은 인간의 마음이 미리 선악으로 결정되어 있다고 보지 않았으며, 자주지권에 따라 인간이 스스로 선악을 결정할 수 있다고 하였다.

## 08 선행에 대한 정약용의 평가

제시된 글의 사상가는 정약용이다. 정약용은 인간의 선행이 마음속의 선을 좋아하는 기호를 따른 행위라고 보았다. 때문에 〈사례〉 속의 이 씨의 선행 역시 마음의 경향성을 따른 행동이라고 평가할 것이다.

**바로 알기** ① 정약용은 인간의 선천적인 도덕성을 부정하였다. ② 정약용의 사상과 맞지 않으며, 신원을 밝히지 않았기에 이해타산적인 행위와는 거리가 멀다고 볼 수 있다. ③ 허심을 주장한 것은 도가이다. ④ 순자의 입장에서 내릴 수 있는 평가이다.

## 09 정약용의 사상

제시된 글의 사상가는 정약용이다. 정약용은 인간이 선을 좋아하고 악을 미워하는 경향성이 곧 본성이라는 성기호설을 제시하여 성을 '이'로 규정하는 성리학의 전제를 비판하였다. 또한 인간이 선과 악을 선택하여 행할 수 있는 까닭은 하늘로부터 자주지권을 부여받았기 때문이라고 보았다. 이를 바탕으로 덕이 일상생활에서의 실천을 통해 형성되는 것이라고 주장하였다.

**바로 알기** 첫 번째 관점. 정약용의 입장에서 욕구는 삶의 원동력이다. 세 번째 관점. 정약용은 인간이 동물과 마찬가지로 형구의 기호를 지닌다고 보았지만, 인간만이 지닌 도덕적 기호로 영지의 기호를 주장하였다.

## 10 이황, 이이, 정약용의 사상 비교

**자료 분석**

갑: 성(性)을 이(理)와 기(氣)로 나누어 말할 수 있다면, 정(情)에 해당하는 사단과 칠정 또한 이와 기에서 유래한 것으로 나누어 말할 수 있다.
└ 사단과 칠정의 근원이 다르다고 본 것은 이황이야.

을: 정에 대해 '사단이다, 칠정이다.'라고 말하는 것은 오직 이만을 말할 때와 기를 겸하여 말할 때가 같지 않기 때문이다. 사단은 칠정을 겸할 수 없으나 칠정은 사단을 겸할 수 있다.
└ 칠정이 사단을 포함한다고 본 것은 이이야.

병: 사단은 인의예지의 근본이므로 여기서부터 공부를 시작하여 확충해야 한다. 사단은 심(心)이라고 할 수 있지만 성(性), 이(理), 덕(德)이라고는 할 수 없다.
└ 사단은 사덕의 출발점이라는 단시설을 주장한 것은 정약용이야.

갑은 이황, 을은 이이, 병은 정약용이다. 이황은 사단과 칠정을 구분하여 사단의 순수성을 존중하였다. 반면 이이는 칠정의 선과 사단의 선을 같은 것으로 보고 칠정이 사단을 포함한다고 하였다. 한편 정약용은 사단은 선천적이지만 그것은 도덕적 행위를 위한 출발점이라고 보았으며, 사단을 실천하고 확충함으로써 사덕이 형성된다고 하였다.

**바로 알기** ① 사단은 순선한 도덕적 감정, 칠정은 선과 악이 혼재한 감정이다. ② 이황의 이기호발설에 대한 것이다. ③ 정약용은 지속적인 수양을 통해 사덕이 형성된다고 보았으며, 사단은 선천적이라고 보았다. ⑤ 이황과 이이는 사단을 사덕의 존재를 알게 해 주는 단서라고 하였지만, 정약용은 사단이 사덕을 형성하기 위한 시작이라고 보았다.

## 11 성리학과 정약용의 입장 비교

갑은 성리학, 을은 정약용의 입장이다. 성리학에서는 인간이 선한 본성을 타고나며, 선한 본성을 보존하기 위하여 지속적인 수양이 필요하다고 본다. 반면 정약용은 인간이 기호를 가지고 태어나며 사덕은 구체적인 실천을 통해 후천적으로 형성되는 것이라고 보았다.

**바로 알기** ①, ②, ⑤ 성리학의 입장이다. ③ 정약용에 따르면 사덕은 후천적으로 얻어진다.

## 12 이이와 정약용의 입장 비교

갑은 이이, 을은 정약용이다. 이이는 발하는 것은 오직 '기'이며, '이'는 발하는 근거일 뿐이라고 보았다. 또한 이이는 성리학자로서 '이'와 '기'의 조화를 강조하며, 인간을 포함한 만물의 본성을 탐구할 것을 강조하였다. 한편 정약용은 사단을 선의 출발점으로 인식하고 구체적인 실천을 통해 사덕이 형성된다고 보았다.

**바로 알기** ㄱ. 양명학의 입장이다. ㄹ. 정약용에 의하면 자주지권은 하늘로부터 부여받은 선천적인 것이다.

## 서술형 문제

051쪽

### 01 주제: 이황의 이기호발론

**예시 답안** 제시된 글의 사상가는 이황이다. 이황은 사단은 이(理)가 발하고 기(氣)가 따른 것이며, 칠정은 기(氣)가 발하고 이(理)가 탄[乘] 것이라는 이기호발론을 주장하였다.

**채점 기준**

| | |
|---|---|
| 상 | 이황의 이기호발론을 정확히 서술한 경우 |
| 중 | 사단과 칠정 중 한 가지만 서술한 경우 |
| 하 | 이황의 사상임을 알았으나, 이기호발론에 대해 서술하지 못한 경우 |

## 02 주제: 이이의 이기론

예시 답안 제시된 글의 사상가는 이이이며, 제시문의 물은 '이', 그릇은 '기'를 의미한다. 물은 어떤 그릇에도 담길 수 있지만, 그릇은 그 모양이 달라질 수 없다. 이를 통해 '이'는 보편적이고 '기'는 제한적임을 알 수 있다. 물이 담긴 그릇은 물이라는 '이'가 없으면 단순히 그릇에 불과하고, 그릇이라는 '기' 역시 물이 없다면 비어 있는 그릇이 될 뿐이다. 이처럼 '이'와 '기'는 상호 보완적인 관계이다.

채점 기준

| | |
|---|---|
| 상 | 제시된 글의 사상가가 이이임을 알고 이통기국과 이와 기의 상호 보완성을 모두 서술한 경우 |
| 하 | 제시된 글의 사상가가 이이임을 알았으나 이통기국과 이와 기의 상호 보완성 중 한 가지만 서술한 경우 |

## 03 주제: 정약용의 자주지권

예시 답안 제시된 글의 사상가는 정약용이다. 정약용은 인간이 선을 좋아하고 악을 미워하는 기호를 가지고 태어나, 선악을 선택하는 자주지권을 가지고 있다고 보았다. 이처럼 인간은 선을 행하고자 하면 선을, 악을 행하고자 하면 악을 행할 수 있는 자유의지를 가진 주체적이고 자율적 존재이다. 그러므로 어린아이가 우물에 빠졌을 때 어떻게 행동할지 등의 도덕 행위의 책임은 전적으로 자율적 존재인 인간 자신에게 있다.

채점 기준

| | |
|---|---|
| 상 | 제시된 글의 사상가가 정약용임을 알고 자주지권, 자율적 존재를 포함하여 구체적으로 서술한 경우 |
| 중 | 정약용의 자주지권과 자율적 존재의 개념을 도덕 행위에 대한 책임과 연결하지 않고 서술한 경우 |
| 하 | 도덕 행위에 대한 책임만을 서술한 경우 |

## STEP 3 1등급 정복하기

052~053쪽

1 ① 2 ② 3 ⑤ 4 ④

### 1 이황과 이이의 사상 비교

갑은 이이, 을은 이황의 입장이다. 이이는 사단과 칠정 모두 '기'가 발하고 '이'가 '기'를 탄 것이라고 하였으며, 칠정은 인간의 모든 감정을 지칭하는 것이므로 사단은 칠정에 포함된다고 하였다. 또한, 이이는 사단은 칠정의 선한 면만을 가리키는 별칭이라고 하였다. 반면 이황은 사단을 '이'가 발동하여 따른 것이며, 칠정을 '기'가 발하고 '이'가 위에 탄 것이라고 주장하여 사단과 칠정의 연원 자체가 서로 다르다고 주장하였다.

**바로 알기** ㄷ. 덕이 후천적으로 얻어진다고 본 것은 정약용이다. ㄹ. 이황과 이이 모두 '기'는 형체와 운동성이 있다고 보았다.

### 2 이황과 이이의 사단 칠정론

갑은 이황, 을은 이이이다. 이황은 사단은 '이'가 발한 것, 칠정은 '기'가 발한 것으로, '이'가 발한 감정인 사단은 본연지성이 발한 것이고 '기'가 발한 감정인 칠정은 기질지성이 발한 것이라고 보았다. 반면 이이는 사단과 칠정은 모두 기질지성이 발한 감정이며 본연지성은 '기'를 배제하고 순수하게 '이'만을 강조한 것으로 이론적으로만 가능할 뿐 현실적으로는 기질지성만 존재한다고 보았다.

**바로 알기** ㄴ. 이황은 사단과 칠정의 연원을 각각 '이'와 '기'로 명확히 구분해야 한다고 보았다. ㄹ. 이이는 사단과 칠정 모두 '기'가 발한 것이라고 주장하였다. 또한 기질을 바로잡음으로써 인욕을 제거할 수 있다고 보았다.

### 3 순자와 정약용의 사상

갑은 순자, 을은 정약용이다. 순자는 인간의 본성이 악하기에 예를 통해 본성을 교화하여 도덕성을 실현해야 한다고 보았다. 정약용은 인간의 본성이 선을 좋아하고 악을 미워하는 기호라고 보았다. 정약용은 인간이 선하고자 하면 선할 수 있고 악하고자 하면 악할 수 있는 자유의지 즉 자주지권을 부여받은 존재이며, 인간은 선악의 기호 중 선한 것을 선택하고 실천할 때 도덕적일 수 있다고 보았다.

**바로 알기** ① 성리학의 입장으로 순자와 정약용 모두 '아니요'라고 대답할 질문이다. ② 순자의 입장으로 정약용은 본성을 기호로 보았기에 '아니요'라고 대답할 질문으로 B에 해당한다. ③ 정약용만의 입장이다. B에는 순자는 '예', 정약용은 '아니요'로 대답할 질문이 들어가야 한다. ④ 순자와 정약용의 공통점으로 A에 해당하는 질문이다.

### 4 정약용과 이이의 사상

자료분석

갑: 어린아이가 우물에 빠지려고 할 때 측은히 여기면서도 구하지 않는다면 그 마음의 근원을 인(仁)이라 할 수 없다. 한 그릇의 밥을 발로 차면서 줄 때 수치심을 가지면서도 버리지 않는다면 의(義)라 할 수 없다. 정약용은 마음이 있더라도 실천하지 않으면 사덕이 형성되지 않다고 보았어.

을: 어린아이가 우물에 빠지는 것을 본 뒤에야 측은한 마음이 나오게 된다. 이것을 보고서 측은해 하는 것은 기(氣)이니 이것이 이른바 기가 발한다[發]는 것이요, 측은한 마음의 근본은 인(仁)이니 이것이 이른바 이(理)가 탄다[乘]는 것이다.
└ 기발이승일도설 → 이이

갑은 정약용, 을은 이이이다. 정약용은 마음이 있더라도 실천하지 않는다면 사덕이 형성되지 않는다는 사덕의 후천성을 강조하였다. 또한 인간의 욕구를 삶의 원동력으로 보아 긍정하였다. 반면 이이는 사단과 칠정 모두 '기'가 발한 것이라고 보았으며, 사단은 칠정 중 선한 부분에 이름을 붙인 것뿐이라고 주장하였다.

**바로 알기** ㄷ. 정약용의 단시설에 대한 설명이다. 이이는 주희와 마찬가지로 사단을 사덕의 실마리로 보는 단서설을 주장하였다.

# 04 자비의 윤리

## STEP 1 핵심 개념 확인하기

058쪽

1 연기설 2 (1) – ㉡ (2) – ㉢ (3) – ㉠ 3 (1) 소승 불교 (2) 보살 (3) 공 사상 4 일체유심조 5 ㄱ, ㄴ, ㄷ, ㄹ

## STEP 2 내신 만점 공략하기

058～061쪽

01 ② 02 ① 03 ② 04 ① 05 ② 06 ④ 07 ②
08 ④ 09 ② 10 ③ 11 ④ 12 ②

### 01 불교의 삼학

제시된 글은 불교의 수행 방법인 삼학(三學)에 대한 내용이다. 삼학은 깨달음에 이르고자 수행하는 사람이 반드시 닦아야 하는 실천 항목으로 석가모니가 제시한 것으로 계(戒), 정(定), 혜(慧)로 이루어져 있다. 삼학은 불교 수행의 모든 면을 포괄한다고도 볼 수 있다.

**바로 알기** ② 양극단에서 벗어나야 하는 것은 맞지만, 깨달음을 얻기 위해서는 무명에서 벗어나야 한다.

### 02 불교의 사성제

제시된 글은 연기의 진리를 체계화한 사성제에 대한 것으로 A는 집성제, B는 멸성제이다. 사성제는 네 가지 성스러운 진리를 의미하며, 현실 세계의 괴로움인 고성제, 괴로움의 원인인 집성제, 괴로움을 벗어난 결과인 멸성제, 괴로움을 벗어나는 방법인 도성제로 이루어져 있다.

**바로 알기** ②, ③ 고성제에 대한 내용이다. ④, ⑤ 도성제에 대한 설명이다.

**완자 정리 노트** 연기설과 사성제

| | | | |
|---|---|---|---|
| 연기설 | 원인 | → | 결과 |
| 사성제 | 집제 | → | 고제 |
| | 도제 | → | 멸제 |

### 03 불교의 연기설

제시된 글은 불교의 연기설로 우주 만물의 존재와 현상에 관하여 설명한 불교의 근본적인 사상이다. 연기란 인연생기의 줄임말로 모든 것은 직접적인 원인과 간접적인 조건이 결합하여 발생한다는 뜻이다. 이에 따르면 만물의 존재와 현상은 원인과 결과의 관계를 맺고 있어 모든 것은 상호 의존적 관계로 이루어져 있다.

**바로 알기** ㄴ. 불교는 모든 것이 상호 의존적이며 필연적이라고 보았다. ㄷ. 운명론(숙명론)의 입장으로 불교의 사상과는 다르다.

### 04 불교의 중도 사상

제시된 글은 불교의 중도 사상에 대한 것이다. 석가모니는 쾌락과 고통이라는 양극단을 벗어나 중도를 따를 때 심신의 조화와 깨달음을 얻는다고 강조하였다.

**바로 알기** ㄷ. 모든 것은 연기에 의해 존재하므로 고정불변하는 독자적인 성질은 존재하지 않는다. ㄹ. 석가모니는 중도를 강조하며, 쾌락과 고통이라는 양극단을 벗어나야 한다고 보았다.

### 05 대승 불교의 사상적 특징

㉠에 들어갈 내용은 '대승 불교'이다. 대승 불교는 부파 불교가 대중에게는 어려운 불교라는 점을 비판하며, 중생과 함께하는 대중적인 측면을 제시한다. 또한 자신의 깨달음과 중생의 구제를 모두 강조하는 보살이 되기 위한 육바라밀의 실천을 강조한다.

**바로 알기** ㄴ, ㄹ. 엄격한 종교성과 아라한을 추구하는 것은 부파 불교이다.

**완자 정리 노트** 부파 불교와 대승 불교

| | |
|---|---|
| 부파 불교 | • 개인의 해탈 강조 → 사회와 분리된 엄격한 종교성 추구<br>• 출가 수행자가 아니고서는 성취하기 어렵다는 비판을 받음<br>• 이상적 인간상: 아라한 |
| 대승 불교 | • 중생과 함께하는 것을 강조 → 자신과 타인의 깨달음 모두 중시<br>• 고정불변의 실체가 없다고 보는 공 사상을 강조함<br>• 이상적 인간상: 보살 |

### 06 부파 불교의 사상적 특징

부파 불교는 개인의 해탈을 중시하였으며 수행자가 자신의 내면에 몰입하여 사회와 분리된 엄격한 종교성을 추구할 것을 강조하였다. 부파 불교는 교리를 강조하여 불교의 이론을 체계화하였다는 평가도 받지만, 출가 수행자가 아니고서는 성취하기 어렵다는 비판을 받기도 하였다.

**바로 알기** 을, 무. 대승 불교에 대한 설명이다.

### 07 유식 사상

제시된 글은 유식 사상에 대한 내용이다. 유식이란 모든 현상은 오직 마음의 작용으로만 존재하고, 마음을 떠나서는 존재할 수 없다는 뜻이다. 유식 사상에서는 자기중심적으로 세상을 바라보는 그릇된 마음에서 괴로움이 생겨난다고 보고 이러한 집착을 버리면 모든 진리를 관찰할 수 있는 지혜를 얻게 된다고 본다.

**바로 알기** ② 유식 사상은 모든 것은 허상이며, 마음을 떠나서는 객관적인 현상이 없다고 강조한다.

**완자 정리 노트** 중관 사상과 유식 사상

| 중관 사상 | 유식 사상 |
|---|---|
| 모든 것은 고정불변의 실체가 아니라, 인연에 따라 임시로 존재함 | 모든 것은 마음이 만든 허상이지만, 진리를 깨닫는 마음은 존재함 |
| 연기설, 공 사상 | |

## 08 중관 사상과 유식 사상

갑은 유식 사상, 을은 중관 사상이다. 중관 사상은 모든 존재를 실체가 없는 공(空)으로 보고, 모든 것에는 자성이 없다고 주장한다. 반면 유식 사상은 자성을 부정하면서도 마음의 작용인 식(識)의 존재는 인정한다.

**바로 알기** ① 양지는 양명학에서 주장한 내용으로 유식 사상과 중관 사상 모두 부정할 질문이다. ② 유식 사상과 중관 사상은 모두 대승 불교의 기본 논리를 수용하고 있기 때문에 모두 부정할 질문이다. ③ 유식 사상과 중관 사상 모두 연기의 법칙을 인정하므로 모두 긍정할 질문이다. ⑤ 유식 사상의 수행법에 대한 내용으로 유식 사상이 긍정할 질문이다.

## 09 교종의 특징

(가)는 천태종, (나)는 화엄종에 대한 설명이다. 천태종과 화엄종 모두 교종의 종파이며 교종은 경전의 해석과 계율의 실천을 강조한다.

**바로 알기** ㄴ. 선종에서 주장하는 이심전심에 관한 설명이다. ㄷ. 정토종의 입장이다.

**완자 정리 노트** 교종과 선종

| 교종(이론 중심) | 선종(실천 중심) |
|---|---|
| ↓ | ↓ |
| 경전의 이해(불경, 설법) | 본성의 직관(참선, 명상) |

## 10 교종과 선종

**자료 분석**

갑: 경전에서 말하는 진리 외에 다시 무슨 진리가 있는가? 경전에서 훌륭한 보살이 보여 준 수행 외에 다시 무슨 가르침이 있는가? 만약 당신이 주장하는 대로 경전 속 가르침이 무의미하다면 누가 보살의 길을 따라 수행하며 부처가 되려 하겠는가?
(경전에 나타난 가르침을 통해 불성을 깨우쳐 깨달음에 이를 수 있다는 교종의 입장)

을: 훌륭한 스승의 가르침 속 핵심은 자기 마음의 참된 본성을 정확히 지적하여 보여주는 것이다. 따라서 경전의 가르침 외에도 참된 본성의 깨달음에 훌륭한 스승의 가르침이 별도로 전해 내려오는 것이다.
(선종의 가르침 중 하나인 교외별전)
(타고난 불성을 깨달을 것을 강조한 선종의 입장)

갑은 교종, 을은 선종의 입장이다. 교종은 대체로 경전의 가르침을 통해서만 부처의 가르침을 올바르게 이해할 수 있다고 본다. 반면 선종은 선정을 통해 사물의 본성을 직관하고 그 속에서 진리를 깨닫고자 한다.

**바로 알기** ㄱ. 불성을 직관해야 함을 강조한 것은 선종의 입장이다. ㄹ. 계율을 중시한 것은 교종의 입장이다.

## 11 선종의 사상적 특징

제시된 글은 선종 사상가인 혜능의 입장이다. 선종은 일상의 마음이 곧 부처의 마음이라고 보고 그 속에서 진리를 깨닫고자 한다. 문자에 구애받지 않고 경전의 가르침과 달리 따로 전해지고, 직접 사람의 마음을 가리키며, 본성을 직관하여 성불한다는 것이 선종의 핵심 사상이다.

**바로 알기** ㄹ. 경전을 중시한 것은 교종의 입장이다.

**완자 정리 노트** 선종의 진리

| | |
|---|---|
| 이심전심 | 진리는 마음에서 마음으로 전하는 것 |
| 불립문자 | 말이나 문자에 집착하지 않는 것 |
| 교외별전 | 경전과는 별도로 전하여 가르치는 것 |
| 직지인심 | 자신의 마음을 직접 바라보는 것 |
| 견성성불 | 마음속의 불성을 깨달으면 누구나 부처가 될 수 있다는 것 |

## 12 불교 사상의 의의

제시된 글은 연기설에 대한 내용이다. 불교에서는 모든 존재가 하나로 연결되어 있다는 연기설의 관점에서 세계를 바라보기 때문에 모든 존재를 구별하거나 차별하지 않고 평등하게 사랑한다. 또한 고통에 빠진 모든 존재에 대해 자비의 마음으로 연민을 가진다.

**바로 알기** ② 불교는 만물이 상호 연결된 상호 보완적 관계라고 본다.

## 서술형 문제

061쪽

## 01 주제: 연기와 자비의 관계

예시 답안 불교는 모든 존재가 하나로 연결되어 있으며, 하나의 존재가 다른 존재의 원인이 되므로 인간만이 아니라 모든 생명체가 서로 연결되어 있다고 본다. 우리는 다른 사람과 인과 관계로 맺어져 있기에 내가 소중한 만큼 남도 소중하다는 사실을 알게 된다. 그래서 남의 기쁨과 슬픔을 같이 느끼게 되는데 여기에서 자비의 마음이 나타난다. 즉, 자비의 마음은 타율적으로 강요되는 것이 아니라, 연기에 대한 자각을 통하여 자연적으로 생겨나는 것이다.

채점 기준

| | |
|---|---|
| 상 | 연기의 성격을 밝히며, 자비와의 연결성을 서술한 경우 |
| 하 | 자비와 연기의 개념만을 단순히 서술한 경우 |

## 02 주제: 중관 사상과 유식 사상의 공통점과 차이점

(1) (가) – 중관 사상 (나) – 유식 사상

(2) 예시 답안 중관 사상과 유식 사상은 모두 연기설에 바탕을 둔 대승 불교로서, 공 사상을 강조하며 만물의 자성이 존재하지 않는다고 본다는 공통점이 있다. 하지만, 마음의 작용인 식(識)의 존재에 대한 견해에서 차이점이 나타난다. 중관 사상은 모든 것이 고정불변의 실체로 존재하는 것이 아니고 인연에 따라 임시로 존재하

는 것이라고 여겨 식(識)의 존재를 말하지 않지만, 유식 사상은 자성은 존재하지 않지만, 진리를 깨닫는 마음만은 존재한다고 보아 식(識)의 존재를 인정한다.

채점 기준

| | |
|---|---|
| 상 | 중관 사상과 유식 사상의 공통점과 차이점을 명확히 서술한 경우 |
| 하 | 중관 사상과 유식 사상의 공통점과 차이점 중 한 가지만 서술한 경우 |

## STEP 3 1등급 정복하기

062~063쪽

1 ③ 2 ① 3 ⑤ 4 ④

### 1 석가모니의 가르침

제시된 글은 불교의 삼학(三學)에 대한 설명이다. 삼학은 석가모니가 자신의 깨달음을 바탕으로 중생이 고통에서 벗어나 해탈의 길에 들어설 수 있도록 베푼 가르침으로 계, 정, 혜가 있다.

**바로 알기** ㄱ. 불교에서는 불변의 실체는 존재하지 않는다고 본다. ㄹ. 불성은 선천적 본성이며 궁극적 목표는 불성의 변화가 아닌 실현이다.

### 2 불교 사상의 특징

(가)는 불교, (나)의 가로 열쇠 A는 '무위', B는 '물아', 세로 열쇠 A는 '무아'이다. 불교는 만물이 오온이 잠시 결합하여 이루어져 있는 것일 뿐이라고 보았다. 모든 존재는 임시적이며, 나의 존재 역시 독립적인 실체가 아니라 무수한 인연 관계에 의해 상호 의존하며 임시적으로 존재하는 것이다.

**바로 알기** ② 업에 대한 내용이다. ③ 윤회에 관한 내용이다. ④ 사성제를 뜻한다. ⑤ 애욕에 대한 내용이다.

### 3 중관 사상과 유식 사상

갑은 중관 사상, 을은 유식 사상의 입장이다. 중관 사상은 모든 존재가 연기에 의해 상호 의존적이며, 고정불변의 실체가 존재하지 않는다는 공 사상에 근거하여 중도의 실천을 강조한다. 유식 사상은 구체적인 사물의 실체는 부정하지만, 마음의 작용은 인정하여 마음에 대한 논의와 수행을 중시한다.

**바로 알기** ⑤ 갑, 을 모두 영원불변의 실체는 존재하지 않는다고 본다.

### 4 선종의 수양 방법

제시된 글은 선종의 관점이다. 선종에서는 부처의 마음에 주목하여 자신의 본성인 불성을 깨닫기만 하면 누구나 부처가 될 수 있다고 본다. 이와 관련한 수양 방법으로는 이심전심, 불립문자, 교외별전, 직지인심, 견성성불이 있다.

**바로 알기** ④ 경전을 통해 깨달음을 얻어야 한다고 본 것은 교종이다.

# 05 분쟁과 화합

## STEP 1 핵심 개념 확인하기

068쪽

1 화쟁 2 (1) × (2) ○ (3) ○ 3 (1) ㄴ (2) ㄱ (3) ㄷ 4 (1) – ㉠ (2) – ㉢ (3) – ㉡ 5 ㄱ, ㄴ, ㄷ

## STEP 2 내신 만점 공략하기

068~070쪽

01 ⑤ 02 ② 03 ① 04 ③ 05 ① 06 ④ 07 ④ 08 ①

### 01 원효의 사상적 특징

원효는 상대적인 구분을 벗어난 절대적인 '어떤 것'인 일심을 추구하였다. 원효는 서로 다른 이론이 일심을 바탕으로 하나의 진리를 다른 시각에서 본 것이라고 하였다.

**바로 알기** ⑤ 불교는 모든 사람이 수행을 통해 스스로의 힘으로 부처가 되고자 하는 종교로 절대자와의 합일은 관련이 없는 내용이다.

**완자 정리 노트** 원효의 일심 사상

| 일심이문(一心二門) | |
|---|---|
| 진여(眞如) | 청정한 본래의 마음 |
| 생멸(生滅) | 선악이 뒤섞여 있는 현실의 마음 |

- 중생의 무지로 말미암아 본래의 마음이 현실의 마음으로 바뀌더라도 둘은 근원에서 하나임
- 부처와 중생은 근본적으로 둘이 아님

### 02 원효의 무애행

제시된 글의 사상가는 원효이다. 원효는 팔만의 법문이 모두 이치에 들어가듯이, 원융 회통의 논리에 따라 각 종파 간의 이치는 각각 별개의 것이 아니며 여러 종파 간의 논쟁은 조화 가능하다고 보았다.

**바로 알기** ① 불교에서는 고정불변의 나에 대한 집착을 버릴 것을 강조한다. ③ 원효는 세속과 벗어난 출가적인 수행이 아니라 형식에 구속되지 않는 무애행으로 불교의 대중화를 강조하였다. ④ 공자의 극기복례에 해당한다. ⑤ 겸허, 부쟁의 덕을 물로 비유한 상선약수는 도가의 개념이다.

### 03 의천의 교관겸수

제시된 글의 사상가는 의천이다. 의천은 교관겸수를 통해 교종이 중시하는 경전 공부인 교와 선종의 수행 방법인 관을 병행할 것을 강조하였다. 또한 선종과 교종의 대립을 교종의 입장에서 선종을 통합하는 것으로 해결해야 한다고 주장하였다.

**바로 알기** ㄷ. 의천은 차별과 대립을 강조하지 않았다. ㄹ. 의천은 원효의

화쟁 사상을 바탕으로 좌선과 지관 수행을 중시하는 천태종의 교리가 포괄적이고 선종과도 통할 수 있다고 보았다.

## 04 지눌의 사상적 특징

제시된 글의 사상가는 지눌이다. 지눌은 마음을 고요한 경지에 이르도록 하는 선정과 사물의 실상을 파악하는 지혜를 함께 닦는 수행법인 정혜쌍수를 강조하였다. 이때 '정'은 마음의 본체를, '혜'는 마음의 인식 작용을 가리킨다.

**바로 알기** ① 지눌은 선종을 중심으로 교종을 통합하였다. ② 원융 회통과 화쟁을 강조한 사상가는 원효이다. ④ 지눌은 선은 부처의 마음이며, 교는 부처의 말씀으로 선종과 교종에서 말하는 궁극의 진리는 같다고 보았다. ⑤ 지눌은 실천과 이론을 병행할 것을 강조하였다.

**완자 정리 노트** 지눌의 사상적 특징

| | |
|---|---|
| 돈오점수 | 단번에 진리를 깨우친 뒤 습기를 차차 제거해야 함 |
| 정혜쌍수 | 선정과 지혜를 같이 수행해야 함 |
| 교외별전 | 부처의 가르침은 말이나 글에 의지하지 않아야 함 → 말이나 글 외에 별도로 전해지는 가르침이 있음 |
| 조화 정신 | 선종을 중심으로 교종과의 조화 추구 |

## 05 지눌의 돈오점수

제시된 글의 사상가는 지눌이다. 지눌은 불성을 자각한 후에도 점진적인 닦음의 과정을 강조하는 돈오점수를 주장하였다. 돈오점수는 내가 곧 부처라는 사실을 한꺼번에 문득 깨달은 후, 끊임없는 점수의 과정을 거치는 것이다.

**바로 알기** 두 번째 관점. 원융 회통과 화쟁 사상, 무애행을 추구한 사상가는 원효이다. 네 번째 관점. 지눌은 점수 후의 돈오가 아니라 돈오 이후의 점수를 주장하였다.

## 06 의천과 지눌의 사상 비교

갑은 교관겸수를 강조한 의천, 을은 정혜쌍수를 강조한 지눌이다. 지눌은 '우리가 본래 완성된 부처라는 것을 단박에 깨칠 수 있는가?'라는 질문에 문득 부처라는 사실을 깨닫는 돈오를 강조하여 긍정의 대답을 할 것이다.

**바로 알기** ① 의천과 지눌은 둘 다 선종의 수행법을 그대로 따르기보다 선종과 교종의 조화를 추구하며 경전 공부와 직관 수행을 함께 강조하였다. ② 불교는 고정된 실체란 존재하지 않으며 시공간은 끊임없이 변화한다고 본다. ③ 무위를 강조한 것은 도가이다. ⑤ 의천과 지눌 모두 경전과 직관 수행을 강조한다.

**완자 정리 노트** 의천과 지눌의 사상 비교

| 구분 | 의천 | 지눌 |
|---|---|---|
| 선교 통합 | 교종을 중심으로 선종을 통합 | 선종을 중심으로 교종을 통합 |
| 수행 방법 | 교관겸수, 내외겸전 | 돈오점수, 정혜쌍수 |
| 공통점 | 화해와 통합을 강조하며 선종과 교종의 대립을 해결하고자 함 | |

## 07 의천과 지눌의 사상 비교

갑은 의천, 을은 지눌이다. 의천은 교관겸수를 통해 교와 선을 병행할 것을 강조하였으며, 교종의 입장에서 선교 통합을 주장하였다. 한편 지눌은 돈오 이후에도 지속적인 수행을 중시하였다. 그는 돈오하였다고 하더라도 오랜 습관과 버릇으로 더럽혀진 나쁜 습성을 한꺼번에 없애기는 힘들기에 점진적으로 수행할 것을 강조하였다.

**바로 알기** ① 의천과 지눌 모두 선종과 교종의 화해를 추구하였다. ② 불교는 고정불변의 실체는 없다고 본다. ③ 교관겸수는 지눌이 아닌 의천이 강조한 수양 방법이다. ⑤ 무명은 참된 실상을 파악하지 못하는 상태로, 지눌은 잘못된 습관은 점수를 통해 제거할 수 있다고 보았다.

## 08 한국 불교의 특징

제시된 글은 원효의 『십문화쟁론』에 담긴 화쟁에 대한 내용이다. 원효의 일심 사상은 모든 이론은 하나인 마음의 진리를 다른 시각에서 본 것일 뿐이라는 진리를 담고 있다. 따라서 다툼에서 벗어나 조화와 통합을 강조하여 다른 종파의 가르침을 포용하고자 노력하는 한국 불교의 특징이 잘 드러나 있다.

**바로 알기** ②, ③, ④, ⑤ 제시된 글과는 관련이 없는 내용이다.

**완자 정리 노트** 한국 불교의 조화 정신

| 원효 | |
|---|---|
| 일심 사상, 화쟁 사상, 원융 회통 | |
| ⬇ | |
| 의천 | 지눌 |
| • 교종을 중심으로 선교 통합 추구<br>• 내외겸전, 교관겸수 | • 선종을 중심으로 선교 통합 추구<br>• 돈오점수, 정혜쌍수 |

## 서술형 문제

070쪽

## 01 주제: 원효의 사상적 특징

**예시 답안** 제시된 글의 사상가는 원효이다. 원효가 주장하는 일심에 따르면 모든 중생은 부처와 같은 마음을 지니고 있다. 또한 일심은 서로 다른 것이 사실은 하나이며 단지 다른 시각에서 보았을 뿐이라고 보았다. 이를 통해 서로 다른 인종 역시 결국은 같은 인간이라는 시각에서 바라보고 더 높은 차원에서 갈등을 통합해야 한다는 해결 방안을 깨달을 수 있다.

**채점 기준**

| | |
|---|---|
| 상 | 원효의 사상을 바탕으로 인종 차별 문제를 해소하고 통합할 것을 명확히 서술한 경우 |
| 중 | 원효의 사상을 서술했으나 인종 차별과 연결하지 못한 경우 |
| 하 | 원효의 사상 중 일부만 서술하고, 인종 차별 문제와 연결하지 못한 경우 |

## 02 주제: 지눌과 의천의 수행 방법

예시 답안 (가)는 지눌, (나)는 의천이다. 지눌은 돈오점수와 정혜쌍수를 통해 선종을 중심으로 교종을 통합하려 한 반면, 의천은 교관겸수와 내외겸전을 통해 경전의 가르침과 마음 수양을 강조하며, 교종을 중심으로 선종과의 조화를 추구하였다.

채점 기준

| | |
|---|---|
| 상 | 돈오점수, 정혜쌍수, 교관겸수, 내외겸전을 포함하여 교종과 선종의 차이점을 명확하게 서술한 경우 |
| 중 | 수행 방법만을 나열하여 선교 통합 방식에서의 차이점이 드러나지 않게 서술한 경우 |
| 하 | 지눌과 의천 중 한 사상만 서술한 경우 |

### STEP 3 1등급 정복하기 071쪽

1 ①　2 ④

### 1 원효의 일심이문

제시된 글의 사상가는 원효이다. 일심은 종파 사이의 다툼을 화해시키고자 하는 화쟁의 근거로서, 청정한 본래의 마음인 진여와 선악이 뒤섞여 있는 현실의 마음인 생멸문의 두 가지 문이 있지만 이는 서로 별개의 것이 아니다.

**바로 알기** ㄷ. 생멸문은 중생이 본래 갖추고 있는 청정한 성품이 분별과 대립을 일으키는 방면을 뜻한다. ㄹ. 일심은 일체의 대립을 초월하여, 진여문과 생멸문 모두 일심인 하나의 마음으로 통합된다.

### 2 지눌과 의천의 비교

갑은 지눌, 을은 의천이다. 지눌은 돈오점수와 정혜쌍수를 주장하였으며, 의천은 교관겸수와 내외겸전을 주장하였다. 의천과 지눌 모두 불교 종파 간의 조화를 추구하였다는 공통점이 있다.

**바로 알기** ① 원융회통과 화쟁 사상을 주장한 것은 원효이다. ② 돈오점수와 정혜쌍수로 수행할 것을 강조한 것은 지눌로 A에 해당한다. ③ 의천과 지눌은 공통적으로 교종과 선종이 대립했던 시대에 불교 종파 간 조화를 추구하였으므로 B에 해당한다. ⑤ 불교는 고정불변의 자아에 집착하지 말아야 한다고 주장한다.

# 06 무위자연의 윤리

### STEP 1 핵심 개념 확인하기 076쪽

1 무위　2 (1) × (2) ○ (3) ○　3 (1) ㄷ (2) ㄴ (3) ㄱ　4 (1) – ㉢ (2) – ㉠ (3) – ㉡

### STEP 2 내신 만점 공략하기 076～079쪽

01 ④　02 ①　03 ②　04 ④　05 ①　06 ③　07 ②
08 ④　09 ①　10 ③　11 ③　12 ⑤

### 01 노자의 '도'

제시된 글의 사상가는 노자이다. 노자는 '도'를 우주 만물의 근원이자 변화 법칙으로 보고, '도'를 통해 이 세계를 설명하려 하였다.

**바로 알기** ① '도'는 현묘하고 포괄적이어서 인간의 언어로 표현할 수 없다. ② '도'는 인격적 존재가 아니라 무위(無爲)의 특징을 갖는다. ③ 노자는 세상이 혼란한 원인을 '인'과 같은 인위적인 도덕규범으로 보았다. ⑤ '도'는 삶을 초월해 있는 것으로 감각적 경험을 통해 알 수 없다.

**완자 정리 노트** 유·불·도의 도(道)

| | |
|---|---|
| 유교 | • 인간이 마땅히 따라야 할 당위 법칙<br>• 주로 도덕적인 측면과 관련이 있음 |
| 불교 | 깨달음이나 깨달음을 위한 수행 방법을 의미함 |
| 도가 | • 우주 만물의 근원 → 절대적이고 형이상학적인 것<br>• 감각 경험을 넘어서서 언어로 표현할 수 없음 |

### 02 노자의 윤리 사상

제시된 글의 사상가는 노자이다. 노자는 무위자연을 따르는 삶을 이상적인 삶의 태도로 보고, 이를 영위하기 위해 소국과민 사회를 주장하였다.

**바로 알기** ② 노자는 일체의 인위를 거부하며, 계율 역시 긍정하지 않는다. ③, ④ 노자는 소박하고 자족적이며, 문명과 거리가 먼 사회를 추구하였다. ⑤ 맹자의 항산과 항심의 대한 내용으로 노자의 사상과는 관련이 없다.

### 03 노자의 무위의 정치

제시된 글의 사상가는 노자이다. 노자는 성인의 정치가 궁극적으로 백성들의 무지와 무욕을 지향하는 정치라고 하였다. 무위의 다스림은 다스림이 없는 다스림으로 이를 통해 백성들의 평화로운 삶이 실현될 수 있다.

**바로 알기** ㄴ. 노자는 사회 혼란의 원인이 각종 인위적인 도덕규범에 따른 유위(有爲)라 보고, 자연의 질서에 따르는 무위(無爲)의 정치를 주장하였다. ㄹ. 노자는 인위적인 분별의 지혜를 버리고 무욕, 무지의 정치를 강조하였다.

## 04 노자 사상의 사례 적용

제시된 글의 사상가는 노자이다. 문제 상황 속 A는 친구들의 의견은 듣지 않고 자신의 의견만을 내세워 학급을 이끌고 있다. 도가의 관점에서는 이러한 A에게 본인의 위치만을 내세우는 것이 아니라 상선약수의 가르침에 따라 낮은 곳에 처하는 겸허의 덕을 강조할 수 있다.

**바로 알기** ① 인, 의, 예, 지의 사덕을 강조하는 것은 유교이다. ② 순자가 주장하는 화성기위이다. ③ 극기복례를 강조하는 것은 유교이다. ⑤ 도가에서는 도덕규범을 인위라고 보고, 이는 사회가 혼란하여 생긴 것에 불과하다고 하였다.

## 05 장자의 삶의 태도

제시된 글의 사상가는 장자이다. 장자는 세속적인 차별 의식에서 벗어나 '도'의 경지에서 모든 것을 한결같이 보는 제물(濟物)을 강조하였다. 제물의 관점에서 보면 선악, 미추, 빈부는 모두 상대적인 것이며 모든 사물에 대한 차별이 사라진다.

**바로 알기** ② 장자는 도의 관점에서 만물을 하나로 보기 때문에 사물을 이성적으로 분별하는 것에 대해 반대한다. ③, ④ 장자는 불변적 자아, 사유 능력에 얽매이지 않아야 한다고 보았다. ⑤ 군자는 유교의 이상적 인간상의 모습이다.

## 06 장자의 좌망과 심재

제시된 글은 도가의 이상적 인간에 관한 내용이며, 대화 속 스승은 장자이다. 장자는 이상적 인간에 도달하기 위한 수양 방법으로 좌망과 심재를 제시하였다. 좌망은 조용히 앉아서 현재의 세계를 잊고 무아(無我)의 경지에 들어가는 것이고, 심재는 잡념을 없애고 마음을 통일하여 깨끗이 하는 것이다. 제시된 글의 제자는 좌망을 실천하였기에 장자는 심재에 대해 이야기할 것이다.

**바로 알기** ①, ②, ④ 장자는 경전 읽기나 우리를 구속하는 것에서 나와 무아의 경지로 들어가야 한다고 보았다. ⑤ 장자는 인간의 자기중심적 편견에서 비롯된 분별은 상대적인 것이라고 보았다.

## 07 장자의 제물

제시된 글은 『장자』의 제물론에 실린 '조삼모사'이다. 장자는 만물이 평등하다는 이치를 모르고 눈앞의 현상만 보아 자신의 생각만이 옳다고 주장하는 어리석음을 원숭이에 비유하여 설명하였다.

**바로 알기** ㄴ. '도'에 따라 지식으로 쌓은 주관적 편견을 버리고 무위자연의 삶을 살아야 한다. ㄷ. 분별적 가치는 인간의 그릇된 인식과 가치관으로 사회적 혼란을 야기하며, 만물은 상대적인 가치만을 지닌다.

## 08 장자의 관점

제시된 글의 사상가는 장자이다. 장자는 도의 관점에서 보면 모든 것이 도의 작용이거나 도 그 자체이므로 세상 만물은 모두 평등하다고 보았다. 또한 세상의 모든 것은 변화하고 상대적이므로 절대적인 시비의 기준을 근거로 자신의 견해만을 주장하는 것은 옳지 않다고 주장하였다.

**바로 알기** 두 번째 관점. 만물을 평등한 관점에서 '제물'의 시각으로 바라보아야 한다. 세 번째 관점. 장자는 감각과 마음을 통해서는 참된 지식을 얻을 수 없다고 보았으며, 도(道)의 관점에서 만물의 상대적 가치를 인식할 것을 강조하였다.

## 09 장자의 사물 인식

제시된 글의 갑은 장자이다. 장자는 시비 논쟁의 원인이 참된 '도'의 관점을 가지지 못했기 때문이라고 보았다. '도'의 관점에서 보면 시비의 경계가 없어진다. 장자는 분별적이고 차별적인 지식을 부정하였는데, 자연의 전체적 질서가 도이기에 진정한 도를 깨닫기 위해서는 분별적이고 차별적인 지혜를 잊어야하기 때문이다.

**바로 알기** ②, ③, ④, ⑤ 장자는 시비선악과 자기중심적 관점에서 비롯한 편견과 선입견을 버리고 도의 관점에서 모든 것이 변화하고 상대적이라는 사실을 깨달아야 한다고 주장하였다.

## 10 도교 사상과 한국 고유 사상의 융합

제시된 글은 최치원의 풍류 사상이다. 최치원의 「난랑비서문」에 나타난 풍류 사상은 유교, 불교, 도교의 조화를 바탕으로 삼교의 가르침을 포함하고 있다.

**바로 알기** ㄱ. 한국 고유 사상은 외래 종교나 사상에 대해 열린 자세를 가지고 있다. ㄹ. 현학에 관한 내용으로 풍류도의 조화 정신과 관련이 없다.

## 11 도교의 특징과 의의

조선 시대의 도가·도교는 유학이 통치 이념으로 중시됨에 따라 쇠퇴하였지만, 일부 학자들이 노장사상으로 학문적으로 연구하기도 하였고, 양생 수련과 같은 수련 도교를 행하기도 하였다. 이는 의학 서적의 저술과 생명 존중 의식을 함양하는 데 영향을 주었다. 조선 후기에는 실천 가능한 규율을 담은 권선서가 크게 유행하였다. 조선 말기의 도교 사상은 민중 종교에 수용되었으며, 동학과 증산교, 원불교와 같은 신흥 종교의 형성에 큰 영향을 주었다.

**바로 알기** ①, ②, ④ 도가·도교 사상은 구체적인 대안을 제시하지 않았으며, 국가의 통치 이념이나 학문으로서의 독자적 영역을 확보하지는 못하였다. ⑤ 성리학을 비판하고 실생활적인 학문을 추구한 것은 실학의 특징이다.

**완자 정리 노트** 도가와 도교의 비교

| 구분 | 도가 | 도교 |
|---|---|---|
| 공통점 | 세속적인 가치를 초월하여 도(道)를 따르려 함 | |
| 차이점 | 현실을 초월한 노자와 장자의 철학적 가르침 | • 도가 사상+민간 신앙적 요소<br>• 불로장생과 신선을 믿음<br>• 다른 종교와 달리 내세보다 현세를 중시함 |

## 12 도교의 성립과 전개

도가는 노자와 장자의 사상을 바탕으로 세속적 가치를 초월하는 삶의 자세를 강조한 철학 사상이다. 한편 도교는 현세에서 복을 추구하고 불로장생하는 신선이 되는 것을 목표로 하는 신비주의적 종교이다. 그중 황로학파는 노자의 사상에 기초를 두고 무위의 통치를 강조하였다.

**바로 알기** ⑤ 과거의 죄를 고백하고 용서를 빌도록 하는 삼관수서를 행한 것은 황로학파가 아닌 오두미교이다.

**완자 정리 노트** 도교의 종류

| | | |
|---|---|---|
| 황로학파 | • 황제와 노자의 이름을 합친 것<br>• 제왕의 통치술인 무위(無爲)의 다스릴 것을 주장함 | |
| 태평도 | • 황로학파와 민간 신앙을 바탕으로 함<br>• 천하태평의 이상 사회를 현실에 실현시키려 함 | 질병 치료와 더불어 종교적 구원을 약속함 |
| 오두미교 | • 노자를 교조, 도덕경을 경전으로 삼음<br>• 도덕적 선행, 도덕경 암송, 삼관수서 실행 → 장생불사 | |
| 현학 | • 노장 사상을 철학적으로 계승한 것 예 죽림칠현<br>• 청담을 즐기며, 무정부주의적인 입장을 보임 | |

## 서술형 문제

079쪽

### 01 주제: 노자가 주장하는 사회 혼란의 원인

**예시 답안** 노자는 사회 혼란의 원인을 인간의 그릇된 인식과 가치관 때문이라고 보았다. 이로 인해 '인', '의', '효', '자애'와 같은 인위로 도에 맞지 않는 덕목들이 발생한다.

**채점 기준**

| | |
|---|---|
| 상 | 현실 문제의 원인을 인위, 인의와 같은 유위라는 핵심 주장을 바르게 서술한 경우 |
| 하 | 현실 문제의 원인을 일반적으로 서술한 경우 |

### 02 주제: 장자의 상대주의적 관점

**예시 답안** 가지와 잎이 무성한 나무는 깨끗한 나무가 필요한 나무꾼에게는 쓸모가 없지만, 더위를 피하고자 하는 사람에게는 쓸모가 있을 것이다. 잘 우는 오리는 집 주인에게는 쓸모가 있지만, 배고픈 사람에게는 오히려 울지 못하는 오리가 쓸모가 있다. 이를 통해 쓸모 있음과 없음 사이에는 차이가 존재하지 않으며, 상대적인 가치를 지닌다는 것을 알 수 있다. 도의 관점에서 본다면, 만물은 도에서 나온 것이기 때문에 쓸모 있음과 없음의 차이를 나누는 절대적 기준이 존재하지 않는다. 그렇기 때문에 만물은 모두 상대적인 가치를 지니게 되는 것이라고 볼 수 있다.

**채점 기준**

| | |
|---|---|
| 상 | 장자의 도의 관점에서 쓸모 있음과 없음을 서술한 경우 |
| 하 | 장자의 도의 관점을 활용하지 않고 단순히 쓸모 있음과 없음을 서술한 경우 |

## STEP 3 1등급 정복하기

080~081쪽

1 ① 2 ④ 3 ⑤ 4 ②

### 1 노자의 도와 덕

제시된 글은 노자의 사상에 관한 것으로 ㉠은 도, ㉡은 덕이다. '덕'은 '도'가 현실 속에서 구체적으로 드러난 것으로 무위자연의 모습에서 찾을 수 있다. 또한 '도'는 사유나 감정을 가지고 무엇을 조작하지 않으므로 무위이며, 우리의 감각기관으로는 포착할 수 없다. '도'란 우주 만물의 근원이나 변화 법칙으로서 '도'의 관점에서 천지 만물은 상대적인 가치를 지닌다.

**바로 알기** ㄴ. '도'는 천지 만물의 근원이자 변화 법칙으로서 인간의 경험으로 파악할 수 없다. ㄷ. '도'의 관점에서 선악, 미추 등의 인위적 분별에서 벗어나야 한다. ㄹ. '덕'은 '도'가 현실에서 구체적으로 드러난 것으로 무위자연의 모습에서 찾을 수 있다.

### 2 노자와 장자 사상의 특징

(가)는 장자, (나)는 노자이다. 장자는 소요의 경지를 통해 정신적 자유의 경지를 실현해야 함을 강조하였다. 노자는 물이 낮은 곳에 머물고(겸허), 만물을 이롭게 하고(이만물), 남과 다투지 않는다는(부쟁) 점에서 최상의 선과 같다고 보았다.

**바로 알기** ① 장자는 일체의 인위적인 분별을 버리고 무위의 덕을 추구해야 한다고 보았다. ② 인간의 욕구를 도덕적 삶의 추동력이라고 본 것은 정약용이다. ③ 소요를 주장한 것은 장자이다. ⑤ 무위의 정치란 일체의 인위적인 도덕규범이나 사회제도에 따르지 않고 무위의 덕으로 행하면 다스리지 않아도 모든 것을 이룰 수 있다는 것이다.

### 3 장자 사상의 사례 적용

제시된 글의 사상가는 장자이다. 장자는 세속적인 차별 의식에서 벗어나 도의 관점에서 모든 것을 한결같이 보는 제물을 제시하였다. 그러므로 장자는 A에게도 인위적인 기준에서 발생한 차별 의식에서 벗어날 것을 조언할 것이다.

**바로 알기** ① 장자는 무위를 강조하여 인위적인 기준에 따를 경우 사회 혼란을 가져온다고 보았다. ② 자비는 불교에서 강조하는 개념이다. ③ 존양성찰은 성리학에서 강조하는 수양법으로 양심을 보존하고 나쁜 마음을 물리친다는 뜻이다. ④ 인, 의, 예, 지의 사덕은 유교에서 강조하는 개념이다.

### 4 도교 사상과 한국 고유 사상의 융합

제시된 글은 유, 불, 도의 조화를 강조한 풍류와 공덕과 과오를 돌아보는 공과격에 대한 설명이다. 한국의 도교는 불교의 인과응보 사상을 바탕으로, 유교에서 강조하는 선행을 해야 신선의 경지에 이를 수 있음을 강조하였다. 또한, 공과격을 통해 권선징악을 강조하여 도덕적 삶의 중요성을 인식시켰다.

**바로 알기** ㄴ. 원융 회통을 주장한 사상가는 원효이다. ㄷ. 도교는 근대 신흥 종교의 사상적 근거가 되었으나 국가의 통치 이념으로 채택되지는 않았다.

# 07 한국과 동양 윤리 사상의 의의

## STEP 1 핵심 개념 확인하기

086쪽

1 실학 2 (1) × (2) ○ (3) × (4) × 3 ㄱ, ㄴ 4 (1) - ㉡ (2) - ㉢ (3) - ㉠

## STEP 2 내신 만점 공략하기

086~088쪽

01 ④ 02 ① 03 ② 04 ④ 05 ② 06 ① 07 ① 08 ④

### 01 위정척사의 특징

제시된 글의 갑은 위정척사를 주장한 최익현의 「화서이항로신도비명」 중 일부이다. 위정척사는 유교를 올바른 것으로, 서양을 사악한 것으로 구분하여 유교의 도덕적 정통성을 강조한다. 또한 서양의 종교뿐만 아니라 과학 기술과 문물을 모두 이단으로 규정하고, 서양과 일본 세력을 강력하게 배척하였다.

**바로 알기** ① 모든 사람에게 한울님이 있다고 주장한 것은 동학이다. ② 실학의 학문적 특징 중 실사구시에 관한 내용이다. ③ 위정척사는 사회를 개혁하기보다 성리학에 바탕을 둔 유교적 질서를 지킬 것을 강조하였다. ⑤ 해원, 보은, 상생을 통해 궁핍과 차별이 사라진 사회가 온다는 후천 개벽 사상을 주장한 것은 증산교이다.

### 02 동도서기론의 사상적 특징

제시된 글은 동도서기론을 주장한 곽기락의 상소문이다. 곽기락은 이 상소를 통해 동양의 정신을 근간으로 한 현 체제를 유지하면서도, 서양의 좋은 기술을 수용하는 것은 잘못된 것이 아니라고 강조하였다.

**바로 알기** 두 번째 관점. 척양과 척왜를 주장한 것은 위정척사론이다. 네 번째 관점. 동도서기론은 신분제를 비롯한 유교적 질서를 유지할 것을 강조하였다. 또한, 후천개벽 사상은 근대 격변기 신흥 종교들에서 나타나는 특징이다.

**완자 정리 노트** 위정척사와 동도서기의 비교

| 구분 | 내용 |
|---|---|
| 위정척사 | • 유교적 질서를 지키고 서양의 종교와 문물을 배격해야 한다는 주장<br>• 서양의 사상과 문물을 이단으로 규정하여 척양, 척왜를 강조함<br>• 선비 정신의 표출, 의병운동에 영향 |
| 동도서기론 (온건적 개화론) | • 유교적 질서를 지키는 가운데 서양의 과학 기술을 수용하자는 주장<br>• 점진적 개혁을 추구함 |
| 공통점: 유교적 질서의 유지 강조 | |

### 03 동학의 특징

제시된 글은 동학의 여섯 가지 교리인 내수도문의 일부이다. 동학은 인내천 사상과 사인여천을 통해 사람이 곧 하늘이며, 사람을 하늘같이 섬길 것을 강조한다. 또한 후천 개벽 사상을 주장하며, 신분 차별이 사라진 자유롭고 평등한 이상 사회가 현세에서 도래할 것을 제시한다.

**바로 알기** ㄴ. 현세의 원한을 풀어 작은 은혜에도 보답할 것을 강조한 것은 증산교이다. ㄷ. 동학은 신분제를 비판하며, 신분 차별이 사라진 평등 사회의 도래를 주장한다.

### 04 위정척사와 동도서기론

갑은 위정척사, 을은 동도서기론의 주장이다. 위정척사는 척양, 척왜를 주장하고 동도서기는 서양의 기술은 받아들이자고 주장한다. 그러므로 동도서기의 입장에서는 위정척사론에 대해 서양의 과학 기술을 수용한다면 백성들의 삶에 도움이 된다는 점을 간과한다고 비판할 수 있다.

**바로 알기** ①, ②, ③ 위정척사의 주장이다. 위정척사는 선비 정신을 지킬 것을 강조하며, 신분 질서를 유지하여 내적으로 군주와 집권 관료층의 수양에 힘쓸 것을 주장한다. ⑤ 동도서기론은 유교적 질서를 근본적으로 변혁하는 것이 아니라, 유교적 질서[東道]를 지키면서 서양의 우수한 과학적 문명[西器]을 받아들이자고 주장한다.

### 05 실학의 학문적 경향

(가)의 홍대용과 (나)의 박지원은 모두 실학사상가이다. 실학은 성리학의 공리공론적 성격을 비판하고 도덕의 실천과 사회의 문제를 해결하고자 등장하였다. 실학은 경세치용, 이용후생, 실사구시를 주장하였으며, 민생의 문제를 해결하고 부국강병을 이루는 것을 가장 중요하게 여겼다.

**바로 알기** ㄴ, ㄹ. 실학은 성리학과 달리 철학적 이치나 근본적인 사물의 이(理)를 연구하기보다는 민생의 안정을 위해 자연을 물리적이고 객관적인 대상으로 파악하는 실사구시의 방향으로 전개되었다.

**완자 정리 노트** 실학의 주요 사상

| 구분 | 내용 |
|---|---|
| 실사구시 | 사실에 근거한 진리 탐구 방법 및 태도를 지녀야 함 |
| 경세치용 | 학문은 세상을 다스림에 실익을 증진하는 것이어야 함 |
| 이용후생 | 편리한 기구를 쓰고, 먹고 입을 것을 넉넉하게 하여 국민의 생활을 나아지게 해야 함 |

### 06 증산교와 원불교

갑은 증산교, 을은 원불교의 입장이다. 증산교는 해원, 상생, 보은을 통해 궁핍과 차별이 사라진 사회를 주장하였다. 한편 원불교는 영육쌍전과 일상생활에서의 수행을 통해 일체의 차별이 극복된 평화로운 사회를 추구하였다.

**바로 알기** ②, ④, ⑤ 사인여천, 오심즉여심, 보국안민은 동학의 주장이다. ③ 양지를 강조하는 것은 양명학의 입장이다.

## 07 맹자의 대장부

제시된 글은 맹자의 대장부에 대한 내용이다. 대장부는 의로운 일을 꾸준히 실천하여 쌓는 집의를 통해 지극히 크고 굳세며 올곧은 도덕적 기개인 호연지기를 기른 이상적 인간이며, 인, 의, 예, 지의 사덕을 바탕으로 신념을 굽히지 않는다.

**바로 알기** ㄴ. 무위의 삶을 추구하는 것은 도가의 입장이다. ㄷ. 자비를 실천하는 것은 대승 불교의 이상적 인간상인 보살의 모습이다. ㄹ. 일체의 대립에서 벗어나 만물과 하나 됨은 도가의 이상적 인간상이다.

## 08 도가의 이상적 인간상

도가의 이상적 인간상인 진인은 만물제동에 따라 만물이 도의 관점에서 평등함을 깨달은 인간으로, 소요유에 따라 진정한 자유를 누린다. 이를 통해 우리는 현대 사회의 차별에서 벗어나 다양성을 존중해야 한다는 교훈을 얻을 수 있다.

**바로 알기** ④ 청렴과 절의는 선비 정신에 대한 것으로, 유교의 이상적 인간상에게 강조되는 덕목이다.

# 서술형 문제

088쪽

## 01 주제: 불교와 도가의 이상적 인간상 비교

(1) 예시 답안 갑은 불교, 을은 도가이다. 불교의 보살은 육바라밀을 지키고 자비를 실천하는 수양 방법을 주장하며, 도가의 지인은 마음을 비우고 고요히 하는 좌망과 심재, 허정을 강조한다.

채점 기준

| | |
|---|---|
| 상 | 불교와 도가의 수양 방법을 모두 정확히 서술한 경우 |
| 하 | 불교와 도가의 수양 방법 중 한 가지만 서술한 경우 |

(2) 예시 답안 보살과 지인은 현대를 살아가는 우리에게 자기 수양의 필요성과 도덕적 가치의 중요성을 일깨워 준다. 또한, 현대 사회의 갈등을 극복할 수 있는 조화 정신을 깨달을 수 있다.

채점 기준

| | |
|---|---|
| 상 | 보살과 지인의 현대적 의의를 모두 정확히 서술한 경우 |
| 하 | 보살과 지인의 현대적 의의를 한 가지만 서술한 경우 |

## 02 주제: 도가적 이상적 인간상의 사례 적용

예시 답안 진인은 도의 관점에서 모든 사물을 평등하게 바라본다. 그러므로 북한 이탈 주민과 이주민을 차별하는 것은 인위적인 기준에 의한 것이며 이는 바람직하지 않다.

채점 기준

| | |
|---|---|
| 상 | 만물제동의 관점에서 북한 이탈 주민 사례를 비판한 경우 |
| 중 | 도가의 이상적 인간상의 특징만을 서술한 경우 |
| 하 | 북한 이탈 주민과 이주민이 겪는 차별에 대해서만 서술한 경우 |

## 03 주제: 급진적 개화론과 온건적 개화론의 차이점

예시 답안 급진적 개화론은 유교적 질서를 근본적으로 변혁하고자 하지만, 온건적 개화론은 유교적 질서를 지키는 가운데 서양의 과학 기술을 수용할 것을 주장하였다.

채점 기준

| | |
|---|---|
| 상 | 유교적 질서의 변혁 여부를 바탕으로 차이점을 서술한 경우 |
| 하 | 급진적 개화론과 온건적 개화론의 특징만을 단순히 서술한 경우 |

# STEP 3 1등급 정복하기

089쪽

1 ② 2 ③

## 1 위정척사, 동도서기, 동학 사상의 비교

갑은 위정척사, 을은 동학, 병은 동도서기의 입장이다. 위정척사는 성리학에 바탕을 둔 유교적 질서를 지키고 서양의 종교와 문물을 배척해야 한다고 주장한다. 한편 동학은 신분 차별이 사라진 자유롭고 평등한 이상 사회가 현세에서 도래한다는 후천 개벽 사상을 강조한다. 반면 동도서기는 유교적 질서를 지키는 가운데 서양의 과학 기술을 수용해야 한다고 주장한다.

**바로 알기** ① 동도서기의 입장으로 C에 해당한다. ③ 동학에서는 서양 학문의 수용보다는 경천사상의 바탕위에 유, 불, 도를 융합한 사상을 제시한다. ④ 성리학에 바탕을 둔 유교적 질서는 동도서기와 위정척사 모두 긍정하므로, D에 해당한다. ⑤ 신분 차별이 사라진 평등한 사상, 즉 유교적 신분 질서의 폐지는 동학만의 주장으로, B에 해당한다.

## 2 동양의 이상적 인간상과 현대 사회의 문제

갑은 도가, 을은 유교의 이상적 인간상의 모습이다. 도가의 이상적 인간상인 진인은 외물의 속박에서 벗어나 인위적 차별을 버리고 만물 평등의 세계를 지향하여 이웃을 평등하게 대우해야 한다. 반면 유교의 이상적 인간상인 군자는 인과 예를 바탕으로 의로움을 추구하여 이웃 문제 등 사회 문제에 대해 도덕적 책임을 가져야 한다.

**바로 알기** ㄱ. 청렴과 절의를 통해 공공의 이익을 지향하는 것은 유교에서 강조하는 내용이다. ㄷ. 자비의 실천을 통해 이웃의 어려움에 관심을 기울이는 것은 불교의 이상적 인간상인 보살의 모습이다.

## 대단원 실력 굳히기 092~099쪽

| | | | | | | |
|---|---|---|---|---|---|---|
| 01 ② | 02 ⑤ | 03 ③ | 04 ④ | 05 ⑤ | 06 ⑤ | 07 ② |
| 08 ⑤ | 09 ④ | 10 ② | 11 ③ | 12 ③ | 13 ④ | 14 ④ |
| 15 ② | 16 ② | 17 ⑤ | 18 ④ | 19 ⑤ | 20 ④ | 21 ② |
| 22 ⑤ | 23 ⑤ | 24 ④ | 25 ④ | 26 ③ | 27 ③ | 28 ⑤ |
| 29 ④ | 30 ② | 31 ② | 32 ③ | | | |

### 01 공자의 인(仁)

㉠은 인(仁)이다. 공자가 주장한 '인'은 인간됨의 본질을 이루는 사랑의 정신이자, 사회적 존재로서 완성된 인격체의 아름다움이다. '인'은 가까운 사람으로부터 실천해야 하며, 이를 타인과 사회까지 확장해야 한다. '인'을 실천하기 위한 덕목에는 효제가 있으며, '인'을 구체적으로 실천하는 방법에는 충서가 있다.

**바로 알기** ② 모든 사람을 차별 없이 사랑하는 것은 묵자의 겸애(兼愛)에 해당한다.

### 02 공자에 대한 묵자의 비판

갑은 묵자, 을은 공자이다. 묵자는 공리를 강조하여 '인'과 '예'에 따르는 것을 허례허식으로 보고 이는 국가의 공리 실현에 도움이 되지 않는다고 보았다.

**바로 알기** ① 최상의 도덕원리인 '인'을 강조한 것은 공자이다. ② '인'을 인간다움의 본질을 이루는 사랑의 정신이라고 강조한 것은 공자이다. ③, ④ 묵자에 따르면 천하의 혼란을 극복하고 진정한 행복을 위해서는 차별 없이 사랑하는 겸애가 필요하다.

### 03 고자와 맹자의 본성론

갑은 고자, 을은 맹자이다. 고자는 인간의 본성이 선 또는 악으로 정해진 것이 아니라는 성무선악설을 통해 선악이 선천적인 것이 아니며 후천적인 환경과 자신의 선택에 따른 결과라고 보았다. 반면 맹자는 인간은 선한 본성을 타고나며, 악한 사람도 후천적으로 그렇게 된 것이라고 보았다.

**바로 알기** ① 갑은 고자의 성무선악설, 을은 맹자의 성선설이다. ② 인간이 선한 본성을 타고난다고 본 것은 맹자이다. ④ 인간의 본성이 선악으로 정해진 것이 아니라고 본 것은 고자이다. ⑤ 양지와 양능을 강조한 것은 맹자이다.

### 04 맹자의 정치사상

제시된 글의 사상가는 맹자이다. 맹자는 백성을 가장 귀하게 여기는 민본주의를 토대로 군주답지 못한 군주는 바꾸어야 한다는 역성혁명을 주장하였다. 또한, 경제적 안정이 도덕적 마음을 유지하는 바탕이므로 백성의 경제적 안정을 보장해 주는 정치를 해야 한다고 보았다.

**바로 알기** ① 맹자는 권모술수를 이용한 정치를 패도로 보고 비판하였다. ② 신상필벌의 원칙을 주장한 것은 한비자이다. ③ 순자의 화성기위에 관한 내용이다. ⑤ 겸애의 정신을 강조한 것은 묵자이다.

### 05 순자의 사상

제시된 글의 사상가는 순자이다. 순자는 인간에게는 인의를 알 수 있는 도덕적 인식 능력과 그를 실천할 능력이 있으므로, 예를 바탕으로 악한 본성을 변화시켜 선하게 만들어야 한다고 보았다. 또한, 순자는 자연과 인간의 일이 구분된다는 '천인분이'를 주장하였다.

**바로 알기** ㄱ. 순자는 공자나 맹자와 달리 하늘을 도덕의 근원이 아닌 자연 현상으로 파악하고 하늘과 사람의 일을 구분할 것을 강조하였다. ㄴ. 순자는 인간이 이기적 본성을 지니고 태어난다고 보았다.

### 06 주희의 사상

제시된 글의 사상가는 주희이다. 주희는 인간의 본성이 곧 이치라는 성즉리를 바탕으로 마음이 성과 정을 주재하고 포괄한다고[心統性情] 보았다. 주희에 따르면 본연지성은 누구나 같지만, 기질지성은 기질의 맑고 탁함에 따라 사람마다 달라진다.

**바로 알기** ① 마음 밖에는 어떠한 '이'도 없다고 본 것은 양명학이다. ② 주희에 따르면 '이'는 사물의 본질인 무형의 원리이고, '기'는 사물을 이루는 유형의 재료이다. ③ 주희에 따르면 '이'와 '기'는 논리적으로 구분될 수 있으나, 실제적으로는 분리될 수 없다. ④ 주희는 모든 존재와 현상이 '이'와 '기'의 결합이라고 보았다.

### 07 양명학의 학문적 특징

제시된 글은 심즉리설을 주장한 양명학의 입장이다. 양명학의 중요 개념 중 하나인 양지는 인간이 선천적으로 타고나는 것으로, 시비와 선악을 즉각적으로 가려내고 이에 따라 행동하는 능력이다.

**바로 알기** ② 성리학의 선지후행에 대한 내용이다.

### 08 주희와 왕수인의 수양론

갑은 왕수인, 을은 주희이다. 왕수인은 양지에 따른 실천을 강조한 반면 주희는 이론적 학습 과정을 강조하여, 성인이 되기 위해서는 도덕 법칙의 탐구가 먼저 이루어져야 한다고 주장하였다.

**바로 알기** ①, ② 맹자의 성선설을 계승하였으며, 존천리거인욕을 강조한 점은 주희와 왕수인의 공통점으로 B에 해당한다. ③ 사물의 이치를 깨닫기 위한 공부를 말한 것은 성리학만의 입장으로 C에 해당한다. ④ 심즉리에 대한 내용으로 A에 해당한다.

### 09 주희와 왕수인의 사상 비교

갑은 왕수인, 을은 주희이다. 왕수인은 격물치지를 바르지 못한 마음을 바로잡아 자기 마음의 양지를 실현하는 것이라고 보았다. 반면 주희는 격물치지를 도덕법칙이 내재된 사물의 이치를 탐구하여 앎을 이루어 나가야 한다는 뜻으로 보았다. 격물치지에 대한 해석적 차이가 있지만 왕수인과 주희는 공통적으로 천리를 보존하고 인욕을 제거하는 수양법인 존천리거인욕을 주장하였다.

**바로 알기** 왕수인은 격물치지를 마음의 양지가 사물에 이르게 하는 것이며, 앎과 실천이 별개의 것이 아니라고 보았다. 반면 주희는 격물치지를 사물의 이치를 궁구하는 것이라고 보았고 선지후행과 지행병진을 주장하였다.

## 10 왕수인의 격물치지

제시된 글의 사상가는 왕수인이다. 왕수인은 물(物)을 외부의 사물이 아니라 내 마음의 의지가 있는 일이라고 보았다. 이러한 관점에서 왕수인은 격물치지를 바르지 못한 마음을 바로잡아 자기 마음의 양지를 실현하는 것이라고 하였다. 이때 양지란 시비와 선악을 즉각적으로 가려낼 수 있는 선천적인 능력이다.

**바로 알기** 첫 번째 관점. 왕수인은 양지를 선천적인 것이라고 보았다. 네 번째 관점. 주희의 선지후행과 지행병진에 관한 내용이다.

## 11 이황의 사상

제시된 글의 사상가는 이황이다. 이황은 이귀기천과 이기호발을 통해 '이'의 운동성과 자발성을 인정하고 '이'를 '기'보다 우위에 두었다. 또한 도덕 본성의 실현과 관련한 수양으로 경(敬)을 강조하며 이를 실천하기 위해 주일무적, 정제엄숙, 상성성을 제시하였다.

**바로 알기** ㄱ, ㄷ. 이통기국과 성(誠)을 주장한 것은 이이이다.

## 12 이황과 이이의 이기론 비교

갑은 이황, 을은 이이이다. 이이는 기발이승일도설을 통해 모든 감정은 '기'가 발하고 '이'가 타면서 드러나는 한 가지 경우만 존재한다고 주장하였다. 따라서 이이는 사단과 칠정 역시 그 연원이 다르지 않다고 보았다.

**바로 알기** ①, ⑤ '이'의 운동성을 주장한 것은 이황이다. ② 이황은 이기불상잡을 강조하였으므로 적절하지 않다. ④ 이이의 기발이승일도설에 대한 내용이다.

**완자 정리 노트** 이황과 이이의 사상 비교

| 구분 | 이황 | 이이 |
|---|---|---|
| 이기론 | • 이기호발설: '이'와 '기' 모두 발할 수 있음<br>• 이귀기천: '이'는 귀하고 '기'는 천함 | • 이통기국: '이'는 보편성, '기'는 특수성을 가짐<br>• 기발이승일도설: '기'가 발하고 '이'가 타는 경우만 존재 |
| 사단 칠정론 | • 사단은 본연지성이 발한 것<br>• 칠정은 기질지성이 발한 것 | • 칠포사: 칠정이 사단을 포함함<br>• 사단과 칠정은 모두 기질지성이 발한 감정 |
| 수양론 | • 경(敬)의 함양 강조<br>• 정제엄숙, 주일무적, 상성성 | • 경(敬)과 성(誠) 강조 |

## 13 이황과 이이의 사상 비교

갑은 이황, 을은 이이이다. 이황은 사단은 순선한 선이고, 칠정은 선악의 가능성이 모두 있는 감정으로 보았다. 또한 '이'의 운동성을 인정하여 '이가 발하고 기가 그것을 따른다.'고 주장하였다. 반면 이이는 이통기국을 주장하였으며, '이'의 운동성을 인정하지 않았다.

**바로 알기** ㄱ. 사람의 마음속에 인의예지의 덕이 성으로 부여되어 있다는 것은 이황과 이이 모두에게 해당한다. ㄷ. 이황은 사단은 본연지성, 칠정은 기질지성이 발한 것으로 사단과 칠정의 근원이 다르다고 보았다.

## 14 정약용의 사상

제시된 글의 사상가는 정약용이다. 정약용은 사단을 실천함으로써 후천적으로 사덕을 갖출 수 있다고 보았다. 또한 성기호설을 통해 기호를 인간만이 가지는 영지의 기호와 동물과 인간이 모두 가지는 형구의 기호로 분류하였다. 나아가 정약용에게 하늘은 인격적 존재이며, 인간에게 자주지권을 부여하여 자율적 존재이도록 한다.

**바로 알기** ④ 정약용은 인간만이 자유 의지를 지니고 있다고 보았다.

## 15 정약용의 심성론

제시문의 사상가는 정약용이다. 정약용은 인간의 덕을 선천적이라고 주장했던 성리학을 비판하였다. 그는 덕은 선천적인 것이 아니라 덕이 있는 행동을 통해 형성되는 것이라고 보았다.

**바로 알기** ㄱ. 정약용에게 덕은 일상적 실천을 통해 후천적으로 형성되는 것이다. ㄴ. 인간은 선을 좋아하고 악을 미워하는 영지의 기호를 가진다. ㄹ. 정약용은 '성즉리'로는 인간의 모습을 파악하기 어렵다고 보았다.

## 16 주희와 정약용의 사단에 대한 입장

갑은 주희, 을은 정약용이다. 주희는 이기론을 통해 사단과 칠정을 설명하였다. 또한, 사단의 '단'을 단서로 보고 사단이 사덕의 단서가 된다고 하였다. 반면 정약용은 사단의 '단'이 시작을 의미하며 사단을 출발점으로 도덕적 실천을 함으로써 사덕이 형성된다고 주장하였다.

**바로 알기** ㄱ. 주희는 선악이 함께 존재하는 것은 칠정이라고 보았다. ㄴ. 정약용은 지속적인 수양을 통해 사덕이 형성이 된다고 보았다. ㄹ. 주희는 인간의 기호를 주장하지 않았다.

## 17 순자와 정약용의 성에 대한 관점

갑은 순자, 을은 정약용이다. 순자는 인간의 본성이 이기적이라는 성악설을 주장한다. 반면 정약용은 인간의 본성이 선을 좋아하고 악을 부끄러워하는 경향이라는 성기호설을 주장한다.

**바로 알기** ① 갑은 부정, 을은 긍정의 대답을 할 질문이다. 순자는 먹으려 하고, 따뜻해지려 하고, 쉬려고 하는 것이 인간의 본성이라고 보았다. 반면 정약용은 인간은 동물과 달리 영지의 기호를 가지고 있다고 보아 인간과 동물의 성을 다르게 생각하였음을 알 수 있다. ② 불교의 입장으로 갑과 을 모두 부정의 대답을 할 질문이다. ③ 갑은 긍정, 을은 부정의 대답을 할 질문이다. 순자는 인간의 성이 악하지만 교화하여 선한 행동을 할 수 있다고 하였다. 반면 정약용은 인간의 본성이 선악으로 결정되어 있는 것이 아니라고 보았다. ④ 맹자의 입장으로 갑과 을 모두 부정의 대답을 할 질문이다.

## 18 초기 불교의 관점

제시된 글의 사상은 불교이다. 불교는 모든 현상이 독립적으로 존재하지 않고 여러 조건에 의해 생멸한다는 인연생기를 주장한다. 또한 이러한 진리를 깨달아 자비를 실천해야 함을 강조한다.

**바로 알기** 첫 번째 관점. 사욕을 극복하고 예를 회복하는 극기복례는 유교에서 강조하는 내용이다. 세 번째 관점. 문명을 거부하고 자연의 흐름을 따르는 무위자연의 태도는 도가에서 강조하는 내용이다.

## 19 불교의 연기설

제시된 글의 사상은 불교이다. 불교의 연기설은 모든 만물이 서로 연결되어 있어 상호 의존적이며, 서로 원인과 결과의 관계를 맺고 있다고 본다. 이러한 연기의 법칙은 모든 존재를 나와 같이 소중하게 여겨 자비 윤리의 사상적 바탕을 제공한다.

**바로 알기** ① 불교에서는 모든 것이 영원하지 않고, 고정불변의 실체는 없다고 본다. ② 존재에 대한 집착 때문에 고통을 겪게 된다. ③ 제법무아를 통해 모든 것은 영원하지 않다는 것을 인식해야 한다. ④ 연기설을 설명하는 인드라망에 따르면, 모든 것은 상호 의존적이다.

## 20 불교 사상의 특징

불교에 따르면 인간의 삶은 고통인 고성제이며, 고통에서 벗어나려면 중도의 수행법인 팔정도를 행해야 한다. 이를 통해 만물은 직접적인 원인과 간접적인 조건에 의해 발생한다는 연기를 깨달아야 한다.

**바로 알기** ㄹ. 진리를 밝게 알지 못하는 상태인 무명과 탐욕을 욕구하는 애욕의 상태는 진리를 깨우친 이상적인 상태와는 거리가 멀다.

## 21 대승 불교의 특징

제시된 글의 사상은 대승 불교이다. 대승 불교는 위로는 깨달음을 얻고자 노력하고 아래로는 중생을 구제하는 보살을 이상적인 인간상으로 보았으며, 육바라밀의 실천을 강조하였다. 또한 '공'을 통해 영원불변한 것이 없음을 깨닫고 집착을 버려야 함을 제시하였다.

**바로 알기** ② 사회와 분리된 엄격한 종교성과 개인의 해탈을 강조한 것은 소승 불교의 입장이다.

**완자 정리 노트** 대승 불교의 중도 사상과 공 사상

| | |
|---|---|
| 중도 사상 | • 어느 한 쪽에 치우침이 없는 자세<br>• 현실이 진리와 떨어져 있는 것은 아니라고 봄 |
| 공 사상 | • 고정되고 영원한 실체는 없음 → 무아(無我)<br>• 집착은 고통의 원인이 될 뿐임 |

## 22 유식 불교의 사상적 특징

제시된 글의 사상은 유식 불교이다. 유식 불교에서는 모든 현상이 오직 마음의 작용으로만 존재하고, 마음을 떠나서는 존재할 수 없다고 보았다. 즉, 불변의 본질을 가진 객관적 현상은 존재하지 않으며 오직 그것을 경험하는 우리의 마음만이 존재한다.

**바로 알기** ㄱ. 눈에 보이는 대상은 실체로서 존재하지 않고, 모든 현상은 마음을 통해 경험되는 것일뿐이다.

## 23 의천과 원효의 비교

갑은 의천, 을은 원효이다. 의천은 경전의 공부와 명상의 실천을 균형 있게 강조하는 교관겸수를 주장하였다. 또한 화엄종과 천태종을 모두 연구하여 교종과 선종의 조화를 모색하였다. 한편 원효는 일심을 바탕으로 깨달음을 추구하였으며, 출가 수행자의 계율에 구속되지 않는 무애행을 주장하였다.

**바로 알기** ㄱ. 돈오점수와 정혜쌍수는 지눌이 주장한 수양 방법이다. ㄴ. 의천과 원효는 모두 대립하는 불교 종파의 갈등을 화해시켜야 한다고 보았다.

## 24 지눌의 돈오점수

제시된 글의 사상가는 지눌이다. (가)는 '내 마음이 곧 부처'라는 사실을 한 순간에 철저하게 자각하는 돈오를 말한다. (나)는 마음속에 쌓인 오래된 습관을 점진적으로 제거하는 점수를 말한다. 지눌은 돈오 이후 점수를 강조하며 점수의 방법으로 정과 혜를 같이 닦는 정혜쌍수가 있다.

**바로 알기** ① (가)는 돈오, (나)는 점수이다. ② 오랫동안 쌓인 무명의 습기를 제거하기 위해 필요한 것은 점수이다. ③ 참 자아를 그대로 보는 것은 돈오이다. ⑤ 점수에서는 경전 공부와 마음 공부가 함께 이루어져야 한다.

**완자 정리 노트** 지눌의 돈오점수

| | |
|---|---|
| 돈오 | 내 마음이 곧 부처라는 사실을 한순간에 철저히 자각하는 것 |
| 점수 | 돈오의 바탕 위에 마음속에 쌓인 인식과 습관을 제거하는 것 |

• 돈오 후 점수인 선오후수를 주장함
• 돈오점수의 근거: 단박에 깨친 후에도 오래 된 습관이 한순간에 사라지지 않으므로 점진적으로 소멸시키는 단계가 필요함

## 25 선종과 교종

갑은 선종, 을은 교종의 입장이다. 선종은 자신의 본성을 제대로 바라본다면, 지식 공부나 점진적 수행을 거치지 않고도 불성을 단박에 깨치고 마음도 단박에 닦을 수 있다고 주장하였다. 반면 교종은 경전의 가르침을 통해서만 진리를 깨달을 수 있다고 강조하였으며, 경전에 근거하여 점진적 수행을 해야 한다고 보았다.

**바로 알기** ①, ②, ③, ⑤ 체계적인 이론을 바탕으로 경전 공부를 강조한 교종의 입장에 해당한다.

## 26 노자의 사상

제시된 글의 사상가는 노자이다. 노자는 도를 바탕으로 평안한 삶을 사는 것을 강조하였으며, 무위자연을 이상적인 삶의 모습으로 보았다. 이때 무위는 인위를 가하지 않는 것이고, 자연은 스스로 그러하다는 의미이다.

**바로 알기** ㄱ. 이 세상 모든 것이 괴로움이라는 것은 불교의 주장이다. ㄹ. '도'는 만물의 법칙이지만, 도가에서는 당위 규범을 인위라고 보아 도를 당위 규범으로 강조하지 않는다.

## 27 도가의 실제 사례 적용

(가)의 사상가는 장자이다. 장자가 제시한 '도'는 천지 만물의 근원이며, 천지 만물 어디에나 내재하는 것이다. 장자는 절대적인 '도'의 관점에서 사물을 인식할 때, 만물의 소중함과 평등함을 깨우치고, 자유롭고 평화로운 이상적인 삶을 살아갈 수 있다고 보았다.

**| 바로 알기 |** ①, ② 나라를 돕고 백성을 편안하게 하는 보국안민과 오심즉여심은 동학이 강조한 개념이다. ④ 우주 자연으로부터 부여받은 도덕 본성을 잘 보존하고, 인욕을 제거할 것을 강조한 존천리거인욕은 성리학의 개념이다. ⑤ 민생의 실질적 이익을 강조한 것은 실학이다.

## 28 장자의 사상적 특징

제시된 글의 사상가는 장자이다. 장자는 개인의 주관에 기초한 분별적 사고를 부정하고 도(道)의 관점에서 만물을 평등하게 보아야 한다고 주장하였다. 또한, 외물의 속박에서 벗어나 절대 자유의 경지인 소요유를 추구하였다.

**| 바로 알기 |** ㄴ. 장자가 제시한 도(道)는 개념적으로 이해해야 하는 것이 아니라, 자신의 주관과 편견에서 벗어나 진정한 자유를 누려 도달할 수 있는 것이다.

**완자 정리 노트** 노자와 장자의 공통점과 차이점

| 구분 | 노자 | 장자 |
|---|---|---|
| 이상적 삶의 모습 | • 무위자연<br>• 상선약수 | • 소요유<br>• 제물<br>• 만물제동 |
| 공통점 | • '도' 강조<br>• 상대주의적 세계관<br>• 평등주의 | |

## 29 도가와 도교의 공통점

갑은 도가, 을은 도교의 입장이다. 도가와 도교는 우주 자연의 근원인 '도'를 근거로 이론과 실천 방법을 전개하였다는 공통점이 있다. 하지만 도가는 철학 사상이지만, 도교는 신선이 되는 것을 목표로 하는 종교로 교단과 교리 체계를 갖추었다는 차이점이 있다.

**| 바로 알기 |** ① 도가와 도교 모두 세속적인 가치를 초월하여 도(道)를 따르려 하였다. ② 교단과 교리 체계를 갖춘 것은 도교만의 특징이다. ③, ⑤ 인간의 정신과 육체를 수련하는 성명쌍수를 강조한 내단에 집중하고, 불사와 신선을 추구하는 것은 도교만의 특징이다.

## 30 한국 윤리 사상의 배경과 특징

제시된 글은 고조선의 건국 이야기인 단군 신화이다. 단군 신화에는 경천사상과 천인합일 사상을 통해 하늘을 비롯한 자연과 하나가 되기를 원하는 인간의 소망이 담겨 있다. 하늘을 숭배하고 자연과 하나가 되고자 하는 의식은 서로 사랑하면서 도덕적으로 살아가라는 윤리적 가르침과 연결되었다.

**| 바로 알기 |** ㄴ. 한국 윤리 사상에서는 자연과 하나가 되고자 하는 의식을 강조하고 있으므로 인간이 우월하여 자연을 관찰하고 이용한다는 내용과는 거리가 멀다. ㄷ. 고조선의 건국 신화에 나타난 홍익인간의 정신은 사람들의 좋은 삶을 염원한 현세 지향적 가치관을 보여준다.

## 31 유교와 불교의 이상적 인간상

㉠은 유교의 이상적 인간상인 군자, ㉡은 불교의 이상적 인간상인 보살에 해당한다. 군자는 인의예지의 덕을 갖추고 도덕적 책임을 자각하며, 보살은 위로는 깨달음을 추구하며 아래로는 중생을 교화한다.

**| 바로 알기 |** 진인, 신인, 지인은 도가의 이상적 인간상의 모습이다.

**완자 정리 노트** 동양의 이상적 인간상

| | |
|---|---|
| 유교 | 군자: 의로움을 추구하며 공공의 이익을 지향하며, 수기안인의 정신을 따르는 인간 |
| 불교 | 보살: 위로는 깨달음의 지혜를 구하고 아래로는 중생을 교화하고 구제하는 인간 |
| 도가 | 진인, 신인, 지인, 성인: 도를 체득하여 만물 평등의 세계를 지향하는 인간 |

## 32 근대 한국 신흥 종교 사상의 입장

(가)의 갑은 동도서기론, 을은 위정척사이다. 동도서기론은 성리학적 가치는 지키고 서양의 과학 기술은 수용하자는 주장이다. 반면 위정척사는 유교 사상을 바탕으로 우리의 역사와 문화를 지키고 서양의 문물과 사조를 앞세운 제국주의적 침략을 배척하여, 외세의 침략을 배격하고자 한다.

**| 바로 알기 |** ㄱ. 성리학적 가치를 지향하는 것은 동도서기론과 위정척사 모두 해당한다. ㄹ. 후천개벽 사상은 동학, 증산교, 원불교와 같은 신흥 종교의 특징이다.

# Ⅲ. 서양 윤리 사상

## 01 사상의 연원

### STEP 1 핵심 개념 확인하기 106쪽

1 ㄱ　2 헤브라이즘　3 (1) ○ (2) × (3) ○　4 (1) ㄴ (2) ㄱ
5 (1) – ㉡ (2) – ㉠

### STEP 2 내신 만점 공략하기 106~109쪽

01 ②　02 ③　03 ②　04 ④　05 ③　06 ④　07 ①
08 ⑤　09 ②　10 ②　11 ①　12 ⑤

**01 서양 윤리 사상의 연원**

(가)는 고대 그리스 사상, (나)는 헤브라이즘의 특징이다. 고대 그리스 사상은 이성적이고 합리적인 사고와 논변을 중시하였고, 사물과 인간의 본질에 관심을 보였다. 헤브라이즘은 유일무이한 절대자로서의 신에 대한 믿음을 강조하였으며, 보편적인 윤리적 행동 지침을 신의 명령이자 인간 삶의 규율로서 제시하였다.

**완자 정리 노트** 고대 그리스 사상과 헤브라이즘

| | |
|---|---|
| 고대 그리스 사상 | • 이성적이고 합리적인 사고와 논변을 중시함<br>• 사물과 인간의 본질에 관심을 둠<br>• 이성과 경험을 바탕으로 바람직한 삶이 무엇인지 탐구함 |
| 헤브라이즘 | • 유일무이한 절대자로서의 신에 대한 믿음을 강조함<br>• 신을 윤리의 궁극적 근거로 삼음<br>• 인간은 내세에 구원을 받기 위해 신앙생활을 해야 할 종교적 의무를 지니며, 현세에서 신의 명령을 따르고 신의 사랑을 실천할 도덕적 의무를 지닌다고 봄 |

**02 고대 그리스 사상의 특징**

㉠에 알맞은 말은 고대 그리스 사상이다. 고대 그리스 사상은 이성과 경험을 바탕으로 바람직한 삶이 무엇인지 탐구하였다. 고대 그리스의 대표적 사상가인 소피스트와 소크라테스는 서로 다른 관점에서 '행복한 삶'이나 '선한 삶'이 무엇인지를 탐구하였다.

**바로 알기** ③ 내세에 구원을 받기 위해 신앙생활을 해야 한다고 강조해야 한다는 내용은 헤브라이즘에 해당한다.

**03 헤브라이즘과 고대 그리스의 자연 철학 비교**

㉠ 헤브라이즘은 유일무이한 절대자로서의 신에 대한 믿음을 강조하면서 신 중심의 윤리 사상을 전개하였다. 이러한 헤브라이즘의 특징은 서양 윤리 사상의 형성과 발전에 많은 영향을 미쳤다. 한편, ㉡ 고대 그리스의 자연 철학은 자연의 다양한 현상을 보편적인 원리나 근원적인 요소를 통해 설명하고자 하였다. 이와 같은 자연에 대한 탐구는 합리적 보편성을 추구함으로써 서양 윤리 사상의 원천이 되었다.

**바로 알기** ① 헤브라이즘은 신에 대한 믿음을 중시한다. ③ 고대 그리스의 자연 철학자들은 세계의 기원을 이성적이고 논리적인 방식으로 설명하기 위해 노력하였다. ④ 헤브라이즘에 관한 내용이다. ⑤ 헤브라이즘에서 강조할 내용이다.

**04 고르기아스의 회의주의적 관점**

제시된 글은 소피스트인 고르기아스의 주장이다. 고르기아스는 보편적이고 절대적인 존재와 진리, 그에 관한 객관적 인식을 부정하는 회의주의적 관점을 지닌 사상가이다. 고르기아스와 같은 관점을 따를 경우 윤리적 허무주의에 빠질 위험이 있다. 윤리적 문제에 관해 무엇이 옳고 참된 것인지 판단하거나 공동체의 합의를 이끌어 내려는 노력이 의미가 없기 때문이다. 이러한 경향이 심화되면 도덕적 질서가 무너져 사회가 혼란에 빠질 수도 있다.

**바로 알기** ㄱ, ㄷ. 윤리적 보편주의의 한계이다.

**05 프로타고라스의 윤리적 상대주의**

제시된 글은 소피스트인 프로타고라스의 주장이다. 프로타고라스는 개인의 지각(경험)만이 진리 판단 및 도덕 판단의 기준이 될 수 있다고 보았다. 따라서 누구에게나 보편타당한 절대적인 진리와 도덕규범은 존재하지 않는다고 주장하였다.

**바로 알기** ④ 프로타고라스는 각 사람마다 서로 다른 가치 판단 기준을 가지고 있다고 본다. ⑤ 시대와 장소를 초월한 절대적 진리가 있다고 보는 관점은 절대주의적 진리관이다.

**06 소피스트 사상의 특징**

소피스트는 보편적 진리와 도덕을 부정하고 상대주의를 주장하였다. 그들은 보편적 진리를 탐구하는 데 몰두하기보다 실용적인 지식과 수사학을 가르치는 데 치중하였다. 이러한 소피스트의 사상은 경험주의와 쾌락주의, 실용주의 등에 영향을 주었다.

**바로 알기** ㄹ. 소크라테스의 입장에 관한 설명이다.

**07 트라시마코스의 정의**

을은 소피스트인 트라시마코스의 입장이다. 그는 강한 자들은 자신의 이익을 추구하기 위하여 법을 제정하므로, 정의란 강한 자의 이익을 위한 것에 불과하다는 정의관을 제시하였다.

**08 프로타고라스에 대한 소크라테스의 비판**

제시된 글은 프로타고라스의 인간 척도론에 대해 소크라테스가 비판하는 내용을 담고 있다. 소크라테스는 소피스트의 윤리적 상대주의를 비판하면서 인간은 이성을 통해 보편적인 윤리를 파악할 수 있다는 윤리적 보편주의를 주장하였다. 그는 비도덕적인 행동은 무지에서 비롯된다고 보고, 참된 앎을 추구해야 한다고 강조하였다.

**| 바로 알기 |** 소크라테스는 ① 세속적 성공보다는 선한 삶과 정신적 가치를 추구하였다. ② 보편타당한 절대적 진리와 도덕규범이 존재한다고 보았다. ③ 신탁과 예언보다는 합리적인 논의와 이성적인 판단을 중시하였다. ④ 참된 지식을 추구하고 올바른 삶을 살기 위해 이성적 숙고가 필요하다고 보았다.

### 09 소크라테스의 사상

제시된 글은 소크라테스의 주장이다. 그는 부와 명예 등 세속적 가치를 추구하는 데 몰두하지 말고 자신의 영혼을 돌보는 일에 힘써야 한다고 역설하였다.

**| 바로 알기 |** ① 헤브라이즘의 입장이다. ③ 윤리적 상대주의의 입장이다. ④ 소크라테스는 이성을 바탕으로 참된 앎을 추구해야 한다고 보았다. ⑤ 소크라테스는 세속적 성공을 추구하기보다는 선하고 도덕적인 삶을 살아야 한다고 강조하였다.

### 10 소크라테스의 사상

밑줄 친 '이 사람'은 소크라테스이다. 소크라테스는 인간이 이성을 바탕으로 성찰하며, 자신의 영혼에 관해 스스로 숙고하는 삶을 살아야 한다고 주장하였다. 또한 그는 주지주의적 입장에서 덕에 대한 참된 지식을 추구해야 한다고 강조하였다.

**| 바로 알기 |** ㄴ. 소크라테스는 인간이 이성을 통해 보편적인 윤리를 파악할 수 있다고 보았다. ㄹ. 수사학은 소피스트들이 강조하였다. 소크라테스는 참된 앎에 다가서는 방법으로 문답법(산파술)을 사용하였다.

### 11 소크라테스의 주지주의

제시된 글은 소크라테스의 주장이다. 소크라테스에 따르면 덕이 무엇인지 아는 사람은 그에 반하는 행위를 하지 않는다. 덕에 따르는 것이 자신에게 좋다는 사실을 알면서도 고의로 그릇된 행위를 하지는 않을 것이기 때문이다. 따라서 그는 그릇된 행위가 덕에 관한 무지에서 비롯한다고 보았다.

**| 바로 알기 |** ㄷ. 인간은 올바른 것이 무엇인지 알면서도 의지의 나약함으로 인해 그릇된 행동을 할 수 있다고 본 사람은 아리스토텔레스이다. ㄹ. 소크라테스는 선을 알면서도 악을 행한다는 것은 있을 수 없으며, 선을 모르기 때문에 악을 행하는 것이라는 지행합일을 주장하였다.

### 12 소피스트와 소크라테스 사상 비교

갑은 소피스트인 프로타고라스, 을은 소크라테스의 입장이다. 프로타고라스는 사람마다 진리를 판단하는 기준이 다르기 때문에 객관적이고 보편타당한 기준은 존재하지 않는다고 보았다. 반면에 소크라테스는 진리와 도덕의 보편적 기준을 제시하고자 하였다. 그는 영혼을 온전하게 가꾸는 일을 인간이 추구해야 할 최상의 과업으로 보았다. 또한 소크라테스는 덕 있는 삶을 통해 행복한 삶을 실현할 수 있고, 이를 위해서는 덕에 관한 앎이 필요하다는 지덕복 합일설을 주장하였다.

**| 바로 알기 |** ①, ② 프로타고라스는 사람마다 가치 판단의 기준이 다르다고 보았다. 즉, 동일한 사물에 대해서도 모든 사람이 다르게 느끼고 이해할 수 있다고 보았다. ③ 소크라테스는 인간은 이성을 통해 참된 앎을 찾을 수 있다고 보았다. ④ 소크라테스는 절대적이고 보편적인 진리가 존재한다고 보았다.

**완자 정리 노트** 소피스트와 소크라테스 사상 비교

| 구분 | 소피스트 | 소크라테스 |
|---|---|---|
| 차이점 | • 윤리적 상대주의<br>• 현실에서의 세속적 성공을 추구함 → 수사학의 유용성을 강조함 | • 윤리적 보편주의<br>• 선하고 도덕적인 삶을 강조함 → 이성을 활용한 문답법(산파술)을 강조함<br>• 지덕복 합일설을 주장함 |
| 공통점 | 철학의 주제를 자연에서 인간과 사회로 전환함 | |

## 서술형 문제

109쪽

### 01 주제: 고대 그리스 사상과 헤브라이즘의 특징

(1) 갑 – 헤브라이즘, 을 – 고대 그리스 사상

(2) 예시 답안 헤브라이즘은 신에 대한 믿음과 사랑을 바탕으로 한 신 중심의 윤리 사상이라면, 고대 그리스 사상은 인간의 이성과 경험을 바탕으로 바람직한 삶을 추구한 인간 중심의 윤리 사상이다.

채점 기준

| | |
|---|---|
| 상 | 갑의 판단 근거는 헤브라이즘, 을의 판단 근거는 고대 그리스 사상이라는 점을 바탕으로 각각의 특징을 정확히 서술한 경우 |
| 하 | 헤브라이즘과 고대 그리스 사상의 특징 중 한 가지만 서술한 경우 |

### 02 주제: 윤리적 상대주의의 문제점

(1) 윤리적 보편주의

(2) 예시 답안 도덕 판단의 기준이 상대적이므로 다른 사람이나 사회를 도덕적으로 평가하기 어려워진다. 비윤리적인 행위를 정당화하여 윤리적 타락이나 혼란을 초래할 수도 있다. 어떤 사람이 두 집단에 동시에 속해 있는데, 각 집단에서 따르라고 요구하는 도덕규범이 서로 충돌한다면 동일한 도덕 문제에 대해 옳으면서 동시에 옳지 않다고 판단해야 하는 모순적 상황에 놓일 수 있다.

채점 기준

| | |
|---|---|
| 상 | 윤리적 상대주의를 따를 경우에 발생할 수 있는 문제점을 두 가지 이상 정확히 서술한 경우 |
| 하 | 윤리적 상대주의를 따를 경우에 발생할 수 있는 문제점을 한 가지만 서술한 경우 |

**STEP 3** 1등급 정복하기 110～111쪽

1 ④ 2 ① 3 ① 4 ②

**1 고대 그리스 사상과 헤브라이즘의 특징 비교**

㉠, ㉡은 서양 윤리 사상의 두 원천이다. ㉠은 헤브라이즘을 구성하는 핵심으로, 유일신에 대한 믿음을 강조하여 신 중심의 윤리 사상을 전개하였다. 반면에 ㉡은 고대 그리스 사상을 구성하는 핵심으로, 신화적 세계관에서 벗어나 인간의 경험과 이성을 바탕으로 세계를 탐구하고자 하였다.

**바로 알기** ㄱ. 헤브라이즘은 인간이 신을 떠나서는 온전한 신을 실천하거나 구원과 행복에 이를 수 없다고 본다. ㄷ. 신과 인간의 바람직한 관계를 탐구하고, 신에 대한 믿음을 중시한 것은 ㉠이다.

**2 소크라테스가 강조한 삶의 자세**

제시된 글에는 소크라테스의 주장이 담겨 있다. 그는 부와 지위, 명예 등 세속적인 가치를 추구하기보다 자신의 영혼을 지속적으로 돌봐야 한다고 주장하였다. 그는 성찰하는 삶, 선하고 덕 있는 삶, 훌륭한 삶을 지향하였다.

**바로 알기** 소크라테스는 ② 인간의 감각적 경험과 관찰보다 이성이나 이론, 사유 등 지적인 것을 중시하였다. ③ 덕에 대한 정확한 지식이 곧 덕을 실천하는 행동으로 이어지고, 이를 통해 행복으로 나아갈 수 있다고 보았다. ④ 보편적인 윤리가 존재한다고 보았다. ⑤ 영혼의 덕을 갖춘 삶은 보편 도덕에 부합하므로 행복한 삶이라고 보았다.

**3 프로타고라스, 고르기아스, 소크라테스의 입장 비교**

갑은 진리에 관하여 상대주의의 관점을 지닌 프로타고라스, 을은 회의주의적 관점을 지닌 고르기아스, 병은 자신의 무지를 깨닫고 참된 앎을 추구해야 한다고 강조한 소크라테스의 입장이다.

**바로 알기** ① 프로타고라스와 같은 소피스트는 인간의 감각적 경험을 중심으로 진리를 파악할 수 있다고 보았다.

**4 소프로타고라스와 소크라테스 사상 비교**

갑은 프로타고라스, 을은 소크라테스이다. 프로타고라스를 비롯한 소피스트는 절대적이고 보편적인 진리는 존재하지 않는다고 보았다. 소크라테스는 자신의 무지를 깨닫고 참된 앎을 추구하여 올바른 삶을 살아야 한다고 주장하였다.

**바로 알기** ㄴ. 소피스트와 소크라테스 모두 사람의 관심을 자연에서 인간과 사회로 돌려 윤리 사상을 발전시켰다. ㄹ. 소크라테스는 모든 사람이 인정하는 도덕규범이 존재한다고 본다.

# 02 덕

**STEP 1** 핵심 개념 확인하기 116쪽

1 이데아 2 ㄱ, ㄴ 3 (1) ○ (2) ○ (3) × 4 의지 5 (1) ㄴ (2) ㄱ

**STEP 2** 내신 만점 공략하기 116～119쪽

01 ④ 02 ① 03 ③ 04 ② 05 ④ 06 ① 07 ⑤ 08 ④ 09 ② 10 ① 11 ③ 12 ②

**01 플라톤의 정의로운 인간**

제시된 글에는 플라톤의 입장이 담겨 있다. 플라톤은 정의로운 국가가 통치자, 방위자, 생산자가 조화를 이루는 것처럼 정의로운 인간도 지혜, 용기, 절제가 조화를 이루어 조화를 이룰 때 실현된다고 보았다.

**바로 알기** ① 그리스도교 사상에서 강조하는 인간의 모습이다. ② 선의 이데아는 이성을 통해서만 인식할 수 있다. ③ 플라톤은 이성이 기개와 욕구를 적절히 다스려야 한다고 보았다. ⑤ 플라톤은 참된 행복을 추구하기 위해 누구나 인정할 수 있는 보편적인 덕을 강조한 소크라테스의 사상을 계승하였으며, 이성적 사유를 통해 파악할 수 있는 참된 실재가 있다고 주장하였다.

**02 인간 영혼의 이상적인 상태에 관한 플라톤의 견해**

제시된 글에서 볼 수 있듯이 플라톤은 인간의 영혼을 두 마리 말을 끄는 마차에 비유하였다. 플라톤에 따르면 욕구는 절제, 기개는 용기, 이성은 지혜의 덕을 갖추어야 한다. 그리고 이러한 덕이 서로 조화를 이룰 때 인간 영혼은 덕을 실현하고 행복한 삶을 살 수 있다.

**바로 알기** ㄷ. 플라톤은 인간 영혼이 정의의 덕을 실현하려면 이성이 욕구와 기개를 잘 다스리고, 욕구와 기개는 이성을 잘 따라야 한다고 주장하였다. ㄹ. 플라톤은 인간이 지닌 모든 감정을 제거해야 한다고 주장하지 않았다.

**03 플라톤의 철인 정치**

제시된 글은 플라톤의 철인 정치에 관한 내용이다. 플라톤은 선의 이데아에 대한 인식을 갖춘 지혜로운 철학자가 나라를 다스릴 때 정의로운 국가가 실현될 수 있다고 보았다.

**바로 알기** ①, ② 플라톤은 중우 정치의 가능성을 우려하여 대중의 뜻에 따른 정치나 민주적 선거 절차에 대해 비판적 입장을 취하였다. ④ 플라톤은 지혜라는 이성의 덕을 갖춘 철인이 국가를 다스릴 때 정의로운 국가가 실현된다고 보았다. ⑤ 플라톤은 공공 정신이 투철한 수호자(장차 군인이나 통치자가 될 사람들)를 양성하고 교육하는 데 많은 관심을 두었다. 수호자는 엄격한 선발 과정을 거쳐 통치자가 될 수 있다.

## 04 플라톤의 정의로운 국가

제시된 글에는 정의로운 국가에 대한 플라톤의 입장이 담겨 있다. 그는 통치자, 방위자, 생산자가 각각 자신에게 맞는 덕을 가추고 조화를 이루는 국가를 정의롭다고 보았다. 또한 선의 이데아에 대한 지혜를 갖춘 사람이 다스리는 국가를 정의로운 국가라고 생각하였다.

**바로 알기** ㄴ. 플라톤은 자유로운 직업 교환을 강조하지 않았다. ㄹ. 플라톤에게 진리란 감각을 통해 얻는 것이 아니라 이성을 통해 얻는 것이다.

## 05 아리스토텔레스의 행복론

아리스토텔레스는 덕 있는 삶을 살 때 행복하게 살 수 있다고 보았다. 그는 행복을 덕에 따른 영혼의 활동이라고 정의하였다.

**바로 알기** 병: 아리스토텔레스는 행복이 이데아의 세계가 아닌 현실 세계에 존재한다고 주장하였다. 무: 행복은 경제적 부, 쾌락, 명예 등을 통해 얻는 행복은 일시적이고 완전하지 못하므로 진정한 행복이라고 보지 않았다.

## 06 아리스토텔레스 중용

제시된 글에는 중용에 관한 아리스토텔레스의 입장이 담겨 있다. 중용은 품성적인 덕과 관련 있으며, 과도함과 부족함 사이의 적절한 상태를 의미한다. 아리스토텔레스는 질투나 절도와 같이 그 자체로 나쁜 감정이나 행동에는 중용이 없다고 보았다.

**바로 알기** ② 중용은 도덕적 감정이나 행위와 관련 있으므로 자신의 이익을 극대화하려는 성향과는 거리가 멀다. ③ 아리스토텔레스는 현실에서 실현할 수 있는 선을 추구하였으며, 중용은 그 상황에서 가장 적절한 최선을 의미한다. ④ 각자가 처한 상황마다 중용에 따른 적절한 선택과 행동도 달라진다. ⑤ 아리스토텔레스는 플라톤의 이상주의적 이데아론을 비판하면서 현실 속에서 참다운 존재를 찾고자 하였다.

**완자 정리 노트** 아리스토텔레스 윤리 사상의 특징

| 구분 | | 내용 |
|---|---|---|
| 세계관 | | • 현실적인 윤리학: 선은 이데아의 세계가 아닌 현실 세계에 존재한다고 봄<br>• 목적론적 세계관: 인간의 모든 행위는 선을 목적으로 한다고 봄 |
| 덕론 | 지성적 덕 | • 영혼의 이성적인 부분과 관련된 덕임<br>• 주로 교육을 통해 기를 수 있음<br>• 지적인 관조를 가능하게 함<br>• 예: 철학적 지혜, 실천적 지혜, 논리적 추론 등 |
| | 품성적 덕 | • 영혼의 이성의 영향을 받을 수 있는 부분과 관련된 덕임<br>• 지속적인 도덕적 실천을 통해 기를 수 있음<br>• 일상생활에서 올바른 행위를 하게 함<br>• 예: 용기, 절제, 긍지 등 |

## 07 아리스토텔레스의 의지의 나약함

아리스토텔레스는 품성적인 덕의 실천과 관련하여 의지의 중요성을 강조하였다. 무엇이 중용의 상태인지 안다고 하더라도 의지가 나약하면 실천하지 못하는 경우가 있다고 보았기 때문이다. 그래서 아리스토텔레스는 앎의 중요성과 함께 실천 의지의 필요성도 강조하였다. 이러한 측면에서 아리스토텔레스의 사상은 주지주의적 성격과 주의주의적 성격을 모두 띠고 있다고 할 수 있다.

**바로 알기** ① 실천적 지혜는 품성적 덕을 형성하는 데 영향을 미치므로 품성적 덕과 지성적 덕은 상호 연관성이 있다. ② 아리스토텔레스는 덕이 있는 사람이 되려면 공동체 구성원으로서 사회적 책무에 충실해야 한다고 보았다. ③ 이데아에 대한 지식을 강조한 사람은 플라톤이다. ④ 지성적 덕은 교육을 통해, 품성적 덕은 도덕적 실천을 통해 기를 수 있다.

## 08 플라톤과 아리스토텔레스의 사상 비교

갑은 플라톤, 을은 아리스토텔레스이다. 플라톤은 세계를 현상계와 이데아계로 구분하고 참된 실재와 진리는 이데아 세계에 존재한다고 보았다. 한편 아리스토텔레스는 이러한 플라톤의 이데아론을 비판하며 현실 세계에서 진리를 추구할 수 있다고 주장하였다.

**바로 알기** ① 플라톤은 이데아 세계에서 진리를 찾고자 하였다. ② 플라톤은 선의 이데아에 대한 지혜를 갖춘 철인이 나라를 다스리는 철인 정치를 주장하였다. ③ 아리스토텔레스는 플라톤에 비해 도덕적 실천에 있어서 인간의 의지를 강조하였다. ⑤ 두 사상가 모두 이성과 사유를 중시하였다.

## 09 플라톤의 윤리 사상

㉠에 해당하는 사상가는 플라톤이다. 플라톤은 세계를 현실 세계와 이데아 세계로 구분하였다. 현실 세계는 이데아를 모방하여 생겨나고 끊임없이 생성·소멸하며 변화하는 세계인 반면, 이데아 세계는 참된 실재가 존재하는 관념의 세계이다. 플라톤은 선의 이데아에 관한 지혜를 갖춘 철인이 국가를 통치해야 한다고 보았다.

**바로 알기** ㄴ. 플라톤은 철인 정치를 주장하였다. ㄹ. 이성이 기개와 욕망에 굴복한다면 덕은 형성될 수 없다.

## 10 플라톤과 아리스토텔레스 사상의 공통점

㉠은 플라톤, ㉡은 아리스토텔레스를 가리킨다. 이들은 모두 덕 있는 삶을 살 때 행복한 삶을 살 수 있다고 보았다. 또한 이성이 욕망을 적절히 통제해야 덕 있는 사람이 될 수 있다고 보았다. 이와 더불어 두 사상은 그리스도교 사상가들에게 수용되어 그리스도교 윤리 사상의 발전에 기여하였다는 공통점이 있다.

**바로 알기** ② 소크라테스의 입장에 해당한다. ③ 아리스토텔레스만의 입장에 해당한다. ④ 플라톤과 아리스토텔레스 모두 이성적 사유와 판단을 중시하였다. ⑤ 플라톤에 해당하는 내용이다.

## 11 현대 덕 윤리의 특징

아리스토텔레스의 사상을 계승한 현대 덕 윤리는 행위자 중심의 윤리 사상이다. 이와 같은 윤리학에서는 선한 동기, 감정, 성향을 계발하고, 이를 습관화하여 선한 성품을 지닌 덕 있는 사람이 될 것을 강조한다. 또한 현대 덕 윤리에 따르면 인간은 그가 속한 공동체로부터 영향을 받으며 살아가기 때문에, 공동체가 발전시켜 온 도덕적 전통의 가치와 중요성으로부터 분리될 수 없다.

**바로 알기** ③ 플라톤의 입장에 해당한다.

**12 매킨타이어 사상의 특징**

제시된 글에는 현대 덕 윤리 사상가인 매킨타이어의 주장이 담겨 있다. 매킨타이어를 중심으로 한 현대 덕 윤리에 따르면 인간은 그가 속한 공동체의 영향을 받으며 살아가므로 개인의 행위를 평가할 때, 행위가 이루어진 공동체에서 형성되어 온 구체적인 맥락 안에서 평가해야 한다고 강조한다.

**| 바로 알기 |** ㄴ. 소크라테스 사상에 해당한다. ㄷ. 현대 덕 윤리에서는 행위 자체의 옳고 그름보다는 행위자의 덕성을 중시한다.

## 서술형 문제

119쪽

**01 주제:** 플라톤의 철인 정치

(1) 철인 정치

(2) 예시 답안 플라톤은 지혜를 갖춘 철학자가 국가 구성원의 행복을 위해 희생하고 봉사하는 통치자가 되어야 한다고 보았다. 그러나 그 과정에서 권력, 부, 명예 등과 같은 대가를 바라서는 안 된다고 강조하였다.

**채점 기준**

| | |
|---|---|
| 상 | 플라톤이 주장하는 철인 정치와 관련하여 그가 강조하는 통치자의 자질을 정확히 서술한 경우 |
| 하 | 통치자는 지혜를 갖추어야 한다는 내용만 서술한 경우 |

**02 주제:** 아리스토텔레스의 지성적 덕과 품성적 덕

(1) ㉠ – 지성적 덕, ㉡ – 품성적 덕

(2) 예시 답안 ㉠ 지성적 덕은 주로 교육을 통해 기를 수 있으며, ㉡ 품성적 덕은 지속적인 도덕적 실천을 통해 도덕적 행동을 습관화할 때 기를 수 있다.

**채점 기준**

| | |
|---|---|
| 상 | ㉠ 지성적 덕과 ㉡ 품성적 덕의 특징을 바탕으로 각각의 덕을 기르는 방법을 정확히 서술한 경우 |
| 하 | ㉠ 지성적 덕과 ㉡ 품성적 덕을 기르는 방법 중 한 가지만 서술한 경우 |

## STEP 3 1등급 정복하기

120～121쪽

1 ① 2 ④ 3 ② 4 ③

**1 플라톤의 동굴의 비유**

플라톤은 동굴의 비유를 통해 이데아론을 설명하였다. 우리가 보는 세계는 동굴 안 그림자의 세계에 불과하며, 참된 세계는 동굴 밖의 세계이다. 그리고 이 세계를 비추는 태양은 선의 이데아를 가리킨다. 플라톤에 따르면 동굴 밖으로 나가 선의 이데아를 본 사람들이 철학자이다.

**| 바로 알기 |** ㄷ. 참된 실재이자 이데아는 동굴 밖에 있다. ㄹ. 참된 지혜를 갖춘 철학자는 무엇이 좋은지 나쁜지를 알게 되며 무엇을 어떻게 실천해야 하는지에 대한 올바른 판단을 내릴 수 있으므로 덕이 있는 올바른 삶을 살 수 있다.

**2 아리스토텔레스 윤리 사상의 특징**

아리스토텔레스는 인간이 어떤 행위를 해야 할지 알고 있더라도, 의지의 나약함 때문에 그것을 실천하지 못할 수 있다고 보았다. 그래서 품성적 덕의 실천과 관련하여 의지의 중요성을 강조하였다.

**| 바로 알기 |** ㄱ. 아리스토텔레스에 따르면 나쁜 것들(악덕)에 대해서는 중용이 성립할 수 없다. ㄷ. 아리스토텔레스는 인간이 지닌 모든 욕구를 제거해야 한다고 주장하지 않았다. 또한 그는 덕이 있는 사람이 되려면 공동체 구성원으로서 사회적 책무에 충실해야 한다고 주장하였다.

**3 플라톤과 아리스토텔레스의 윤리 사상 비교**

갑은 영혼의 세 부분 즉 이성, 기개, 욕구가 제 기능을 다하여 서로 조화를 이룰 때 영혼의 정의가 실현된다고 본 플라톤의 입장이다. 을은 이성에 따라 지성의 덕과 품성의 덕을 조화롭게 발휘하면 참된 행복에 이를 수 있다고 강조한 아리스토텔레스의 입장이다.

**| 바로 알기 |** ② 절제는 모든 계급에 요구되는 덕이다.

**4 플라톤과 아리스토텔레스의 윤리 사상 비교**

갑은 플라톤, 을은 아리스토텔레스의 입장이다. 갑은 영혼의 각 부분이 자기의 맡은 일을 잘 수행해야 한다고 강조하였으며, 을은 행복을 최고선으로 보고, 행복한 삶을 살기 위해서는 인간 고유의 기능인 이성에 따라 덕 있는 삶을 살아야 한다고 보았다.

**| 바로 알기 |** ㄱ. 갑, 을의 공통 입장이므로 B에 해당한다. ㄷ. 플라톤만의 입장이므로 A에 해당한다.

**완자 정리 노트** 플라톤과 아리스토텔레스 사상 비교

| 구분 | 플라톤 | 아리스토텔레스 |
|---|---|---|
| 차이점 | 진리는 이데아의 세계에 있다고 봄 | 진리는 현실 세계에 존재한다고 봄 |
| 공통점 | • 덕 있는 삶을 살 때 행복해질 수 있다고 봄<br>• 이성이 욕망을 적절히 통제해야 덕 있는 사람이 될 수 있다고 봄<br>• 플라톤은 아우구스티누스 사상에, 아리스토텔레스는 아퀴나스 사상에 영향을 주어 그리스도교 윤리 사상의 발전에 기여함 | |

# 03 행복 추구의 방법

**STEP 1** 핵심 개념 확인하기 126쪽

1 쾌락의 역설 2 ㄴ, ㄷ 3 (1) ㄱ (2) ㄴ 4 (1) 금욕주의 (2) 아파테이아 5 (1) × (2) ○

**STEP 2** 내신 만점 공략하기 126~129쪽

01 ⑤ 02 ④ 03 ② 04 ④ 05 ② 06 ⑤ 07 ⑤ 08 ④ 09 ② 10 ① 11 ⑤ 12 ②

### 01 헬레니즘 시대의 윤리 사상의 특징

기원전 4세기경 알렉산드로스 대왕이 대제국을 건설하면서 도시 국가가 해체되었다. 도시 국가 체제의 붕괴와 거대한 제국의 출현은 사람들의 정체성과 가치관에 큰 변화를 가져왔다. 이에 따라 한편에서는 개인주의가, 다른 한편에서는 세계 시민주의가 등장하였다. 혼란스러운 시대적 배경 속에서 헬레니즘 시대의 사상가들은 주로 평온한 삶으로서의 행복을 추구하였다.

**바로 알기** ⑤ 에피쿠로스학파는 공동체에서의 공적 활동을 멀리하고자 하였다.

### 02 에피쿠로스의 쾌락

제시된 글에는 에피쿠로스의 주장이 드러나 있다. 에피쿠로스는 적극적인 욕망의 충족에 따른 쾌락이 아니라 고통을 제거함으로써 주어지는 쾌락을 추구하였다. 또한 그는 이성을 통해 고통과 쾌락의 원인을 분석하고, 건전한 추론으로써 쾌락을 분별해 낼 수 있다고 보았다.

**바로 알기** 첫 번째 관점: 에피쿠로스가 추구하는 쾌락은 평온하고 소박한 삶과 결부된 것으로, 정신적이고 지속적인 쾌락이다. 두 번째 관점: 에피쿠로스는 번잡한 세속의 삶을 떠나 작은 공동체에서 살아갈 것을 강조하였다.

### 03 바람직한 삶의 모습에 관한 에피쿠로스의 견해

제시된 글과 같이 주장한 사상가는 에피쿠로스이다. 그는 쾌락을 얻는 데 있어 이성의 역할이 중요하다고 보았다. 그에 따르면 우리는 이성을 통해 욕망을 분별하고 죽음과 운명, 미신 등에 대한 잘못된 생각에서 벗어나야 한다. 아울러 에피쿠로스는 풍성한 식탁이나 과도한 욕망 충족이 참된 쾌락을 가져다주는 것이 아니며, 검소하고 소박한 삶을 살 때 고통에서 벗어날 수 있다고 보았다.

**바로 알기** 에피쿠로스는 ① 쾌락을 행복의 기준으로 삼았다. ③ 진정한 쾌락을 누리기 위해서 절제하는 삶을 살아야 한다고 보았다. ④ 감각적·육체적 쾌락보다 지속적이고 정신적인 쾌락을 추구하였다. ⑤ 우정을 나누며 정의롭게 사는 삶을 권장하였다.

### 04 에피쿠로스가 제시한 욕구의 세 가지 유형

에피쿠로스는 욕구를 세 가지 유형으로 구분하였다. 첫째 생존을 위한 식욕이나 수면욕처럼 자연적이고 필수적인 욕구, 둘째 성적 욕구와 같은 자연적이지만 필수적이지 않은 욕구, 셋째 부, 명예, 권력에 대한 욕구처럼 자연적이지도 필수적이지도 않은 욕구이다. 그에 따르면 자연적이고 필수적인 욕구를 충족하는 소박한 삶을 살 때 고통에서 벗어날 수 있다.

**바로 알기** ㄷ. ㉡의 예로는 성적 욕구를 들 수 있으며, 이를 많이 충족시킨다고 해서 행복한 삶에 가까워지는 것은 아니다.

### 05 죽음에 관한 에피쿠로스의 관점

에피쿠로스는 평정심에 이르기 위해 죽음에 대한 잘못된 생각에서 벗어나야 한다고 보았다. 그에 따르면 죽음은 우리가 살아 있는 동안에는 아직 오지 않았으며, 죽음이 왔을 때는 우리가 그 어떤 것도 느낄 수 없다. 그러므로 우리는 죽음으로 인한 고통과 두려움에서 벗어나야 한다.

**바로 알기** ㄴ. 에피쿠로스에게 신이란 정념과 편애가 없는 완전한 존재이다. 그는 신은 인간사에 간섭하지 않으므로 인간은 신에 대한 두려움을 가지거나, 신에게 복을 빌 이유가 없다고 보았다. ㄷ. 에피쿠로스는 인간이 가진 모든 욕구를 제거해야 한다고 주장하지 않았다. 그는 자연적이고 필수적인 욕구를 최소한으로 충족하는 소박한 삶을 지향하였다.

### 06 에피쿠로스학파 사상의 특징

제시된 글은 에피쿠로스의 입장이다. 에피쿠로스학파는 번잡스러운 공적인 업무에서 벗어나 가까운 사람들과 교제하면서 우정을 나누고 정의를 실천하는 삶을 추구하였다.

**바로 알기** 에피쿠로스는 ① 욕구를 세 가지로 구분하였다. ② 몸의 고통이나 마음의 혼란이 없는 평온한 마음 상태를 지향하였다. ③ 인간은 정신적이고 지속적인 쾌락을 통해 행복한 삶에 이를 수 있다고 보았다. ④ 참된 쾌락을 얻기 위해 소박하고 검소한 삶을 권장하였다.

### 07 스토아학파 사상에서 강조하는 삶의 태도

제시된 글을 주장한 사람은 스토아학파 사상가인 세네카이다. 스토아학파에 따르면 이 세상에서 일어나는 모든 일은 신에 의해 운명 지어져 있다. 이러한 관점에 따라 스토아학파는 자신에게 주어진 상황과 조건을 자신의 운명으로 받아들어야 한다고 보았다.

**바로 알기** 스토아학파는 ① 인간이 추구해야 할 궁극적 행복으로 부나 명예와 같은 외적인 것이 아닌 마음의 평온함을 제시하였다. ② 자식에 대한 부모의 사랑, 인류에 대한 사랑과 같은 몇몇 감정들은 허용하였다. ③ 각 개인이 사회적 역할을 수행해야 할 뿐만 아니라 인류의 공동선을 실현하기 위한 의무를 다해야 한다고 주장하였다. ④ 자신에게 주어진 상황과 조건을 자신의 운명으로 받아들여야 한다고 보았다.

### 08 스토아학파 사상의 기본 관점

에픽테토스는 스토아학파 사상가이다. 스토아학파에서는 우리를 둘러싼 외적인 것들은 우리의 의지대로 바꿀 수 없으며, 우리가 바꿀 수 없는 일은 받아들이고, 바꿀 수 있는 일에 집중해야 한다고

강조하였다.

**| 바로 알기 |** 스토아학파는 ㄱ. 세계 안의 모든 일은 이성의 인과 법칙에 따라 필연적으로 일어나므로 이에 순응해야 한다고 보았다. ㄷ. 모든 것이 순리대로 되었음을 이성으로 통찰하고 운명에 따를 때 우리는 행복에 이를 수 있다고 주장하였다.

### 09 운명을 대하는 스토아학파의 태도

제시된 글을 주장한 사람은 스토아학파 사상가인 세네카이다. 스토아학파는 우리에게 일어나는 모든 일을 운명으로 받아들여야 한다고 주장하였다. 또한 개인은 세계 전체의 한 부분으로서 존재하며, 공동체의 일원으로서 살아간다고 보았다. 그래서 개인이 공동체를 위해 살아갈 것을 강조하였다.

**| 바로 알기 |** ㄱ. 스토아학파에 따르면 모든 것이 순리대로 되었음을 이성으로 통찰하고 운명에 따를 때 우리는 마음의 안정과 행복에 이를 수 있다. ㄷ. 스토아학파는 자신의 건강을 돌보거나 부모를 사랑하는 마음과 같이 비교적 자연스러운 정념은 인정하였다.

### 10 스토아학파에서 추구하는 삶의 모습

제시된 글을 주장한 사람은 스토아학파 사상가인 에픽테토스이다. 스토아학파 사상가들은 주어진 운명에 순응하고 사회적 역할을 수행하는 사람을 바람직하다고 볼 것이다.

**| 바로 알기 |** ② 에피쿠로스학파에서 지향하는 삶의 모습이다. ③, ⑤ 스토아학파는 쾌락, 아름다움, 고통 등은 모두 행복과 무관하므로 그것들에 마음이 좌우되어서는 안 된다고 보았다. ④ 플라톤의 입장에 해당한다.

### 11 스토아학파 윤리 사상의 특징

스토아학파에 따르면 전체 속의 모든 것은 서로 연결되어 있고 모든 일은 신의 법칙, 즉 이성의 법칙에 따라 필연적으로 일어난다. ㉤ 자연의 일부인 인간도 신적 이성을 나누어 가지므로 자연을 지배하는 이성의 법칙을 이해하고 자연의 모든 일이 필연적임을 알 수 있다.

### 12 에피쿠로스학파와 스토아학파 사상의 비교

(가)는 에피쿠로스학파, (나)는 스토아학파와 관련 있는 글이다. 스토아학파는 정념에서 벗어나 어떠한 외부 상황에도 동요하지 않는 정신적 의연함을 아파테이아라고 하였다. 이들은 아파테이아의 상태에 도달하는 것을 이상으로 삼았다.

**| 바로 알기 |** ① 에피쿠로스학파는 물질적 재화의 충족을 강조하지 않는다. ③ 에피쿠로스학파에 해당하는 설명이다. ④ (가)는 소극적 쾌락주의, (나)는 금욕주의의 특성을 지니므로 (가), (나) 모두 경제적 효율성을 중시한다는 진술과는 거리가 멀다. ⑤ (가) 사상에서 강조할 내용이다.

**완자 정리 노트** 에피쿠로스학파와 스토아학파 비교

| 구분 | 에피쿠로스학파 | 스토아학파 |
|---|---|---|
| 기본 입장 | 소극적 쾌락주의 | 금욕주의 |
| 이상적 경지 | 몸에 고통이 없고 마음에 불안이 없는 평정심의 상태 | 이성을 통해 정념의 지배에서 벗어난 부동심의 상태 |

## 서술형 문제

129쪽

### 01 주제: 스토아학파의 입장에서 운명을 대하는 태도

**예시 답안** 자신에게 주어진 상황과 조건을 변화시키기보다는 그것을 자신의 운명으로 받아들이고 순응해야 한다.

**채점 기준**

| | |
|---|---|
| 상 | 스토아학파의 입장을 바탕으로 운명에 따라야 한다는 내용을 자세히 서술한 경우 |
| 하 | '순응'과 같이 간단히 쓴 경우 |

### 02 주제: 에피쿠로스학파와 스토아학파 사상의 현대적 의의

(1) ㉠ – 에피쿠로스, ㉡ – 스토아

(2) **예시 답안** 욕망의 절제를 통한 행복의 추구는 물질과 명예를 지나치게 중시하는 현대인의 삶을 반성하게 한다. 그리고 평정심과 부동심의 추구는 급변하는 상황에서 불안해하는 현대인에게 내적 평온을 통한 행복의 중요성을 알려 준다.

**채점 기준**

| | |
|---|---|
| 상 | ㉠ 에피쿠로스, ㉡ 스토아학파 사상의 특징을 바탕으로 현대적 의의 두 가지를 정확히 서술한 경우 |
| 하 | ㉠ 에피쿠로스, ㉡ 스토아학파 사상의 현대적 의의 중 한 가지만 서술한 경우 |

## STEP 3 1등급 정복하기

130~131쪽

1 ① 2 ① 3 ③ 4 ⑤

### 1 에피쿠로스학파의 쾌락과 이성의 연관성

제시된 글을 통해 에피쿠로스가 추구한 바람직한 삶의 자세를 살펴볼 수 있다. 에피쿠로스는 참된 쾌락은 헛된 욕구를 자제하는 소박한 삶 속에서 발견할 수 있다고 보았으며, 이성은 쾌락을 분별하므로 참된 쾌락을 얻는 데 필요한 수단이라고 보았다.

**| 바로 알기 |** 에피쿠로스에 따르면 ㄷ. 죽음을 두려워할 필요가 없다. ㄹ. 자연적이면서 필수적인 욕구를 최소한으로 충족하면서 살아야 한다.

### 2 스토아학파 사상의 특징

제시된 글을 통해 스토아학파 사상가인 에픽테토스의 관점에서 마음의 평화를 얻는 방법을 알 수 있다. 스토아학파에 따르면 자연의 법칙과 이성에 따라 행위 하는 것이 인간의 의무이며, 자신의 건강을 돌보거나 부모를 사랑하는 마음과 같이 비교적 자연스러운 정념은 인정할 수 있다.

**| 바로 알기 |** 두 번째 관점: 스토아학파는 인류 전체의 공동선을 위해 사는 삶을 중시하였다. 네 번째 관점: 스토아학파에서는 인간은 이성의 명령에 따라 자연의 필연성을 받아들일 때 행복과 자유를 얻을 수 있다고 보았다.

### 3 에피쿠로스학파와 스토아학파의 사상 비교

**자료분석** ┌ 스토아학파는 선이나 덕, 행복의 기초를 우리가 의지에 따라 바꿀 수 있는 우리의 내면에서 찾아야 한다고 보았어.

갑: 세상에는 우리의 의지대로 할 수 있는 일이 있고, 우리의 의지대로 할 수 없는 일이 있다. 사물에 대해 의견을 내고, 의욕을 느끼며, 그것을 갈망하거나 기피하는 것과 같은 의지적 활동은 우리 뜻대로 할 수 있다. 그러나 육체·재산·평판·권력 등 우리 자신의 행위가 아닌 것은 우리 뜻대로 할 수 없다.

을: 욕망이 충족되지 않을 수 있지만 그것이 우리를 고통으로 이끌지 않는다면 필수적인 것은 아니다. 우리는 이 욕망이 헛된 생각에서 생긴 것임을 알고, 고통 없는 상태를 추구해야 한다.

└ 아타락시아를 의미해.

갑은 스토아학파, 을은 에피쿠로스학파의 입장을 취한다. 갑은 어떠한 외부 상황에도 흔들리지 않는 정신의 의연함인 아파테이아를 지향하였고, 을은 정신적·육체적 고통이 없는 평온함인 아타락시아를 지향하였다.

**| 바로 알기 |** ① 갑은 자연의 질서에 따를 것을 강조한다. ② 갑은 이성으로 신의 섭리를 파악할 수 있다고 본다. ④ 을은 소수의 친한 사람들과 우정을 맺으며 살아야 한다고 본다. ⑤ 을은 아름다움과 덕은 쾌락을 제공할 때 가치를 지닌다고 본다.

### 4 에피쿠로스학파와 스토아학파의 사상 비교

갑은 에피쿠로스학파, 을은 스토아학파의 입장을 취한다. 에피쿠로스 학파는 개인적 쾌락을 추구하였고, 스토아학파는 금욕주의의 입장을 취하였으므로 ⑤는 갑, 을 모두가 부정할 주장이다.

**| 바로 알기 |** ①, ④ 스토아학파가 긍정할 주장이다. ②, ③ 에피쿠로스학파가 긍정할 주장이다.

## 04 신앙

**STEP 1 핵심 개념 확인하기** 136쪽

1 황금률 2 (1) ○ (2) × (3) ○ 3 스콜라 4 (1) – ㉡ (2) – ㉠
5 (1) ㄴ (2) ㄱ

**STEP 2 내신 만점 공략하기** 136~139쪽

01 ② 02 ① 03 ② 04 ③ 05 ② 06 ③ 07 ⑤
08 ① 09 ③ 10 ③ 11 ④ 12 ⑤

### 01 그리스도교 사상의 특징

㉠에 들어갈 말은 그리스도교이다. 예수의 가르침을 중심으로 하는 그리스도교 윤리 사상은 절대자인 신을 도덕의 근본으로 삼는다. 그리스도교는 신에 대한 믿음과 사랑의 실천을 강조한다.

**| 바로 알기 |** ② 선민사상과 율법주의를 핵심으로 삼는 것은 유대교이다. 예수는 유대교의 선민사상과 율법주의를 비판하면서 모든 사람이 신 앞에 평등하며, 현실에서 조건 없는 사랑을 실천하라고 주장하였다.

### 02 예수의 가르침

제시된 글은 예수의 주장이다. 예수는 유대교의 선민사상과 율법주의를 비판하면서 신에 대한 사랑과 이웃에 대한 사랑을 강조하였다.

**| 바로 알기 |** ① 유대교의 선민사상을 의미한다. 예수는 모든 인간은 신이 창조한 동등한 존재라고 강조하면서 유대교의 선민사상을 비판하였다.

### 03 악에 관한 아우구스티누스의 견해

플라톤의 사상을 수용하여 그리스도교 신앙과 사랑의 윤리를 체계화한 사람은 아우구스티누스이다. 아우구스티누스는 악은 선이 결여된 상태라고 보았다. 또한 그는 악을 최고선인 신이 창조한 것이 아니라 인간이 자유 의지를 남용하여 생겨난 것이라고 보았다.

### 04 아우구스티누스의 신에 대한 입장

제시된 글은 아우구스티누스의 주장이다. 그는 행복을 위해 완전한 존재이며 최고의 선인 신에게 귀의하고 신과 하나 되는 삶을 살아야 한다고 보았다. 그에 따르면 신은 최고의 선이며 신에 대한 완전한 사랑은 최고의 덕이다.

**| 바로 알기 |** 첫 번째 관점: 아우구스티누스에 따르면 신의 은총 없이 인간의 자유 의지만으로는 완전한 행복에 이를 수 없다. 세 번째 관점: 아우구스티누스에게 신은 이성적 인식의 대상이 아니라 신앙을 통해 실존적으로 만나야 할 인격적 존재이다.

## 05 플라톤의 사상을 수용한 아우구스티누스의 사상

아우구스티누스는 플라톤의 철학을 받아들여 그리스도교의 교리를 체계화하는 데 크게 기여하였다. 그는 플라톤이 강조한 절제, 용기, 정의, 지혜를 신에 대한 사랑의 다른 표현으로 해석하였다. 아우구스티누스에 따르면 신을 알기 위해서는 우선 믿는 것이 필요하다. 왜냐하면 믿음이 있어야 신과의 만남을 통해 신에 대한 참된 지식을 얻을 수 있기 때문이다.

**바로 알기** ① 아퀴나스의 견해이다. ③ 아우구스티누스에 따르면 신앙은 이성에 종속되지 않는다. ④ 인간은 불완전한 존재이기 때문에 신의 은총 없이는 참된 선을 실현하거나 완전한 행복에 이를 수 없다. ⑤ 신은 이성적 인식의 대상이 아니라, 종교적 체험을 통해 만나야 할 인격적 존재이다.

## 06 아우구스티누스의 사상

제시된 글은 아우구스티누스의 주장이다. 그에 따르면 신은 최고의 선이며, 신에 대한 사랑은 최고의 덕이다. 아우구스티누스는 플라톤의 사주덕을 모두 신에 대한 사랑의 다른 표현으로 해석하였다.

**바로 알기** ①, ⑤ 루터에 대한 설명이다. ② 아퀴나스에 대한 설명이다. ④ 플라톤에 대한 설명이다.

## 07 아퀴나스의 자연법

제시된 글은 아퀴나스의 주장이며, ㉠에 알맞은 말은 자연법이다. 자연법은 인간 본성에 기초하고 있으며, 인간의 이성에 의해 인식될 수 있다. 그러므로 자연법은 이성을 지닌 인간이라면 누구나 동의할 수밖에 없고, 언제 어디서나 지켜야 하는 도덕 법칙이다.

**바로 알기** ㄱ. 아퀴나스는 도덕적 의무와 실정법은 자연법에 기초해야 한다고 보았다. ㄴ. 아퀴나스에 따르면 영원법은 자연법을 구성하는 기초이며, 모든 법은 신의 명령인 영원법에 근원을 둔다.

## 08 아퀴나스 사상의 특징

제시된 글을 통해 아퀴나스의 사상을 살펴볼 수 있다. 아퀴나스는 신학과 철학, 신앙과 이성이 조화를 이룰 수 있다고 보았으며, 모든 법은 영원법에 근거해야 한다고 주장하였다. 아퀴나스는 아리스토텔레스와 마찬가지로 인간이 궁극적 목적으로 최고선, 곧 행복을 지향한다고 보았다. 다만 아퀴나스에게 현세의 행복은 내세의 진정한 행복으로 나아가는 예비 단계에 불과하다. 그러므로 궁극적인 행복에 도달하기 위해 신의 은총을 통해 내세에 신과 하나가 되어야 한다.

**바로 알기** ㄷ. 아퀴나스는 지성적 덕과 품성적 덕만으로는 행복에 이를 수 없으며, 종교적 덕이 필요하다고 보았다. ㄹ. 아퀴나스에게 최고의 행복은 현세에서 누릴 수 있는 것이 아니라 궁극적으로 신과 하나가 될 때 누릴 수 있는 것이다.

## 09 아퀴나스의 바람직한 삶의 자세

제시된 글은 아퀴나스의 주장이다. 아퀴나스는 이성과 철학이 자율성을 지니고 진리를 탐구하는 영역도 인정하여 자연에 대한 경험적이고 이성적인 탐구가 성경과 신앙에 어긋나지 않는다고 보았다.

**바로 알기** ①, ②, ④ 아퀴나스는 철학과 신학의 고유한 영역을 구분하여 각각의 중요성을 강조하면서도, 신학적 체계를 완성하는 데 철학을 활용하고자 하였다. 따라서 아퀴나스는 철학과 신학이 서로 보완적인 관계에 있다고 보았다. ⑤ 자연적 경향성의 질서를 따르는 것은 도덕적 의무이다.

**완자 정리 노트** 아우구스티누스와 아퀴나스 사상의 비교

| 구분 | 아우구스티누스 | 아퀴나스 |
|---|---|---|
| 차이점 | • 교부 철학<br>• 플라톤 철학을 계승함 | • 스콜라 철학<br>• 아리스토텔레스 철학을 계승함 |
| 공통점 | 인간 스스로의 노력만으로는 진정한 행복에 도달할 수 없다고 봄 | |

## 10 아우구스티누스와 아퀴나스 사상의 특징

갑은 교부 철학자인 아우구스티누스, 을은 스콜라 철학자인 아퀴나스의 입장이다. 아퀴나스는 신앙과 이성의 조화를 중시하였으며, 이성적인 논증을 통해 신의 존재를 증명하기도 하였다.

**바로 알기** ① 아우구스티누스에 따르면 천상의 나라는 신을 사랑하는 사람들로 이루어진 나라이며, 지상의 나라는 자기만을 사랑하는 사람들로 이루어진 나라이다. ② 아퀴나스는 신앙보다 이성을 우위에 두지 않았다. ④ 아우구스티누스는 악은 선의 결여이며, 신이 만든 것이 아니라 인간에서 비롯된 것이라고 보았다. 아퀴나스 역시 악을 선의 결여로 보았다. ⑤ 아우구스티누스는 교부 철학자, 아퀴나스는 스콜라 철학자이다.

## 11 루터 사상의 특징

제시된 글은 루터의 「95개조 반박문」이다. 루터는 교황이 발행하는 면죄부가 인간을 구원하지 못하며, 예수의 가르침과 사랑을 실천해야 구원과 행복에 이를 수 있다고 주장하였다. 그는 교회의 독점적 권위를 부정하고 누구나 성서와 기도를 통해 신과 대화할 수 있다고 강조하였다.

**바로 알기** 루터는 ① 교회의 독점적 권위를 부정하였다. ② 성직자를 통하지 않고도 누구나 성서와 기도를 통해 신과 대화할 수 있다고 보았다. ③ 개인의 신앙을 강조하였다. ⑤ 교회의 면죄부 판매를 비판하였고, 인간은 오직 믿음으로 구원받을 수 있다고 보았다.

## 12 루터와 칼뱅 사상의 특징

㉠은 루터, ㉡은 칼뱅이다. 종교 개혁은 루터가 면죄부 판매를 비판하면서 촉발되었다. 그는 참된 진리는 성서에 있으며, 누구나 신과 직접 대화할 수 있다고 주장하면서 기존 교회의 권위와 부패를 비판하였다. 칼뱅은 직업 소명설을 통해 직업은 소명이자 이 땅에서 신의 영광과 이웃 사랑을 실현하는 통로라고 주장하였다. 이처럼 그리스도교 윤리는 종교 개혁으로부터 비롯된 프로테스탄티즘의 등장으로 이전보다 현세에서의 삶을 더욱 중시하는 특색을 띠게 되었다.

**바로 알기** ① 루터는 교회를 통하지 않고서도 신과 직접 만날 수 있다고 보았다. ② 칼뱅은 직업이 신의 영광을 실현하는 통로라고 보았다. ③ 루터와 칼뱅은 기존 교회의 권위를 부정하였다. ④ 칼뱅은 노동을 통해 얻은 산물은 모두 신의 선물이라고 여겼다.

## 서술형 문제

139쪽

**01** **주제:** 아우구스티누스의 입장에서 참된 행복에 이르는 방법

예시 답안 유한하고 불완전한 인간은 신앙을 통해 완전한 존재인 신과 하나가 될 때 참된 행복을 누릴 수 있다.

채점 기준

| | |
|---|---|
| 상 | 아우구스티누스의 입장에서 참된 행복에 도달하는 방법으로 신앙을 통해 신과 하나가 되어야 한다는 점을 자세히 서술한 경우 |
| 하 | '신앙'과 같이 간단히 쓴 경우 |

**02** **주제:** 아퀴나스 사상의 특징

(1) 아퀴나스

(2) 예시 답안 아퀴나스는 인간 행위의 궁극적인 목적은 행복이며, 이성을 탁월하게 발휘하여 자연적 덕을 형성하고 종교적 덕을 실천할 때 행복한 삶을 살 수 있다고 보았다. 단, 아퀴나스에게 진정한 행복이란 궁극적으로 내세에 신에게 도달함으로써 주어지는 것이다.

채점 기준

| | |
|---|---|
| 상 | 아퀴나스의 관점에서 인간 행위의 목적이 행복이라는 점을 쓰고, 행복에 이르기 위해 자연적 덕을 형성하고 종교적 덕을 실천해야 한다는 점을 자세히 서술한 경우 |
| 하 | 아퀴나스의 관점에서 인간 행위의 목적과 행복에 이르기 위한 방법 중 한 가지만 서술한 경우 |

## STEP 3 1등급 정복하기

140～141쪽

1 ② 2 ④ 3 ③ 4 ③

### 1 아우구스티누스 윤리 사상의 특징

알기 위해서는 우선 믿는 것이 필요하다고 한 것으로 볼 때, 밑줄 친 '그'는 아우구스티누스이다. 아우구스티누스에 따르면 악은 선이 결여된 상태이며, 최고선인 신이 창조한 것이 아니다. 또한 아우구스티누스에게 신은 이성적 인식의 대상이 아니라 실존적으로 만나야 할 인격적 존재이다.

**바로 알기** ㄴ. 원죄를 가진 인간은 신의 은총을 통해 구원받을 수 있다. ㄹ. 인간 스스로의 힘만으로는 영원한 진리를 인식할 수 없다. 인간은 신에 대한 사랑을 통해 신의 은총인 영원한 생명과 최고선인 진리에 도달할 수 있다.

### 2 아퀴나스 윤리 사상의 특징

제시된 글을 통해 아퀴나스가 신의 존재를 증명하고자 했다는 점을 알 수 있다. 그는 신 존재 증명을 통해 신 존재에 대한 이성적 논증은 신앙과 이성이 서로 모순되지 않으며 상호 보완적임을 보여 주었다. 아퀴나스에 따르면 인간 행위의 궁극적인 목적은 행복이며, 참된 행복은 내세에서 신의 은총을 통하여 신과 하나가 될 때 누릴 수 있다.

**바로 알기** ㄷ. 내세의 준비 과정인 현세에서 세속적인 행복에 도달할 수 있도록 우리를 지도하는 것은 인간의 이성이다. 따라서 우리는 이성적인 삶을 살아야 한다. 이러한 삶을 위해 아퀴나스는 덕을 강조하였다.

### 3 아우구스티누스와 아퀴나스 윤리 사상 비교

갑은 아퀴나스, 을은 아우구스티누스의 입장이다. 아우구스티누스와 아퀴나스 모두 인간 스스로의 노력만으로는 완전한 행복에 이를 수 없다고 보았다.

**바로 알기** ㄱ. 실정법은 자연법에 기초해야 한다. ㄹ. 자신만을 사랑하는 사람은 지상의 나라에 속한다.

### 4 그리스도교 윤리 사상 비교

**자료 분석**

> 갑: 신의 존재는 진리의 존재로부터 증명된다. 악은 의지의 산물이지만 덕은 신의 은총의 산물이며, 신의 은총이 있어야 완전한 행복이 가능하다. 또한 두 가지 사랑이 있음으로써 천상의 나라와 지상의 나라가 있게 된다.
> (아우구스티누스는 영원한 천상의 나라와 유한한 지상의 나라를 구분하였어.)
>
> 을: 신의 존재는 다섯 가지 방법으로 증명된다. 인간의 의지는 자연법을 따를 수 있지만 거부할 수도 있으며, 자연법은 신의 명령인 영원법에 근거한다.
> (아퀴나스는 구체적인 경험적 현실에서 출발해 이성적인 추론의 도움으로 신 존재 증명을 시도하였어.)
>
> 병: 교황은 신의 용서를 확증하는 이외에 어떠한 죄도 용서할 수 없다. 교황의 면죄부를 사면 모든 죄에서 벗어날 수 있다고 말하는 것은 잘못이다.
> (루터는 신앙주의, 성서 중심주의, 만인 사제주의를 주장하였어.)

갑은 아우구스티누스, 을은 아퀴나스, 병은 루터의 입장이다. 아우구스티누스는 플라톤의 사상을 받아들여 그리스도교의 교리를 체계화하고자 하였다. 아퀴나스는 신을 신앙의 대상으로 삼으면서도 신의 존재를 이성을 통해 철학적으로 증명하고자 노력하였다. 루터는 교회나 성직자를 통하지 않고도 누구나 성서와 기도를 통해 신과 대화할 수 있다고 주장하였다.

**바로 알기** ① 아우구스티누스는 신앙을 우위에 두었다. ② 아퀴나스는 신으로부터 해방을 주장하지 않았다. ④ 완전한 행복에 이르기 위해 종교적 덕이 필요하다고 보았다. ⑤ 칼뱅의 입장에 해당한다.

# 05 도덕의 기초

**STEP 1 핵심 개념 확인하기** 146쪽

1 르네상스 2 신 3 (1) 방법적 회의 (2) 우상 (3) 감정 중심(경험주의) 4 (1) ㄷ (2) ㄹ (3) ㄱ (4) ㄴ 5 ㄱ, ㄷ

**STEP 2 내신 만점 공략하기** 146~149쪽

01 ② 02 ④ 03 ③ 04 ⑤ 05 ② 06 ③ 07 ③
08 ② 09 ② 10 ② 11 ③ 12 ⑤

### 01 근대 서양 사상의 등장 배경과 특징

근대 서양 사상은 르네상스와 종교 개혁을 통해 나타나면서 신 중심의 사유에서 벗어나 인간 중심의 사유로 나아갔다. 또한 근대 경험 과학의 발달은 진리 추구와 도덕적 판단의 근거를 신이 아닌 인간의 능력에서 찾도록 이끌었다.

**바로 알기** ㄴ. 근대의 사람들은 진리와 도덕의 근거를 신이 아닌 인간에서 찾았다.

### 02 합리론과 경험론의 입장

근대 인식론은 합리론과 경험론으로 나뉜다. 갑은 경험론, 을은 합리론의 입장이다. 합리론은 지식과 사유의 토대가 인간의 이성에 있다고 보며, 경험론은 확실한 지식의 토대를 인간의 감각이나 경험에서 찾는다.

**바로 알기** ①, ② 을의 입장에 해당하는 설명이다. ③ 을은 자명한 진리가 존재한다고 본다. ⑤ 근대 서양 사상은 자연 과학의 발달로 인해 과학적 세계관이 자리 잡았다.

### 03 데카르트의 방법적 회의

제시된 글은 데카르트의 주장이다. 데카르트는 합리론의 기초를 닦은 사상가로, 이성적 추론의 토대가 되는 확실한 원리를 찾기 위하여 방법적 회의를 통해 모든 것을 의심해 보았다. 그리고 그 결과로 '생각(의심)하는 나'가 있다는 사실을 찾아내었다.

**바로 알기** ①, ② 데카르트는 방법적 회의를 통해 확고부동한 진리를 얻고자 하였다. ④ 합리론자인 데카르트의 입장과 거리가 멀다. ⑤ 데카르트는 경험론자들이 중시하는 감각적 경험을 통해서는 확실한 진리를 얻을 수 없다고 보았다.

### 04 스피노자의 세계관

제시된 글은 스피노자의 주장이다. 스피노자는 자연 그 자체를 무한하고 완전하며 유일한 실체로 보았다. 그는 자연이 곧 신이라는 관점을 취하였다. 스피노자에 따르면 자연은 수학적 질서에 따라 움직이는 하나의 커다란 기계이며, 자연에서 일어나는 모든 일은 원인과 결과의 필연적인 관계로 연결되어 있다.

**바로 알기** ① 스피노자는 인격적 신의 관념을 인정하지 않았다. ② 스피노자는 감정 자체를 배제하지는 않았다. 왜냐하면 인간은 필연적으로 감정을 느끼는 존재이기 때문이다. 다만 그는 이성적 관조를 통해 수동적인 감정을 올바르게 조절하는 방법을 제시하고자 하였다. ③ 데카르트가 긍정할 질문이다. ④ 스피노자는 온갖 정념의 예속에서 벗어날 것을 강조하였다.

### 05 스피노자 사상의 특징

스피노자는 제시된 글에서 올바른 삶을 살려면 이성을 온전히 사용하여 모든 사물의 궁극적인 원인과 질서를 인식해야 한다고 강조하였다. 그에 따르면 인간은 자연의 인과적 필연성을 이성적 관조를 통해 인식함으로써 마음의 평정과 진정한 자유를 얻을 수 있다.

**바로 알기** ② 스피노자에 따르면 인간도 자연의 일부이므로 자연의 필연성을 벗어날 수 없다. 따라서 인간은 자유 의지를 가지고 있지 않다.

### 06 데카르트와 스피노자 사상의 특징

갑은 방법적 회의를 통해 "나는 생각한다. 그러므로 나는 존재한다."라는 확고부동한 명제를 얻은 데카르트, 을은 모든 것은 신적 본성의 필연성에 의해 결정되어 있다고 주장한 스피노자의 입장이다. 데카르트와 스피노자 모두 지식과 사유의 원천을 이성으로 보았다는 공통점이 있다.

**바로 알기** ㄴ. 고대 그리스 사상가인 플라톤의 주장이다. ㄷ. 중세 서양 사상가인 아우구스티누스의 주장이다.

### 07 베이컨 사상의 특징

제시된 글은 경험주의의 대표적 사상가인 베이컨의 주장이다. 베이컨은 '아는 것이 힘'이라고 말하며 과학적 지식의 유용성을 강조하였다. 또한 우리가 참된 지식을 얻기 위해서는 자연을 있는 그대로 인식해야 하는데, 이러한 인식을 방해하는 선입견과 편견을 우상이라고 부르며 이를 타파해야 한다고 주장하였다.

**바로 알기** ③ 자연을 인간 중심의 관점에서 바라보는 편견은 종족의 우상에 해당한다.

**완자 정리 노트** 베이컨의 우상론

| | |
|---|---|
| 우상의 의미 | 자연에 대한 참된 인식을 방해하는 선입견과 편견 |
| 우상의 종류 | • 종족의 우상: 자연을 인간 중심의 관점에서 바라보는 편견<br>• 동굴의 우상: 개인의 성격·취미·습관의 차이, 자라 온 환경이나 교육의 차이에서 오는 편견<br>• 시장의 우상: 잘못된 말과 소문으로 인해 생기는 편견<br>• 극장의 우상: 전통이나 권위를 맹신하는 데서 오는 편견 |

### 08 홉스 사상의 특징

밑줄 친 '이 사상가'는 홉스이다. 홉스의 관점에서 인간은 자기 보존

본능을 지닌 이기적 존재이다. 따라서 자연 상태는 '만인의 만인에 대한 투쟁' 상태에 있으며, 인간은 저마다 자신의 생존과 이익만을 추구한다. 이에 따라 인간은 스스로의 생존과 이익을 지키기 위하여 계약을 맺어서 법과 규범을 만들고, 이를 집행하기 위한 정부를 세우게 된다.

## 09 흄 사상의 특징

제시된 글은 흄의 주장이다. 흄은 이성 중심의 윤리 사상과는 달리 감정이 도덕의 원천이라고 보았다. 그에 따르면 이성은 사실의 참·거짓을 발견하는 기능을 할 뿐이며, 도덕적 행동의 동기를 제공하지 못한다.

**바로 알기** 첫 번째 관점: 흄은 이성은 단지 감정의 노예일 뿐이며, 감정에 봉사하고 복종하는 것 외에는 어떠한 역할도 하려고 해서는 안 된다고 주장하였다. 네 번째 관점: 흄은 오로지 자신만이 느끼는 주관적인 감정은 도덕적 구별의 기준이 될 수 없다고 보았다. 즉, 시인과 부인의 감정이 도덕적 구별의 기준이 되려면 일반적이고 공통적인 관점이 필요하다. 흄은 인간에게는 공감 능력이 있기 때문에 사회적 차원의 감정을 공유할 수 있다고 주장하였다.

## 10 흄의 감정 중심의 윤리 사상

흄에 따르면 인간은 타인의 행복과 불행을 함께 느낄 수 있는 공감 능력이 있기 때문에 사회적 차원의 감정을 공유할 수 있다. 도덕적 구별의 원천으로 사회적 차원의 유용성을 강조한 점은 공리주의 성립에 영향을 주었으며, 절대적 지식의 존재를 부정한 점은 실용주의 윤리의 발판이 되었다.

**바로 알기** ② 흄에게 도덕적 선악은 이성으로 판단하는 것이 아니라 감정으로 느끼는 것이다.

## 11 베이컨과 흄 사상의 특징

갑은 우상을 타파해야 한다고 주장한 베이컨, 을은 감정을 바탕으로 도덕을 설명하려고 한 흄의 입장이다. 흄은 도덕의 기초를 공감에서 찾았으며, 이러한 공감은 우리의 경험과 상상력을 바탕으로 일어난다.

**바로 알기** ① 베이컨은 과학적 지식의 유용성을 강조하였으므로 신화적 세계관을 유지하고자 한다는 진술은 옳지 않다. ② 베이컨은 전통이나 권위를 맹신해서는 안 된다는 입장을 취한다. ④ 흄과는 관련 없는 진술이다. ⑤ 이성 중심의 윤리 사상을 편 스피노자의 입장이다.

## 12 도덕에 관한 흄의 관점

을의 입장에 해당하는 사상가는 흄이다. 흄은 공감을 통해 사람들에게 쾌감을 불러일으키는 행동을 실천하는 사람을 도덕적이라고 평가할 것이다.

**바로 알기** ① 소크라테스의 입장이다. ② 흄은 사회적 차원의 이익을 부각하는 계기를 제공하였으므로 틀린 진술이다. ③ 흄은 모든 감정의 제거를 주장하지 않았다. ④ 데카르트의 입장이다.

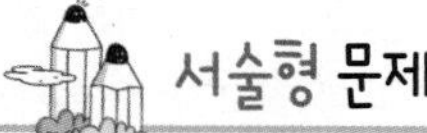

# 서술형 문제

149쪽

## 01 주제: 데카르트와 베이컨의 차이점

예시 답안 갑인 데카르트는 방법적 회의를 통해 얻은 자명한 진리를 철학의 제1원리로 삼은 후 이성적 추리를 통해 그 밖의 진리들을 연역해 나갔다. 반면에 을인 베이컨은 경험과 관찰을 통해 새로운 지식을 발견하는 귀납적 방법을 제시하였다. 을은 우상을 제거하고 자연을 있는 그대로 관찰할 때 올바른 지식을 얻을 수 있다고 보았다.

채점 기준

| | |
|---|---|
| 상 | 갑은 데카르트, 을은 베이컨의 입장임을 바탕으로 갑, 을이 각각 연역적 방법과 귀납적 방법을 강조하였다는 내용을 자세히 서술한 경우 |
| 하 | 갑은 연역적 방법을, 을은 귀납적 방법을 강조하였다는 내용 중 한 가지만 서술한 경우 |

## 02 주제: 공감 능력을 강조한 흄의 윤리 사상

(1) 흄

(2) 예시 답안 흄은 우리에게 공감 능력이 있기 때문에 사회의 행복에 유용한 행위가 사회적 시인의 감정을 불러일으킨다고 보았다. 흄에 따르면 우리는 공감 능력 때문에 모든 사람에게 유용한 것에 쾌감을 느낄 수 있다.

채점 기준

| | |
|---|---|
| 상 | 흄이 도덕의 기초로 공감을 제시하였다는 내용을 자세히 서술한 경우 |
| 하 | '공감'과 같이 간단히 쓴 경우 |

# STEP 3 1등급 정복하기

150～151쪽

1 ④ 2 ④ 3 ④ 4 ③

## 1 스피노자 윤리 사상의 특징

제시된 글은 서양 근대 사상가인 스피노자의 주장이다. 스피노자에 따르면 인간은 이성을 통해 만물의 원인인 신을 인식함으로써 이 세계를 있는 그대로 관조할 때 비로소 진정한 자유를 누릴 수 있다. 이때 인간은 신을 인식함으로써 신을 사랑하게 되는데, 이 최고의 감정 상태를 신에 관한 지적인 사랑이라고 불렀다.

**바로 알기** 스피노자는 ① 모든 정념을 버릴 것을 주장하지 않았다. ② 인간에게 자유 의지가 있다고 보지 않았으며, 인간은 자연의 필연성을 벗어날 수 없다고 보았다. ③ 인격신을 인정하지 않았다. ⑤ 신은 만물의 초월적 원인이 아니라 세계에 내재되어 있다고 보았다.

## 2 베이컨과 데카르트의 사상 비교

갑은 우상을 제거하고 자연을 있는 그대로 관찰할 때 올바른 지식을 획득할 수 있다고 본 베이컨의 입장이며, 을은 모든 것을 의심해 보고 더 이상 의심할 수 없는 확실한 진리를 찾고자 한 데카르트의 입장이다. 베이컨과 데카르트가 지식을 추구하는 방법은 서로 달랐지만, 근대 서양 사상에서는 이성을 지닌 인간이 진리와 도덕의 주체라고 보았다.

**바로 알기** ④ 데카르트는 "나는 존재한다. 그러므로 나는 존재한다."라는 자명한 진리를 철학의 제1원리로 삼은 후 이성적 추리를 통해 그 밖의 진리들을 하나하나 연역해 나갔다.

### 3 흄 윤리 사상의 특징

제시된 글에는 흄의 입장이 드러나 있다. 흄에 따르면 사람들은 공감을 바탕으로 자기 자신, 타인, 사회의 이익이나 쾌락을 증진할 수 있다. 그리고 그렇게 하는 데 유용한 행위나 성격은 옳다. 그러므로 흄의 입장에서는 라이언 레작의 행동이 공감을 통해 사람들에게 쾌감을 불러일으키는 행동을 했기 때문에 도덕적이라고 평가할 것이다.

### 4 흄과 스피노자 윤리 사상의 비교

**자료 분석**

갑: 인류애가 허영심이나 야망처럼 그렇게 강한 것으로 평가되지는 않을지 모르나, 그것은 모든 인간이 공유하는 것으로서 유일하게 도덕의 기초가 될 수 있는 것이다.

을: 우리는 우리 존재의 보존에 도움이 되거나 해가 되는 것을, 즉 우리의 활동 능력을 증대하거나 감소하고, 촉진하거나 억제하는 것을 선 또는 악이라고 부른다. …… 선과 악의 인식은 기쁨이나 슬픔의 정념 자체에서 필연적으로 생기는 기쁨이나 슬픔의 관념일 뿐이다.

스피노자에 의하면, 모든 생명체는 자기 존재를 보존하고 완성하려고 노력해.

갑은 흄, 을은 스피노자의 입장이다. 흄은 인간에게 공감 능력이 있기 때문에 사회적 차원의 감정, 보편적 인류애의 감정을 공유할 수 있다고 보았다. 스피노자는 인간을 포함한 자연 만물의 본질을 코나투스(존재 보존 노력)라고 보았다. 이에 따라 자기 보존에 유익한 것은 선으로, 해로운 것은 악으로 여겼다.

**바로 알기** ① 흄은 이성이 동기를 수행하기 위한 수단을 가르쳐 준다고 보았다. ② 스피노자에 해당하는 진술이다. ④ 스피노자에 해당하는 진술이다. ⑤ 근대 서양 사상가인 흄, 스피노자와 관련 없는 진술이다. 특히 스피노자는 인격신을 부정하였다.

## 06 옳고 그름의 기준

**STEP 1 핵심 개념 확인하기** 156쪽

1 ㄱ, ㄷ, ㄹ 2 선의지 3 (1) 질적 (2) 정언 명령 (3) 공리 (4) 조건부 의무 4 (1) – ㉡ (2) – ㉠

**STEP 2 내신 만점 공략하기** 156~159쪽

01 ⑤ 02 ③ 03 ④ 04 ③ 05 ⑤ 06 ① 07 ② 08 ⑤ 09 ⑤ 10 ④ 11 ① 12 ④

### 01 의무론의 의미와 특징

도덕적 선택이 필요한 상황에서 우리가 마땅히 지켜야 할 의무에 따라 행위의 옳고 그름을 판단해야 한다는 이론을 의무론이라고 한다. 의무론은 행위의 가치가 본래 정해져 있다고 보며, 행위의 결과보다 행위의 동기를 중시한다는 특징이 있다.

**바로 알기** ⑤ 의무론은 목적이 수단을 정당화할 수 없다고 본다.

### 02 칸트의 도덕 법칙

제시된 글은 칸트의 주장이며, ㉠에 알맞은 말은 도덕 법칙이다. 칸트에게 도덕 법칙이란 우리 안의 실천 이성에 의해 세워진 것이며, 무조건적으로 선한 선의지에 따를 것을 명령하는 것이다.

**바로 알기** ㄱ. 칸트의 사상과 사회의 유용성 증진은 거리가 멀다. ㄷ. 도덕 법칙은 모든 이성적 존재에게 보편화할 수 있어야 하므로 개인의 주관적 경험이나 일체의 경향성을 배제한 채 수립되어야 한다.

### 03 칸트의 선의지

제시된 글은 선의지를 중시한 칸트의 주장이다. 선의지란 오직 어떤 행위가 옳다는 이유만으로 그 행위를 선택하려는 의지이다. 칸트에 따르면 무조건적으로 선한 것은 선의지밖에 없다. 그리고 칸트는 선의지에서 비롯한 행위만이 도덕적 가치를 지닌다고 주장하였다.

**바로 알기** ① 칸트는 보편적인 도덕 법칙이 존재한다고 보았다. ② 도덕 법칙은 자연법칙과 달리 오로지 이성적 존재에게만 적용된다. ③ 칸트는 쾌락의 질을 고려하지 않는다. ⑤ 현대 공리주의 사상가인 싱어의 입장이다.

### 04 칸트 사상의 특징

제시된 글은 칸트의 주장이다. 칸트는 인간이 인간다운 존재가 될 수 있는 것은 자신의 욕구를 극복하고 도덕 법칙에 따를 수 있기 때문이라고 보았다. 칸트는 의무론적 윤리 사상가로서 보편적인 도덕 법칙이 존재하며, 인간은 이러한 도덕 법칙을 무조건 따라야 한다고 보았다.

**| 바로 알기 |** ① 흄의 입장이다. ② 흄과 공리주의의 입장이다. ④ 스피노자의 입장이다. ⑤ 공리주의의 입장이다.

**완자 정리 노트** 의무론과 칸트 윤리 사상의 특징

| | |
|---|---|
| 의무론 | • 의무에 따라 행위의 옳고 그름을 판단해야 한다는 이론<br>• 행위의 결과보다 행위의 동기를 중시함<br>• 행위의 가치가 본래 정해져 있다고 봄<br>• 목적이 수단을 정당화할 수 없다고 봄 |
| 칸트 윤리 사상 | • 도덕 법칙: 우리 안의 실천 이성에 의해 세워진 것으로, 오로지 이성적 존재에게만 적용됨<br>• 선의지: 어떤 것이 의무이기 때문에 그것을 하고자 하는 의지<br>• 정언 명령의 두 정식: 준칙의 보편화 가능성, 인간 존엄성 |

## 05 현대 칸트주의의 특징

현대 칸트주의의 대표적인 사상가인 로스는 칸트 윤리 사상의 핵심인 의무론을 계승하면서도 정언 명령의 엄격성, 도덕적 의무간의 상충 문제 등을 해결하고자 조건부 의무를 제시하였다. 조건부 의무는 특별한 상황이 발생할 경우 예외가 인정되기 때문에 칸트의 정언 명령보다는 느슨하게 적용된다. 따라서 절대적인 것처럼 보이는 도덕 원칙도 우리의 상식과 직관에 의해 그 우선순위가 바뀔 수 있다는 것을 보여 준다.

**| 바로 알기 |** 갑: 자연적 경향성만을 따른다는 진술은 틀리다. 정: 로스는 조건부 의무를 제시하여 도덕적 의무가 상충할 때 무엇을 우선시해야 하는지 답을 주고자 하였다.

## 06 벤담의 양적 공리주의의 특징

제시된 글은 양적 공리주의자인 벤담의 주장이다. 벤담은 인간의 모든 행위는 고통과 쾌락에 의해 결정된다고 보았다. 이러한 관점을 바탕으로 그는 옳고 그름의 기준으로 최대 다수의 최대 행복이라는 공리의 원리를 제시하였다.

**| 바로 알기 |** ② 벤담은 행위의 선악은 동기보다 결과에 의해 판단되어야 한다고 보았다. ③ 질적 공리주의자인 밀의 입장이다. ④ 벤담은 더 많은 사람이 쾌락을 누리게 되는 것을 좋은 일이라고 여겼다. ⑤ 벤담은 쾌락에서 벗어날 것을 주장하지 않았다.

## 07 벤담에 대한 칸트의 비판

갑은 칸트, 을은 벤담의 입장이다. 칸트는 의무론의 대표적인 사상가이며, 벤담은 결과론의 대표적인 사상가이다. 의무론에서는 우리가 마땅히 지켜야 할 의무에 따라 행위의 옳고 그름을 판단하지만, 결과론에서는 최선의 결과를 가져오는 행위를 올바른 행위라고 본다. 따라서 칸트의 입장에서 벤담에게 ②와 같이 비판할 수 있다.

**| 바로 알기 |** ① 벤담은 쾌락에 질적 차이가 없다고 보았다. ③ 벤담은 사회란 개인의 집합체이므로 개개인의 쾌락은 사회 전체의 쾌락과 연결된다고 보았다. ④, ⑤ 벤담은 최대 다수의 최대 행복이라는 원리를 간과하지 않는다.

## 08 밀의 질적 공리주의의 특징

제시된 글은 질적 공리주의자인 밀의 주장이다. 밀은 벤담의 윤리 사상을 계승하고 수정하면서 공리주의 이론을 발전시켰다. 그는 벤담과 마찬가지로 최대 다수의 최대 행복이라는 공리의 원리를 강조하였다. 그러나 벤담과 다르게 밀은 쾌락에는 질적인 차이가 있다고 주장하였다.

**| 바로 알기 |** ⑤ 밀은 질적 공리주의자로서 결과론의 입장을 취하므로 틀린 진술이다.

## 09 쾌락의 질적 차이를 분별한 밀의 사상

제시된 글에는 쾌락의 질적 차이를 분별한 밀의 입장이 드러나 있다. 밀은 합리적인 인간이라면 누구나 쾌락의 질적 차이를 분별할 수 있으며, 보다 높은 수준의 쾌락을 선호할 것이라고 보았다. 또한 그에 따르면 높은 수준의 쾌락은 적은 양이라 하더라도 질적으로 낮은 수준의 다량의 쾌락보다 우월하다. 밀은 다른 사람의 행복에 대해서 느끼는 쾌락도 질적으로 높은 쾌락에 포함된다고 보았다.

**| 바로 알기 |** 밀에 따르면 ㄱ. 합리적인 인간이라면 누구나 쾌락의 질적 차이를 분별할 수 있다. ㄴ. 정신적 쾌락은 감각적 쾌락보다 우월하다.

**완자 정리 노트** 벤담과 밀 사상의 특징

| 구분 | 벤담 | 밀 |
|---|---|---|
| 차이점 | • 양적 공리주의자<br>• 쾌락의 양적 차이만 인정함<br>• 쾌락을 계산하기 위해 일곱 가지 계산의 기준을 제시함 | • 질적 공리주의자<br>• 쾌락의 질적 차이를 인정함<br>• 감각적 쾌락보다 정신적 쾌락이 우월하다고 봄 |
| 공통점 | 최대 다수의 최대 행복을 공리의 원리로 삼음 | |

## 10 선호 공리주의와 규칙 공리주의의 특징

(가)는 선호 공리주의, (나)는 규칙 공리주의에 관한 설명이다. 선호 공리주의는 행복을 쾌락으로 한정한 고전적 공리주의와는 달리 선호라는 개념을 통해 행복을 설명한다.

**| 바로 알기 |** ④ 규칙 공리주의는 개별적 행위의 결과를 따지는 행위 공리주의와 달리 공리의 원리에 부합하는 도덕 규칙을 따르는 행위를 옳은 것으로 본다.

## 11 벤담, 밀, 칸트 사상의 특징

갑은 양적 공리주의자인 벤담, 을은 질적 공리주의자인 밀, 병은 의무론의 대표 사상가인 칸트의 입장이다. 벤담과 밀은 모두 공리주의자로서 공리의 원리를 도덕 판단의 기준으로 삼는다는 공통점이 있다.

**| 바로 알기 |** ② 밀만 해당하는 진술이다. ③ 공리주의는 어떤 행위를 평가할 때 결과를 고려한다. ④ 모든 욕구를 충족하는 것은 불가능하다. 특히 밀은 쾌락의 질적 차이가 있음을 주장하며 질적으로 수준 높은 쾌락을 추구해야 한다고 주장하였다. ⑤ 규칙 공리주의에 관한 진술이다.

## 12 벤담, 밀, 칸트 사상의 특징

④ 밀은 자신의 쾌락과 더불어 다른 사람의 쾌락도 함께 추구해야 한다고 주장하였다. 이처럼 밀은 타인의 행복까지도 실현되기를 바라는 이타심을 중시하였고, 이를 토대로 공익을 실현하고자 하였다.

## 서술형 문제

159쪽

### 01 주제: 칸트의 정언 명령

예시 답안 정언 명령의 첫 번째 정식의 핵심은 준칙의 보편화 가능성이며, 한 사람이 선택한 준칙을 다른 사람들이 보편적으로 받아들일 수 있을 때 이 준칙이 도덕 법칙이 될 수 있다는 것을 의미한다. 두 번째 정식의 핵심은 인간 존엄성이며, 우리가 모든 사람을 목적 그 자체로서 동등하게 대우해야 한다는 것을 의미한다.

채점 기준

| | |
|---|---|
| 상 | 정언 명령의 정식으로 준칙의 보편화 가능성과 인간 존엄성 두 가지를 자세히 서술한 경우 |
| 중 | '준칙의 보편화 가능성', '인간 존엄성'과 같이 간단히 서술한 경우 |
| 하 | 정언 명령의 정식으로 준칙의 보편화 가능성과 인간 존엄성 중 한 가지의 내용만 서술한 경우 |

### 02 주제: 공리주의의 한계

(1) 공리주의

(2) 예시 답안 공리주의는 행위의 결과를 지나치게 강조함으로써 인간의 내면적 동기나 과정을 소홀히 한다는 비판을 받는다. 또한 쾌락이나 결과를 정확하게 계산하고 예측하기 어려우며, 최대 다수의 최대 행복을 위해 개인의 권리를 침해할 수도 있다는 점에서 비판을 받는다.

채점 기준

| | |
|---|---|
| 상 | 공리주의의 한계 두 가지를 정확히 서술한 경우 |
| 하 | 공리주의의 한계를 한 가지만 서술한 경우 |

## STEP 3 1등급 정복하기

160~161쪽

1 ②　2 ④　3 ⑤　4 ⑤

### 1 칸트 윤리 사상과 현대 칸트주의의 비교

갑은 칸트, 을은 현대 칸트주의의 대표적 사상가인 로스의 입장이다. 칸트에 따르면 어떤 행위가 도덕적으로 옳은지 그른지를 판단하려면 모든 사람이 그런 방식으로 행위 하기를 원하는지를 스스로 물어보아야 한다. 로스의 조건부 의무는 하나의 의무로서 객관적 타당성이 있지만, 절대적 의무가 아니므로 더 우선적인 다른 의무에 의해서 무시될 수 있다. 이때 우선하는 의무는 실제 의무가 되고, 무시되는 의무는 조건부 의무가 된다.

**바로 알기** ② 칸트는 선의지에 따른 행위를 의무로부터 비롯한 행위라고 부르면서, 결과적으로 의무에 '알맞은 행위'와 구분하였다. 칸트에게 도덕적 가치를 지니는 행위는 의무로부터 비롯한 행위이다.

### 2 칸트와 벤담의 윤리 사상 비교

자료 분석

갑: 순수한 실천 이성이 바라는 것은 오직 의무가 문제일 때에 행복을 전혀 고려하지 말아야 한다는 것이다. 물론 '의무에 맞는' 행위라고 해서 모두 도덕적인 행위는 아니다. '의무이기 때문에' 한 행위만이 참된 도덕적 가치를 가진다.

(칸트에 의하면 우연히 의무에 맞는 행위를 하는 것은 도덕적 가치를 지니지 않아.)

을: 우리가 모차르트 음악을 들으며 느끼는 기쁨과 어린 동생을 괴롭히면서 느끼는 기쁨은 본질적인 차이가 없다.

갑은 칸트, 을은 벤담의 입장이다. 칸트는 이 세상에서 그 자체로 선한 것은 선의지뿐이라고 보았으며, 인간은 본능적 욕구를 지녔기 때문에 선의지를 스스로 따를 수 없으므로 도덕 법칙은 명령의 형식을 취한다고 주장하였다. 벤담은 양적 공리주의자로서 쾌락의 질적 차이를 인정하지 않았다.

**바로 알기** ㄹ. 의무론의 입장에 해당하는 진술이다.

### 3 벤담의 양적 공리주의

제시된 글과 같이 주장한 사상가는 양적 공리주의자인 벤담이다. 벤담에게 도덕적으로 옳은 행위란 고통의 양을 최소화하고 쾌락의 양을 극대화하는 행위이다.

**바로 알기** ①, ②, ③ 칸트의 입장에서 해 줄 수 있는 조언이다. ④ 아퀴나스의 입장에서 해 줄 수 있는 조언이다.

### 4 벤담과 밀의 공리주의 비교

갑은 쾌락을 계산하는 일곱 가지의 기준을 제시한 벤담, 을은 쾌락의 질적 차이를 강조한 밀의 입장이다. 벤담과 밀은 최대 다수의 최대 행복이라는 공리의 원리에 따라 행위자뿐만 아니라 관련된 모든 사람의 행복을 증진시키는 행위를 옳다고 보았다.

**바로 알기** ① 벤담과 밀은 최대 행복을 가져올 유덕한 행위는 공리의 원리에 부합한다고 보았다. ② 밀만 긍정의 대답을 할 질문이다. ③, ④ 두 사상가 모두 부정의 대답을 할 질문이다.

## 07 현대의 윤리적 삶

**STEP 1 핵심 개념 확인하기** 166쪽

1 실용주의 2 (1) 실용주의의 격률 (2) 윤리적 (3) 현존재 (4) 한계 상황 3 (1) ㄴ (2) ㄷ (3) ㄱ (4) ㄹ 4 ㄱ, ㄴ, ㄹ

**STEP 2 내신 만점 공략하기** 166~168쪽

01 ⑤ 02 ⑤ 03 ③ 04 ② 05 ⑤ 06 ③ 07 ⑤ 08 ②

### 01 실존주의의 특징

밑줄 친 '이것'은 실존주의를 가리킨다. 근대 이성주의에 대한 반성에서 비롯된 실존주의는 인간의 보편적 합리성보다는 개개인의 주체성을 중시하였으며, 개인이 불안과 고통을 극복하고 참된 실존을 회복하는 방법을 제시하고자 하였다.

**바로 알기** ㄱ. 실존주의는 인간에게 고정된 본질이 있다거나 자신의 본질을 실현해야 한다는 생각을 부정한다.

### 02 키르케고르 사상의 특징

㉠에 해당하는 사상가는 키르케고르이다. 키르케고르는 절망에 빠진 상황에 처한 인간이 자신을 신 앞에 선 단독자라고 생각하며, 스스로 신을 믿고 따르리라 결단할 때 불안과 절망을 극복하고 참된 실존에 이를 수 있다고 보았다.

**바로 알기** ① 키르케고르는 주체성이 진리이며, 진리는 주관적이라고 보았다. ② 데카르트에 해당하는 내용이다. ③ 키르케고르는 절망에 빠진 인간에게 객관성은 답을 주지 못한다고 보았다. ④ 키르케고르는 실존주의 사상가로서, 실존주의는 근대의 이성 중심적 사고를 비판하였다.

### 03 키르케고르의 삶의 자세

가상 대화의 스승은 키르케고르의 입장을 취하고 있다. 키르케고르는 절망에서 벗어나기 위해 실존의 세 단계를 제시하였다. 키르케고르에 따르면 인간은 주체적 결단을 통해 심미적 실존 단계와 윤리적 실존 단계를 넘어 종교적 실존 단계로 나아간다. 그리고 신 앞에 선 단독자로서 살기로 결단할 때, 인간은 신의 사랑에 의해 불안과 절망에서 벗어나 참된 실존을 회복할 수 있다.

**바로 알기** 키르케고르에 따르면 ① 진리는 주관적이다. ② 인간은 선택 상황들을 회피하면서 절망에 빠진다. ④ 신은 극복의 대상이 아니다. ⑤ 종교적 실존 단계에서 참된 실존을 회복할 수 있다.

### 04 야스퍼스와 하이데거 사상의 특징

갑은 야스퍼스, 을은 하이데거의 입장이다. 야스퍼스는 개인은 현실에서 다른 사람과 더불어 존재하므로 다른 사람과의 연대를 통하여 자신뿐만 아니라 다른 사람의 실존적 삶을 위해서도 노력해야 한다고 보았다.

**바로 알기** ①, ⑤ 객관적 합리성이나 보편적 이성은 실존주의와 거리가 멀다. ③ 하이데거는 인간은 자신이 죽음에 이르는 존재라는 사실을 받아들일 때 진정한 실존을 회복할 수 있다고 보았다. ④ 야스퍼스는 한계 상황에서 자신의 유한성을 자각할 때, 하이데거는 인간이 죽음에 이르는 존재임을 자각할 때 진정한 실존을 회복할 수 있다고 보았다.

### 05 키르케고르와 사르트르 사상의 특징

㉠은 키르케고르, ㉡은 사르트르에 해당한다. 키르케고르와 사르트르는 모두 실존주의자로서 구체적인 상황에서 개인의 주체적인 선택과 결단을 강조하였다.

**바로 알기** ① 키르케고르는 유신론적 실존주의자로서 신의 존재를 부정하지 않는다. ② 키르케고르는 생명의 역동적인 힘을 믿는다고 하지 않았으며, 체험의 객관성을 중시하지도 않았다. ③ 사르트르는 무신론적 실존주의자로서 자신의 결단을 통해 자기 자신의 모습을 만들어 가야 한다고 보았다. ④ 사르트르는 인간에게 미리 결정된 본질이 없다고 보았다.

**완자 정리 노트** 실존주의의 특징

| | | |
|---|---|---|
| 유신론 | 키르케고르 | • 실존의 세 단계: 심미적 실존 단계, 윤리적 실존 단계, 종교적 실존 단계<br>• 인간은 신 앞에 선 단독자로서 살기로 결단할 때 참된 실존을 회복함 |
| | 야스퍼스 | • 인간은 한계 상황에서 개인의 주체적 결단을 통해 참된 실존을 회복할 수 있음<br>• 타인과의 연대를 강조함 |
| 무신론 | 하이데거 | 현존재인 인간은 자신이 죽음에 이르는 존재임을 받아들일 때 진정한 실존을 회복할 수 있음 |
| | 사르트르 | • "실존은 본질에 앞선다."<br>• 개인의 주체적인 선택과 결단, 책임을 중시함 |

### 06 실용주의의 특징

제시된 글은 실용주의자인 제임스의 주장이다. 실용주의는 인간의 지식이 가지고 있는 실천적 유용성을 중시한다. 구체적으로 제임스는 지식의 현금 가치를 중시하였다. 현금 가치를 지닌 지식이란 삶의 문제를 해결해 주거나, 실생활을 좀 더 편리하게 만들어 줌으로써 사람이 살아가는 데 실제로 도움이 되는 것을 뜻한다. 제임스는 실용주의의 입장에서 ③의 질문에만 긍정의 대답을 할 것이다.

### 07 듀이 사상의 특징

제시된 글은 실용주의자인 듀이의 주장이다. 듀이는 도구주의의 관점에서 지식이나 이론 등은 삶의 과정에서 끊임없이 부닥치는 문제 상황을 해결하기 위한 수단으로서 활용되고, 실천을 위해 유용하다고 평가될 때 가치를 지닌다고 보았다.

**| 바로 알기 |** ⑤ 듀이는 도덕이나 윤리도 시대나 상황에 따라 변화하고 성장하므로 고정적이고 절대적인 가치나 원리는 존재하지 않는다고 주장하였다.

## 08 듀이의 실용주의 사상

제시된 글은 듀이의 주장이다. 듀이는 지식은 실천이나 사회 변혁을 위해 사용될 때 가치가 있다고 보았다. 이러한 듀이의 도구주의는 인간이 주변 환경과 상호 작용하며 살아간다는 생각에 바탕을 두고 있다. 듀이는 개인의 삶을 개선하고 사회가 진보하는 데 도움이 되는 지성적 탐구를 해야 한다고 주장하였다.

**| 바로 알기 |** 첫 번째 관점: 듀이의 입장에서 보편적이고 객관적인 진리는 존재하지 않는다. 네 번째 관점: 듀이의 관점에서 성립할 수 없는 진술이다.

## 서술형 문제

168쪽

## 01 주제: 실존주의의 의의

**자료 분석**

갑: 절망은 죽음에 이르는 병이다.
을: 한계 상황은 실존을 각성하는 계기이다.
병: 인간은 죽음에 이른다는 것을 자각하는 존재이다.
정: 실존은 본질에 앞서므로 인간은 절대로 일정하고 고정된 인간성으로 설명할 수 없다. – 갑은 키르케고르, 을은 야스퍼스, 병은 하이데거, 정은 사르트르의 입장이야. 이들은 모두 실존주의 사상가라는 공통점을 지녀.

(1) 실존주의

(2) 예시 답안 실존주의 사상은 인간의 개성을 긍정적으로 본다. 또한 개별성을 상실한 획일화된 삶이 아니라 주체적인 삶을 살기 위해 노력할 것을 강조한다. 끝으로 실존주의는 인간의 존엄성에 대한 새로운 성찰의 계기를 제공한다.

**채점 기준**

| | |
|---|---|
| 상 | 갑~정이 모두 실존주의 사상가라는 점을 파악한 후, 실존주의 사상의 의의 두 가지를 정확히 서술한 경우 |
| 하 | 실존주의 사상의 의의를 한 가지만 서술한 경우 |

## 02 주제: 제임스의 실용주의

(1) 현금 가치

(2) 예시 답안 현금 가치를 지닌 지식이란 우리가 직면하는 다양한 현실적 문제를 해결해 주거나, 실생활을 편리하게 만들어 줌으로써 사람이 살아가는 데 도움이 되는 것이다.

**채점 기준**

| | |
|---|---|
| 상 | 현금 가치를 지닌 지식의 의미를 정확히 서술한 경우 |
| 하 | '유용성 중시'와 같이 간단히 쓴 경우 |

## STEP 3 1등급 정복하기

169쪽

1 ③ 2 ②

## 1 사르트르의 실존주의 사상의 특징

그림의 강연자는 사르트르의 입장과 같다. 사르트르에게 따르면 인간은 주체적으로 선택하여 자신의 삶을 만들어 가야 하며, 선택에 대한 책임을 져야 한다.

**| 바로 알기 |** ① 실존주의는 이성과 같은 보편적 특성을 통해서는 인간의 삶을 제대로 파악하기 어렵다고 본다. ② 보편적인 규범이 아니라 주체적인 결단과 선택을 강조하였다. ④ 사르트르는 무신론적 실존주의자이다. ⑤ 사르트르는 인간은 사회 문제에도 책임 의식을 지녀야 한다고 강조하였다.

## 2 듀이의 실용주의 사상의 특징

제시된 글은 듀이의 주장이다. 듀이는 도덕이 우리가 살고 있는 사회 환경과 긴밀한 연관을 맺고 있다고 보았다. 따라서 사회 환경에 맞추어 객관적 조건이나 제도를 바꾸는 것이 실질적인 삶에서 도덕적으로 중요한 문제라고 여겼다.

**| 바로 알기 |** ㄴ. 합리적 이성으로 도덕적 진리를 얻을 수 있다는 입장은 합리론과 이성 중심 윤리 사상의 입장이다. ㄹ. 듀이의 입장에서 도덕 판단의 기준은 본유 관념에 있는 것이 아니라, 시대나 상황에 따라 변화하는 것이다.

## 대단원 실력 굳히기

172~179쪽

01 ③ 02 ④ 03 ① 04 ② 05 ③ 06 ② 07 ④
08 ⑤ 09 ② 10 ③ 11 ④ 12 ④ 13 ① 14 ①
15 ④ 16 ③ 17 ⑤ 18 ④ 19 ② 20 ③ 21 ⑤
22 ① 23 ⑤ 24 ② 25 ① 26 ③ 27 ③ 28 ③
29 ⑤ 30 ⑤ 31 ① 32 ⑤

## 01 소피스트와 소크라테스 사상 비교

갑은 소피스트, 을은 소크라테스의 입장이다. 소피스트는 도덕규범의 다양성을 강조하면서, 보편타당한 도덕 법칙은 존재하지 않는다는 입장을 취하였다. 반면에 소크라테스는 인간은 이성을 통해 보편적인 윤리를 파악할 수 있다는 윤리적 보편주의를 주장하였다. 소피스트와 소크라테스 모두 철학적 관심을 자연에서 인간과 사회로 전환하였다는 공통점이 있다.

**| 바로 알기 |** ③ 을은 문답법(산파술)을 통해 참된 앎에 다가서고자 하였다.

## 02 플라톤의 동굴의 비유

제시된 글은 플라톤의 동굴의 비유를 담고 있다. 플라톤은 동굴의 비유를 통해 이데아와 현실의 관계를 설명하였다. 동굴의 비유에서 그림자는 이데아를 반영하기는 하지만 이데아 그 자체는 아니다. 그러므로 플라톤은 그림자의 세계에서 벗어나 참된 실재인 이데아의 세계로 나아가야 한다고 주장하였다.

**바로 알기** ㄷ. 존재의 참모습은 동굴 밖에서 파악할 수 있다.

## 03 플라톤의 정의관

그림의 강연자는 지혜, 용기, 절제의 덕이 조화를 이룰 때 정의로운 사람이 될 수 있다고 강조하는 플라톤의 입장과 같다. 플라톤은 철인 통치를 주장하였으며, 이성에 의해 파악되는 이데아의 세계만이 참된 세계라고 보았다.

**바로 알기** ㄷ. 플라톤은 주지주의 사상가로서 이성의 역할을 강조하였다. ㄹ. 플라톤은 선의 이데아는 현실에서 획득할 수 없다고 보았다.

## 04 아리스토텔레스의 품성적 덕

㉠에 알맞은 말은 품성적 덕이다. 품성적 덕은 영혼의 감각과 욕구의 기능이 이성에 귀를 기울이고 이성의 명령에 따를 때 얻을 수 있는 덕으로서 용기, 절제, 친절 등을 예로 들 수 있다.

**바로 알기** ② 아리스토텔레스는 이데아의 세계와 현실의 세계를 구분한 플라톤을 비판하며, 현실적인 윤리학을 추구하였다.

## 05 소크라테스와 플라톤 사상 비교

갑은 비도덕적인 행동의 원인을 무지에서 찾은 소크라테스, 을은 플라톤의 입장이다. 플라톤은 소크라테스의 '영혼을 돌보라.'라는 가르침을 계승하여 인간 영혼에 있어 정의의 덕을 실현하는 방안을 탐구하였다. 그는 이상적인 정치 체제로 철학자가 나라를 다스리는 철인 정치를 강조하였다.

**바로 알기** ① 소크라테스는 윤리적 보편주의의 입장을 취하였다. ② 아리스토텔레스의 입장이다. ④ 플라톤은 인간 삶에 있어 이성의 역할을 강조한 사상가이다. ⑤ 소피스트의 입장에 관한 설명이다.

## 06 소크라테스와 아리스토텔레스 사상 비교

갑은 소크라테스, 을은 아리스토텔레스의 입장이다. 소크라테스는 그릇된 행위는 덕에 관한 무지에서 비롯한다고 보고, 무엇이 선인지를 알면서도 악을 행하는 사람은 없다고 주장하였다. 아리스토텔레스는 품성적 덕을 쌓는 방법으로 도덕적 행동을 습관화해야 한다고 강조하였다.

**바로 알기** ㄴ. 을은 인간의 본성이 악하다고 말하지 않았다. ㄹ. 을은 갑과 달리 실천 의지의 중요성을 강조하였다.

**완자 정리 노트** 소크라테스와 아리스토텔레스 사상의 비교

| 구분 | 소크라테스 | 아리스토텔레스 |
|---|---|---|
| 차이점 | 덕 있는 사람=덕에 대한 앎을 지닌 사람 | 덕 있는 사람=덕에 대한 앎+앎을 실천하려는 의지를 지닌 사람 |
| 공통점 | 덕 있는 삶을 살 것을 강조함 | |

## 07 아리스토텔레스와 플라톤 사상 비교

갑은 아리스토텔레스, 을은 플라톤의 입장이다. 플라톤은 이데아에 대한 지식은 오직 이성을 통해서만 얻을 수 있다고 보았으며, 지혜, 용기, 절제의 덕이 조화를 이룰 때 정의로운 사람이 될 수 있다고 주장하였다. 플라톤이 이상 세계 속에서 진리를 찾고자 했다면, 아리스토텔레스는 현실 속에서 참다운 존재를 찾고자 하였다.

**바로 알기** ㄴ. 아리스토텔레스는 덕 있는 사람이 되려면 공동체 구성원으로서 사회적 책무에 충실해야 한다고 주장하였다.

## 08 행복한 삶에 관한 스토아학파의 관점

에픽테토스는 스토아학파 사상가이다. 스토아학파에 따르면 신적인 이성의 법칙, 필연적인 자연의 법칙에 따르는 삶이 행복한 삶이다.

**바로 알기** ⑤ 스토아학파는 자신에게 주어진 상황과 조건을 변화시키기보다는 그것을 자신의 운명으로 받아들임으로써 부동심에 이르러야 한다고 주장하였다.

## 09 에피쿠로스학파 사상의 특징

제시된 글은 에피쿠로스의 입장이다. 에피쿠로스는 몸의 고통과 마음의 불안이 모두 소멸한 상태가 지속됨으로써 주어지는 정신적 쾌락(아타락시아)을 추구하였다.

**바로 알기** 을: 에피쿠로스가 추구한 쾌락은 적극적으로 욕망을 충족함으로써 얻는 쾌락이 아니라 고통을 제거함으로써 주어지는 쾌락이다. 정: 에피쿠로스학파는 쾌락을 얻는 데 있어 이성의 역할이 중요하다고 보았다. 에피쿠로스 입장에서 이성은 욕망을 분별하고 죽음과 운명, 미신 등에 대한 잘못된 생각에서 벗어나기 위해 필요하다.

## 10 스토아학파가 강조하는 삶의 태도

제시된 글을 통해 스토아학파가 강조하는 삶의 태도를 살펴볼 수 있다. 스토아학파에 따르면 나에게 일어나는 상황은 신으로부터 주어진 것으로서 바꿀 수도 없고 바꿀 필요도 없다. 우리가 바꿀 수 있는 것은 단지 생각, 충동, 욕구, 감정 등 마음과 관련된 것뿐이다. 그리고 이처럼 우리가 바꿀 수 있는 일에 집중할 때 행복과 자유를 얻을 수 있다.

**바로 알기** ㄱ. 스토아학파는 감각적 경험을 우선시해야 한다고 주장하지 않았다. ㄹ. 스토아학파는 세계 시민으로서 인류 전체의 공동선을 실현하기 위한 의무를 다해야 한다고 강조하였다.

## 11 스토아학파 사상의 특징

스토아학파는 이성의 명령에 따라 자연의 필연성을 기꺼이 받아들이는 것이 덕의 본질이라고 하였다. 스토아학파의 사상은 평온한 삶을 위해 온갖 욕망과 감정으로부터 벗어날 것을 강조했기 때문에 금욕주의라고 불린다. 이들은 어떠한 외부 상황에도 동요하지 않는 정신의 의연함인 아파테이아의 상태에 도달하는 것을 이상으로 삼았다.

**바로 알기** ㉣ '쾌락은 유일한 선이요, 고통은 유일한 악'이라고 주장한 사상은 에피쿠로스학파의 사상이다.

## 12 에피쿠로스학파와 스토아학파 비교

갑은 에피쿠로스학파의 에피쿠로스, 을은 스토아학파의 에픽테토스의 입장이다. 에피쿠로스는 이성을 통해 고통과 쾌락의 원인을 분석하고, 건전한 추론으로써 쾌락을 분별해 낼 수 있다고 보았다. 에픽테토스는 자연에서 일어나는 모든 일은 신적 이성에 의해 이미 결정된 것이기 때문에 우리가 지녀야 하는 바람직한 태도는 운명에 순응하는 것뿐이라고 보았다. 에피쿠로스는 공적인 삶을 벗어난 은둔 생활을 강조하였으나, 스토아학파에서는 개인이 공동체를 위해 살아갈 것을 강조하였다.

**바로 알기** ①, ③ 을이 긍정할 질문이다. ②, ⑤ 갑, 을 모두 부정할 질문이다.

## 13 플라톤, 스토아학파, 에피쿠로스학파의 사상

갑은 플라톤, 을은 스토아학파, 병은 에피쿠로스학파의 입장이다. 세 사상가 모두 행복한 삶에 이르기 위해 이성의 역할이 필요하다고 보았다.

**바로 알기** ② 플라톤은 철인 정치를 주장하였다. ③ 아리스토텔레스가 긍정할 질문이다. ④ 세 사상가 모두 부정할 질문이다. 욕구를 절제할 수는 있어도 제거할 수는 없다. ⑤ 공리주의와 관련이 깊다.

## 14 아우구스티누스의 사상

제시된 글은 모두 아우구스티누스와 관련이 있다. 아우구스티누스에게 신은 영원불변하는 존재이며, 실존을 통해 만나야 하는 인격적 존재이다.

**바로 알기** 두 번째 관점: 인간은 불완전한 존재이다. 네 번째 관점: 스피노자의 범신론적 관점이다.

## 15 아퀴나스의 사상

제시된 글은 아퀴나스의 입장이다. 아퀴나스에 따르면 세계는 신에 의해 창조되었다. 또한 그는 신앙의 영역과 이성의 영역을 구분하면서도 신앙과 이성이 상호 보완적인 역할을 한다고 보았다.

**바로 알기** ㄱ. 궁극적인 행복은 내세에서 이룰 수 있다. ㄷ. 아퀴나스는 이성적인 논증을 통해 신의 존재를 증명하였다.

## 16 아우구스티누스와 아퀴나스의 사상

갑은 플라톤의 사상을 수용한 아우구스티누스, 을은 아리스토텔레스의 사상을 수용한 아퀴나스의 입장이다. 아우구스티누스에 비해 아퀴나스는 이성의 역할을 강조하였다. 또한 철학의 자율성을 강조하였다. 따라서 정답은 ③이다.

## 17 데카르트의 합리론과 베이컨의 경험론

갑은 합리론자인 데카르트, 을은 경험론자인 베이컨의 입장이다. 합리론은 지식과 사유의 토대가 인간의 이성에 있다고 보지만, 경험론은 확실한 지식의 토대를 인간의 감각이나 경험에서 찾는다.

## 18 홉스의 사상

제시된 글은 자연 상태를 '만인의 만인에 대한 투쟁' 상태로 본 홉스의 사상이다. 홉스는 베이컨의 과학적 태도를 이어받았고, 유물론적 관점에서 세상 만물은 물질로 구성되어 있으며 인간도 물리 법칙의 지배를 받는다고 보았다.

## 19 흄과 스피노자의 사상

갑은 감정 중심의 윤리 사상을 전개한 흄, 을은 이성 중심의 윤리 사상을 전개한 스피노자의 입장이다. 흄은 도덕의 원천이 감정이라고 보았고, 스피노자는 이 세계 안의 모든 것은 인과적 자연법칙에 의해 연결되어 있다고 주장하였다.

**바로 알기** ① 흄은 감정에서 벗어나야 한다고 주장하지 않았다. ③ 근대 서양 윤리는 신 중심이 아니라 인간 중심의 사고를 하였다. ④ 합리론자인 데카르트에 관한 설명이다. ⑤ 이성적 사유 능력은 합리론자들이 중시하였고, 관찰과 실험에 의한 지식은 경험론자들이 중시하였다.

## 20 흄과 스피노자의 사상

흄은 도덕적 행위의 동기를 감정에서 찾았으며, 인간의 공감 능력이 윤리적 구별의 원천이라고 강조하였다.

**바로 알기** ㄴ. 흄은 감정보다 의무에 따라야 한다고 주장하지 않았다. ㄷ. 이성적 관조를 통해 자연의 인과적 필연성을 인식해야 한다고 주장한 사람은 스피노자이다.

**완자 정리 노트** 흄과 스피노자 사상

| | |
|---|---|
| 흄 | • 감정 중심의 윤리 사상을 전개함<br>• 도덕적 실천의 동기는 어떤 대상에 대한 감정임 → 도덕적 선악은 감정으로 느끼는 것임<br>• 도덕의 기초는 공감임 |
| 스피노자 | • 이성 중심의 윤리 사상을 전개함<br>• 자연에서 일어나는 모든 일은 원인과 결과의 필연적인 관계로 연결되어 있음 → 이성적 관조를 통해 자연의 인과적 필연성을 인식해야 함<br>• 신은 자연 그 자체임 |

## 21 칸트의 사상

제시된 글은 의무론자인 칸트의 주장이다. 칸트는 오직 도덕 법칙을 따라야 한다는 의무 의식에서 비롯한 행위만이 도덕적이라고 보았다. 도덕 법칙은 명령의 형태로 나타나는데, 칸트는 이를 정언 명령이라고 불렀다. 그리고 정언 명령의 핵심은 준칙의 보편화 가능성과 인간 존엄성이다.

**바로 알기** ① 칸트에 따르면 도덕 법칙은 일체의 경향성을 배제한 채 수립되어야 한다. ② 결과론의 입장이다. ③, ④ 공리주의의 입장이다.

## 22 칸트와 흄의 사상

갑은 칸트, 을은 흄의 입장이다. 칸트는 도덕적 행위와 관련하여 감정보다 이성의 역할이 중요하다고 할 것이고, 흄은 이성보다 감정의 역할이 중요하다고 볼 것이다.

**바로 알기** ②, ③ 칸트는 부정, 흄은 긍정의 대답을 할 것이다. ④ 칸트에 따르면 어떤 준칙이 보편타당성을 지니지 못한다면 그 준칙은 도덕 법칙이 될 수 없다. ⑤ 결과론의 입장에서 긍정할 것이다.

## 23 칸트와 흄 사상의 차이

제시된 글의 '나'는 칸트의 입장을 취하고 있다. 그리고 '어떤 서양 사상가'는 흄의 입장이다. 그러므로 ㉠에는 칸트의 입장에서 흄의 사상에게 제시할 수 있는 진술인 ⑤의 내용이 들어가야 한다.

## 24 밀의 질적 공리주의

밀은 벤담과 마찬가지로 공리의 원리를 도덕 판단의 기준으로 삼았다. 하지만 그는 쾌락에 양적 차이뿐만 아니라 질적 차이도 있다는 질적 공리주의를 주장하였다.

**바로 알기** ㉡ 규칙 공리주의의 입장에 대한 설명이다.

## 25 칸트와 벤담 사상의 차이

갑은 칸트, 을은 벤담의 입장이다. 칸트는 한 사람이 선택한 준칙을 다른 사람들이 보편적으로 받아들일 수 있을 때, 이 준칙이 도덕 법칙이 될 수 있다고 보았다.

**바로 알기** ② 칸트의 입장과 거리가 멀다. ③ A에 해당하는 진술이다. ④, ⑤ 갑, 을 모두와 거리가 먼 진술이다.

## 26 키르케고르 사상의 특징

밑줄 친 '어떤 서양 사상가'는 키르케고르를 가리킨다. 그는 '신 앞에 선 단독자'로서 인간의 주체적 결단을 강조하였다. 또한 그는 실존의 세 단계를 제시하였는데, 심미적 실존 단계에서의 개인은 쾌락을 추구하다가 허망함을 느낀다고 보았다.

**바로 알기** 키르케고르는 ㄴ. 인간의 보편적 합리성보다 개개인의 주체성을 강조하였다. ㄹ. 종교적 실존 단계에서 참된 실존을 회복할 수 있다고 보았다.

## 27 야스퍼스와 키르케고르 사상의 특징

갑은 야스퍼스, 을은 키르케고르의 입장이다. 야스퍼스와 키르케고르는 모두 실존주의자로서 개인은 자유로운 결단을 통해 참된 실존을 회복할 수 있다고 보았다.

**바로 알기** ①, ④ 키르케고르는 종교적 삶을 통해 불안과 절망을 온전히 극복할 수 있다고 보았다. 야스퍼스 또한 인간은 자신의 유한성을 자각하는 순간 스스로의 결단을 통해 초월자의 존재를 수용하고 참된 실존을 회복할 수 있다고 보았다. ②, ⑤ 갑, 을 모두가 부정할 질문이다.

## 28 하이데거 사상의 특징

제시된 글은 하이데거의 주장이다. 하이데거는 인간은 죽음에 이른다는 것을 자각할 수 있으며, 자신이 죽음에 이르는 존재라는 사실을 받아들임으로써 진정한 실존을 회복할 수 있다고 주장하였다.

**바로 알기** ㄴ. 하이데거는 이성적·합리적 판단이 아니라 죽음을 자각함으로써 본래적인 삶을 살아갈 수 있다고 하였다. ㄷ. 하이데거는 죽음을 받아들이고 삶의 유한성을 깨달음으로써 실존을 회복할 수 있다고 보았다.

## 29 사르트르 사상의 특징

제시된 글은 실존주의 사상가인 사르트르의 입장이다. 사르트르에 따르면 인간은 어떤 목적을 가지고 만들어진 존재가 아니라 본질에 앞서서 자신의 내용을 스스로 만들어 규정하는 존재이다. 사르트르는 인간은 자유로운 선택을 할 수 있는 존재이므로 자신의 선택에 책임지는 삶을 살아야 한다고 보았다.

**바로 알기** ①, ② 사르트르는 무신론적 실존주의자이다. ③ 스피노자의 입장이다. ④ 실존주의는 보편적인 도덕 원리가 아닌 개별적인 주체성을 강조한다.

## 30 사르트르가 강조하는 바람직한 삶의 태도

제시된 글은 사르트르의 입장이다. 사르트르에게 인간은 자신이 원하건 원치 않건 자유로울 수밖에 없는 존재이다. 그러므로 자유로운 인간은 근본적으로 자신의 선택과 관련된 책임을 피할 수 없으며 자신의 선택에 책임지는 삶을 살아야 한다.

**바로 알기** 사르트르는 ① 인간에게는 미리 주어진 본질이 없다고 보았다. ② 신과 같은 존재에게 순응하는 자세를 불성실이라고 보았다. ③ 사르트르는 사회 문제에도 책임 의식을 지녀야 한다고 보았다. ④ 스토아학파의 입장이다.

## 31 듀이 사상의 특징

제시된 글은 실용주의자인 듀이의 입장이다. 그는 지식은 실천이나 사회 변혁을 위해 사용될 때 가치가 있다는 도구주의적 관점을 지녔다. 듀이는 도덕이 우리가 살고 있는 사회 환경과 긴밀한 연관을 맺고 있다고 보았으며, 이에 따라 사회 환경에 맞춰 객관적 조건이나 제도를 바꾸는 것이 중요하다고 보았다.

**바로 알기** ② 듀이에 따르면 인간의 사유로부터 비롯된 지식, 학문, 진리 등은 모두 인간이 처한 환경에 적응하고 문제를 해결하기 위한 도구이다. ③ 지식과 도덕규범 역시 시대와 상황에 따라 변화하고 성장한다. ④ 연역적 추론은 합리론에서 강조하는 진리 탐구 방법이다. ⑤ 듀이는 지식이나 이론은 그 자체가 목적이 아니라 삶의 과정에서 부닥치는 문제 상황을 해결하기 위한 수단으로서 유용하다고 평가될 때 가치를 지닌다고 보았다.

## 32 키르케고르와 듀이 사상의 특징

갑은 실존주의 사상가인 키르케고르, 을은 실용주의 사상가인 듀이의 입장이다. 실존주의에서는 개인이 객관적이고 보편적인 원리가 아니라 자신의 주체적 결단으로 스스로를 규정하고 주체적 삶을 살아가야 한다고 본다. 한편 실용주의에서는 지식은 그 자체로 목적이 아니며, 시대와 상황에 따라 변화한다고 본다. 즉 실존주의와 실용주의는 모두 고정불변의 절대적 진리는 존재하지 않는다고 여긴다는 공통점이 있다.

**바로 알기** ①, ② 실존주의자와는 관련 없는 진술이다. ③ 실용주의는 쓸모 있는 지식을 강조한다. ④ 키르케고르에 해당하는 진술이다.

# Ⅳ. 사회사상

## 01 사회사상과 이상 사회

**STEP 1 핵심 개념 확인하기** 184쪽

1 이상 사회 2 (1) ㄱ (2) ㄴ 3 (1) - Ⓛ (2) - Ⓒ (3) - ㉣ (4) - ㉠ 4 뉴 아틀란티스

**STEP 2 내신 만점 공략하기** 184~186쪽

01 ④ 02 ⑤ 03 ③ 04 ② 05 ④ 06 ① 07 ⑤ 08 ⑤

### 01 사회사상의 기능

㉠에 들어갈 용어는 사회사상이다. 사회사상은 사회 현상을 설명하고 이해하는 데 도움을 주는 이론적 틀을 제공하고, 사회 현상을 평가하는 규범적 기준을 제시하며, 사회를 변화시키는 실천 지침을 제공한다.

**| 바로 알기 |** ㄷ. 사회사상은 인간의 사회적 삶에 초점을 맞춘다.

### 02 유교의 대동 사회

제시된 글은 유교의 이상 사회인 대동 사회에 대한 설명이다. 대동 사회는 인(仁)이 모든 사람에게 확대된 도덕적 사회로서, 이상적인 성인(聖人)이 나라를 다스리고, 사회적 약자에 대한 보호가 잘 이루어지며, 현명하고 유능한 사람이 등용되는 신분적 차별이 없는 사회이다.

**| 바로 알기 |** ⑤ 대동 사회는 가족 이기주의에서 벗어나 타인을 배려하는 도덕적 사회이다.

### 03 동양의 이상 사회

갑은 노자, 을은 공자이다. 노자는 인위적인 분별에서 벗어나 무위(無爲)에 따라 소박하게 살아가는 소국과민 사회를 이상 사회로 제시하였다. 공자는 인(仁)이 모든 사람에게 확대된 도덕적 사회인 대동 사회를 이상 사회로 제시하였다.

**| 바로 알기 |** ④ 불교에서 제시하는 이상적인 사회이다.

### 04 노자의 이상 사회

제시된 사상가는 노자로서, 그가 주장하는 이상 사회인 소국과민에 대해 설명하고 있다. 소국과민은 작은 영토와 적은 백성으로 이루어진 사회로, 사람들이 인위적인 분별과 차별에서 벗어나 소박하게 살아가고, 문명의 이기(利器)에 무관심하고 자연의 순리에 따라 무위(無爲)의 삶을 살아가는 사회이다.

### 05 플라톤의 정의로운 국가

그림의 강연자는 플라톤이 제시한 이상 사회에 대해 설명하고 있다. 플라톤이 제시한 정의로운 국가는 좋음의 이데아에 대한 앎을 갖추고, 사유 재산을 소유하지 않은 철인(哲人)이 통치하는 사회이다. 또한 정의로운 국가는 생산자, 방위자, 통치자가 각자의 덕을 발휘하여 자신의 역할에 충실한 국가이기도 하다.

**| 바로 알기 |** ㄱ. 생산자에게 필요한 덕은 절제이다. ㄷ. 플라톤은 각 계급이 자신의 역할만을 수행할 때 조화로운 국가가 될 수 있다고 보았다.

**완자 정리 노트** 플라톤의 정의로운 국가

| | |
|---|---|
| 플라톤의 정의로운 국가 | • 좋음의 이데아에 관한 지혜의 덕을 갖춘 철인(哲人)이 통치하는 국가<br>• 국가의 구성원인 생산자(절제), 방위자(용기), 통치자(지혜)가 자신의 역할에 충실한 국가 |

### 06 모어의 유토피아

제시된 글은 모어의 이상 사회인 유토피아에 대한 설명이다. 유토피아는 경제적으로 풍요롭고 소유와 생산에서 완전한 평등을 이룬 도덕적 사회이다. 이곳에서는 사유 재산을 인정하지 않아 잉여 생산물에 대한 욕망을 가질 필요가 없고, 필요 이상의 노동을 하지 않으며 정신적 자유와 문화생활을 누릴 수 있다.

**| 바로 알기 |** ① 유토피아에서는 사유 재산을 인정하지 않는다. ② 유토피아는 모어가 가상으로 제시한 사회로서, 현실에는 존재하지 않는다. ④ 모어는 당대의 금전만능의 사회적 풍조를 비판하기 위해 유토피아를 제시하였다.

### 07 마르크스의 공산 사회

제시된 글은 마르크스의 이상 사회인 공산 사회에 대한 설명이다. 마르크스는 자본가 계급의 착취가 이루어지는 자본주의 사회의 모순을 비판하며, 사유 재산과 계급이 소멸하고 생산력이 고도로 발전되어 경제적으로 안정된 사회인 공산 사회를 제시하였다. 그리고 공산 사회에서는 각자가 능력에 따라 일하고 필요에 따라 분배받을 수 있다고 보았다.

**| 바로 알기 |** ㉠ 마르크스는 공산 사회에서 사유 재산 제도가 사라질 것이라고 보았다. Ⓛ 공산 사회는 생산 수단을 프롤레타리아가 공유하여 경제적 평등을 실현한 사회이다. ㉣ 마르크스는 자본주의 체제를 완전히 철폐해야 한다고 주장하였다.

### 08 롤스의 질서 정연한 사회

제시된 글은 롤스가 주장한 정의의 원칙에 대한 설명이다. 롤스는 이상 사회로서 질서 정연한 사회를 제시하면서, 각 성원의 선을 증진해 줄 뿐만 아니라 공적 정의관에 따라 효율적으로 규제되는 사회를 이상 사회라고 주장하였다.

**바로 알기** ① 롤스의 질서 정연한 사회는 경제적 불평등이 완전히 사라진 사회가 아니다. ② 롤스는 정의의 원칙에 따를 때만 불평등을 허용할 수 있다고 보았다. ④ 롤스는 사회적 지위에 관계없이 모두가 동일한 자유를 누려야 한다고 보았다.

**완자 정리 노트** 롤스의 정의의 원칙

| | |
|---|---|
| 제1원칙 | 모든 사람은 기본적 자유에 관한 동등한 권리를 가져야 한다[평등한 자유의 원칙]. |
| 제2원칙 | 사회·경제적 불평등은 다음 두 조건을 만족할 때 허용된다. 첫째, 최소 수혜자에게 최대 이익이 되고[차등의 원칙], 둘째, 그와 같은 불평등은 모든 이에게 개방된 직위나 직책에 결부되어야 한다[공정한 기회균등의 원칙]. |

## 서술형 문제

186쪽

### 01 주제: 사회사상의 의미와 기능

(1) 사회사상

(2) 예시 답안 사회사상은 사회 현상을 설명하고 이해하는 데 도움이 되는 이론적 틀을 제공하고, 사회를 변화시키는 실천 지침을 제공한다.

채점 기준

| | |
|---|---|
| 상 | 사회사상의 기능을 두 가지 서술한 경우 |
| 하 | 사회사상의 기능을 한 가지만 서술한 경우 |

### 02 주제: 롤스의 질서 정연한 사회

예시 답안 ㉠에 들어갈 알맞은 용어는 롤스가 제시한 이상 사회인 '질서 정연한 사회'이다. 질서 정연한 사회는 각 성원의 선을 증진해 줄 뿐만 아니라 공적 정의관에 따라 효율적으로 규제되는 이상 사회이다.

채점 기준

| | |
|---|---|
| 상 | ㉠에 들어갈 용어를 쓰고, 질서 정연한 사회의 특징을 서술한 경우 |
| 하 | ㉠에 들어갈 용어만 쓴 경우 |

### 03 주제: 이상 사회의 한계

예시 답안 이상 사회에 과도하게 집착할 경우, 과도한 신념으로 인해 독선적인 태도를 야기할 수 있고, 현실의 여건을 고려하지 않은 맹목적인 열정으로 과격한 행동을 하게 될 수 있다.

채점 기준

| | |
|---|---|
| 상 | 이상 사회의 한계를 두 가지 서술한 경우 |
| 하 | 이상 사회의 한계를 한 가지만 서술한 경우 |

## STEP 3 1등급 정복하기

187쪽

1 ③ 2 ②

### 1 공자와 노자의 이상 사회

**자료 분석**

갑: 새나 짐승과는 함께 모여 살 수 없으니 내가 세상 사람들과 더불어 살지 않으면 누구와 더불어 살겠는가? 인(仁)은 나에게서 말미암은 것이니, 덕(德)으로 인도하고 예(禮)로 다스려야 사람들이 염치를 알게 된다.

→ 인(仁), 덕(德), 예(禮)와 같은 말에서 공자의 주장임을 알 수 있어.

을: 하늘과 땅이 오래도록 지속되는 것은 자기만을 위해 살지 않기 때문이다. 성인도 자신을 뒤에 세우지만 앞서게 되고 자기만을 버리지만 자기를 보존하게 된다. 성인은 억지로 하지 않으니[無爲] 다스려지지 않는 것이 없다.

→ 억지로 하지 않는 다스림이라는 말에서 노자의 주장임을 알 수 있어.

갑은 공자, 을은 노자이다. 공자는 인(仁)을 바탕으로 예(禮)를 실현하고, 덕으로써 백성을 다스리는 덕치(德治)를 주장하였다. 그리고 그는 재화의 고른 분배를 바탕으로 모두가 더불어 잘 사는 대동 사회를 이상 사회로 제시하였다. 노자는 인위적으로 어떤 일을 도모하지 않고 자연의 도(道)에 따르는 무위(無爲)의 삶을 강조하였다. 그리고 백성들이 문명의 발달을 추구하지 않는 소박하고 자족적인 사회인 소국과민을 이상 사회로 제시하였다.

**바로 알기** ㄹ. 노자는 인위적인 예(禮)를 비판하며 자연의 도에 따를 것을 주장하였다.

### 2 모어와 마르크스의 이상 사회

갑은 마르크스, 을은 모어이다. 마르크스는 사유 재산 제도를 바탕으로 하는 자본주의 사회를 비판하면서, 프롤레타리아 혁명을 통해 공산 사회를 실현해야 한다고 주장하였다. 모어는 유토피아를 이상 사회로 제시하였다. 유토피아는 경제적으로 풍요롭고, 생산과 소유에 있어 평등을 이룬 도덕적 사회이다.

**바로 알기** ① 마르크스와 모어는 공통적으로 사유 재산 제도를 인정하지 않는다. ② 마르크스와 모어는 생산과 소유에 있어서 평등을 실현해야 한다고 주장한다.

# 02 국가

**STEP 1** 핵심 개념 확인하기 192쪽

1 (1) – ㉠ (2) – ㉢ (3) – ㉣ (4) – ㉡ (5) – ㉤ 2 (1) × (2) × (3) ○ (4) × (5) ○ (6) ○ 3 (1) 위민 (2) 마르크스 (3) 자연 상태

**STEP 2** 내신 만점 공략하기 192~194쪽

01 ④ 02 ① 03 ③ 04 ③ 05 ⑤ 06 ② 07 ⑤ 08 ②

### 01 유교의 국가관

제시된 글은 유교 사상가인 맹자의 주장이다. 맹자는 인의(仁義)에 바탕을 둔 도덕 정치의 실현을 주장하였는데, 이를 위해서 우선 백성들의 경제적 안정을 도모해야 한다고 보았다. 또한 맹자는 군주가 정당성을 잃으면 백성들이 군주를 교체할 수 있다는 역성혁명 사상을 주장하였다.

**바로 알기** ③ 유교 사상은 국가의 근본을 백성에서 찾는 민본주의 사상을 바탕으로 한다. ④ 유교에서는 법치보다 덕치를 중시한다.

**완자 정리 노트** 유교에서 주장하는 국가의 역할과 정당성

| | |
|---|---|
| 역할 | 민본 정치를 바탕으로 위민을 실현하고, 국가를 인륜이 실현되는 도덕 공동체로 만드는 것 |
| 정당성 확보 방안 | • 백성들이 도덕적인 삶을 살 수 있도록 경제적 안정을 이루어야 함<br>• 방위력을 길러 백성의 생명과 재산을 보호해야 함 |

### 02 아리스토텔레스의 국가관

국가의 기원과 본질에 대한 아리스토텔레스의 주장이다. 아리스토텔레스는 국가가 인간의 정치적 본성에 의해 만들어진 자연적인 산물이라고 주장하면서, 인간의 훌륭한 삶을 실현하기 위해 필수적인 공동체라고 보았다. 그는 이를 위해서 시민들이 정치에 참여함으로써 영혼의 탁월성을 발휘할 수 있도록 해야 한다고 주장하였다.

**바로 알기** ④ 아리스토텔레스는 단순한 생존뿐만 아니라 시민이 훌륭한 삶을 살 수 있도록 하는 것이 국가의 역할이라고 보았다. ⑤ 아리스토텔레스는 인간이 다른 동물과 다르게 선악과 옳고 그름에 대한 인식을 공유하여 국가를 형성한다고 보았다.

### 03 공화주의와 마르크스의 국가관

갑은 공화주의자인 키케로, 을은 마르크스이다. 키케로는 국가가 공공의 것이라고 주장하면서, 사익보다 공동선을 우선해야 한다고 보았다. 마르크스는 국가란 계급 지배를 정당화하는 수단으로서, 노동자에 대한 자본가의 착취를 방임하는 장치라고 보았다. 이런 관점에서는 그는 국가란 그 자체로 부당하며, 장차 정의로운 국가라는 관념도 사라질 것이라고 주장하였다.

### 04 근대 사회 계약론의 국가관

갑은 왕권신수설의 관점을, 을은 사회 계약론의 관점을 주장하고 있다. 왕권신수설은 왕권이 신에게서 받은 절대적인 것이라는 주장으로서, 중세 왕정 사회를 정당화하는 근거가 되었다. 이에 반해, 근대의 사회 계약론은 국가의 권력이 개인의 계약과 동의로부터 발생한 것이라고 주장하였다.

**바로 알기** ① 유교의 국가관이다. ② 마르크스의 국가관이다. ⑤ 공화주의의 국가관이다.

### 05 홉스와 로크의 사회 계약론

갑은 홉스, 을은 로크이다. 홉스와 로크는 공통적으로 개인의 동의와 계약으로부터 국가가 형성되었다는 사회 계약론을 주장하였다. 그러나 홉스는 자연 상태가 만인에 대한 만인의 투쟁 상태였다고 보았고, 개인이 자신의 주권을 국가에 모두 양도하였기 때문에 정치적으로 저항할 수 없다고 주장하였다. 이와 달리 로크는 자연 상태가 비교적 평화로웠으며, 개인은 자신의 주권을 정부에 일부만 양도하였으므로 정치적 저항권을 행사할 수 있다고 보았다.

**바로 알기** ② 홉스는 국가의 역할을 사회 질서와 평화의 유지를 통한 개인의 생명 보존으로 한정하였다.

**완자 정리 노트** 홉스와 로크의 사회 계약론

| 구분 | 홉스 | 로크 |
|---|---|---|
| 자연 상태 | 만인에 대한 만인의 투쟁 상태 | 비교적 평화로우며 이성과 양심을 지니고 살아가는 상태 |
| 사회 계약의 목적 | 평화 유지를 통해 개인의 생명을 보존하기 위함 | 개인의 생명권뿐만 아니라 재산권·자유권 같은 권리를 보장하기 위함 |
| 저항권 | 정치적 저항권 부정 | 정치적 저항권 인정 |

### 06 마르크스의 국가관

제시된 글은 마르크스의 주장이다. 마르크스는 국가란 계급 지배를 정당화하는 수단으로서, 그 자체로 부당한 것이라고 보았다. 나아가 그는 궁극적으로 프롤레타리아 혁명을 통해 국가가 사라지게 될 것이라고 주장하였다.

**바로 알기** ① 유교의 국가관이다. ③ 공화주의의 국가관이다. ⑤ 로크의 사회 계약론에 대한 설명이다.

### 07 동서양의 다양한 국가관

갑은 로크, 을은 공자, 병은 공화주의자이다. 로크는 사회 계약론자로서 국가의 주권이 국민에게 있다고 주장하며, 국가란 개인의 자유와 권리를 보장하기 위한 수단이라고 보았다. 공자는 가족의

윤리가 확장되어 국가가 형성되었다고 보았다. 공화주의자는 국가란 시민의 자유를 보장하기 위한 수단으로서, 특정한 소수가 국가 권력을 독점하여 사익을 추구하지 못하도록 해야 한다고 보았다.

**바로 알기** ⑤ 유교에서는 백성들을 군주의 신민으로 본다.

### 08 루소의 사회 계약론

제시된 글은 근대의 사회 계약론자인 루소의 주장이다. 루소는 자연 상태의 인간들은 모두 자유롭고 평등한 상태에 있었지만, 사유 재산이 발생하면서부터 자유가 사라지고 불평등이 시작되었다고 보았다. 그래서 그는 사회 계약을 통해 문명사회의 불평등을 극복하고, 시민의 자유를 회복하고자 하였다.

**바로 알기** ㄴ, ㄹ. 루소는 시민의 일반 의지에 따라 운영되는 공화국을 주장하였다.

## 서술형 문제

194쪽

### 01 주제: 도덕 공동체로서의 국가

(1) 예시 답안 유교에서는 백성들이 도덕적인 삶을 살 수 있도록 경제적인 안정을 이루고, 방위력을 길러 백성의 생명과 재산을 보호하는 것을 국가의 역할로 본다.

채점 기준

| | |
|---|---|
| 상 | 유교에서 주장하는 국가의 역할을 두 가지 서술한 경우 |
| 하 | 유교에서 주장하는 국가의 역할을 한 가지만 서술한 경우 |

(2) 예시 답안 유교와 아리스토텔레스는 공통적으로 국가의 본질을 도덕 공동체로 파악한다. 국가의 구성원이 도덕적인 삶을 실현하는 데 있어서 국가의 역할이 중요하다는 것이다.

채점 기준

| | |
|---|---|
| 상 | 유교와 아리스토텔레스의 국가관의 공통점을 서술한 경우 |
| 하 | 유교와 아리스토텔레스의 국가관 중 한 가지만 서술한 경우 |

### 02 주제: 공화주의의 국가관

(1) 시민의 자유

(2) 예시 답안 제시된 글은 공화주의의 국가관에 대한 설명이다. 공화주의에서는 국가를 특정한 소수의 소유물이 아니라 시민 모두의 것으로 만들고, 시민들이 공적인 의사 결정에 적극적으로 참여할 수 있는 제도와 질서를 마련할 때 국가가 정당성을 지닌다고 본다.

채점 기준

| | |
|---|---|
| 상 | 공화주의에서 주장하는 국가 권력의 정당성 확보 방안을 두 가지 서술한 경우 |
| 하 | 공화주의에서 주장하는 국가 권력의 정당성 확보 방안을 한 가지만 서술한 경우 |

## STEP 3 1등급 정복하기

195쪽

1 ② 2 ⑤

### 1 아리스토텔레스의 국가관

제시된 사상가는 인간의 정치적 본성에 의해 국가가 생겨났다고 주장하는 아리스토텔레스이다. 아리스토텔레스는 인간이 국가 공동체 안에서만 덕 있는 삶을 살 수 있고, 행복을 실현할 수 있다고 보았다. 그리고 국가는 시민의 덕 있는 삶과 행복을 위해 구성원의 덕성을 함양하는 데 힘써야 한다고 주장하였다.

**바로 알기** ② 아리스토텔레스에 따르면, 인간은 국가 안에서 자신의 궁극적인 목적인 행복을 실현할 수 있다. ④ 사회 계약론의 국가관이다.

### 2 홉스와 로크의 사회 계약론 비교

자료분석

정치적 저항권을 인정하지 않는다는 점에서 홉스의 입장임을 알 수 있어.

갑: 일단 신민이 된 사람은 주권자에게 저항해서는 안 된다. 또한 한번 계약을 맺으면 파기할 수 없다. 심지어 계약에 반대하는 사람도 복종해야 한다. 입법권과 사법권, 전쟁 선포권은 모두 주권자의 것이다. 주권은 분할할 수도 없고 견제받아서도 안 된다.

을: 국가는 안에서는 법률 집행을 위해서만 힘을 행사해야 하고, 밖으로는 외적의 침략으로부터 공동 사회를 수호하기 위해 힘을 사용해야 한다. 국민의 평화와 안전, 공공의 복지 이외의 다른 목적을 위해 자신의 힘을 사용하지 못하도록 국가 권력을 제한해야 한다.

시민들이 부당한 국가 권력을 제한할 수 있다고 말한다는 점에서 정치적 저항권을 인정한 로크의 주장임을 알 수 있어.

갑은 홉스, 을을 로크이다. 두 사상가는 공통적으로 자연 상태의 개인들이 동의와 계약을 통해 국가를 형성했다는 사회 계약론을 주장하였다. 그러나 홉스는 자연 상태를 만인에 대한 만인의 투쟁 상태와 같은 전쟁 상태로 규정하고, 개인이 군주에게 권리를 전면 양도하여 정치적 저항권을 행사할 수 없다고 주장하였다. 이와 달리 로크는 자연 상태가 비교적 평화로웠으며, 시민은 자신의 권리 중 일부만 정부에 양도하였기 때문에 정치적 저항권을 행사할 수 있다고 주장하였다.

**바로 알기** ㄱ. 홉스는 자연 상태에서 공통의 권력이 존재하지 않다고 보았다.

# 03 시민

**STEP 1** 핵심 개념 확인하기 200쪽

1 자연권 2 (1) ○ (2) × (3) ○ 3 (1) 사회적 (2) 공동선 (3) 지배
4 시민적 덕성 5 (1) – ㉡ (2) – ㉢ (3) – ㉠

**STEP 2** 내신 만점 공략하기 200～203쪽

01 ③ 02 ② 03 ⑤ 04 ④ 05 ⑤ 06 ② 07 ①
08 ③ 09 ④ 10 ⑤ 11 ② 12 ②

### 01 자유주의적 시민

그림의 강연자는 소극적 자유를 주장하는 자유주의자이다. 자유주의에서는 외부의 부당한 강제나 간섭이 없는 상태인 소극적 자유를 중시하고, 인간을 개체적 존재로 본다. 또한 개인의 자유와 권리를 최고의 정치적·사회적 가치로 삼으면서, 개인의 자율성을 강조한다.

**바로 알기** ① 자유주의에서 강조하는 자유는 소극적 자유이다. ④ 소극적 자유를 주장하는 자유주의자들은 개인의 삶에 대한 국가의 간섭이 부당한 것이라고 주장한다. ⑤ 자유주의에서는 정치적 의무보다 개인의 권리를 우선시한다.

### 02 소극적 자유와 적극적 자유

갑은 소극적 자유를, 을은 적극적 자유를 주장하고 있다. 소극적 자유는 외부의 간섭이 없는 방임으로서의 자유를 의미한다. 따라서 소극적 자유의 지지자들은 개인의 삶에 대한 국가의 간섭을 부정한다. 반면, 적극적 자유는 자신의 의지에 따라 스스로가 원하는 삶을 능동적으로 실현할 수 있는 자유를 뜻한다. 적극적 자유의 지지자들은 개인의 지적, 신체적, 사회적 능력의 신장과 기회의 평등을 보장하기 위한 국가의 개입을 긍정한다.

**바로 알기** ㄴ. 공화주의의 정치관이다. ㄹ. 소극적 자유의 지지자들은 적극적 자유에서 주장하는 국가의 개입이 개인의 자유와 권리를 침해할 수 있다고 비판한다.

**완자 정리 노트** 소극적 자유 VS 적극적 자유

| 소극적 자유 | 적극적 자유 |
|---|---|
| • ~로부터의 자유<br>• 외부의 부당한 압력이나 간섭이 없는 상태<br>• 국가와 타인에게 구속당하지 않고 행동할 수 있는 사적 영역의 보장을 강조 | • …할 자유<br>• 자신의 의지에 따라 스스로가 원하는 삶을 능동적으로 실현할 수 있는 자유<br>• 개인의 지적, 신체적, 사회적 능력의 신장과 기회의 평등을 보장하기 위한 국가 개입을 긍정 |

### 03 자유주의에 영향을 준 자연권 사상

밑줄 친 '이것'은 자연권이다. 자연권이란 인간이 태어날 때 하늘로부터 부여받은 것으로서, 시대나 장소에 상관없이 인간에게 보편적으로 내재해 있는 권리를 뜻한다. 자연권 사상은 근대 사회 계약론자에 의해 계승되고 발전되면서 자유주의의 발전에 큰 영향을 주었는데, 로크는 개인에게 자신의 생명, 자유뿐만 아니라 노동을 통해 얻은 재산에 대한 자연권도 가지고 있다고 보았다.

**바로 알기** ③ 자연권 사상을 바탕으로 한 사회 계약론은 중세의 절대 왕정을 비판하는 근거가 되었다.

**완자 정리 노트** 홉스와 로크의 자연권 사상

| | |
|---|---|
| 홉스 | 각 개인은 자신의 생명을 지키기 위해서라면 어떠한 행위도 할 수 있는 '만물에 대한 생득적 권리'를 가지고 있다고 봄 |
| 로크 | 자신의 생명과 자유에 대한 자연권과 함께 정당한 노동을 통해 획득한 재산에 대해 침해받지 않을 자연권도 지니고 있다고 봄 |

### 04 자유주의와 공화주의의 관점 차이

갑은 공화주의자, 을은 자유주의자이다. 자유주의자는 자연권 사상을 바탕으로 시민의 자유와 권리가 천부적으로 주어진 것이라고 주장하면서, 개인의 권리를 정치적 의무보다 우선시한다. 공화주의자는 인간을 사회적 존재로 보며 인간의 상호 의존성을 중시한다. 또한 공화주의자는 자유주의자와 다르게 시민의 권리가 자연권이 아니라 시민의 적극적인 정치 참여를 통해 실현되고 보장될 수 있다고 본다.

**바로 알기** ㄷ. 공화주의와 자유주의 모두 긍정할 질문이다. 자유주의에서도 타인에게 해를 끼칠 경우 개인의 자유와 권리를 제약할 수 있다고 본다.

### 05 공화주의적 시민

제시된 글은 공화주의자인 마키아벨리의 주장이다. 마키아벨리와 같은 공화주의자는 시민의 정치적 의무를 강조하며 공공의 일에 적극적으로 참여하는 태도인 시민적 덕성을 강조한다. 또한 공동체가 지향하는 공공의 가치인 공동선과 지배의 부재를 강조하는 비지배로서의 자유를 중시한다.

**바로 알기** ③ 공화주의에서는 시민적 자유를 실현하기 위해 권력을 통한 소수의 사익 추구를 제어해야 한다고 본다.

### 06 시민적 공화주의와 신로마 공화주의

갑은 마키아벨리의 영향을 받은 신로마 공화주의자, 을은 아리스토텔레스의 영향을 받은 시민적 공화주의자이다. 공화주의는 공통적으로 시민의 권리가 정치 참여를 통해 성취한 결과물이라고 보고, 시민의 정치 참여와 같은 의무를 강조한다. 그러나 시민적 공화주의자가 정치 참여의 근거를 인간의 자연적 사회성에서 찾으면서, 정치 참여를 통해 윤리적 자기실현을 할 수 있다고 주장한 것과는 다르게 신로마 공화주의자는 정치 참여가 시민의 자유를 보장하기 위한 수단이라고 주장하며, 윤리와 정치를 구분한다.

**완자 정리 노트** 정치 참여에 대한 공화주의 간의 입장 차이

| 시민적 공화주의 | 신로마 공화주의 |
|---|---|
| 정치 참여는 그 자체가 목적인 덕성의 함양이자 윤리적 자기실현 | 정치 참여는 외세와 폭정으로부터 시민의 자유를 지키기 위한 수단 |

## 07 자유주의와 공동체주의의 관점 차이

갑은 자유주의자인 노직, 을은 공동체주의자인 샌델이다. 노직은 인간의 개별성을 강조하며, 국가의 간섭을 최소화하고 개인의 자유와 권리를 최대한 보장해야 한다고 보았다. 이와 달리 샌델은 공동체주의의 입장에서 인간의 상호 의존성을 강조하며, 인간이 공동체 안에서만 도덕적 존재로 살아갈 수 있다고 보았다.

**바로 알기** ① 공동체주의자의 입장이다. ③ 공동체주의자들은 정치 참여를 통해 자유를 실현할 수 있다고 본다.

## 08 밀의 자유관

제시된 글은 대표적인 자유주의자인 밀의 주장이다. 밀은 내면적 의식의 영역에서의 자유, 결사의 자유, 각자가 개성에 맞게 자기 삶을 설계하고 자기 좋을 대로 살아갈 자유를 제시하며, 개인의 자유가 자신을 제외한 어떤 사람의 이익과도 관련되지 않는 한 사회적 제제를 받지 않아야 한다고 보았다. 그러나 그는 개인의 자유 행사가 타인에게 해를 끼치게 되면, 사회적·법적으로 그를 제약할 수 있다고 보았다.

**바로 알기** 자유주의에서는 정치 공동체가 개인의 자유와 권리를 보장하기 위한 수단이라고 본다.

## 09 법치의 역할

남학생은 자유주의, 여학생은 공화주의의 입장에서 법치에 대해 말하고 있다. 자유주의에서 말하는 법치는 국가가 개인의 사생활에 과도하게 간섭하거나 개인의 자유를 무분별하게 침해하는 것을 방지하는 역할을 한다. 공화주의에서 말하는 법치는 권력의 타락을 방지하고 자의적 권력의 지배로부터 시민의 보호하는 역할을 한다. 따라서 ㉠에 들어갈 질문은 법치의 역할을 묻는 ④이다.

**완자 정리 노트** 법치에 대한 관점

| | |
|---|---|
| 자유주의 | • 목적: 사생활에 대한 과도한 간섭이나 개인의 자유에 대한 무분별한 침해를 방지하는 것<br>• 국가는 중립을 지키며 법과 제도를 모든 시민에게 동등하게 적용해야 함 |
| 공화주의 | • 목적: 권력의 타락을 방지하는 것<br>• 구성원 모두의 뜻과 의지가 반영된 법에 따라 시민의 자유와 권리를 보호해야 함 |

## 10 공화주의에서 주장하는 개인선과 공동선의 관계

(가)는 공화주의의 관점이고, (나)는 '공유지의 비극'에 대한 설명이다. 공화주의에서는 개인선만이 아니라 공동의 이익에 관심을 가지고 공동선을 실현할 것을 강조한다. 이러한 관점을 바탕으로 (나) 상황에 대해 할 수 있는 비판은 ⑤ 지나친 개인선의 추구는 공동선만이 아니라 개인선도 해치게 될 수 있다는 것이다.

**바로 알기** ③ 공화주의에 대한 자유주의의 비판이다.

## 11 관용에 대한 자유주의와 공화주의의 입장

㉠은 자유주의, ㉡은 공화주의이다. 자유주의에서 말하는 관용은 개인의 가치관과 취향을 존중하는 태도이다. 공화주의에서는 관용이 시민들이 공공 사안에 대해 토론할 때 발생할 수 있는 갈등을 조정하고 상호 견제와 균형을 이루기 위한 필요한 덕목이라고 본다.

**바로 알기** ㄴ. 자유주의에서는 양심, 사상, 표현의 자유 등을 침해하는 행위는 관용의 대상이 아니라고 본다. ㄷ. 공화주의에서 말하는 관용은 비지배 조건을 보장하기 위해 타인의 자율성 및 구성원 간의 평등을 존중하는 적극적인 시민 의식이다.

## 12 공화주의적 애국심

제시된 글은 공화주의자인 비롤리가 주장한 애국심에 대한 설명이다. 공화주의적 애국심이란 시민의 자유를 지켜 주는 정치 공동체와 동료 시민에 대한 대승적·자발적 사랑으로, 시민들이 거주하는 정치 공동체의 문화, 역사, 전통 등을 중시하는 태도이다.

**바로 알기** ① 민족주의적 애국심에 대한 설명이다. ④, ⑤ 자유주의에서 강조하는 헌법 애국주의에 대한 설명이다.

**완자 정리 노트** 애국심에 대한 다양한 관점들

| | |
|---|---|
| 자유주의 | • 국가의 정체를 규정하는 헌법의 기본 이념에 대한 국민적 동의와 충성<br>• 중립적이고 보편적인 정치 원리(자유, 민주주의, 인권)에 헌신하고자 하는 마음 |
| 공화주의 | • 시민의 자유를 지켜 주는 정치 공동체와 동료 시민에 대한 대승적·자발적 사랑<br>• 정치 공동체의 문화, 역사, 전통 등을 강조 |
| 민족주의 | • 자신이 태어난 나라와 소속된 민족에 대한 사랑<br>• 혈연, 지연, 전통에 기초한 선천적 애착을 강조 |

## 서술형 문제

203쪽

**01 주제:** 자유주의에서 말하는 자유를 제한할 수 있는 경우

예시 답안 제시된 글은 자유주의 사상가인 밀의 주장이다. 밀은 개인의 자유와 권리의 보장을 무엇보다 중시하지만, 만약 개인이 행사하는 자유가 타인에게 해를 끼치게 된다면, 사회적·법적 처벌을 가하는 등 행동을 제약할 수 있다고 보았다.

**채점 기준**

| | |
|---|---|
| 상 | 자유주의의 관점에서 개인의 자유를 제약할 수 있는 경우를 명료하게 서술한 경우 |
| 하 | 자유주의의 관점만을 단순하게 서술한 경우 |

## 02 주제: 시민적 공화주의의 정치관

**예시 답안** 밑줄 친 '이것'은 공동체주의(시민적 공화주의)이다. 이에 따르면, 정치 참여는 시민의 책무이자 자유를 행사하는 것으로서 그 자체가 목적이다. 왜냐하면 정치 참여란 시민의 덕성을 함양하는 일이자 윤리적 자기실현이라고 보기 때문이다.

**채점 기준**

| | |
|---|---|
| 상 | 정치 참여에 대한 시민적 공화주의의 입장을 그 근거와 함께 서술한 경우 |
| 하 | 정치 참여에 대한 시민적 공화주의의 입장만을 서술한 경우 |

## 03 주제: 자유주의와 공화주의의 애국심

(1) **예시 답안** (가)는 자유주의적 애국심에 대한 설명으로, 애국심이란 국가의 정체를 규정하는 헌법의 기본 이념에 대한 국민적 동의와 충성이자, 중립적이고 보편적인 정치 원리(자유, 민주주의, 인권)에 헌신하고자 하는 마음이다.

**채점 기준**

| | |
|---|---|
| 상 | 자유주의 애국심의 특징을 두 가지 서술한 경우 |
| 하 | 자유주의 애국심의 특징을 한 가지만 서술한 경우 |

(2) **예시 답안** (나)는 공화주의적 애국심에 대한 설명이다. 공화주의적 애국심은 혈연, 지연, 전통 등에 대한 선천적 애착이자 자신이 태어난 나라와 소속된 민족에 대한 사랑을 강조하는 민족주의적 애국심과 다르게 시민의 자유를 지켜 주는 정치 공동체와 동료 시민에 대한 대승적·자발적 사랑이다.

**채점 기준**

| | |
|---|---|
| 상 | 공화주의 애국심을 민족주의 애국심과 비교하여 서술한 경우 |
| 하 | 공화주의 애국심에 대해서만 서술한 경우 |

## STEP 3 1등급 정복하기 204~205쪽

1 ③ 2 ② 3 ⑤ 4 ①

### 1 자유주의와 공화주의의 국가관

(가)는 공화주의의 국가관, (나)는 자유주의의 국가관이다. 공화주의는 공유된 가치를 바탕으로 한 공동체 의식을 강조하고, 시민이 공동체의 일에 적극적으로 참여하는 것을 중시한다. 반면에 자유주의는 개인주의를 바탕으로 국가보다 개인이 우선한다고 주장하며, 개인의 삶에 대한 결정권이 전적으로 개인에게 있다고 본다.

**바로 알기** ③ 좋은 삶의 조건으로 공동체가 부여한 역할 수행을 중시하는 것은 공화주의의 입장이다.

### 2 시민적 공화주의와 신로마 공화주의의 입장 비교

갑은 로마 전통을 계승한 신로마 공화주의자, 을은 아리스토텔레스의 전통을 계승한 시민적 공화주의자이다. 공화주의는 공통적으로 개인의 자유와 권리를 실현하는 데 있어 정치 공동체가 필수적이라고 보고, 시민의 정치 참여와 같은 의무를 강조한다. 그러나 신로마 공화주의가 정치 참여를 외세의 폭정으로부터 시민의 자유를 지키기 위한 수단으로 여기는 것과 달리 시민적 공화주의는 정치 참여를 윤리적 자기실현으로서의 목적 자체라고 주장한다.

**바로 알기** ㄴ. 시민적 공화주의자에 대한 진술로서 C에 해당한다. ㄹ. 신로마 공화주의에 대한 진술로서 A에 해당한다.

### 3 자유주의와 공동체주의(시민적 공화주의)의 관점 비교

**자료 분석**

(가) 개별적 삶을 살아가는 개별적 개인 외에 그 어떤 사회적·정치적 실체도 없다. …… 국가가 개인의 삶에 적게 간섭할수록 좋은 것이며, 어떤 이상이나 특정한 유토피아를 말하는 국가는 정당한 한계를 벗어난다.
→ 개인의 우선성을 강조하며, 개인에 대한 국가의 간섭을 비판한다는 점에서 자유주의의 입장임을 알 수 있어.

(나) 자유는 '함께하는 자치'에 달려 있다. 자치를 공유하는 것은 공동선에 대해 동료 시민들과 숙고하는 것을 의미하며, 자치를 공유하기 위해서는 시민들이 바람직한 품성을 습득해야 한다. 자치에 필수적인 품성을 길러 내는 것이 정치이다.
→ 정치가 덕성을 함양하는 것이라는 주장에서 공동체주의(시민적 공화주의)의 입장임을 알 수 있어.

(가)는 자유주의, (나)는 공동체주의(시민적 공화주의)의 입장이다. 공동체주의(시민적 공화주의)는 자유주의와 달리 개인의 선택에 공동체의 가치가 반영되어 있다고 보고, 개인선이 공동체를 토대로 형성된다고 본다. 또한 정치 참여의 의무와 시민 간의 유대 의식을 강조한다. 그러나 공화주의는 자유주의에 비해 개인들의 가치관에 대한 국가의 중립성을 강조하는 정도가 낮다.

### 4 공화주의에서 주장하는 애국심

제시된 글은 공화주의적 애국심에 대한 설명이다. 공화주의적 애국심은 자유를 수호해 온 공동체의 역사를 기반으로 형성되고, 구성원들 간의 차별이 존재하지 않는 정치 공동체를 지향한다. 또한 공화주의적 애국심은 권력에 따른 주종적 지배 관계가 없는 공동체에서 나타나고, 자신이 살고 있는 공동체와 시민들에 대한 대승적·자발적 사랑이다.

**바로 알기** ① 공화주의의 애국심은 국가에 의해 강요된 획일적인 강점이 아니라 시민의 자유를 보장하는 정치 공동체와 동료 시민에 대한 자발적인 사랑이다.

# 04 민주주의

**STEP 1** 핵심 개념 확인하기 210쪽

1 민주주의 2 (1) × (2) × (3) ○ 3 (1) – ㉡ (2) – ㉠ (3) – ㉢
4 시민 불복종 5 ㄱ, ㄴ, ㄹ

**STEP 2** 내신 만점 공략하기 210~213쪽

01 ② 02 ① 03 ③ 04 ④ 05 ② 06 ⑤ 07 ⑤
08 ④ 09 ② 10 ④ 11 ② 12 ⑤

### 01 민주주의의 원리

제시된 글은 고대 아테네의 정치가인 페리클레스의 연설 내용으로서, ㉠에 들어갈 용어는 '민주주의'이다. 민주주의는 고대 그리스의 도시 국가였던 아테네에서 처음 등장한 것으로, 민중이 지배하는 통치 형태이자 지배하는 자와 지배받는 자가 동일한 정치 체제이다. 이러한 민주주의 정체에서는 구성원 모두에게 공공의 일에 참여할 수 있는 동등한 권한과 기회가 부여된다.

**바로 알기** ② 민주주의 국가에서 권력은 소수의 시민이 아니라 모든 시민에 의해 구성되고 집행된다.

**완자 정리 노트** 민주주의의 원리와 원칙

| 근본 원리 | 국민 주권의 원리: 지배하는 자와 지배받는 자가 같음 |
|---|---|
| 기본 원칙 | • 모든 시민의 동등한 참여 권한과 기회의 원칙<br>• 권력 구성과 집행에 대한 시민의 통제 원칙 |

### 02 근대 자유 민주주의의 발전

'인간과 시민의 권리 선언'에는 근대 자유 민주주의가 지향하는 가치가 잘 드러나 있다. 이 선언의 제1조와 제2조에서는 자연권을 천명하고 있으며, 제3조에서는 모든 주권이 국민에게 있다는 국민 주권의 원리를 천명하고 있다.

**바로 알기** ㄷ. 근대 자유 민주주의는 대의 민주주의를 채택하였다.

### 03 사회 계약론의 영향

밑줄 친 '이것'은 사회 계약론이다. 사회 계약론은 국가의 주권이 국민에게 있음을 재차 확인하는 계기가 되었고, 개인의 자유, 권리, 평등의 가치의 중요성을 다시 한 번 일깨우는 계기가 됨으로써 근대 자유 민주주의의 발전에 영향을 미쳤다.

**바로 알기** ㄱ. 근대 이전의 절대 왕권 사회보다 정치적 권리를 지닌 시민의 범위가 넓어졌다. ㄹ. 절대 왕정 시대의 정치 질서를 해체하는 데 영향을 주었다.

### 04 로크의 법치주의와 권력 분립

제시된 글은 법치주의에 대한 로크의 주장이다. 로크는 법에 따라 통치하고 그에 따라 살아가는 법치주의와 특정 인물이 권력을 독점하지 못하도록 입법권과 집행권을 분리하는 권력 분립을 주장하였다.

**바로 알기** ③ 로크는 국가가 권력 분립을 통한 견제와 권형의 원리에 입각하여 운영되어야 한다고 보았다. ⑤ 로크는 부당한 정치권력에 대한 시민들의 정치적 저항권을 인정하였다.

### 05 루소의 일반 의지

루소는 각 개인이 정치 공동체의 구성원이 되면서 자연 상태에서의 자유를 포기하지만, 스스로가 주권자이고 입법자인 공동체 내에서 자연 상태에 상응하는 시민적 자유를 발견하게 된다고 보았다. 그리고 이러한 정치 공동체는 시민들의 일반 의지에 따라서 운영되어야 한다고 주장하였다.

**바로 알기** ① 루소는 사유 재산의 발생과 함께 인간 불평등이 시작되었다고 보았다. ② 루소는 사회 계약 이후에도 각 개인이 국가의 주권자라고 주장하였다.

**완자 정리 노트** 민주주의에 영향을 준 사회 계약론

| 로크 | • 개인들이 계약을 맺어 자신의 권리를 보장해 줄 정치 공동체의 구성원이 된다고 봄<br>• 정치 공동체는 권력의 남용을 막기 위해 견제와 균형의 원리에 입각해 운영되어야 한다고 주장함 → 법치주의와 권력 분립을 강조함 |
|---|---|
| 루소 | • 각 개인은 스스로가 주권자이고 입법자인 공동체 내에서 자연 상태에서의 자유에 상응하는 시민적 자유를 재발견하게 된다고 봄<br>• 정치 공동체는 일반 의지에 근거하여 운영되어야 한다고 주장함 |

### 06 밀의 자유론

제시된 글은 자유주의자인 밀의 주장이다. 밀은 자유의 세 가지 기본 영역을 제시하면서, 개인의 자유를 최대한 보장해 주는 정부를 좋은 정부라고 보았다. 또한 그는 대의제를 이상적인 정치 체제로 여기면서, 지성과 덕성이 뛰어난 사람에게 선거의 투표권을 더 주는 '복수 투표제'를 주장하였다.

### 07 슘페터가 주장하는 엘리트 민주주의

제시된 글은 슘페터가 주장한 엘리트 민주주의에 대한 설명이다. 엘리트 민주주의는 의사 결정 능력을 가진 능숙하고 창의적인 엘리트를 선출하고, 그들에게 통치를 맡겨야 한다는 주장이다. 이때 시민의 역할은 지도자를 선출하는 투표에 한정되어야 한다고 본다. 일반 시민들은 정치적 문제에 대한 감각과 책임 의식을 지니기 어렵고, 비합리적인 편견을 가지거나 충동에 빠지는 경향이 있다고 보기 때문이다.

**바로 알기** ④ 슘페터에 따르면, 민주주의는 엘리트가 대중의 승인을 얻으려고 경쟁하는 제도적 장치이다.

**완자 정리 노트** 대의 민주주의의 특징과 한계

| | |
|---|---|
| 특징 | • 근대 이후 민주주의의 기본적인 형태로 자리 잡음<br>• 국민의 지배가 그들이 선출한 대표자를 통해 간접적으로 이루어짐 |
| 한계 | • 대표자가 다수의 의사를 온전히 대표하기 어려워서 대표의 실패라는 문제가 나타날 수 있음<br>• 엘리트 민주주의의 성격을 지님 → 시민들의 정치적 소외감을 강화하고 냉소주의를 조장함<br>• 소수의 의견을 배제하여 사회 통합을 저해할 수 있음 |

## 08 루소의 대의 민주주의 비판

제시된 글은 루소가 제시한 대의 민주주의의 한계이다. 루소는 시민들이 대표자를 선출하려고 투표할 때만 자유롭고 나머지는 노예 상태에 처한다고 비판하면서, 직접 민주주의의 필요성을 주장하였다. 따라서 ㉠에 들어갈 제목은 ⑤ '대의 민주주의 체제는 시민 다수의 의사를 대표하기 어렵다'이다.

**바로 알기** ③, ⑤ 루소는 시민들의 일반 의지에 따라 국가가 운영되어야 한다고 보았다.

## 09 참여 민주주의의 특징과 한계

참여 민주주의는 다수의 시민이 의사 결정 과정에 자발적으로 참여하는 형태의 민주주의를 말한다. 참여 민주주의는 시민이 직접 자신의 의사를 전달하거나 소수의 의견을 전달할 수 있고, 공동체의 규율과 규제를 형성하는 데 관여할 수 있다는 장점이 있다. 그러나 모든 시민이 의사 결정 과정에 동등하게 참여하기가 어렵고, 참여한 시민이 자신의 이해관계만을 우선시하는 경우 시민 전체의 의지가 왜곡될 수 있다는 한계가 있다.

**바로 알기** ㉡ 참여의 영역은 정치적 의사 결정뿐만 아니라 학교, 기업, 지역 자치 등 사회 전반으로 확대되어야 한다.

## 10 심의 민주주의의 특징

제시된 글은 롤스의 주장으로, ㉠에 들어갈 용어는 심의 민주주의이다. 심의 민주주의란 시민이 직접 공적 심의 과정에 참여해 정책을 결정하는 형태의 민주주의이다. 시민들은 공론의 장에서 사회적 쟁점을 깊이 있게 토론하고 심의함으로써, 자신의 선호를 정책 결정 과정에 반영할 수 있다. 이때 모든 시민은 심의 과정에서 권력이나 부와 무관하게 동등한 기회와 지위를 보장받을 수 있어야 한다.

**바로 알기** ㄱ. 롤스는 심의 민주주의에서 공적 이성이 매우 중요한 역할을 한다고 보았다.

## 11 롤스의 시민 불복종

제시된 글은 시민 불복종에 대한 롤스의 주장이다. 시민 불복종이란 정의롭지 못한 법이나 정책을 변화시킬 목적으로 시민들이 의도적으로 법을 위반하는 행위를 말한다. 롤스는 시민 불복종의 정당화 조건으로 공개성, 공익의 지향, 비폭력 행위, 처벌의 감수, 최후의 수단 등을 제시하였다. 또한 시민 불복종이란 정의의 원칙이 존중되고 있지 않음을 선언하고, 시민 다수의 정의감에 호소하는 행위라고 보았다.

**바로 알기** ② 롤스는 시민 불복종 그 자체는 위법 행위라고 보았다. ⑤ 롤스는 정의에 반하는 실질적으로 명확한 침해가 있어야 시민 불복종이 정당할 수 있다고 보았다.

## 12 시민 불복종에 대한 롤스와 하버마스의 입장

갑은 롤스, 을은 하버마스이다. 하버마스는 시민 불복종에 대한 롤스의 입장을 일부 받아들이면서, 시민 불복종은 비폭력적이어야 하며, 규범을 위반한 것에 대한 처벌을 감수한다는 전제하에서 행해져야 한다고 본다. 그러나 롤스가 정의의 원칙과 같은 실질적인 도덕 원칙에 근거하여 시민 불복종을 정의하는 것과는 다르게 하버마스는 합리적인 의사소통을 통해 합의한 원칙에 어긋나는 법이나 정책에 대한 저항으로 시민 불복종을 정의한다는 차이가 있다.

**바로 알기** ① 롤스는 시민 불복종이 입헌 제도를 안정시키는 도구 중 하나라고 보았다. ② 하버마스는 오류의 소지가 있는 법은 의사소통 과정에서 교정되어야 한다고 본다. ③ 하버마스는 시민 불복종이 성숙한 정치 문화를 구성하는 데 필수적인 요소라고 본다.

**완자 정리 노트** 시민 불복종에 대한 롤스와 하버마스의 입장

| 구분 | 롤스 | 하버마스 |
|---|---|---|
| 공통점 | 시민 불복종은 비폭력적이고 규범을 위반하는 것에 대한 처벌을 감수한다는 전제하에서 행해져야 한다고 봄 | |
| 차이점 | • '공적 정의관'에 어긋나는 것에 대한 저항<br>• 실질적인 도덕 원칙인 정의의 원칙에 근거함 | • '합리적 의사소통'을 통해 합의한 원칙에 어긋나는 법이나 정책에 대한 저항<br>• 형식적 도덕 원칙인 의사소통적 합리성에 근거함 |

## 서술형 문제

213쪽

### 01 주제: 민주주의의 원리와 자유 민주주의

(1) 예시 답안 ㉠에 들어갈 용어는 민주주의이다. 민주주의는 국민 주권을 근본 원리로 하는데, 국민 주권이란 주권이 국민에게 있고, 지배하는 자와 지배받는 자가 동일한 정치 원리를 뜻한다.

**채점 기준**

| | |
|---|---|
| 상 | 국민 주권의 원리를 제시하고 그 의미를 서술한 경우 |
| 하 | 국민 주권의 원리만을 제시한 경우 |

(2) 예시 답안 (나)는 자유주의자인 로크의 입장이다. 자연권 사상과 사회 계약론을 바탕으로 하는 자유주의는 국가의 주권이 모든 국민에게 있다는 점을 재차 확인하는 계기가 되었고, 개인의 자유를 무엇보다 강조하며 자유 민주주의의 발전에 기여하였다.

채점 기준

| | |
|---|---|
| 상 | 자유주의의 사상적 특징이 자유 민주주의의 발전에 미친 영향을 명료하게 서술한 경우 |
| 하 | 자유주의의 사상적 특징만을 단순하게 서술한 경우 |

## 02 주제: 롤스와 하버마스의 시민 불복종

(1) 예시 답안 갑은 롤스, 을은 하버마스이다. 두 사상가는 공통적으로 시민 불복종이 비폭력적이어야 하며, 규범을 위반하는 것에 대한 처벌을 감수한다는 전제하에서 행해져야 한다고 보았다.

채점 기준

| | |
|---|---|
| 상 | 시민 불복종에 대한 두 사상가의 공통적인 입장을 두 가지 서술한 경우 |
| 하 | 시민 불복종에 대한 두 사상가의 공통적인 입장을 한 가지만 서술한 경우 |

(2) 예시 답안 롤스는 시민 불복종을 공공의 정의관에 어긋나는 것에 대한 저항으로 정의한다. 반면에 하버마스는 시민들이 합리적인 의사소통을 통해 합의한 원칙에 어긋나는 법이나 정책에 대한 저항으로 시민 불복종을 정의한다. 또한 롤스가 정의의 원칙과 같은 실질적인 도덕 원칙에 근거하는 것과는 다르게 하버마스는 의사소통적 합리성과 같은 형식적인 도덕 원칙에 근거하여 시민 불복종을 정의한다는 차이가 있다.

채점 기준

| | |
|---|---|
| 상 | 시민 불복종에 대한 롤스와 하버마스의 관점을 대비하여 그 차이를 서술한 경우 |
| 하 | 시민 불복종에 대한 롤스와 하버마스의 관점 중 한 가지만을 서술한 경우 |

## STEP 3 1등급 정복하기

214~215쪽

1 ② 2 ④ 3 ④ 4 ③

### 1 참여 민주주의와 엘리트 민주주의

(가)는 참여 민주주의, (나)는 엘리트 민주주의에 대한 설명이다. 참여 민주주의는 시민의 정치 참여가 단지 대표자를 선출하는 투표에만 머물지 않고, 정부의 정책 결과 과정과 같은 직접적인 정치 참여로 나아가야 함을 강조한다. 이와 달리 엘리트 민주주의에 따르면, 민주주의는 엘리트가 대중의 승인을 얻고자 자유롭게 경쟁하는 제도적 장치이다. 그리고 정치적 지배는 정치 엘리트인 지도자에게 맡기고, 시민의 역할은 지도자를 선출하는 투표로 한정해야 한다고 본다.

**바로 알기** ㄴ. 엘리트 민주주의는 중우 정치로 귀결되지 않는 민주주의라고 본다. ㄷ. 참여 민주주의에서는 시민이 합리적인 의사 결정을 할 수 있다고 본다.

**완자 정리 노트** 참여 민주주의의 특징과 한계

| | |
|---|---|
| 특징 | • 자신의 의사를 직접 전달하거나 소수의 의견을 전달할 수 있음<br>• 시민이 자신과 관련된 공동체의 규율과 규제를 형성하는 데 관여할 수 있음 |
| 한계 | • 참여한 시민이 자신이나 자신이 속한 집단의 이해관계만을 우선시하는 등 이기적인 태도를 보일 경우 시민 전체의 의지가 왜곡될 수 있음<br>• 각 시민이 처한 여건으로 인해 정치적 의사 결정에 동등하게 참여하기가 어려움 |

### 2 사회 계약론이 민주주의에 미친 영향

갑은 로크, 을은 루소이다. 자유주의 사상가인 로크는 개인의 자유와 권리를 강조하며 자유 민주주의의 발전에 영향을 주었다. 특히 그는 법에 따라 통치하고 그에 따라 살아가는 법치주의와 특정 권력자가 권력을 독점하지 못하도록 입법권과 사법권을 분리해야 한다는 권력 분립을 주장하였다. 루소는 정치 공동체가 시민의 일반 의지에 따라 운영되어야 한다고 주장함으로써, 공동선의 실현과 국민 주권의 원리를 중시하는 자유 민주주의의 발전에 영향을 주었다.

**바로 알기** ② 로크는 정치적 저항권을 인정하였다. ③ 루소는 사유 재산 제도가 인간 불평등의 원인이 되었다고 보았다.

### 3 심의 민주주의의 특징

그림의 강연자는 심의 민주주의의 특징과 그 필요성을 주장하고 있다. 심의 민주주의는 시민들이 공공 정책에 대해 서로 소통하면서 집단의 의사를 형성해 가는 민주적 과정을 강조하는 방식이다. 시민이 공공의 문제를 토론하고 심의하는 과정에 참여함으로써, 집단의 의사 형성에 관여하는 것이다. 심의 민주주의가 잘 작동하기 위해서는 권력이나 부와 무관하게 모든 시민이 심의 과정에서 동등한 기회와 지위를 누리고, 토론과 숙고를 통해 자신의 선호를 수정할 수 있어야 한다.

**바로 알기** ② 모든 시민이 심의 과정에 참여할 수 있어야 한다. ③ 시민들의 의사 표현을 최대한 보장해야 한다.

**완자 정리 노트** 심의 민주주의의 특징

| | |
|---|---|
| 특징 | • 공론의 장에서 시민이 사회적 쟁점을 깊이 있게 토론하고 심의하는 과정을 중시함<br>• 시민은 자신의 선호를 정책 결정 과정에 반영하고, 대표자는 공공성을 추구하는 정책을 만들 수 있음 |
| 한계 | • 심의 과정에서 모든 시민이 동등한 기회를 부여받지 못할 수 있음<br>• 합리적 의사소통 능력이 결여된 시민이 심의 과정에 참여하여 심의 결과에 대한 정당성과 적절성의 문제가 생길 수 있음 |

**4 시민 불복종에 대한 롤스와 하버마스의 입장**

**자료 분석**

정의의 원칙에 대한 강조를 통해 시민 불복종에 대한 롤스의 입장임을 알 수 있어.

갑: 거의 정의로운 사회는 심각한 부정의가 존재할지도 모르지만 일종의 민주적 정부의 형태를 갖춘 사회이다. 이러한 사회에서 정의의 원칙들은 자유롭고 평등한 인간들 간의 자발적인 협동의 기본 조항으로서 공공적으로 인정된다.

을: 진정한 법치 국가는 단순한 합법성을 토대로 정당성을 내세워서는 안 되며, 시민들에게는 법에 대한 절대적 복종이 아닌 조건부의 복종을 요구해야 한다. 시민 불복종은 저항의 논증이 더 강한 반향을 얻기 위해 사용할 수 있는 마지막 수단이며, 시민의 비판적 판단에 호소해야 한다.

논증과 시민의 비판적 판단을 강조한다는 점에서 의사소통을 강조하는 하버마스의 입장임을 추론할 수 있어.

갑은 롤스, 을은 하버마스이다. 두 사상가는 공통적으로 시민 불복종이 민주 사회에서 중요한 역할을 한다고 본다. 시민 불복종은 부정의한 법이나 제도를 교정하도록 하여 사회 정의를 실현하는 데 이바지하기 때문이다. 그러나 롤스가 정의의 원칙과 같은 실질적인 도덕 원칙에 따라 시민 불복종을 정의하는 것과는 다르게 하버마스는 의사소통적 합리성과 같은 형식적 도덕 원칙에 따라 시민 불복종을 정의한다는 차이가 있다.

**바로 알기** ① 롤스와 하버마스는 모두 비폭력성을 전제로 시민 불복종을 행해야 한다고 본다. ③ 롤스와 하버마스는 모두 시민 불복종을 할 때 법을 위반한 것에 대한 처벌을 감수해야 한다고 본다. ⑤ 하버마스는 시민 불복종이 정당하지 않은 수단을 교정할 최후의 수단이라고 본다.

# 05 자본주의

**STEP 1 핵심 개념 확인하기** 220쪽

1 자본주의 2 (1) ○ (2) ○ 3 (1) ㄴ (2) ㄱ 4 보이지 않는 손
5 (1) – ⓒ (2) – ㉠ (3) – ⓛ

**STEP 2 내신 만점 공략하기** 220～222쪽

01 ① 02 ① 03 ⑤ 04 ③ 05 ⑤ 06 ① 07 ④
08 ③

**01 고전적 자본주의의 특징**

제시된 글은 고전적 자본주의자인 애덤 스미스의 주장이다. 스미스는 국가의 간섭을 배제하고 개인의 경제적 자율성을 최대한 보장하면, 사회 전체의 부도 자연스럽게 증가할 것이라고 주장하였다. 그리고 자본주의는 인간의 도덕심이 아니라 개인의 이기심과 세속적 욕망으로 작동된다고 보았다.

**바로 알기** ㄱ. 고전적 자본주의자들은 국가의 간섭이 없으면 시장이 조화롭게 작동할 것이라고 주장한다. ㄹ. 고전적 자본주의자들은 토지, 천연자원, 생산 수단의 국유화에 반대한다.

**02 수정 자본주의의 전개**

제시된 글은 고전적 자본주의의 시장 실패로 인해 발생한 문제를 해결하기 위해 등장한 수정 자본주의에 대한 설명이다. 수정 자본주의는 자유방임적 시장 실패로 인한 문제를 해결하기 위해 정부의 적극적인 시장 개입을 바탕으로 복지를 확대하고 다양한 재분배 정책을 시행하여, 불황과 실업을 극복해야 한다고 본다. 따라서 ㉠에 들어갈 말은 ①이다.

**바로 알기** ②, ③, ⑤ 고전적 자본주의에 대한 설명이다.

**03 고전적 자본주의와 수정 자본주의**

갑은 고전적 자본주의, 을은 수정 자본주의의 입장을 대변하고 있다. 고전적 자본주의가 국가의 개입을 최대한 배제하고 개인의 경제적 자율성을 강조한 반면, 수정 자본주의는 국가가 시장에 적극적으로 개입해야 한다고 주장한다.

**바로 알기** ④ 공산주의를 주장한 마르크스의 입장이다. ⑤ 고전적 자본주의와 수정 자본주의는 공통적으로 자유 시장 경제를 바탕으로 한다.

**04 수정 자본주의와 신자유주의**

(가)는 케인스의 수정 자본주의, (나)는 하이에크의 신자유주의에 대한 내용이다. 케인스는 국가가 시장에 개입하여 실업과 빈부 격차와

같은 시장 실패의 문제를 교정해야 한다고 보았다. 반면 하이에크는 고전적 자본주의의 입장을 계승하여 시장에 대한 정부의 개입은 시장 경제의 효율성을 떨어뜨릴 것이라고 주장하였다.

**바로 알기** ② 수정 자본주의도 자유 경쟁을 바탕으로 한 사회 발전을 긍정한다.

**완자 정리 노트** 자본주의의 전개 과정

| | |
|---|---|
| 고전적 자본주의 | • 보이지 않는 손의 역할을 강조<br>• 개인의 이윤 추구 → 사회 전체의 부의 증가<br>• 국가의 역할은 최소한의 영역에 국한 |
| 수정 자본주의 | • 시장 실패(시장 경제가 효율적 자원 배분과 공정한 소득 분배를 제대로 하지 못함) 비판<br>• 국가의 적극적인 시장 개입 → 불황, 실업 극복 |
| 신자유주의 | • 정부 실패(정부의 지나친 개입으로 인한 정부의 거대화, 무능과 부패 등) 비판<br>• 정부 기능을 축소하고 자유 시장 경쟁을 최대한 보장해야 함 → 시장 경제의 효율성 강조 |

## 05 자본주의의 윤리적 기여와 한계

자본주의는 경제적 효율성을 증진하여 물질적 풍요를 가져왔고, 개인의 자율성과 창의성을 증대하였으며, 개인의 자유와 권리를 신장하였다. 그러나 물질적 가치를 절대시하는 물질 만능주의와 빈부 격차와 같은 사회 양극화, 그리고 인간 소외 현상을 야기하였다는 한계가 있다.

**바로 알기** ㅁ 인간 소외는 인간이 만들어 낸 물질에 의해 인간이 지배당하거나 물질적 가치만을 좇으면서 인간성을 상실하게 되는 현상이다.

## 06 고전적 자본주의와 마르크스 사회주의

갑은 고전적 자본주의자인 스미스, 을은 사회주의자인 마르크스이다. 스미스는 개인의 사익 추구가 사회 전체의 부를 증진한다고 주장하였다. 마르크스는 자본주의의 근본적인 문제점이 생산 수단의 사적인 소유와 자유 시장 경제에 있다고 비판하면서, 프롤레타리아 혁명을 통한 생산 수단의 공유와 계획 경제를 주장하였다.

**바로 알기** ⑤ 마르크스는 자본주의적 생산 방식이 자유로운 노동을 왜곡한다고 보았다.

## 07 마르크스 사회주의

제시된 글은 자본주의를 비판하는 마르크스의 주장이다. 마르크스는 자본주의의 근본적인 문제점이 생산 수단의 사적인 소유와 자유 시장 경제에 있다고 보고, 프롤레타리아에 의한 생산 수단의 공유와 계획 경제를 주장하였다. 그는 이를 통해 궁극적으로 사유 재산, 계급, 국가가 소멸하고 모두가 평등하게 살아가는 공산주의 사회를 지향하였다.

**바로 알기** ㄷ. 수정 자본주의를 도덕적으로 정당화한 롤스의 주장이다. ㄹ. 마르크스에 따르면 자본주의 사회에서 노동자는 자기 노동의 주체가 되지 못하고 그 자신의 노동으로부터 소외된다.

## 08 마르크스 사회주의와 민주 사회주의

(가)는 민주 사회주의, (나)는 마르크스 사회주의에 대한 설명이다. 민주 사회주의는 사회주의를 비판적으로 계승하여, 의회를 통한 점진적인 개혁을 통해 민주적이고 평화적인 방법으로 사회주의의 이상을 실현하고자 하는 입장이다. 민주 사회주의는 개인의 사적 소유를 인정하고, 사회 보장 제도의 확대를 주장하며 서구의 복지 자본주의의 발전에 기여하였다.

# 서술형 문제

222쪽

## 01 주제: 수정 자본주의와 신자유주의

(1) 예시 답안 (가)는 수정 자본주의, (나)는 신자유주의이다. 두 사상은 공통적으로 이윤 추구를 위한 시장에서의 자유 경쟁을 허용하고, 개인의 경제적 자율성 및 사적 소유권 보장 등 자유주의의 특징을 공유한다.

채점 기준

| | |
|---|---|
| 상 | (가), (나)의 공통점을 두 가지 이상 서술한 경우 |
| 하 | (가), (나)의 공통점을 한 가지만 서술한 경우 |

(2) 예시 답안 신자유주의자들은 정부가 시장에 개입하면 최적의 자원 배분과 공정한 소득 분배에 실패할 수 있으므로, 정부의 기능을 축소하고 자유 시장 경쟁을 최대한 보장해야 한다며 수정 자본주의의 입장을 비판하였다. 그리고 그들은 공기업의 민영화, 복지 정책의 감축, 노동 시장의 유연화 등의 정책을 추구하였다.

채점 기준

| | |
|---|---|
| 상 | 수정 자본주의에 대한 신자유주의의 비판점을 명료하게 서술한 경우 |
| 하 | 신자유주의의 특징만을 서술한 경우 |

## 02 주제: 민주 사회주의의 기여

예시 답안 (가)는 민주 사회주의에 대한 설명이다. 민주 사회주의는 마르크스의 사회주의와 다르게 민주적이고 평화적인 방법으로 사회주의의 이상을 실현하고자 한다. 특히 민주 사회주의에서 주장하는 사회 보장 제도의 확대는 (나)의 사례와 같이 사회 양극화를 심화하는 불평등한 조건을 완화하여 건전한 자본주의의 발전에 기여하였다.

채점 기준

| | |
|---|---|
| 상 | 민주 사회주의의 특징을 설명하고, 민주 사회주의가 자본주의의 사회 양극화 문제를 완화하는 데 기여한 점을 논리적으로 서술한 경우 |
| 중 | 민주 사회주의가 자본주의의 사회 양극화 문제를 완화하는 데 기여한 점만을 서술한 경우 |
| 하 | 민주 사회주의의 특징만을 서술한 경우 |

**STEP 3** 1등급 정복하기 223쪽

1 ⑤ 2 ④

### 1 수정 자본주의와 신자유주의

갑은 수정 자본주의자인 케인스, 을은 신자유주의자인 하이에크이다. ㄴ. 수정 자본주의에서는 지나친 빈부 격차를 막기 위해 정부가 개입하여 노동자가 노동에 대한 정당한 대가를 받을 수 있도록 하는 정책과 규제의 시행을 주장한다. ㄷ. 신자유주의에서는 시장 개방, 민영화 등 자유 경쟁의 보장을 중요하게 생각한다. ㄹ. 수정 자본주의와 신자유주의 모두 사적 소유권, 자유 시장 경쟁 허용 등의 특징을 공유한다.

**바로 알기** ㄱ. 빈부 격차가 완전히 사라진 경제적 평등 사회를 목표로 하는 것은 마르크스의 입장이다.

### 2 마르크스 사회주의와 민주 사회주의

**자료 분석**

자본주의 사회를 전복하고 공산주의를 지향한다는 점에서 마르크스의 주장임을 알 수 있어.

갑: 생산 수단을 소유한 소수가 다수의 임금 노동자를 착취하는 사회를 전복하는 것이 공산주의의 목표이다. 공산주의는 생산물을 취득할 권리를 빼앗고자 하는 것이 아니라 타인의 노동을 예속시키는 권력을 빼앗고자 한다.

을: 생산 수단을 소유한 소수에게 의존하고 있는 상태로부터 사람들을 해방시키는 것이 사회주의의 목표이다. 공산주의가 사회주의의 전통을 계승하고 있다는 주장은 잘못된 것이다. 공산주의는 개인의 자유를 위협하고 있다.

사회주의를 계승하지만, 공산주의를 비판하고 개인의 자유를 강조한다는 점에서 민주 사회주의의 주장임을 알 수 있어.

(가)는 마르크스, (나)는 민주 사회주의의 입장이다. 민주 사회주의는 마르크스 사회주의와는 다르게 농업, 수공업, 소매업, 중소기업 등의 중요한 부문에서의 사적 소유와 사회주의가 양립할 수 있다고 본다.

**바로 알기** ② (가)는 부정, (나)는 긍정의 대답을 할 질문이다. ③ 마르크스는 필요에 따른 분배를 주장하였다. ⑤ (가), (나) 모두 긍정의 대답을 할 질문이다.

# 06 평화

**STEP 1** 핵심 개념 확인하기 228쪽

1 적극적 평화 2 (1) ㄴ (2) ㄱ (3) ㄷ 3 (1) - ㉡ (2) - ㉠ (3) - ㉢
4 세계 시민주의 5 (1) × (2) ×

**STEP 2** 내신 만점 공략하기 228～230쪽

01 ⑤ 02 ⑤ 03 ② 04 ① 05 ① 06 ② 07 ③
08 ④

### 01 갈퉁의 평화론

제시된 글은 평화에 대한 갈퉁의 주장이다. 갈퉁은 직접적 평화를 언어적, 신체적 폭력의 부재 상태로, 구조적 평화를 부정의한 사회 구조 때문에 발생하는 폭력의 부재 상태로, 문화적 평화를 폭력적인 문화의 부재 상태로 보았다. 그리고 직접적 폭력만이 없는 소극적 평화만이 아니라 구조적·문화적 폭력도 없는 적극적 평화를 지향하였다.

**바로 알기** ㄴ. 진정한 평화는 구조적 문제를 제거할 때 달성될 수 있다.

**완자 정리 노트** 갈퉁의 평화의 구분

| 구분 | 내용 |
|---|---|
| 직접적 평화 | 한 개인에게 직접 가해지는 언어적, 신체적 폭력[직접적 폭력]의 부재 상태 |
| 구조적 평화 | 부정의한 사회 구조로부터 발생하는 폭력[구조적 폭력]의 부재 상태 |
| 문화적 평화 | 폭력적인 문화[문화적 폭력]의 부재 상태 |

### 02 동양의 평화 사상

(가)는 유교, (나)는 묵가의 주장이다. 유교에서는 개인의 도덕적 수양을 바탕으로 가정, 사회, 국가로 윤리적 실천 단계를 넓혀 나감으로써 화평한 세계를 실현할 수 있다고 본다. 묵가에서는 유교에서 주장하는 인이 존비친소를 분별하는 사랑이라고 비판하면서, 평화를 위해서는 서로 차별 없이 사랑하고 이익을 나누어야 한다고 주장하였다. 그리고 묵가에서는 타국을 정복하거나 침략하는 전쟁에 반대하였다.

**바로 알기** ⑤ 겸애는 묵가에만 해당된다.

### 03 생피에르의 평화론

제시된 글은 프랑스의 성직자이자 평화 사상가였던 생피에르의 입장이다. 그는 평화를 실현하기 위해 종교나 도덕성에 호소하는 대신 인간의 이기심과 합리적 이성에 따를 것을 주장하였다. 따라서

군주에게 전쟁보다 평화가 이익이라는 것을 증명하면 군주 스스로 평화를 지향할 것이라고 보았다.

### 04 서양의 현실주의와 이상주의 평화 사상

갑은 현실주의, 을은 이상주의의 입장에서 국제 관계를 바라보고 있다. 현실주의는 평화를 경쟁 국가와의 힘의 균형 상태라고 보고, 이상주의는 이성을 바탕으로 하는 보편적 도덕 원리에 따라 국제적 갈등을 해결할 수 있다고 본다. 현실주의는 안보 딜레마에 빠질 수 있고, 이상주의는 이성에 따른 보편적 도덕 원리의 정립이 현실적으로 어렵다는 한계가 있다.

**바로 알기** ② 현실주의자의 대표자인 홉스는 인간의 본성이 악하다고 보았다. ③, ④ 현실주의자에 대한 비판이다.

**완자 정리 노트** 현실주의와 이상주의

| | |
|---|---|
| 현실주의 | • 국가는 생존과 이익을 추구하는 공동체<br>• 평화: 경쟁 국가와 대등한 힘을 보유하거나 군사 동맹을 통해 세력 균형을 맞춘 상태 |
| 이상주의 | • 도덕 원리는 보편적이므로 국제 관계에도 적용 가능<br>• 평화: 국제적 갈등을 이성에 근거한 보편적 도덕 원리로 해결해 나갈 때 평화 실현 가능 |

### 05 칸트의 평화 사상

제시된 글은 도덕 원리를 국제 관계에도 적용할 수 있다는 칸트의 이상주의적 입장이다. 칸트는 개별 국가의 자유를 보장하는 국제 연맹을 결성하여 세계 평화를 실현하고, 국제기구나 국제법을 통해 잘못된 제도들을 바로 잡을 때 평화를 실현할 수 있다고 보았다.

**바로 알기** 국가가 생존과 이익을 추구하는 공동체이자, 주권 국가보다 높은 권위를 지니는 실효적인 법이 없다는 주장은 현실주의의 입장이다.

### 06 정의로운 전쟁에 대한 관점들

갑은 전쟁을 반대한 에라스뮈스, 을은 정의로운 전쟁을 긍정한 아퀴나스이다. 에라스뮈스는 전쟁이 종교적·도덕적·경제적 측면에서 본성상 선보다 악을 초래한다고 보았다. 반면에 아퀴나스는 전쟁의 정당화 조건을 제시하며, 정당한 목적을 지닌 전쟁은 허용 가능하다고 보았다.

**바로 알기** ⑤ 아퀴나스는 전쟁의 정당화 조건으로 전쟁 선포의 권위를 지닌 사람에 의한 전쟁의 선포, 정당한 원인, 정당한 의도 등을 제시하였다.

### 07 세계 시민주의의 특징

밑줄 친 '이 사상'은 세계 시민주의이다. 헬레니즘 시대의 스토아학파의 영향을 받은 세계 시민주의는 특정 민족이나 국가를 넘어서 인류를 하나라고 보는 입장으로, 다양성을 인정하고 전 지구적인 문제의 해결과 발전에 관심을 가진다는 특징이 있다.

**바로 알기** ㄹ. 세계 시민주의는 국적, 인종, 종교 등에 대한 구별이 없이 전 인류를 세계 시민으로 간주한다.

**완자 정리 노트** 세계 시민주의 사상가들

| | |
|---|---|
| 칸트 | • 모든 사람은 세계 시민으로서 적대적인 대접을 받지 않고 타국을 방문할 권리가 있음을 주장함<br>• 지구에 관한 공동의 권리와 책임이 있다고 봄 |
| 애피아 | • 세계 시민주의를 지지하면서도 국가나 민족의 정체성을 전면적으로 부정하지는 않음<br>• 민주 국가의 시민으로서 애국심을 지니고 살아가면서도 국경을 초월하여 다른 사람과 연대할 수 있다고 주장함 |
| 누스바움 | • 국가적 소속감이나 자국 중심의 배타주의를 극복하고 보편적 인간애를 중시함<br>• 출생 국가는 도덕적으로 임의적인 특성이므로 국경과 무관하게 정의와 선에 대한 합리적 추론 능력을 함양해야 한다고 주장함 |

### 08 해외 원조에 대한 다양한 관점

갑은 싱어, 을은 노직, 병은 롤스이다. 싱어와 롤스는 공통적으로 해외 원조를 의무로 보고, 노직은 해외 원조를 선택으로 본다. 그러나 싱어가 이익 평등 고려의 원칙에 따라 인류의 고통을 줄이고 복지를 향상하는 것을 원조의 목적으로 보는 것과는 다르게, 롤스는 고통받는 사회의 잘못된 사회 구조를 개선하여 질서 정연한 사회로 만드는 것이 원조의 목적이라고 본다.

**완자 정리 노트** 해외 원조에 대한 입장들

| | |
|---|---|
| 롤스 | 만민은 불리한 여건으로 고통을 겪는 사회를 원조해야 할 도덕적 의무가 있음 |
| 싱어 | 해외 원조는 물리적 거리를 넘어 절대 빈곤에 처한 인류를 위한 의무임 |
| 노직 | 해외 원조는 선한 행위로 평가할 수 있지만 의무는 아님 |

## 서술형 문제

230쪽

### 01 주제: 갈퉁의 평화론

(1) ㉠ – 구조적 폭력, ㉡ – 문화적 폭력

(2) 예시 답안 적극적 평화란 직접적·물리적 폭력뿐만 아니라 사회 제도나 관습 등에 따른 빈곤, 억압, 차별, 착취와 같은 간접적 폭력이 없어 인간다운 삶을 누릴 수 있는 사회 정의와 복지가 실현된 상태이다.

**채점 기준**

| | |
|---|---|
| 상 | 적극적 평화의 의미를 간접적(구조적·문화적) 폭력의 부재와 관련지어 설명한 경우 |
| 하 | 적극적 평화의 의미만을 단순하게 서술한 경우 |

## 02 주제: 이상주의와 현실주의 평화 사상

(1) (가) – 이상주의, (나) – 현실주의

(2) 예시 답안 이상주의는 이성에 따른 보편적 도덕 원리 정립이 현실적으로 어렵고, 국제법이 실질적 구속력과 효력을 발휘하기 어렵다는 한계가 있다. 현실주의는 안보 딜레마 때문에 세력 균형을 통한 평화 유지를 실현하기가 어렵고, 국제법이나 국제기구가 국제 사회에서 평화에 기여하고 있는 점을 설명하기 힘들다.

채점 기준

| | |
|---|---|
| 상 | 이상주의와 현실주의의 한계를 각각 두 가지 서술한 경우 |
| 중 | 이상주의와 현실주의의 한계를 각각 한 가지씩 서술한 경우 |
| 하 | 이상주의와 현실주의 중 한 입장의 한계만 서술한 경우 |

## 03 주제: 해외 원조의 목적에 대한 롤스의 관점

예시 답안 제시된 글은 해외 원조에 대한 롤스의 입장이다. 롤스는 억압이나 폭력, 기아나 빈곤과 같은 문제는 국내 정치나 사회 제도의 부정의함에서 비롯되는 것이므로 정치적 부정의함을 제거하고 정의로운 제도를 수립하는 것이 해외 원조의 목적이라고 보았다. 즉, 롤스에 따르면 인류의 복지 향상보다는 고통받는 사회를 질서 정연한 사회로 만드는 것이 원조의 목적이다.

채점 기준

| | |
|---|---|
| 상 | 롤스가 주장하는 해외 원조의 목적을 질서 정연한 사회와 관련지어 서술한 경우 |
| 하 | 롤스가 주장하는 해외 원조의 목적만을 단순하게 서술한 경우 |

## STEP 3 1등급 정복하기

231쪽

1 ⑤ 2 ③

### 1 묵가의 평화 사상

자료분석

전쟁이란 국가와 백성에게 이롭지 않다. 전쟁으로 말미암아 국가는 제 본분을 잃고, 백성은 생업을 잃는다. 천하 민중이 전쟁을 반대하고 화목하여 단결함으로써 생산에 힘쓰고, 이로써 생산이 증대되면 백성에게 얼마나 이로울 것인가.

└ 묵자는 전쟁이 나라의 생산력을 떨어뜨리고 백성들의 생명을 희생시키기 때문에 전쟁에서 이겨도 자국에 이익이 되지 않는다고 주장하였어.

제시된 글은 전쟁에 대한 묵자의 입장이다. 묵자는 유가의 인(仁)을 존비친소를 구별하는 차별적 사랑이라고 보고, 멀고 가까움에 관계없이 무차별적으로 사랑하자는 겸애(兼愛)와 이로움을 서로 나누자는 교리(交利)를 주장하였다. 그리고 그는 전쟁이 국가와 백성에게 이롭지 않다고 보아 전쟁을 반대하였다.

**바로 알기** ① 상을 좋아하고 벌을 싫어하는 인정(人情)에 따라서 백성을 다스려야한다고 주장한 것은 법가의 한비자이다. ② 도가의 입장이다. ③ 맹자의 입장이다. ④ 순자의 입장이다.

### 2 해외 원조에 관한 롤스와 싱어의 입장

자료분석

┌ 질서 정연한 사회를 강조한다는 점에서 롤스의 국제주의적 입장임을 알 수 있어.

갑: 질서 정연한 사회의 만민은 고통을 겪는 사회를 원조해야 할 의무가 있다. 천연자원과 부가 빈약한 사회라 할지라도 만약 그들의 종교적·도덕적 신념과 문화를 떠받쳐 주는 그 사회의 정치적 전통, 법, 재산, 계급 구조가 자유적 사회나 적정 수준의 사회를 유지하게 하는 것이라면 질서 정연해질 수 있다.

을: 정의의 원칙을 자기 사회 내에 있는 사람들에게만 적용하고 세계를 지금 이대로 내버려 둔다면, 수백만 명이나 되는 사람들이 자신의 나라가 질서 정연한 사회가 되기 전에 빈곤으로 인해 죽어갈 것이다. 우리는 고통을 느끼는 모든 존재의 이익을 평등하게 고려해야 하므로 물리적 거리와 상관없이 빈곤으로 인해 고통받는 사람들을 도와야만 한다.

└ 이익 평등의 고려의 원칙을 말하고 있으므로 싱어의 공리주의적 입장이야.

갑은 롤스, 을은 싱어이다. 두 사상가는 해외 원조를 도덕적 의무로 본다. 그러나 롤스가 고통받는 사회를 질서 정연한 사회로 만드는 것을 해외 원조의 목적으로 보는 것과 달리 싱어는 인류의 고통을 줄이고 복지를 향상하는 것을 해외 원조의 목적으로 본다.

**바로 알기** ㄱ. 롤스는 원조의 최종 목적이 고통받는 사회의 정치 문화를 개선하는 것이라고 보았다. ㄹ. 싱어는 원조의 대상에 질서 정연한 사회의 빈곤한 시민도 포함되어야 한다고 본다.

## 대단원 실력 굳히기

234~238쪽

01 ④ 02 ③ 03 ④ 04 ⑤ 05 ① 06 ⑤ 07 ②
08 ③ 09 ④ 10 ④ 11 ① 12 ② 13 ④ 14 ④
15 ② 16 ⑤ 17 ③ 18 ⑤ 19 ② 20 ③

### 01 유교의 대동 사회

제시된 글은 유교의 이상 사회인 대동 사회에 대한 설명이다. 공자가 제시한 대동 사회는 누구나 현명하고 유능하면 등용되어 신분적 차별이 없고, 사회적 재화가 고르게 분배되며, 사회적 약자를 보호하고 가족 이기주의에서 벗어나 타인을 배려하는 도덕 공동체이다. 또한 유교에서는 자신을 수양하여 타인을 평안하게 하는 것을 중요하게 생각하였다.

**바로 알기** ⑤ 세속적 가치를 떠나 예술적 사유를 중시한 것은 도교이다.

**완자 정리 노트** 동양의 이상 사회

| | |
|---|---|
| 유교의 대동 사회 | 인(仁)이 모든 사람에게 확대된 도덕적 사회 |
| 도가의 소국과민 | 인위적인 것에서 벗어나 자연에 따라 소박하고 순수하게 사는 사회 |

### 02 모어의 유토피아

제시된 글은 토마스 모어의 이상 사회인 유토피아에 대한 설명이다. 유토피아는 경제적으로 풍요롭고, 소유와 생산에서 완전한 평등을 이루며, 도덕적으로 타락하지 않은 사회이다. 유토피아에서는 사유 재산을 인정하지 않기 때문에 사람들은 잉여 생산에 대한 욕망이 없고, 하루 노동 시간이 6시간으로 제한되어 있다.

**바로 알기** ㄷ. 노동 시간이 제한되어 있지, 육체적 노동이 없는 것은 아니다.

### 03 플라톤의 정의로운 국가

제시된 글은 플라톤이 제시하는 이상 국가에 대한 설명이다. 플라톤이 제시한 이상 국가는 지혜를 갖춘 철학자가 통치하는 사회이자, 각 계급이 자신의 역할에 충실하며 서로 조화를 이룬 사회이다. 이때 통치자는 사유 재산을 지니거나 가족을 이룰 수 없다.

**바로 알기** 플라톤은 직접 민주주의 사회를 비판하였다.

**완자 정리 노트** 서양의 이상 사회

| 구분 | 특징 |
|---|---|
| 플라톤의 정의로운 국가 | 생산자(절제), 방위자(용기), 통치자(지혜) 계급이 조화를 이룬 국가 |
| 모어의 유토피아 | 계급과 신분을 철폐하고 생산과 소유의 평등을 실현하며 도덕적으로 타락하지 않은 사회 |
| 마르크스의 공산주의 사회 | • 사유 재산과 계급이 없는 평등 사회<br>• 능력에 따라 일하고 필요에 따라 분배 |
| 롤스의 질서 정연한 사회 | 각 성원의 선을 증진해 줄 뿐만 아니라 공적 정의관에 따라 효율적으로 규제되는 사회 |

### 04 근대 사회 계약론

갑은 로크, 을은 홉스이다. 두 사상가는 공통적으로 국가의 기원을 개인들의 동의와 계약에서 찾는 사회 계약론을 주장하였다. 그러나 로크는 자연 상태가 비교적 평화로웠다고 보는 데 반해, 홉스는 자연 상태가 만인에 대한 만인의 투쟁 상태와 같은 전쟁 상태였다고 주장하였다. 또한 로크가 사회 계약 후에도 주권이 시민들에게 남아 있다고 주장하며 시민들의 정치적 저항권을 인정한 것과는 다르게 홉스는 개인들이 자신의 권리를 군주에게 전면 양도했다고 주장하며 정치적 저항권을 인정하지 않았다.

**바로 알기** ① 유교의 국가관이다. ② 마르크스의 국가관이다. ④ 로크와 홉스 모두 긍정할 질문이다.

### 05 국가의 역할과 정당성에 대한 유교의 관점

제시된 글은 국가의 역할에 대한 맹자의 주장이다. 맹자는 백성들의 일정한 생업을 보장해 주어야[恒産], 그들이 도덕적 마음[恒心]을 지닐 수 있다고 말하며, 군주는 우선 민생의 안정을 도모해야 한다고 주장하였다.

**바로 알기** ② 맹자는 군주가 정당성을 잃으면 군주를 교체할 수 있다고 주장하였다. ③, ⑤ 한비자의 법가 사상이다.

### 06 아리스토텔레스와 공화주의의 국가관

갑은 아리스토텔레스, 을은 공화주의자인 키케로이다. 아리스토텔레스는 국가가 인간의 정치적 본성에 의해 생겨난 것이라고 주장하면서, 국가란 시민의 행복과 덕 있는 삶의 실현이라는 최고선을 추구하는 도덕 공동체라고 보았다. 키케로는 국가가 공공의 것이라고 주장하며, 국가란 공동선을 지향하는 시민들이 모여 만든 결사라고 보았다.

**바로 알기** ⑤ 아리스토텔레스에게만 해당하는 내용이다.

### 07 마르크스의 역사 발전 단계설

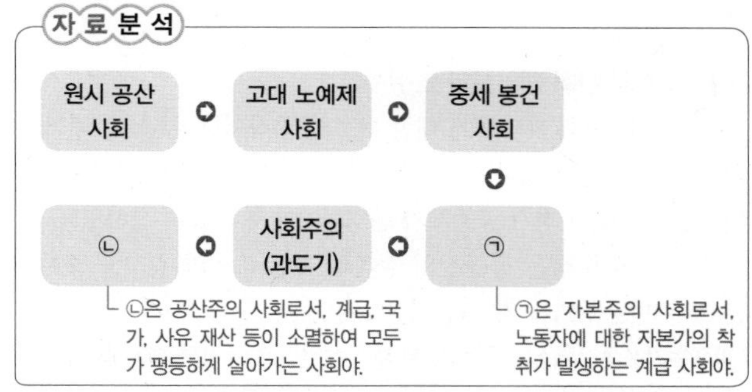
자료 분석
원시 공산 사회
고대 노예제 사회
중세 봉건 사회
㉠
사회주의 (과도기)
㉡
㉡은 공산주의 사회로서, 계급, 국가, 사유 재산 등이 소멸하여 모두가 평등하게 살아가는 사회야.
㉠은 자본주의 사회로서, 노동자에 대한 자본가의 착취가 발생하는 계급 사회야.

그림은 마르크스의 역사 발전 단계설이다. ㉠은 근대 자본주의 사회, ㉡은 공산주의 사회에 해당한다. 마르크스에 따르면, 자본주의 사회는 자본가와 노동자 사이의 계급 투쟁이 발생하는 사회이고, 공산주의 사회는 계급 착취가 없어져서 능력에 따라 일하고 필요에 따라 분배받는 평등하고 이상적인 사회이다.

**| 바로 알기 |** ㄴ. 공산주의 사회에 대한 설명이다. ㄷ. 프로테스탄티즘에 영향을 받은 자본주의 사회에 대한 설명이다.

### 08 자유주의의 소극적 자유

그림의 강연자가 주장하는 자유는 자유주의에서 강조하는 소극적 자유이다. 소극적 자유는 외부의 부당한 압력이나 강제로부터 벗어난 상태를 의미하고, 국가와 타인에게 구속당하지 않고 행동할 수 있는 사적 영역을 보장함으로써 실현될 수 있다. 이러한 자유는 간섭이 없는 상태인 방임으로서의 자유를 의미하기도 한다.

**| 바로 알기 |** ① 자유주의는 개인의 자유를 가장 중시한다. ④, ⑤ 적극적 자유에 대한 설명이다.

### 09 신로마 공화주의의 자유와 애국심

(가)는 비지배로서의 자유에 대한 설명으로서, 신로마 공화주의의 입장임을 알 수 있다. (나)의 가로 열쇠 (A)는 '애민(愛民)', (B)는 '소국과민', (C)는 '심의'이다. 따라서 세로 열쇠 (A)에 해당하는 말은 '애국심'이다. 공화주의적 애국심이란 시민의 자유를 지켜 주는 정치 공동체와 동료 시민에 대한 대승적·자발적 사랑을 뜻한다. 이는 권력자나 외부 세력으로부터 정치 공동체를 수호함으로써 시민의 자유를 확보하는 데 필요한 덕목이기도 하다.

**| 바로 알기 |** ① 공동선에 대한 설명이다. ② 비지배로서의 자유에 대한 설명이다. ③ 자유주의에서 강조하는 헌법 애국주의에 대한 설명이다.

### 10 시민적 자유와 권리의 근거

㉠에 들어갈 말은 신로마 공화주의이다. 신로마 공화주의자들은 시민적 공화주의자와 마찬가지로 정치 참여와 같은 시민의 의무를 강조하였다. 그러나 신로마 공화주의자들은 시민적 공화주의자와 달리 윤리와 정치를 구분하고, 정치 참여의 근거를 인간의 자연적 사회성이나 윤리적 자기실현에서 찾지 않았다.

**| 바로 알기 |** ③ 신로마 공화주의자는 정치 참여를 자유를 실현하기 위한 수단이라고 본다.

### 11 루소의 사회 계약론과 민주주의

제시된 글은 사회 계약론에 대한 루소의 주장이다. 루소는 각 개인의 사적 이익을 초월하여 오로지 공공의 이익만을 지향하는 일반 의지에 근거하여 정치 공동체가 운영되어야 한다고 주장하였다. 이러한 루소의 주장은 공동선의 실현과 국민 주권의 원리를 중시하는 자유 민주주의에 영향을 끼쳤다.

**| 바로 알기 |** ㄷ. 루소는 인간의 본성이 선하다고 생각하였다. ㄹ. 루소는 개인이 주권자의 일원으로서 입법자가 되는 계약을 통해서만 시민적 자유를 회복할 수 있다고 보았다.

### 12 현대 민주주의의 유형

(가)는 대의 민주주의에 대한 루소의 비판, (나)는 슘페터가 주장하는 엘리트 민주주의에 대한 설명이다. 루소는 직접 민주주의를 주장할 만큼 시민이 적극적으로 정치에 참여해야 한다고 생각하였다. 반면 슘페터는 엘리트 민주주의를 주장하며, 시민의 역할은 지도자를 선출하는 투표에 한정되어야 한다고 보았다. 일반적으로 시민은 정치 문제에 대한 감각과 책임 의식을 지니기 어려워 비합리적 편견이나 충동에 빠지기 쉽다고 보기 때문이다.

### 13 시민 불복종에 대한 롤스와 하버마스의 입장

갑은 하버마스, 을은 롤스이다. 두 사상가는 공통적으로 시민 불복종이 비폭력적이어야 하며, 규범을 위반하는 것에 대한 처벌을 감수한다는 전제하에서 행해져야 한다고 본다. 그러나 롤스가 공적 정의관에 바탕을 둔 정의의 원칙과 같은 실질적인 도덕 원칙에 따라 시민 불복종을 정의하는 것과는 다르게 하버마스는 의사소통적 합리성과 같은 형식적인 도덕 원칙에 따라 시민 불복종을 정의한다. 따라서 롤스의 입장은 하버마스에 비해 X, Z는 낮고, Y는 높은 ㉣에 해당한다.

### 14 자본주의의 전개 과정

**자료 분석**

자유 경쟁을 강조하고, 국가 권력의 간섭을 부정한다는 점에서 고전적 자본주의를 계승한 신자유주의의 입장임을 알 수 있어.

경쟁은 알려진 방법 중 가장 효율적일 뿐만 아니라 권력의 강제적이고 자의적인 간섭 없이도 우리의 행위가 조정될 수 있는 유일한 방법이기 때문에 우월한 방법이라고 할 수 있다. 경쟁은 의식적인 사회적 통제를 필요로 하지 않는다. 어떤 일이 그 일과 연관된 불리한 점과 위험 요소를 상쇄하고도 남을 만큼 전망이 있는지 아닌지를 결정하는 것은 각자에게 달려 있다.

제시된 글은 신자유주의자인 하이에크의 주장이다. 하이에크는 정부에 의한 시장 기능의 억제나 왜곡이 실업의 원인이라고 주장하며, 공기업의 민영화, 노동 시장의 유연화, 복지 정책의 감축 등의 정책을 내세웠다.

**| 바로 알기 |** ㄹ 공익적 목적의 투자는 수정 자본주의 입장에서 장려할 수 있는 해결책이다.

### 15 애덤 스미스의 고전적 자본주의

제시된 글의 첫 번째 단락은 애덤 스미스의 『도덕 감정론』, 두 번째 단락은 『국부론』의 일부분이다. 스미스는 각 개인이 자신의 이익에 따르면 시장 질서가 자연적으로 조화를 이루고, 사회 전체의 부가 증가할 것이라고 보았다. 그리고 그는 공정한 법질서 속에서 개인의 자유를 최대한 보장하고자 하였다. 그러나 스미스는 인간이 이성과 도덕적 공감 능력을 지녔기 때문에 사회의 부가 편중되지 않으며, 스스로 조화를 이룰 것이라는 다소 낙관적인 판단을 하였다.

**| 바로 알기 |** ① 스미스는 인간이 이기심과 함께 도덕적 공감 능력을 지녔다고 보았다.

## 16 자본주의에 대한 비판과 대안들

(가)는 롤스의 입장이고, (나)는 자본주의 체제에서 나타날 수 있는 빈부 격차, 사회 양극화 문제에 관한 내용이다. 롤스는 사회적·경제적 불평등은 사회적 약자인 최소 수혜자에게 최대 이익을 보장할 때에만 허용할 수 있다고 주장하여 사회 복지 정책의 필요성을 뒷받침하는 근거를 마련하였다.

## 17 수정 자본주의와 마르크스 사회주의

(가)는 마르크스 사회주의, (나)는 수정 자본주의의 입장이다. 수정 자본주의는 자유 시장 제도, 개인의 경제적 자율성, 사적 소유권 등을 바탕으로 하는 자본주의 체제로서, 고전적 자본주의의 시장 실패(빈부 격차, 실업 등)를 교정하기 위한 국가의 개입을 주장하였다. 이와 달리 마르크스는 자본주의 체제와 사유 재산제가 경제적 불평등과 노동자에 대한 착취의 근본적인 원인이라고 보고, 생산 수단의 공유와 계획 경제를 주장하였다.

**바로 알기** ⑤ 마르크스는 국가란 계급 지배의 수단이기 때문에 그 자체로 부당한 것이라고 보았고, 장차 정의로운 국가라는 관념도 사라질 것이라고 주장하였다.

## 18 묵가의 평화 사상

제시된 글은 묵자의 사상이다. 묵자는 전쟁이 나라의 생산력을 떨어뜨리고 백성들의 생명을 희생시키기 때문에 전쟁에서 이겨도 자국에 이익이 되지 않는다고 말하였다. 그리고 그는 서로 차별 없이 사랑하고 이익을 나누어야 세상의 혼란을 극복할 수 있다는 겸애 교리를 주장하였다.

**바로 알기** ④ 묵가는 유교의 사랑이 존비친소를 구분하는 사랑이라며 비판하였다.

## 19 해외 원조에 관한 다양한 관점

갑은 국제주의 관점에서 해외 원조를 의무로서 주장하는 롤스, 을은 공리주의 관점에서 해외 원조를 의무로 보는 싱어이다. 롤스는 고통을 겪는 사회의 정치·사회 구조를 개선하여 질서 정연한 사회로 만드는 것을 해외 원조의 목적으로 보았다. 반면, 싱어는 고통을 느낄 수 있는 모든 존재의 고통을 줄이고 복지를 향상하는 것을 해외 원조의 목적이라고 생각하였다.

**바로 알기** ㄹ. 싱어는 질서 정연한 사회의 빈곤한 사람도 해외 원조의 대상이라고 본다.

**완자 정리 노트** 해외 원조에 대한 관점

| | |
|---|---|
| 롤스의 국제주의 | • 고통 받는 사회를 질서 정연한 사회로 만드는 것<br>• 빈곤의 원인이 되는 사회 구조를 개선하여 사회 정의를 실현하는 것이 해외 원조의 목적 |
| 싱어의 공리주의 | • 인류의 고통을 줄이고 복지를 향상하는 것<br>• 물리적 거리를 넘어 절대 빈곤에 처한 인류를 돕는 것이 해외 원조의 목적 → 이익 평등 고려의 원칙에 따름 |

## 20 이상주의 평화 사상

제시된 글은 국제 관계에 대한 이상주의적 입장이다. 이상주의는 인간을 선하고 상호 협력할 수 있는 존재로 보고, 이성에 따라 정립한 도덕 원리를 국제 관계에도 적용할 수 있다고 생각한다. 따라서 국제 사회의 갈등은 잘못된 제도에서 비롯된 것이고, 국제기구나 국제법 등을 통해 잘못된 제도를 바로 잡아 국제 사회의 질서와 평화를 유지할 수 있다고 주장한다.

**바로 알기** ①, ②, ④, ⑤ 국제 관계에 대한 현실주의의 입장이다.

**완자 정리 노트** 국제 관계에 대한 이상주의와 현실주의의 한계

| | |
|---|---|
| 이상주의 | • 이성에 따른 보편적 도덕 원리의 정립이 현실적으로 어려움<br>• 국제법이 실질적 구속력과 효력을 발휘하기 어려움 |
| 현실주의 | • 안보 딜레마가 발생하고 국제 질서가 불확실함<br>• 국제기구나 비정부 기구 등의 기여를 설명하지 못함<br>• 국가의 이익과 생존을 위해 비윤리적 행위를 합리화할 위험성이 있음 |

# 논술형 문제 풀이

## 주제 01 인간다움과 윤리

### 논술 SOLUTION

(가)는 동물과 인간의 차이를 통해 인간다움에 대해 생각해 볼 수 있는 내용이다.

↓

(나)는 자신의 위험을 무릅쓰고 곤경에 처한 타인을 구하기 위해 폭행범으로부터 여성을 구한 남성의 사례이다.

● POINT ● 인간을 인간답게 만드는 인간다움이란 무엇인지 생각해 보고, 인간이 옳고 그름을 판단하고 타인을 배려하는 도덕성을 지니고 있다는 점을 바탕으로 인간다움에 대해 논술한다.

예시 답안 (가)는 야생에서 자란 아이를 통해 인간과 동물의 차이점을 바탕으로 인간다움이란 무엇인지 묻는 글이다. 인간도 분명히 동물에 속한다. 그러나 (나)의 사례에서 알 수 있듯이 인간은 다른 동물과 다르게 윤리적인 존재이다. 윤리란 인간이 마땅히 지켜야 할 삶의 도리로서, 인간은 윤리를 바탕으로 옳고 그름, 좋고 나쁨, 정의와 부정의를 판단한다. 그리고 그러한 판단에 따라 자신과 타인의 행위를 평가하고, 자율적으로 자신의 행동을 규제하거나 타인을 배려한다. 동물들도 새끼를 돌보거나 곤경에 처한 동료를 돕는 등의 이타적인 행동을 하고 공동의 문제를 해결하기 위해 서로 협력하기도 하지만, 이러한 동물의 행동은 본능에서 비롯된 것이다. 이와 달리 인간의 도덕적 행동은 이성적 판단과 윤리적 규범 체계에 따라 의식적으로 이루어진다. 즉, 인간만이 윤리적 반성과 실천을 할 수 있는 도덕적 자율성을 지닌 존재인 것이다.

## 주제 02 윤리 사상과 사회사상의 관계

### 논술 SOLUTION

(가)는 인간이 국가 공동체 안에서만 덕 있는 삶과 행복을 실현할 수 있다고 보는 아리스토텔레스의 주장이다.

↓

(나)는 집단을 구성하는 개개인은 도덕적일지라도 사회 집단은 비도덕적일 수 있다고 말하면서, 개인 윤리와 집단 윤리를 구분하는 니부어의 주장이다.

↓

(다)는 제노비스라는 여성이 집 근처에서 살해당하는 동안 이웃 중 누구도 그녀를 도우려 하지 않았다는 '제노비스 사건'에 대한 설명이다.

● POINT ● 윤리 사상과 사회사상의 관계에 대한 아리스토텔레스와 니부어의 입장을 비교하고, 니부어의 관점을 바탕으로 '제노비스 사건'에서 이웃 시민들의 행동을 윤리적으로 평가한다.

**1.** 예시 답안 아리스토텔레스에 따르면, 인간은 국가 공동체 안에서 살아갈 때 덕 있는 삶과 행복을 실현할 수 있다. 그리고 그는 훌륭한 국가가 되기 위해서는 국정에 참여하는 시민들이 훌륭해야 한다고 보았다. 즉, 훌륭한 시민이 국정에 참여할 때 국가도 훌륭해질 수 있고, 훌륭한 국가가 존재할 때 덕 있는 시민이 만들어진다고 주장하며, 윤리 사상과 사회사상이 상호 보완적이라고 본 것이다. 이와 달리 니부어는 집단을 이루는 개개인은 비록 도덕적일 수 있지만 그렇다고 사회 집단이 도덕적인 것은 아니라고 주장하면서, 개인 윤리와 집단 윤리를 구분하였다. 다시 말해, 윤리 사상과 사회사상을 구분하여 고찰한 것이다.

**2.** 예시 답안 니부어는 집단을 구성하는 개인이 개인적 관계에서 보여 주는 것에 비해 훨씬 심한 이기주의가 모든 집단에서 나타난다고 보았다. 인간 집단은 개인과 비교할 때 충동을 올바르게 인도하고 때에 따라 억제할 수 있는 이성과 자기 극복 능력, 다른 사람의 욕구를 수용하는 능력이 결여되어 있기 때문이다. 이러한 관점에서 (다) 사례의 시민들을 평가한다면, 그들은 개인적 관계에서는 도덕적인 인간이었을 수 있으나, 사회적 관계에서는 그러한 도덕성이 제대로 발현되지 않아서 제노비스를 돕지 않았을 것이다.

## 주제 03 인간의 본성에 대한 입장

### 논술 SOLUTION

(가)의 갑은 남의 고통이나 불행을 차마 그냥 지나치지 못하는 마음인 '불인인지심(不仁人之心)'에 대해 말하는 맹자이다.

↓

(가)의 을은 사람이 태어나면서부터 자신의 이익을 추구해 사회 혼란이 발생한다는 성악설을 주장한 순자이다.

(나)는 최근 증가하고 있는 사이버 따돌림의 문제를 나타낸 글로, 피해자가 받는 고통이 크며 이를 해소하기 위한 해결책이 필요함을 설명한 글이다.

● POINT ● 맹자와 순자가 주장한 성선설과 성악설의 입장에서 사이버 따돌림에 대해 내릴 수 있는 판단과 그 해결 방안을 탐구하여 논술한다.

**1.** 예시 답안 갑인 맹자는 모든 사람의 마음속에는 선천적으로 측은지심, 수오지심, 사양지심, 시비지심의 사단이 있다고 보았으며 네 가지 단서를 근거로 인간이 선하다는 성선설을 주장하였다. 반면, 을인 순자는 사람은 태어날 때부터 자신의 욕망과 이익을 추구하며 이기적인 본성을 지니고 있다는 성악설을 주장하였다.

**2.** 예시 답안 **• 갑의 조언:** 인간에게는 누구나 선한 마음이 있습니다. 하지만, 세상을 살며 선한 본심을 잃게 되는 경우가 많습니다. 그러므로 우리는 열심히 노력하여 본심을 되찾아야 합니다. 더불어 의로운 일을 꾸준히 한다면 올곧은 도덕적 기개인 호연지기가 길러져 자연스럽게 문제점이 해결될 수 있을 것입니다.

**• 을의 조언:** 인간은 본래 악한 본성을 가지고 있습니다. 하지만, 도덕적 인식 능력과 그를 실천할 능력을 가지고 있기에 예(禮)를 통해 인위적으로 본성을 교화하여 사이버 따돌림 문제를 해결해야 합니다.

## 주제 04 이황과 이이의 심성론

논술 SOLUTION

갑은 '이'를 마음속에 있는 도덕 실천의 주체로 보고 도덕 본성을 유지하는 방법을 경(敬)으로 본 이황의 입장이다.

을은 '이'와 '기'의 관계를 물과 그릇, 공기와 병의 관계로 비유하여 '이'는 보편적이고 '기'는 제한적이라는 이통기국을 주장한 이이의 입장이다.

● POINT ● 이황과 이이의 사단과 칠정의 관계를 '이', '기'와 연결시켜 분석하고, '경'과 '성'을 구체적으로 비교하여 논술한다.

**1.** 예시 답안 갑인 이황은 사단을 '이'가 발하고 '기'가 따른 것이며, 칠정은 '기'가 발하고 '이'가 탄 것이라고 보았다. 즉, 사단은 '이'가, 칠정은 '기'가 발한 것이라는 이기호발설을 주장하였다. 반면 을인 이이는 사단과 칠정이 모두 '기'가 발하고 '이'가 타면서 드러나는 한 가지 경우밖에 없다는 기발이승일도설을 주장하였다.

**2.** 예시 답안 **• 갑의 수양론:** 이황은 경(敬)을 통해 마음이 다른 곳에 가지 않도록 집중하고[주일무적], 몸가짐과 행동을 단정히 하여 엄숙한 태도를 유지하고[정제엄숙], 도덕적으로 항상 깨어있을 것[상성성]을 강조하였다.

**• 을의 수양론:** 이이는 하늘의 참된 이치인 성(誠)과 공부하는 요령인 경(敬)을 함께 주장하였다.

## 주제 05 고통을 대하는 불교의 자세

논술 SOLUTION

제시된 글은 세상 모든 것들이 서로 의존하는 관계에 있고, 상호 의존적으로 생겨난다는 불교의 연기(緣起)에 대한 내용이다.

갑은 상호 의존성을 부정하고 개인주의적으로 고독을 느끼는 학생이며, 을은 지난 시험에 집착하는 학생이다.

● POINT ● 갑에게는 불교의 인연생기에 따른 상호 의존성을 강조하고, 을에게는 일체의 집착에서 벗어나 제행무상을 깨달을 것을 서술한다.

예시 답안 갑은 혼자 살 수 있다고 느꼈지만, 외로움을 느끼고 있다. 이에 대해 불교의 관점에서 "세상 모든 것이 상호 의존하는 관계에 있으므로 홀로 존재하는 것은 없으며, 모든 존재는 서로에게 원인이 되고 조건이 된다는 것을 인식해야 한다."라고 조언할 수 있다. 한편 을은 지난 시험 점수가 계속 떠올라 고통을 겪고 있다. 이에 대해 불교의 관점에서는 "모든 것은 영원한 것이 없고 욕망은 결코 만족될 수 없다. 영원불변히 계속되는 것은 없다는 제행무상을 터득하여 일체의 집착에서 벗어나야 한다."라고 조언할 수 있다.

## 주제 06 도가 사상의 현대적 의의

**논술 SOLUTION**

제시된 글은 노자의 도와 자연을 강조한 것으로 도가의 무위자연의 세계관이 드러나 있다.

〈사례〉는 지구 온난화 문제로 인한 투발루의 수몰 위기를 나타낸 것으로 생태계 위기 문제를 다루고 있다.

● POINT ● 노자의 무위자연을 통해 지구 온난화 문제가 개발과 발전이라는 인위에 의해 발생하였다는 내용을 중심으로 서술한다.

예시 답안 도가의 무위자연에 따르면 인간은 자연을 본받은 도에 따르고 자연에 순응해야 한다. 그런데 현대 사회에서 인간은 개발과 발전을 목적으로 하여 자연을 인위적으로 파괴하고 있다. 이는 무위에 따르지 않는 행위로 이로 인해 지구 온난화라는 생태계 위기가 발생하였다. 그러므로 투발루의 위기 상황을 해결하려면 자연에 순응하고 자연을 본받는 도에 따라 살아가야 한다. 그러므로 자연을 파괴하지 않고 개발과 발전을 최소화하여 자연과 조화를 이루어 살아가는 무위자연의 삶을 살아간다면 지구 온난화 문제를 해결할 수 있을 것이다.

## 주제 07 플라톤의 철인 정치

**논술 SOLUTION**

제시된 글은 플라톤의 동굴의 비유이다. 플라톤은 동굴의 비유를 통해 이데아와 현실의 관계를 구체적으로 설명하였다.

동굴의 비유 중에서 참된 진리의 세계에 도달한 사람을 찾고, 철학자의 사명을 생각해 본다.

● POINT ● 플라톤이 동굴의 비유를 사용하여 현실 세계와 이데아 세계의 관계, 철학자의 사명을 설명했다는 점을 바탕으로 제시된 글을 분석하고, 플라톤이 철인 정치가 필요하다고 주장한 이유를 논술한다.

**1.** 예시 답안 그림자는 진정한 실재인 이데아의 불완전한 모방으로서 이데아를 어느 정도 반영하기는 하지만 이데아 그 자체는 아니다. 태양은 모든 존재의 참모습을 알게 하는 선의 이데아를 가리킨다.

**2.** 예시 답안 철학자는 동굴 안에서 풀려나 태양을 본 사람이다. 플라톤의 관점에서 철학자는 진실과 허상을 구별할 수 있으므로 다시 동굴로 돌아와 허상만을 보는 사람을 올바른 길로 인도할 수 있다. 플라톤은 이와 같은 철학자가 통치자가 되어 철인 정치를 실현한다면 나라 전체를 올바르게 다스릴 수 있으므로 철인 정치가 필요하다고 보았다.

## 주제 08 흄의 감정 중심의 윤리 사상

**논술 SOLUTION**

(가)는 도덕적 구별의 기준으로 시인의 감정과 부인의 감정을 제시한 흄의 사상이다.

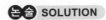

(나)는 A, B 모두 위험한 상황에 처해 있지만, A가 의식을 잃은 B를 모른 체할 수 없어서 B에게 도움을 주었다는 내용이다.

● POINT ● 흄의 입장에서 도덕 판단의 기준을 생각해 보고 그 기준을 A의 행동에 적용해 본다. 그리고 감정 중심의 윤리 사상을 전개한 흄의 관점에서 감정과 이성의 역할을 생각해 보고, 그 둘의 관계를 논술한다.

**1.** 예시 답안 (가)는 감정 중심의 윤리 사상을 전개한 흄의 입장이다. 흄의 입장에서 (나)의 A는 도덕적인 행위를 했다고 평가할 수 있다. 왜냐하면 A는 생존이 위협받는 상황에서도 타인의 어려움에 대한 공감을 바탕으로 B를 모른 체하지 않고 B에게 도움을 주었기 때문이다.

**2.** 예시 답안 흄은 감정이 도덕의 원천이라고 보았다. 왜냐하면 도덕적 실천의 동기가 될 수 있는 것은 오직 어떤 대상에 대한 감정이라고 생각하였기 때문이다. 흄에 따르면 이성은 사실의 참과 거짓을 발견하는 기능을 할 뿐 어떤 행위나 감정을 산출하거나 억제하지는 못하므로 도덕적 행동의 동기를 제공하지 못한다. 이성은 단지 행위나 감정의 대상에 관한 정보를 제공함으로써 오직 간접적으로 행동에 관계할 뿐이다.

## 주제 09 칸트와 벤담의 도덕 판단

논술 SOLUTION

(가)는 도덕적 행위가 도덕 법칙의 명령에 대한 존경심에서 무조건 행하는 것이라고 본 칸트의 사상이다.

(나)는 도덕 판단의 기준으로 '최대 다수의 최대 행복'이라는 공리의 원리와 쾌락의 계산 기준을 제시한 벤담의 사상이다.

(다)는 선의의 거짓말을 해야 하는지, 하지 말아야 하는지에 관한 판단을 요구하는 글이다.

● POINT ● 의무론적 사상가인 칸트와 결과론적 사상가인 벤담이 강조하는 도덕 판단의 기준을 (다)의 사례에 적용하여 논술한다.

예시 답안 (가)는 칸트의 입장이다. 칸트는 인간에게 어떤 상황에서도 거짓말할 권리가 허용되지 않는다고 보았다. 왜냐하면 진실을 말한다고 해서 친구에게 반드시 해롭고, 거짓을 말한다고 해서 반드시 이로울지 우리는 그 결과를 알 수 없기 때문이다. 따라서 칸트에 따르면 우리는 어떤 행동을 할 때 그 결과가 좋을지 나쁠지 예측할 수 없으므로 의무에 따라야 한다. (나)는 벤담의 입장이다. 벤담에 따르면 쾌락의 증가와 고통의 감소에 도움이 되는 행위는 옳고, 그렇지 못한 행위는 그르다. 다시 말해 하나의 행위는 얼마나 많은 사람들이 얼마나 큰 행복을 얻느냐에 따라 옳고 그름이 결정되기 때문에 최대 다수에게 최대 행복을 가져오는 선의의 거짓말은 정당화될 수 있다.

## 주제 10 실존주의의 현대적 가치

논술 SOLUTION

(가)는 키르케고르와 사르트르의 사상에 대한 설명이다. 두 사상가는 모두 개별적 인간의 주체적 선택과 결단을 강조한 실존주의 사상을 전개하였다는 공통점이 있다.

(나)는 현대 사회에서 살고 있는 인간은 고독과 인간 소외에 허덕이고 있으므로 인간성이 상실된 현대 사회에서 불안을 극복하기 위한 방안을 생각해 보아야 한다는 글이다.

● POINT ● 실존주의는 인간의 보편적 합리성보다는 개개인의 주체성을 중시한다는 점을 토대로 이 사상이 현대 사회를 살아가는 사람들에게 줄 수 있는 시사점을 논술한다.

예시 답안 밑줄 친 '이 사상'은 실존주의이다. 실존주의는 인간을 자기 삶의 주인이자, 다른 무엇으로도 대체할 수 없는 고귀한 존재로 보았다. 이러한 관점은 인간을 기계 부품처럼 여기는 현대의 인간 소외 현상에 대한 비판적 근거가 되었다. 또한 실존주의는 인간의 개성과 주체성을 강조했다는 점에서 현대인들의 획일화된 삶에 대한 반성을 이끌어 내고, 능동적인 삶을 촉구한다는 의의가 있다.

## 주제 11 자유주의와 공화주의

논술 SOLUTION

(가)는 국가의 역할을 최소화하여 개인의 자유와 권리를 최대한 보장해야 한다는 고전적 자유주의의 주장이다.

(나)는 시민적 덕성을 바탕으로 공익을 중시하고, 자신이 속한 공동체에서 맡은 역할을 책임 있게 수행해야 한다는 공화주의의 주장이다.

(다)는 공익을 근거로 양심적 병역 거부를 부정하는 검찰 측의 주장과 개인의 양심을 근거로 양심적 병역 거부를 긍정하는 피고인 측의 주장을 다룬 신문 기사이다.

● POINT ● 양심적 병역 거부와 같이 개인의 자유와 구성원으로서의 의무가 대립하는 사례에서 무엇을 우선하는 것이 더 정의로운 일인지 선택하여, 자신의 생각을 정당한 근거와 함께 논술한다.

**1.** 예시 답안 (가)는 개인의 자유와 권리를 무엇보다 중시하는 고전적 자유주의의 입장으로서, 시민으로서의 의무보다는 개인의 권리가 우선한다고 본다. (나)는 시민적 덕성을 바탕으로 시민의 정치적 의무와 공동선을 중시하는 공화주의의 입장으로서, 자유주의에 비해 공동체 시민으로서의 의무를 더욱 중시한다.

**2.** 예시 답안 • **(가)의 관점:** 개개인이 존재하지 않고 공동체가 있을 수는 없는 일이다. 국가는 구성원들이 스스로 선택한 신념에 따라 자유로운 삶을 영위할 수 있도록 해야 한다. 따라서 양심의 자유를 국가가 법으로 강제하는 것은 정당하지 않다. 만약 자신의 신념

에 따라서 총과 같은 무기를 드는 것을 거부한다면, 그를 처벌해서 전과자로 만들 것이 아니라 국방의 의무와 형평성이 맞는 대체 복무를 허용하면 될 일이다.

• **(나)의 관점:** 국방의 의무는 공동체의 구성원으로서 공동선을 지키는 당연하고 숭고한 의무이다. 더욱이 우리나라처럼 분단 상태에 있는 국가에서 양심적 병역 거부를 인정하게 된다면, 군대를 가는 사람과 가지 않는 사람의 형평성에 심각한 문제가 발생할 수 있다. 또한 대체 복무를 허용하게 되면 군대를 기피하는 수단으로 악용될 수 있어 국가의 안보가 위험하게 될 것이다. 따라서 양심적 병역 거부를 허용하지 말아야 한다.

**2.** 예시 답안 • **민주적이라는 입장:** 학생의 대표를 선발하여 학생의 의견을 전달하는 방법은 충분히 민주적이라고 할 수 있다. 일반적으로 모든 학생이 학교 운영에 참여하는 것은 현실적인 어려움이 많으므로, 의사 결정 능력을 지닌 대표자를 선출하여 학교를 운영하는 것은 합리적인 방법이기 때문이다. 따라서 학생들은 자신의 능력을 더 잘 전달할 수 있는 대표자를 선출하여 민주주의의 가치를 실현해야 한다.

• **민주적이지 않다는 입장:** 현재의 학교는 민주주의가 온전히 실현된 곳이라고 말하기 어렵다. 바람직한 민주주의란 가능한 많은 사람들의 의견을 반영해야 한다. 하지만 선출된 대표들이 모든 학생의 의견을 학교에 온전히 전달하기는 어렵다. 따라서 학교 민주주의가 더욱 잘 실현되려면 더 많은 학생들이 의사 결정 과정에 참여할 수 있도록 장려하고, 학생들의 의견이 잘 반영될 수 있는 제도를 마련해야 한다.

## 주제 12 엘리트 민주주의와 참여·심의 민주주의

### 논술 SOLUTION

(가)는 엘리트 민주주의의 입장으로, 의사 결정 능력을 가진 능숙하고 창의적인 엘리트를 선출하고 그의 중심적 역할을 강조해야 한다고 본다.

(나)는 대의 민주주의의 한계를 보완하기 위해 공적 사안에 대한 시민의 적극적 참여와 심의를 강조하는 참여·심의 민주주의 입장이다.

(다)는 학생회 활동 등의 학교 자치 활동을 통해 학교 안에서의 민주주의 요소들에 대하여 설명하고 있는 내용이다.

● **POINT** ● 대의 민주주의의 한계를 다수의 시민들의 적극적인 참여와 심의로서 보완하는 것이 옳은지, 의사 결정 능력이 뛰어난 엘리트에게 정치를 맡기고 시민들은 투표자의 역할만 하는 것이 옳은지 선택하여 논술한다.

**1.** 예시 답안 • **(가)의 입장을 선택할 경우:** 정치적 지배는 정치 지도자인 엘리트에게 맡겨야 하며, 시민의 역할은 지도자를 선출하는 투표자에 한정해야 한다. 일반 시민들은 정치적 경험이 적고, 자신의 이익에만 관심이 크기 때문에 시민 다수가 정치에 참여하는 것은 혼란을 불러올 뿐이다.

• **(나)의 입장을 선택할 경우:** 엘리트 민주주의는 시민들의 정치적 소외감을 강화하고, 냉소주의를 조장하여 사회 통합을 저해할 수 있다. 또한 대표자가 다수의 의사를 온전히 대표하기란 사실상 불가능하기 때문에 대표의 실패가 발생할 수 있다.

## 주제 13 자본주의의 한계와 기본 소득 논쟁

### 논술 SOLUTION

(가)는 수정 자본주의의 입장으로, 실업과 같은 경제 문제를 해결하려면 정부가 시장에 적극적으로 개입하여 복지 정책, 공공사업 등을 해야 한다고 본다.

(나)는 신자유주의의 입장으로, 정부의 지나친 개입은 시장 경제를 왜곡하고 자본의 효율성을 떨어뜨리기 때문에 사장의 자율성을 보장해야 한다고 본다.

(다)는 기본 소득의 지급이 기술의 발달로 인해 발생할 수 있는 미래 사회의 일자리 부족 문제를 해결하기 위한 방안이 될 수 있음을 설명하고 있다.

● **POINT** ● 수정 자본주의와 신자유주의 입장 중 하나를 선택하여 기술의 발전으로 발생하게 될 실업 문제의 해결책으로 제시된 기본 소득 지급에 대한 자신의 주장과 근거를 논술한다.

**1.** 예시 답안 자본주의는 사회 양극화를 심화할 수 있다. 경쟁에 참여하는 개인들의 선천적 능력, 물려받은 재산, 교육 정도 등의 차이로 인해 노동의 기회나 소득의 격차가 발생하고, 빈부 격차가

심화하게 되는 것이다. 이러한 문제는 계층 간의 갈등으로 사회 발전과 통합을 가로막는 원인이 되기도 한다. 그리고 자본주의는 물질적 가치만을 맹신하는 물질 만능주의와 인간의 존엄성과 같은 정신적 가치보다 물질적 가치를 더 중요하게 여김으로써 인간 소외 현상을 심화할 수 있다.

**2.** 예시 답안 •**(가)의 관점**: 기술의 발달이 사람들의 직업을 대체하는 속도가 점점 더 빨라지고 있다. 이미 마트의 계산원과 같은 직업이 사라지고 있고, 미국에서는 드론으로 택배 기사를 대체하고 있기도 하다. 이런 상황이 계속된다면 실업률은 점점 올라가고, 경제적 위기에 처하는 국민들이 많아질 것이다. 따라서 수정 자본주의에서 주장하는 것처럼 국가가 적극적으로 개입하여 이 문제를 해결해야 한다. 기본 소득은 이를 해결할 수 있는 방법 중 하나이다. 기본 소득을 지급하게 되면, 기술의 발전으로 직장을 잃은 사람들이 기본적인 생활을 유지할 수 있게 되고, 이후 다른 직장을 얻는 데 큰 도움이 될 것이기 때문이다.

•**(나)의 관점**: 기술의 발달이 실업 문제를 발생시키는 것은 사실이지만, 기본 소득 정책과 같은 국가의 개입이 없이도 문제를 해결할 수 있다. 경제력이 없는 실업자들이 많아져서 물건을 사지 못하게 된다면, 기업에게도 손해가 되기 때문에 기업 스스로가 고용을 늘릴 것이다. 즉, 시장의 자율성에 맡기면 이러한 문제는 자연스럽게 해결될 것이다. 또한 개인의 능력 여하에 상관없이 모두에게 기본 소득을 지급한다면, 사람들은 점점 노력하지 않게 될 것이다. 그렇게 되면 국가의 경쟁력이 떨어져 결국 기본 소득을 지급할 국가의 여력도 없어지게 될 것이다.

## 주제 14 민족주의와 세계 시민주의

**논술 SOLUTION**

(가)는 세계 시민이 지녀야 할 윤리적 자세에 대한 설명이다.

(나)는 애피아의 세계 시민주의에 대한 설명으로, 국가마다 다른 문화적 다양성과 특성을 존중하고 국가에 대한 애국심을 지니고 살면서도 세계 시민주의를 실현할 수 있다는 주장이다.

(다)는 누스바움의 세계 시민주의에 대한 설명으로, 국가적 소속감이나 배타주의보다 인류애를 중시하고, 국가를 초월한 세계 시민주의를 실현해야 한다는 주장이다.

● **POINT** ● 세계 시민주의를 실현하는 과정에서 국가에 대한 소속감, 애국심 등을 어떻게 볼 것인지가 논점이다. 소속감, 애국심을 중시하면서 세계 시민주의의 교육적 이상을 실현해야 하는지, 국가적 소속감을 초월해야 하는지 선택하여 자신의 주장과 근거를 논술한다.

예시 답안 •**(나)의 입장**: 인간은 사회적 존재이다. 태어나서 교육받고 자라는 과정에서 자신의 정체성이 형성되고, 그 정체성에는 당연히 소속된 사회나 국가의 역사, 전통 등의 특성이 반영되어 있다. 이는 국가를 지닌 모든 사람들에게 공통적이고 자연스럽게 나타나는 것으로서, 이에 대한 부정은 비현실적인 것이다. 국가는 개인의 생명과 안전을 지켜 주고, 사회적·문화적·윤리적 인간으로 길러 주는 가장 기본적인 공동체인 것이다. 따라서 시민의 정체성에서 큰 부분을 차지하는 국가에 대한 감정을 유지하면서, 인류 공동체를 사랑하고 인류가 직면한 문제들에 대하여 깊이 공감하고 해결하려는 자세를 가지도록 하는 것이 바람직한 세계 시민 교육의 방향이다.

•**(다)의 입장**: 국가에 대한 소속감, 애국심은 교육에 의해서 생기는 것이지 인간의 자연스러운 감정이 아니다. 오히려 소속감에 대한 교육이 지나치면 다른 공동체를 무시하거나, 자신이 속한 집단만을 위한 극단적 행위를 정당화하게 될 수도 있다. 지금 인류는 배타적 민족주의로 인해 여러 측면에서 위기를 맞이하고 있다. 세계 곳곳에서 종교 분쟁 및 국가 간 테러나 전쟁으로 무고한 생명이 희생되고 있다. 자국의 이익만을 생각하는 경제 발전으로 지구의 환경이 파괴되어 인류의 생존을 위협받고 있기도 하다. 이러한 전 지구적 차원의 문제들을 지혜롭게 해결하고 평화를 유지하기 위해서는 배타적 국가주의를 넘어, 전 인류가 함께 힘을 모아 협력해야만 한다. 따라서 자신이 속한 사회나 국가의 이익을 초월하여 모든 인류를 사랑하는 마음을 기를 수 있도록 교육하는 것이 중요하다.

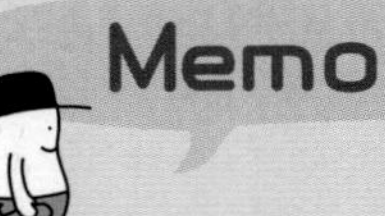
Memo